AF238122

ACCESO GRATIS *a la Lectura en la Nube*

Para visualizar el libro electrónico en la nube de lectura envíe junto a su nombre y apellidos una fotografía del código de barras situado en la contraportada del libro y otra del ticket de compra a la dirección:

ebooktirant@tirant.com

En un máximo de 72 horas laborales le enviaremos el código de acceso con sus instrucciones.

Libro Homenaje al Profesor José Luis Cea Egaña
"PRINCIPIOS CONSTITUCIONALES: ANTIGUAS Y NUEVAS PROPUESTAS"
Asociación Chilena de Derecho Constitucional

Libro Homenaje al Profesor José Luis Cea Egaña

"PRINCIPIOS CONSTITUCIONALES: ANTIGUAS Y NUEVAS PROPUESTAS"
Asociación Chilena de Derecho Constitucional

SANDRA PONCE DE LEÓN SALUCCI

JOSÉ MANUEL DÍAZ DE VALDÉS JULIÁ

Coordinación

ASOCIACIÓN
CHILENA
DE DERECHO
CONSTITUCIONAL

tirant lo blanch
Valencia, 2022

© Sandra Ponce de León Salucci, José Manuel Díaz de Valdés Juliá
y otros

© TIRANT LO BLANCH
EDITA: TIRANT LO BLANCH
C/ Artes Gráficas, 14 – 46010 – Valencia
TELFS.: 96/361 00 48 – 50
FAX: 96/369 41 51
Email:tlb@tirant.com
www.tirant.com
Librería virtual: editorial.tirant.com/cl
ISBN: 978–84–1147–510–5
MAQUETA: Disset Ediciones

Si tiene alguna queja o sugerencia, envíenos un mail a: *atencioncliente@tirant.com*. En caso de no ser atendida su sugerencia, por favor, lea en *www.tirant.net/index.php/empresa/politicas–de–empresa* nuestro procedimiento de quejas.

Responsabilidad Social Corporativa: http://www.tirant.net/Docs/RSCTirant.pdf

Colaboradores

Gonzalo Aguilar Cavallo
Marcela Ahumada Canabes
Pablo Alarcón Jaña
Katherine Becerra Valdivia
Raúl Bertelsen Repetto
Gonzalo Fernando Candia Falcón
Juan Pablo Díaz Fuenzalida
Rodrigo Díaz de Valdés Balbontín
José Manuel Díaz de Valdés Juliá
Arturo Fermandois Vöhringer
Miguel Ángel Fernández González
Ana María García Barzelatto
José Francisco García García
Gonzalo García Pino
Enrique Navarro Beltrán
Iván Obando Camino

Alejandra Ovalle Valdés
Marisol Peña Torres
Marcela Inés Peredo Rojas
Sandra Ponce de León Salucci
José Antonio Ramírez Arrayás
Lautaro Ríos Álvarez
Jerson Wladimir Rocuant Vásquez
Cristián Román Cordero
Juan José Romero Guzmán
María Lorena Rossel Castagneto
Carolina Salas Salazar
María Pía Silva Gallinato
Sebastián Soto Velasco
René Ignacio Tapia Herrera
Ángela Vivanco Martínez
Patricio Zapata Larraín

Profesor José Luis Cea Egaña

ÍNDICE

PROTECCIÓN CONSTITUCIONAL DE LA PROPIEDAD
SOBRE DERECHOS PERSONALES

Raúl Bertelsen Repetto

EL PRINCIPIO DEL PLAZO RAZONABLE A LA LUZ SISTEMA INTERAMERICANO Y EUROPEO DE DERECHOS HUMANOS ¿SOLO EL PODER JUDICIAL DEBE PREOCUPARSE?

JUAN PABLO DÍAZ FUENZALIDA-
y JERSON WLADIMIR ROCUANT VÁSQUEZ

ORDEN PÚBLICO ECONÓMICO. ORIGEN, VIGENCIA Y FUTURO DE UNA NOCIÓN GARANTISTA

RODRIGO DÍAZ DE VALDÉS BALBONTÍN

DESAFÍOS DE LA IGUALDAD CONSTITUCIONAL: LOS CONFLICTOS ENTRE DERECHOS FUNDAMENTALES DE PARTICULARES

José Manuel Díaz de Valdés Juliá

LA PRESUNCIÓN DE INOCENCIA COMO PRINCIPIO CONSTITUCIONAL Y EL ESTÁNDAR DE CONVICCIÓN EN MATERIA PENAL

Arturo Fermandois Vöhringer

LA DIGNIDAD HUMANA EN LA LEGISLACIÓN CHILENA

Gonzalo García Pino

EL DERECHO DE ACCESO A LA INFORMACIÓN: UNA
REGLA ESENCIAL DEL ESTADO DE DERECHO

Enrique Navarro Beltrán

EL PRINCIPIO DE PROTECCIÓN DE LA CONFIANZA LEGÍTIMA: DESARROLLO Y PERSPECTIVAS PARA CHILE

Iván Obando Camino

LA EXPROPIACIÓN Y SUS PRINCIPIOS

Sandra Ponce de León Salucci

PRINCIPIOS DE LA CONSTITUCIÓN ECONÓMICA PARA UN CRECIMIENTO INTELIGENTE

José Antonio Ramírez Arrayás

EL PLAZO DE PRESCRIPCIÓN DE LAS INFRACCIONES ADMINISTRATIVAS COMENTARIO SOBRE EL DICTAMEN DE LA CONTRALORÍA GENERAL DE LA REPÚBLICA Nº 24.731-2019

CRISTIAN ROMÁN CORDERO

PRINCIPIO DE IGUALDAD EN EL PESO DEL VOTO

JUAN JOSÉ ROMERO GUZMÁN

EL DEBER CONSTITUCIONAL DE HACER JUSTICIA

Lautaro Ríos Álvarez

UNA CONSTITUCIÓN ECONÓMICA PARA EL BUEN VIVIR:
HACIA UN NUEVO PARADIGMA SOCIAL Y ECONÓMICO

CAROLINA SALAS SALAZAR

EL PRINCIPIO DE CONFIANZA LEGÍTIMA, FUENTE DE PROTECCIÓN DE LOS DERECHOS DE LOS ADMINISTRADOS. RECIENTE JURISPRUDENCIA DE LA EXCMA. CORTE SUPREMA

Ángela Vivanco Martínez

II. PRINCIPIOS Y ORGANIZACIÓN DEL ESTADO

LA IMPORTANCIA DE LOS PRINCIPIOS EN LOS ESTADOS DE EXCEPCIÓN CONSTITUCIONAL

Marcela Ahumada Canabes

NOTAS SOBRE LOS TRIBUNALES CONTENCIOSO ADMINISTRATIVOS Y EL PRINCIPIO DE INEXCUSABILIDAD: EL CASO DEL TRIBUNAL DE CONTRATACIÓN PÚBLICA

Pablo Alarcón Jaña

ESTADO DE DERECHO Y NUEVA CONSTITUCIÓN. PRINCIPIOS Y DESAFÍOS

Ana María García Barzelatto

RECEPCIÓN DEL PRINCIPIO DE LEALTAD CONSTITUCIONAL EN CHILE

Marisol Peña Torres

PRINCIPIOS CONSTITUCIONALES: EL PRINCIPIO DE SOLIDARIDAD COMO ELEMENTO DE LA SUBSIDIARIEDAD. LA TERCERA VÍA DOS PRINCIPIOS CONSTITUCIONALES COMPLEMENTARIOS

MARCELA INÉS PEREDO ROJAS

EL PRINCIPIO DEMOCRÁTICO EN LA JURISPRUDENCIA DEL TRIBUNAL CONSTITUCIONAL

MARÍA PÍA SILVA GALLINATO

ATRIBUTOS DEL JUEZ CONSTITUCIONAL PARA LA VIGENCIA DEL PRINCIPIO DE INDEPENDENCIA

SEBASTIÁN SOTO VELASCO
Y ALEJANDRA OVALLE VALDÉS

EL LEGISLADOR Y LA NULIDAD
¿LEYES QUE ANULAN OTRAS LEYES?

Patricio Zapata Larraín

III. LOS PRINCIPIOS Y EL PROFESOR JOSÉ LUIS CEA EGAÑA

JOSÉ LUIS CEA Y LA LIBERTAD DE ENSEÑANZA: EXPRESIÓN DE LA TRADICIÓN CONSTITUCIONAL DE LA PONTIFICIA UNIVERSIDAD CATÓLICA DE CHILE

Gonzalo Fernando Candia Falcón
y René Ignacio Tapia Herrera

LOS PRINCIPIOS EN ALGUNAS DE LAS SENTENCIAS REDACTADAS POR JOSÉ LUIS CEA EN EL TRIBUNAL CONSTITUCIONAL

Miguel Ángel Fernández González

LA HORA DE LOS DEMÓCRATAS: JOSÉ LUIS CEA EGAÑA, PROTAGONISTA DE LAS REFORMAS CONSTITUCIONALES DE 1989

José Francisco García G.

EL APORTE DE JOSÉ LUIS CEA EGAÑA EN LA CONSTITUCIONALIZACIÓN DEL DERECHO INTERNACIONAL DE LOS DERECHOS HUMANOS. ESPECIAL REFERENCIA A LA CONVENCIÓN SOBRE DERECHOS DEL NIÑO Y SU IMPACTO EN EL ORDENAMIENTO JURÍDICO CHILENO

María Lorena Rossel Castagneto

Presentación

La Asociación Chilena de Derecho Constitucional rinde homenaje al Profesor José Luis Cea Egaña, uno de los más insignes constitucionalistas del país. Y lo ha querido hacer mediante la publicación de la presente obra colectiva, en momentos en que el Derecho Constitucional nacional vive tiempos trascendentales para el país.

El libro reúne trabajos preparados por veintiocho asociados y asociadas, académicos y académicas del derecho público nacional, los cuales tienen, en algunos casos la condición de ser sus exalumnos.

Como reseña de su extensa y fructífera trayectoria, resulta ineludible comenzar señalando que don José Luis Cea Egaña cursó sus estudios de derecho en la Pontifica Universidad Católica de Chile, titulándose como abogado el año 1966, luego de haberse licenciado con distinción máxima en su examen de grado y de haber obtenido, también esa máxima calificación en su tesis titulada "De las limitaciones legales a la aplicación de la ley extranjera en Chile". Durante sus estudios, además, fue merecedor del Premio al Mejor Alumno de Derecho Público (1964).

Su formación académica continuó en los Estados Unidos de Norteamérica, realizando un postítulo en Metodología de la Docencia e Investigación Jurídica en la Universidad de Nueva York (1971). Con posterioridad, obtuvo el título de Máster en Derecho y Ciencia Política de la Universidad de Wisconsin (1974) y en esa misma Universidad se graduó como Doctor en Derecho, con la tesis "Law and Socialism in Chile, 1970-1973" (1977) y continuó sus estudios post doctorales.

En nuestro país el profesor Cea Egaña ha desarrollado una extensa y fructífera carrera académica, con domicilio principal, desde el año 1969, en la Facultad de Derecho de la Pontificia Universidad Católica de Chile. Allí ha oficiado no sólo como Profesor Titular de Derecho Político, Ciencia Política y Derecho Constitucional, sino también, como Secretario Académico y Director de Escuela de Derecho (1969-1970), como Director del Departamento de Derecho Público (1969-1972 y 1976-2005) y como creador y primer Director del Magíster en Derecho Público con mención en Derecho Constitucional (1985-2006). Adicionalmente, ha enseñado Derecho Constitucional en las universidades de Chile, Austral y Diego Portales (1982-1988), así como en la Academia de Ciencias Policiales de Carabineros de Chile, en donde ocupó, además, el cargo de Decano (desde 1978).

También en el extranjero ha sido destacada la labor académica del profesor Cea Egaña, siendo profesor visitante en universidades norteamericanas como Stanford, Princeton, Georgetown, Yale y American University, al igual que en la

Universidad de Santiago de Compostela en España, en la Universidad de Bucarest, en Rumania y en la Universidad Católica del Uruguay.

Su alta estatura académica ha sido ampliamente reconocida obteniendo el grado de Doctor Honoris Causa por las universidades de Córdoba, Argentina (2006) y Austral de Chile (2002), siendo reconocido como Profesor Emérito de la Pontificia Universidad Católica de Chile (2021) y elegido Miembro de Número de la Academia de Ciencias Sociales, Políticas y Morales (1990), de la cual fue su Presidente (2006-2021). También ofició como Presidente del Instituto de Chile (2009-2013).

Asimismo, han sido innumerables los premios y reconocimientos que ha obtenido el hoy nuevamente homenajeado profesor Cea Egaña, destacando entre ellos: Premio Libertad de Expresión (1986); Premio Edicto de Nantes (1991); Premio René Cassin (1992); Premio Mejor Académico por los estudiantes de la Facultad de Derecho de la Pontificia Universidad Católica de Chile (1997); Premio Interamericano a la Libre Expresión Comercial (1998); Premio Abogado Asociación de Abogados de Chile (2000); Premio Medalla Asociación Francesa de Derecho Constitucional (2001); Premio Medalla Tribunal Constitucional de Chile (2001); Premio Medalla Facultad de Derecho de la Pontificia Universidad Católica de Chile (2001); Premio Medalla Facultad de Derecho de la Universidad Finis Terrae (2001); Premio Rotario Trasandino (2002); Premio Montesquieu por la Universidad de Bordeaux IV, Francia (2003); Miembro Honorario del Instituto Iberoamericano de Derecho Constitucional (2003); Premio Medalla del VI Congreso Mundial de Derecho Constitucional por la Asociación Internacional de Derecho Constitucional y la Asociación Chilena de Derecho Constitucional (2004); Premio Gran Medalla Académica de la Universidad Católica de Uruguay (2005); Premio Medalla Cámara de Diputados de Chile (2005); Premio Medalla Tribunal Constitucional de Andorra (2005); Premio Medalla Consejo Constitucional de Francia (2005); Miembro Honorario de la Asociación Peruana de Derecho Constitucional (2005); Premio Medalla Senado de Chile (2006); Premio Medalla Corte Constitucional de Italia (2006); Premio Trayectoria Académica Pedro Lira Urquieta (2006); Premio Medalla Compañía de Aceros del Pacífico (2006); Presidente Honorario de la Asociación Internacional de Derecho Constitucional. (2007); Premio Medalla Universidad de Torino, Italia (2007); Premio Medalla Academia de Guerra Aérea de la Fuerza Aérea de Chile (2007); Premio Medalla Abdón Cifuentes de la Pontificia Universidad Católica de Chile (2016); Premio a la Excelencia en el Jurista por la Real Academia de Jurisprudencia y Legislación de España (2016).

El aporte del maestro Cea Egaña a la investigación jurídica nacional ha sido vasto, habiendo publicado más de una decena de libros y docenas de artículos especializados en las más diversas áreas del Derecho Público, destacando su interés por el estudio de los principios y fuentes constitucionales, el orden público económico y la organización del poder. Destacamos particularmente su libro Derecho Constitucional Chileno, que consta de cuatro tomos, todos actualizados, y que constituye material de consulta obligado en la disciplina. En el mismo ámbito, su trabajo ha sido determinante para la evolución de importantes publicaciones científicas chilenas, de las que ha sido Director, como la Revista Chilena de Derecho (1978-1994), la Revista de Derecho de la Universidad Austral (1991-2002) y la Revista de Derecho Aplicado LLM UC (desde 2018).

Destacada labor cumplió don José Luis Cea Egaña, además, en el proceso de transición política de comienzos de los años '90 del siglo pasado, desempeñándose como miembro de la Comisión Nacional de Verdad y Reconciliación (1990-1991) y consejero y vicepresidente de la Corporación Nacional de Reparación y Reconciliación (1992-1996).

En el ámbito jurisdiccional, se desempeñó como Ministro del Tribunal Constitucional, asumiendo su Presidencia entre los años 2005 y 2007, siendo previamente Abogado Integrante del mismo organismo (1991-2002). También se desempeñó como Abogado Integrante de la Corte de Apelaciones de Santiago (1993-1994).

Fue Decano de la Facultad de Derecho de la Universidad San Sebastián (2010-2011) y Presidente del Comité de Auditoría y Cumplimiento del Banco Central de Chile (2011-2017).

Este apretado resumen de la vida y obra de don José Luis Cea Egaña acredita que su huella en el Derecho Constitucional chileno es profunda e imborrable, lo que justifica con creces el homenaje que ha querido rendirle la Asociación Chilena de Derecho Constitucional. La obra se dedica al profesor, investigador prolífico e inquieto, juez, servidor público y, sobre todo, maestro formador de generaciones de estudiantes y discípulos que de seguro le aprecian, le agradecen y le reconocen por su calidad humana, generosidad académica, sobriedad y por su apoyo y permanente estímulo.

Sandra Ponce de León Salucci

José Manuel Díaz de Valdés Juliá

I. PRINCIPIOS Y DERECHOS

Algunos principios concernientes a derechos humanos y nueva constitución chilena

Gonzalo Aguilar Cavallo[1]

INTRODUCCIÓN

Este texto ha sido preparado como una contribución al homenaje que se realiza al destacado profesor José Luis Cea, académico, juez y hombre de humanidades que ha iluminado varias generaciones de estudiantes de su casa de estudios en la búsqueda del saber. Mi propósito en este reconocimiento ha sido aprovechar esta contribución para conectar los principios en derechos humanos con el proceso de construcción de la nueva Constitución.

Los principios instrumentales permiten explicar o justificar la articulación de los derechos humanos entre sí y son funcionales a la operatividad de estos derechos con el sistema jurídico interno en general y con el sistema jurídico global. El carácter de instrumental de estos principios enfatiza el aspecto de facilitadores de la articulación de los derechos humanos entre sí, así como entre estos con otras áreas del orden jurídico, lo cual incluye el orden jurídico interno e internacional.

Cuando hablamos de principios de carácter instrumental ello no les hace perder su carácter de principios rectores de los derechos humanos, es decir, principios que gobiernan el sistema normativo de los derechos humanos.

Dentro de los principios de carácter instrumental podemos mencionar el enfoque integrador de los derechos o los derechos humanos como un sistema integral de protección, el principio de adecuación del orden jurídico interno al orden internacional y el principio de diversidad de fuentes.

---

[1] Abogado (Chile), Doctor en Derecho (España), Magíster en Relaciones Internacionales (España), Master en Derechos Humanos y Derecho Humanitario (Francia). Postdoctorado en el Max Planck Institute for Comparative Public Law and International Law (Heidelberg, Alemania). Profesor de Derecho Constitucional, Internacional, Ambiental y Derechos Humanos, Centro de Estudios Constitucionales de Chile, Universidad de Talca (Santiago, Chile). Director del Magíster en Derecho Constitucional del Centro de Estudios Constitucionales de Chile (Santiago, Chile). Correo electrónico: gaguilar@utalca.cl

1. ENFOQUE INTEGRADOR Y SISTEMÁTICO DE LOS DERECHOS HUMANOS

Los derechos humanos constituyen un sistema integral de protección del ser humano y de su dignidad intrínseca. Junto con esto, existe una creciente tendencia contemporánea para reconocer, con las bases de los derechos humanos, los derechos de la naturaleza. Un sistema integral de protección de los derechos implica un principio de coherencia y armonía entre el orden jurídico interno y el orden jurídico internacional. Por esta razón, el principio del sistema integral no admite la separación tajante entre orden constitucional y orden internacional en materia de derechos humanos[2].

En la primera mitad del siglo XX, Lauterpacht señalaba que el Derecho Internacional debía evolucionar hacia una era de consolidación en la que los Estados adoptaran el Derecho Internacional como parte integrante de su Constitución[3]. Esta consolidación consciente del Derecho Internacional, producto de un grado avanzado de madurez y coherencia jurídica, implicaría no sólo considerar al Derecho Internacional como parte integrante de la Constitución sino además dejar de adoptar leyes que impidan que este Derecho Internacional forme parte integrante de su sistema de derecho interno[4].

El enfoque integrador y sistemático de los derechos humanos refleja el principio de que estos derechos conforman un sistema integral de protección del ser humano y de su dignidad intrínseca, tanto en su dimensión individual como colectiva. Esta aproximación integral y sistemática a los derechos humanos implica, a su vez, la necesidad de considerar todas las fuentes de los derechos, integralmente, tomando en cuenta de manera complementaria y mutuamente enriquecedora, tanto las fuentes del orden jurídico interno como aquellas provenientes del orden jurídico internacional. Este enfoque es la única manera de lograr un entendimiento completo y acabado de la correcta significación de, en primer lugar, la operatividad del sistema de derechos, y, en segundo lugar, el alcance y contenidos de cada uno de los derechos reconocidos. Por cierto, esto dependerá del dispositivo constitucional de cada uno de los Estados, en cuanto a la incorporación del Derecho Internacional en el derecho interno. Pero esto, en términos generales, sobre todo en América Latina, se reduce a la fuente de los tratados internacionales. En general, el resto de las fuentes del Derecho Internacional se

---

[2]   Toro Huerta, Mauricio Iván del (2005) "La apertura constitucional al derecho internacional de los derechos humanos en la era de la mundialización y sus consecuencias en la práctica judicial. Boletín Mexicano de Derecho Comparado, nueva serie, año XXXVIII, núm. 112, 2005, pp. 325-363.

[3]   Lauterpacht, Hersch (1937) "Règles générales du droit de la paix. *Recueil des Cours de l'Académie de Droit International de La Haye*, núm. 62, pp. 145-146.

[4]   Corte IDH.: *Caso "La Última tentación de Cristo" (Olmedo Bustos y otros) vs. Chile*. Sentencia de 5 de febrero de 2001. Serie C N° 73. Voto Concurrente Juez A. A. Cançado Trindade, par. 10.

encuentran sujetas a la regla de la incorporación automática al orden jurídico interno. Por ello, lo que aquí se quiere decir, es que, una vez cumplidos los requisitos y procedimientos constitucionales de incorporación, los Estados tienen la obligación de respetar, proteger y garantizar los derechos humanos reconocidos en las distintas fuentes del Derecho Internacional de los derechos humanos que hayan sido convalidadas o bien se hayan incorporado automáticamente al orden jurídico interno.

En este sentido, con el fin de implementar este sistema integral de protección, el Estado, y sus diversos órganos, en todos los niveles de decisión, tiene una obligación positiva de adoptar leyes, reglamentos y medidas de otro carácter o suprimir las leyes u otras medidas que impidan el goce efectivo de dichos derechos reconocidos y provenientes tanto del orden jurídico interno como del orden jurídico internacional. Esta obligación positiva no sólo recae sobre autoridades con potestades legislativas o reglamentarias, como se pudiera pensar en un primer momento, sino que también incluye a los órganos de la administración de justicia, y especialmente, a los jueces, quienes tienen la obligación positiva de adecuar su práctica pretoriana a las obligaciones internacionales concernientes a derechos humanos que el Estado ha contraído, según los modos de contraer obligaciones en el Derecho Internacional.

El principio de las obligaciones positivas ha sido extensamente desarrollado por la Corte Europea de Derechos Humanos. En su visión, "la característica básica de las obligaciones positivas es que en la práctica requieren que las autoridades nacionales tomen las medidas necesarias para salvaguardar un derecho o, más precisamente, adopten medidas razonables y apropiadas para proteger los derechos de los individuos. Estas medidas pueden ser judiciales. Esto último es así en aquellos casos en que el Estado debe adoptar sanciones ante infracciones a la Convención cometidas por individuos, ya sea que emita normas legales para una determinada actividad o para una categoría de personas. Pero, estas medidas también pueden ser de carácter práctico. De acuerdo con una conclusión general de la Corte, que aplica tanto a las obligaciones positivas como a las negativas, "un obstáculo de hecho puede contravenir la Convención del mismo modo que un impedimento legal". [...] Los dos tipos de medidas –legales y prácticas– pueden incluso ser necesarias simultáneamente. Depende de las circunstancias"[5].

En el conocido caso Marckx, sobre la protección de la vida familiar, en contextos de hijos nacidos fuera del matrimonio, la Corte Europea de Derechos Humanos desarrolló el principio de las obligaciones positivas. En efecto, además de reconocer el deber negativo del Estado de no interferir en la vida familiar, indicó

---

5   AKANDJI-KOMBE, Jean François (2007). *Positive obligations under the European Convention on Human Rights. A guide to the implementation of the European Convention on Human Rights*. Human rights handbooks, No. 7. Strasbourg, Council of Europe, p. 7.

que, "no obstante, el Estado no sólo debe abstenerse de tales interferencias, sino que, junto a tal obligación de carácter negativo, existen asimismo aquellas obligaciones positivas que el respeto efectivo a la vida familiar implica. Ello significa, entre otras cosas, que cuando el Estado establece en su ordenamiento jurídico interno el régimen aplicable a ciertos vínculos familiares, tales como los que existen entre una madre soltera y su hijo, debe actuar en todo caso de forma que los interesados puedan desarrollar una vida familiar normal. Tal como se concibe en el artículo 8, el respeto a la vida familiar implica concretamente, según la opinión del Tribunal, la existencia en el ordenamiento jurídico interno de cada Estado de ciertas garantías legales que permitan la integración del menor en su familia desde el momento mismo de su nacimiento. Es cierto que el Estado puede satisfacer esta necesidad con los medios que juzgue más oportunos, pero en la medida en que ello no se realiza atenta contra [el derecho a la vida familiar]"[6]. En efecto, los jueces europeos han establecido que "adicionalmente a la obligación primeramente negativa del Estado de abstenerse de interferir en el goce de los derechos de la Convención, pueden haber obligaciones positivas inherentes a cada derecho. La responsabilidad del Estado puede ser desencadenada como resultado de la inobservancia de su obligación de dictar leyes" que apunten a proteger dichos derechos[7].

La Corte Europea de Derechos Humanos ha dispuesto, incluso, como parte de las obligaciones positivas que debe adoptar un Estado, volver a dar acceso a la justicia a la víctima o la reapertura del proceso en el derecho interno, cuando el procedimiento anterior, y su sentencia, se ha obtenido en infracción de las garantías del debido proceso[8].

Asimismo, el enfoque integrador y sistemático de los derechos humanos requiere que todos los órganos del Estado, en todos sus niveles decisionales, cumplan con la obligación negativa de evitar adoptar leyes, reglamentos y medidas de otro carácter que impidan el goce pleno y efectivo de los derechos humanos. Al igual que ocurre con las obligaciones positivas, en el caso de las negativas aquí mencionadas, los órganos de la administración de justicia tienen la obligación de no adoptar prácticas pretorianas o jurisprudenciales que vulneren las obligaciones internacionales del Estado concernientes a derechos humanos.

El principio de las obligaciones positivas del Estado como una manifestación del enfoque integrador y sistemático de los derechos humanos también ha sido

---

[6]   ECHR: *Case Marckx v. Belgium.* Application N° 6833/74. Judgment, 13 June 1979, par. 31.
[7]   ECHR: *Case of VgT Verein Gegen Tierfabriken v. Switzerland.* (Application N° 24699/94). Judgment, 28 september 2001, par. 45.
[8]   ECHR: Case of Verein Gegen Tierfabriken Schweiz (VgT) v. Switzerland (no. 2) (application no. 32772/02). Judgment, 30 june 2009, par. 90.

desarrollado por la Corte Interamericana de Derechos Humanos. En efecto, en el caso de la Masacre de Pueblo Bello, la Corte IDH ha afirmado lo siguiente:

> "Este Tribunal ya ha establecido que la responsabilidad internacional de los Estados, en el marco de la Convención Americana, surge en el momento de la violación de las obligaciones generales, de carácter *erga omnes*, de respetar y hacer respetar –garantizar– las normas de protección y de asegurar la efectividad de los derechos allí consagrados en toda circunstancia y respecto de toda persona, recogidas en los artículos 1.1 y 2 de dicho tratado. De estas obligaciones generales derivan deberes especiales, determinables en función de las particulares necesidades de protección del sujeto de derecho, ya sea por su condición personal o por la situación específica en que se encuentre. En este sentido, el artículo 1.1 es fundamental para determinar si una violación de los derechos humanos reconocidos por la Convención puede ser atribuida a un Estado Parte en todo su alcance. En efecto, dicho artículo impone a los Estados Partes los deberes fundamentales de respeto y garantía de los derechos, de tal modo que todo menoscabo a los derechos humanos reconocidos en la Convención que pueda ser atribuido, según las reglas del Derecho Internacional, a la acción u omisión de cualquier autoridad pública, constituye un hecho imputable al Estado que compromete su responsabilidad internacional en los términos previstos por la misma Convención y según el Derecho Internacional general. Es un principio de Derecho internacional que el Estado responde por los actos y omisiones de sus agentes realizados al amparo de su carácter oficial, aun si actúan fuera de los límites de su competencia"[9].

Resulta de la máxima importancia el vínculo que hacen los jueces interamericanos entre las obligaciones generales de carácter *erga omnes* que emanan de los derechos humanos, entendidos como un sistema integral de derechos, con las obligaciones positivas y las obligaciones que se derivan respecto de los actores no estatales. En efecto, la Corte IDH afirma que los "Estados tienen obligaciones *erga omnes* de respetar y hacer respetar las normas de protección y de asegurar la efectividad de los derechos humanos reconocidos en toda circunstancia y respecto de toda persona"[10]. Esta misma regla se extiende, por la fuerza de los hechos, *mutatis mutandis*, respecto de los actores no estatales, especialmente, respecto de las empresas.

De este modo, los jueces interamericanos han resaltado el principio de las obligaciones positivas en relación con la responsabilidad del Estado por violaciones a los derechos humanos cometidas por particulares, lo cual, vuelve a destacar

---

[9]   Corte IDH: *Caso de la Masacre de Pueblo Bello vs. Colombia*. Sentencia de 31 de enero de 2006. Serie C No. 140, par. 111.

[10]   Corte IDH. *Caso de la "Masacre de Mapiripán" vs. Colombia*. Sentencia de 15 de septiembre de 2005. Serie C No. 134, par. 111; Corte IDH: *Condición jurídica y derechos de los migrantes indocumentados*. Opinión Consultiva OC-18/03 de 17 de septiembre de 2003. Serie A No. 18, par. 140.

el enfoque integrador y sistemático de este sistema de derechos. En efecto, la Corte IDH ha señalado lo siguiente:

> "La Corte también ha reconocido que puede generarse responsabilidad internacional del Estado por atribución a éste de actos violatorios de derechos humanos cometidos por terceros o particulares, en el marco de las obligaciones del Estado de garantizar el respeto de esos derechos entre individuos. En este sentido, este Tribunal ha considerado que dicha responsabilidad internacional puede generarse también por actos de particulares en principio no atribuibles al Estado. [Las obligaciones *erga omnes* de respetar y hacer respetar las normas de protección, a cargo de los Estados Partes en la Convención,] proyectan sus efectos más allá de la relación entre sus agentes y las personas sometidas a su jurisdicción, pues se manifiestan también en la obligación positiva del Estado de adoptar las medidas necesarias para asegurar la efectiva protección de los derechos humanos en las relaciones inter-individuales. La atribución de responsabilidad al Estado por actos de particulares puede darse en casos en que el Estado incumple, por acción u omisión de sus agentes cuando se encuentren en posición de garantes, esas obligaciones *erga omnes* contenidas en los artículos 1.1 y 2 de la Convención"[11].

A mayor abundamiento, sobre la responsabilidad por actos de actores no estatales como las empresas, mercenarios o grupos de paramilitares que violan los derechos humanos, los jueces interamericanos han sostenido que a partir de la obligación positiva del Estado de garantizar la eficacia de los derechos humanos se derivan obligaciones de respeto de estos entre terceros particulares. Así, la Corte IDH ha sostenido, en la Opinión Consultiva sobre Condición Jurídica y Derechos de los Migrantes Indocumentados, lo siguiente:

> "[…] se debe tener en cuenta que existe una obligación de respeto de los derechos humanos entre particulares. Esto es, de la obligación positiva de asegurar la efectividad de los derechos humanos protegidos, que existe en cabeza de los Estados, se derivan efectos en relación con terceros (erga omnes). Dicha obligación ha sido desarrollada por la doctrina jurídica y, particularmente, por la teoría del Drittwirkung, según la cual los derechos fundamentales deben ser

---

[11]   Corte IDH. *Caso de la Masacre de Pueblo Bello vs. Colombia.* Sentencia de 31 de enero de 2006. Serie C No. 140, par. 113; Corte IDH. *Caso de la "Masacre de Mapiripán" vs. Colombia.* Sentencia de 15 de septiembre de 2005. Serie C No. 134, par. 111; Corte IDH. Caso de las Penitenciarias de Mendoza. Medidas Provisionales. Resolución de 18 de junio de 2005; Corte IDH. Caso del Pueblo Indígena Sarayaku. Medidas Provisionales. Resolución de 6 de julio de 2004; Corte IDH. Caso de la Comunidad Kankuamo. Medidas Provisiones. Resolución de 5 de julio de 2004; Corte IDH: Caso de las Comunidades del Jiguamiandó y del Curbaradó. Medidas Provisionales. Resolución de 6 de marzo de 2003. Serie E No. 4, p. 169; Corte IDH. Caso de la Comunidad de Paz de San José Apartadó. Medidas Provisionales. Resolución de 18 de junio de 2002. Serie E No. 4, p. 141, y Corte IDH. Caso de la Cárcel de Urso Branco. Medidas Provisionales. Resolución de 18 de junio de 2002. Serie E No. 4, p. 53.

respetados tanto por los poderes públicos como por los particulares en relación con otros particulares"[12].

Incluso, desde su primera época de existencia, los jueces interamericanos han manifestado que el individuo, en su expresión tanto individual como colectiva, es un sujeto de derecho en el orden jurídico internacional, tal como lo es en el orden jurídico interno. Esto, a su vez, es un reconocimiento de un cambio de paradigma, en plena extensión durante el siglo XXI, en relación con la forma de entender el funcionamiento de la sociedad internacional antes de la Segunda Guerra Mundial. En efecto, los jueces interamericanos han afirmado lo siguiente:

> "El derecho internacional puede conceder derechos a los individuos e, inversamente, determinar que hay actos u omisiones por los que son criminalmente responsables desde el punto de vista de ese derecho. Esa responsabilidad es exigible en algunos casos por tribunales internacionales. Lo anterior representa una evolución de la doctrina clásica de que el derecho internacional concernía exclusivamente a los Estados"[13].

Más recientemente, los jueces interamericanos han reiterado este deber de protección integral de los derechos considerados como un sistema unitario, coherente y armónico, resaltando justamente el principio de las obligaciones positivas del Estado. Así, en el caso Manuela y otros vs. El Salvador, la Corte IDH ha indicado:

> "En este sentido, la Corte recuerda que la protección a los derechos humanos, parte de la afirmación de la existencia de ciertos atributos inviolables de la persona humana que no pueden ser legítimamente menoscabados por el ejercicio del poder público. Se trata de esferas individuales que el Estado no puede vulnerar. Para hacer efectiva esta protección, la Corte ha considerado que no basta con que los Estados se abstengan de violar los derechos, sino que es imperativa la adopción de medidas positivas, determinables en función de las particulares necesidades de protección del sujeto de derecho, ya sea por su condición personal o por la situación específica en que se encuentre. La Corte considera que este deber estatal adquiere especial relevancia cuando se encuentran implicadas violaciones a los derechos sexuales y reproductivos de las mujeres."[14].

---

[12]   Corte IDH. *Condición jurídica y derechos de los migrantes indocumentados.* Opinión Consultiva OC-18/03 de 17 de septiembre de 2003. Serie A No. 18, par. 140.

[13]   Corte IDH. *Responsabilidad internacional por expedición y aplicación de leyes violatorias de la Convención* (Arts. 1 y 2 Convención Americana sobre Derechos Humanos). Opinión Consultiva OC-14/94 de 9 de diciembre de 1994. Serie A No. 14, par. 52.

[14]   Corte IDH. *Caso Manuela y otros vs. El Salvador.* Excepciones preliminares, Fondo, Reparaciones y Costas. Sentencia de 2 de noviembre de 2021. Serie C No. 441, par. 257; Corte IDH. Caso I.V. vs. Bolivia. Excepciones Preliminares, Fondo, Reparaciones y Costas. Sentencia de 30 de noviembre de

Por ejemplo, en materia de derecho a la igualdad y prohibición de la discriminación, la Corte IDH ha señalado que "este artículo tiene una dimensión formal, que establece la igualdad ante la ley, y una dimensión material o sustancial, que ordena la adopción de medidas positivas de promoción a favor de grupos históricamente discriminados o marginados en razón de los factores a los que hace referencia el artículo 1.1 de la Convención Americana"[15].

Por último, reiterando el principio de que el sistema integral de derechos humanos exige el respeto y cumplimiento tanto de obligaciones negativas como positivas, la Corte IDH, en un caso relacionado con el conflicto armado en Colombia, precisó lo siguiente:

> "El respeto debido a las personas protegidas implica obligaciones de carácter pasivo (no matar, no violar la integridad física, etc.), mientras que la protección debida implica obligaciones positivas de impedir que terceros perpetren violaciones contra dichas personas. La observancia de dichas obligaciones resulta de relevancia en el presente caso, en la medida en que la masacre fue cometida en una situación de evidente desprotección de civiles en un conflicto armado de carácter no internacional"[16].

2. PRINCIPIO DE ADECUACIÓN DEL ORDEN JURÍDICO INTERNO AL *CORPUS IURIS* INTERNACIONAL DE LOS DERECHOS HUMANOS

De acuerdo con una norma consuetudinaria internacional, con los principios generales del Derecho Internacional y con las normas convencionales internacionales, los Estados tienen la obligación de adecuar su orden jurídico interno al Derecho Internacional. En efecto, desde la perspectiva convencional, el artículo 27 de la Convención de Viena sobre el Derecho de los Tratados de 1969, explicita esta norma de la siguiente manera:

> "El derecho interno y la observancia de los tratados. Una parte no podrá invocar las disposiciones de su derecho interno como justificación del incumplimiento de un tratado".

2016. Serie C No. 329, par. 250; Corte IDH. *Caso de la Masacre de Pueblo Bello vs. Colombia.* Sentencia de 31 de enero de 2006. Serie C No. 140, par. 111; Corte IDH. *Caso Chinchilla Sandoval y otros vs. Guatemala.* Excepción Preliminar, Fondo, Reparaciones y Costas. Sentencia de 29 de febrero de 2016. Serie C No. 312, par. 168.

[15] Corte IDH. *Caso Manuela y otros vs. El Salvador.* Excepciones preliminares, Fondo, Reparaciones y Costas. Sentencia de 2 de noviembre de 2021. Serie C No. 441, par. 156.

[16] Corte IDH. *Caso de la "Masacre de Mapiripán" vs. Colombia.* Sentencia de 15 de septiembre de 2005. Serie C No. 134, par. 114.

Complementa, la disposición anterior, en el contexto del sistema interamericano de protección de los derechos humanos, el artículo 2 de la Convención Americana sobre Derechos Humanos de 1969, que reza como sigue:

> "Si el ejercicio de los derechos y libertades mencionados en el artículo 1 no estuviere ya garantizado por disposiciones legislativas o de otro carácter, los Estados Partes se comprometen a adoptar, con arreglo a sus procedimientos constitucionales y a las disposiciones de esta Convención, las medidas legislativas o de otro carácter que fueren necesarias para hacer efectivos tales derechos y libertades".

Por su parte, la jurisprudencia internacional de derechos humanos ha sido muy clara y precisa en afirmar esta obligación internacional del Estado la que necesariamente debe ser implementada en el orden jurídico de los Estados. Así, la Corte Interamericana de Derechos Humanos, en el caso Artavia Murillo, incorpora esta obligación, dentro de las medidas de reparación, como garantías de no repetición, indicando:

> "En particular, y conforme al artículo 2 de la Convención, el Estado tiene el deber de adoptar las medidas necesarias para hacer efectivo el ejercicio de los derechos y libertades reconocidos en la Convención. Es decir, los Estados no sólo tienen la obligación positiva de adoptar las medidas legislativas necesarias para garantizar el ejercicio de los derechos en ella consagrados, sino que también deben evitar promulgar aquellas leyes que impidan el libre ejercicio de estos derechos, y evitar que se supriman o modifiquen las leyes que los protegen"[17].

A su vez, en el caso Gelman, la Corte IDH ha sido también muy clara en especificar el contenido y alcance de esta obligación de adecuar el orden jurídico interno, cuando señala:

> "A la luz de las obligaciones generales consagradas en los artículos 1.1 y 2 de la Convención Americana, los Estados Parte tienen el deber de adoptar providencias de toda índole para que nadie sea sustraído de la protección judicial y del ejercicio del derecho a un recurso sencillo y eficaz, en los términos de los artículos 8 y 25 de la Convención y, una vez ratificada la Convención Americana corresponde al Estado, de conformidad con el artículo 2 de la misma, adoptar todas las medidas para dejar sin efecto las disposiciones legales que pudieran contravenirla, como son las que impiden la investigación de graves violaciones a derechos humanos puesto que conducen a la indefensión de las

---

[17]   Corte IDH. *Caso Artavia Murillo y otros (Fecundación in Vitro) vs. Costa Rica.* Excepciones Preliminares, Fondo, Reparaciones y Costas. Sentencia de 28 de noviembre de 2012. Serie C No. 257, par. 335.

víctimas y a la perpetuación de la impunidad, además que impiden a las víctimas y a sus familiares conocer la verdad de los hechos"[18].

Y, en este mismo caso, la Corte IDH ha vinculado estas obligaciones de adecuación del orden jurídico interno con el control de convencionalidad e incluso, con el mismo derecho al acceso a la justicia.

> "Cuando un Estado es Parte de un tratado internacional como la Convención Americana, todos sus órganos, incluidos sus jueces, están sometidos a aquél, lo cual les obliga a velar por que los efectos de las disposiciones de la Convención no se vean mermados por la aplicación de normas contrarias a su objeto y fin, por lo que los jueces y órganos vinculados a la administración de justicia en todos los niveles están en la obligación de ejercer *ex officio* un "control de convencionalidad" entre las normas internas y la Convención Americana, evidentemente en el marco de sus respectivas competencias y de las regulaciones procesales correspondientes y en esta tarea, deben tener en cuenta no solamente el tratado, sino también la interpretación que del mismo ha hecho la Corte Interamericana, intérprete última de la Convención Americana"[19].

> "La Justicia, para ser tal, debe ser oportuna y lograr el efecto útil que se desea o se espera con su accionar y, particularmente tratándose de un caso de graves violaciones de derechos humanos, debe primar un principio de efectividad en la investigación de los hechos y determinación y en su caso sanción de los responsables"[20].

Asimismo, en la Opinión Consultiva 14/94, la Corte Interamericana de Derechos Humanos reconoce esta obligación del Estado de adecuar el orden jurídico interno al orden internacional de los derechos humanos y lo funda en la fuente consuetudinaria, en los principios generales del derecho y en la fuente convencional positiva. En efecto, la Corte indica:

> "Una cosa diferente ocurre respecto a las obligaciones internacionales y a las responsabilidades que se derivan de su incumplimiento. Según el derecho internacional las obligaciones que éste impone deben ser cumplidas de buena fe y no puede invocarse para su incumplimiento el derecho interno. Estas reglas pueden ser consideradas como principios generales del derecho y han sido aplicadas, aun tratándose de disposiciones de carácter constitucional, por la Corte Permanente de Justicia Internacional y la Corte Internacional de Justicia [Caso de las Comunidades Greco-Búlgaras (1930), Serie B, No. 17, pág. 32; Caso de

---

[18]   Corte IDH. *Caso Gelman vs. Uruguay.* Fondo y Reparaciones. Sentencia de 24 de febrero de 2011. Serie C No. 221, par. 228.

[19]   Corte IDH. *Caso Gelman vs. Uruguay.* Fondo y Reparaciones. Sentencia de 24 de febrero de 2011. Serie C No. 221, par. 193.

[20]   Corte IDH. *Caso Gelman vs. Uruguay.* Fondo y Reparaciones. Sentencia de 24 de febrero de 2011. Serie C No. 221, par. 194.

Nacionales Polacos de Danzig (1931), Series A/B, No. 44, pág. 24; Caso de las Zonas Libres (1932), Series A/B, No. 46, pág. 167; Aplicabilidad de la obligación a arbitrar bajo el Convenio de Sede de las Naciones Unidas (Caso de la Misión del PLO) (1988), págs. 12, a 31-2, párr. 47]. Asimismo estas reglas han sido codificadas en los artículos 26 y 27 de la Convención de Viena sobre el Derecho de los Tratados de 1969"[21].

De este modo, la Corte Permanente de Justicia Internacional, ya desde el primer tercio del siglo XX, afirmó el principio, de toda lógica y coherencia, según el cual el Derecho Internacional prima por sobre el derecho interno. En efecto, los jueces internacionales señalaron:

> "In the first place, it is a generally accepted principle of international law that in the relations between Powers who are contracting Parties to a treaty, the provisions of municipal law cannot prevail over those of the treaty"[22].

Por otra parte, en estrecha relación con lo anterior, la justicia internacional también ha establecido el principio general de que un Estado no puede esgrimir su derecho interno para eximirse de sus obligaciones internacionales libremente adquiridas, aun cuando se trate de su propia Constitución. En efecto, se ha sostenido que:

> "It should however be observed that, while on the one hand, according to generally accepted principles, a State cannot rely, as against another State, on the provisions of the latter's Constitution, but only on international law and international obligations duly accepted, on the other hand and conversely, a State cannot adduce as against another State its own Constitution with a view to evading obligations incumbent upon it under international law or treaties in force. Applying these principles to the present case, it results that the question of the treatment of Polish nationals or other persons of Polish origin or speech must be settled exclusively on the bases of the rules of international law and the treaty provisions in force between Poland and Danzig"[23].

En efecto, es un principio de derecho internacional general que el Derecho Internacional prevalece sobre el derecho interno, incluso sobre la Constitución

---

[21]   Corte IDH. Responsabilidad internacional por expedición y aplicación de leyes violatorias de la Convención (Arts. 1 y 2 Convención Americana sobre Derechos Humanos). Opinión Consultiva OC-14/94 de 9 de diciembre de 1994. Serie A No. 14, par. 35.

[22]   PCIJ. The Greco-Bulgarian Communities. Series B, N°. 17, July 31st, 1930, p. 32.

[23]   PCIJ.Treatment of Polish Nationals and other Persons of Polish Origin or Speech in the Danzig territory. Fascicule N° 44. Advisory Opinion of February 4th, 1932, p. 24; "[...] and that while it is certain that France 'cannot rely on her own legislation to limit the scope of her international obligations [...]". PCIJ. Case of the Free Zones of Upper Savoy and the District of Gex. Série A/B Fascicule N° 46. Judgment of June 7th, 1932, p. 167.

de un Estado[24]. Y, este principio, ha sido incluso recogido en el ámbito doméstico. Así, la Corte Suprema de Chile, en el famoso caso Molcode 2006, ha incorporado expresamente este principio en su sentencia donde declara que no caben ni leyes de amnistía no prescripciones ante la persecución de crímenes internacionales. La Corte Suprema afirma lo que sigue:

> "Que la Corte Permanente de Justicia Internacional ha dictaminado que es un principio de Derecho de Gentes generalmente reconocido que, en las relaciones entre potencias contratantes, las disposiciones del derecho interno no pueden prevalecer sobre las de un tratado, y que un Estado no puede invocar su propia Constitución, para sustraerse a las obligaciones que impone el Derecho Internacional a los tratados vigentes"[25].

En esta línea, los jueces interamericanos han afirmado que respecto de esta obligación de adecuación del derecho interno al Derecho Internacional tiene una vertiente positiva y otra negativa. Así, la Corte IDH ha señalado:

> "Es indudable que, como se dijo, la obligación de dictar las medidas que fueren necesarias para hacer efectivos los derechos y libertades reconocidos en la Convención, comprende la de no dictarlas cuando ellas conduzcan a violar esos derechos y libertades"[26].

Específicamente, en lo concerniente a la labor del órgano legislativo dentro de un Estado, la Corte IDH ha señalado claramente lo siguiente:

> "Son muchas las maneras como un Estado puede violar un tratado internacional y, específicamente, la Convención. En este último caso, puede hacerlo, por ejemplo, omitiendo dictar las normas a que está obligado por el artículo 2. También, por supuesto, dictando disposiciones que no estén en conformidad con lo que de él exigen sus obligaciones dentro de la Convención"[27].

---

[24]   "The principle that international law prevails over domestic law". ICJ: Applicability of the obligation to arbitrate under section 21 of the United Nations Headquarters Agreement of 26 June 1947. Advisory Opinion of 26 April 1988, par. 47.

[25]   Corte Suprema de Chile. 13 de diciembre de 2006. Rol N° 559-2004, considerando 21.

[26]   Corte IDH. Responsabilidad internacional por expedición y aplicación de leyes violatorias de la Convención (Arts. 1 y 2 Convención Americana sobre Derechos Humanos). Opinión Consultiva OC-14/94 de 9 de diciembre de 1994. Serie A No. 14, par. 36.

[27]   Corte IDH. Ciertas atribuciones de la Comisión Interamericana de Derechos Humanos (Arts. 41, 42, 44, 46, 47, 50 y 51 de la Convención Americana sobre Derechos Humanos). Opinión Consultiva OC-13/93 de 16 de julio de 1993. Serie A No. 13, par. 26; Corte IDH. Responsabilidad internacional por expedición y aplicación de leyes violatorias de la Convención (Arts. 1 y 2 Convención Americana sobre Derechos Humanos). Opinión Consultiva OC-14/94 de 9 de diciembre de 1994. Serie A No. 14, par. 37.

Por lo tanto, el incumplimiento de esta obligación por parte del Estado engendra la responsabilidad internacional del Estado por hecho ilícito. Esta responsabilidad es del Estado, entendido como el conjunto de todos los poderes, ejecutivo, legislativo y judicial. En efecto, es un lugar común afirmar que "el origen de la responsabilidad internacional del Estado puede residir en cualquier acto u omisión de cualesquiera de los poderes o agentes del Estado (sea del Ejecutivo, o del Legislativo, o del Judicial)"[28].

La responsabilidad internacional del Estado, sea que provenga de actos u omisiones realizados por cualquiera de sus órganos, es un principio general que ha venido afirmándose desde antiguo por la jurisprudencia internacional. Así, la sentencia en el caso relativo a Ciertos Intereses Alemanes en la Alta Silesia Polonesa (Alemania versus Polonia, 1926), y en la Opinión Consultiva sobre los Colonos Alemanes en Polonia (1923), ambas de la antigua Corte Permanente de Justicia Internacional (en adelante la CPJI), han afirmado que "las leyes nacionales son "hechos que expresan la voluntad y constituyen las actividades de los Estados, de la misma manera que las decisiones judiciales o las medidas administrativas". Una afirmación de esta misma naturaleza han venido realizando sistemáticamente los órganos de supervisión o supervigilancia de las normas de derechos humanos[29].

> "From the standpoint of International Law and of the Court which is its organ, municipal laws are merely facts which express the will and constitute the activities of States, in the same manner as do legal decisions or administrative measures. The Court is certainly not called upon to interpret the Polish law as such; but there is nothing to prevent the Court's giving judgment on the question whether or not, in applying that law, Poland is acting in conformity with its obligations towards Germany under the Geneva Convention"[30].

---

[28]   Corte IDH. *Caso "La Última tentación de Cristo" (Olmedo Bustos y otros) vs. Chile.* Sentencia de 5 de febrero de 2001. Serie C N° 73. Voto Concurrente Juez A. A. Cançado Trindade, par. 16; Corte IDH. *Caso Barrios Altos vs. Perú.* Fondo. Sentencia de 14 de marzo de 2001. Serie C No. 75. Voto concurrente del juez A. A. Cançado Trindade, par. 9, p. 3.

[29]   Vid. La jurisprudencia de la Corte Europea de Derechos Humanos: casos Klass y Otros (1978), Marckx (1979), Johnston y Otros (1986), Dudgeon (1981), Silver y Otros (1983), De Jong, Baljet y van den Brink (1984), Malone (1984), Norris (1988). Vid la jurisprudencia del Comité de Derechos Humanos: casos Aumeeruddy-Cziffra y Otras (1981), de los Impedidos y Minusválidos Italianos (1984), y caso J. Ballantyne, E. Davidson y G. McIntyre versus Canadá (Doc. N.U. CCPR/C/47/D/359/1989-385/1989/Rev.1, de 05.05.1993, p. 17, par. 13. Del mismo modo, caso N. Toonen versus Australia (Doc. N.U. CCPR/C/50/D/488/1992, de 04.04.1994, p. 13, par. 8-11). A su vez, la Comisión Africana de Derechos Humanos y de los Pueblos, en los casos (N° 60/91 y 87/93) del Constitutional Rights Project (1994).

[30]   PCIJ. Case concerning certain German interests in Polish Upper Silesia (The Merits). Series A – N° 7, 1926, p. 19.

En este sentido, cabe reafirmar que la actividad o inactividad legislativa y judicial es una fuente más que hace posible la responsabilidad internacional. Desde un punto de vista doctrinario, se afirma fuertemente la responsabilidad internacional del Estado por actos u omisiones de su poder judicial. Ya el profesor y Relator Especial de Naciones Unidas, Roberto Ago mencionaba que "(...) No-one now supports the old theories which purported to establish an exception in the case of legislative organs on the basis of the 'sovereign' character of Parliament, or in the case of jurisdictional organs by virtue of the principle of independence of the courts or the *res judicata* authority of their decisions"[31].

A cada uno de los poderes le cabe una responsabilidad equivalente dentro de su respectivo rol y, en ese sentido, dentro de una democracia representativa, el rol de adoptar, modificar o derogar la legislación le corresponde primordialmente al Parlamento. Su inacción, pasividad o derecha oposición en materia de adecuación del ordenamiento jurídico interno al Derecho Internacional de los Derechos Humanos, hace incurrir al Estado en responsabilidad internacional. Además, las normas sobre derechos humanos poseen un contenido y un sustento fuertemente ético cuya universalización es un lugar común en la literatura contemporánea, razón por la cual, la inacción o la oposición del Parlamento a la adopción o adecuación del orden jurídico interno al Derecho Internacional de los Derechos Humanos, también merecería, en este caso, un reproche ético-político[32].

En este último sentido, Cançado Trindade ha señalado magníficamente que "la eficacia de los tratados de derechos humanos se mide, en gran parte, por su impacto en el derecho interno de los Estados Partes", lo cual demuestra la relevancia de la integración del Derecho Internacional de los Derechos Humanos en la Constitución y de la visión y enfoque unificador y monolítico de las fuentes, en materia de derechos humanos, en el orden jurídico interno[33].

El profesor Cançado Trindade también ha señalado, con acierto, que no es posible esperar de buena fe, legítima y coherentemente que "un tratado de derechos humanos se "adapte" a las condiciones prevalecientes al interior de cada país, por cuanto debe, *a contrario sensu*, tener el efecto de perfeccionar las

---

[31]   Ago, Roberto (1971) "Third Report on State Responsibility: The Internationally Wrongful Act of the State, Source of International Responsibility". Yearbook of the International Law Commission, *Vol II (1), 1971, pp. 246-247, pars. 144 y 146.*

[32]   Siciliano, André Luiz (2012) "El papel de la universalización de los derechos humanos y de la migración, en la formación de la nueva gobernanza global". *Sur-Revista Internacional de Derechos Humanos*, Vol. 9, N° 16, 2012, pp. 115-131.

[33]   Corte IDH. *Caso Caballero Delgado y Santana vs. Colombia*. Reparaciones (art. 63.1 de la Convención Americana sobre Derechos Humanos). Sentencia de 29 de enero de 1997. Serie C N° 31. Voto Disidente del juez A. A. Cançado Trindade, par. 5; Corte IDH.. *Caso "La Última tentación de Cristo" (Olmedo Bustos y otros) vs. Chile*. Sentencia de 5 de febrero de 2001. Serie C N° 73. Voto Concurrente Juez A. A. Cançado Trindade, par. 9.

condiciones de ejercicio de los derechos por él protegidos en el ámbito del derecho interno de los Estados Partes"[34]. En otras palabras, es el Estado, su legislación –la visión y práctica parlamentaria– y sus prácticas administrativas y judiciales las que deben adaptarse al Derecho Internacional de los Derechos Humanos, en la medida que mejoren el rango y grado de protección de dichos derechos y, siempre, siguiendo el principio de la fuerza expansiva de los derechos humanos. En este mismo sentido, la profesora Medina ha señalado que consecuencia del artículo 2.2. del Pacto Internacional de Derechos Civiles y Políticos y del artículo 2 de la Convención Americana de Derechos Humanos "es el deber del Estado de adoptar todas las medidas no legislativas que sean necesarias para permitir el pleno uso y goce de los derechos humanos"[35].

Desde el punto de vista de la obligación de adecuación del derecho interno, en la medida que mejore los estándares de protección establecidos por el Derecho Internacional de los Derechos Humanos, ello ha sido reconocido por la jurisprudencia comparada, por ejemplo, el caso de la Corte Suprema de Justicia de Costa Rica, cuya Sala Constitucionales ha pronunciado en el sentido de que "las sentencias de la Corte Interamericana de Derechos Humanos tienen en este país pleno valor y que, en tratándose de derechos humanos, los instrumentos internacionales tienen no solamente un valor similar a la Constitución Política, sino que en la medida en que otorguen mayores derechos o garantías a las personas, priman por sobre la Constitución"[36]. Esta alegada superioridad del Derecho Internacional de los derechos humanos por sobre la legislación doméstica, incluyendo, en su caso, la Constitución, se basa en una constatación que ya hace tiempo hiciera el profesor Virally, a saber, que "[…] al atribuirse (el Derecho Internacional) el poder de reglamentar jurídicamente las relaciones entre los Estados entre sí, el Derecho Internacional se declara superior a ellos y a su derecho interno"[37].

---

[34]   Corte IDH. *Caso Caballero Delgado y Santana vs. Colombia*. Reparaciones (art. 63.1 de la Convención Americana sobre Derechos Humanos). Sentencia de 29 de enero de 1997. Serie C N° 31. Voto Disidente del juez A. A. Cançado Trindade, par. 5.

[35]   Medina Quiroga, Cecilia (2006) "El Derecho Internacional de los Derechos Humanos", en Centro Regional de Derechos Humanos y Justicia de Género: *Derechos Humanos: Selección de Tratados Internacionales y Recomendaciones de Organismos Internacionales a Chile*. Corporación Humanas, Chile, pp. 7-65, especialmente, p. 27.

[36]   Sala Constitucional de la Corte Suprema de Justicia de Costa Rica, Resolución 2000-09685 (Expediente 00.008325-007-CO) – 1° de Noviembre de 2000, Consulta sobre el proyecto de ley para aprobar el Estatuto de Roma, en Diálogo Jurisprudencial, N° 2, enero-junio 2007, pp. 13-37, especialmente, p. 22.

[37]   Virally, Michel (1998) "Relaciones entre Derecho Internacional y derechos internos: una dificultad insalvable". En Virally, Michel: *El devenir del Derecho Internacional: Ensayos escritos al correr de los años*. Fondo de Cultura Económica, México, 1998, p. 132.

Si el Estado no cumple con su obligación general de adecuar su derecho interno mediante la adopción de medidas tendientes a dar efecto a los derechos humanos reconocidos por las normas convencionales aceptadas por el Estado o por las normas consuetudinarias internacionales, el Estado infringe, a su vez, la obligación emanada de la Carta de Naciones Unidas sobre cooperación internacional, la cual se encuentra reiterada en forma específica en materia de derechos humanos, en el Pacto Internacional de Derechos Civiles y Políticos y en la Convención Americana sobre Derechos Humanos[38]. Actualmente, este último es un principio fundamental del ordenamiento jurídico internacional y del derecho interno, ya que la Carta de las Naciones Unidas y los otros instrumentos internacionales mencionados han sido ratificados por Chile e incorporados al ordenamiento jurídico nacional[39].

Por su parte, desde el punto de vista de la jurisdicción nacional, el Tribunal Constitucional chileno ha reconocido expresamente este principio del deber de adecuación del orden jurídico interno al *corpus iuris* internacional de los derechos humanos. En efecto, en el denominado caso Eichin, sobre estándares en materia de justicia militar, los jueces constitucionales reconocen expresamente los contenidos básicos de la doctrina del control de convencionalidad y, en íntima vinculación, conforman las obligaciones internacionales del Estado. Uno de estos deberes consiste en la obligación de adecuar el ordenamiento jurídico interno a los estándares internacionales, cuyas fuentes principales son los principios generales del derecho, el derecho consuetudinario, y el derecho convencional internacional. En este caso, en particular, el Tribunal Constitucional se estaría refiriendo a las disposiciones de la sentencia Palamara Iribarne[40].

---

[38]   El artículo 1° de la Carta de las Naciones Unidas señala que "Los Propósitos de las Naciones Unidas son: 3. Realizar la cooperación internacional en la solución de problemas internacionales de carácter económico, social, cultural o humanitario, y en el desarrollo y estímulo del respeto a los derechos humanos y a las libertades fundamentales de todos, sin hacer distinción por motivos de raza, sexo, idioma o religión"; El artículo 40.1 del Pacto Internacional de Derechos Civiles y Políticos indica que "Los Estados Partes en el presente Pacto se comprometen a presentar informes sobre las disposiciones que hayan adoptado y que den efecto a los derechos reconocidos en el Pacto y sobre el progreso que hayan realizado en cuanto al goce de esos derechos"; El artículo 41. d) de la Convención Americana de Derechos Humanos señala "La Comisión tiene la función principal de promover la observancia y la defensa de los derechos humanos, y en el ejercicio de su mandato tiene las siguientes funciones y atribuciones: d) solicitar de los gobiernos de los Estados miembros que le proporcionen informes sobre las medidas que adopten en materia de derechos humanos".

[39]   Cfr. Medina Quiroga, Cecilia (2006) "El Derecho Internacional de los Derechos Humanos", en Centro Regional de Derechos Humanos y Justicia de Género: *Derechos Humanos: Selección de Tratados Internacionales y Recomendaciones de Organismos Internacionales a Chile.* Corporación Humanas, Chile, 2006, pp. 7-65, especialmente, p. 27.

[40]   Corte IDH: *Caso Palamara Iribarne vs. Chile.* Fondo, Reparaciones y Costas. Sentencia de 22 de noviembre de 2005. Serie C No. 135.

"Que, al decidir de esta forma una acción singular, esta Magistratura entiende contribuir –en el ámbito de su competencia– al cumplimiento del deber impuesto por la Corte Interamericana de Derechos Humanos al Estado de Chile para adecuar el ordenamiento jurídico interno a los estándares internacionales sobre jurisdicción penal militar"[41]. En esta línea, Contreras ha destacado que "para que las reformas a la justicia militar "sean compatibles con las obligaciones de derechos humanos fijados en tratados internacionales, los Estados deben ajustar la legislación interna conforme al contenido normativo que los organismos internacionales le han dado al derecho a un juez independiente e imparcial"[42].

3. PRINCIPIO DE LA DIVERSIDAD DE FUENTES Y NO EXCLUSIÓN

Una consecuencia de la supremacía de los derechos humanos es el Principio de la diversidad de fuentes o de no exclusión de las fuentes. Este principio quiere expresar que el órgano de aplicación de los derechos humanos no debe distinguir si formalmente las fuentes de los derechos humanos son fuentes emanadas del derecho interno o fuentes emanadas del Derecho Internacional. No cabe hacer la distinción, porque la primera responsabilidad del operador de derechos humanos es buscar la fórmula precisa para la mejor garantía y protección de los referidos derechos humanos y no razones adjetivas o procesales para excluir o no aplicar la norma de derechos humanos, cualquiera sea donde se encuentre su fuente. Más que la fuente formal misma, lo que interesa la fuerza normativa de los derechos humanos, y el contenido que mejor proteja los derechos del individuo, comunidad y pueblo.

El propio sistema de protección de los derechos humanos y el Derecho de los Derechos Humanos mismo, exige y demanda un enfoque integrador, unificador y monolítico de las fuentes, lo cual es particularmente relevante desde la perspectiva de la jurisdicción doméstica, toda vez que son los tribunales del foro doméstico quienes están llamados, en primerísimo lugar, tanto desde el punto de vista del Derecho Internacional como por mandato constitucional, a conocer y resolver las situaciones de violaciones a los derechos humanos. En efecto, el sistema internacional de protección de los derechos humanos, regional o universal, sólo actúa en defecto de la jurisdicción interna, únicamente cuando los tribunales nacionales no han cumplido con su obligación de respetar y hacer respetar

---

[41]   Sentencia del Tribunal Constitucional, Rol N°2493-2013. Considerando 12°.

[42]   Contreras Vásquez, Pablo (2011) "Independencia e Imparcialidad en Sistemas de Justicia Militar: Estándares Internacionales Comparados". Estudios Constitucionales, Año 9, N° 2, pp. 191 - 248, especialmente p. 242.

los derechos humanos (artículo 2 de la CADH). Esta visión de las fuentes del Derecho Internacional de los Derechos Humanos está vinculada con la jerarquía de las normas sobre derechos humanos, donde también se impone un enfoque diferente. En este sentido, los derechos humanos han tenido la virtud de cimentar lo que Virally llamó el camino hacia la unidad que sigue la humanidad, lo cual ha permitido realizar lo que se conoce como un orden jurídico global o de carácter planetario[43].

En efecto, mientras que en derecho interno la jerarquía se encuentra determinada por la fuente. Si queremos darle importancia a una norma se la incorpora a la Constitución, o bien, la Constitución contiene las normas de mayor relevancia para la sociedad. En el caso del Derecho Internacional la jerarquía no está determinada por la fuente, sino por el tipo de norma de que se trate. En ambos casos, existe un tipo normativo, irrespectivamente del instrumento o fuente formal que las contenga, jerárquicamente superior, especialmente relevante, intransgredible, perentorio o de *ius cogens*. De esta manera, el problema surge cuando se pretende aplicar el criterio interno, de estricta jerarquía de fuentes formales, a las normas internacionales, y, especialmente, al Derecho de los Derechos Humanos. Esta situación se ve agudizada cuando se piensa en el denominado principio de legalidad y más aún cuando se alude al principio de supremacía constitucional, dos principios fuertemente enraizados en el positivismo moderno, y que indefectiblemente hacen alusión a la norma escrita otorgada. Todo esto es una consecuencia de la tradición latinoamericana y europea continental de raigambre liberal y legalista, herencia de la revolución francesa, que desconfía de los jueces –fuente de opresión– y descansa en la sabiduría y justicia de la ley, concebida como emanación de la voluntad general[44].

Nuestro prisma en el análisis de los derechos humanos del niño, niña y adolescente es la perspectiva del principio de conectividad y coherencia entre los sistemas jurídicos, el interno y el internacional, y, sobre todo, en materia de derechos humanos, nuestra idea guía es el principio del intérprete supremo, que considera, en el ámbito regional, a la Corte Interamericana de Derechos Humanos como el intérprete último, definitivo y de autoridad en el área de los derechos humanos.

Este principio no resulta sólo de una aplicación de las reglas de lógica tomando en consideración el interés primordial de una aplicación coherente de los estándares de derechos humanos, si no de la aplicación de la propia normativa de la Convención Americana de Derechos Humanos. En efecto, el artículo 29 relativo a las normas de interpretación de la CADH señala que "ninguna disposición

---

[43]   Virally (1998) 127.
[44]   Escobar, Guillermo (2005) Introducción a la teoría jurídica de los derechos humanos, Trama, Madrid ,p. 15.

de la presente Convención puede ser interpretada en el sentido de: [...] b) limitar el goce y ejercicio de cualquier derecho o libertad que pueda estar reconocido de acuerdo con las leyes de cualquiera de los Estados Partes o de acuerdo con otra convención en que sea parte uno de dichos Estados".

Este principio del Derecho –en este caso del Derecho de los Derechos Humanos como un *corpus iuris* integrado y sistemático, y consecuentemente, cuya interpretación y aplicación deba ser conforme a estas características, ya había sido resaltado por la Corte Internacional de Justicia en el asunto de la presencia continuada de África del Sur en Namibia, cuando señaló que "[...] la Corte debe tomar en consideración las transformaciones ocurridas en el medio siglo siguiente, y su interpretación no puede dejar de tomar en cuenta la evolución posterior del derecho [...]. Además, un instrumento internacional debe ser interpretado y aplicado en el marco del conjunto del sistema jurídico vigente en el momento en que se practica la interpretación. En el dominio al que se refiere el presente proceso, los últimos cincuenta años [...] han traído una evolución importante. [...] En este dominio como en otros, el *corpus juris gentium* se ha enriquecido considerablemente, y la Corte no puede ignorarlo para el fiel desempeño de sus funciones"[45].

Esta formulación fue retomada y perfeccionada, en el ámbito de los derechos humanos, por la Corte I.D.H. en su opinión Consultiva sobre la Interpretación de la Declaración Americana de los Derechos y Deberes del Hombre en el Marco del Artículo 64 de la Convención Americana sobre Derechos Humanos. En esta Opinión Consultiva, la Corte hizo expresa referencia al principio de integración al señalar que "[p]uede considerarse entonces que, a manera de interpretación autorizada, los Estados Miembros han entendido que la Declaración contiene y define aquellos derechos humanos esenciales a los que la Carta se refiere, de manera que no se puede interpretar y aplicar la Carta de la Organización en materia de derechos humanos, sin integrar las normas pertinentes de ella con las correspondientes disposiciones de la Declaración"[46].

En otra Opinión Consultiva relativa al Derecho a la Información sobre la Asistencia Consular en el marco de las Garantías del Debido Proceso Legal, la Corte I.D.H. reiteró expresamente que "al dar interpretación a un tratado no sólo se toman en cuenta los acuerdos e instrumentos formalmente relacionados con

---

[45] Vid. Legal Consequences for States of the Continued Presence of South Africa in Namibia (South West Africa), notwithstanding Security Council Resolution 276 (1970), Advisory Opinion, I.C.J. Reports 1971, p. 16, par. 31.

[46] Corte IDH. *Interpretación de la Declaración Americana de los Derechos y Deberes del Hombre en el Marco del Artículo 64 de la Convención Americana sobre Derechos Humanos.* Opinión Consultiva OC-10/89 del 14 de julio de 1989. Serie A No. 10, par. 43, p. 14.

éste (inciso segundo del artículo 31 de la Convención de Viena), sino también el sistema dentro del cual se inscribe (inciso tercero del artículo 31)"[47].

Este principio de integración fue confirmado por la Corte I.D.H. en el dramático caso de los *Niños de la Calle*, en donde la Corte haciendo alusión específica al contexto de los derechos del niño, señala que "[t]anto la Convención Americana como la Convención sobre los Derechos del Niño forman parte de un amplio *corpus juris* internacional de protección de los niños que sirve a esta Corte para fijar el contenido y los alcances de la disposición general definida en el artículo 19 de la Convención Americana"[48].

Este principio refleja la conectividad, integración y coherencia propia de todo sistema jurídico y especialmente relevante en el caso de las normas y principios de derechos humanos. En el fondo, este principio revela la existencia de un verdadero *corpus iuris* de los derechos humanos, único, consolidado, aplicable y vigente para el ser humano, las comunidades y pueblos cualquiera sea el lugar en que se encuentren o en el que se produzca la afectación de sus derechos, sea el ámbito internacional o doméstico de los Estados. Justamente, a raíz de este *corpus iuris* consolidado de derechos humanos es que la aplicación, interpretación y vigencia de los derechos humanos debe efectuarse en forma integral, conectada, sistemática y coherente.

Así, la Segunda Sala Penal ha sostenido en su Sentencia del 13 de marzo del 2007[49], que "la obligación estatal que dimana de la Constitución, de los Tratados Internacionales sobre Derechos Humanos y de los Principios Generales de Derecho Internacional Humanitario, existía bajo nuestra Carta Fundamental de mil novecientos veinticinco, pues Chile al igual que hoy era un Estado Constitucional de Derecho, y le era exigible la congruencia de aquélla con los aludidos acuerdos multilaterales y axiomas. Además, estos tratados se constituyen no en beneficio de los Estados parte sino en resguardo de la dignidad y los derechos inherentes al ser humano por el solo hecho de ser persona. Los Estados parte por tal reconocimiento constituyen una auto limitación a su soberanía, no pueden, por tanto, desvincularse unilateralmente de los tratados en materia de derechos humanos, sino de acuerdo al procedimiento establecido en ellos mismos" (Humberto

---

[47]   Corte IDH. *El Derecho a la Información sobre la Asistencia Consular en el marco de las Garantías del Debido Proceso Legal.* Opinión Consultiva OC-16/99 de 1 de octubre de 1999. Serie A No. 16, par. 113; Corte IDH. *Caso de los Hermanos Gómez Paquiyauri Vs. Perú.* Fondo, Reparaciones y Costas. Sentencia de 8 de julio de 2004. Serie C N° 110, par. 164, p. 62.

[48]   Corte IDH. *Caso de los "Niños de la Calle" (Villagrán Morales y otros) vs. Guatemala.* Fondo. Sentencia de 19 de noviembre de 1999. Serie C No. 63, par. 194; Corte IDH. *Condición Jurídica y Derechos Humanos del Niño.* Opinión Consultiva OC-17/02 de 28 de agosto de 2002. Serie A No. 17, par. 24.

[49]   Rol N° 3125 – 04, pronunciada por la Segunda Sala integrada por los Ministros Sres. Nibaldo Segura P., Jaime Rodríguez E., Rubén Ballesteros C. y los abogados integrantes Sres. Carlos Künsemuller L. y Domingo Hernández E. No firma el abogado integrante Sr. Hernández, no obstante haber estado en la vista de la causa y acuerdo del fallo, por estar ausente.

Nogueira Alcalá: "Constitución y Derecho Internacional de los Derechos Humanos", en Revista Chilena de Derecho, Facultad de Derecho, Pontificia Universidad Católica de Chile, Volumen 20, Nos. 2 y 3, tomo II, mayo - diciembre de mil novecientos noventa y tres, página 887). Un acuerdo internacional, por ende, no puede dejar de aplicarse sino de conformidad con las normas de derecho internacional (Gaceta Jurídica, Nos 177 y 185, páginas 165 y 120, respectivamente).

A este respecto, el artículo 54 N°1 inciso 5° de la Constitución chilena de 1980 señala lo siguiente:

> "Las disposiciones de un tratado sólo podrán ser derogadas, modificadas o suspendidas en la forma prevista en los propios tratados o de acuerdo a las normas generales de derecho internacional".

Por coincidencia, este mismo principio se reitera en el artículo 96, párrafo 1°, de la Constitución española de 1978, a saber:

> "Los tratados internacionales válidamente celebrados, una vez publicados oficialmente en España, formarán parte del ordenamiento interno. Sus disposiciones sólo podrán ser derogadas, modificadas o suspendidas en la forma prevista en los propios tratados o de acuerdo con las normas generales del Derecho internacional".

En términos generales, el principio de la diversidad de fuentes en derechos humanos se ha manifestado doctrinariamente con lo que se conoce con el nombre del bloque constitucional de derechos humanos fundamentales y también se puede reflejar en el uso de las normas de *soft law*, un insumo esencial en materia de derechos humanos y medio ambiente.

REFLEXIONES FINALES

En esta breve presentación hemos querido examinar lo que denominamos los principios instrumentales en materia de derechos humanos. Sólo hemos seleccionado algunos de ellos, que consideramos pertinentes para la discusión en curso a propósito de una nueva Constitución para Chile.

En primer lugar, el principio del sistema integral y coherente de derechos humanos debería inspirar todo el plexo constitucional que se encuentra en construcción, ya que los derechos humanos no forman compartimentos estancos sino más bien, una integralidad y su sistema de protección y garantía debe ser integral. Esto incluye aspectos sustantivos y procedimentales, como hemos visto, pero también de fuentes y medios de interpretación.

En segundo lugar, el principio de adecuación del orden jurídico interno al *corpus iuris* internacional de los derechos humanos, que encuentra sus raíces más profundas en los principios generales del Derecho Internacional, debería ser expresamente considerado en la construcción del nuevo texto constitucional, precisamente, en la parte de los principios y valores constitucionales.

Por último, el principio de la multiplicidad de fuentes o diversidad de fuentes, o bien, dicho de otro modo, de un sistema de protección de los derechos humanos de fuente múltiple, reproduce el funcionamiento y la operatividad de un sistema de protección de los derechos humanos que articula la interacción entre el derecho interno y el Derecho Internacional. Este principio refleja, al mismo tiempo, la tendencia más contemporánea de Constituciones abiertas y cooperativas con el orden jurídico internacional, o quizás debieras decir, con el orden jurídico global contemporáneo.

BIBLIOGRAFÍA

Ago, Roberto (1971) Third Report on State Responsibility: The Internationally Wrongful Act of the State, Source of International Responsibility. In Yearbook of the International Law Commission, Vol II (1), 1971, pp. 246-247, pars. 144 y 146.

Contreras Vásquez, Pablo (2011) "Independencia e Imparcialidad en Sistemas de Justicia Militar: Estándares Internacionales Comparados". Estudios Constitucionales, Año 9, Nº 2, pp. 191 – 248.

Akandji-Kombe, Jean François (2007) Positive obligations under the European Convention on Human Rights. A guide to the implementation of the European Convention on Human Rights. Human rights handbooks, No. 7. Strasbourg, Council of Europe.

Escobar, Guillermo (2005) Introducción a la teoría jurídica de los derechos humanos, Trama, Madrid.

Lauterpacht, Hersch (1937) « Règles générales du droit de la paix ». En Recueil des Cours de l'Académie de Droit International de La Haye, núm. 62, pp. 145-146.

Medina Quiroga, Cecilia (2006) "El Derecho Internacional de los Derechos Humanos". En Centro Regional de Derechos Humanos y Justicia de Género: Derechos Humanos: Selección de Tratados Internacionales y Recomendaciones de Organismos Internacionales a Chile. En Corporación Humanas, Chile, pp. 7-65.

Siciliano, André Luiz (2012) "El papel de la universalización de los derechos humanos y de la migración, en la formación de la nueva gobernanza global". Sur-Revista Internacional de Derechos Humanos, Vol. 9, N° 16, pp. 115-131.

Toro Huerta, Mauricio Iván del (2005) "La apertura constitucional al derecho internacional de los derechos humanos en la era de la mundialización y sus consecuencias en la práctica judicial". Boletín Mexicano de Derecho Comparado, nueva serie, año XXXVIII, núm. 112, pp. 325-363.

Virally, Michel (1998). "Relaciones entre Derecho Internacional y derechos internos: una dificultad insalvable". En Virally, Michel: El devenir del Derecho Internacional: Ensayos escritos al correr de los años. Fondo de Cultura Económica, México.

JURISPRUDENCIA

Caso N. Toonen versus Australia (Doc. N.U. CCPR/C/50/D/488/1992, de 04.04.1994.

Comisión Africana de Derechos Humanos y de los Pueblos. Casos (N° 60/91 y 87/93) del Constitutional Rights Project (1994).

Comité de Derechos Humanos. Casos Aumeeruddy-Cziffra y Otras (1981), de los Impedidos y Minusválidos Italianos (1984), caso J. Ballantyne, E. Davidson y G. McIntyre versus Canadá (Doc. N.U. CCPR/C/47/D/359/1989-385/1989/ Rev.1, de 05.05.1993.

Corte Europea de Derechos Humanos: casos Klass y Otros (1978), Marckx (1979), Johnston y Otros (1986), Dudgeon (1981), Silver y Otros (1983), De Jong, Baljet y van den Brink (1984), Malone (1984), Norris (1988).

Corte IDH. Caso Artavia Murillo y otros (Fecundación in Vitro) vs. Costa Rica. Excepciones Preliminares, Fondo, Reparaciones y Costas. Sentencia de 28 de noviembre de 2012. Serie C No. 257.

Corte I.DH. Caso Barrios Altos vs. Perú. Fondo. Sentencia de 14 de marzo de 2001. Serie C No. 75. Voto concurrente del juez A. A. Cançado Trindade.

Corte IDH. Caso Caballero Delgado y Santana vs. Colombia. Reparaciones (art. 63.1 de la Convención Americana sobre Derechos Humanos). Sentencia de 29 de enero de 1997. Serie C N° 31. Voto Disidente del juez A. A. Cançado Trindade.

Corte IDH. Caso Chinchilla Sandoval y otros vs. Guatemala. Excepción Preliminar, Fondo, Reparaciones y Costas. Sentencia de 29 de febrero de 2016. Serie C No. 312.

Corte IDH. Caso del Pueblo Indígena Sarayaku. Medidas Provisionales. Resolución de 6 de julio de 2004.

Corte IDH. Caso de la Cárcel de Urso Branco. Medidas Provisionales. Resolución de 18 de junio de 2002. Serie E No. 4.

Corte IDH. Caso de la Comunidad de Paz de San José Apartadó. Medidas Provisionales. Resolución de 18 de junio de 2002. Serie E No. 4

Corte IDH. Caso de la Comunidad Kankuamo. Medidas Provisiones. Resolución de 5 de julio de 2004.

Corte IDH. Caso de la "Masacre de Mapiripán" vs. Colombia. Sentencia de 15 de septiembre de 2005. Serie C No. 134.

Corte IDH. Caso de la Masacre de Pueblo Bello vs. Colombia. Sentencia de 31 de enero de 2006. Serie C No. 140.

Corte IDH. Caso de las Comunidades del Jiguamiandó y del Curbaradó. Medidas Provisionales. Resolución de 6 de marzo de 2003. Serie E No. 4.

Corte IDH. Caso de las Penitenciarias de Mendoza. Medidas Provisionales. Resolución de 18 de junio de 2005

Corte IDH. Caso de los Hermanos Gómez Paquiyauri Vs. Perú. Fondo, Reparaciones y Costas. Sentencia de 8 de julio de 2004. Serie C Nº 110.

Corte IDH. Caso de los "Niños de la Calle" (Villagrán Morales y otros) vs. Guatemala. Fondo. Sentencia de 19 de noviembre de 1999. Serie C No. 63.

Corte IDH. Caso I.V. vs. Bolivia. Excepciones Preliminares, Fondo, Reparaciones y Costas. Sentencia de 30 de noviembre de 2016. Serie C No. 329.

Corte IDH. Caso Gelman vs. Uruguay. Fondo y Reparaciones. Sentencia de 24 de febrero de 2011. Serie C No. 221.

Corte IDH. Caso "La Última tentación de Cristo" (Olmedo Bustos y otros) vs. Chile. Sentencia de 5 de febrero de 2001. Serie C Nº 73. Voto Concurrente Juez A. A. Cançado Trindade.

Corte IDH. Caso Manuela y otros vs. El Salvador. Excepciones preliminares, Fondo, Reparaciones y Costas. Sentencia de 2 de noviembre de 2021. Serie C No. 441.

Corte IDH. Caso Palamara Iribarne vs. Chile. Fondo, Reparaciones y Costas. Sentencia de 22 de noviembre de 2005. Serie C No. 135.

Corte IDH. Ciertas atribuciones de la Comisión Interamericana de Derechos Humanos (Arts. 41, 42, 44, 46, 47, 50 y 51 de la Convención Americana sobre Derechos Humanos). Opinión Consultiva OC-13/93 de 16 de julio de 1993. Serie A No. 13.

Corte IDH. Condición jurídica y derechos de los migrantes indocumentados. Opinión Consultiva OC-18/03 de 17 de septiembre de 2003. Serie A No. 18

Corte IDH. Condición Jurídica y Derechos Humanos del Niño. Opinión Consultiva OC-17/02 de 28 de agosto de 2002. Serie A No. 17

Corte IDH. El Derecho a la Información sobre la Asistencia Consular en el marco de las Garantías del Debido Proceso Legal. Opinión Consultiva OC-16/99 de 1 de octubre de 1999. Serie A No. 16.

Corte IDH. Interpretación de la Declaración Americana de los Derechos y Deberes del Hombre en el Marco del Artículo 64 de la Convención Americana sobre Derechos Humanos. Opinión Consultiva OC-10/89 del 14 de julio de 1989. Serie A No. 10.

Corte IDH. Responsabilidad internacional por expedición y aplicación de leyes violatorias de la Convención (Arts. 1 y 2 Convención Americana sobre Derechos Humanos). Opinión Consultiva OC-14/94 de 9 de diciembre de 1994. Serie A No. 14.

Corte Suprema de Chile. 5 de diciembre de 2006. Rol N° 559-2004a 13 de diciembre de 2006.

ECHR. *Case Marckx v. Belgium.* Application N° 6833/74. Judgment, 13 June 1979.

ECHR. *Case of VgT Verein Gegen Tierfabriken v. Switzerland.* (Application N° 24699/94). Judgment, 28 september 2001.

ECHR. Case of Verein Gegen Tierfabriken Schweiz (VgT) v. Switzerland (no. 2) (application no. 32772/02). Judgment, 30 june 2009.

ICJ. Applicability of the obligation to arbitrate under section 21 of the United Nations Headquarters Agreement of 26 June 1947. Advisory Opinion of 26 April 1988.

PCIJ. Case concerning certain German interests in Polish Upper Silesia (The Merits). Series A – N° 7, 1926.

PCIJ. Case of the Free Zones of Upper Savoy and the District of Gex. Série A/B Fascicule N° 46. Judgment of June 7th, 1932.

PCIJ. The Greco-Bulgarian Communities. Series B, N°. 17, July 31st, 1930.

PCIJ. Treatment of Polish Nationals and other Persons of Polish Origin or Speech in the Danzig territory. Fascicule N°. 44. Advisory Opinion of February 4th, 1932.

Sala Constitucional de la Corte Suprema de Justicia de Costa Rica, Resolución 2000-09685 (Expediente 00.008325-007-CO) – 1° de Noviembre de 2000,

Consulta sobre el proyecto de ley para aprobar el Estatuto de Roma, en Diálogo Jurisprudencial, N° 2, enero-junio 2007.

Sentencia del Tribunal Constitucional, Rol N°2493-2013.

Concepción personalista del Estado: ¿Servicialidad solo centrado en la persona humana? Comentario sobre la inclusión de los demás animales y la naturaleza en una nueva constitución de Chile

Katherine Becerra Valdivia[1]

INTRODUCCIÓN

En este transito constitucional que estamos vivenciando como sociedad chilena, es un buen momento para reflexionar sobre el rol del Estado, su concepción personalista o la primacía de la persona humana, y el principio servicialidad del Estado. Sabemos que el Estado se encuentra al servicio de la persona humana por mandato constitucional en el artículo 1 inciso cuarto, y que existen niveles de protección en la constitución para quien está por nacer, personas jurídicas e incluso personas morales. En este sentido, es interesante preguntarse si el Estado, siguiendo también un mandato constitucional, puede estar al servicio de otros entes, entidades o fenómenos, distintos de la persona humana, con todas las consecuencias jurídicas que eso conlleva.

La discusión hoy se centra en la incorporación de la naturaleza y de los animales no humanos como ocurre con otras Constituciones. Para realizar esta incorporación, se propone que la Constitución se presente desde una visión post humanista, lo que significa que se rechaza que el ser humano es la única especie capaz de producir conocimiento, indicando que cualquier forma, cosa, objeto, seres y/o fenómenos también son capaces de conocer[2]. Este concepto indica que las acciones o agencia no son una propiedad únicamente humana, sino que todo lo que nos rodea son fuerzas dinámicas que están en constante cambio,

---

[1]   Abogada. Doctora en Ciencia Política por la Universidad de Missouri-Columbia, Estados Unidos. Licenciada en Ciencias Jurídicas y magíster en Derecho por la Universidad Católica del Norte, Chile. Magíster en Pedagogía Universitaria por la Universidad Mayor, Chile. Profesora asistente de la Facultad de Ciencias Jurídicas de la Universidad Católica del Norte, Escuela de Derecho Coquimbo. Sus correos electrónicos son kbecerra@ucn.cl y katherinebecerravaldivia@gmail.com

[2]   Ulmer, Jasmine B. (2017) Posthumanism as research methodology: Inquiry in the Anthropocene. International Journal of Qualitative Studies in Education, 2017, vol. 30, no 9, p. 832-848.

influenciándose los unos a los otros, trabajando de manera conjunta[3], por lo tanto, lo no-humano también acciona creando conexiones con lo humano. En este sentido no existiría separación entre la persona y su entorno. Y desde ahí es necesario construir nuevos sujetos de protección.

Así, esta perspectiva suma a "otros seres" además de la persona humana con el objeto de extender la protección de lo que se considera "valioso" en nuestra sociedad. De este modo, naturaleza y animales no humanos contarían con herramientas jurídico-constitucionales que permitan superar la situación en la cual se encuentran actualmente. Ambos seres, naturaleza y animales no humanos, tienen un valor intrínseco, pero las razones de su incorporación se basan en distintas ideas.

La pregunta que nace es si ¿el Estado puede estar también, al servicio de otros fenómenos/cosas? ¿Qué efectos produciría esa declaración? Este artículo argumenta que el Estado sí puede reconocer a los demás animales y a la naturaleza como sujetos de derechos con la finalidad de elevar el grado de protección de ellos, lo que implica nuevas obligaciones. Para dar respuesta a esta pregunta, este artículo explicará la concepción personalista del Estado en la Constitución actual; desarrollará el post humanismo como herramienta que nos permita justificar la incorporación de otros fenómenos u objetos a la Constitución con derechos, explicando el fundamento y necesidad de que existan nuevos sujetos en la futura Constitución de Chile, en especial la naturaleza y los animales no humanos, como se ha hecho en otras constituciones del mundo. Se revisará lo ya aprobado por el pleno de la Convención Constitucional y se terminará con algunas conclusiones.

1. CONCEPCIÓN PERSONALISTA Y LA SERVICIALIDAD DEL ESTADO EN LA CONSTITUCIÓN DE 1980

En las bases de la institucionalidad es posible encontrar una serie de valores y principios que se expresan en todo el desarrollo normativo de la constitución. En palabras del profesor y convencional constituyente Christian Viera "en él se concentran las definiciones políticas e ideológicas que fundan la República de Chile. Se trata de nueve disposiciones descritas con alto nivel de generalidad y abstracción, que constituyen la puerta de entrada a la Constitución y son parte

---

[3]   Barad, Karen (2007) Meeting the Universe Halfway. Cambridge: Duke University Press.

del apartado Dogmático de la Carta Fundamental"[4]. Una de estas disposiciones es lo que se consagra en al artículo 1 inciso cuarto que dice "[e]l Estado está al servicio de la persona humana y su finalidad es promover el bien común, para lo cual debe contribuir a crear las condiciones sociales que permitan a todos y a cada uno de los integrantes de la comunidad nacional su mayor realización espiritual y material posible, con pleno respeto a los derechos y garantías que esta constitución establece". Esto se conoce como el principio personalista.

En general, los principios son entendidos como exponentes "de valores ético-políticos o proposiciones de carácter técnico-jurídico, vinculados a aspectos vitales del Estado"[5]. En el caso del principio personalista y de servicialidad del estado se trata de aquellos denominados "principios sustantivos" que tienen como objetivo el reconocimiento y defensa de la dignidad de la persona humana en diversos roles y que, a su vez, establece una serie de deberes[6]. Es por esto, que este principio se desarrolla en diversas reglas como la de reconocimiento, lo que implica el valor de la persona humana y sus derechos fundamentales; la regla de seguridad que se desarrolla a la luz de las garantías jurisdiccionales relacionados con los derechos fundamentales; y finalmente, la regla de la responsabilidad, que establece obligaciones patrimoniales y cargas públicas para quienes son personas[7].

La doctrina nacional ha desarrollado este principio señalando que el Estado está al servicio de la persona humana y no en sentido contrario, pues se enfatiza la naturaleza anterior y superior de la persona[8]. Así se sostiene que el Estado es creado en función de las personas, y por lo tanto hay una subordinación en su actuar, lo que se desprende del mayor valor del ser humano[9]. Se agrega que el Estado es un instrumento para garantizar el desarrollo de las personas buscando el bien común[10]

---

[4]   Viera Álvarez, Christian (2015) Las bases de la Institucionalidad del Estado. La Constitución chilena. Una revisión crítica a su práctica política, p. 35-55, p. 35.

[5]   García Toma, Víctor (2003) "Valores, principios, fines e Interpretación Constitucional", Derecho y Sociedad 21, pp. 190-209, p. 193.

[6]   García Toma (2003) 193

[7]   García Toma (2003) 196–197.

[8]   Henríquez Viñas, Miriam Lorena; Núñez Leiva, José Ignacio (2007) Manual de Estudios de Derecho Constitucional. Actualizado según la Reforma de 2005, Santiago: Editorial Metropolitana, p. 20; Silva Bascuñan, Alejandro (1997) Tratado de Derecho Constitucional. Tomo IV, 2da. Edición, Santiago: Editorial Jurídica de Chile, p. 69.

[9]   Bronfman Vargas, Alan; Martínez Estay, José Ignacio; y Núñez Poblete, Manuel (2012) Constitución Política Comentada. Parte Dogmática. Doctrina y Jurisprudencia, Santiago: Abeledo Perrot. Legal Publishing Chile, pp. 17–18.

[10]   Verdugo Marinkovic, Mario; Pfeffer Urquiaga, Emilio; Nogueira Alcalá, Humberto (2005) Derecho Constitucional. Tomo I, Santiago: Editorial Jurídica de Chile, p. 112.

A la luz del análisis que hacen estos autores, el principio personalista es la base del constitucionalismo chileno, fundado en concepciones religiosas, de corte naturalista, siguiendo doctrinas aristotélica-tomistas. Es decir, lo natural del Estado es proteger a la persona humana y, de hecho, esa protección se da incluso antes de nacer como lo establece el artículo 19 número 1. Desde ahí, el actual paradigma constitucional no facilita la incorporación de nuevas subjetividades que puedan ser objeto de protección o incluso sujetos de derechos en atención a que todo su quehacer se centra en la persona humana o en el animal humano.

Se reconoce de manera certera que en el área del Derecho Constitucional el ser humano es el centro de preocupación, por lo tanto, se evidencia un antropocentrismo constitucional[11], que se traduce en un concepto de ciudadanía centrado en las personas libres de la república[12]. Así el ciudadano es concebido como la persona que tiene capacidades específicas, como la razón, la autonomía, la reflexión y la deliberación[13]. Estas características en conjunto con la capacidad de hablar del ser humano lo pondrían en una situación de superioridad[14]. Pero esta visión ha sido disputada por diversos movimientos que abogan por el entendimiento más amplio de los fenómenos que nos rodean, como la naturaleza en su conjunto y los demás animales. No desde una visión utilitarista para el ser humano, sino que desde su intrínseco valor para la vida en general y los ecosistemas.

En atención a esta realidad, es que es necesario incorporar a la naturaleza y a los animales humanos dentro de un paradigma constitucional, o más general, al ordenamiento jurídico, cambiando el antropocentrismo a través de diversos mecanismos. Uno de esos es el posthumanismo.

2. EL POSTHUMANISMO COMO HERRAMIENTA PARA JUSTIFICAR LA INCORPORACIÓN DE OTROS FENÓMENOS/OBJETOS

Para explicar lo que significa el posthumanismo, hay que partir por un concepto anterior que es el de "post estructuralismo". Este es un movimiento de tipo

---

[11]   Ferreyra, Raúl Gustavo (2013) Fundamentos Constitucionales, Buenos Aires: Ediar, p. 306.
[12]   Pérez Luño, Antonio (2002) "Ciudadanía y definiciones", Doxa: Cuadernos de Filosofía del Derecho 2 25, p. 183. https://www.researchgate.net/deref/https%3A%2F%2Fdoi.org%2F10.14198%2FDOXA2002.25.05.
[13]   Donaldson, Sue; Kymlicka, Will (2016) Rethinking Membership and Participation in an Inclusive Democracy: Cognitive Disability, Children, Animals, en Disability and Political Theory, Cambridge: Cambridge University Press.
[14]   Blue, Gwendolyn; Rock, Melanie (2005) "Animal Publics: Accounting for Heterogeneity in Political Life" en Society and Animals 22, p. 505.

teórico y epistemológico que surge en Francia en la segunda mitad del siglo XX. La idea central del movimiento es poner el acento en la subjetividad y cómo cada ser humano crea un significado a lo que lo rodea. El postestructuralisno hace una crítica abierta a las corrientes estructuralistas y le entrega un nuevo valor al lenguaje, a las teorías del poder, al deseo y a la producción de subjetividades[15] en diversas áreas del conocimiento. Las teorías postestructuralistas desafían a los sistemas actuales que se construyen en base a formulas binarias: masculino/femenino, mando/obediencia, sujeto/objeto, y esta es la base del posthumanismo.

El posthumanismo, rechaza las lógicas binarias con las que se ha construido las realidades en occidente[16], negando que el ser humano es la única especie que produce nuevo conocimiento, poniendo énfasis en que cualquier cosa, objeto, fenómeno también tienen las capacidades para conocer[17]. La base de esta nueva propuesta se encuentra en señalar que siempre estamos interconectados con nuestro medio ambiente y, por tanto, hay que hacerse cargo de las interacciones que se producen en estos contextos, no solo de manera sustancial, sino que también de manera metodológica[18]. Estas interacciones son llamadas intraacciones por Karen Barad e indican que todo lo que se encuentra alrededor de los seres humanos son fuerzas dinámicas que están en una constante transformación y se influencias de manera mutua[19]. Por tanto, todo lo que está en la esfera de lo no humano también tendría agencia o acción para crear conexiones con lo que es propiamente humano. De esta manera, se deja claro que no hay una separación entre la persona humana y su entorno.

Lo que postula el posthumanismo, entonces, es una descentralización de la persona humana en el desarrollo de las relaciones, enfocándose no solo en los animales no humanos y la naturaleza, sino que también en cualquier objeto que se encuentre en nuestro entorno[20]. Cada uno de estos cuerpos humanos y no humanos tienen una energía en el espacio y se relacionan/trabajan con el resto de los cuerpos o presencias del entorno. Esta aproximación a la construcción del

---

15   Rifa Valls, Montserrat (2003) "Michael Foucault y el giro postestructuralista crítico feminista en la investigación educativa", Revista Educación y Pedagogía XV, n° 37, pp. 71–83.

16   Santamaría, Adrián; Pinto, Jesús; Martínez, Sergio "Entre el 'Trans'" y el 'Post' Humanismo: Una comparación seguida de una labor de bricolaje | Lapicero Blanco - Academia.edu", Disponible en   https://www.academia.edu/35477816/ENTRE_EL_TRANS-_Y_POST-_HUMANISMO_Una_comparaci%C3%B3n_seguida_de_una_labor_de_bricolaje. [visitado el 17 de julio de 2019].

17   Ulmer (2017).

18   Ulmer (2017).

19   Barad (2007).

20   Harris, Anne: Jones, Stacey (2019) "Between Bodies. A Queer Grief in the Anthropocene", en Qualitative Inquiry at a Crossroads, New York: Routledge, pp. 19–31.

conocimiento ha sido muy usual en áreas como la educación como por ejemplo el trabajo realizado por Hultman y Taguchi[21], o Kuby[22] o en el área de la antropología y geografía, pero se han ido expandiendo a otras disciplinas, no solo en lo sustancial, sino que también en lo metodológico[23].

Esta idea de "ir más allá de lo humano" o de "descentralizar el estudio de los humanos" nos propone desafíos que dicen relación con la influencia negativa que el ser humano ha tenido en nuestro planeta en este tiempo del antropoceno, concepto que implica que estamos en una época en donde el planeta se encuentra en un estado de deterioro que ha sido producido por el ser humano, como el calentamiento global[24]. Lo que nos aporta las teorías posthumanistas es desarrollar un nuevo pensamiento conceptual y práctico de las ideas con las cuales nos relacionamos para dar respuestas a los problemas que actualmente atravesamos[25]. Uno de esos nuevos desafíos es la incorporación de los demás animales y la naturaleza en nuestros marcos constitucionales para darles mayores grados de protección.

3. FUNDAMENTO DE INCORPORACIÓN DE LOS ANIMALES NO HUMANOS Y LA NATURALEZA EN LA CONSTITUCIÓN

Para hablar de estas ideas hay que tener claro que "la mayoría de las construcciones simbólicas y conceptuales que están presentes en nuestro diario vivir entregan una perspectiva desde la visión antropocéntrica. Actualmente, el desarrollo de nuestras relaciones nos invita a mirar lo que hacemos/vivimos/sentimos/experimentamos desde una perspectiva más allá de lo humano, descentralizando la visión que tenemos. Esta descentralización, invita a que podamos resignificar conceptos[26]" como el sentido jurídico de los demás animales y la naturaleza.

---

[21]   Hultman, Karin; Taguchi, Hillevi, (2010) "Challenging Anthropocentric analysis of visual data a relational materialist methodological approach to educational research" en International Journal of Qualitative Studies in Education 25, nº 5, pp. 525–542.

[22]   Kuby Candace (2017), "Why a paradigm shift of 'more than human ontologies' is needed: putting to work poststructural and posthuman theories in writers' studio" en International Journal of Qualitative Studies in Education 30, nº 9, pp. 877–896.

[23]   Lloro-Bidart, Teresa (2018) "A Feminist Posthumanist Multispecies Ethnography for Educational Studies", Educational Studies 54, nº 3, pp.253–270, https://doi.org/10.1080/00131946.2017.1413 370.

[24]   Harris y Jones (2019); Ulmer (2017).

[25]   Barad (2007).

[26]   Becerra Valdivia, Katherine (2021), "Competencias Ciudadanas y Animales no Humanos: descentralizando el sujeto político, creando competencias ensambladas-ciudadanas", en Derecho Animal,

Esta descentralización de la persona humana de igual modo ha llegado al Derecho como disciplina, y por el momento, tenemos que el binomio Sujeto de Derecho/Objeto de Derecho se ha visto disputado por estas nuevas corrientes de pensamientos, pues tanto los otros animales como la naturaleza han entrado en el debate pasando de ser objeto de protección a ser sujetos de derechos, de distintas formas y en distintos niveles, en varios ordenamientos jurídicos. Esto se basa en que el Derecho es una realidad imaginada que se encuentra dentro del mundo material, modelando nuestros deseos y aspiraciones normativas y es intersubjetivo, pues lo hemos ido construyendo como sociedad[27]. Por tanto, el Derecho puede ser re-imaginado y ser objeto de nuevas creaciones.

Es así como a las áreas clásicas del Derecho, se le han ido incorporando otras nuevas como el Derecho Medioambiental y el Derecho Animal que han tenido un auge en los últimos años, no tan solo en nuestro país, sino que también en el mundo. Si bien es cierto, ambas disciplinas ponen de manifiesto la necesidad del ser humano de relacionarse de manera diferente con la naturaleza y los demás animales, los procesos de reconocimiento de ambas han sido diversos, y a veces, sus objetos de protección se contraponen. Así el Derecho Medioambiental, ya es más establecido, lo que se puede medir por la gran cantidad de constituciones que tienen alguna protección al medioambiente, en contraposición al Derecho Animal, que recién está teniendo alguna consagración en pocas constituciones[28]. A continuación, se presentará un breve análisis de estas realidades.

3.1. Inclusión de la naturaleza como objeto de protección en Ecuador y Bolivia

El medioambiente ha sido objeto de protección en muchas constituciones, y siempre su visión ha sido desde la perspectiva antropocéntrica: el derecho que tiene la persona para acceder a un medioambiente sano[29]. Solo algunas nuevas tendencias han establecido protecciones ecocéntricas o biocéntricas al medioambiente completo o solo algunas partes de él como ha sido el caso de los ríos. En estos casos son decisiones jurisprudenciales o legislativas las que se han enfocado

---

Tenencia Responsable y Otras Propuestas Interdisciplinares. Actas de los IV Coloquios de Derecho Animal, Santiago: Ediciones Jurídicas de Santiago, pp. 297–322.

[27]   Flores Ruiz, José Fernando (2019) Derechos Humanos y No Humanos de Última Generación: la superación del antropocentrismo en el Derecho Constitucional, Bogotá D.C.: Tirant lo Blanch, pp. 35–37.

[28]   Stilt, Kristen (2021) "Rights of Nature, Rights of Animals", Harvard Law Review Forum 134, n° 5, p. 277.

[29]   Stilt (2021) 276.

en protección de dichos elementos, como el caso del río Atrato en Colombia, el río Ganges y Yamuna en India o el río Whanganui en Nueva Zelanda.

Históricamente la protección constitucional del medioambiente comienza en la segunda mitad del siglo XX, siendo la Constitución italiana la que recoge primeramente algún artículo relativo al mismo al proteger el paisaje en 1947[30]. De Acuerdo con Guiloff y Moya "la protección del medio ambiente se encuentra contemplada en 157 textos constitucionales y tiene mayor presencia en las constituciones del mundo que las garantías procesales del imputado o derechos sociales como la salud y la educación"[31]. Entonces la novedad no es en la protección en sí misma, sino en que ciertos ordenamientos jurídicos han decidido proteger la naturaleza o parte de ellas no como el lugar en el cual se desarrolla el ser humano, sino que se incluye a la naturaleza y sus elementos como sujetos de derechos. Durante la década de los ochenta por primera vez se habla de esta posibilidad a la luz del trabajo de Godofredo Stuntzin[32].

Esto es lo que ocurre en el caso de Ecuador y Bolivia, quienes de distinta manera establecen niveles de protección de la naturaleza o Pachamama o de su patrimonio natural, lo que incluye especies nativas de origen animal o vegetal. En el caso de Ecuador el artículo 71 de la Constitución señala que "[l]a naturaleza o Pacha Mama, donde se reproduce y realiza la vida, tiene derecho a que se respete integralmente su existencia y el mantenimiento y regeneración de sus ciclos vitales, estructura, funciones y procesos evolutivos", estableciendo expresamente en su artículo siguiente que la naturaleza tiene un derecho a la restauración. Esta inclusión en el año 2008 supuso un cambio de paradigma, "[e]ste nuevo paradigma, el de ver a la Naturaleza no como un 'algo' sino como un 'alguien' que tiene derechos, propicia nuevos debates filosóficos que cuestionan el racionalismo de la modernidad, que es, en gran medida, el motor ideológico que empuja la enorme depredación provocada por el predominio del lucro sobre el equilibrio en la relación de lo social con lo natural"[33]. Ecuador ha hecho un cambio sustancial en la manera de entender la relación de la naturaleza con el ser humano, pasando de un antropocentrismo a una relación más igualitaria, menos depredadora del ecosistema.

---

[30]   Guiloff, Matias; Moya, Francisca (2020) "El derecho a vivir en un medio ambiente sano", en Curso de Derechos Fundamentales, Santiago: Tirant lo Blanch, pp. 891.
[31]   Guiloff y Moya (2020) 891–892.
[32]   Melo, Mario (2013) "Derechos de la Naturaleza, globalización y cambio climático", Revista Línea Su 5, p. 46.
[33]   Melo (2013) 44.

Bolivia, por su parte, aprobó en 2010 la Ley No. 71, denominada de derechos de la Madre Tierra. Esta ley tiene por objeto reconocer los derechos de la Madre Tierra, así como las obligaciones y deberes del Estado Plurinacional y de la sociedad para garantizar el respeto de los mismos. En su artículo 3 la Madre Tierra se define como "el sistema viviente dinámico conformado por la comunidad indivisible de todos los sistemas de vida y los seres vivos, interrelacionados, interdependientes y complementarios, que comparten un destino común. La Madre Tierra es considerada sagrada, desde las cosmovisiones de las naciones y pueblos indígena originario campesinos." El artículo 7 señala los derechos de la Madre Tierra, como el derecho a la vida, a la diversidad de la vida, al agua, al aire limpio, entre otros. En 2012 se dicta la "Ley Marco de la Madre Tierra y Desarrollo Integral para Vivir Bien" que se complementa con la ley anterior, estableciendo expresamente en su artículo 9 que el vivir bien se logra a través del desarrollo integral en armonía y equilibrio con la Madre Tierra, teniendo complementariedad, compatibilidad e interdependencia de los derechos de la Madre Tierra, los derechos colectivos e individuales de las naciones y pueblos indígenas, los derechos civiles, políticos, sociales, económicos y culturales de las personas, y finalmente, los derechos de la población rural y urbana a vivir en una sociedad justa, equitativa y solidaria sin pobreza. En este caso, la protección que se da en Bolivia es holística e integral, pensando en los derechos de la naturaleza en concordancia con el vivir bien de las personas.

En todos estos casos no es de extrañar que exista una protección íntimamente ligada a la filosofía o cosmovisión indígena[34], y la sacralidad de la relación con la naturaleza, basado en un principio colectivo, donde los pueblos originarios son guardianes y custodios, no propietarios de la naturaleza ni de los recursos naturales.

3.2. Inclusión de los demás animales en el ordenamiento jurídico en perspectiva comparada y su justificación

En el caso de los animales no humanos hay textos constitucionales que los han mencionado como objeto de protección, como en el caso de Suiza, Alemania, Brasil, India, Luxemburgo, Austria, Egipto y Rusia. En el caso de Suiza se consagra la "dignidad de la criatura" (Sección 120). En Alemania en el artículo 20a se

---

[34]   Tórtora Aravena, Hugo (2021) "El 'Buen Vivir' y los derechos culturales de naturaleza co- lectiva en el Nuevo Constitucionalismo Latinoamericano Descolonizador", Revista de Derecho Universidad Católica del Norte 28, p. 30.

establece que el estado debe proteger a los animales. La Constitución de Luxemburgo se expresa que el Estado promueve la protección y el bienestar animal en su artículo 11 bis. Por tanto, existen declaraciones que protegen ciertos derechos o aspectos de la vida de los demás animales.

El sustento de estas declaraciones se basa en que los animales no son cosas, sino que seres sintientes, habiendo consideraciones ético-filosóficas que sustentan el cambio de paradigma[35]. Algunos lo basan en un principio de igualdad, o en la libertad, incluso en la dignidad como en el caso Suiza. También se ha incluido la incorporación de los demás animales a la luz de la paz como fin último del Derecho[36]. Pero sin duda la sintiencia ha ganado terreno para dar una explicación al fenómeno.

La sintiencia se define como la capacidad para experimentar diversos sentimientos sensaciones, como el dolor, pena, rabia, alegría. Y efectivamente, según diversas ramas de la biología los animales no humanos son capaces de tener todas estas emociones. La etología, que estudia la mente y comportamiento de animales no humanos ha demostrado que no hay grandes diferencias emocionales y mentales entre animales humanos y el resto de los animales, esto se ha sumado a los estudios genéticos que indican que compartimos un 98% de los genes con los animales no humanos. En la actualidad, esta ciencia ha demostrado que los animales piensan en sí mismos en forma similar a como lo hacen los animales humanos[37]. Los animales también presentan avanzadas habilidades cognitivas y latentes capacidades de lenguaje animal[38].

La diferencia entre animales no humanos y animales humanos es una construcción social y por tanto no se basa en elementos biológicos, de comportamientos, de religiosidad o de linaje[39]; se plasma en términos de ausencia de ciertas características en los animales, las características que lo hacen ser un sujeto

---

[35]   Le Bot, Olivier (2011) "Les Grandes Évolutions du Régime Juridique de l'Animal en Europe: Constitutionnalisation et Déréification," Revuequébécoise de droit internationa 24, n° 1, pp. 250–251.

[36]   González Marino, Israel; Becerra Valdivia, Katherine, "Los demás animales como miembros de la comunidad política: superando el antropocentrismo constitucional a través de la paz como fin del Derecho", en Derecho Animal Forum of Animal Law Studies 12, n° 3, pp.43–56.

[37]   Peterson, Anna Lisa (2013) Being Animal: Beasts and Boundaries in Nature Ethics (New York: Columbia University Press; Sloan, Douglas (2015) The Redemption of the Animals: Their Evolution, Their Inner Life, and Our Future Together, SteinerBooks.

[38]   Sloan (2015).

[39]   DeMello, Margo (2012) Animals and Society: An Introduction to Human-Animal Studies, Columbia University Press.

político. Pero Derrida nos hace ver la animalidad no desde la carencia, sino que de la diferencia[40].

Así, la base para la incorporación de los animales a las constituciones se sustenta en entendimiento diverso de lo que significa la "animalidad" pues los demás animales no son tan distintos a los seres humanos y en este proceso de intrarelaciones existe la decisión de darles una mayor protección a través de normas jurídicas que se preocupen mínimamente de su bienestar en diversos procesos productivos o derechamente se le otorguen derechos que sirvan de darles una esfera de protección mucho más amplia.

Los efectos de la incorporación de los animales no humanos a las constituciones han sido estudiados desde diversos paradigmas. En general, se ha señalado que ha habido cambios en el nivel de protección de los animales siendo más eficiente en el bienestar animal, pues se toman decisiones más intencionadas en este sentido, obligando a las autoridades a ponderar no solo la utilidad de los animales para los seres humanos, sino que también su valor en sí mismos[41].

3.3. Naturaleza y animales no humanos en el borrador de la actual propuesta de nueva constitución

En la propuesta actual de nueva constitución ya es posible encontrar normas que descentralizan quienes son sujetos de derecho incorporando a la naturaleza y a los demás animales.

Con respecto a la naturaleza en el capítulo trabajado por la Comisión de Principios Constitucionales, Democracia, Nacionalidad y Ciudadanía se agrega un artículo que indica "[l]as personas y los pueblos son interdependientes con la naturaleza y forman, con ella, un conjunto inseparable". Y en inciso segundo se agrega que "[l]a naturaleza tiene derechos. El Estado y la sociedad tienen el deber de protegerlos y respetarlos". Por su parte la Comisión de Medio Ambiente, Derechos de la Naturaleza, Bienes Naturales Comunes y Modelo Económico aprobó lo siguiente: "De los derechos de la Naturaleza. La Naturaleza tiene

---

[40]   Derrida, Jacques (2008) The Animal that Therefore I Am, New York: Fordham University Press.
[41]   Bendor Ariel.L.; Dancing-Rosenberg, Hadar (2018) "Animals rights in the shadow of the constitution", *Animal Law* 24, nº 1, p. 99; Le Bot, Olivier (2018) "Is it useful to have an animal protection in the constitution?, en, *US-China Law Review* 15, nº 1, p. 54; Deckha, maneesha (2020) "Constitutional protections for animals: A comparative animal-centred and postcolonial reading", en *Colonialism and Animality*, New York; Routledge, pp. 2019-249; Verniers, Elien (2020) "The impact of including animals in the constitution - Lessons learned from the German animal welfare stateobjective", *Global Journal of Animal Law* 8 (2020), pp. 1-24.

derecho a que se respete y proteja su existencia, a la regeneración, a la mantención y a la restauración de sus funciones y equilibrios dinámicos, que comprenden los ciclos naturales, los ecosistemas y la biodiversidad".

Esta misma comisión aprobó una norma referente a los animales que indica que "[l]os animales son sujetos de especial protección. El Estado los protegerá, reconociendo su sintiencia, y el derecho a vivir una vida libre de maltrato. El Estado y sus organismos promoverán una educación basada en la empatía y en el respeto hacia los animales".

Estas normas son producto del trabajo de una serie de organizaciones y académicos que se involucraron en el proceso participativo y que les permitió a los convencionales constituyentes de las respectivas comisiones conocer un paradigma diverso al que se establece en la Constitución de 1980, nutriéndose de las propuestas más actuales con respecto a la necesidad de cambiar el Derecho o repensarlo/reimaginarlo. Las consecuencias concretas de estas incorporaciones a un sistema normativo como el chileno se tendrán que ver si la propuesta constitucional es aprobada, pero sin lugar a dudas, generan un nuevo paradigma constitucional.

4. CONSECUENCIAS DEL CAMBIO DE PARADIGMA: PRINCIPIO PERSONALISTA Y PRINCIPIO POSTHUMANISTA

Este nuevo paradigma constitucional, que no es único en Chile, aun cuando es novedoso en muchos aspectos, y de sobremanera en el tema de los demás animales, nos hace preguntarnos con respecto a que pasará con el principio personalista y el de servicialidad del estado. Sin duda, el eje de esta posible nueva constitución cambia, usando una visión posthumanista.

El estado ya no está solo al servicio de la persona humana, sino que también se encontrará al servicio de la naturaleza y de los demás animales, lo que amplía el cambio de obligatoriedad para el Estado. Por lo tanto, estamos frente a un principio posthumanista que se desenvuelve en la servicialidad estatal a diversos sujetos normativos. Este principio nos invita a dejar de ver a la persona humana como el único centro de atención constitucional/legislativa y eliminar la idea que otros objetos como la naturaleza y los demás animales se encuentran en un orden jerárquico inferior y que pueden ser usados de manera predatoria por los animales humanos. Así las cosas, estamos frente a un principio de orden sustantivo que va más allá de la persona humana, creando una nueva regla de reconocimiento no solo a los animales humanos, sino que a la naturaleza y a los otros animales.

¿Significa todo lo anterior que los seres humanos veremos mermados nuestros derechos en la constitución por el cambio de perspectiva? Absolutamente no, lo que se propone es que esta visión adicione elementos de protección a los animales no humanos y naturaleza, con el objeto de que tengamos más sujetos de derechos dignos de protección. En ningún caso, la protección de los animales no humanos y naturaleza en general desplaza la protección del ser humano, solo la descentraliza estableciendo mayores obligaciones por parte del Estado, principalmente para poder lograr estándares más coherentes con la visión de conjunto, unidad, y de intraación de todos sujetos de Derecho.

Animales humanos, demás animales y naturaleza hoy forman parte de un todo, que está en estrecha relación y consonancia, donde los intereses de unos no están por sobre los otros. Por tanto, deben existir políticas de complementariedad, coordinación e interrelación, ponderando los intereses de cada uno de estos sujetos de Derecho. Por cierto, que esta equiparación de los intereses podrá crear problemas y conflictos que tendrán que ser resueltos caso a caso teniendo a la vista este principio posthumanista.

Este cambio de paradigma sin lugar a duda tendrá impacto no solo en el mundo jurídico, ya que habrá que modificar muchas normativas como la Ley de Bases del Medio Ambiente o la Ley de Tenencia Responsables de Mascotas, sino que habrá cambios en el aspecto social, educativo y económico. Respecto a los cambios sociales, se nos invita a comprender la importancia de vivir en un mundo donde los animales no humanos y la naturaleza son una parte esencial de las relaciones que nos rodean, dándoles la importancia necesaria en nuestras actividades diarias. Respecto a la educación, la misma propuesta constitucional llama a una educación no especista en el caso de los demás animales, pero también será importante en los avances sobre el rol de la naturaleza y la crisis ecológica y ambiental que vivimos, para hacernos conscientes del punto de no retorno que estamos viviendo. En lo económico, sin duda hay que conciliar este tipo de actividades con la nueva normativa que producirá cambios en las industrias agrícolas, ganaderas y también extractivas. Sin duda, estamos frente a un nuevo paradigma basado en un principio posthumanista, con una regla clara y precisa de reconocimiento.

CONCLUSIONES

Este trabajo pretende disputar el rol del principio personalista y de servicialidad del Estado al incluirse otros sujetos de derecho que históricamente son vistos
como cosas desde la perspectiva jurídica. Los demás animales y la naturaleza han
sido objeto de protección por algunas constituciones del mundo y en el proceso
que se está llevando a cabo en Chile es interesante plantearse esta posibilidad.

Para pensar en la inclusión de estos nuevos actores, el posthumanismo nos
invita a descentralizar el análisis que siempre ha estado ligado a la realidad humana. ¿qué pasa si pensamos más allá de nuestra experiencia y pensamos en los
demás animales y la naturaleza como valiosos en sí mismos? ¿Qué pasa si dejamos
atrás una visión utilitarista de los mismos? En este sentido, el posthumanismo nos
entrega herramientas metodológicas para poder extender los conceptos jurídicos constitucionales a otras realidades.

El borrador de la posible nueva constitución chilena ya reconoce estas nuevas
realidades, elevando su estatus a nuevos sujetos de derechos. Esto generará un
cambio importante en la manera de entender las relaciones dentro de la triada
animales humanos -animales no humanos - naturaleza, obligando al Estado a
establecer nuevas normativas que armonicen los diversos intereses que tienen
estos sujetos.

El establecimiento de un principio posthumanista de manera tácita en
una posible nueva constitución crea desafíos normativos interesantes a nivel
constitucional, pues sin lugar a duda nos invita a repensar la servicialidad del Estado sólo ligada al principio personalista, pues ahora también hay que conciliarlo
y armonizarlo con el mejor interés y bienestar de nuevos sujetos normativos, como lo son los demás animales y la naturaleza.

Este trabajo, lejos de querer presentar un estudio pormenorizado de las implicancias que esto tendría, quiere invitarnos a reflexionar sobre otras maneras de
entender el Derecho como realidad normativa, incluyendo nuevas subjetividades
que requieren atención y cuidado para mantener una vida sustentable en este
antropoceno.

BIBLIOGRAFÍA

Barad, Karen (2007) Meeting the Universe Halfway. Cambridge: Duke University
    Press.

Becerra Valdivia, Katherine. "Competencias Ciudadanas y Animales no Humanos: Becerra Valdivia, Katherine (2021), "Competencias Ciudadanas y Animales no Humanos: descentralizando el sujeto político, creando competencias ensambladas-ciudadanas", en Derecho Animal, Tenencia Responsable y Otras Propuestas Interdisciplinares. Actas de los IV Coloquios de Derecho Animal. Santiago: Ediciones Jurídicas de Santiago, pp. 297–322.

Bendor, Ariel.L.; Dancing-Rosenberg, Hadar (2018) "Animals rights in the shadow of the constitution". Animal Law 24, no 1, p. 99.

Blue, Gwendolyn; Rock, Melanie (2014) "Animal Publics: Accounting for Heterogeneity in Political Life". Society and Animals 22, pp. 504–519.

Bronfman Vargas, Alan; Martínez Estay, José Ignacio; Núñez Poblete Manuel (2012) Constitución Política Comentada. Parte Dogmática. Doctriuna y Jurisprudencia. Santiago: Abeledo Perrot. Legal Publishing Chile.

Deckha, Maneesha (2020) "Constitutional protections for animals: A comparative animal-centred and postcolonial reading". Colonialism and Animality. New York: Routledge, pp. 2019-249.

DeMello, Margo (2012) Animals and Society: An Introduction to Human-Animal Studies. Columbia University Press.

Derrida, Jacques (2008) The Animal that Therefore I Am. New York: Fordham University Press.

Donaldson, Sue; Kymlicka, Will (2016) Rethinking Membership and Participation in an Inclusive Democracy: Cognitive Disability, Children, Animals. Disability and Political Theory. Cambridge: Cambridge University Press Cambridge.

Ferreyra, Raúl Gustavo (2013) Fundamentos Constitucionales. Buenos Aires: Ediar.

Flores Ruiz, José Fernando (2019) Derechos Humanos y No Humanos de Última Generación: la superación del antropocentrismo en el Derecho Constitucional. Bogotá D.C.: Tirant lo Blanch 175 pp.

García Toma, Víctor (2003) "Valores, principios, fines e Interpretación Constitucional". Derecho y Sociedad 21, pp. 190-209.

González Marino, Israel; Becerra Valdivia, Katherine (2021) "Los demás animales como miembros de la comunidad política: superando el antropocentrismo constitucional a través de la paz como fin del Derecho". Derecho Animal Forum of Animal Law Studies 12, no 3, pp. 43–56.

Guiloff, Matias; Moya, Francisca (2020) "El derecho a vivir en un medio ambiente sano". En Curso de Derechos Fundamentales, Santiago: Tirant lo Blanch, pp. 879–920.

Harris, Anne: Jones, Stacey (2019) "Between Bodies. A Queer Grief in the Anthropocene". En Qualitative Inquiry at a Crossroads, New York: Routledge, pp. 19-31.

Henríquez Viñas, Miriam Lorena; Núñez Leiva, José Ignacio (2007) Manual de Estudios de Derecho Constitucional. Actualizado según la Reforma de 2005. Santiago: Editorial Metropolitana.

Hultman, Karin, y Hillevi Taguchi (2010) "Challenging Anthropocentric analysis of visual dataN a relational materialist methodological approach to educational research". International Journal of Qualitative Studies in Education 25, no 5, pp. 525–542.

Kuby, Candace (2017) "Why a paradigm shift of 'more than human ontologies' is needed: putting to work poststructural and posthuman theories in writers' studio". International Journal of Qualitative Studies in Education 30, no 9, pp. 877–896.

Le Bot, Olivier (2011) "Les Grandes Évolutions du Régime Juridique de l'Animal en Europe: Constitutionnalisation et Déréification,". Revuequébécoise de droit internationa 24, no 1.

Le Bot, Olivier (2018) "Is it useful to have an animal protection in the constitution?" en. US-China Law Review 15, no 1, p. 54.

Lloro-Bidart, Teresa (2018) "A Feminist Posthumanist Multispecies Ethnography for Educational Studies". Educational Studies 54, no 3, pp. 253–270. https://doi.org/10.1080/00131946.2017.1413370.

Melo, Mario (2013) "Derechos de la Naturaleza, globalización y cambio climático". Revista Línea Su 5, pp. 43–54.

Pérez Luño, Antonio (2002) "Ciudadanía y definiciones". Doxa: Cuadernos de Filosofía del Derecho 2 25, pp. 177-211. Disponible en https://www.researchgate.net/deref/https%3A%2F%2Fdoi.org%2F10.14198%2FDOXA2002.25.05.

Peterson, Anna Lisa (2013) Being Animal : Beasts and Boundaries in Nature Ethics. New York: Columbia University Press.

Rifa Valls, Montserrat (2003) "Michael Foucault y el giro postestructuralista crítico feminista en la investigación educativa". Revista Educación y Pedagogía XV, no 37, pp. 71–83.

Santamaría, Adrián: Pinto, Jesús; Martínez (s.f) "Entre el 'Trans' y el 'Post' Humanismo: Una comparación seguida de una labor de bricolaje. Lapicero Blanco - Academia.edu". Disponible en https://www.academia.edu/35477816/ENTRE_EL_TRANS-_Y_POST_HUMANISMO_Una_comparaci%C3%B3n_seguida_de_una_labor_de_bricolaje. [visitado el 17 de julio de 2019].

Silva Bascuñan, Alejandro (1997) Tratado de Derecho Constitucional. Tomo IV. 2da. Edición. Santiago: Editorial Jurídica de Chile.

Sloan, Douglas (2015) The Redemption of the Animals: Their Evolution, Their Inner Life, and Our Future Together. SteinerBooks.

Stilt, Kristen (2021) "Rights of Nature, Rights of Animals". Harvard Law Review Forum 134, no 5, pp. 276–285.

Tórtora Aravena, Hugo (2021) "El 'Buen Vivir' y los derechos culturales de naturaleza co- lectiva en el Nuevo Constitucionalismo Latinoamericano Descolonizador". Revista de Derecho Universidad Católica del Norte 28, pp. 1–36.

Ulmer, Jasmine (2017) "Posthumanism as research methodology: inquiry in the Anthropocene". nternational Journal of Qualitative Studies in Education 30, no 9, pp. 832–848.

Verdugo Marinkovic, Mario; Pfeffer Urquiaga, Emilio; Nogueira Alcalá, Humberto (2005) Derecho Constitucional. Tomo I. Santiago: Editorial Jurídica de Chile.

Verniers, Elien (2020) "The impact of including animals in the constitution - Lessons learned from the German animal welfare stateobjective". Global Journal of Animal Law 8, p. 99.

Viera Álvarez, Christian (2015) Las bases de la Institucionalidad del Estado. La Constitución chilena. Una revisión crítica a su práctica política, p. 35-55.

Protección constitucional de la propiedad sobre derechos personales

Raúl Bertelsen Repetto[1]

1.- El reconocimiento de propiedad sobre los derechos personales y su protección constitucional es uno de los aspectos principales del estatuto de la propiedad en Chile. El reconocimiento legal de su existencia, como es sabido, se encuentra en el Código Civil en sus artículos 576, 578 y 583, y la base constitucional que ha permitido su protección ha estado en el artículo 10 N° 10 de la Constitución de 1925, tanto en su texto original como en el que lo sustituyó en la reforma constitucional de 1967, y luego en el artículo 19 N° 24 de la Constitución de 1980 que no ha sufrido cambios hasta la fecha.

La protección constitucional de la propiedad sobre derechos personales se desarrolla a partir de los fallos de inaplicabilidad dictados por la Corte Suprema durante la vigencia de la Constitución de 1925. Primero en forma ocasional, pero a partir de la década de 1960 con más frecuencia, la Corte Suprema tuvo que conocer recursos de inaplicabilidad en que le solicitaban declarara inaplicable un precepto legal que, a juicio del recurrente, infringía la garantía constitucional de la propiedad que tenía sobre un derecho personal.

Esa doctrina, formulada primeramente cuando regía el texto original de la Constitución de 1925 en materia de propiedad, se desarrolla por la Corte Suprema después de la reforma constitucional de la Ley N° 16.615 de 1967 que sustituyó en su totalidad el artículo 10 N° 10 sobre el derecho de propiedad, y se mantiene por la misma Corte una vez que entró en vigencia la Constitución de 1980 hasta la Ley N° 20.050 de 2005 que traspasó el conocimiento del recurso de inaplicabilidad al Tribunal Constitucional.

Por su parte, el Tribunal Constitucional, restablecido en la Constitución de 1980, antes y después de la Reforma Constitucional de 2005 que amplió su competencia en materia de control de constitucionalidad de las leyes, bien sea a través del control preventivo de constitucionalidad o al ocuparse a partir de 2006 del conocimiento y fallo de los requerimientos de inaplicabilidad que hasta esa fecha conocía la Corte Suprema, ha reconocido también en el ejercicio de sus atribuciones la propiedad sobre derechos personales.

En el estudio que sigue, recuerdo brevemente las diversas etapas por las que ha pasado la protección constitucional de los derechos personales emanados de

---

[1]   Doctor en Derecho por la Universidad de Navarra. Profesor de Derecho Constitucional de la Universidad de los Andes.

contratos y de otras fuentes de las obligaciones frente a leyes que los vulnera-
ban, y lo hago en homenaje a uno de los más distinguidos maestros del Derecho
Constitucional en Chile, el profesor José Luis Cea Egaña, en muestra de aprecio
y amistad [2].

LA CONSTITUCIÓN DE 1925 Y LA PROPIEDAD
SOBRE DERECHOS PERSONALES

2.- Durante la vigencia de la Constitución de 1925, tanto antes como después
de la Ley N° 16.615 de Reforma Constitucional sobre el derecho de propiedad
de 20 de enero de 1967, reforma que marcó un hito en materia de propiedad,
la Corte Suprema, al fallar los recursos de inaplicabilidad que, en esa época, le
correspondía conocer en virtud del artículo 86 de la Carta de 1925, tuvo oportunidad de desarrollar la doctrina en que extendía la protección de la garantía
constitucional sobre la propiedad a la que sus titulares tienen sobre derechos
personales.

Entre otras sentencias anteriores a 1967 que pudieran citarse, recuerdo la de
6 de mayo de 1964 en que la Corte Suprema, después de recordar que el artículo
10 N° 10 de la Constitución establece el principio de la inviolabilidad de toda
propiedad, sin distinción alguna, afirmó luego que *[e]s indudable que esta disposición constitucional se refiere tanto a los derechos reales como a los personales. A ambos los
asegura con garantía ahí determinada en forma perentoria.* De ahí que el recurrente,
arrendatario de un inmueble, *tiene un derecho al uso y goce del mismo, es decir, es titular de un derecho personal* [3].

En la especie, el arrendamiento lo era de tierras fiscales en Magallanes por
un plazo que empezaba el 1° de abril de 1956 y terminaba el 11 de marzo de
1971, pero en conformidad a la Ley N° 6152 se puso término anticipadamente al
contrato por no pago oportuno de rentas de arrendamiento, y el Presidente de
la República, en virtud del artículo 25 de dicha ley ordenó su restitución material inmediata sin forma de juicio y con auxilio de la fuerza pública, siendo este

---

[2]   Sobre la propiedad de los derechos personales puede consultarse: Guzmán Brito, Alejandro (2006)
      Las cosas incorporales en la doctrina y en el derecho positivo. Editorial Jurídica de Chile. Santiago, se-
      gunda edición; Fermandois V., Arturo (2016) *Derecho Constitucional Económico. Tomo II. Regulación,
      Tributos y Propiedad.* Ediciones UC. Santiago, y Guiloff, Matías, y Salgado, Constanza (2020) Capítulo
      XVIII *Derecho de propiedad,* en Contreras, Pablo, y Salgado, Constanza (editores): *Curso de Derechos
      Fundamentales.* Tirant lo Blanch. Valencia, 633-674.
[3]   RDJ, t. LXI (1964), II, 1ª, 85, considerando 7°. La protección constitucional de la propiedad sobre
      derechos personales ya había sido admitida con anterioridad por la Corte Suprema en sentencias
      de inaplicabilidad. Una muestra de esta doctrina se encuentra en la RDJ, t. XXXIX (1942), II, 1ª,
      372.

precepto legal el que fue declarado inaplicable en sentencia de la Corte Suprema que redactara el Ministro Osvaldo Illanes Benítez.

Y la razón por la que fue declarado inaplicable el citado artículo 25 de la Ley N° 6152 fue su oposición al artículo 10 N° 10 de la Constitución de 1925, vigente en su texto original y que disponía que *nadie puede ser privado de la propiedad de su dominio sino en virtud de sentencia judicial o de expropiación por razón de utilidad pública, calificada por una ley,* situaciones que no se daban pues ni había sentencia judicial ni ley expropiatoria[4].

Otro caso de particular interés que incidía en la protección constitucional de un derecho personal fue la sentencia de la Corte Suprema de 7 de diciembre de 1966 en que la Corte, con el solo voto en contra del Ministro Rafael Retamal, declaró inaplicable el artículo único de la Ley N° 16.519, en la parte que hizo extensiva la amnistía concedida a los responsables de delitos sancionados en la Ley de Abusos de Publicidad a los efectos civiles de tales delitos.

Para llegar a esa conclusión, la sentencia recuerda que *el ofendido por el delito o cuasidelito tiene el derecho de dominio, que se llama también propiedad, de un crédito contra el ofensor, que adquirió y se incorporó a su patrimonio desde el momento de la ejecución del hecho punible, derecho que es de carácter esencialmente civil, personal, incorporal y susceptible de ser transmitido por causa de muerte y cedido en el juicio una vez deducida la acción* (considerando 15°).

Luego, la sentencia descarta que la declaración del artículo 93 N° 3 del Código Penal cuando dice que la amnistía extingue *la pena y todos sus efectos,* comprenda el derecho de la víctima a ser indemnizado por los daños causados por la infracción penal, derecho que ingresó a su patrimonio al momento de cometerse el hecho delictivo y que tiene el carácter de un derecho adquirido, razón por la que el precepto legal que priva del mismo a su titular infringe el artículo 10 N° 10 de la Constitución Política que asegura a todos los habitantes de la República la inviolabilidad de todas las propiedades sin distinción alguna[5].

3.- En 1967, como es sabido, la reforma constitucional aprobada por la Ley N° 16.615 de 20 de enero de ese año, sustituyó el artículo 10 N° 10 de la Constitución de 1925, que en una reforma anterior contenida en la Ley N° 15.295 de 1963, la había modificado en lo relativo a la toma de posesión material de algunos bienes expropiados y del pago a plazo de las expropiaciones de predios rústicos destinados a la reforma agraria.

---

[4]   La sentencia estimó que el precepto legal declarado inaplicable infringía asimismo el artículo 80 de la Constitución de 1925 que reservaba el ejercicio de la facultad jurisdiccional a los tribunales y prohibía su ejercicio al Presidente de la República y al Congreso Nacional.

[5]   RDJ, t. LXIII (1966), II, 4ª, 359.

De la reforma constitucional de 1967 interesa señalar que el nuevo texto del artículo 10 N° 10 de la Constitución, aseguró a todos los habitantes de la República *[e]l derecho de propiedad en sus diversas especies.*

Evans de la Cuadra, quien era Subsecretario de Justicia durante la tramitación del proyecto de reforma constitucional que llevó a la sustitución del artículo 10 N° 10 de la Constitución, al explicar en una obra publicada ese mismo año 1967 el alcance del nuevo precepto constitucional sobre la propiedad, señaló que *[l]a Constitución, al asegurar a todos los habitantes de la República el derecho de propiedad en sus diversas especies, está amparando todos aquellos que tengan relevancia o significación patrimonial directas, y además, todas las formas de propiedad, no estatal que requieran protección jurídica: la propiedad individual, la familiar, la comunitaria, la social*[6].

4.- Después de la reforma de 1967 la Corte Suprema reafirmó la continuidad de su doctrina sobre la propiedad de los derechos personales, lo que revela una constante jurisprudencial en la materia.

Así, en sentencia de 3 de julio de 1967, recordó que la reforma introducida por la Ley N° 16.615 al artículo 10 N° 10 de la Constitución, *mantiene el principio en virtud del cual el derecho de propiedad no puede ser afectado, en su base, con leyes retroactivas,* añadiendo poco más adelante que tanto en el régimen de la Constitución de 1925 como en el posterior a su modificación última, el derecho de propiedad no puede ser lesionado por leyes *retroactivas que afecten lo ya adquirido, en su parte sustancial*[7].

Es importante destacar, pues no fueron años precisamente en que se respetara de modo pacífico el derecho de propiedad, que en los años finales de la década de 1960 y hasta 1973, la Corte Suprema desarrolló la doctrina sobre la propiedad de derechos personales, aplicándola a diversos contratos, basada ahora en la nueva redacción que presentaba el artículo 10 N° 10 de la Constitución, norma que desde 1967 enunciaba la garantía señalando que *la Constitución asegura a todos los habitantes de la República* [...] *10° El derecho de propiedad en sus diversas especies.* El escueto enunciado, sin embargo, permitió a la Corte Suprema fundamentar la jurisprudencia que, por esos años, desarrolló en torno a la propiedad de derechos personales emanados de contratos, en un momento en que la propia norma constitucional había debilitado la protección de la propiedad inmueble, especialmente la propiedad agraria.

Así y sin intención de hacer un estudio exhaustivo del estatuto constitucional de la propiedad en los años de 1960, sino con el solo propósito de mostrar

---

[6]   Evans de la Cuadra, Enrique: *Estatuto constitucional del derecho de propiedad en Chile.* Editorial Jurídica de Chile. Santiago 1967, p. 401. La frase *en sus diversas especies* está en cursiva en el texto de la obra, con lo que se la resalta.

[7]   RDJ, t. LXIV (1967), II, 1ª, 218-219.

la antigüedad y arraigo de la doctrina que sostiene la existencia de propiedad sobre derechos personales, recordaré algunas sentencias dictadas por la Corte Suprema en que declaró inaplicables por ser inconstitucionales varios preceptos legales que alteraban derechos personales surgidos de contratos.

Leemos en sentencia de 21 de junio de 1967:

> *Que la Ley 16.621, al extender sus efectos a contratos celebrados desde el 22 de febrero de 1964 y hasta su vigencia, disponiendo la nulidad absoluta de parte de las obligaciones de los compradores de receptores de televisión en virtud de las exigencias de esta nueva ley, no requeridas por la legislación vigente al tiempo de celebrarse el contrato, y privando como consecuencia de ello, a los vendedores de parte del precio pagado o pactado, atenta sin lugar a dudas contra el derecho de propiedad por ellos adquirido, durante un lapso en que el otorgamiento de los contratos estaba sujeto a las leyes comunes y sin más restricciones que las que ellas mismas consideraban. Debe concluirse, entonces, que la Ley N° 16.621 vulnera el principio consagrado por el artículo 10, N° 10, de la Carta Fundamental, cuando se pretende, con su aplicación, invalidar contratos legalmente celebrados y privar a uno de los contratantes de parte de los derechos adquiridos en virtud de ellos[8].*

Pero es sobre todo en una serie de sentencias pronunciadas a fines de los años sesenta y comienzos de la década del setenta del siglo pasado, que la Corte Suprema reafirmó su doctrina de la propiedad sobre derechos personales declarando la inaplicabilidad de algunas disposiciones legales contenidas en textos relacionados con la reforma agraria.

La sentencia de 24 de diciembre de 1968, en que la Corte declaró la inaplicabilidad del artículo 2° transitorio, letra a), del Decreto con Fuerza de Ley N° 9, de 1968, es ilustrativa de esta doctrina que, por lo demás, fue reiterada en fallos posteriores[9].

La norma impugnada hacía aplicables a los contratos de arrendamiento de predios rústicos, celebrados antes de la dictación del Decreto con Fuerza de Ley N° 9, de 1968, el plazo mínimo de duración de diez años que el nuevo texto legal establecía, de modo que si se había pactado un plazo menor el mismo se entendía prorrogado por el tiempo necesario para completar diez años.

La Corte Suprema, sostuvo primeramente que al celebrarse entre las partes el contrato de arrendamiento, la arrendadora adquirió el derecho de exigir su

---

[8]   RDJ, t. LXIV (1967), II, 1ª, 202.

[9]   En varias sentencias dictadas en los años 1969 a 1971, la Corte Suprema volvió a declarar la inaplicabilidad de los preceptos legales que habían prorrogado la duración de los contratos de arrendamiento de predios rústicos y de contratos de mediería. Sirva de ejemplo de lo primero, la sentencia de la Corte Suprema de 26 de enero de 1971, RDJ, t. LXVIII, II, 1ª, 26, y de lo segundo, la sentencia de 27 de julio de 1970, RDJ, t. LXVII, II, 1ª, 269.

restitución en la fecha pactada, derecho que entró a formar de su patrimonio. Ese derecho incorporal así adquirido –recuerda luego–, *es una de las formas que reviste el dominio dentro de nuestra legislación positiva, de acuerdo con lo estatuido en el artículo 583 del Código Civil* (considerando 10°), por lo cual se encuentra protegido por la garantía constitucional del derecho de propiedad que *es amplia y comprende las diferentes formas que puede revestir el dominio, esto es, a las cosas corporales y a las incorporales o créditos* (considerando 13°), y de ahí que *si una ley civil atenta contra el derecho adquirido bajo el imperio de otra, se opone a la garantía del derecho de propiedad, establecida en el precepto ya transcrito de la Carta Fundamental [el artículo 10 N° 10], porque priva a un habitante de la República del dominio sin que se cumplan las exigencias que la Constitución establece para que proceda tal privación* (considerando 14°) [10].

LA JUSTIFICACIÓN DE LA PROPIEDAD SOBRE DERECHOS PERSONALES EN LA GÉNESIS DE LA CONSTITUCIÓN DE 1980

5.- Una de las características más distintivas de la Constitución Política de 1980 es el reconocimiento y protección amplios de los diversos tipos de propiedad, ya que ésta es uno de los componentes principales del orden público económico consagrado en la Carta Fundamental.

Un primer aspecto del que puede llamarse estatuto constitucional de la propiedad es el acceso amplio a la titularidad de todo tipo de propiedades. Por ello, la Constitución asegura a toda persona en el N° 23 del artículo 19: *La libertad para adquirir el dominio de toda clase de bienes, excepto aquellos que la naturaleza ha hecho comunes a todos los hombres o que deban pertenecer a la Nación toda y la ley lo declare así.* Es el llamado derecho a la propiedad, que es la norma general en materia de acceso al dominio, y es la base o supuesto que permite la existencia de derechos de propiedad sobre cualquier bien susceptible de apropiación, entre los cuales están los bienes incorporales que consisten en derechos.

Respecto al derecho de propiedad adquirido, la norma que lo reconoce y protege, como es sabido, es el N° 24 del artículo 19 que en su inciso primero asegura a toda persona: *El derecho de propiedad en sus diversas especies sobre toda clase de bienes corporales o incorporales*; que, luego, en el inciso segundo establece la regulación y, también, la limitación por ley de la propiedad para hacer efectiva su función social, y en el inciso tercero reafirma la protección amplia de toda propiedad al disponer que *Nadie puede, en caso alguno, ser privado de su propiedad, del bien sobre que recae o del alguno de los atributos o facultades esenciales del dominio, sino en virtud de*

---

[10]   RDJ, t. LXV (1968), II, 1ª, 396-397.

ley general o especial que autorice la expropiación por causa de utilidad pública o de interés nacional, calificada por el legislador.

Es conveniente, para precisar el alcance de los Nºs 23 y 24 del artículo 19 de la Constitución de 1980, recordar lo que los redactores de ella expresaron acerca de su significado.

En el memorándum de 16 de agosto de 1978 que la Comisión de Estudio de la Nueva Constitución Política elevó al Presidente de la República con *Proposiciones e Ideas Precisas* relativas al futuro texto constitucional, se justifica el reconocimiento y protección de uno y otro derecho.

Respecto a la libertad para adquirir el dominio, que es uno de los derechos que la Comisión califica como *nuevos derechos constitucionales*, se dice:

> *Hemos estimado conveniente consagrar en el anteproyecto como nueva garantía constitucional el derecho a la propiedad, vale decir, el de ser titular de toda forma de propiedad, sea que recaiga sobre recursos naturales, bienes de consumo, medios de producción, etc. De este modo, se consagra la capacidad de toda persona para adquirir el dominio sobre toda clase de bienes, sin perjuicio de las limitaciones que la ley establezca por exigirlo el interés nacional. Se ha querido así destacar que el régimen de propiedad privada en nuestro derecho es el básico y general* [11].

El derecho de propiedad está incluido, a su vez, en el apartado de los *derechos constitucionales contemplados en la Constitución de 1925 que han sido ampliados y perfeccionados*. La Comisión de Estudio advierte, al respecto, que la garantía de la propiedad, *una de las de mayor trascendencia en nuestro ordenamiento institucional, ha sido objeto de importantes modificaciones destinadas a fortalecer este derecho*. Una de tales modificaciones es la relativa a la extensión con que se reconoce el derecho, que la Comisión resalta al ocuparse del *ámbito de la garantía constitucional*:

> *El precepto que os proponemos –dice– garantiza al derecho de propiedad en sus diversas especies, sobre toda clase de bienes, corporales e incorporales. En este sentido, ampara en forma amplia este derecho, cualquiera que sea su significación patrimonial o la forma de propiedad, sea esta última individual, familiar, comunitaria, etc.*

Y en lo relativo a la privación del dominio, la Comisión de Estudio acota que es en ella *donde debe residir la verdadera y real garantía constitucional del derecho de propiedad y que consiste en que nadie pueda ser privado de él sino en virtud de ley que autorice la expropiación y con la consiguiente indemnización por el daño patrimonial efectivamente causado al expropiado*. Ello significa que *nadie puede, en caso alguno, ser privado de su*

---

[11] Memorándum con "Proposiciones e Ideas Precisas", Nº 56. El Memorándum está publicado en *Revista Chilena de Derecho*, volumen 8 Nºs 1-6 (1981), 144-317.

propiedad, del bien sobre que recae o de alguno de los atributos o facultades esenciales del
dominio, sino en virtud de ley general o especial que autorice la expropiación[12].

6.- Es comprensible que como resultado de la aplicación de las nuevas normas
constitucionales sobre libertad para adquirir el dominio de toda clase de bienes,
y la que asegura el derecho de propiedad en sus diversas especies sobre bienes
corporales e incorporales, la jurisprudencia de protección haya reconocido y
otorgado protección de modo amplísimo a diversos y numerosos derechos de
significación patrimonial.

En tal sentido, y sin que la enumeración sea exhaustiva, puede recordarse
cómo además de la propiedad de derechos reales –entre ellas la del derecho real
de hipoteca y la de servidumbres–, se ha admitido la propiedad de numerosísi-
mos derechos personales, sea que se tengan respecto de un particular o de una
institución pública, sin importar tampoco que tengan su fuente en contratos
particulares, en la aplicación de normas legales o en disposiciones de índole administrativa. Incluso, en casos que pueden resultar audaces pero que no son sino
el producto de la aplicación de las normas constitucionales a nuevas situaciones
de la vida económica y social, se ha aceptado la propiedad sobre una concesión,
la propiedad sobre los derechos de uso de un bien nacional de uso público, la
propiedad sobre la zona de concesión otorgada a un concesionario eléctrico, la
propiedad de los derechos que emanan de la calidad de estudiante, la que existe
sobre el derecho a ejecutar una obra en virtud de la autorización administrativa
otorgada, y la propiedad sobre el derecho inmaterial de un recorrido de una
línea de movilización colectiva.

Los ejemplos anteriores, que podrían alargarse fácilmente, no son sino una
demostración de la amplitud con que la Constitución Política de 1980 reconoce
y protege el derecho de propiedad, sin que sea necesario para reconocer la existencia de una propiedad garantizada constitucionalmente que tenga un estatuto
legal propio, pues basta para ello que de la vida jurídica haya surgido una situación o una relación en que concurran las características propias de la propiedad
sobre algún bien corporal o incorporal.

La amplitud del reconocimiento y protección constitucional del derecho de
propiedad no se manifiesta sólo en cuanto a los bienes susceptibles de ser adquiridos en dominio, sino, también, en lo relativo a la esfera de acción inherente a
la calidad de propietario o titular de un bien o derecho en propiedad. Delibe-
radamente, porque fue una de las innovaciones introducidas en la Constitución
de 1980 para reforzar la garantía de la propiedad, la Ley Fundamental asegura
también los atributos y facultades esenciales del dominio, debiendo incluirse entre los primeros la exclusividad y la perpetuidad (salvo respecto a este atributo la

---

[12]   Memorándum con "Proposiciones e Ideas Precisas", N° 68.

propiedad intelectual y la industrial, que son temporales), y entre las facultades: el uso, el goce, la disposición y la facultad de administrar.

En el presente estudio me limito a examinar la jurisprudencia sobre protección constitucional de la propiedad sobre derechos personales emanada de sentencias en que, bien la Corte Suprema, o el Tribunal Constitucional, han ejercicio el control de constitucionalidad de las leyes. Analizar, en cambio, la jurisprudencia contenida en sentencias de las Cortes de Apelaciones y de la Corte Suprema, en materia de protección, exige una obra mayor.

JURISPRUDENCIA DE LA CORTE SUPREMA POSTERIOR A 1980 EN TORNO A LA PROPIEDAD SOBRE DERECHOS PERSONALES

7.- Con posterioridad a la entrada en vigencia de la Constitución de 1980, la Corte Suprema tuvo ocasión de reafirmar su tradicional doctrina de que las leyes no pueden afectar derechos adquiridos, cual es el caso de los que surgen de contratos válidamente celebrados conforme a la legislación vigente al tiempo de su celebración.

Así, en sentencia de 19 de agosto de 1994 la Corte Suprema acogió el recurso de inaplicabilidad interpuesto por Beatriz Puelma Accorsi y otros contra el artículo 5° de la Ley N° 18.900, por estimar que la conversión de una obligación pura y simple en condicional, privaba al acreedor de las facultades esenciales de obtener oportunamente los frutos que el bien produzca y de disponer de él, por lo que vulneraba el N° 24 del artículo 19 de la Constitución. *Siendo de advertir* –dijo la Corte– *que nuestra actual Carta Fundamental, al referirse a la garantía del derecho de propiedad no lo hace en forma genérica sino que, cuidando de asegurarlo en forma íntegra, prohíbe no sólo la privación del derecho de dominio sino también la de "algunos de sus atributos o facultades esenciales".*

La protección de la propiedad sobre derechos personales surgidos de contratos fue una de las razones, unida a la infracción de la garantía de no discriminación arbitraria en materia económica y a la vulneración de la atribución exclusiva de los tribunales para conocer, resolver y hacer ejecutar los asuntos de su competencia, por los que la Corte Suprema a partir de 1992, declaró inaplicable en varias oportunidades, a solicitud de Endesa, el artículo 37 de la Ley N° 18.959 que alteraba la legislación aplicable a los contratos de suministro de energía eléctrica.

En lo que nos interesa a efectos de este trabajo, cabe señalar que en virtud de contratos válidamente celebrados por Endesa conforme a la legislación aplicable a los contratos de suministro de energía eléctrica, Endesa, en cuanto empresa generadora, tenía el derecho de exonerarse de responsabilidad civil si surgía un hecho constitutivo de fuerza mayor que le impedía cumplir sus obligaciones.

La doctrina de la Corte Suprema fue la siguiente:

> [P]uede darse por establecido –señaló la Corte– el derecho de ENDESA de exonerarse de responsabilidad civil cuando surge un hecho constitutivo de fuerza mayor, derecho que, ciertamente, se ha incorporado a su patrimonio por tratarse de un bien incorporal o meros derechos de contenido eminentemente patrimonial conforme los artículos 565 y 583 del Código Civil (considerando 11º). Pues bien, ese derecho ha sido sobrepasado por la ley, la cual ha entrado a regular un contrato afinado con antelación, que crea derechos y obligaciones sobre los que se tiene dominio pleno y de los cuales no puede ser privado el contratante sin que ello quebrante el artículo 19 Nº 24 de la Constitución Política de la República. De aceptarse la constitucionalidad de este precepto –agregó la Corte–, se estaría sancionando la extinción de un derecho nacido al amparo de la ley vigente al momento de perfeccionarse la convención y que, como es natural, está amparado por la garantía constitucional mencionada (considerando 14º)[13].

Se trataba, pues, de un nuevo caso en que la alteración introducida por una ley posterior a un contrato celebrado con anterioridad fue considerada inconstitucional por infringir la propiedad de un derecho personal, que no era otro que el de exonerarse de responsabilidad en caso de fuerza mayor.

Una vez más, como puede apreciarse, la Corte Suprema, refiriéndose al artículo 583 del Código Civil, estimó que existía un bien incorporal sobre el que se había constituido un derecho de propiedad, y ahora, con apoyo en la norma constitucional –artículo 19 Nº 24– que asegura de modo explícito la propiedad sobre "bienes incorporales", lo que no existía anteriormente bajo la Constitución de 1925, consideró que su desconocimiento por un precepto legal, que en la especie lo era el artículo 37 de la Ley Nº 18.959, de 24 de febrero de 1990, vulneraba la Constitución.

JURISPRUDENCIA DEL TRIBUNAL CONSTITUCIONAL, ANTES Y DESPUÉS DE LA REFORMA CONSTITUCIONAL DE 2005, RESPECTO A LA PROPIEDAD SOBRE DERECHOS PERSONALES EMANADOS DE CONTRATOS

8.- El Tribunal Constitucional ha tenido oportunidad de pronunciarse sobre la existencia de propiedad de derechos personales emanados de contratos, y lo ha hecho, tanto al ejercer el control preventivo de constitucionalidad de proyectos de ley, como –después de la Reforma Constitucional de 2005–, al conocer de

---

[13]   RDJ, t. LXXXIX (1992), II, 5ª, 260.

los requerimientos de inaplicabilidad respecto de preceptos legales aplicables en alguna gestión judicial seguida ante otro tribunal.

La jurisprudencia del Tribunal, como se apreciará en los casos que examino, aunque mantiene en lo sustancial la doctrina que reconoce y garantiza la propiedad de derechos personales emanados de contratos válidamente celebrados, en uno de ellos ha atenuado su protección constitucional admitiendo que leyes posteriores a la fecha en que se celebraron los contratos de los que surgen tales derechos, puede limitar la propiedad existente sobre los mismos para hacer efectiva su función social.

Primeramente, en sentencia de 10 de febrero de 1995, Rol Nº 207, el Tribunal Constitucional acogió el requerimiento interpuesto por un grupo de diputados que constituían más de la cuarta parte de los miembros en ejercicio de la Cámara de Diputados, en contra del proyecto de ley que derogaba el inciso cuarto del artículo 10 de la Ley Nº 18.401, sobre capitalización de dividendos en los bancos con obligación subordinada.

El Tribunal Constitucional, aceptó primero su competencia específica para conocer el requerimiento interpuesto por los diputados, la que, en el caso que nos ocupa había sido cuestionada, pero este punto de la sentencia no interesa pues se refería al momento en que el requerimiento había sido interpuesto.

Ahora bien, el Tribunal, al entrar a examinar el fondo del requerimiento interpuesto –que es lo relevante para este trabajo– admitió la existencia de derechos adquiridos por los accionistas al celebrar los contratos de adquisición de acciones, y específicamente, *el derecho a que los dividendos de esas acciones podrían llegar a ser capitalizados y transformarse en nuevas acciones con un ciento por ciento de participación proporcional en los excedentes* (considerando 51º). Más adelante, en el considerando 63º de la misma sentencia, el Tribunal desarrolló con más detalle el modo en que los suscriptores de acciones incorporaron a su patrimonio tales derechos: *fue precisamente* –dice la sentencia– *el hecho de celebrar el contrato de adquisición de las referidas acciones preferidas lo que determinó indefectiblemente la incorporación al patrimonio de los accionistas de los derechos establecidos en la legislación vigente a la época de su adquisición. Fue efectivamente aquel hecho, la circunstancia fáctica con aptitud suficiente para traer como consecuencia la incorporación inmediata de un derecho de carácter patrimonial, protegido por la garantía consagrada en el artículo 19 Nº 24 de la Constitución Política y, por lo tanto, estableciendo una limitación a las atribuciones del legislador en el sentido de carecer de facultades para alterarlo, menoscabarlo o anularlo por una norma posterior.*

Tales derechos –reiteraría el Tribunal– *constituyen un bien incorporal cuya propiedad se encuentra asegurada por la Constitución* (considerando 54º), por lo que la derogación del inciso cuarto del artículo 10 de la Ley Nº 18.401, priva a los accionistas de *un derecho adquirido [...], afectando su derecho de dominio, al deteriorar y suprimir facultades de que gozaba, vulnerándose de esta manera, el citado precepto del artículo 19, de la Carta Fundamental, al afectar su propiedad sin causa prevista en la misma Constitución* (considerando 55°).

Años después, sin embargo, y con posterioridad a la Ley N° 20.050 de Reforma Constitucional de 2005, que entregó el conocimiento y fallo de los recursos de inaplicabilidad al Tribunal Constitucional, éste ha tenido asimismo ocasión de conocer y pronunciarse sobre la constitucionalidad de las leyes modificatorias de contratos válidamente celebrados bajo una legislación anterior.

El caso más interesante para el tema que nos ocupa es el de las sentencias de 6 de marzo de 2007, Roles N° 505 y 506, que corresponden, respectivamente, a los requerimientos de inaplicabilidad por inconstitucionalidad deducidos por la Empresa Eléctrica Panguipulli S.A. y Empresa Eléctrica Puyehue S.A., respecto del artículo 3° transitorio de la Ley N° 19.940 que modificó el Decreto con Fuerza de Ley N° 1 de 1982, del Ministerio de Minería, Ley General de Servicios Eléctricos.

Sin entrar en detalles que no son relevantes para este estudio, cabe indicar que la disposición legal impugnada en su aplicación, esto es el artículo 3° transitorio de la Ley N° 19.940, modificó el régimen de recaudación y pago de los peajes que las empresas generadoras de energía eléctrica debían pagar a las empresas transmisoras por la utilización de sus redes. De ahí que, como precisan las sentencias del Tribunal Constitucional en su considerando 1°, la cuestión medular a resolver es si *por encontrarse el pago por el uso de tales instalaciones ya regulado por un contrato válidamente celebrado [...] el contratante tiene un derecho de propiedad sobre los créditos que emanan de un contrato y si tales créditos pueden, de un modo constitucionalmente tolerable, ser afectados por una ley posterior, como lo es el artículo 3° transitorio, impugnado en la especie.*

Las sentencias recuerdan que *[e]l texto de la Constitución es claro y su sentido inequívoco: la Constitución asegura el derecho de propiedad sobre bienes incorporales y a ello debe atenerse esta Magistratura para resolver este caso* (considerando 15°), y a continuación, indica *[q]ue también es claro que el deudor de un precio establecido por contrato también tiene, respecto de su cuantía, una especie de propiedad. Si bien su principal crédito es el derecho a usar de las instalaciones, por las cuales paga el precio pactado, no es menos cierto que sobre este último también ha adquirido un derecho que, a su respecto, es un bien incorporal que consiste en no pagar más de lo pactado* (considerando 16°).

Admitida la existencia de propiedad sobre derechos emanados de contratos, cuyo fundamento constitucional no es otro que el inciso primero del N° 24 del artículo 19 de la Carta Fundamental, que asegura a todas las personas *[e]l derecho de propiedad en sus diversas especies sobre toda clase de bienes corporales o incorporales,* la sentencia da otro paso, consistente en determinar si en virtud del inciso segundo de la misma disposición constitucional, que faculta a la ley para establecer limitaciones y obligaciones a la propiedad que deriven de su función social, es aceptable que la ley limite la propiedad que sus titulares tengan sobre bienes incorporales, sin excluir los que nacen de contratos.

La sentencia responde afirmativamente a tal cuestión, señalando que la *autorización, dada por el constituyente al legislador para disponer limitaciones y obligaciones a la propiedad, a condición de que se deriven de su función social y así lo exijan, entre otros, los intereses generales de la Nación y la utilidad pública, se aplica, prima facie, a todas las clases y especies de propiedad, incluyendo la propiedad sobre bienes incorporales, sin excluir los que nacen de los contratos, pues el propio constituyente no ha hecho distinción alguna y ha permitido que el legislador regule y limite todas las especies de propiedad.* Y luego añade: *Al establecer reglas para balancear los legítimos intereses públicos con la defensa de la propiedad privada, la Carta Fundamental establece unos mismos criterios, cualquiera sea el origen o título de la propiedad adquirida. Tampoco hay nada en la naturaleza del derecho de propiedad sobre bienes incorporales que impida limitarlos en razón de la función social de la propiedad* (considerando 17°, la palabra en negrita se contiene en la sentencia).

Luego, en el considerando 18°, la sentencia, tras descartar la intangibilidad absoluta de los derechos nacidos de contratos, reafirma la idea expuesta en el considerando anterior, esto es, que *[l]os derechos de propiedad sobre cosas incorporales que nacen de contratos entre privados no están inmunes a ser limitados o regulados en conformidad a la Constitución.* Pero añade, advirtiendo que se trata de una materia delicada y que ha de tratarse con cuidado: *[l]a Constitución valora la certeza que otorgan los derechos de propiedad adquiridos. En ellos descansa la legítima confianza que hace funcionar el sistema económico que nos rige. De allí que sean exigentes los requisitos que habilitan al legislador para afectar tales derechos de propiedad; pero las limitaciones a los derechos están constitucionalmente autorizadas, sin distinción de su origen o naturaleza.*

Así, en el considerando 19° la sentencia precisa las peculiaridades que presenta la limitación de la propiedad sobre derechos emanados de contratos. *La circunstancia –advierte el Tribunal– que un derecho se origine en un contrato privado y no en la disposición de una ley naturalmente hará más improbable justificar la limitación del mismo en razón de la función social de la propiedad, por así exigirlo el interés nacional o público. Esta dificultad obligará a examinar, y a hacerlo intensamente, cómo es que el legislador (ya que otro no podría hacerlo) justifica su acto de limitar, con reglas heterónomas, los derechos que nacieron de un pacto entre privados.* Aunque difíciles de justificar tales limitaciones, el Tribunal las acepta si se verifican los requisitos de interés público que la Constitución contempla para cualquier propiedad, y concluye el considerando reafirmando su criterio: *[e]l origen contractual de un derecho de propiedad hará más improbable justificar el interés social que legitima alterarlo, pero tal origen no es, por sí mismo, un impedimento de regulación.*

9.- Recientemente, el Tribunal Constitucional en tres sentencias dictadas el 17 de marzo de 2022 declaró la inaplicabilidad parcial del artículo único de la Ley N° 21.330 de reforma constitucional que estableció y reguló un mecanismo excepcional de retiro de fondos previsionales y anticipo de rentas vitalicias. To- mo como base la STC 11230, pero el texto de las sentencias es similar.

La importancia para el Derecho Constitucional de las sentencias en que el Tribunal declaró la inaplicabilidad parcial del artículo único de la Ley N° 21.330 es muy grande, pues lo que se declaró inaplicable por infringir en su aplicación la Constitución no es un simple precepto legal, que es el término que utiliza el artículo 93 N° 6 de la Constitución al dar competencia al Tribunal Constitucional para resolver las cuestiones de inaplicabilidad, sino una disposición contenida en una ley de reforma constitucional.

Este y otros problemas constitucionales relevantes, como lo es el alcance de la iniciativa exclusiva del Presidente de la República para presentar proyectos de ley, no lo examinaré, sin embargo, en este trabajo que está centrado en la pro- tección constitucional de la propiedad sobre derechos personales. De ahí que el análisis de la STC 11230 se limitará a la doctrina expuesta por el Tribunal en los considerandos 26° a 41° de la misma.

La sentencia señala que –en lo que nos interesa– el precepto impugnado alte- ró contratos de renta vitalicia de los que habían surgido para las partes derechos personales o créditos que, como recuerda el considerando 27°, *en su condición de cosas incorporales, se encuentran amparadas por el derecho de propiedad, con arreglo a lo prescrito en los artículos 563, inciso tercero, 576, 578 y 583 del Código Civil*, resguardo este que, con *la intención de ponerlo especialmente a salvo de ulteriores legisladores, fue elevado a rango constitucional, de suerte que por eso ahora es la Carta Fundamental quien "asegura" directamente a todas las personas: "24°. El derecho de propiedad en sus diversas especies sobre toda clase de bienes corporales o incorporales"*[14].

El amparo de los derechos adquiridos en virtud de contratos válidamente ce- lebrados no impide, por cierto, al legislador, variar la normativa que los regula para el futuro. Pero, lo que la ley no puede hacer es alterar los contratos válida- mente celebrados afectando los derechos adquiridos. Por eso, como dice la sen- tencia, la intangibilidad de los contratos *supone [...] que las partes no están jurídica- mente obligadas a soportar el albur estatal, de modo que, si dichos pactos fueron celebrados en su momento conforme con la legalidad, les son inoponibles las leyes venideras*[15].

La sentencia tiene presente que los preceptos cuestionados modificaban los contratos de seguro de renta vitalicia celebrados, lo que ocurría al permitir

---

[14] Tribunal Constitucional. 17 de junio de 2021. Rol 11230-21 "Requerimiento de inaplicabilidad por inconstitucionalidad presentado por BICE VIDA Compañía de Seguros S.A. respecto del artículo único, incisos doce, trece y catorce, de la Ley N° 21.330, que modifica la carta fundamental, para es- tablecer y regular un mecanismo excepcional de retiro de fondos previsionales y anticipo de rentas vitalicias, en las condiciones que indica, en el proceso Rol N° 263-2021, sobre reclamo de ilegalidad, seguido ante la Corte de Apelaciones de Santiago".

[15] STC. Rol N° 11230, considerando 32°.

dichos preceptos que los pensionados adelantaran el pago de sus rentas vitalicias hasta por un tope máximo de ciento cincuenta unidades de fomento. Con ello se alteraban radicalmente las cualidades distintivas de tales contratos, *comoquiera que, al desconocer que las primas pagadas ya ingresaron legítima y definitivamente al patrimonio de las compañías aseguradoras, y al abrigo de esa convicción éstas hicieron sus cálculos e inversiones, justamente para poder satisfacer cumplidamente sus obligaciones a futuro,* [lo que] *ha removido los cimientos de este contrato para transustanciarlo en un préstamo forzoso*[16].

Tal alteración de un contrato es la que, a juicio del Tribunal Constitución, vulneraba el inciso primero del artículo 19 N° 24 de la Constitución que asegura la propiedad sobre bienes incorporales, cuales son los derechos emanados de todo contrato. Asimismo, el Tribunal consideró que los preceptos de la Ley N° 21.330 privaban a las compañías de seguros de facultades esenciales del dominio, lo que está prohibido en el inciso tercero del precepto constitucional antes mencionado, y estimó, a su vez, que no encontraban sustento en el inciso segundo del mismo que permite a la ley establecer limitaciones u obligaciones al dominio derivadas de la función social de la propiedad[17].

Sin embargo, con posterioridad a la dictación de las sentencias de 17 de marzo de 2022 a las que acabo de referirme y que acogieron la inaplicabilidad parcial del artículo único de la Ley N° 21.330 de reforma constitucional que estableció y reguló un mecanismo excepcional de retiro de fondos previsionales y anticipo de rentas vitalicias, el Tribunal Constitucional, en dos sentencias de 31 de marzo de 2022, las sentencias recaídas en los roles 11350 y 11683, rechazó ahora la inaplicabilidad del mismo precepto legal impugnado.

El cambio en la decisión tiene una explicación. Las sentencias de 17 de marzo que acogieron los requerimientos de inaplicabilidad fueron adoptadas en una decisión a la que concurrieron seis de los diez ministros del Tribunal, de los cuales uno de ellos, el Ministro Nelson Pozo Silva, lo hizo por las razones que indicó en su prevención. En cambio, en las sentencias de 31 de marzo, el mismo Ministro Pozo, por las razones que señaló en la prevención en que se inclinó ahora por el rechazo de los recursos, estimó que los requirentes de inaplicabilidad no acreditaron un perjuicio real y efectivo a su patrimonio, por lo que no configurándose una afectación a su derecho de propiedad los requerimientos debían rechazarse. De ahí que al producirse un empate a cinco votos entre los ministros

---

[16]   STC. Rol N° 11230, considerando 35°.
[17]   La argumentación para fundamentar la declaración de inaplicabilidad por infringir facultades esenciales del dominio aparece en los considerandos 40° y 41° de la sentencia. Y el rechazo a una posible fundamentación de la constitucionalidad de los preceptos impugnados en la imposición de obligaciones o limitaciones derivadas de la función social de la propiedad se encuentra en los considerandos 36° a 39°.

que estaban por acoger y los que estaban por rechazar, el requerimiento debía desestimarse conforme a lo dispuesto en el artículo 93 N° 6 de la Constitución que exige la concurrencia de la mayoría de los miembros en ejercicio del Tribunal para acoger la inaplicabilidad solicitada.

CONCLUSIONES

10.- El examen de la jurisprudencia de la Corte Suprema bajo las Constituciones de 1925 y de 1980, como también la emanada del Tribunal Constitucional antes y después de la Reforma Constitucional de 2005, en materia de propiedad sobre derechos personales, muestra que existe una línea jurisprudencial en que se ha reconocido la existencia de una propiedad constitucionalmente garantizada sobre tales derechos.

En ocasiones, esta propiedad sobre bienes incorporales lo era sobre el precio pactado en un contrato; en otras, sobre sobre el derecho a obtener la restitución del inmueble arrendado en la fecha convenida; también, sobre la naturaleza de la obligación creada, pura y simple, que una ley posterior no puede convertir en condicional, o respecto al derecho de exonerarse de responsabilidad civil si surgía un hecho constitutivo de fuerza mayor que le impedía al deudor cumplir sus obligaciones. Se aprecia, por consiguiente, que esta propiedad sobre bienes incorporales la jurisprudencia constitucional la reconoce desde cosas que son de la esencia de un contrato hasta otras que son accidentales.

Incluso, la Corte Suprema reconoció en su momento el derecho de la víctima de un delito a ser indemnizado, el que una ley de amnistía posterior no puede desconocer sin infringir la protección constitucional de todo derecho personal.

Tal corriente jurisprudencial, surgida hace décadas cuando regía la Constitución de 1925 que no se refería explícitamente a la propiedad sobre bienes incorporales, se ha mantenido bajo la Constitución de 1980 que sí reconoce de modo expreso la propiedad sobre tales bienes, lo que es acorde con el propósito que se tuvo al redactarla de fortalecer el derecho de propiedad.

Cabe precisar que, incluso las sentencias del Tribunal Constitucional de 6 de marzo de 2007, que antes he examinado, mantienen en lo sustancial el reconocimiento de la propiedad sobre los derechos personales creados en un contrato. Esas sentencias, como se ha expuesto, si bien admiten la posibilidad de limitar o imponer obligaciones a la propiedad que se tiene sobre tales derechos para hacer efectiva su función social, sólo lo aceptan cuando la limitación la efectúe el legislador y no otro órgano, precisando que por el origen contractual de un derecho de propiedad es más improbable, aunque no imposible, justificar tal limitación, quedando excluida, naturalmente, toda privación del mismo.

La protección de la propiedad sobre derechos personales emanados de contratos, en sentencias recientes el Tribunal Constitucional la ha mantenido incluso frente a preceptos incluidos en una ley de reforma constitucional. Cabe observar, sin embargo, que esta doctrina difícilmente perdurará si tenemos presente que el reemplazo de cuatro ministros del Tribunal es muy posible que produzca un cambio en su jurisprudencia. Y a ello se agrega la incertidumbre respecto al reconocimiento de propiedad sobre derechos personales y sobre su protección en el texto constitucional que discute la Convención Constituyente en este momento, abril de 2022.

BIBLIOGRAFÍA

Evans de la Cuadra, Enrique (1967) *Estatuto constitucional del derecho de propiedad en Chile*. Editorial Jurídica de Chile. Santiago, p. 401

Fermandois V., Arturo (2016) *Derecho Constitucional Económico. Tomo II. Regulación, Tributos y Propiedad*. Ediciones UC. Santiago.

Guiloff, Matías, y Salgado, Constanza (2020) Capítulo XVIII *Derecho de propiedad*, en Contreras, Pablo, y Salgado, Constanza (editores): *Curso de Derechos Fundamentales*. Tirant lo Blanch. Valencia, 633-674.

Guzmán Brito, Alejandro (2006) *Las cosas incorporales en la doctrina y en el derecho positivo*. Editorial Jurídica de Chile. Santiago, segunda edición

Memorándum con "Proposiciones e Ideas Precisas", N° 56. El Memorándum está publicado en *Revista Chilena de Derecho*, volumen 8 N°s 1-6 (1981), 144-317

Tribunal Constitucional. 17 de junio de 2021. Rol 11230-21 "Requerimiento de inaplicabilidad por inconstitucionalidad presentado por BICE VIDA Compañía de Seguros S.A. respecto del artículo único, incisos doce, trece y catorce, de la Ley N° 21.330, que modifica la carta fundamental, para establecer y regular un mecanismo excepcional de retiro de fondos previsionales y anticipo de rentas vitalicias, en las condiciones que indica, en el proceso Rol N° 263-2021, sobre reclamo de ilegalidad, seguido ante la Corte de Apelaciones de Santiago".

El principio del plazo razonable a la luz sistema interamericano y europeo de derechos humanos ¿Solo el Poder Judicial debe preocuparse?

Juan Pablo Díaz Fuenzalida[1]-[2]
y Jerson Wladimir Rocuant Vásquez[3]

INTRODUCCIÓN

Permítannos comenzar este trabajo con la célebre oración atribuida a Séneca, *"Nada se parece tanto a la injusticia como la justicia que tarda"*. Ello, dado que en una sola línea se da cuenta de la relevancia que es el tiempo en nuestra disciplina y, especialmente, en su aplicación práctica. Es por aquella sencilla pero importante razón que debe existir el principio del plazo razonable. En efecto, este ha sido considerado también como parte del contenido implícito del debido proceso. Ello resulta relevante en aquellos textos constitucionales que no lo determinan explícitamente, como el caso, por ejemplo, de la Constitución de Perú, tal como explica Amado Rivadeneyra[4]. También en esta línea se argumenta a propósito del principio de celeridad, relacionado con la tutela judicial efectiva[5]. Así, uniendo ambas ideas es posible replicar a aquellos países que consideren estos derechos

---

[1] Doctor en Derecho, Máster en Gobernanza y Derechos Humanos, ambos por la Universidad Autónoma de Madrid; Magíster en Docencia Universitaria, Licenciando en Ciencias Jurídicas y Sociales, ambos por la Universidad Autónoma de Chile. Es profesor de Derecho adscrito al Instituto de Investigación en Derecho de la Universidad Autónoma de Chile, Santiago de Chile. Correo electrónico jpdiazfuenzalida@gmail.com / juanpablo.diaz@uautonoma.cl ORCID: https://orcid.org/0000-0002-6490-9542.

[2] Parte de los aportes al presente trabajo del autor referido han sido gracias al proyecto Fondecyt de Postdoctorado 2020 (N° 3200477) titulado: Instituto Nacional de Derechos Humanos (INDH): Evaluación de sus 10 años de protección y promoción de los derechos humanos en los tribunales de justicia en Chile.

[3] Abogado, Licenciado en Ciencias Jurídicas y Sociales por la Universidad Autónoma de Chile, estudiante de Magíster en Derecho de Familia (s), Derecho de la Infancia y de la Adolescencia, Universidad de Chile. Correo electrónico jersonrocuantv@gmail.com.

[4] Amado Rivadeneyra, Alex (2011) "El derecho a un plazo razonable como contenido implícito del derecho al debido proceso: desarrollo jurisprudencial a nivel internacional y nacional". Revista Internauta de Práctica Jurídica, N° 27, pp. 43-59, p. 58.

[5] Jarama Castillo, Zaida Vanessa, Vásquez Chávez, Jennifer Estefanía y Durán Ocampo, Armando Rogelio (2019) "El principio de celeridad en el Código Orgánico general de procesos, consecuencias en la Audiencia". Universidad y Sociedad, Vol. 11 N° 1, pp. 314-323, pp. 317-320.

y principios[6], es decir, aplicable el principio del plazo razonable, aunque no esté explícitamente[7] en la Constitución. Ello tiene vital importancia para la búsqueda de la esencia de los derechos[8], como nos recordaría el profesor Cea Egaña, en relación con aquellos de índole procesal, pero que tienen efecto en el ejercicio de los derechos sustantivos.

Sumado a lo anterior, el principio del plazo razonable no es solo un asunto de derechos fundamentales, sino que además de derechos humanos desde una perspectiva internacional. Por ello, suma que pueda tenerse en vista criterios de aplicación de tratados internacionales que tratan sobre la materia en estudio. Así, se consideran dos fuentes, el Convenio Europeo de Derechos Humanos (en adelante CEDH) y la Convención Americana sobre Derechos Humanos (en adelante CADH). Para ello, se revisará jurisprudencia del Tribunal Europeo de Derechos Humanos (en adelante TEDH) y de la Corte Interamericana de Derechos Humanos (en adelante Corte IDH). El fin no es solo la búsqueda de la esencia del principio o derecho, sino que obtener buenas prácticas al efecto, ello puede servir, no solo para órganos judiciales o legislativos, sino que para aquellos que deben preocuparse por la efectividad de los de las personas, como lo son los denominados *Ombudsman* o, en similar idea con instituciones nacionales de derechos humanos[9].

Así, la metodología y técnica de elaboración planteada es coherente para una mejor aplicación del principio del plazo razonable, ya sea que se incorpore expresamente en una Constitución, ya sea en una nueva o vía reformas, se desprenda en relación con debido el proceso, o de cualquier otro capítulo, como podría ser en el de Poder Judicial[10], como principio de ejercicio de la jurisdicción. Asimismo, por los derechos humanos procesales, especialmente para aquellos casos en que las constituciones expresamente hacen referencia a estos incorporando el derecho internacional de los derechos humanos, como por ejemplo, hoy dispone la carta fundamental chilena, en su artículo 5, o también, por la relevancia

---

[6]   Véase, Cea Egaña, José Luis (1996) "La Constitucionalización del Derecho". Revista de Derecho Público, N° 59, pp. 11-22, pp. 12-13.

[7]   Hay algunas Constituciones como la de Colombia que determinan explícitamente incluso a propósito del Poder Judicial, artículo 228 *"… Los términos procesales se observarán con diligencia y su incumplimiento será sancionado …"*.

[8]   Cea Egaña, José Luis (1981) "La esencia de los derechos y su libre ejercicio en la nueva Constitución". Revista de Derecho Público, N° 29/30, pp. 105-119, pp. 155-117.

[9]   Sobre el caso chileno, véase a Díaz Fuenzalida, Juan Pablo (2021) "Grupos vulnerables de especial protección por parte del Instituto Nacional de Derechos Humanos (INDH) ¿En quién podría y debería enfocarse en base a la doctrina y a la experiencia comparada iberoamericana?. Revista Brasileira de Políticas Públicas, Vol. 11, N° 1, pp. 570-593.

[10] Díaz Fuenzalida, Juan Pablo (2021) "Poder Judicial". En Peredo Rojas, Marcela Inés (coord). Antecedentes para una nueva Constitución. Evolución histórica, proyectos, tratados internacionales y derecho comparado. Valencia, Tirant lo Blanch, pp. 391-419, pp. 391-396.

que puede generar el respecto de los tratados internacionales para una Nueva Constitución, es decir, sumando el artículo 135, y, en general, considerando la aplicación de la Convención de Viena, entre otras normativas y fuentes que tener presente[11].

No obstante, a lo anterior, se sigue en primer término con algunos puntos relevantes desde la doctrina, para luego profundizar en el análisis jurisprudencia destacada del sistema europeo e interamericano de derechos humanos.

· 1. ALGUNOS PUNTOS SOBRE PLAZO RAZONABLE DESDE LA DOCTRINA

El derecho a que una causa sea juzgada en un plazo razonable y sin dilaciones indebidas es un derecho que no solo conlleva una obligación de los poderes públicos de organizar el sistema judicial para que los justiciables obtengan una resolución judicial en un tiempo prudencial, sino que constituye también una garantía de un derecho fundamental[12]. El tribunal de Justicia que incorpora al sistema jurídico de la Unión el plazo razonable como Principio General del Derecho es tributaria del acervo jurisprudencial del Tribunal Europeo de Derechos Humanos y de las tradiciones constitucionales occidentales[13]. Sin embargo, la configuración de la propia noción del derecho al plazo razonable, así como las condiciones para su invocación procesal y las medidas de garantía, no se han consolidado universalmente en términos tales que sirvan para corroborar su compatibilidad con el principio de seguridad jurídica[14].

Sin perjuicio de lo anterior, pese a no contar con conceptos claros sobre el plazo razonable, la doctrina ha tomado en consideración parámetros para ello. Para Raúl Cárdenas Rioseco, el plazo razonable se traduce en *"El desasosiego por la tardanza y morosidad en la tramitación de los asuntos judiciales, ha causado malestar entre los juristas y legisladores desde épocas pretéritas. La preocupación por el lapso del tiempo en la eficacia de la justicia, ha sido una preocupación constante"*[15], por su parte

---

[11]   Díaz Fuenzalida, Juan Pablo (2021) ¿Son parte del bloque de constitucionalidad los tratados internacionales de derechos humanos de la OEA en Chile?: avances en base a la doctrina, normativa y jurisprudencia. Brazilian Journal of International Law, Vol. 18, N° 1, pp. 269-288, p. 272.

[12]   Delgado del Rincón, Luis (2018) "El TEDH y las condenas a España por la vulneración del derecho a ser juzgado en un plazo razonable: Las dificultades para alcanzar una duración óptima de los procesos judiciales". Teoría y Realidad Constitucional, N° 42, pp. 569–590, pp. 569-570.

[13]   Moreiro, Carlos (2012) La invocación del plazo razonable ante el tribunal de justicia. Madrid: Dykinson, pp. 128, p. 12

[14]   Moreiro (2012) 11.

[15]   Cárdenas Rioseco, Raúl (2007) El derecho a un proceso justo sin dilaciones indebidas. México D.F., Editorial Porrúa, p. 5.

Alcalá-Zamora señala *"la excesiva duración de los litigios constituye uno de los mayores y más viejos males de la administración de justicia"*[16] ; von Weber, en sus comentarios al CEDH afirmaba que "el proceso debe ser rápido, esto es, debe ser realizado dentro de un plazo razonable *(within a reasonable time)*. Esta formulación deja un amplio campo de actuación a la discrecionalidad y, por ello, no será fácil, en el caso concreto, demostrar la lesión de esta obligación (...) *"La ratificación del Convenio tiene que ser, por ello, un estímulo, más bien dirigido al legislador, para la reforma del proceso penal y, no necesariamente en última instancia, también con referencia a la aceleración del proceso"*[17].

No obstante, a lo anterior, el profesor Daniel R. Pastor comenta que *"Según la opinión dominante el plazo razonable no se mide en días, semanas, meses o años, sino que se trata de un concepto jurídico indeterminado que debe ser evaluado por los jueces caso a caso –terminado el caso– para saber si la duración fue razonable o no lo fue, teniendo en cuenta la duración efectiva del proceso, la complejidad del asunto y la prueba, la gravedad del hecho imputado, la actitud del inculpado, la conducta de las autoridades encargadas de realizar el procedimiento y otras circunstancias relevantes. Si ese examen afirma que la duración fue irrazonable, se pasa al ámbito de las consecuencias jurídicas y se repara la violación del derecho fundamental ("solución compensatoria") de acuerdo a las posibilidades y a los límites de la competencia del quien decide"*[18]. Por lo anterior es que se debe tener presente que el transcurso del tiempo puede constituir un daño irreparable. Una justicia con dilaciones indebidas constituye en la práctica una denegación de justicia[19], según lo señalado por Humberto Nogueira, *"el derecho a un proceso sin dilaciones indebidas constituye un derecho fundamental de carácter autónomo aunque instrumental del derecho a la tutela jurisdiccional de los derechos, el que asiste a todas las personas que hayan sido partes en un procedimiento jurisdiccional, creando la obligación del tribunal de satisfacer dentro de un plazo razonable las pretensiones de las partes y la concreción sin demora de la ejecución de las resoluciones o sentencias (...). Lo que vulnera el derecho no es la dilación, sino que esta sea "indebida", (...), las dilaciones son indebidas cuando "no dependen de la voluntad del justiciable o de la de sus mandatarios"*[20].

---

[16]   Alcalá-Zamora y Castillo, Niceto (1961) Estampas procesales de la literatura española. Buenos Aires Buenos Aires: Ediciones Jurídicas Europea-América, pp. 178, p. 62.

[17]   Weber, Helmuth von (1953) Die strafrechtliche Bedeutung der europäischen Menschenrechtskonvention. ZStW, pp. 334-350, p. 339.

[18]   Pastor, Daniel R. (2004) "Acerca del derecho fundamental al plazo razonable de duración del proceso penal". Revista de Estudios de la Justicia, N° 4, pp. 51-76, p. 57.

[19]   Nogueira Alcalá, Humberto (2004) Elementos del bloque constitucional del acceso a la jurisdicción y debido proceso proveniente de la Convención Americana de Derechos Humanos, Vol. 2, N° 1, Santiago, Centro de Estudios Constitucionales, pp. 123-158, p. 155.

[20]   Nogueira (2004) 154.

2. PLAZO RAZONABLE EN LA JURISPRUDENCIA DEL TEDH

Aunque en el CEDH no se encuentra expresamente en el artículo 13 que el recurso debe resolverse dentro de un plazo razonable, derecho que está en el artículo 6 del CEDH[21], es apropiado hacer un análisis de aquello puesto que el artículo 25 del Pacto de San José de Costa Rica lo consagra explícitamente respecto del recurso judicial efectivo. Además, por simple lógica un recurso no sería efectivo si no se resolviera un lapso apropiado.

A mayor abundamiento, es preciso referirse a este punto aunque no esté precisamente en el artículo 13 del CEDH porque, a pesar de que con la teoría de la absorción dicho artículo queda absorbido en el artículo 6, en que marcó diferencia el caso *Kudla contra Polonia*, en sentencia del año 2000[22], dado que la recurrente alegó que no había tenido un recurso efectivo para reclamar por la excesiva duración de procesos penales en su contra, se denota que en algunos casos la teoría de la absorción no se aplica sino que más bien, ambos artículos, 6 y 13 son complementarios y se dispone en aquellos derechos distintos. Además, que ya en unos autos, como en el caso A. C. y otros contra España de 2014[23], se agrega el carácter de rapidez, ergo el tiempo[24] de tardanza de los juicios, siendo además un criterio de efectividad para los recursos, sobre todo en cierto tipo de procedimientos donde debe haber una resolución antes del mal que se intenta evitar[25].

Al respecto, como se señalaba anteriormente no está expresamente señalado en el artículo 13 del CEDH sino que en el 6.1 el criterio *"tiempo"*, en lo relativo

---

[21]   El artículo 6 del CEDH consagra lo siguiente respecto del derecho al plazo razonable: *"Derecho a un proceso equitativo. 1. Toda persona tiene derecho a que su causa sea oída equitativa, públicamente y dentro de un plazo razonable, por un Tribunal independiente e imparcial, establecido por ley, que decidirá los litigios sobre sus derechos y obligaciones de carácter civil o sobre el fundamento de cualquier acusación en materia penal dirigida contra ella...".*

[22]   TEDH. 26 de octubre de 2000. Demanda n° 30210/96. "Caso Kudla contra Polonia". Disponible en: http://hudoc.echr.coe.int/sites/eng-press/pages/search.aspx?i=001-58920 [fecha de visita 5 de diciembre de 2012].

[23]   TEDH. 22 de abril de 2014. Demanda n° 6528/11. "Caso A.C. y otros contra España". Disponible en: https://www.usc.es/export9/sites/webinstitucional/gl/institutos/ceso/descargas/STEDH_AC-AND-OTHERS-v-SPAIN_es.pdf [fecha de visita 5 de diciembre de 2012].

[24]   Imaginemos un caso donde en un país se recurra para evitar una pena capital en que el juicio tarda más de 10 años. Se puede haber obtenido la elusión de la pena, pero estar en prisión por un periodo excesivamente prolongado, la pérdida de dicha libertad podría en cierta forma ser más o menos equivalente al mal que se pretendía evitar.

[25]   Un ejemplo puede ser ante casos en que una sanción resarcitoria no es la más apropiada, como por ejemplo ante vulneraciones del derecho de reunión y manifestación. Inclusive ganando el recurrente su recurso, si la resolución es posterior al día que se había convocado a la reunión y manifestación, la resolución no tendrá efecto. Mismo caso ocurre ante tortura y tratos inhumanos, aunque haya sentencia a favor, si es que ya se realizaron dichas conductas la resolución no será efectiva.

al proceso equitativo que debe tramitarse, *"… dentro de un plazo razonable…"*[26]. En consecuencia es menester dilucidar qué se entiende por plazo razonable. En efecto, uno de los primeros casos que encontramos en Europa sobre el plazo razonable, es Zimmermann and Steiner contra Suiza de 1983[27], en sentencia de 13 de julio de ese mismo año del TEDH. En dicha resolución se establecieron tres tópicos a analizar, primero *"the complexity of the case"* –Complejidad del Caso–, segundo *"Conduct of the applicants"* –Conducta de los solicitantes–, y tercero *"Conduct of the Swiss Authorities"* –Conducta de las autoridades–[28]. Estas son las aristas que se han generado jurisprudencialmente para analizar si la causa se tramitó dentro de un plazo razonable.

En la sentencia citada del caso Zimmermann and Steiner, respecto de la complejidad del caso no se investigó porque el Gobierno demandado se allanó a aquello. En cuanto a la conducta de los solicitantes, se refiere a tres escritos presentados por éstos en que el abogado de los demandantes, presentó escrito a la Corte Federal el 08 de septiembre 1978 para preguntar sobre el procedimiento, y el día 21 de septiembre se informa que aún no se había sido capaz de lidiar con el caso consultado, debido a la *"Excesiva Carga de Trabajo del Tribunal",* y que esperaba poder dar una decisión en los próximos meses[29]. En tal sentido, cualquier institución podría responder aquello pero no por eso debe obviarse sus obligaciones.

Relativo a la conducta de las autoridades se analizan varios asuntos. En primer término se atendió a que el Tribunal Federal suizo para tomar una decisión sobre el caso tardó cerca de tres años y medio. En tal sentido, el Gobierno suizo citó la sentencia del caso Buchholz contra Alemania de 1981[30], particularmente la sentencia de 06 de mayo del mismo año, en que la Corte no había encontrado una violación del artículo 6.1 del Convenio Europeo de Derechos Humanos, caso en que había transcurrido casi cinco años de la decisión interna definitiva[31].

---

[26]   CEDH, artículo 6.1, *"Derecho a un proceso equitativo. 1. Toda persona tiene derecho a que su causa sea oída equitativa, públicamente y dentro de un plazo razonable, por un Tribunal independiente e imparcial, establecido por ley, que decidirá los litigios sobre sus derechos y obligaciones de carácter civil o sobre el fundamento de cualquier acusación en materia penal dirigida contra ella…".*

[27]   TEDH. 13 de julio de 1983. Demanda n° 8737/79. "Caso Zimmermann and Steiner contra Suiza". Disponible en: http://hudoc.echr.coe.int/sites/eng/pages/search.aspx?i=001-57609#{"itemid":["001-57609"]} [fecha de visita 5 de diciembre de 2012].

[28]   TEDH. Demanda n° 8737/79.

[29]   TEDH. Demanda n° 8737/79.

[30]   TEDH. 6 de mayo de 1981. Demanda n° 7759/77. "Caso Buchholz contra Alemania". Disponible en: https://hudoc.echr.coe.int/eng#{%22fulltext%22:[%22Buchholz%22],%22documentcollectioni d2%22:[%22GRANDCHAMBER%22,%22CHAMBER%22],%22itemid%22:[%22001-57451%22]} [fecha de visita 5 de diciembre de 2012].

[31]   TEDH. Demanda n° 7759/77.

Sin embargo, el TEDH señala que dicho caso es distinto al caso Zimmerman and Steiner v. Suiza, debido a que el procedimiento citado por el gobierno suizo se había ventilado en tres niveles jurisdiccionales y se había caracterizado por numerosas medidas procesales, ya sea para determinar los hechos o para otros fines, no como el caso Zimmerman and Steiner v. Suiza en que hubo un período único y prolongado de inactividad total, lo que podría haber sido justificado solamente por circunstancias excepcionales[32]. Evidente, es muy distinto un caso que se ventile en varias instancias que en una única instancia, y asimismo, uno que no tenga muchas diligencias con otro que se hayan tramitado una serie de actuaciones. No habría que confundir retardo o prolongación del proceso con inactividad ya sea formal o real[33].

En segundo término, el Tribunal se refiere nuevamente a la *"Carga excesiva de Trabajo"* lo que es un hecho evidente y no controvertido de la causa, pero no es una excusa válida para la tardanza. Es interesante mencionar que tanto el Tribunal Europeo, como el Gobierno y los demandantes estén de acuerdo en que existe una excesiva carga de trabajo, es entonces, un hecho de la causa y no es controvertido, es indubitado. A mayor abundamiento, el Gobierno Suizo manifestó que, teniendo presente el exceso de trabajo, su Parlamento estaba tomando las medidas para paliar la sobrecarga de causas con objeto de remediar la tardanza de los procesos. Pero, el TEDH resuelve que ni para el Poder Judicial ni para otros poderes del Estado no es justificación el retraso en causas judiciales con motivo a exceso de trabajo[34]. Sería una excusa muy sencilla de probar y que, por tanto, podría mantener los retardos de las causas siempre excusados, lo que generaría que no fuera importante y menos prioritario para Estado mejorar en esos aspectos.

En tercer término, el Tribunal Europeo recuerda nuevamente el caso Buchholz, en lo que dice relación a los *"Retrasos Temporales"*. En tal sentido, es posible eximirse de responsabilidad, siempre y cuando la tardanza sea momentánea[35], efectuando medidas correctivas y que éstas se lleven a cabo con una prontitud suficiente. Sin embargo, los métodos con fines a subsanar las deficiencias, tales como un recurso provisional, orden de prelación basado no sólo en la fecha en que fueron presentados, sino en su grado de urgencia, importancia del caso,

---

[32] TEDH. Demanda n° 8737/79.

[33] Puede haber una inactividad real si efectivamente el Tribunal no ha hecho gestión alguna, o bien, inactividad formal, si el Tribunal realiza gestiones que son meramente formales que no significan un avance en el proceso. Un ejemplo de esta última ocurre con algunas resoluciones como, por ejemplo, "autos para resolver", (significa que la causa que en estado de fallo, donde lo importante es que se dicte el fallo).

[34] TEDH. Demanda n° 8737/79.

[35] Evidentemente toda tardanza será momentánea (tendrá un momento, un lapso, un tiempo), a lo que se refiere es que no sea una tardanza prolongada o excesiva.

materia de la causa, y, en particular, lo que está en juego o riesgo para las personas afectadas, no exime a los Estados cuando estas medidas se prolongan en el tiempo y se convierten como parte de la organización estructural de los Juicios y Tribunales, por lo que se debe buscar la implementación políticas eficaces[36].

Una sentencia más próxima del caso Unión Alimentaria Sanders S. A. contra España de 1989[37] sigue la misma doctrina anterior de los tres tópicos a tratar[38] y agrega detalles como extensión del expediente y número de intervinientes o partes en el litigio. En particular analizó una causa con más de 1.400 folios que puede considerarse o no extenso, pero no por eso el caso debía ser complejo. En cuanto a la conducta de los solicitantes desarrolló y tuvo presente que la empresa había dado conocimiento del problema de los retrasos como también de su carga procesal siendo diligente en las actuaciones procesales. Respecto a la conducta del Estado, adiciona los conceptos de previsibilidad de los retardos y a la tendencia de aumento de causas, siendo entonces previsible y evidenciado por una tendencia, quiere decir que no hay un aumento de causas insostenible y las autoridades competentes deben tomar las medidas correspondientes para evitar los futuros retardos por no ser fortuitos[39].

Es decir, si hay un retardo que es consecuencia fortuita de algún acontecimiento, podría entenderse y eventualmente servir de excusa, pero si se prevé que si todo sigue como está, habrá un retardo en la tramitación de causas es un descuido que podría confundirse inclusive con una omisión del Estado.

A mayor abundamiento, en el caso Lenaerts contra Bélgica de 2004[40] también sigue la misma doctrina analizada en párrafos anteriores, teniendo presente las circunstancias del caso, la conducta del solicitante y de las autoridades competentes, citando también Comingersoll v. Portugal [GC], N° 35382/97, § 19, ECHR 2000-IV, Frydlender v. Francia [GC], N° 30979/96, § 43, ECHR 2000-VII. Básicamente el retraso consistía en fijar una audiencia de apelación para más de dos años, y, el TEDH recuerda que, según reiterada jurisprudencia, *"la acumulación crónica de casos en los tribunales no es una explicación válida"*, y refiere a esto los casos Probstmeier v. Alemania sentencia de 1 de julio de 1997, Repertorio de sentencias y decisiones 1997-IV, p. 1138, § 64[41].

---

[36]   TEDH. Demanda n° 7759/77.
[37]   TEDH. 7 de julio de 1989. Demanda n° 11681/85. "Caso Unión Alimentaria Sanders S.A. contra España". Disponible en: http://hudoc.echr.coe.int/sites/eng/pages/search.aspx?i=001-57618 [fecha de visita 5 de diciembre de 2012].
[38]   Los tres tópicos son: Complejidad del Caso, Conducta de los solicitantes y Conducta de las autoridades.
[39]   TEDH. Demanda n° 11681/85.
[40]   TEDH. 11 de junio de 2004. Demanda n° 50857/99. "Caso Affaire Lenaerts contra Bélgica". Disponible en: http://hudoc.echr.coe.int/sites/eng/pages/search.aspx?i=001-66236 [fecha de visita 5 de diciembre de 2012].
[41]   TEDH. Demanda n° 50857/99.

Cabe destacar una Sentencia reciente, en el caso Zavodnik contra Slovenia de 2015[42]. Es una resolución que concuerda normas del CEDH relativas al plazo razonable del artículo 6 y al recurso efectivo del artículo 13. También, es relevante porque reconoce que los Estados tienen un *"Margen de Apreciación"* para interpretar. Sin embargo, no puede afectar la *"Esencia de los Derechos"*, de manera que es posible limitar el ejercicio de éstos, sólo si hay razones válidas que persigan un fin legítimo siempre que haya una relación de *"Proporcionalidad"* entre medios empleados y los objetivos que se persigan, citando los casos Ashingdane en § 57; Fayed v. el Reino Unido, 21 de septiembre de 1994, § 65, serie A, núm 294-B;... y Córdoba v. Italia (n. ° 1), no 40877/98, § 54, ECHR 2003-I[43]. Es algo complejo el reconocimiento del margen de apreciación nacional en esta materia, querría decir que en un caso idéntico o similar que se suscite en dos países distintos podría interpretarse entonces válidamente que en uno el juicio tarda una cantidad de tiempo, por ejemplo 2 años y en otro 4[44].

Entonces, la Jurisprudencia Europea ha desarrollado respecto del plazo razonable una serie de elementos, pero con una columna vertebral clara desde décadas. En efecto, *"1.- La complejidad del caso, 2.- La conducta de los solicitantes y 3.- La conducta de las autoridades competentes"*, son puntos de partida para analizar si hay o no vulneración al artículo 6.1 del Convenio Europeo de Derechos Humanos. Desde ahí comienza el análisis, con dichos elementos que se venían aportando desde los años 80 y que hasta la fecha no han cambiado, sino que más bien, se ha ido otorgándoles más contenido. Podríamos decir que se van creando nuevos sub-puntos o ramificaciones de estos tres puntos. Sin embargo, hay que tener presente en Europa el *"Margen de Apreciación"* que tiene cada país en la interpretación de estos elementos y por cierto a su libertad de establecer su sistema judicial en base a su soberanía estatal, pero por cierto no pueden vulnerar la *"Esencia del Derecho a plazo razonable"* atendiendo también al principio de *"Proporcionalidad"*.

---

[42]   TEDH. 21 de mayo de 2015. Demanda n° 53723/13. "Caso Zavodnik contra Slovenia". Disponible en: http://hudoc.echr.coe.int/sites/eng/pages/search.aspx?i=001-154537 [fecha de visita 5 de diciembre de 2012].

[43]   TEDH. Demanda n° 53723/13.

[44]   El margen de apreciación nacional podría ser más apropiado de utilizar en materias morales, por ejemplo, Italia tendrá una visión muy distinta de las religiones y en particular de la Iglesia Católica que Francia, más que en temas procesales de tardanza de los procedimientos. Sobre cultura política y su relación con el derecho, véase a Cea Egaña, José Luis (1976) "Proposiciones para la investigación de las relaciones entre derecho y política". Revista de Derecho Público, N°19/20, pp. 69-76, pp. 73-74.

3. JURISPRUDENCIA DE PLAZO RAZONABLE DE LA CORTE IDH

Con palabras idénticas al sistema europeo, el juicio debe ser concretado dentro de un plazo razonable según el artículo 8.1 de la CADH[45], y el artículo 25 señala que el recurso es sencillo y rápido[46]. Lo que procede entonces es ver como se ha desarrollado la jurisprudencia de la Corte IDH en esta materia. Un caso reciente e interesante de analizar es el caso Mémoli contra Argentina de 2013[47] en que hay dos derechos que se vulneran, libertad de expresión y plazo razonable. Los hechos de la causa son que un proceso civil que venía de un proceso penal tardará más de 15 años en conjunto. En dicho procedimiento las sanciones eran el embargo de bienes, *ergo* no se podía disponer de los bienes por una cantidad de tiempo más que excesiva y también una medida cautelar de inhibición general para enajenar y gravar bienes con el fin de garantizar el eventual pago que resultara del proceso civil[48]. Por cierto, el caso llegó a la Comisión IDH en 1998, por lo que las partes en total litigaron, entre derecho interno y derecho internacional de los Derechos Humanos por 30 años, en un juicio que no era tan complejo como para llegar a esos extremos de tardanza procesal.

El párrafo 171 de la sentencia del caso Mémoli desarrolla el deber de cumplir los juicios dentro de un plazo razonable para todos los tribunales de justicia, sea parte o no el Estado en el litigio mismo, "*...todos los órganos que ejerzan funciones de naturaleza materialmente jurisdiccional, sean penales o no, tienen el deber de adoptar decisiones justas basadas en el respeto pleno a las garantías del debido proceso establecidas en el artículo 8 de la Convención Americana. Asimismo, la Corte destaca que en el presente caso, a diferencia de otros analizados por este Tribunal, el Estado no es parte en el proceso judicial y las presuntas víctimas son la parte demandada y no la parte accionante del mismo, por lo cual en el presente capítulo la Corte analizará las actuaciones del Estado en el ejercicio de su función jurisdiccional, en un plazo razonable, en el marco del conflicto entre dos personas particulares que fue sometido a su conocimiento. Al respecto, en su jurisprudencia la Corte ha establecido que el derecho de acceso a la justicia debe asegurar la determinación de los derechos de la persona en un tiempo razonable. La falta de razonabilidad en el plazo constituye, en principio, por sí misma, una violación de las garantías judiciales. Asimismo, este Tribunal ha señalado que el "plazo razonable" al que se refiere el artículo 8.1 de*

---

[45]   CADH, artículo 8.1 "*Toda persona tiene derecho a ser oída, con las debidas garantías y dentro de un plazo razonable, por un juez o tribunal competente, independiente e imparcial, establecido con anterioridad por la ley, en la sustanciación de cualquier acusación penal formulada contra ella, o para la determinación de sus derechos y obligaciones de orden civil, laboral, fiscal o de cualquier otro carácter*".

[46]   CADH, artículo 25.1, "*Protección Judicial, 1. Toda persona tiene derecho a un recurso sencillo y rápido...*"

[47]   CORTE IDH. 22 de agosto de 2013. "Caso Mémoli vs. Argentina". Disponible en: https://www.corteidh.or.cr/docs/casos/articulos/seriec_265_esp.pdf [fecha de visita 5 de diciembre de 2012].

[48]   CORTE IDH. "Caso Mémoli vs. Argentina".

la Convención se debe apreciar en relación con la duración total del procedimiento que se desarrolla hasta que se dicta la sentencia definitiva"[49].

Luego, en el considerando 172 se desarrolla la doctrina del plazo razonable, *"La Corte usualmente ha considerado los siguientes elementos para determinar la razonabilidad del plazo del proceso judicial: a) complejidad del asunto; b) actividad procesal del interesado; c) conducta de las autoridades judiciales, y d) afectación generada en la situación jurídica de la persona involucrada en el proceso... "*[50]. Si se nota bien, es muy similar al desarrollo de la doctrina europea, pero hay un pequeño pero gran detalle, en el viejo continente se hace alusión a las autoridades en general, mientras que en el sistema iberoamericano sólo a las autoridades judiciales. De hecho, sigue la Corte IDH en la sentencia citada del caso Memoli refiriéndose sólo a las autoridades judiciales, no a otras. Ergo, no se desarrolla si el Estado ha hecho o no reformas judiciales, plan de mejoras, entre otras.

Esto ya lo venía haciendo la Corte IDH en casos anteriores y citando la jurisprudencia del Tribunal Europeo de Derechos Humanos, aunque con la distinción sólo de las autoridades judiciales. En efecto, encontramos esto en el caso Genie Lacayo contra Nicaragua de 1997[51], en el párrafo 77 se manifiesta que, *"El artículo 8.1 de la Convención también se refiere al plazo razonable. Este no es un concepto de sencilla definición. Se pueden invocar para precisarlo los elementos que ha señalado la Corte Europea de Derechos Humanos en varios fallos en los cuales se analizó este concepto, pues este artículo de la Convención Americana es equivalente en lo esencial, al 6 del Convenio Europeo para la Protección de Derechos Humanos y de las Libertades Fundamentales. De acuerdo con la Corte Europea, se deben tomar en cuenta tres elementos para determinar la razonabilidad del plazo en el cual se desarrolla el proceso: a) la complejidad del asunto; b) la actividad procesal del interesado; y c) la conducta de las autoridades judiciales (Ver entre otros, Eur. Court H.R., Motta judgment of 19 February 1991, Series A no. 195-A, párr. 30; Eur. Court H.R., Ruiz Mateos v. Spain judgment of 23 June 1993, Series A no. 262, párr. 30)"*[52]. También la Corte IDH se refiere sólo a las autoridades judiciales en lo que sigue de su sentencia. De esta forma, se excluye por ejemplo al poder legislativo y al ejecutivo, por tanto, hay menos responsabilidad del Estado en esta materia. Es más apropiado que se haga responsable a las demás autoridades del Estado para así mejorar el sistema judicial.

Luego, la Corte IDH como se ha notado agrega un elemento que es la afectación del derecho, tal como en Europa. Aquello comienza a expresarse, por

---

49   CORTE IDH. "Caso Mémoli vs. Argentina".
50   CORTE IDH. "Caso Mémoli vs. Argentina".
51   CORTE IDH. 29 de enero de 1997. "Caso Genie Lacayo vs. Nicaragua". CORTE IDH. 22 de agosto de 2013. "Caso Mémoli vs. Argentina". Disponible en: http://www.corteidh.or.cr/docs/casos/articulos/seriec_30_esp.pdf [fecha de visita 5 de diciembre de 2012].
52   CORTE IDH. "Caso Genie Lacayo vs. Nicaragua".

ejemplo, en el caso Valle Jaramillo y otros contra Colombia de 2008[53] en que el párrafo 155 consagra que, "... *El Tribunal considera pertinente precisar, además, que en dicho análisis de razonabilidad se debe tomar en cuenta la afectación generada por la duración del procedimiento en la situación jurídica de la persona involucrada en el mismo, considerando, entre otros elementos, la materia objeto de controversia. Si el paso del tiempo incide de manera relevante en la situación jurídica del individuo, resultará necesario que el procedimiento corra con más diligencia a fin de que el caso se resuelva en un tiempo breve"*[54].

En consecuencia, en esta materia, el punto de partida para analizar si se ha vulnerado el derecho a plazo razonable en un procedimiento en el sistema interamericano se da con el análisis a) complejidad del asunto; b) actividad procesal del interesado; c) conducta de las autoridades judiciales, y d) afectación generada en la situación jurídica de la persona involucrada en el proceso, todo a partir de la jurisprudencia europea, aunque con el detalle de que sólo se evalúa el comportamiento de las autoridades judiciales excluyendo a las demás autoridades, bajando el estándar de responsabilidad de los Estados ante la Corte IDH[55].

CONCLUSIONES

Luego de revisar algunas generalidades y puntos clave desde la doctrina, se analizó jurisprudencia sobre plazo razonable del sistema europeo e interamericano de derechos humanos, destacando lo que sigue.

En el sistema europeo de derechos humanos, se ha juzgado por el TEDH a propósito del plazo razonable, considerando el artículo 6 del CEDH, y, atendiendo como mismas premisas básicas, en casos de retardo en procesos, lo siguiente:

---

[53]   CORTE IDH. 27 de noviembre de 2008. "Caso Valle Jaramillo y otros vs. Colombia". Disponible en: http://www.corteidh.or.cr/docs/casos/articulos/seriec_192_esp.pdf [fecha de visita 5 de diciembre de 2012].

[54]   CORTE IDH. "Caso Valle Jaramillo y otros vs. Colombia".

[55]   Sin perjuicio de aquello, es menester señalar que hay Estados que a pesar de esa omisión de evaluación de responsabilidad a autoridades que no sean judiciales, éstas han avanzado en la modernización de sus procedimientos para hacerlos más agiles. En Chile, con la reforma procesal penal que comenzó a regir primero desde regiones (Coquimbo y la Araucanía) en el año 2000 y luego avanzar paulatinamente a aplicarse en todo el país hasta 2005, lo mismo en materia de Tribunales de Familia en 2004, y en 2009 en materia de Derecho del Trabajo, todos procedimientos breves y tecnológicos, en que la concentración de los juicios, desformalización e informática jurídica han aportado bastante en la celeridad de los procedimientos. Por ejemplo, un juicio de pensión de alimentos ahora tarda sólo algunos meses, mientras que en el sistema antiguo la regla general era que tardara años. Peor aún en materia penal, una persona podía estar en prisión preventiva años y luego encontrarse absuelta, y en materia laboral, los empleadores ante la tardanza de los juicios los hacía más fuertes en la relación empleador-trabajador quedando este último con menor poder negociador.

complejidad del caso, conducta de los solicitantes y conducta de las autoridades. Ha quedado en evidencia que la alegación de excesiva carga de trabajo de los tribunales no es justificación suficiente para los retardos. No obstante, puede haber solo retrasos temporales, en el sentido que estos sean solo por poco lapso y se efectúen medidas correctivas.

En el sistema interamericano también se juzga con mismos criterios, pero con un bemol, porque en vez de analizar las autoridades estatales, donde están involucradas las del ejecutivo, legislativo y judicial, solo se evalúan las actuaciones del poder judicial. No es muy apropiado solo revisar lo resuelto por las autoridades judiciales, porque si las tardanzas son estructurales, estas no dependen del poder judicial, sino que más bien de los otros poderes del Estado, ya sea del ejecutivo o legislativo según esté constituido el país. Son éstos quienes pueden hacer las reformas procesales respectivas.

De manera que el matiz en el caso interamericano es relevante, dado que no analiza el actuar de los demás poderes públicos, es decir, los que sean distintos a los órganos jurisdiccionales. En efecto, pese a todo el esfuerzo que puedan hacer los respectivos poderes judiciales de los países, para una mejor administración de justicia "dentro de un plazo razonable", son precisos los esfuerzos de los demás poderes, en un ideal de mejora continúa de los procedimientos y sistema de justicia en general, con reformas que en un estado democrático provienen del legislativo, y, con un ejecutivo que implemente eficazmente.

BIBLIOGRAFÍA

Delgado del Rincón, Luis (2018) "El TEDH y las condenas a España por la vulneración del derecho a ser juzgado en un plazo razonable: Las dificultades para alcanzar una duración óptima de los procesos judiciales". Teoría y Realidad Constitucional, N° 42, pp. 569–590.

Alcalá-Zamora y Castillo, Niceto (1961) Estampas procesales de la literatura española. Buenos Aires Buenos Aires: Ediciones Jurídicas Europea-América, pp. 178, p. 62.

Amado Rivadeneyra, Alex (2011) "El derecho a un plazo razonable como contenido implícito del derecho al debido proceso: desarrollo jurisprudencial a nivel internacional y nacional". Revista Internauta de Práctica Jurídica, N° 27, pp. 43-59.

Cárdenas Rioseco, Raúl (2007) El derecho a un proceso justo sin dilaciones indebidas. México D.F., Editorial Porrúa.

Cea Egaña, José Luis (1976) "Proposiciones para la investigación de las relaciones entre derecho y política". Revista de Derecho Público, N°19/20, pp. 69-76.

Cea Egaña, José Luis (1981) "La esencia de los derechos y su libre ejercicio en la nueva Constitución". Revista de Derecho Público, N° 29/30, pp. 105-119.

Cea Egaña, José Luis (1996) "La Constitucionalización del Derecho". Revista de Derecho Público, N° 59, pp. 11-22.

Díaz Fuenzalida, Juan Pablo (2021a) "Grupos vulnerables de especial protección por parte del Instituto Nacional de Derechos Humanos (INDH) ¿En quién podría y debería enfocarse en base a la doctrina y a la experiencia comparada iberoamericana?. Revista Brasileira de Políticas Públicas, Vol. 11, N° 1, pp. 570-593.

Díaz Fuenzalida, Juan Pablo (2021b) "Poder Judicial". En Peredo Rojas, Marcela Inés (coord). Antecedentes para una nueva Constitución. Evolución histórica, proyectos, tratados internacionales y derecho comparado. Valencia, Tirant lo Blanch, pp. 391-419.

Díaz Fuenzalida, Juan Pablo (2021c) ¿Son parte del bloque de constitucionalidad los tratados internacionales de derechos humanos de la OEA en Chile?: avances en base a la doctrina, normativa y jurisprudencia. Brazilian Journal of International Law, Vol. 18, N° 1, pp. 269-288.

Jarama Castillo, Zaida Vanessa, Vásquez Chávez, Jennifer Estefanía y Durán Ocampo, Armando Rogelio (2019) "El principio de celeridad en el Código Orgánico general de procesos, consecuencias en la Audiencia". Universidad y Sociedad, Vol. 11 N° 1, pp. 314-323.

Moreiro, Carlos (2012) La invocación del plazo razonable ante el tribunal de justicia. Madrid: Dykinson.

Nogueira Alcalá, Humberto. (2004) Elementos del bloque constitucional del acceso a la jurisdicción y debido proceso proveniente de la Convención Americana de Derechos Humanos Estudios Constitucionales, Vol. 2, N° 1, Santiago, Centro de Estudios Constitucionales, pp. 123-158.

Pastor, Daniel R. (2004) "Acerca del derecho fundamental al plazo razonable de duración del proceso penal". Revista de Estudios de la Justicia, N° 4, pp. 51-76.

Weber, Helmuth von (1953) Die strafrechtliche Bedeutung der europäischen Menschenrechtskonvention. ZStW, pp. 334-350.

JURISPRUDENCIA

CORTE IDH. 29 de enero de 1997. "Caso Genie Lacayo vs. Nicaragua". CORTE IDH. 22 de agosto de 2013. "Caso Mémoli vs. Argentina". Disponible en: http://www.corteidh.or.cr/docs/casos/articulos/seriec_30_esp.pdf   [fecha de visita 5 de diciembre de 2012].

CORTE IDH. 27 de noviembre de 2008. "Caso Valle Jaramillo y otros vs. Colombia". Disponible en: http://www.corteidh.or.cr/docs/casos/articulos/seriec_192_esp.pdf [fecha de visita 5 de diciembre de 2012].

CORTE IDH. 22 de agosto de 2013. "Caso Mémoli vs. Argentina". Disponible en: https://www.corteidh.or.cr/docs/casos/articulos/seriec_265_esp.pdf [fecha de visita 5 de diciembre de 2012].

TEDH. 6 de mayo de 1981. Demanda n° 7759/77. "Caso Buchholz contra Alemania". Disponible en: https://hudoc.echr.coe.int/eng#{%22fulltext%22:[%22Buchholz%22],%22documentcollectionid2%22:[%22GRANDCHAMBER%22,%22CHAMBER%22],%22itemid%22:[%22001-57451%22]} [fecha de visita 5 de diciembre de 2012].

TEDH. 13 de julio de 1983. Demanda n° 8737/79. "Caso Zimmermann and Steiner contra Suiza". Disponible en: http://hudoc.echr.coe.int/sites/eng/pages/search.aspx?i=001-57609#{"itemid":["001-57609"]} [fecha de visita 5 de diciembre de 2012].

TEDH. 7 de julio de 1989. Demanda n° 11681/85. "Caso Unión Alimentaria Sanders S.A. contra España". Disponible en: http://hudoc.echr.coe.int/sites/eng/pages/search.aspx?i=001-57618 [fecha de visita 5 de diciembre de 2012].

TEDH. 26 de octubre de 2000. Demanda n° 30210/96. "Caso Kudla contra Polonia". Disponible en: http://hudoc.echr.coe.int/sites/eng-press/pages/search.aspx?i=001-58920 [fecha de visita 5 de diciembre de 2012].

TEDH. 11 de junio de 2004. Demanda n° 50857/99. "Caso Affaire Lenaerts contra Bélgica". Disponible en: http://hudoc.echr.coe.int/sites/eng/pages/search.aspx?i=001-66236 [fecha de visita 5 de diciembre de 2012].

TEDH. 22 de abril de 2014. Demanda n° 6528/11. "Caso A.C. y otros contra España". Disponible en: https://www.usc.es/export9/sites/webinstitucional/gl/institutos/ceso/descargas/STEDH_AC-AND-OTHERS-v-SPAIN_es.pdf [fecha de visita 5 de diciembre de 2012].

TEDH. 21 de mayo de 2015. Demanda n° 53723/13. "Caso Zavodnik contra Slovenia". Disponible en: http://hudoc.echr.coe.int/sites/eng/pages/search.aspx?i=001-154537 [fecha de visita 5 de diciembre de 2012].

Orden Público Económico. Origen, vigencia y futuro de una noción garantista

Rodrigo Díaz de Valdés Balbontín[1]

Al tiempo en que terminamos de preparar este trabajo, una asamblea inédita en la Historia de Chile está también culminando otro: la redacción de un texto constitucional que será presentado a plebiscito. Hasta este día, se cuentan cerca de trescientos artículos totalmente aprobados y despachados por el pleno de la Convención Constitucional, y que formarán parte de la propuesta que se someterá al país en el mes de septiembre del año presente. Aunque varias otras normas continúen en revisión, el borrador nos permite apreciar con claridad meridiana cuál es el nuevo lenguaje constitucional, la fisionomía de las instituciones y la estructura de los derechos, deberes y garantías.

Con base en tal estado de avance, podemos afirmar ya con seguridad que estamos ante el constituyente que más relevancia ha dado a la regulación de la vida económica en un proyecto de Carta Fundamental, a la luz de un prisma doctrinal bastante marcado y no necesariamente representativo de nuestra sociedad.

Primero, no resulta azaroso que la Convención haya creado una comisión denominada "Medio ambiente, derechos de la naturaleza, bienes naturales comunes y modelo económico". Su nombre sugiere que la noción de "modelo" económico es indisoluble de las materias medioambientales, a las cuales está implícitamente subordinado, insinuando un marco filosófico en el que se ha de comprender la economía en una Nueva Constitución. También la Comisión de Derechos Fundamentales ha despachado normas que regularán el modo en que las personas –naturales y jurídicas– podrán expresar su propia individualidad en materia económica: es el caso de la nueva regulación del derecho de propiedad y de la libre iniciativa en materia económica, denominada ahora "libertad de emprender". Todas estas normas, tanto las totalmente despachadas como las que

---

[1]   Profesor Derecho Constitucional y Civil Pontificia Universidad Católica de Chile.

están aún bajo revisión, apuntan al robustecimiento de los límites del ejercicio de las libertades económicas.

La forma en que la Convención Constitucional ha abordado el modelo económico no nos parece una novedad. Por años, buena parte de la literatura ha planteado que la Constitución de 1980 es la cristalización jurídica de un orden económico de carácter neoliberal. Esta crítica, como se conoce, no es sobre normas puntuales o sobre leyes determinadas. Bajo un marco teórico de marcado cuño posestructuralista, este sector ha señalado que *toda* la Constitución tendría una función eminentemente ideológica, al establecer normas jurídicas y principios que producirían un *"sentido común neoliberal"* hegemónico[2]. Esta crítica se hace extensiva incluso respecto de la reforma constitucional de 2005[3]. Autores como Amaya Álvez –actual convencional constituyente– han propuesto la existencia de un "constitucionalismo neoliberal"[4], que debe ser superado por una nueva distribución entre lo público y lo privado, mientras otras voces han destacado que un proceso constituyente tendría por objetivo, más que la generación de un nuevo texto jurídico, el de procurar una nueva *Constitución de lo Social*, lo que por supuesto implica una reconfiguración profunda del modelo económico.

En esa clave de lectura, que bien podemos calificar de *refundacional*, el concepto de "orden público económico" (en adelante, "OPE") ha sufrido un importante retroceso en cuanto a su valoración y presencia pública. De hecho, como veremos más adelante, un sector de la doctrina lo concibe como una noción ligada a la supuesta "juridificación" del neoliberalismo que se habría producido al alero de la Constitución de 1980. De hecho, es demostrativo de aquello que durante la discusión al interior de la Comisión de Medio ambiente, derechos de la naturaleza, bienes naturales comunes y modelo económico, el concepto de OPE ha sido apenas mencionado; y cuando lo es, se hace a propósito de expresiones marcadamente críticas, bajo las cuales el OPE no es más que *"una creación específica de la Constitución de 1980, que pretendía –y así lo logró bastante– que la sociedad se estructurara en torno a un modelo económico específico, que incluía esta propiedad*

---

2   https://www.sinpermiso.info/textos/chile-la-constitucin-neoliberalMuñoz León, Fernando (2013) "Chile: la Constitución neoliberal". Sin Permiso. Disponible en: https://www.sinpermiso.info/textos/chile-la-constitucin-neoliberal [fecha de visita 2 de marzo de 2022].

3   *"Con todo ello se juridifica al neoliberalismo, sustrayéndolo del espacio de lo político; y lo jurídico, como queda dicho, es concebido en nuestra tradición como opuesto a lo político. Si lo político es el reino de la libertad y lo inesperado, lo jurídico es el dominio de la certeza y la predictibilidad. Como resultado de esta juridificación del neoliberalismo, la despolitización característica de una dictadura militar donde la discusión de las reglas del juego por parte de los ciudadanos está proscrita mediante la fuerza se prolonga hasta la actualidad"*. Muñoz (2013).

4   Álvez Marín, Amaya (2016) "Constitucionalismo neoliberal". El Mostrador. Disponible en: https://m.elmostrador.cl/noticias/opinion/2016/06/24/constitucionalismo-neoliberal/

privada reforzada […]"[5]; y que como concepto, sería distinto del de Constitución Económica.

Consideramos que buena parte de estas críticas son injustas. Sin embargo, coincidimos con los críticos que el OPE no es –ni debe ser– un concepto *neutro*. En realidad, no existen significantes jurídicos que puedan calificarse propiamente de neutros, y esto es particularmente cierto en materia constitucional. Como enseña Schiera, el constitucionalismo es ante todo un *movimiento* y un *discurso* político[6], resultando imposible hallar normas o principios que sean de un carácter puramente formal, neutro o apolítico[7]. Somos de la opinión que el constitucionalismo puede estar orgulloso de haber estructurado un visionado político, apoyado por el lenguaje jurídico, con el que se ha hecho posible un magnífico logro civilizacional: la existencia de claros límites al poder. Según Ferrajoli, el constitucionalismo es *"esa extraordinaria innovación del derecho moderno consistente en regular la creación del derecho desde el propio derecho"*[8].

De allí que sostengamos, para los efectos de este trabajo, que el fundamento de la noción de OPE sea heredero del proyecto político-jurídico del constitucionalismo, o si se quiere, una proyección específica del constitucionalismo como matriz, con la que se busca amparar la esfera subjetiva de los ciudadanos en materia económica. El OPE es *garantista*, en el sentido de que apuesta decididamente por la realización del individuo en sociedad, y le suministra a los ciudadanos el suficiente lenguaje jurídico con el que hacer inteligible la afirmación de un proyecto propio de vida, en forma individual y colectiva. Por ello, sin que éste se identifique con un modelo económico (es decir, con una forma concreta de asignación de recursos), el OPE busca legítimamente asegurar un mínimo de libertades, con respeto de la colectividad y promoción activa de la solidaridad social. Un sistema constitucional sin OPE –en el sentido de que sus disposiciones constitucionales, propiamente lo que se denomina *Constitución Económica,* no amparen eficazmente el ejercicio de estas libertades– difícilmente podría denominarse un producto o derivada de la tradición constitucionalista.

Dividimos este trabajo en tres partes. Primero, ofreceremos un necesario contrapunto entre dos fenómenos cercanos, que por su proximidad suelen confundirse: Constitución Económica y OPE. Repasaremos en dichas páginas sus respectivas fuentes filosóficas, definiciones y principales críticas. En la segunda parte,

---

[5]   Convención Constitucional de la República de Chile (2022): "Segundo Informe de la Comisión de Medio Ambiente, Derechos de la Naturaleza, Bienes Comunes Naturales y Modelo Económico, en cumplimiento del mandato otorgado por el Reglamento General de la Convención Constitucional". Disponible en: https://www.cconstituyente.cl/comisiones/verDoc.aspx?prmID=2601&prmTipo=DOCUMENTO_COMISION [fecha de consulta: 22 de marzo de 2022], p. 105

[6]   Schiera, Pierangelo (2012) El constitucionalismo como discurso político. Madrid: Dykinson, p. 53.

[7]   Schiera (2012) 53.

[8]   Schiera (2012) 17.

nos detendremos sobre la actualidad de ambos conceptos y cómo éstos siguen siendo relevantes en el debate constitucional, al punto en que éstos deben necesariamente ser considerados. Finalmente, ofreceremos algunas conclusiones.

Hemos procurado, en cada uno de estos capítulos, hacer referencia al pensamiento del profesor José Luis Cea Egaña, cuyo magisterio destaca merecidamente como uno de los más prolíficos de la historia del constitucionalismo chileno. Vayan las páginas a continuación como un humilde homenaje al profesor Cea, amigo y gran maestro, por quien debemos varios miles de sus alumnos una profunda admiración y gratitud.

1. UN CONTRAPUNTO ENTRE CONSTITUCIÓN ECONÓMICA Y ORDEN PÚBLICO ECONÓMICO

Tal como hemos adelantado previamente, las nociones de Constitución Económica y OPE suelen ser confundidas aún en discusiones doctrinales profundas. Creemos necesario, para que se entienda nuestra aproximación teórica, distinguir entre ambos dominios, atendiendo a las matrices filosóficas, políticas y jurídicas de las cuales depende cada uno, realizando una necesaria contrastación entre ambas ideas.

1.1. La noción de Constitución Económica

El sentido y alcance del término Constitución Económica no ha sido pacifico en la doctrina extranjera. La discusión propiamente tal sobre la función de este concepto en el ordenamiento jurídico económico se inicia en Alemania, durante la década de los cincuenta, precisamente como consecuencia de los avances sociales de la época, que impulsaban a la concreción de la denominada economía social de mercado[9].

En efecto, una primera aproximación a este concepto la encontramos en el trabajo de Beckerath, denominado *Politische und Wirtschaftsverfassung*, publicado el año 1932. En esta publicación se define Constitución Económica como la ordenación de la propiedad, del contrato y del trabajo, de la forma y extensión de la intervención del Estado, así como la organización y la técnica de la producción y la distribución[10].

---

[9]   Así por ejemplo, W. Strauss en *Wirtschaftsverfassung und Staatsverfassun*g y Hans-Carl Nipperdey en *Die soziale Marktwirtschaft in der Verfassung der Bundesrepublik.*

[10]   De Lojendio, Ignacio (1977) "Derecho Constitucional Económico". En Varios autores (1977) Constitución y Economía (la ordenación del sistema económico en las Constituciones Occidentales). Madrid: Edersa, pp. 82-83.

En la doctrina se suele distinguir entre un concepto amplio y otro restringido de Constitución Económica. En el sentido amplio, se entiende por este concepto el conjunto de principios jurídicos que determinan la organización o el funcionamiento del proceso económico de un modo fundamental y estable. En sentido estricto, se entiende la determinación sobre la ordenación de la vida económica efectuada con rango de norma constitucional[11].

La doctrina italiana también ha tomado parte en la discusión. Ghidini definió la Constitución Económica como el conjunto de principios que regulan el modo de realización de todas las relaciones económicas[12]. Por su parte, Francesco Galgano, en su *Tratado de Derecho Comercial y Derecho Público de la Economía*, se refiere a este concepto como parte del análisis de las estructuras constitucionales del sistema económico, desde su particular óptica jurídica socialista.

En la doctrina española, Gaspar Ariño definió Constitución Económica (o *modelo económico de la Constitución*) como el conjunto de principios, criterios, valores y reglas fundamentales que presiden la vida económico–social de un país, según un orden que se encuentra reconocido en la Constitución[13]. Por su parte, Viciano entiende por Constitución Económica aquellos preceptos fundamentales de los que deriva la estructura y el funcionamiento de la actividad económica[14]; y García Pelayo aporta a esta discusión definiendo Constitución Económica como las normas básicas destinadas a proporcionar el marco jurídico fundamental para la estructura y funcionamiento de la actividad económica[15]. Este concepto casi idéntico al que expone Entrena Cuesta, quien define el mismo como el grupo de normas destinadas a proporcionar el marco jurídico fundamental para la estructura y funcionamiento de la actividad económica[16].

La definición más completa que encontramos en la doctrina extranjera es la Duque, quién define Constitución Económica como el conjunto de normas que, con rango constitucional, establecen la legitimación para ejercer la actividad

---

[11]   Rittner, Fritz (1953) Wirtschaftsrecht mit Wettbewerbs –und Kartellrecht. Coblenza: Juristicher Verlag, pp. 25-26.

[12]   Ghidini, Gustavo (1978) Slealtà Della concorrenza e costituzione economica. Padova, CEDAM, 216 pp.

[13]   Ariño, Gaspar (1993) Economía y Estado. Madrid: Marcial Pons, pp. 95-121.

[14]   Viciano, Javier (1995) Libre Competencia e Intervención Pública en la Economía. Valencia: Tirant lo Blanch, pp. 106.

[15]   García Pelayo, Manuel (1979) "Consideraciones sobre las Cláusulas Económicas de la Constitución. En: Ramírez, M. (editor): Estudios sobre la Constitución Española de Zaragoza. Zaragoza: Pórtico, p. 31. En su obra este autor afirma que no hay unanimidad respecto del contenido del concepto Constitución Económica. A su juicio puede ser más o menos extenso, reconociendo que al menos existen tres materias mínimas que deben integrarlo, a saber, el establecimiento del tipo o los tipos de propiedad, las formas de relación entre los actores económicos y la distribución de atribuciones entre el Estado y los actores y entidades económicas de la sociedad.

[16]   Entrena Cuesta, Rafael (1989) El Modelo Económico de la Constitución Española de 1978. Pamplona: Editorial Aranzadi, p. 11.

económica, el contenido de la libertades y de los poderes que se derivan de esta legitimación, las limitaciones que afectan a los mismos y a la responsabilidad que grava su ejercicio, así como, los instrumentos y medidas con las cuales el Estado puede actuar o intervenir en el proceso económico[17].

En vez de intentar esbozar una definición propia respecto de este concepto –que podría tener el defecto o ser acusada de ser una más entre tantas– resulta oportuno exponer los elementos que a nuestro juicio son esenciales de considerar como parte integrante de la idea de Constitución Económica, muchos de los cuales se contienen en la definición de Duque, tanto respecto de su contenido esencial, como también, de aquellas claves interpretativas que servirán de base para la aplicación directa de sus preceptos en la actividad económica del Estado-Nación.

(i) La Constitución Económica se refiere a aquellas normas y principios, conjuntamente denominados bajo el término *preceptos*, consagrados a nivel de la ley suprema del Estado-Nación, por el poder constituyente originario o derivado, incluyendo dentro de este último, también, a los tratados internacionales que por expresa disposición de derecho interno se entienden formar parte de la norma constitucional. En este contexto, rechazamos desde ya la posición doctrinal alemana, que en sentido amplio entiende por Constitución Económica, *todos* los principios jurídicos que determinan la organización o el funcionamiento del proceso económico de un país, sin importar su posición en el sistema normativo de fuentes. A nuestro juicio, los preceptos que forman parte de la Constitución Económica deben ser en sentido formal y material ley suprema del Estado–Nación, puesto que son materia constitucional.

(ii) Estos preceptos reconocidos con rango de norma constitucional son aquellos que establecen las bases del sistema económico que se aplicará en un determinado Estado–Nación. Lo anterior no implica la formulación de políticas económicas a nivel constitucional. Si así fuese, el sistema de fuentes perdería coherencia, rigidizando el sistema y excluyendo a priori determinados postulados de la discusión política. La Constitución no termina con la discusión política, sino que a través del establecimiento de presupuestos básicos, por ende, deja un espacio suficiente a la deliberación democrática.

(iii) Estos preceptos deben reconocer, con la mayor jerarquía, el conjunto de derechos y garantías fundamentales en materia económica, que emanan de la naturaleza humana de las personas, cuyo contenido esencial y determinante no puede ser afectado por la autoridad estatal ni por cualquiera persona. El respeto

---

[17]   Duque, Justino (1977) "Iniciativa privada y empresa". En: Díez-Picazo, Luis (editor): Constitución Económica (la ordenación del sistema económico en las constituciones occidentales). Madrid: Edersa, p. 52.

al proyecto de vida del prójimo es de la esencia del constitucionalismo como proyecto político: el lenguaje de los derechos es el modo en que este proyecto se hace jurídicamente realizable.

(iv) Deben incluirse las causales generales de afectación de estos derechos y garantías fundamentales que sirven de base al modelo, que por lo demás naturalmente son inherentes a éstos, Es decir, establecer las fronteras o requisitos para que la autoridad estatal pueda, previamente habilitada y con pleno cumplimiento al principio de legalidad, regular o limitar estos derechos. En otras palabras, se debe incluir la definición de las potestades conferidas al Estado para regular y planificar la actividad económica, así como también, la relación entre el Estado y los particulares, estableciéndose el ámbito legítimo de acción del primero en la vida económica.

Como se puede apreciar de estos elementos, la finalidad de la Constitución Económica es institucionalizar, con rango de la mayor jerarquía jurídica, las bases esenciales de sistema económico, las garantías individuales de las personas y el rol de la autoridad estatal en esta actividad. Por esta razón, como pasaremos a explicar a continuación, el OPE es parte de la Constitución Económica, aunque como diremos, no se identifica totalmente con esta última.

1.2. La noción de Orden Público Económico (OPE)

El concepto de OPE ha sido largamente debatido en el medio nacional. A primera vista, nos parece curioso que en la doctrina extranjera tal debate no exista, al menos con la profundidad que se ha planteado en nuestro país. La razón nos parece clara: la doctrina extranjera se ha focalizado en la discusión sobre el sentido y alcance del concepto Constitución Económica antes explicado[18]. Es en Chile en que el concepto parece más ampliamente discutido.

---

[18]   En relación a este punto, resulta interesante el fallo Rol N° 248-2000 de la Corte Suprema, donde se afirma que *"El artículo 19 N° 21 de la Carta Política integra el conjunto de normas que regulan la actividad económica del Estado y de los particulares, bajo la fórmula generalizada en la doctrina con la denominación de "Orden Público Económico", utilizada inicialmente por Ripert en la década de los 60, y que la dogmática moderna designa como "Constitución Económica"* [Corte Suprema. 31 de enero de 2000, Rol 248-2000, "Asociación Nacional de la Prensa", considerando 2°]. Véase también, entre otros, Enoch Alberti ("La constitución económica de 1978..."); Gaspar Ariño ("Economía y estado: crisis y reforma del sector público"); Martín Bassols ("Constitución y sistema económico"); Germán Bidart Campos ("Derecho Constitucional Comparado"); Allan Brewer-Carías ("Reflexiones sobre la Constitución económica española: homenaje al profesor Eduardo García de Enterría"), Dalla Via, Alberto ("Derecho Constitucional Económico"); Juan Ignacio Font ("Constitución económica y derecho de la competencia"); Hans-Jürgen Rösner ("Sistema político y Constitución Económica: características de un Estado de Derecho libre y social").

Tradicionalmente se ha señalado a Ripert[19] y Farjat como los creadores del concepto OPE. En efecto, Ripert en su obra "Le Regime Democratique et le Droit Civil Moderne", plantea que: *"Hay que distinguir, en las relaciones económicas entre los hombres, aquellas que son impuestas por el Estado de aquellas que pueden ser libremente establecidas por los hombres. Hay, junto a la organización política del Estado, una organización económica tan obligatoria como la otra. Existe, en consecuencia, un orden público económico"*[20].

Por su parte, en su obra *Droit Economique*, Farjat elaboró la famosa definición OPE como *"el conjunto de medidas adoptadas por los poderes públicos tendientes a organizar las relaciones económicas"*[21].

Tanto la aproximación de Ripert como la de Farjat al concepto de OPE influyeron fuertemente en la doctrina nacional en un primer momento. Sin embargo, se les ha considerado, con razón, en exceso dirigistas e intervencionistas por las razones que se expondrán más adelante, al analizar las distintas definiciones que se han planteado en el medio nacional[22].

En efecto, el concepto OPE aparece en nuestro país conjuntamente con el creciente intervencionismo estatal en materia económica.

Según el profesor Yrarrázaval, ya en 1954 nuestra jurisprudencia había definido el OPE como *"el conjunto de medidas y reglas legales que dirigen la economía, organizando la producción y distribución de las riquezas en armonía con los intereses de la sociedad"*[23]. Es más, autores nacionales de la estatura de Ortúzar, Novoa, Aimone y Aramayo, se refirieron expresamente a este concepto en la década de los sesenta[24]. Obsérvese desde ya que la noción de OPE despunta como un concepto que más que establecer un simple conjunto de reglas o límites formales –concepción más puramente cercana a la de Constitución Económica–, pretende buscar ciertos atributos sustanciales: en este caso, una coherencia con ciertos objetivos económico–sociales.

El enfoque que se dada al concepto OPE cambió radicalmente con la Constitución de 1980. En el seno de las primeras sesiones de la Comisión de Estudio de la Nueva Constitución, el profesor Diez Urzúa planteaba la necesidad de que

---

[19]   Para profundizar en el planteamiento de Ripert, ver Fermandois Vöhringer, Arturo (2005) "Ripert y su influencia en el concepto de Orden Público Económico: Auge y caída de una visión dirigista". Revista Chilena de Derecho, vol. 32, N°1, pp. 7-18.

[20]   Ripert, Georges: "L'ordre économique et la liberté contractuelle", citado por Fermandois (2005) 10.

[21]   Farjat, Gerard: "Droit Economique", citado por Fermandois (2015) 56.

[22]   Vergara, Alberto (2002) "Los elementos de la acción de amparo económico ante la jurisprudencia: análisis crítico", Santiago, Chile, (tesis para optar al grado licenciado de Derecho), pp. 7.

[23]   Yrarrázaval Covarrubias, Arturo (1999) "Orden Público económico: ficción o realidad". Revista del Abogado, N° 15, p. 11.

[24]   Vergara (2002) 7-8.

la Constitución estableciera determinadas garantías económicas, agrupadas bajo el concepto de "orden público económico". Esta proposición fue desechada en definitiva, por considerarse impracticable una posición con jerarquía constitucional tan definida sobre el sistema económico. En cambio, se optó por incluir ciertas normas y principios de rango constitucional que establecieran las bases esenciales del modelo económico[25].

En efecto, primó la idea de que las normas constitucionales no debían *"entrar en el detalle de regular situaciones económicas específicas"*, sin perjuicio que las mismas debían promover un sistema jurídico que garantizara que la economía estaba sometida a la libertad y al bienestar general e individual de las personas[26].

Quedaba clarísima la intención del Constituyente de 1980 respecto de los preceptos constitucionales de contenido económico, priorizando la iniciativa privada por sobre la estatal, en un marco de subsidiariedad. El concepto de OPE se aleja así de su filosofía inicial, planteada por Ripert y Farjat, y seguida por gran parte de la doctrina nacional con anterioridad a la actual Carta Fundamental, que ponían su énfasis en el intervencionismo estatal, sin partir de la base del reconocimiento de la iniciativa individual como base esencial del nuevo sistema[27].

Para comprender y explicar correctamente el sentido y alcance del concepto OPE en la doctrina nacional, se distinguen tres tesis fundamentales, a saber, las funcionales, materiales y situacionales[28].

(i) Las tesis funcionales son aquellas que se centran en las normas de orden público económico más que en la búsqueda del contenido esencial del concepto[29]. Al centrarse en la norma, deben encontrar en ella aquel elemento que las diferencia del resto de las que integran el ordenamiento jurídico. Este elemento diferenciador estaría dado por la función que dichas normas cumplen, éstas serían, limitar, regular y prohibir ciertas actividades económicas.

---

[25] Guerrero del Río, Roberto y Navarro Beltrán, Enrique (1997) "Algunos antecedentes sobre la historia fidedigna de las norma de OPE establecidas en la Constitución Política de 1980". Revista de Derecho Universidad Finis Terrae, Año N°1, 1997, Santiago, Chile, pp. 117-118. Estos autores señalan que durante la elaboración de las disposiciones relativas al OPE se debatió en la Comisión de Estudios de la Nueva Constitución si éste debía tener un capítulo especial, pero finalmente se concluyó que salvo respecto del Banco Central, dicha iniciativa no era posible, de modo que las disposiciones del OPE quedaron dispersas en el texto constitucional.

[26] Diez Urzúa, Sergio (1999) Personas y Valores: su protección constitucional. Santiago de Chile: Editorial Jurídica de Chile, pp. 172-180.

[27] Una mayor referencia a gran parte de los conceptos dados por la doctrina nacional puede encontrarse en Masbernat Muñoz, Patricio y Hurtado Contreras, José Tomás (2004) "Crítica al concepto de Orden Público Económico". Revista de Derecho Público, vol. N° 66, pp. 201-221.

[28] Ver Avilés Hernández, Víctor Manuel (1998) Orden público económico y derecho penal. Santiago de Chile: Editorial Jurídica Conosur, pp. 189-206.

[29] Avilés enumera a los principales autores comprendidos en esta postura: Raúl Varela, Enrique Ortúzar, Gérard Farjat y Luis Montt

(ii) Las tesis materiales apuntan hacia el contenido o esencia del OPE, teniendo como garantía central el artículo 19 N° 21 de nuestra actual Constitución[30]. Para Avilés, estas definiciones se refieren más bien a ciertas especificaciones del orden público general.

(iii) Finalmente, las tesis situacionales son aquellas que se centran en la noción de orden[31]. Este orden se refiere a una situación meramente axiológica, partiendo de la base de un modelo económico ideal o perfecto, que se presenta como el más adecuado para la sociedad en un momento determinado. A partir de estas tesis se construye la definición de OPE, como una forma de organización económica, sin dejar de lado el contenido esencial del concepto desde un punto de vista funcional (limitar, regular y prohibir ciertas actividades económicas).

Si bien la clasificación anterior puede parecer un tanto confusa, si se considera que ciertas definiciones que se han planteado en la doctrina nacional parecen no caber en ninguna de dichas categorías, lo cierto es que constituyen –a juicio nuestro– un buen intento de articular las diversas nociones de OPE que existen en la literatura, resultando útil como una herramienta para comprender de mejor forma la variedad de énfasis que cada autor emplea en sus propias conceptualizaciones.

Expuesto lo anterior, nos referimos a las definiciones de OPE más importantes que se han planteado por la doctrina nacional, tratando de seguir cierto orden cronológico[32]. Mediante esta exposición, el lector podrá juzgar, por sí mismo, a cuál de las tesis antes planteadas pertenece cada definición, así como también –y lo que resulta más relevante, apreciar la evolución de este concepto a lo largo del tiempo– en paralelo al auge, crisis y reformulación del Estado. Veamos.

El profesor Luis Montt –casi el primero en el medio nacional en formular una definición– el *"orden público económico es el conjunto de medidas adoptadas por la autoridad con el fin de organizar la actividad y las relaciones económicas"*. Para este autor, el OPE consistiría en una noción que no es definible por su contenido, debido a que no atiende a los principios fundamentales sobre los que se funda la sociedad, sino, más bien, por su finalidad, ésta es, organizar la actividad económica por medio de la regulación jurídica. Para Montt, la función del OPE es configurar jurídicamente el orden económico establecido en la Carta Fundamental, mediante un conjunto de normas de diversa jerarquía[33].

---

[30]   El principal exponente de esta tesis es el profesor José Luis Cea Egaña.
[31]   Sus principales exponentes son Fermandois Vöhringer y Avilés Hernández.
[32]   El orden estará dado por la fecha de la fuente utilizada. En aquellos casos en que haya varias ediciones de una misma obra, utilizaremos la fecha de la última de ellas.
[33]   Montt Dubournais, Luis (1978) "Orden Público Económico y Economía Social de Mercado: Elementos para una formulación constitucional". Revista de Derecho Económico, N° 41, pp. 111 a 123.

El profesor Raúl Santa María reconoce la imprecisión del concepto de OPE, a pesar de su uso cotidiano. Para este autor, el OPE no es más que una derivación o rama del orden público general, que en Chile ha sido acuñado a partir de la doctrina alemana y del concepto de las constituciones económicas en las que se elabora un orden público, que en su aspecto económico, daría origen al OPE[34].

Para Santa María, más importante que precisar una definición de OPE es atender a su contenido, para lo cual revisa diversos antecedentes[35]. A partir de lo anterior, concluye que el OPE es una especie del orden público general, es decir, de un orden social orientado hacia un fin específico, cual es, la satisfacción de las necesidades materiales y económicas de la sociedad. Así, tratado de esbozar un concepto de OPE lo define *"una correcta disposición de todos los factores sociales en su dimensión económica, tendiente a lograr en un equilibrio armónico de todos ellos, un desenvolvimiento de la sociedad, en términos de satisfacer sus necesidades, proporcionando los medios que permitan la realización de sus máximas potencialidades".*

Por su parte, Fernando Dougnac concluye que el OPE *"se refiere a los valores económicos esenciales definidos por la sociedad en su Constitución Política. Ellos no pueden ser alterados, porque de serlo, se alteraría la estructura fundamental del pueblo en materia económica".* Con el fin de consagrar este orden, la Constitución de 1980 contiene una serie de garantías como son los números 16, 21, 22, 23, 24, 25 y 26 de su artículo 19. El artículo 19 N° 21 sería la piedra angular de este concepto, porque consagra el principio de subsidiariedad, el cual, para el autor, subsume todas las demás garantías constitucionales[36].

Siguiendo este orden cronológico, aparece la definición del profesor Cea Egaña. Sin temor a equivocarnos, podemos afirmar que esta definición ha sido la más importante en nuestro medio, tanto en el ámbito jurisdiccional como doctrinario. Al efecto, el profesor Cea Egaña definió el OPE como *"el conjunto de principios y normas jurídicas que organizan la economía de un país y facultan a la autoridad para regularla de acuerdo con los valores de la sociedad nacional articulados en la Constitución"*[37].

---

[34]   Santa María de la Vega, Raúl (1979) "Orden Público Económico y Derecho". Revista de Derecho Económico, N° 46-47, p. 15-24.

[35]   Actas de la Comisión de Reforma Constitucional, las Novenas Jornadas de Derecho Público de la Universidad Católica de Chile, especialmente, su segunda comisión, y los planteamientos del Departamento de Derecho Económico de la Universidad Católica en una carta en la que contestó dudas planteadas por la Comisión de Reforma Constitucional.

[36]   Dougnac Rodríguez, Fernando (1986) "La Garantía Constitucional del N° 21 del Artículo 19 de la Constitución en relación con las demás que configuran el "Orden Público Económico". Gaceta Jurídica, N° 68, 1986, pp. 6-12.

[37]   Cea Egaña, José Luis (2002) Derecho Constitucional Chileno, tomo II. Santiago: Ediciones UC, p. 463. Esta definición muestra una pequeña variación en relación a la que el autor había dado anteriormente: *"el conjunto de principios y normas jurídicas que organizan la economía de un país y facultan a la autoridad para regularla en armonía con los valores de la sociedad nacional formulados en la Constitución"*

Por la relevancia conceptual de esta definición a continuación, procederemos a referirnos a cada uno de sus elementos:

(i) Se refiere a la organización de la economía de un país, respecto de la cual la Constitución ha definido las bases esenciales del modelo económico que adoptará, de manera clara y flexible;

(ii) Los preceptos esenciales del OPE se encuentran condensados en el artículo 19 de nuestra Carta Fundamental, numerales 20 al 25, sin perjuicio de los otros preceptos en materia económica de rango constitucional; y

(iii) La definición incluye el concepto regulación de la actividad económica. Para Cea Egaña regular significa *"dictar normas que permitan o hagan posible el ejercicio libre y ordenado del derecho"*. Regular no es, por ende, sinónimo de impedir ni de prohibir el ejercicio de los derechos fundamentales en materia económica, pero tampoco es establecer normas adjetivas irrelevantes o de cumplimiento voluntario por los destinatarios de ella. Esta regulación debe efectuarse dentro del marco establecido por la propia Constitución, lo que implica respetar sus preceptos, su letra y espíritu.

En virtud de lo expuesto se puede decir que para el profesor Cea Egaña el OPE tiene dos características fundamentales. La primera, la declaración constitucional de los derechos subjetivos públicos que inciden en materia económica. La segunda, la consagración del principio de reserva legal en la regulación del libre ejercicio de dichas garantías[38].

Como puede apreciar, la definición en comento es de corte finalista, y se configura a través de un conjunto de preceptos constitucionales a merced de las cuales deben dictarse y ejecutarse las leyes y demás normas jurídicas subordinadas tanto a aquella como a éstas[39]. En otras palabras, según esta definición, el concepto de OPE está dirigido hacia un fin específico, que consiste en institucionalizar un sistema que asegure a todas las personas el respeto y promoción de sus derechos esenciales de naturaleza económica, de modo que impere un orden público para la economía, determinado por el Constituyente y que se erige sobre las bases del reconocimiento de la dignidad de la persona, su libertad e igualdad.[40]

(iv) Termina el profesor Cea Egaña su definición dando la clave de la que es por antonomasia la regla de oro de la interpretación constitucional de los derechos esenciales de la persona humana, ésta es, que la interpretación y aplicación

---

[Cea Egaña, José Luis (1991) "Notas sobre orden público económico". Gaceta Jurídica, N° 135, septiembre 1991, p. 18.]

[38]   Cea (1991) 18.
[39]   Cea (1991) 18.
[40]   Cea (1991) 18.

de los mismos ha de ser extensiva en cuanto a su contenido, y restrictiva en lo relativo a sus limitaciones[41].

A pesar de que la definición del profesor Cea Egaña ha sido adoptada como suya por el Tribunal Constitucional y los tribunales superiores de justicia, la misma ha sido objeto de varias críticas, tanto por quienes proponen tesis diversas –como es el caso de los profesores Avilés y Fermandois– como por aquellos que postulan la inutilidad del concepto de OPE –como sería el caso de los profesores Hurtado, Masbernat y Ruiz-Tagle–, así como de quienes frontalmente critican la idea de OPE –entre ellos, Bassa, Viera, Costa y Ferrada–.

En efecto, se ha criticado la misma por ser sólo una especificación del orden público general, por contener elementos extrajurídicos, por limitar el concepto OPE a la norma, por no apelar a valores sociales o incluso por ser en exceso intervencionista[42].

A nuestro juicio, todas estas críticas son infundadas. En efecto, la definición de OPE de Cea Egaña es eminentemente jurídica, al referirse a los derechos esenciales de la persona humana y al concepto de regulación de la actividad económica. Asimismo, es impensable que esta definición limite el concepto de OPE a la norma, generando un problema de jerarquía jurídica, como asimismo que ésta no sea expresiva de valores sociales. Lo anterior, habida consideración de la aclaración de este autor al formular su definición, donde especifica que la finalidad del OPE es institucionalizar, con rango de la máxima jerarquía jurídica, un sistema que asegure a todas las personas el respeto y protección de los derechos fundamentales de índole económico y, en general, de la prioridad del sector privado, paralela a la subsidiariedad estatal, en el marco de la libre competencia en un mercado legalmente regulado[43].

También rechazamos la crítica de Avilés y Fermandois, en el sentido que la definición en comento sería de naturaleza intervencionista. Evidentemente, la definición de OPE de Cea Egaña aborda ambas caras de una misma moneda,

---

[41]   Cea (1991) 19.

[42]   Avilés ubica la definición de Cea Egaña dentro de las tesis materiales, es decir, aquellas que apuntan a la esencia del concepto más que a su función y forma. Resulta curioso que Avilés opte por ubicarla en dicha categoría, por cuanto Cea Egaña no cree que el OPE sea una especificación del orden público general sino que, de hecho, afirma justamente lo contrario. Además, según el mismo Avilés, este tipo de definiciones incluyen una serie de categorías, tanto extrajurídicas como jurídicas, de la más variada naturaleza, lo que aproxima al OPE al concepto de Derecho Económico, entendido en su aspecto de conjunto de contenidos heterogéneos, agrupados para fines didácticos.
Similar es la crítica que realiza Ruiz Tagle, al afirmar que el OPE en el concepto de Cea Egaña llega a transformarse en sinónimo de casi todo aquello que se considera importante en las disposiciones de carácter económico de la Constitución [Ruiz-Tagle, Pablo (2000) "Principios constitucionales del Estado empresario". Revista de Derecho Público, Facultad de Derecho, Universidad de Chile, 49-65 pp.]

[43]   Cea (1991) 18.

reconociendo la necesidad excepcional de intervención estatal, sobre la base de un sistema construido bajo los pilares de la libre iniciativa individual y el principio de subsidiariedad. Para Cea Egaña, ambas caras deben ser armonizadas –papel que de ordinario le corresponderá al legislador–, de modo que cuando el Estado intervenga en la economía limitando la autonomía de los privados, sea porque ello resulte estrictamente necesario para el Bien Común, de tal forma que resulte imposible e inconveniente dejar dicha tarea en manos de los privados.

Para finalizar, nos parece justo reconocer la labor del profesor Cea Egaña al ser uno de los primeros en introducir la idea de "solidaridad" en materia de regulación de la actividad económica. Lo hizo desde la cátedra y también en su labor jurisdiccional. En efecto, Cea Egaña formula la idea de regular ciertas actividades sobre la base del Bien Común, y su perspectiva colectiva, respetando –siempre– la certeza jurídica y el núcleo esencial de los derechos fundamentales de índole económico. Cómo olvidar sus aportaciones en el fallo en materia de precio de planes de salud y *tabla de factores*, donde se incluyen claramente conceptos de justiciabilidad respecto de derechos económicos, sociales y culturales, produciendo un amplio debate en foros locales e internacionales.

Continuando con la doctrina nacional, podemos señalar que el profesor Soto Kloss, si bien no es específico en entregar una definición de OPE, sí hace referencia a su contenido y fundamentos, optando por entregar una noción más bien de Constitución Económica: *"si hay algo que aparece claro en la Constitución Política de la República son los principios que estructuran y vertebran lo que puede llamarse la "constitución económica", esto es, el régimen normativo que el constituyente plasmó como cimiento y pilar fundamental en este aspecto"*[44].

Los principios que refiere este autor son la primacía del ser humano frente al Estado, la primacía de la iniciativa privada en la actividad económica y la servicialidad del Estado. Este servicio se concreta en la promoción del Bien Común, siempre con pleno respeto a los derechos esenciales de las personas, lo que en el campo económico –para este autor– significa respetar también el principio de subsidiariedad.

La ex senadora Olga Feliú también ha efectuado su aporte a la discusión sobre el concepto de OPE. Si bien no lo define, aborda ciertas cuestiones que resultan de gran interés mencionar. En primer lugar, señala que de la historia fidedigna de nuestra Constitución se puede concluir que dos son los elementos inspiradores de la institucionalidad en materia de económica. En primer lugar, la consagración de la superioridad y anterioridad de los derechos de las personas por sobre el Estado. En segundo lugar, el establecimiento de reglas que impiden

---

[44]   Soto Kloss, Eduardo (1999) "La Actividad Económica en la Constitución Política de la República de Chile (La primacía de la persona humana)". Ius Publicum, N°2, pp. 119-128.

derechamente un nuevo proceso de estatización y desborde de una economía dirigista[45].

Acorde con lo anterior, Feliú enfatiza que "*el concepto de orden público económico que consideró el constituyente dice relación claramente con los derechos de las personas frente al Estado y jamás podría convertirse en un medio para impedirles e imponerles condiciones, exigencias y cortapisas fundadas en consideraciones administrativas discrecionales*".

El ministro del Tribunal Constitucional Enrique Navarro Beltrán estima que nuestra Constitución ha consagrado en su articulado "*un conjunto de principios que configuran el denominado orden público económico, que determinan con absoluta claridad los derechos fundamentales y el rol que le corresponde al Estado*"[46].

Este autor separa dichos principios en dos grupos. En primer lugar, están los derechos económicos, es decir: la igualdad ante la ley (19 N° 2, 20 y 22); la libertad de trabajo (19 N° 16); la libertad de empresa (19 N° 21); el derecho a la y de la propiedad (19 N° 23, 24 y 25). Todos los anteriores se encuentran protegidos básicamente a través del Recurso de Protección, inaplicabilidad de las leyes, Nulidad de Derecho Público, revisión de los actos legislativos o administrativos por el Tribunal Constitucional y toma de razón por parte de la Contraloría General de la República. En segundo lugar, el Estado debe regular la política económica sin afectar la autonomía del Banco Central, efectuar el presupuesto nacional, redistribuir el ingreso, fiscalizar la actuación de los privados y excepcionalmente, intervenir en materia empresarial.

Los profesores Mario Verdugo y Emilio Pfeffer al analizar los numerales 21 y 22 del artículo 19 de nuestra Constitución, a los cuales consideran elementos integrantes del concepto de OPE, citan las definiciones de Cea Egaña y Hurtado, señalando que existe gran discusión respecto al tema[47]. Para estos autores, son numerosos los principios y disposiciones constitucionales que tienen incidencia en materia económica, ya sea directa o indirectamente. En primer lugar, están el derecho de y a la propiedad. En segundo lugar, el marco jurídico que configura cómo debe desenvolverse la actividad económica de los individuos, de los grupos intermedios y del Estado con miras a alcanzar el Bien Común, lo que incluye la igualdad de oportunidades, la libre iniciativa económica, y la libre contratación. En tercer lugar, el marco de potestades y obligaciones del Estado, tales como la igual repartición de tributos, la no discriminación arbitraria en materia económica y las restricciones al ejercicio de determinados derechos. En cuarto lugar, la

---

[45] Feliú Segovia, Olga (2000) "El ejercicio de la libertad económica y las facultades de los organismos antimonopolios". Revista Actualidad Jurídica, N° 1, pp. 71-88.

[46] Navarro Beltrán, Enrique (2000) "El Estado Empresario a la luz de la Constitución de 1980". Revista de Derecho Público, N° 62, pp. 32-47.

[47] Verdugo Marinkovic, Mario y Pfeffer Urquiaga, Emilio (2002) Derecho Constitucional, tomo I. Santiago: Editorial Jurídica, pp. 296-297.

normativa que incide en la conducción económica y financiera del país, relativa a la elaboración del presupuesto, a la iniciativa exclusiva del Presidente de la República en materia económica, entre otros. Por último, los principios y reglas dadas para los organismos que deben llevar a cabo funciones públicas en el área de la Economía, como el Banco Central, las Tesorerías del Estado, etc.

Si bien estos autores no dan una definición propia, sí se pronuncian bastante detalladamente sobre su contenido y el modo en que el OPE debe ser aplicado e interpretado. En efecto, Verdugo y Pfeffer sostienen que *el orden público económico debe ser interpretado y aplicado con sujeción a los valores que moldean la institucionalidad política, social y económica proclamada en la Constitución: libertad, subsidiariedad, igualdad de derechos y oportunidades, prohibición de discriminar arbitrariamente, entre otros".*

Hurtado y Masbernat consideran que el OPE debe ser abandonado como concepto, por cuanto resulta inútil e incluso peligroso para proteger los derechos fundamentales hacerlo. Como solución plantean que todo conflicto constitucional debe ser abordado desde la Teoría Constitucional y la Teoría de los Derechos Fundamentales.

Analizando su origen, los autores concluyen que el eje del OPE es el rol del Estado en la Economía, lo que su juicio ha traído como consecuencia que la doctrina continúe usando las *"viejas categorías propias de un Estado intervencionista"*[48]. Además, señalan que la generalidad de la doctrina estima que el OPE tiene directa relación con el sistema económico, lo que revela la idea que el concepto de OPE encuentra su base en la actividad económica que puede realizar el Estado o la Administración dentro de un determinado sistema económico.

Ya a finales de la primera década del siglo XXI, conocemos las opiniones del profesor Fermandois. Para este autor el OPE es *"el adecuado modo de relación de todos los diversos elementos de naturaleza económica presentes en la sociedad, que permita a todos los agentes económicos, en la mayor medida posible y en un marco subsidiario, el disfrute de sus garantías constitucionales de naturaleza económica de forma tal de contribuir al bien común y a la plena realización de la persona humana"*[49].

Fermandois extrae la naturaleza del OPE del concepto filosófico de "orden", al que se refiere como la *"adecuada disposición de las cosas hacia su fin"*. Así, el OPE no puede ser concebido como un conjunto de leyes ni de regulaciones administrativas, ni tampoco de medidas de la autoridad, sino que es en cierto modo, un concepto ajeno a la contingencia, porque se basa en valores permanentes y opciones axiológicas que se encuentran recogidos en la Constitución.

---

[48]   Masbernat y Hurtado (2004) 201-221.
[49]   Fermandois Vöhringer, Arturo (2006) Derecho Constitucional Económico: garantías económicas, doctrina y jurisprudencia. Santiago: Ediciones UC, pp. 71-74.

El autor enumera como elementos descriptivos de su definición, el adecuado modo de relación; todos los elementos económicos; las garantías constitucionales; el estado subsidiario; y la plena realización de la persona.

Finalmente, aquellos sectores de la doctrina más comprometidos con la transformación o reemplazo del "modelo neoliberal" suelen ser críticos del concepto de OPE, al punto en que a veces parece indistinguible del sistema económico neoliberal, como si se tratara de una *juridificación* o justificación jurídica de sus atributos. Así por ejemplo, Juan Carlos Ferrada señala que el OPE es un concepto "*de origen privatista que en lo esencial trata de conectar las normas fundantes del sistema económico con el concepto de "orden público" originario del derecho civil*"[50]; con el consiguiente efecto de que éste prejuzgaría anticipadamente la intervención reguladora del Estado en la economía como una "excepción", y de allí que "*el análisis normativo aparezca revestido de un cierto sesgo ideológico, sesgo que en todo caso también parece provenir de la Constitución misma*"[51]. En definitiva, considera Ferrada que la conceptualización del OPE refleja un "*enfoque parcial e ideologizado de la materia, en el que la actividad regulatoria estatal se considera la mayoría de las veces como una intervención distorsionadora y poco atractiva*"[52], y por ello, debe preferirse el uso de la noción Constitución Económica, reconfigurando el rol del Estado como verdadero poder regulador.

Las profesoras Francisca Moya y Constanza Salgado afirman que el OPE es un concepto clave en la cultura interpretativa económica de la constitución vigente[53]. En este sentido, lo notable del OPE sería –a juicio de las autoras– que éste sería usado "*para interpretar todas las normas de la constitución en su luz, desdibujando el análisis jurídico riguroso del contenido de estas normas de acuerdo a su significado lingüístico*"[54]. De esta manera, el OPE protegería derechos en la clave del liberalismo *laissez-faire*, por lo que estas reglas constitucionales harían que las distintas libertades (sindical, de trabajo o enseñanza) se entiendan como libertades económicas que antes que empoderar a sus titulares, sólo limiten la regulación estatal[55]. Asimismo, los profesores Raquel Ávila, Sofía Rivera, Ezio Costa y Luciano González sostienen que el OPE es una noción que, bajo una supuesta neutralidad,

---

[50] Ferrada, Juan Carlos (2000) "La Constitución Económica de 1980. Algunas reflexiones críticas". Revista de Derecho (Valdivia), vol. XI, p. 49.

[51] Ferrada (2000) 49.

[52] Ferrada (2000) 53.

[53] Moya, Francisca y Salgado, Constanza (2021) "Política económica y derechos humanos", en Varios autores: Derechos sociales y el momento constituyente de Chile: perspectivas globales y locales para el debate constitucional. Santiago: Global Initiative for Economic, Social and Cultural Rights, Centro de Derechos Humanos de la Universidad de Essex y Universidad de Concepción, p. 119.

[54] Moya y Salgado (2021) 119.

[55] Moya y Salgado (2021) 120.

establecería un privilegio del derecho de propiedad sobre otros derechos fundamentales, elevando estos intereses a valores nacionales[56].

Sobre el concepto de OPE, Bassa, Ferrada y Viera destacan cierta indecisión terminológica que es llenada con la interpretación que realiza cada intérprete. En la práctica, si bien la actual Constitución sólo establecería una distribución de competencias en favor del legislador, la noción de OPE dotaría de contenido material a dichos enunciados normativos, de acuerdo a sus propias opciones políticas. De este modo, si bajo el OPE se entiende que existe un estatuto del "Estado Empresario", ello es porque la dogmática constitucional interpretaría ciertos principios (como la subsidiariedad) en desmedro de otros (como la solidaridad)[57]. Previamente, en un artículo de 2012, Bassa y Viera sostendrían que el contenido que se suele atribuir al OPE no arranca del texto de la Constitución, puesto que "el *contenido material de este concepto no es autoevidente. Por el contrario, éste se ha construido hermenéuticamente por la jurisprudencia y, especialmente, por la doctrina*"[58], que tendería a privilegiar políticamente una determinada concepción sobre otras. En otro trabajo, los autores también señalaron expresamente que el OPE sería una aplicación de los postulados de F.A. Hayek y que, por ello, la Constitución poseería "*detalladas descripciones protectoras de la libertad en materia económica [...] con una regulación extensa y en algunos apartados más propios de regulación legal que constitucional*"[59]. A ello se sumaría que la actual Constitución haría una alusión autoritaria al derecho natural, con lo cual se pretenderían solucionar ciertas disputas políticas.

Mucho más crítico es el profesor Patricio Lepe-Carrión quien, reflexionando respecto del alzamiento popular de octubre de 2019, sostiene la existencia de una crisis de gubernamentalidad en Chile explicada fundamentalmente por el rechazo a la noción de OPE. Asumiendo la definición de Cea Egaña, sostiene que la idea de OPE se identifica con la idea de *dispositivo*, central a las tesis de Michel Foucault. En este sentido, el OPE sería un dispositivo que "se propone orientar el comportamiento tanto de agencias como de agentes económicos, hacia la contribución del "bien común". Reconociendo que la Constitución no establece expresamente el modelo económico que ha de imperar, esta sí contendría los

---

[56]   Varios autores (2021) La consagración jurídica de un modelo de desarrollo en la Constitución de 1980 y sus consecuencias ambientales: reflexiones para la transición ecológica. Santiago: FIMA, p. 15.

[57]   Bassa, Jaime (2015) "La pretensión de objetividad en la interpretación constitucional". En Bassa, Jaime; Ferrada, Juan Carlos y Viera, Christian: La constitución chilena, Santiago: LOM, §2.

[58]   Bassa, Jaime y Viera, Christian (2012) "Un nuevo giro hermenéutico de la Corte Suprema en la aplicación del Recurso de Amparo Económico". Revista de Derecho de la Pontificia Universidad Católica de Valparaíso, vol. XXVIII, 1° semestre, pp. 678-679

[59]   Bassa, Jaime y Viera, Christian (2008) "Contradicciones de los fundamentos teóricos de la constituci´n chilena con el Estado Constitucional: notas para su reinterpretación. Revista de Derecho (Valdivia), vol. XXI, https://www.scielo.cl/pdf/revider/v21n2/art06.pdf p. 134.

valores fundamentales de una racionalidad económica en las bases de la institucionalidad, a través de los cuales se busca la producción de un tipo determinado de subjetividad y sociedad[60], de modo que "*la acción del Estado y sus políticas sociales* [...] *sean "economizados" o capturados por el mercado*"[61].

Luego de haber expuesto con cierto nivel de detalle las definiciones doctrinarias a nivel nacional más relevantes en relación con el concepto de OPE, creemos importante finalizar este capítulo formulando las siguientes conclusiones.

En primer lugar, debemos ser cuidadosos en el análisis de los distintos conceptos de OPE que se han formulado en la doctrina nacional. Lo anterior, dado que del contenido y alcance de este concepto surgirán consecuencias en el campo económico, en especial, respecto del libre ejercicio de los derechos fundamentales de las personas, la potestad regulatoria del Estado y los conflictos de derechos entre éste y los particulares, o exclusivamente entre estos últimos.

En ese sentido, tanto la crítica de Ruiz-Tagle sobre la "*inflación galopante*" de conceptos de OPE, en donde este término se transforma en sinónimo de casi todo aquello que se considera importante en las disposiciones de carácter económico de la Constitución; o bien, la indeterminación terminológica, denunciada por Bassa y Viera, nos deben llevar a reflexionar sobre su real contenido y alcance.

En efecto, para nadie es un misterio que la discusión sobre el concepto de OPE, pese a su importancia, ha sido un tanto exagerada. Precisiones más, precisiones menos, muchas veces se intenta reformular definiciones doctrinarias que a la larga resultaron menos precisas que aquellas que criticaban. El problema ha surgido después. Ciertas posiciones más contemporáneas han apuntado a desdibujar casi por completo el concepto garantista de OPE, en aras de lograr un mayor intervencionismo estatal, deslegitimando como derechos fundamentales aquellos de corte económico, o bien, reconociéndoles una tímida protección, con el objetivo que no sea un obstáculo a sus fines específicos. Creemos que, en buena medida, es el principal problema de las posiciones más críticas del concepto de OPE.

---

[60]   Lepe-Carrión, Patricio (2020) "Crisis de gubernamentalidad en Chile: contra la expropiación financiera y el orden público económico". Kalagatos, vol. 16, tomo I, p. 150.
[61]   Lepe-Carrión (2020) 152.

2. NECESIDAD DE CONSAGRAR EN UNA CONSTITUCIÓN UNA SERIE DE NORMAS QUE INTEGREN EL ORDEN PÚBLICO ECONÓMICO

No siempre las constituciones recogieron la consagración formal de las bases esenciales de un modelo económico. El constitucionalismo clásico se caracterizó precisamente por una ausencia casi absoluta de cualquier tipo de referencia expresa a la actividad económica, a diferencia del constitucionalismo contemporáneo, cuya tendencia ha sido en las últimas décadas incorporar a las normas fundamentales ciertos principios reguladores de esta actividad. Paradojalmente, ello no suponía que en el constitucionalismo clásico fuera independiente o extraño a las cuestiones económicas. Muy por el contrario, la consagración del derecho de propiedad como una de las principales libertades civiles, la promoción de la actividad privada y los límites al poder del Estado –entre los que resaltan los límites al poder tributario– fueron importantes conquistas que se deben precisamente al constitucionalismo como movimiento político. En ese sentido, los textos constitucionales, aunque no explícitamente, recogían un claro espíritu común o un determinado modo de comprensión de la actividad económica.

A continuación se plantea como hipótesis la necesidad de constitucionalizar las bases del sistema económico, como parte fundamental de la institucionalidad de un Estado- Nación.

Una primera aproximación lleva a concluir que la falta un pronunciamiento expreso sobre el modelo económico a nivel constitucional, no significa por sí una indeterminación de las bases esenciales sobre las cuales se desarrollará el modelo de sociedad en donde se inserta precisamente la actividad económica. A partir de una adecuada hermenéutica de los preceptos constitucionales, necesariamente se puede inferir las bases sobre las cuales se construirá el modelo económico. Lo anterior, por una razón tan simple como obvia: la economía jamás puede ser considerada en forma aislada, teniendo en cuenta que la institucionalidad económica es parte esencial del orden social y político de un Estado-Nación[62].

Analizada la evolución del constitucionalismo durante el siglo XX, podemos concluir que la búsqueda de una Constitución sociológica, con la capacidad de ser aplicada en forma realista y perdurar en el tiempo, sumada a los fenómenos políticos-económicos de intervención estatal, llevaron a las Constituciones contemporáneas a incorporar y articular un número considerable de preceptos

---

[62] Lucas Verdú, Pablo (1997) Curso de Derecho Político, vol. II. Madrid, Tecnos, pp. 423-424. Lucas Verdú expresaba que la incorporación de ciertos elementos que establezcan las bases del sistema económico imperante, es parte de la esencia de una Constitución, entendida ésta como la ordenación fundamental de los poderes públicos, de sus interrelaciones, de los derechos y libertades de los ciudadanos y de sus grupos intermedios en una estructura socioeconómica. Para este autor, explícita o implícitamente, todo texto constitucional debe optar por un sistema económico, aunque en las primeras Constituciones modernas no se haya señalado en forma expresa.

jurídicos que fijaran expresamente las bases del orden económico[63]. El tránsito del capitalismo liberal al neoliberalismo, pasando por el Estado de Bienestar, necesariamente llevó al reconocimiento de ciertos preceptos de orden económico en las Constituciones contemporáneas que han sacado al Estado de su "neutralidad" en la materia, obligándolo a establecer las bases del modelo económico.

Para descubrir, analizar y proyectar la exégesis del constitucionalismo económico, la doctrina ha utilizado ciertos conceptos descriptivos, algunos de naturaleza estrictamente económica, como la idea de modelo o sistema, y otros, más bien, de naturaleza estrictamente jurídica, como sería la expresión Constitución Económica.

Explicábamos en el anterior capítulo que este último concepto emerge con la idea de describir o caracterizar el modelo económico que se pretende instaurar y en donde participan activamente los particulares y el Estado. La Constitución Económica incide, necesariamente, en la conformación del ordenamiento jurídico que regula el tráfico económico y que ordena las relaciones patrimoniales entre los particulares.

Lo expuesto pone de relieve la necesidad de observar el ordenamiento jurídico en materia económica en su globalidad, por cuanto este adquiere legitimidad cuando se encuadra con el orden constitucional imperante. Lo mismo, respecto a la actuación de los particulares y del Estado, los cuales, en virtud del principio de aplicación directa de los preceptos de la Constitución, deben someter su actuar en el campo económico a las normas y principios fundamentales.

Tradicionalmente se ha hablado de tres posibles sistemas de organización social y económica que se reconocen expresamente o se pueden inferir de las Constituciones contemporáneas. El liberal, cuyas características fundamentales las encontramos en una economía de consumo, basada en la libertad de precio, la libre competencia, el principio del lucro, la libre iniciativa empresarial y el reconocimiento del derecho de propiedad individual. El socialista, cuyos pilares fundamentales se basan en la propiedad colectiva de los medios de producción, la planificación central del sistema económico y el control de precios y remuneraciones. Finalmente, los sistemas mixtos, los cuales combinan los dos sistemas anteriores, conjuntando la iniciativa privada con la estatal y el derecho de propiedad pública y privada.

Sin duda alguna que esta dualidad entre estos sistemas o modelos económicos, su contradicción, o en algunos casos, complementación, como sucede en

---

[63]   Carloza Prieto, Luis (1978) "El marco económico constitucional en el anteproyecto constitucional; intervencionismo y planificación, en Estudios sobre el proyecto de Constitución". Madrid: Centro de Estudios Constitucionales, pp. 242-243.

los sistemas mixtos, condicionan de manera esencial el orden normativo de un Estado.

Hay quienes no están de acuerdo con lo señalado precedentemente. Para Linde Paniagua, la expresión Constitución Económica conduce a equívocos, puesto que daría la impresión que los preceptos constitucionales fijarían las bases un sistema económico, cuando lo normal es que estos preceptos generen ambigüedades. Para este autor, la libertad debe ser siempre el punto de partida, y la existencia de un orden económico y social justo, la aspiración[64]. Se ha dicho por otros autores que el carácter impreciso y flexible de los textos constitucionales ha permitido diversas soluciones económicas dentro de determinados límites. En otras palabras, que las Constituciones debieran ser documentos neutros, que no establezcan las bases de ningún sistema económico en particular, sino sólo un conjunto de principios, derechos y competencias estatales cuyo contenido específico debe concretarse en cada momento[65].

Nosotros discrepamos de esta opinión. A nuestro juicio, la eventual flexibilidad de ciertas Constituciones respecto a las bases del modelo económico no es sinónimo de neutralidad o indiferencia, significa que existen ciertos parámetros dentro de los cuales debe transitar la actividad económica, que pueden obedecer a uno otro modelo, pero que nunca podría contradecir las normas y principios contemplados en la Carta Fundamental. Esta supuesta flexibilidad, necesariamente debe matizarse con ciertos límites definidos en la propia Ley Fundamental[66].

A este respecto adherimos a la posición de Entrena Cuesta, en el sentido que plantear esta presunta flexibilidad de los textos constitucionales en materia económica, permitiría la evolución hacia sistemas económicos diversos, con el peligro que ello encierra a la seguridad jurídica de las personas. Es más, a nuestro juicio, esta supuesta neutralidad resulta impracticable desde un punto de vista práctico, sin atentar contra los derechos esenciales de la persona. Sólo como ejemplo, si una Constitución se fundamenta en el principio de subsidiariedad

---

[64]   Linde Paniagua, Enrique (1987): Introducción al sistema económico en la constitución española. Valencia: Marcial Pons, pp. 9-10.

[65]   Duque (1977) 57-58.

[66]   Menéndez Menéndez, Aurelio (1985) "Constitución, sistema económico y Derecho Mercantil". Hacienda Pública Española N° 9, pp. 53-54. En este mismo sentido, Viciano cita sentencia del Tribunal Constitucional Español que confirmaría esta posición, al señalar: *"en un sistema de pluralismo político (…) la función del Tribunal Constitucional es fijar los límites dentro de los cuales puede plantearse legítimamente las distintas opciones políticas (…) límites cuya inobservancia constituiría una negación del principio (…) dentro de los cuales las diversas opciones políticas pueden moverse libremente".* Otra sentencia del Tribunal Constitucional Español señala lo siguiente (voto particular de Díez-Picazo): *"La constitución económica contenida en la constitución política no garantiza necesariamente un sistema económico ni lo sanciona. Permite el funcionamiento de todos los sistemas que se ajustan a los parámetros y sólo excluye a aquellos que sean contradictorios con las mismas".* Viciano (1995) 110-111.

y garantiza la libertad de empresa y el derecho de propiedad privada, pilares esenciales de un sistema de libre mercado, qué flexibilidad podría existir para establecer un sistema económico diverso que no se base en lo anterior o que signifique alterar la esencia de estos preceptos constitucionales. Por el contrario, si una Constitución no es clara o duda respecto a la protección que debe dar a las personas respecto a su iniciativa individual, propiedad, seguridad jurídica, regulación económica, etc., cómo se puede esperar que exista inversión y se tenga todos los beneficios de una sociedad de libre mercado, con los recursos que genera, para otorgar mayores prestaciones sociales en lo que sería una economía más bien mixta.

Lo expuesto no es contradictorio con que el Estado cuente con ciertos instrumentos de política económica o intervenga en la actividad productiva cuando así lo exija el interés general e individual (subsidiaridad), lo que es muy distinto a que, frente a circunstancias coyunturales o extraordinarias so pretexto de una pretendida neutralidad, se atente contra derechos constitucionales que son la base del sistema económico-social[67].

Habiendo señalado lo anterior, volvamos a nuestra hipótesis: ¿Por qué la Constitución debe incorporar un grupo de normas destinadas a proporcionar el marco jurídico fundamental que establezca las bases de la estructura y el funcionamiento de la actividad económica?

Para contestar a esta pregunta, quisiéramos partir citando las palabras del profesor Cea Egaña, quién expresó lo siguiente: *"Lo social y lo económico son variables decisivas para el funcionamiento adecuado del sistema político, el cual, en el Estado contemporáneo, se encontraba íntimamente ligado con aquellas y así lo percibe la mayoría de la comunidad en los derechos y obligaciones de su vida diaria"*[68].

De esta cita surge una primera conclusión: las variables sociales y económicas cumplen un rol determinante en el funcionamiento adecuado del sistema

---

[67]   Por otra parte, hay quienes postulan a este respecto que debemos distinguir, al igual que Loewenstein, entre *constituciones ideológicas* y *constituciones pragmáticas*. Las primeras son aquellas que responden a objetivos axiológicos, políticos y económicos determinados, que de cierta manera predeterminan la carta fundamental para informar a todo el ordenamiento jurídico. Las segundas, son aquellas que se fundan en una base ideológicamente neutra, sin objetivos valóricos predeterminados. El ejemplo clásico de las Constituciones Pragmáticas sería el proyecto de Constitución para Austria redactado por Hans Kelsen en 1929 [Loewesntein, Karl (1964). Teoría de la Constitución. Barcelona, Ariel, 539 pp.]. La experiencia indica que en el derecho comparado no se ha dado ninguna Constitución axiológicamente neutra. Todas, de alguna manera, como lo señala el mismo autor de esta distinción, encierran algún modelo o anhelo de sociedad. De lo expuesto, es que naturalmente toda Constitución en donde se pretenda predeterminar un modelo de Estado, necesariamente debe incluir el elemento económico, esencial en el desenvolvimiento de la vida en sociedad.

[68]   Cea Egaña, José Luis (1988) Tratado de la Constitución de 1980. Santiago: Editorial Jurídica de Chile, p. 155.

político, siendo estrictamente necesario conciliar e integrar ambos conceptos a nivel constitucional.

Para el profesor Fermandois, al ser la Constitución la Ley Fundamental del Estado, que establece la organización del poder estatal y formula las garantías individuales que los individuos podrán reclamar del mismo y de los particulares, es evidente que las bases económicas pertenecen de suyo a la Carta Fundamental, en al menos tres diferentes planos: (i) En la definición del sistema económico, específicamente, en cuanto las potestades conferidas al Estado para la regulación y planificación de la actividad económica; (ii) En la determinación de la relación entre el Estado y los particulares, definiendo el ámbito legítimo de acción del primero en la vida económica; y (iii) En relación con la definición de los derechos y garantías constitucionales en el ámbito económico[69].

A nuestro juicio, es el Código Político el llamado a entregar las definiciones básicas del sistema económico, sin que ello implique la formulación de ciertas políticas económicas específicas en su texto. En otras palabras, es la norma fundamental la que debe consagrar la filosofía económica del Estado, por la vía de reconocer, a nivel preceptos constitucionales, los principios esenciales en materia económica, las garantías individuales de las personas y el rol de la autoridad estatal en esta actividad. No podemos olvidar que la finalidad de la Constitución Económica es precisamente la de institucionalizar, con la mayor jerarquía jurídica, las bases esenciales de sistema económico imperante en el Estado-Nación.

Respondida la pregunta que nos planteáramos, menester resulta enfatizar que la incorporación de estos preceptos constitucionales a la Carta Fundamental resulta ser hoy más atingente y necesario que nunca. Los últimos años han estado marcados por una apertura de los mercados y una mayor competencia interna y externa. Los tratados internacionales han impulsado o exigido la implantación de un modelo económico basado en la libre iniciativa empresarial, la libre circulación de los capitales, las prohibiciones a subsidios y franquicias públicas, el libre movimiento de los productos y mercaderías, exclusión de monopolios,

---

[69]   Fermandois (2006) 27-28. Para este autor, la incorporación de las bases económicas de un Estado no es sólo tolerada por la idea de Constitución Política, sino que es una exigencia u obviedad constitucional. *"La Constitución se trata en definitiva de ordenar normativamente la vida de la "polis" y garantizar a los ciudadanos sus derechos esenciales. Agregamos aquí un argumento pragmático. Si la Constitución persigue ordenar e identificar los aspectos que resultan más trascendentales para las personas en orden a garantizarles sus espacios de libertad, la omisión de las bases del sistema económico en la carta resulta o un contrasentido o una ignorancia. Esto por cuanto la ciencia económica y la práctica han demostrado que el más perfecto y completo código de derechos individuales resulta estéril si la vida económica no marcha en armonía con esos mismos derechos. Si las cartas garantizan el derecho de propiedad, pero no hacen lo mismo con el derecho a emprender o con la libertad de industria, en verdad tal derecho no existe".* Esta es exactamente la misma línea de pensamiento de Lucas Verdú, quién es de la opinión que no es necesario forzar la idea tradicional de Constitución para amparar en sus preceptos las opciones económicas que adoptará un Estado.

medidas medioambientales, resguardos adicionales a la propiedad sobre bienes incorporales, entre otras que, sin lugar a dudas, han cambiado el panorama económico mundial. Estas políticas se han plasmado en los distintos países como una explosión de nuevas normas legales y reglamentarias que han sido dictados con este objetivo y que han venido a transformar en cierto modo los modelos económicos cuyas bases esenciales habían sido reconocidas en la norma fundamental. Lo expuesto, en un escenario mundial de mayores demandas sociales, que presionan el aumento del gasto social y los ciclos inflacionarios. Lo anterior ha provocado que ciertas cartas fundamentales, que inicialmente podrían haber sido calificadas de ambiguas o flexibles en materia económica, vayan definiendo con mayor claridad cual es el sistema económico constitucional que impera en cada Estado.

Todo lo anterior nos parece suficiente para justificar la relevancia del concepto de Constitución Económica. Sin embargo, volviendo una vez más sobre la actualidad constitucional, bien podría decirse que la tendencia contemporánea no es a reducir este marco normativo, sino más bien a robustecerlo. Un sinnúmero de normas actualmente despachadas al texto definitivo por la Convención Constitucional configuran una poderosa Constitución Económica. Por un lado, existen importantes referencias al renovado rol del Estado en materia económica (por ejemplo, haciéndose cargo de controlar un nuevo sistema de pensiones o establecer empresas estatales específicas); una serie de límites nuevos (como la función medioambiental de la propiedad) y de nuevas reglas competenciales (por ejemplo, el debilitamiento del quórum en la tramitación de la ley). Por tanto, nadie podría negar hoy que el concepto de Constitución Económica se encuentra actualmente recogido en el texto constitucional.

Sin embargo, a medida que esta nueva y reforzada Constitución Económica se instala, surge la preocupación por la iniciativa privada y la propiedad. Sin reglas que parezcan suficientes en materia de expropiación, sin que los particulares posean otro derecho fundamental garantizado que el derecho de propiedad, y con un posible debilitamiento de sus capacidades jurídicas de actuación, el concepto de OPE –en su concepción finalista– ciertamente peligra.

Enfatizar en el concepto de OPE, creemos nosotros, permite balancear la tradición constitucionalista de corte garantista, con las finalidades legítimas sociales que pueden lograrse sin detrimento de estos principios y reglas, al menos, por las siguientes razones:

(i) Si bien el OPE nace como concepto en tiempos en que predominaba la intervención estatal, el mismo ha sido reformulado, conforme a las bases del sistema económico imperante, transformándose en el pilar fundamental para la defensa de los derechos de las personas en materia económica.

(ii) El OPE arranca de una visión garantista de los derechos de las personas en sociedad y que por ello, es heredero de la fundamentación y técnica del *constitucionalismo*, como un movimiento político-jurídico. La necesidad del OPE no se afirma sobre una nada teórica o arranca de un terreno técnico y neutral, sino que depende de una manera de concebir las relaciones sociales y de producción, favorable a la colaboración entre individuos para la realización de sus proyectos de vida en libertad.

(iii) El OPE no es un concepto aislado, pues el mismo se integra al resto de las normas constitucionales, habida consideración que la Carta Fundamental comprende un sistema, conforme al cual deben interpretarse todos sus preceptos. Por ende, debe ser capaz de conciliar no sólo el interés privado, sino que también principios tan relevantes como la solidaridad, el desarrollo armónico de los distintos territorios o regiones, la integración de los distintos grupos de la sociedad y culturas, la protección del medio ambiente, la no discriminación y el derecho a vivir la vida cultural de las personas. Un robustecimiento de los derechos económicos, sociales y culturales no se opone, pues, a la noción de OPE, sino que precisamente convive con él como un elemento más.

(iv) No puede haber confusión entre las normas de OPE y el OPE propiamente tal, porque las normas son un aspecto del OPE, no su totalidad. La finalidad del OPE es institucionalizar, a nivel constitucional, un sistema económico que asegure a todas las personas el respeto y promoción de los valores y derechos esenciales, tales como, el derecho del trabajo y la libertad de trabajo; la libre iniciativa empresarial, en un marco de libre competencia; la libre apropiabilidad de bienes; la isonomía o igualdad de oportunidades ante la ley y en el trato económico; el derecho de propiedad en sus diversas especies sobre toda clase de bienes; los principios básicos en materia tributaria, tales como igualdad impositiva, no confiscatoriedad, etc.; reserva legal en materia de regulación económica, respetando la seguridad jurídica y sin afectar su contenido esencial de los derechos antes aludidos; protección derecho de los consumidores; políticas financieras del Estado que aseguren la estabilidad de la moneda, presupuestaria y pagos al exterior, en donde se enmarcan una serie de disposiciones constitucionales, como la autonomía del Banco Central, la regulación de la Ley de Presupuestos, leyes sobre gastos y endeudamiento estatal, etc.

(v) El OPE es algo concreto y vinculante para todos, autoridad y privados, en virtud del principio de aplicación directa de los preceptos constitucionales. Insistimos, debe ser exigible hoy de manera concreta, específica y permanente respecto de todos los órganos del Estado, compartan o no sus principios, principalmente, respecto de aquellos que participan en la función legislativa y jurisdiccional.

El problema radica en que no todos comparten estos principios sobre la base de los cuales se estructura el OPE, lo cual se vuelve aún más peligroso cuando quienes no comulgan con los mismos son quienes gobiernan o participan en alguna de las funciones estatales más relevantes. Varios son los ejemplos, principalmente presentes en la Convención Constituyente, en donde algunos convencionales se han manifestado a favor de un mayor intervencionismo estatal, en desmedro de la iniciativa privada y la propiedad, especialmente en materia previsional, salud y educación.

(vi) Aquellas definiciones de OPE que hacen referencia a un fin específico, pese a que pueden ser teóricamente correctas y evidentemente formuladas de buena fe, encierran en sí un peligro en su interpretación y posterior aplicación, principalmente por quienes ven en el bien común un elemento normativo abierto, que justificaría una serie de atropellos a las bases esenciales del OPE.

Lo expuesto no significa que el OPE no apele a valores sociales, en la especie, precisamente la referencia a los derechos esenciales de la persona humana que sirven de base al sistema económico imperante constituye su dimensión valórica, lo cual, conjugado con la norma constitucional que impide afectar la esencia de los mismos mediante la regulación estatal, dan suficiente certeza jurídica al sistema.

(vii) Como expusimos en el capítulo primero, a nuestro juicio yerran tanto aquellos que centran en el Estado toda la iniciativa económica como aquellos que pretende excluir a este último de esta actividad. El Estado naturalmente está llamado a cumplir un rol en la actividad económica, rol que estimamos esencial, siempre desde un punto de vista garantista, reconociendo que la potestad reglamentaria ha sido excluida como medio idóneo para regular las materias de OPE.

(viii) Es de la esencia del OPE la regulación económica, respetando, claro está, los principios y normas que aseguran los derechos fundamentales en toda circunstancia. Concordamos con Cea Egaña en que la intervención del Estado en la economía es necesaria, respetando los pilares esenciales del OPE.

CONCLUSIONES

A modo de conclusión, es nuestra intención contribuir a la discusión sobre la necesidad de constitucionalizar el sistema económico con las siguientes premisas:

(i) Los principios y normas jurídicas que se incorporan a la Constitución como bases fundamentales del sistema económico deben obedecer a una idea preconcebida de Estado, en donde se configuren con claridad los elementos definitorios del sistema económico, incluyendo las limitaciones a la autoridad estatal en materia de regulación y participación en la actividad económica. Sólo cumplido lo anterior, la Carta Fundamental podrá ser interpretada conforme a la realidad y exigencias del momento, con pleno respeto a la seguridad jurídica.

(ii) Si una Constitución quiere perdurar y gozar de real aplicación, debe estar abierta al cambio, para lo cual sólo estará preparada si define sus bases esenciales, sin pretender definir en su texto determinadas políticas económicas; y

(iii) A estas alturas resulta claro que la base del sistema económico necesariamente debe fundarse en la libre iniciativa individual, entendiendo la acción del Estado, garantizándose la igualdad en el trato que las personas deben recibir de parte del Estado y sus organismos en materia económica, el derecho a la propiedad de adquirir cualquiera clase de bienes, el derecho de propiedad en sus diversas especies, el derecho al trabajo, sumados a una serie de políticas tenientes a obtener un orden fiscal en materia de gasto público, endeudamiento y estabilidad en el manejo de la política monetaria y cambiaria.

Queremos hacer nuestras las palabras del Premio Nobel de Economía, Douglas North, quién al estudiar los procesos de desarrollo de los países en una perspectiva a largo plazo, llegó la conclusión que uno de los elementos más determinantes en el progreso de las naciones era su institucionalidad económica[70]. En los países donde sus instituciones jurídicas, políticas y culturales estimulaban el desarrollo económico, la eficiencia, la aplicación de nuevas tecnologías, la innovación, la estabilidad macroeconómica, se experimentaban las mayores tasas de crecimiento, estabilidad política y desarrollo social. A contrario sensu, donde no existe una institucionalidad robusta en estas materias, cunde la desigualdad y los mayores niveles de pobreza.

BIBLIOGRAFÍA

Álvez Marín, Amaya (2016) "Constitucionalismo neoliberal". El Mostrador. Disponible en: https://m.elmostrador.cl/noticias/opinion/2016/06/24/constitucionalismo-neoliberal/

Ariño, Gaspar (1993) Economía y Estado. Madrid: Marcial Pons.

Avilés Hernández, Víctor Manuel (1998) Orden público económico y derecho penal. Santiago de Chile: Editorial Jurídica Conosur.

Bassa, Jaime (2015) "La pretensión de objetividad en la interpretación constitucional". En Bassa, Jaime; Ferrada, Juan Carlos y Viera, Christian: La constitución chilena, Santiago: LOM.

Bassa, Jaime y Viera, Christian (2008): "Contradicciones de los fundamentos teóricos de la constitución chilena con el Estado Constitucional: notas para su reinterpretación. Revista de Derecho (Valdivia), vol. XXI.

---

[70] North, Douglas (1990) Institutions, Instutitional Change and Economic Performance. Cambridge, Cambridge University Press, 152 pp.

Bassa, Jaime y Viera, Christian (2012) "Un nuevo giro hermenéutico de la Corte Suprema en la aplicación del Recurso de Amparo Económico". Revista de Derecho de la Pontificia Universidad Católica de Valparaíso, vol. XXVIII, 1° semestre.

Carloza Prieto, Luis (1978) "El marco económico constitucional en el anteproyecto constitucional; intervencionismo y planificación, en Estudios sobre el proyecto de Constitución". Madrid: Centro de Estudios Constitucionales.

Cea Egaña, José Luis (1988) Tratado de la Constitución de 1980. Santiago: Editorial Jurídica de Chile.

Cea Egaña, José Luis (1991) "Notas sobre orden público económico". Gaceta Jurídica, N° 135, septiembre 1991.

Cea Egaña, José Luis (2002) Derecho Constitucional Chileno, tomo II. Santiago: Ediciones UC.

Convención Constitucional de la República de Chile (2022) "Segundo Informe de la Comisión de Medio Ambiente, Derechos de la Naturaleza, Bienes Comunes Naturales y Modelo Económico, en cumplimiento del mandato otorgado por el Reglamento General de la Convención Constitucional". Disponible en: https://www.cconstituyente.cl/comisiones/verDoc.aspx?prmID=2601&prmTipo=DOCUMENTO_COMISION [fecha de consulta: 22 de marzo de 2022].

De Lojendio, Ignacio (1977) "Derecho Constitucional Económico". En Varios autores (1977): Constitución y Economía (la ordenación del sistema económico en las Constituciones Occidentales). Madrid: Edersa.

Diez Urzúa, Sergio (1999) Personas y Valores: su protección constitucional. Santiago de Chile: Editorial Jurídica de Chile.

Dougnac Rodríguez, Fernando (1986) "La Garantía Constitucional del N° 21 del Artículo 19 de la Constitución en relación con las demás que configuran el "Orden Público Económico". Gaceta Jurídica, N° 68.

Duque, Justino (1977) "Iniciativa privada y empresa". En: Díez-Picazo, Luis (editor): Constitución Económica (la ordenación del sistema económico en las constituciones occidentales). Madrid: Edersa.

Entrena Cuesta, Rafael (1989) El Modelo Económico de la Constitución Española de 1978. Pamplona: Editorial Aranzadi.

Fermandois Vöhringer, Arturo (2005) "Ripert y su influencia en el concepto de Orden Público Económico: Auge y caída de una visión dirigista". Revista Chilena de Derecho, vol. 32, N°1.

Fermandois Vöhringer, Arturo (2006) Derecho Constitucional Económico: garantías económicas, doctrina y jurisprudencia. Santiago: Ediciones UC.

Feliú Segovia, Olga (2000) "El ejercicio de la libertad económica y las facultades de los organismos antimonopolios". Revista Actualidad Jurídica, N° 1.

Ferrada, Juan Carlos (2000) "La Constitución Económica de 1980. Algunas reflexiones críticas". Revista de Derecho (Valdivia), vol. XI.

García Pelayo, Manuel (1979) "Consideraciones sobre las Cláusulas Económicas de la Constitución. En: Ramírez, M. (editor): Estudios sobre la Constitución Española de Zaragoza. Zaragoza: Pórtico.

Ghidini, Gustavo (1978) Slealtà Della concorrenza e costituzione economica. Padova, CEDAM, 216 pp.

Guerrero del Río, Roberto y Navarro Beltrán, Enrique (1997) "Algunos antecedentes sobre la historia fidedigna de las norma de OPE establecidas en la Constitución Política de 1980". Revista de Derecho Universidad Finis Terrae, Año N° 1, Santiago, Chile.

Lepe-Carrión, Patricio (2020) "Crisis de gubernamentalidad en Chile: contra la expropiación financiera y el orden público económico". Kalagatos, vol. 16, tomo I.

Linde Paniagua, Enrique (1987) Introducción al sistema económico en la constitución española. Valencia: Marcial Pons, pp. 9-10.

Loewesntein, Karl (1964) Teoría de la Constitución. Barcelona, Ariel, 539 pp.

Lucas Verdú, Pablo (1997) Curso de Derecho Político, vol. II. Madrid, Tecnos.

Menéndez Menéndez, Aurelio (1985) "Constitución, sistema económico y Derecho Mercantil". Hacienda Pública Española N° 9.

Masbernat Muñoz, Patricio y Hurtado Contreras, José Tomás (2004) "Crítica al concepto de Orden Público Económico". Revista de Derecho Público, vol. N° 66.

Montt Dubournais, Luis (1978) "Orden Público Económico y Economía Social de Mercado: Elementos para una formulación constitucional". Revista de Derecho Económico, N° 41.

Moya, Francisca y Salgado, Constanza (2021) "Política económica y derechos humanos", en Varios autores: Derechos sociales y el momento constituyente de Chile: perspectivas globales y locales para el debate constitucional. Santiago: Global Initiative for Economic, Social and Cultural Rights, Centro de Derechos Humanos de la Universidad de Essex y Universidad de Concepción.

https://www.sinpermiso.info/textos/chile-la-constitucin-neoliberalMuñoz León, Fernando (2013) "Chile: la Constitución neoliberal". Sin Permiso.

Disponible en: https://www.sinpermiso.info/textos/chile-la-constitucin-neo-liberal [fecha de visita 2 de marzo de 2022].

Navarro Beltrán, Enrique (2000) "El Estado Empresario a la luz de la Constitución de 1980". Revista de Derecho Público, N° 62.

North, Douglas (1990) Institutions, Institutional Change and Economic Performance. Cambridge, Cambridge University Press.

Rittner, Fritz (1953) Wirtschaftsrecht mit Wettbewerbs –und Kartellrecht. Coblenza: Juristicher Verlag.

Ruiz-Tagle, Pablo (2000) "Principios constitucionales del Estado empresario". Revista de Derecho Público, Facultad de Derecho, Universidad de Chile.

Santa María de la Vega, Raúl (1979) "Orden Público Económico y Derecho". Revista de Derecho Económico, N° 46-47.

Schiera, Pierangelo (2012) El constitucionalismo como discurso político. Madrid: Dykinson.

Soto Kloss, Eduardo (1999) "La Actividad Económica en la Constitución Política de la República de Chile (La primacía de la persona humana)". Ius Publicum, N° 2.

Varios autores (2021) La consagración jurídica de un modelo de desarrollo en la Constitución de 1980 y sus consecuencias ambientales: reflexiones para la transición ecológica. Santiago: FIMA.

Verdugo Marinkovic, Mario y Pfeffer Urquiaga, Emilio (2002) Derecho Constitucional, tomo I. Santiago: Editorial Jurídica de Chile.

Vergara, Alberto (2002) "Los elementos de la acción de amparo económico ante la jurisprudencia: análisis crítico", Santiago, Chile (tesis para optar al grado licenciado de Derecho).

Viciano, Javier (1995) Libre Competencia e Intervención Pública en la Economía. Valencia: Tirant lo Blanch.

Yrrarázaval Covarrubias, Arturo (1999) "Orden Público económico: ficción o realidad". Revista del Abogado, N° 15.

Desafíos de la Igualdad Constitucional: Los Conflictos entre Derechos Fundamentales de Particulares

José Manuel Díaz de Valdés Juliá[1]

INTRODUCCIÓN

La igualdad, junto a la libertad, son los principios cardinales del constitucionalismo moderno. Es así como las constituciones suelen invocar la igualdad en múltiples ocasiones, ya sea como principio, valor, derecho o deber. En el caso de la Constitución de 1980, como agudamente observó don José Luis Cea, *"no hay valor, principio o criterio más repetidamente mencionado que la igualdad"*[2].

En este breve trabajo, nos enfocaremos en una arista de la igualdad constitucional, cual es la prohibición de discriminación arbitraria, y en particular, en el problema que se produce cuando esta discriminación es ejercida por privados sobre otros privados, dando lugar a conflictos entre derechos. Entre ellos, las tensiones más recurrentes e intensas se observan entre la no discriminación y el derecho de asociación, la libertad de expresión y la libertad religiosa.

1. CONTEXTO Y SITUACIÓN NACIONAL

Si bien la prohibición de discriminación surge como un derecho de las personas frente al Estado, aquella ha ido extendiendo su ámbito de acción –poco a poco, en forma inorgánica y hasta confusa– a los privados.

Este fenómeno es comprensible, toda vez que los argumentos que justifican esta interdicción en el ámbito público son igualmente aplicables a la esfera privada[3]. Sin embargo, se trata de un proceso que enfrenta diversos desafíos, desta-

---

[1] Dphil (Oxford), LLM (Harvard), LLM (Cambridge), Magíster y Licenciado en Derecho (PUC). Investigador del Centro de Justicia Constitucional de la UDD, Santiago, Chile. Este artículo es producto del Proyecto Fondecyt Regular N° 1180119; mis agradecimientos a ANID.

[2] Cea, José Luis (2019) Derecho Constitucional Chileno. Tomo II. 3ª Ed. Santiago: Ediciones Universidad Católica de Chile, p. 144.

[3] Cfr. Khaitan, Tarunabh (2015) A Theory of Discrimination Law. Oxford: Oxford University Press; Puyol, Ángel (2006) "¿Qué Hay de Malo en la Discriminación?". En DOXA, N° 29, pp. 77-91.; Hellman, Deborah (2008) When is Discrimination Wrong? Cambridge: Harvard University Press; Lippert-Rasmussen, Kasper (2006) "Private Discrimination A Prioritarian, Desert-Accommodating Account". En San Diego Law Review, vol. 43, N° 4, pp. 817-856; Karst, Kenneth (1989) "Private Dis-

cando entre ellos las tensiones que se producen entre diversos derechos fundamentales[4]. En efecto, cuando un particular discrimina, a diferencia del Estado, comúnmente invocará el ejercicio de otro derecho fundamental como justificación jurídica suficiente de tal discriminación.

Un corolario de lo anterior es que la prohibición de discriminación entre privados no puede aplicarse en forma estricta, tal y como opera en el mundo público. Al contrario, la discriminación entre privados abre una verdadera "Caja de Pandora", toda vez que el juez normalmente se ve enfrentado a una oposición (real o aparente), entre el derecho a no ser discriminado de la "víctima", y el derecho fundamental invocado por el "victimario" que le permitiría discriminar. Así, por ejemplo el dueño de un departamento podría invocar su derecho de dominio para negarse a arrendarlo a una persona, por ser esta musulmana[5].

Es así que el ordenamiento jurídico se enfrenta a la necesidad de definir reglas y criterios que permitan a los diversos agentes (principalmente al juez), enfrentar tales desafíos y proveer certeza jurídica. La situación chilena en esta materia es particularmente preocupante. En primer término, nuestra Constitución no recoge expresamente la prohibición de discriminación entre particulares. Es así como el artículo 19 N° 2 señala que:

"Ni la ley ni autoridad alguna podrán establecer diferencias arbitrarias".

El texto transcrito, al hablar de "ley" y "autoridad", claramente está pensando en el Estado. Es cierto que este precepto ha sido objeto de una interpretación cada vez más extensiva, de forma de incluir la discriminación que realizan los privados[6], tal y como lo ha reconocido la práctica del recurso de protección (se han admitido recursos contra privados invocando el derecho transcrito). Sin embargo, dada la naturaleza implícita y hermenéutica de esta protección, el texto constitucional no ofrece criterios explícitos y específicos para lidiar con las tensiones entre derechos que causa la privación de discriminación entre privados.

En segundo lugar, las normas legales tampoco dan una solución satisfactoria a este problema. Aquí debemos distinguir entre las regulaciones específicas en esta materia, y su regulación por una norma de carácter general. Entre las primeras, destaca el artículo 2 del Código del Trabajo y el artículo 3 de la Ley N°

---

crimination and Public Responsibility: Patterson in Context". En The Supreme Court Review, vol. 1989, pp. 1-51.

[4]   Bribosia, Emmanuelle y Rorive, Isabelle (2010) In Search of a Balance Between the Right to Equality and Others Fundamental Rights. Luxemburgo: European Commission; Díaz, Iván (2013) "Ley Chilena contra la Discriminación. Una Evaluación desde los Derechos Internacional y Constitucional". En Revista Chilena de Derecho, vol. 40, N° 2, pp. 635-668.

[5]   Horowitz, Harold (1964) "Fourteenth Amendment Aspects of Racial Discrimination in Private Housing". En California Law Review, vol. 52, N° 1, pp. 1-45.

[6]   Díaz de Valdés (2014).

19.496 sobre Protección del Consumidor. En contraste, existe una regulación general en la Ley N° 20.609, que Establece Medidas contra la Discriminación ("Ley Zamudio"), la que otorgó un sustento normativo expreso a la prohibición de discriminación entre privados en su artículo 2°:

> *"(…) se entiende por discriminación arbitraria toda distinción, exclusión o restricción que carezca de justificación razonable, efectuada por agentes del Estado o particulares, y que cause privación, perturbación o amenaza en el ejercicio legítimo de los derechos fundamentales establecidos en la Constitución Política de la República o en los tratados internacionales sobre derechos humanos ratificados por Chile y que se encuentren vigentes, en particular cuando se funden en motivos tales como la raza o etnia, la nacionalidad (…)".*

Los problemas de esta norma son múltiples. El más evidente es que su excesiva simpleza y generalidad. Como hemos visto, la prohibición de discriminación entre privados causa una serie de conflictos entre derechos. Sin embargo, el precepto en examen no hace referencia alguna a esta realidad, y tampoco ofrece guías o criterios para resolver estos conflictos. Ni siquiera mencionó instituciones que son muy relevantes para resolver estas dificultades (e.g., discriminación indirecta, acomodación). Al contrario, de la lectura del precepto pareciera que se prohíbe toda forma de discriminación entre privados… siempre… postulado derechamente absurdo, ya que convertiría a la no discriminación en una suerte de "supraderecho", capaz de imponerse siempre y en toda circunstancia a los demás derechos fundamentales. Esta solución, además de implausible, sería inconstitucional, ya que sólo la Constitución podría establecer una jerarquía entre derechos fundamentales como la descrita[7]. Así, se ha hecho necesario buscar alternativas interpretativas que permitan que sea el juez quién resuelva la real o aparente antinomia entre derechos fundamentales[8].

En segundo término, la jurisprudencia de la acción especial antidiscriminación, creada por la Ley Zamudio, no ha logrado grados suficientes de consistencia ni de densidad dogmática[9]. Es cierto que esta acción se ha ocupado comúnmente

---

[7]   Véase la sentencia N° Rol 2787 de Tribunal Constitucional, 1 de Abril de 2015.

[8]   Cfr. Díaz, Iván (2013) "Ley Chilena contra la Discriminación. Una Evaluación desde los Derechos Internacional y Constitucional". En Revista Chilena de Derecho, vol. 40, N° 2, pp. 635-668; Henríquez, Miriam y Nuñez, José Ignacio (2014) "Ley Zamudio ¿Ponderación o Subsunción? Comentario a la Sentencia Rol N°1009-2014 de la Corte de Apelaciones de Concepción". En Revista de Derecho - Escuela de Postgrado, Universidad de Chile, vol. N° 6, pp. 239-244.

[9]   Cfr. Muñoz, Fernando (2015) "Estándares Conceptuales, Cargas Procesales y Reparación en el Litigio Antidiscriminación. Análisis Crítico de la Jurisprudencia sobre Ley Zamudio entre 2012 a 2015". En Revista de Derecho de Valdivia, vol. XXVIII, N°2, pp. 145-167; Díaz de Valdés, José Manuel (2017) "Cuatro Años de Ley Zamudio: Análisis Crítico de su Jurisprudencia". En Estudios Constitucionales, vol. 15, N° 2, pp. 447-488.

para denunciar discriminaciones entre privados[10], y no sólo aquellas cometidas por el Estado. Sin embargo, su análisis arroja un conjunto de problemas. Comencemos recordando que el artículo 2° inciso tercero señala que:

> *"Se considerarán razonables las distinciones, exclusiones o restricciones que, no obstante fundarse en alguno de los criterios mencionados en el inciso primero, se encuentren justificadas en el ejercicio legítimo de otro derecho fundamental, en especial los referidos en los números 4°, 6°, 11°, 12°, 15°, 16° y 21° del artículo 19 de la Constitución Política de la República, o en otra causa constitucionalmente legítima".*

El problema aquí es doble. Por una parte, existe confusión respecto de qué debe entenderse por el "ejercicio legítimo de un derecho". Por otra parte, y más fundamental, resulta muy extraño, en un conflicto de derechos, que el ejercicio legítimo de uno de ellos justifique la vulneración de otro. Nuevamente, nos encontramos frente a una suerte de jerarquía, pero ahora inversa: cada vez que se ejerza legítimamente un derecho que colisione con la no discriminación, esta última debería ceder, ya que existiría una justificación suficiente para su postergación. Esta solución sería, por las razones explicadas, inconstitucional, y tal vez por ello exista tal confusión en la jurisprudencia respecto de cómo interpretar esta norma.

Adicionalmente, la jurisprudencia de la acción especial de no discriminación de la Ley Zamudio ha demostrado otros problemas relevantes para nuestro análisis, destacando[11]: i) el ignorar y ni siquiera mencionar los derechos que entran en conflicto (aparente o real); ii) el variable valor entregado a la normativa interna de los cuerpos intermedios, cuando son estos los acusados de incurrir en conductas discriminatorias; iii) la casi inexistente aplicación del derecho internacional, y iv) la escasa prueba rendida para acreditar la afectación de un derecho distinto a la no discriminación. Todo lo anterior, unido a la escasez de sentencias definitivas, y al rechazo de la gran mayoría de ellas, evidencian la completa insuficiencia de la Ley Zamudio para lidiar con el problema en comento.

En tercer lugar, la jurisprudencia revisada de la Corte Suprema, emanada de recursos de protección, demuestra una deficiente sofisticación en materia de derecho antidiscriminatorio. Si bien se acepta la extensión de la prohibición de discriminación a las relaciones entre privados, no se ofrecen criterios ni categorizaciones para distinguir con alguna claridad en qué casos debe aplicarse, o qué derecho prima al conflictuar con otros derechos fundamentales.

---

[10]   Díaz de Valdés (2019) 23.
[11]   Díaz de Valdés (2017).

Todo lo anterior se ve agravado por la escasa doctrina nacional en materia de no discriminación, y particularmente sobre discriminación entre privados, no obstante, la existencia de notables excepciones[12].

En definitiva, y para concluir esta sección, resulta evidente que en Chile ni la Constitución, ni la legislación, ni la jurisprudencia, ni la doctrina, han logrado establecer reglas, criterios y orientaciones suficientes para lidiar con los conflictos reales o aparentes de derechos causados por la aplicación de la prohibición de discriminación a las relaciones entre privados.

2. CONFLICTOS CON EL DERECHO DE ASOCIACIÓN

Existen diversas formas en que el derecho de asociación puede enfrentarse a la prohibición de discriminación. Un primer tipo de conflictos se refiere a la admisión de nuevos miembros o la expulsión de los existentes[13]. En esta materia, la tradicional libertad de las asociaciones ha sido puesta en duda, especialmente cuando la razón para la exclusión es una característica personal que supone pertenencia a un grupo desaventajado (e.g., raza, sexo). Surgen entonces interrogantes como las siguientes: ¿puede un club aceptar sólo hombres?, ¿es posible obligar a un partido anti-migración a aceptar migrantes? ¿Puede un colegio de alto rendimiento deportivo exigir pruebas físicas de admisión, o expulsar a quienes no cumplan determinados estándares en tales pruebas? Estos problemas, comunes también en derecho comparado, también se han judicializado en nuestro país. Así, por ejemplo, ha existido litigación en contra de colegios por rechazar la admisión, ya sea en razón del estado de convivencia no matrimonial de los padres[14], o por tratarse de niños con necesidades educativas especiales[15].

---

[12] E.g., Vial, Tomás (2013) "La nueva Ley Antidiscriminación: propuestas para avanzar en su perfeccionamiento". En Anuario de Derechos Humanos, vol. N° 9, pp. 183-191; Fernández, Miguel Ángel (2004) Principio Constitucional de la Igualdad ante la Ley. Santiago: Nexis Lexis; Ugarte, José Luis (2013) El Derecho a la No Discriminación en el Trabajo. Santiago: Legal Publishing; Alvear, Julio y Covarrubias, Ignacio (2012) "Hecha la ley, hecha la trampa: Un análisis de los errores de la legislación "antidiscriminación" (y algunos comentarios acerca del proyecto de ley que establece medidas contra la discriminación)". En Revista Actualidad Jurídica N° 26, pp. 9-30; Gamonal, Sergio (2015) La Eficacia Diagonal u Oblicua y los Estándares de Conducta en el Derecho del Trabajo. Santiago: Thomson Reuters; Caamaño, Eduardo (2005) El Derecho a la No Discriminación en el Empleo. Santiago: Thomson Reuters.

[13] Díaz, Francisco (2015) Discriminación en las Relaciones entre Particulares. México D.F: Tirant lo Blanch; Giménez, David (2010) "Asociación, Discriminación y Constitución: Los Límites entre la Autonomía Asociativa y el Derecho de los Socios -y Aspirantes a Serlo- a No Ser Discriminado". En Revista de Derecho Político, N° 79, pp. 143-171.

[14] Corte de Apelaciones de Concepción, 24 de octubre de 2014, Rol N°1009-2014.

[15] *Escalona con Colegio Pumahue de Chicureo* (2015) Juzgado de Letras de Colina, 22 enero 2016, rol N° 1165-2015.

Como podemos observar en estos conflictos, por una parte, se enfrenta el deseo de la organización de mantener el control de quienes forman parte de la misma de forma de mantener su *ethos* o perseguir de mejor forma sus propósitos. Por otra parte, los excluidos alegan que los grupos intermedios abusan de su autonomía al convertir sus políticas de membresía en reflejo de discriminaciones que son sistémicas en la sociedad. En consecuencia, permitir tales prácticas no sólo produciría efectos concretos en el caso en cuestión, sino que un efecto general de mantención, o incluso profundización, de graves discriminaciones sociales.

Otras situaciones de colisión entre estos derechos dicen relación con la presentación personal, tales como códigos de vestimenta, largo del pelo, etc. Así, por ejemplo, en el célebre caso *Eweida/Ladele*[16], se sancionó a una azafata por usar una cruz al cuello en contra de las políticas de uniforme de *British Airways*, cuestión que finalmente fue condenada por la Corte Europea de Derechos Humanos. En la otra vereda, la Corte Europea de Justicia aceptó que una empresa pudiera prohibir la utilización del velo musulmán en el trabajo[17], materia que ha sido ampliamente litigada en Europa[18].

Muchos de estos casos se presentan bajo una apariencia de "neutralidad", esto es, se afirma que no se está exigiendo un sexo, un pensamiento político, una raza, etc. Al revés, la asociación persigue una situación de homogeneidad, la cual se impone *a pesar* de los rasgos señalados. No habría, por tanto, desde la perspectiva de las asociaciones, discriminación intencional y, todo lo contrario, se trataría de normas que ayudarían a superar la discriminación existente contra ciertos grupos. En contraste, desde la perspectiva antidiscriminatoria, se afirma que esa neutralidad puede ser igualmente dañina, toda vez que reprime la diversidad. Un *sihk* que no puede utilizar su turbante en el trabajo se siente discriminado en razón de su religión. Adicionalmente, cabe destacar que algunos de estos casos no se ajustan a la lógica de la neutralidad. Un ejemplo ilustrativo es la exigencia de tacos y faldas en los uniformes femeninos.

Los problemas mencionados en el párrafo precedente se producen en el ámbito espacial de las asociaciones. Existen otros, menos evidentes quizás, que se producen fuera de ese espacio. Así, por ejemplo, existen personas que son expulsadas o sancionadas por una asociación por evidenciar en redes sociales, o en espacios públicos, conductas contrarias a los ideales de la organización. Sería la situación de una funcionaria de un partido político que, en sus redes sociales,

---

[16] European Court of Human Rights, *Eweida and Others v. The United Kingdom* (nos. 48420/10, 59842/10, 51671/10 and 36516/10), 15 de enero de 2013
[17] Tribunal de Justicia (Gran Sala), *IX y WABE ev y MH Müller Handels GmbH y MJ.* Sentencia ECLI:EU:C:2021:594, 15 de julio de 2021
[18] Ast, Frédérique (2012) "Etude de cas de discriminations religieuses en France". En Ast, Frédérique y Duarte, Bernadette (edits.) Les discriminations religieuses en Europe: droit et pratiques. Paris: L'Harmattan, pp. 163-178.

expone un pensamiento opuesto al partido, quién es posteriormente desvincula-da. Para la organización, es un tema de mínima coherencia y de fidelidad. Para la funcionaria, se trata de una discriminación por su pensamiento político, en cuanto este no afectaba el cumplimiento de sus funciones.

Otro grupo interesante de conflictos entre estos derechos se surge cuando se condiciona el financiamiento público a la adopción de políticas antidiscrimina-torias[19]. Así, en Estados Unidos existen varios casos litigiosos, e incluso legislación estatal[20], sobre entrega o retención de fondos públicos a instituciones de educación superior se supeditan a que: i) posean cierta normativa interna antidis-criminación, e ii) impidan ciertas conductas –incluyendo reuniones de algunos grupos que se consideran discriminatorios hacia terceros– en sus instalaciones.

Lo interesante de estos casos es que en ellos la autonomía universitaria no se ve directamente afectada, en el sentido de que las normas estatales no les impo-nen un comportamiento determinado. Sin embargo, considerando la potencia de los incentivos financieros, tales condicionamientos pueden tener el mismo efecto, en la práctica, que una norma imperativa.

Frente al conjunto de conflictos descritos entre libertad de asociación y no discriminación, la doctrina y jurisprudencia comparada ha singularizado ciertos criterios o factores a considerar. El primero es la naturaleza o *ethos* de la asocia-ción. En términos simples, la pregunta relevante es si aquella realmente necesita excluir a un determinado grupo para mantener su razón de ser, su identidad, o desarrollar efectivamente su labor. Se habla así de asociaciones "expresivas"[21] o "de tendencia"[22] como, por ejemplo, un partido político. Estas organizaciones gozarían de mayor libertad para realizar las prácticas descritas que otras de carác-ter "neutro", como una empresa que vende celulares.

Una consideración relacionada a la anterior es si la asociación es realmente "íntima" (pequeña, selectiva, con fuertes lazos interpersonales)[23], o si se trata de un grupo de gran tamaño donde la individualidad se diluye y las relaciones cer-canas entre los miembros son improbables. En otras palabras, una organización

---

[19] Baylor, Gregory y Tracey, Timothy (2007) "Religious Liberties: Nondiscrimination Rules and Religious Associational Freedom". En Engage, vol. 8, N° 3, pp. 138-149; Harvard Law Review (1991) "State Power and Discrimination by Private Clubs: First Amendment Protection for Nonexpressive Associations". En Harvard Law Review, vol. 104, N° 8, pp. 1835-1856.

[20] A.B. 1212, 2016 Leg., Reg. Sess. (Cal. 2016); S.B. 175, 86th Leg., Reg. Sess. (Kan. 2015); S.B. 210, 2016 Gen. Assemb., 121st Sess. (S.C. 2015).

[21] Davis, George (2009) "Personnel Is Policy: School, Students, Groups and the Right to Discrimina-te". En Whashington & Lee Law Review, vol. 66, N° 4, pp. 1793-1830; Baylor y Tracey (2007).

[22] Relaño, Eugenia (2016) "Etude de cas de discriminations religieuses en Espagne", en Ast, Frédéri-que y Duarte, Bernadette (edit.) Les discriminations religieuses en Europe: droit et pratiques. Paris: L'Harmattan, pp. 205-236.

[23] Buss, William (1989) "Discrimination by Private Clubs". En Washington University Law Review, vol. 67, N° 3, pp. 815-853.

pequeña e intensa tiene más libertad para determinar quiénes la constituyen, qué conductas se permiten, etc., en parte porque el daño que se le haría al intervenirla también es mayor. Así, por ejemplo, intervenir un club pequeño de hombres que juegan póker todo el fin de semana, obligándolos a aceptar mujeres, sería mucho más gravoso para la libertad de asociación que obligar a que la federación nacional de póker acepte mujeres.

Un segundo criterio que sería útil a considerar es el factor o característica personal que se utiliza para distinguir. Ciertos ordenamientos consideran que la utilización de algunos de ellos es particularmente difícil de justificar, e.g., la raza en Estados Unidos, donde se la considera una "categoría sospechosa" que gatilla un "escrutinio estricto" de la diferencia de trato en cuestión[24]. Así, sería más sencillo justificar una asociación exclusivamente para personas sobre 25 años que una reservada a personas de raza blanca. Una variación de este criterio señala que la prohibición de discriminación se aplicaría en forma más exigente sólo si se afecta al grupo oprimido y no la dominante. De esta forma, sería más tolerable un club exclusivo de mujeres que uno exclusivo de hombres.

Un tercer factor por considerar serían las oportunidades o los bienes públicos a que se tiene acceso vía pertenencia a la asociación[25]. Así, grupos que de alguna forma monopolizan estos bienes (*gatekeepers*) son sometidos a mayor exigencia en materia de no discriminación. Por ejemplo, si existe una sola institución que imparte la carrera de enfermería, el acceso a la misma debe estar abierto tanto a hombres como a mujeres[26]. En cambio, si existen varias escuelas de enfermería, sería más probable mantener la exclusión de un sexo si existen otras razones calificadas para ello. El sentido tras este criterio es la magnitud del daño que provoca la discriminación, tanto para la persona como para la sociedad. Es mucho más grave la discriminación si la víctima no sólo queda excluida de una organización en particular, sino que además no puede ingresar a ninguna otra que persiga el mismo objetivo. En el ejemplo, un hombre no podrá estudiar enfermería en ninguna parte. A su vez, el efecto social también es mucho más severo, ya que se priva a la comunidad de contar con enfermeros.

Finalmente, en términos generales, es posible observar que las situaciones conflictivas entre los derechos en comento tienden a involucrar clubes privados,

---

[24]   U.S Supreme Court, *Wygant v. Jackson Board of Education*, 476 U.S. 267 (1986), No. 84-1340, 19 de mayo de 1986,

[25]   Bilbao, Juan María (2006) "Prohibición de Discriminación y Relaciones entre Particulares". En Revista Teoría y Realidad Constitucional, N° 18, pp. 147-189; Rincón, Gilberto (2006) El derecho a no ser discriminado entre particulares y la no discriminación en el texto de la Constitución mexicana. México: Colección Estudios. [Disponible en: http://www.conapred.org.mx/documentos_cedoc/E0003(1).pdf] [5 de enero de 2022].

[26]   Algo de esto en *MISSISSIPPI UNIVERSITY FOR WOMEN, et al., Petitioners, v. Joe HOGAN.* 458 U.S. 718

colegios y universidades, si bien existen también casos referidos a partidos políticos, instituciones para-religiosas, entre otros[27].

3. CONFLICTOS CON LA LIBERTAD DE EXPRESIÓN

La importancia de la libertad de expresión no puede exagerarse, no sólo para las personas a nivel individual, sino también por su relevancia sistémica. Como ha señalado el Tribunal Constitucional:

> *"La libertad de expresión desempeña un papel fundamental en la sociedad democrática, pues permite el debate de ideas, el intercambio de puntos de vista, emitir y recibir mensajes, la libre crítica, la investigación científica y el debate especulativo, la creación artística, el diálogo sin restricción, censura ni temor y la existencia de una opinión pública informada."* (STC 567 c. 32, STC 2541 c. 16).

Como consecuencia de lo anterior, se trata de un derecho difícil de limitar o delimitar. Más aún, se ha sostenido que goza de una suerte de presunción a su favor en casos dudosos[28]. Por lo mismo, la censura, aún por las mejores razones antidiscriminatorias, presenta una serie de problemas severos y puede ser altamente contraproducente[29]. Más aún, la libertad de expresión obliga a tolerar incluso aquello que nos desagrada. En palabras de la Corte Europea de Derechos Humanos:

> *"La libertad de expresión "no sólo se aplica a "información" o "ideas" que son favorablemente recibidas o consideradas como inofensivas o indiferentes, sino también a aquellas que ofenden, chocan o turban al Estado o a cualquier*

---

[27]   Davis (2009); Buss (1989); Koppen, Margaret E. (1993) "The Private Club Exemption from Civil Rights Legislation – Sanctioned Discrimination or Justified Protection of Right to Associate". En Pepperdine Law Rev., vol. 20, N° 2, pp. 643-688; Lundberg, Shelly y Startz, Richard (1983) "Private Discrimination and Social Intervention in Competitive Laboral Markets". En The American Economic Review, vol. 73, N° 3, pp. 340-347.

[28]   Barendt, Eric (2005) Freedom of Speech. Oxford: OUP; Gottry, James (2011) "Just Shoot Me: Public Accommodation Anti-Discrimination Laws Take Aim at First Amendment Freedom of Speech". En Vanderbilt Law Review, vol. 64, N°3, pp. 961-1003; García, Gonzalo (2012) Estudios sobre Jurisdicción Constitucional, Pluralismo y Libertad de Expresión. Cuadernos del Tribunal Constitucional, N° 49. Santiago: Tribunal Constitucional.

[29]   Cfr. Strossen, Nadine (1996) "Hate Speech and Pornography: Do We Have to Choose between Freedom of Speech and Equality?". En Case Western Reserve Law Review, Vol 46, N° 2, pp. 449-478; Salazar, Pedro y Gutiérrez Rodrigo (2007) El Derecho a la Libertad de Expresión frente al Derecho a la No Discriminación. México: Dirección General Adjunta de Estudios, Legislación y Políticas Públicas. [Disponible en: www.conapred.org.mx/documentos_cedoc/E-09-2007.pdf] [5 de enero de 2022].; Kretzmer, David (1987) "Freedom of Speech and Racism". En Cardozo Law Review, vol. 8, N° 3, pp., 445-513.

sector de la población. Esas son exigencias de pluralismo, tolerancia y apertura de mente sin las cuales no existe una sociedad democrática" [30].

Sin embargo, sabemos que el lenguaje crea y perpetúa realidades y, por tanto, puede ser una herramienta efectiva para extender y enquistar discriminaciones. Por lo mismo, no todo discurso será tolerable. Existen casos en que un lenguaje con connotación discriminatoria, aún de carácter netamente político –que es el más protegido–, puede perder amparo constitucional. Tal vez la situación más conocida es la de los discursos de odio, los cuales se conciben como instrumentos de subordinación de minorías discriminadas, e incluso de amenaza y violencia simbólica y fáctica[31].

Otras situaciones a explorar son el lenguaje que constituye acoso[32] y la ridiculización de grupos desaventajados. Casos célebres de esta última situación son las caricaturas de Mahoma publicadas por *Charly Hebdo* en Francia o por el diario danés *Jyllands-Posten*[33]. En ambas ocasiones, personas musulmanas se sintieron profundamente ofendidas por la ridiculización de su líder religioso, al punto de recurrir a la violencia contra los medios y autores de tales publicaciones.

Un caso aparte es el de la pornografía, la cual ha sido entendida por algunos como una forma impermisible de lenguaje discriminatorio, en cuanto perpetúa no sólo la objetivización de la mujer, sino que su subordinación al hombre[34]. Es por ello que diversos grupos feministas se han unido a organizaciones conservadoras para bregar por su prohibición, o al menos por su limitación estricta[35].

También hay que considerar el lenguaje anti-migración, el cual puede alcanzar gran virulencia, no siempre en forma explícita. Un interesante caso a este

---

[30]   European Court of Human Rights, *De Haes y Gijsels c. Bélgica* (7/1996/626/809), Estrasburgo, 24 de febrero de 1997, p. 48.

[31]   cfr. Barendt (2005); Waldron, Jeremy (2010) "Dignity and Defamation: The Visibility of Hate". En Harvard Law Review, vol.123, N° 7, pp. 1596-1657; Waldron, Jeremy (2012) The Harm of Hate Speech. Cambridge: Harvard University Press; Paul, Álvaro (2011) "La Penalización de la Incitación al Odio a la Luz de la Jurisprudencia Comparada". En Revista Chilena de Derecho, vol. 38, N° 2, pp. 573-609. Contrastar con Strossen (1996).

[32]   Volokh, Eugene (1995) "How Harassment Law Restricts Free Speech". En Rutgers Law Review vol. 47, N° 2, pp. 563-578.

[33]   Bleich, Erik (2012) "Free Speech or Hate Speech? The Danish Cartoon Controversy in the European Legal Context". En Khory, Kavita (edit.) Global Migration. Hampshire: Palgrave Macmillan, pp. 113-128.

[34]   MacKinnon, Catharine (1991) "Pornography as Defamation and Discrimination". En Boston University Law Review, vol. 71, N° 5, pp. 793-815; Barendt (2005).

[35]   Un ejemplo es la "Ordenanza de los Derechos Civiles Antipornografía", también conocida como la Ordenanza Dworkin-MacKinnon, quienes buscaban tratar a la pornografía como una forma de violación de los derechos civiles de las mujeres: William Mitchell Law Review (1985) "Appendix: The MacKinnon/Dworkin Pornography Ordinance". En William Mitchell Law Review, Vol. 11: Iss. 1, Art. 5. [Disponible en: https://open.mitchellhamline.edu/cgi/viewcontent.cgi?referer=https://www.google.com/&httpsredir=1&article=2540&context=wmlr] [5 de enero de 2022].

respecto es *Blocher*, consistente en una campaña anti-migración en Suiza, en la que un afiche mostraba una oveja blanca expulsando a una oveja negra. Las connotaciones racistas, y su asociación a la migración y a la "maldad" (delincuencia, vicio, pereza, etc.) fueron criticadas como un abuso de la libertad de expresión, si bien los afiches fueron retirados antes de que se presentaran acciones judiciales en su contra[36]. En Chile, el discurso antimigración también ha alcanzado una intensidad peligrosa. Baste con recordar las campañas públicas en Antofagasta contra la inmigración colombiana, o la quema de pertenencias a migrantes en Iquique.

Como puede observarse, existen múltiples conflictos entre no discriminación y libertad de expresión. Más aún, estas tensiones no sólo se producen cuando se ejerce positivamente la libertad de expresión, sino también en forma negativa, vale decir, mediante el silencio o rechazo a emitir un cierto discurso[37]. Cabe recordar a este respecto el caso *Masterpiece*[38], en el que una pastelería se negó a hornear y vender una torta de matrimonio a una pareja homosexual, con un mensaje de apoyo a su causa. Se invocaba, precisamente, el derecho a no emitir un determinado mensaje, como parte de la libertad de expresión.

Debe también considerarse que la libertad de expresión excede al mero discurso oral, comprendiendo diversas formas de emisión de un mensaje, tales como escritos, manifestaciones públicas, símbolos, etc., cuestión que amplía las oportunidades de tensión con la no discriminación (e.g., vestimenta con escritos o símbolos discriminatorios). Conviene a este respecto recordar el "bus de la libertad" o "bus del odio", el cual se paseaba por Santiago afirmando que "Nicólás tiene derecho a un papá y una mamá". Para algunos el mensaje era impermisiblemente discriminatorio, mientras para otros constituía una opinión legítima, protegida por la libertad de expresión

Finalmente, no puede olvidarse la situación especial de la libertad de expresión artística[39], la que en algunos ordenamientos jurídicos goza de mayor protección que otras formas de libertad de expresión, y por tanto, sería más difícil –pero no imposible– de limitar en razón de su contenido discriminatorio.

---

[36]   Salazar y Gutiérrez (2007).
[37]   Koppelman, Andrew (2004) "Should Noncommercial Associations Have an Absolute Right to Discriminate?". En Law and Contemporary Problems, vol. 67, N° 4, pp. 27-57; Gottry (2011); Barendt (2005).
[38]   Supreme Court of the United Stated, *Masterpiece Cakeshop, LTD., et al. v. Colorado Civil Rights Commission et al.* No. 16-111, 4 de Junio de 2018.
[39]   Gottry (2011).

4. CONFLICTOS CON LA LIBERTAD RELIGIOSA

Comencemos señalando que la religión es un fenómeno sumamente comple-jo, y que no es posible formular una definición jurídica precisa de la misma[40], en parte debido a que presenta múltiples dimensiones concurrentes: "*social, legal, moral, cultural, sin mencionar la trascendental*"[41]. Más aún, las religiones anteceden al Estado y no han gozado de una relación siempre armoniosa con él.

A lo anterior, hay que sumar dos elementos que sirven de trasfondo a las tensiones entre libertad religiosa y no discriminación. El primero es el proceso de secularización, el que tiende a rechazar las convicciones religiosas como jus-tificación suficiente para establecer diferencias de trato[42]. Es así como se ha san-cionado, por ejemplo, a los dueños de hostales que se han negado a alojar a pa-rejas homosexuales por contradecir sus convicciones religiosas[43]. Similarmente, se ha permitido a escuelas prohibir el velo musulmán a profesoras o alumnas[44]. La secularización también se ha invocado para impugnar como discriminatorias ciertas prácticas vinculadas a las religiones que han sido tradicionalmente domi-nantes en algunas sociedades (e.g., bendiciones a instalaciones). Y para mayor complejidad, se ha señalado que la secularización en sí misma podría ser dis-criminatoria, en cuanto perseguiría la exclusión del ámbito público solo de las ideas religiosas, pero no de aquellas de carácter económico, político, etc.[45].

Un segundo fenómeno contextual es la migración, la que ha creado una cre-ciente diversidad religiosa (o religiosa-cultural)[46] al interior de cada país. Ello ha derivado en el incremento de situaciones tales como la prohibición de utilizar

[40]   Koppelman, Andrew (2018) Neutrality and the Religion Analogy. En Vallier, Kevin and Weber, Michael (edits.). Religious Exemptions. Oxford: Oxford University Press.
[41]   Zucca, Lorenzo (2014) "RELIGARE: The Central Conflict". En Foblets, Marie-Claire, Alidadi, Kata-youn, Nielsen, Jørge S. and Yanasmayan, Zeynep, (edits.) Belief, Law and Politics: What Future for a Secular Europe. Farnham: Ashgate, pp. 223-226.
[42]   Cfr. Zucca, Lorenzo (2012) "Law v. religion". En Zucca, Lorenzo y Ungureanu, Camil (edit.) Law, State and Religion in the New Europe. Cambridge: CUP, pp. 137-159.
[43]   United Kingdom Supreme Court, *Bull and another v. Hall and another* [2013] UKSC 73, 27 de No-viembre de 2013. Similar, British Columbia Human Rights Tribunal, *Eadie and Thomas v. Riverbend Bed and Breakfast and others* (No. 2), 2012 BCHRT 247. Véase también McColgan, Aileen (2014): Discrimination, Equality and the Law. Oxford: Hart.
[44]   Verhaar, Odile (2012) "Etudes de cas de discriminations religieuses aux Pays-Bas". En Ast, Frédé-rique y Duarte, Bernadette (edit.) Les discriminations religieuses en Europe: droit et pratiques. Paris: L'Harmattan, pp. 191-204; United Kingdom Employment Appeal Tribunal, *Azmi v Kirklees Metropolitan Borough Council* [2007] UKEAT 0009_07_3003, 30 de marzo de 2007.
[45]   Cfr. Baylor y Tracey (2007).
[46]   Malik, Maleiha (2012) "The 'other' citizens: religion in a multicultural Europe". En Zucca, Lorenzo y Ungureanu, Camil (edit.) Law, State and Religion in the New Europe. Cambridge: CUP, pp. 92-114.

el velo en ambientes laborales[47]; las crecientes exigencias de acomodación de feriados religiosos, días de descanso y alimentación especial[48]; la exención de la utilización de uniformes y vestimentas (e.g., uso de cascos por *Sikhs*, o de traje de baño por mujeres musulmanas), o derechamente la negación a realizar ciertas labores (e.g., profesora musulmana que rehúsa bañarse con sus alumnos)[49].

Adicionalmente, en los conflictos entre no discriminación y libertad religiosa puede ser relevante distinguir quién alega discriminación, i.e., si se trata de una persona o de una institución, tales como iglesias o entidades afiliadas a las mismas (hospitales, colegios, etc.). Las segundas podrían quedar también protegidas por la libertad de asociación (serían asociaciones "expresivas" o "de tendencia"), y en varios sistemas jurídicos gozan de excepciones legislativas frente a la prohibición de no discriminación[50].

Dentro del cúmulo de situaciones y ejemplos posibles, observamos cinco líneas o familias de casos.

La capacidad de instituciones religiosas para discriminar en razón de su credo[51] (e.g., contrataciones, selección de miembros), etc. Estos casos abarcan iglesias en sí mismas (e.g. caso *Hosanna Tabor*[52]), como también organizaciones "anexas", tales como colegios y hospitales afiliados a confesiones religiosas. Incluso existen casos relativos a instituciones con fines de lucro que han invocado sus convicciones religiosas para justificar tratos desiguales (e.g., *Hobby Lobby*[53]).

---

[47] Hardwick, Jayne (2012) "Etude de cas de discriminations religieuses au Royaume-Uni". En Ast, Frédérique y Duarte, Bernadette (edits.) Les discriminations religieuses en Europe: droit et pratiques. Paris: L'Harmattan, pp. 151-162.; Verhaar (2012); Sentencia del Tribunal de Justicia (Gran Sala), *Case C-157-14 G4S Samira Achbita, Centrum voor gelijkheid van kansen en voor racismebestrijding y G4S Secure Solutions NV,* asunto C-157/15, 14 de Marzo de 2017.

[48] Bercovitz, Rodrigo (1990) "Principio de Igualdad y Derecho Privado". En Anuario de Derecho Civil, vol. 43, N° 2, pp. 369-428; *Castro con Universidad de Antofagasta,* Corte de Apelaciones de Antofagasta, Sentencia Rol N° 8911-2013, 30 de diciembre de 2013.

[49] Ast (2012).

[50] Baylor y Tracey (2007); Dali, Eoin y Hickey Tom (2011) "Religious freedom and the "right to discriminate" in the school admissions context: a neo-republican critique". En Legal Studies, vol. 31, N° 4, pp. 615-643; Rossell, Jaime (2008) La No Discriminación por Motivos Religiosos en España. Madrid: Ministerio de Trabajo y Asuntos Sociales; Mawdsley, Ralph D. (2011) "Employment, Sexual Orientation and Religious Beliefs: Do Religious Educational Institutions Have a Protected Right to Discriminate in the Selection and Discharge Employees?". En Brigham Young University Education and Law Journal, vol. 2011, N° 2, pp. 279-302. Véase también el Title VII de la Civil Rights Act de Estados Unidos.

[51] Ahdar, Rex y Leigh, Ian (2013) Religious Freedom in the Liberal State 2ª ed. Oxford: OUP; Adisson, Neil (2007): Religious Discrimination and Hatred Law. Oxford: Routledge-Cavendish. Rosell (2008); Verhaar (2012); Mawdsley (2011).

[52] Supreme Court of The United States, *Hosanna-Tabor Evangelical Lutheran Church and School, Petitioner v. Equal Employment Opportunity Commission et al,* No. 10-553, 11 de Enero de 2012.

[53] European Court Of Human Rigths (Gran Sala), *Asunto Lautsi y Otros c. Italia* (Demanda N° 30814/06), Estrasburgo, 18 de Marzo de 2011.

La acomodación de prácticas y símbolos religiosos[54]. Tal vez los casos más famosos a este respecto dicen relación con la presencia de crucifijos en salas de clases (casos *Lautsi*[55] en Italia, y *Kruzifix-decision*[56] en Alemania), pero también podemos recordar el ya mencionado caso *Ladele/Eweida*, sobre el uso de la cruz en el uniforme.

El acceso a beneficios y financiamiento estatal por parte de instituciones religiosas que discriminan en razón de su credo. Un caso muy reciente a este respecto es *Fulton* en Estados Unidos[57], en que una organización católica, contratada por la ciudad, se negó a certificar parejas no casadas o matrimonios del mismo sexo como familias sustitutas.

La oposición entre las enseñanzas religiosas y las demandas de las minorías sexuales[58]. Tal vez los ejemplos más bullados a este respecto dicen relación con la oposición o resistencia a participar de cualquier modo en matrimonios homosexuales, ya sea como oficial del registro civil, proveedor de servicios, etc.[59].

La discriminación producto de conflictos dentro de una misma religión, cuestión que plantea delicadas aristas adicionales tales como el rol del Estado y sus tribunales en la resolución de disputas intra-religiosas[60]. Un caso ilustrativo al respecto es *R (E) v Governing Body of JFS & Ors*, relativo al ingreso de un niño "no suficientemente judío" a un colegio de esa religión.

En definitiva, los conflictos entre libertad religiosa y no discriminación son particularmente múltiples, y dada la fuerza que en ocasiones adquieren las convicciones religiosas, pueden derivar en conflictos a gran escala, o incluso en verdaderas "guerras culturales", como se ha denominado los conflictos entre ciertas confesiones religiosas y las minorías sexuales.

---

[54]   Hill, Daniel y Whistler Daniel (2013) The Right to Wear Religions Symbols. Hampshire: Palgrave Macmillan; Vickers Lucy (2008) Religious Freedom, Religions Discrimination and the Workplace. Portland: Hart; Adisson (2007); Ast (2012).

[55]   Tribunal Constitucional Federal Alemán, Sentencia BVerfGE 93, 1, Resolución de la Primera Sala, 16 de mayo, 1995 –1 BvR 1087/91–.

[56]   BVerfGE 93, 1 1 BvR 1087/91 Kruzifix-decision "Crucifix Case (Classroom Crucifix Case)".

[57]   *Fulton et al v. City of Philadelphia, Pennsylvania, et al.*, Supreme Court of The United Stated. (No. 19-123).

[58]   Cf. Mawdsley (2011); Baylor y Tracey (2007).

[59]   *Lillian Lúdele and The London Borough of Islington*. England and Wales Court of Appeal (Civil Division), disponible en: https://www.icj.org/wp-content/uploads/2012/07/Ladele-v.-Borough-of-Islington-Court-of-Appeal-Civil-Division-United-Kingdom.pdf [5 de enero de 2022]; McCrudden (2018).

[60]   Billingham, Paul. (2019) "Exemptions for Religious Groups and the Problem of Internal Dissent". En Adentire, John (eds.) Religious Beliefs and Conscientious Exemptions in a Liberal State. Hart Publishing, pp. 51-70; Weller, Paul; Purdam, Kingsley; Ghanea Nazila y Cheruvallil-Contractor, Sariya (2013) Religion or Belief, Discrimination and Equality: Britain in Global Contexts. Nueva York: Bloomsbury Publishing.

CONCLUSIONES

La creciente aplicación de la prohibición de discriminación a las relaciones entre privados ha dado lugar a una serie de conflictos con otros derechos fundamentales.

Las fuentes jurídicas chilenas –Constitución, legislación, jurisprudencia, doctrina– no han logrado establecer reglas, criterios y orientaciones suficientes para lidiar con estos conflictos.

Los conflictos mencionados son múltiples, complejos, sin solución unívoca, similares a nivel comparado y concentrados en algunos derechos fundamentales (i.e., libertad de asociación, libertad de expresión y libertad religiosa).

En los conflictos entre no discriminación y libertad de asociación, se han desarrollado algunos criterios a considerar: la naturaleza de la entidad (asociaciones expresivas o tendencias gozarían de mayor libertad); el nivel de intimidad de las relaciones entre sus miembros; el factor o característica personal que se utiliza para distinguir, y si la asociación es una vía de acceso obligada para acceder a algún bien público.

Si bien la importancia de la libertad de expresión para el sistema democrático hace muy difícil justificar limitaciones, aquellas pueden ser necesarias dado que el lenguaje (o el silencio) es una herramienta poderosa de discriminación.

Los conflictos con la libertad religiosa han aumentado dado los procesos de secularización y de migración masiva, y son especialmente múltiples y variados. Incluso han dado lugar a "guerras culturales" a propósito de la discriminación de minorías sexuales.

La complejidad y variedad de los conflictos analizados hace necesario desarrollar criterios para abordar estos conflictos, pero que sean de aplicación flexible y no entendidos como reglas. El contexto será siempre relevante.

No es posible aplicar los mismos criterios a todos los derechos. Es necesario desarrollar orientaciones particulares para cada uno, según su marco dogmático propio.

BIBLIOGRAFÍA

Adisson, Neil (2007) Religious Discrimination and Hatred Law. Oxford: Routledge-Cavendish.

Ahdar, Rex y Leigh, Ian (2013) Religious Freedom in the Liberal State 2ª ed. Oxford: OUP.

Alvear, Julio y Covarrubias, Ignacio (2012) "Hecha la ley, hecha la trampa: Un análisis de los errores de la legislación "antidiscriminación" (y algunos comentarios acerca del proyecto de ley que establece medidas contra la discriminación)". En Revista Actualidad Jurídica N° 26, pp. 9-30.

Ast, Frédérique (2012) "Etude de cas de discriminations religieuses en France". En Ast, Frédérique y Duarte, Bernadette (edits.) Les discriminations religieuses en Europe: droit et pratiques. Paris: L'Harmattan, pp. 163-178.

Barendt, Eric (2005) Freedom of Speech. Oxford: OUP.

Baylor, Gregory y Tracey, Timothy (2007) "Religious Liberties: Nondiscrimination Rules and Religious Associational Freedom". En Engage, vol. 8, N° 3, pp. 138-149.

Bercovitz, Rodrigo (1990) "Principio de Igualdad y Derecho Privado". En Anuario de Derecho Civil, vol. 43, N° 2, pp. 369-428.

Bilbao, Juan María (2006) "Prohibición de Discriminación y Relaciones entre Particulares". En Revista Teoría y Realidad Constitucional, N° 18, pp. 147-189.

Billingham, Paul. (2019) "Exemptions for Religious Groups and the Problem of Internal Dissent". En Adentire, John (eds.) Religious Beliefs and Conscientious Exemptions in a Liberal State. Hart Publishing, pp. 51-70.

Bleich, Erik (2012) "Free Speech or Hate Speech? The Danish Cartoon Controversy in the European Legal Context". En Khory, Kavita (edit.) Global Migration. Hampshire: Palgrave Macmillan, pp. 113-128.

Bribosia, Emmanuelle y Rorive, Isabelle (2010) In Search of a Balance Between the Right to Equality and Others Fundamental Rights. Luxemburgo: European Commission.

Buss, William (1989) "Discrimination by Private Clubs". En Washington University Law Review, vol. 67, N° 3, pp. 815-853.

Caamaño, Eduardo (2005) El Derecho a la No Discriminación en el Empleo. Santiago: Thomson Reuters.

Cea, José Luis (2019) Derecho Constitucional Chileno. Tomo II. 3ª Ed. Santiago: Ediciones Universidad Católica de Chile.

Dali, Eoin y Hickey Tom (2011) "Religious freedom and the "right to discriminate" in the school admissions context: a neo-republican critique". En Legal Studies, vol. 31, N° 4, pp. 615-643.

Davis, George (2009) "Personnel Is Policy: School, Students, Groups and the Right to Discriminate". En Whashington & Lee Law Review, vol. 66, N° 4, pp. 1793-1830.

Díaz, Iván (2013) "Ley Chilena contra la Discriminación. Una Evaluación desde los Derechos Internacional y Constitucional". En Revista Chilena de Derecho, vol. 40, N° 2, pp. 635-668.

Díaz, Francisco (2015) Discriminación en las Relaciones entre Particulares. México D.F: Tirant lo Blanch.

Díaz de Valdés, José Manuel (2019) Igualdad Constitucional y No Discriminación. Valencia: Tirant lo Blanch.

Díaz de Valdés, José Manuel (2017) "Cuatro Años de Ley Zamudio: Análisis Crítico de su Jurisprudencia". En Estudios Constitucionales, vol. 15, N° 2, pp. 447-488.

Díaz de Valdés, José Manuel (2014) "La Prohibición de una Discriminación Arbitraria entre Privados". En Revista de Derecho de la Pontificia Universidad Católica de Valparaíso, XLII, pp. 149-186.

Fernández, Miguel Ángel (2004) Principio Constitucional de la Igualdad ante la Ley. Santiago: Nexis Lexis.

Gamonal, Sergio (2015) La Eficacia Diagonal u Oblicua y los Estándares de Conducta en el Derecho del Trabajo. Santiago: Thomson Reuters.

García, Gonzalo (2012) Estudios sobre Jurisdicción Constitucional, Pluralismo y Libertad de Expresión. Cuadernos del Tribunal Constitucional, N° 49. Santiago: Tribunal Constitucional.

Giménez, David (2010) "Asociación, Discriminación y Constitución: Los Límites entre la Autonomía Asociativa y el Derecho de los Socios –y Aspirantes a Serlo– a No Ser Discriminado". En Revista de Derecho Político, N° 79, pp. 143-171.

Gottry, James (2011) "Just Shoot Me: Public Accommodation Anti-Discrimination Laws Take Aim at First Amendment Freedom of Speech". En Vanderbilt Law Review, vol. 64, N° 3, pp. 961-1003.

Hardwick, Jayne (2012) "Etude de cas de discriminations religieuses au Royaume-Uni". En Ast, Frédérique y Duarte, Bernadette (edits.) Les discriminations religieuses en Europe: droit et pratiques. Paris: L'Harmattan, pp. 151-162.

Harvard Law Review (1991) "State Power and Discrimination by Private Clubs: First Amendment Protection for Nonexpressive Associations". En Harvard Law Review, vol. 104, N° 8, pp. 1835-1856.

Hellman, Deborah (2008) When is Discrimination Wrong? Cambridge: Harvard University Press.

Henríquez, Miriam y Nuñez, José Ignacio (2014) "Ley Zamudio ¿Ponderación o Subsunción? Comentario a la Sentencia Rol N° 1009-2014 de la Corte de Apelaciones de Concepción". En Revista de Derecho - Escuela de Postgrado, Universidad de Chile, vol. N° 6, pp. 239-244.

Hill, Daniel y Whistler Daniel (2013) The Right to Wear Religions Symbols. Hampshire: Palgrave Macmillan.

Horowitz, Harold (1964) "Fourteenth Amendment Aspects of Racial Discrimination in Private Housing". En California Law Review, vol. 52, N° 1, pp. 1-45.

Karst, Kenneth (1989) "Private Discrimination and Public Responsibility: Patterson in Context". En The Supreme Court Review, vol. 1989, pp. 1-51.

Khaitan, Tarunabh (2015) A Theory of Discrimination Law. Oxford: Oxford University Press.

Koppelman, Andrew (2018) Neutrality and the Religion Analogy. En Vallier, Kevin and Weber, Michael (edits.). Religious Exemptions. Oxford: Oxford University Press.

Koppelman, Andrew (2004) "Should Noncommercial Associations Have an Absolute Right to Discriminate?". En Law and Contemporary Problems, vol. 67, N° 4, pp. 27-57.

Koppen, Margaret E. (1993) "The Private Club Exemption from Civil Rights Legislation – Sanctioned Discrimination or Justified Protection of Right to Associate". En Pepperdine Law Rev., vol. 20, N° 2, pp. 643-688.

Kretzmer, David (1987) "Freedom of Speech and Racism". En Cardozo Law Review, vol. 8, N° 3, pp., 445-513.

Lippert-Rasmussen, Kasper (2006) "Private Discrimination A Prioritarian, Desert-Accommodating Account". En San Diego Law Review, vol. 43, N° 4, pp. 817-856.

Lundberg, Shelly y Startz, Richard (1983) "Private Discrimination and Social Intervention in Competitive Laboral Markets". En The American Economic Review, vol. 73, N° 3, pp. 340-347.

Malik, Maleiha (2012) "The 'other' citizens: religion in a multicultural Europe". En Zucca, Lorenzo y Ungureanu, Camil (edit.) Law, State and Religion in the New Europe. Cambridge: CUP, pp. 92-114.

Mawdsley, Ralph D. (2011) "Employment, Sexual Orientation and Religious Beliefs: Do Religious Educational Institutions Have a Protected Right to Discriminate in the Selection and Discharge Employees?". En Brigham Young University Education and Law Journal, vol. 2011, N° 2, pp. 279-302.

McColgan, Aileen (2014) Discrimination, Equality and the Law. Oxford: Hart.

Muñoz, Fernando (2015) "Estándares Conceptuales, Cargas Procesales y Reparación en el Litigio Antidiscriminación. Análisis Crítico de la Jurisprudencia sobre Ley Zamudio entre 2012 a 2015". En Revista de Derecho de Valdivia, vol. XXVIII, N° 2, pp. 145-167.

Paul, Álvaro (2011) "La Penalización de la Incitación al Odio a la Luz de la Jurisprudencia Comparada". En Revista Chilena de Derecho, vol. 38, N° 2, pp. 573-609.

Puyol, Ángel (2006) "¿Qué Hay de Malo en la Discriminación?". En DOXA, N° 29, pp. 77-91.

Relaño, Eugenia (2016) "Etude de cas de discriminations religieuses en Espagne", en Ast, Frédérique y Duarte, Bernadette (edit.) Les discriminations religieuses en Europe: droit et pratiques. Paris: L'Harmattan, pp. 205-236.

Rincón, Gilberto (2006) El derecho a no ser discriminado entre particulares y la no discriminación en el texto de la Constitución mexicana. México: Colección Estudios. [Disponible en: http://www.conapred.org.mx/documentos_cedoc/E0003(1).pdf [5 de enero de 2022].

Rossell Jaime (2008) La No Discriminación por Motivos Religiosos en España. Madrid: Ministerio de Trabajo y Asuntos Sociales.

Salazar, Pedro y Gutiérrez, Rodrigo (2007) El Derecho a la Libertad de Expresión frente al Derecho a la No Discriminación. México: Dirección General Adjunta de Estudios, Legislación y Políticas Públicas. [Disponible en: www.conapred.org.mx/documentos_cedoc/E-09-2007.pdf] [5 de enero de 2022].

Strossen, Nadine (1996) "Hate Speech and Pornography: Do We Have to Choose between Freedom of Speech and Equality?". En Case Western Reserve Law Review, Vol. 46, N° 2, pp. 449-478.

Ugarte, José Luis (2013) El Derecho a la No Discriminación en el Trabajo. Santiago: Legal Publishing.

Verhaar, Odile (2012) "Etudes de cas de discriminations religieuses aux Pays-Bas". En Ast, Frédérique y Duarte, Bernadette (edit.) Les discriminations religieuses en Europe: droit et pratiques. Paris: L'Harmattan, pp. 191-204.

Vial, Tomás (2013) "La nueva Ley Antidiscriminación: propuestas para avanzar en su perfeccionamiento". En Anuario de Derechos Humanos, vol. N° 9, pp. 183-191.

Vickers Lucy (2008) Religious Freedom, Religions Discrimination and the Workplace. Portland: Hart.

Volokh, Eugene (1995) "How Harassment Law Restricts Free Speech". En Rutgers Law Review vol. 47, N° 2, pp. 563-578.

Waldron, Jeremy (2010) "Dignity and Defamation: The Visibility of Hate". En Harvard Law Review, vol. 123, N° 7, pp. 1596-1657.

Waldron, Jeremy (2012) The Harm of Hate Speech. Cambridge: Harvard University Press.

Weller, Paul; Purdam, Kingsley; Ghanea Nazila y Cheruvallil-Contractor, Sariya (2013) Religion or Belief, Discrimination and Equality: Britain in Global Contexts. Nueva York: Bloomsbury Publishing. *https://ssrn.com/abstract=2922241*

Zucca, Lorenzo (2014) "RELIGARE: The Central Conflict". En Foblets, Marie-Claire, Alidadi, Katayoun, Nielsen, Jørge S. and Yanasmayan, Zeynep, (edits.) Belief, Law and Politics: What Future for a Secular Europe. Farnham: Ashgate, pp. 223-226.

Zucca, Lorenzo (2012) "Law v. religion". En Zucca, Lorenzo y Ungureanu, Camil (edit.) Law, State and Religion in the New Europe. Cambridge: CUP, pp. 137-159.

JURISPRUDENCIA

Tribunal Constitucional, Sentencia N° Rol 2787, *Requerimiento de inconstitucionalidad*, boletín N° 9366-04, 1 de Abril de 2015.

Corte de Apelaciones de Antofagasta, *Castro con Universidad de Antofagasta*, Sentencia Rol N° 8911-2013, 30 de diciembre de 2013.

British Columbia Human Rights Tribunal, *Eadie and Thomas v. Riverbend Bed and Breakfast and others* (No. 2), 2012 BCHRT 247, disponible en https://www.icj.org/wpcontent/uploads/2013/03/Eadie_and_Thomas_v_Riverbend_Bed_and_Breakfast_and_others_No_2_2012_BCHRT_247.pdf [5 de enero de 2022].

European Court of Human Rights, *Eweida and Others v. The United Kingdom* (nos. 48420/10, 59842/10, 51671/10 and 36516/10), 15 de enero de 2013, disponible en: https://www.bailii.org/eu/cases/ECHR/2013/37.html [5 de enero de 2022].

European Court Of Human Rigths (Gran Sala), *Asunto Lautsi y Otros c. Italia* (Demanda N° 30814/06), Estrasburgo, 18 de Marzo de 2011, disponible en: https://hudoc.echr.coe.int/fre#{%22itemid%22:[%22001-139380%22]} [5 de enero de 2022].

European Court of Human Rights, *De Haes y Gijsels c. Bélgica* (7/1996/626/809), Estrasburgo, 24 de febrero de 1997, disponible en: https://www.refworld.org/cases,ECHR,3ae6b61c8.html [5 de enero de 2022].

Supreme Court of the United Stated, *Masterpiece Cakeshop, LTD., et al. v. Colorado Civil Rights Commission et al.* No. 16-111, 4 de Junio de 2018, disponible en: https://www.supremecourt.gov/opinions/17pdf/16-111_j4el.pdf [5 de enero de 2022].

Supreme Court of The United States, *Hosanna-Tabor Evangelical Lutheran Church and School, Petitioner v. Equal Employment Opportunity Commission et al*, No. 10-553, 11 de Enero de 2012, disponible en: https://www.supremecourt.gov/opinions/11pdf/10-553.pdf [5 de enero de 2022].

Supreme Court of The United States, *Wygant v. Jackson Board of Education*, 476 U.S. 267 (1986), No. 84-1340, 19 de mayo de 1986, disponible en: https://supreme.justia.com/cases/federal/us/476/267/ [5 de enero de 2022].

Tribunal de Justicia (Gran Sala), *IX y WABE ev y MH Müller Handels GmbH y MJ*. Sentencia ECLI:EU:C:2021:594, de 15 de julio de 2021, disponible en: https://curia.europa.eu/juris/document/document.jsf?text=&docid=244180&pageIndex=0&doclang=es&mode=lst&dir=&occ=first&part=1&cid=5358197 [5 de enero de 2022].

Tribunal de Justicia (Gran Sala), *Case C-157-14 G4S Samira Achbita, Centrum voor gelijkheid van kansen en voor racismebestrijding y G4S Secure Solutions NV*, asunto C-157/15, 14 de Marzo de 2017, disponible en: https://eur-lex.europa.eu/legal-content/ES/TXT/?uri=CELEX%3A62015CJ0157 [5 de enero de 2022].

Tribunal Constitucional Federal Alemán, Sentencia BVerfGE 93, 1, Resolución de la Primera Sala, 16 de mayo, 1995 –1 BvR 1087/91–, disponibe en https://www.servat.unibe.ch/dfr/bv093001.html [5 de enero de 2022].

United Kingdom Supreme Court, *Bull and another v. Hall and another* [2013] UKSC 73, 27 de Noviembre de 2013, disponible en: https://www.bailii.org/uk/cases/UKSC/2013/73.html [5 de enero de 2022].

United Kingdom Employment Appeal Tribunal, *Azmi v Kirklees Metropolitan Borough Council* [2007] UKEAT 0009_07_3003, 30 de marzo de 2007, disponible en: https://www.bailii.org/uk/cases/UKEAT/2007/0009_07_3003.html] [5 de enero de 2022].

La presunción de inocencia como principio constitucional y el estándar de convicción en materia penal

Arturo Fermandois Vöhringer[1]

INTRODUCCIÓN

La presunción de inocencia es la indiscutida piedra angular del derecho al justo y racional procedimiento ante poder punitivo del Estado. Paradojalmente, el marco legal que la debe servir suele presentar defectos. De aplicación general en el derecho –según el Tribunal Constitucional– la tradición procesal penal chilena parece a veces incómoda con ciertas instituciones que tienden a atribuir al imputado una fuerte e inconfesable sospecha de culpabilidad[2]. En Chile, el paso trascendental para un diseño orgánico más sofisticado se materializó recién con la reforma procesal penal de 1997. El modo en que se armonizaría el nuevo marco procesal con las garantías sustantivas ya ubicadas en la Carta Máxima fue, en su momento tópico de los más ilustres iuspublicistas nacionales[3].

¿Cómo se armonizaría ahora la inocencia del imputado con la concepción de una investigación no jurisdiccional, conducida por un órgano administrativo? ¿Cómo conocerían y fallarían los tribunales orales en lo penal, ahora colegiados? ¿Y las cortes superiores los recursos correspondientes?

Este trabajo revisita la presunción de inocencia a 25 años de su ajuste post reforma procesal penal. Y sugiere un defecto orgánico en los mecanismos legales que operativizan el principio en tribunales orales y en cortes superiores. *El estándar probatorio que hoy dispone el código del ramo contradice gravemente la presunción de inocencia. Plantearemos aquí que la ley no asegura realmente que la convicción del ilícito se adquiera más allá de toda duda razonable, al tolerar que en los tribunales colegiados las sentencias condenatorias se soporten sin la unanimidad de sus magistrados.*

---

[1] Profesor de Derecho Constitucional, Pontificia Universidad Católica de Chile.

[2] *"La presunción de inocencia constituye una obligación hacia el Estado y sus órganos persecutores de considerar al imputado como inocente, de manera que la naturaleza de este es un derecho que incide decisivamente en todo el sistema jurídico y, en especial, en la normativa penal, de forma que deben reducirse al mínimo todas aquellas perturbaciones en sus derechos para el cumplimiento de los fines del procedimiento penal"*, en Sentencia del Tribunal Constitucional Rol N°11.848, de 17 de marzo de 2022. cons. 49.

[3] Cea Egaña, José Luis (2002) 212-214.

En efecto, aceptado que la presunción de inocencia es el núcleo penal del justo y racional procedimiento, sabemos que el estándar consiste en que ella sólo puede ser destruida por un tribunal independiente e imparcial, que, luego de un debido proceso legal, arribe a una convicción condenatoria más allá de una duda razonable.

Sin embargo, esta presunción constitucional de inocencia –y la necesidad de una certeza más allá de una duda razonable para descartarla– no parece recogida adecuadamente por la legislación procesal penal, que permite que pese a existir un voto de minoría de un magistrado del tribunal –lo que constituye un antecedente objetivo de a lo menos una duda razonable– se pueda condenar a una persona, incluso a una pena privativa de libertad.

El propósito de este artículo es, entonces, precisamente reflexionar en torno a la presunción de inocencia como principio y derecho constitucional en el marco de las deudas del proceso penal con el efectivo resguardo de dicha garantía.

1. LA PRESUNCIÓN CONSTITUCIONAL DE INOCENCIA COMO PRINCIPIO Y DERECHO CONSTITUCIONAL

La presunción de inocencia es un derecho indisoluble del justo y racional procedimiento asegurado indirectamente a todas las personas por nuestro Código Máximo al construir la igualdad ante la justicia (art. 19 N° 3 CPR). Además, se recoge y garantiza en numerosos instrumentos internacionales incorporados a nuestro derecho en virtud de los artículos 54 N° 1 y 5° inciso segundo de la Constitución. Desde esas fuentes, la Magistratura Constitucional elabora sus aproximaciones.

El Tribunal constitucional afirmó, al tiempo de la reforma procesal penal de 1997 –nuevo Capítulo VI bis de la Carta Fundamental– que ella sería trascendente para avanzar en la aplicación de ese principio. Apuntando al núcleo inspirador de aquel paso, y respaldando la separación de los roles de investigador y sentenciador para la presunción de inocencia, advirtió que:

> *"Cuando es una misma persona la que investiga, acusa y sentencia, ésta pierde la imparcialidad y la independencia que debe esperarse de quien ejerce la función jurisdiccional, puesto que esta persona ya ha emitido opinión en el sumario y en la acusación respecto de la culpabilidad o inocencia del imputado"*[4].

---

4   Sentencia del Tribunal Constitucional Rol N° 1.341, de 5 de marzo de 2009, cons. 23. También comentada en Cea Egaña, José Luis (2012) *Derecho Constitucional Chileno*, Tomo IV (Santiago, Ediciones UC, Segunda Edición), p. 82.

A 25 años de la reforma, hoy resulta pacífico afirmar que la aquella enmienda, al colocar al juzgador en una posición de independencia objetiva e imparcialidad subjetiva, fue crítica para la vigencia real de la presunción de inocencia, como corazón de, justo y racional procedimiento. El acusado debe presumirse inocente mientras no se demuestre lo contrario por medios legales.

Empero, ¿dejó la reforma pendiente alguna tarea crítica para el principio?

1.1. La presunción de inocencia como derecho humano reconocido en los tratados internacionales

¿Existe literalmente el derecho constitucional a la presunción de inocencia en la Carta chilena? Nuestra magistratura constitucional se adelanta a precisar que no, pero es deducida con la misma fuerza vinculante de tratados internacionales y del núcleo de justicia que asegura el art. 19 número 3 de la Constitución. Así, afirma en muchas de sus sentencias que:

> "La Constitución Política no lo consagra explícitamente, pero parte de la doctrina lo deduce indirectamente de la prohibición de presumir de derecho la responsabilidad penal, en armonía con el derecho a la libertad individual y la seguridad de que los preceptos que regulen o limiten las garantías constitucionales no pueden afectar la esencia de las mismas.
>
> En tratados internacionales sobre Derechos Humanos suscritos y ratificados por Chile sí aparece reconocido formalmente"[5].

Claramente son los tratados internacionales donde este principio tiene mejor desarrollo.

La misma Declaración Universal de Derechos Humanos de 1948 reconoce el derecho a la presunción de inocencia en su artículo 11.1:

> "Toda persona acusada de delito tiene derecho a que se presuma su inocencia mientras no se pruebe su culpabilidad, conforme a la ley y en juicio público en el que se le hayan asegurado todas las garantías necesarias para su defensa".

A su vez, el artículo 14.2 del Pacto Internacional de Derechos Civiles y Políticos (1966) preceptúa:

> "2. Toda persona acusada de un delito tiene derecho a que se presuma su inocencia mientras no se pruebe su culpabilidad conforme a la ley".

---

[5]   Sentencia del Tribunal Constitucional Rol 8.872 del 4 de marzo de 2021. Cons. 23. cons. 7mo. En el mismo sentido, Sentencia del Tribunal Constitucional Rol N° 993, de 13 de mayo de 2008, cons. 3ro, y también, Rol N° 739, de 21 de agosto de 2007,

A nivel continental, el mismo derecho a la presunción de inocencia es reconocido en los artículos XXVI de la Declaración Americana de los Derechos y Deberes del Hombre[6] y 8.2 de la Convención Americana sobre Derechos Humanos[7].

Desde la ratificación de esos tratados internacionales en 1990, entonces, la presunción de inocencia se transformó indiscutiblemente en principio y precepto procesal vinculante para los tribunales punitivos de Chile.

Aún así, nuestro homenajeado académico profesor Cea Egaña, en tiempos de la reforma de 1997, advertía que antes de ella el procedimiento penal nacional colisionaba con los estándares emanados los tratados internacionales de Derechos Humanos vigentes en el ordenamiento chileno. Recuérdese que la presunción obliga a etapas de defensa que la sirvan, tanto como al estándar de convicción condenatoria del tribunal, objeto de este trabajo.

Subrayaba Cea:

> "(…) existe, casi subliminalmente, el temor que si yo aplico la Convención de San José de Costa Rica en materia de Procedimiento Penal, por ejemplo, se me derrumba el Procedimiento Penal tal cual como existe hoy día en el Código del ramo, el que en numerosos aspectos se puede calificar de contrario a los derechos humanos. Y es por eso mismo que se está proponiendo aprobar una reforma, que es un nuevo Código de Procedimiento Penal"[8].

El resquemor del profesor sería luego abordado por la reforma procesal penal y su separación de acusador y fallador.

1.2. La presunción de inocencia en el derecho constitucional chileno: Jurisprudencia y doctrina

¿Se recoge con alguna nitidez la presunción en la Carta Fundamental? ¿O es un esfuerzo interpretativo algo incómodo? Coincidiendo con el TC y muchos académicos, Cea concluye que el derecho a la presunción de inocencia sí está incluido en el debido proceso del art. 19 N° 3 de la Constitución, tanto por las exigencias de un justo y racional procedimiento del inciso sexto de ese numeral,

---

6   *Artículo XXVI. Se presume que todo acusado es inocente, hasta que se pruebe que es culpable.*
     Toda persona acusada de delito tiene derecho a ser oída en forma imparcial y pública, a ser juzgada por tribunales anteriormente establecidos de acuerdo con leyes preexistentes y a que no se le imponga penas crueles, infamantes o inusitadas".

7   *"Toda persona inculpada de delito tiene derecho a que se presuma su inocencia mientras no se establezca legalmente su culpabilidad."* También, en sentido similar, el artículo 6.2 del Convenio Europeo para la Protección de los Derechos Humanos y de las Libertades Fundamentales.

8   Cea Egaña, José Luis (1997) "Los tratados de derechos humanos y la Constitución Política de la República" Revista *Ius Et Praxis*, año 2, N°2, pp. 81-92.

como del estatuto constitucional de las presunciones en materia penal del inciso séptimo[9].

En el mismo sentido, explica el profesor que:

> *"En suma, sólo la conducta voluntaria, típica, antijurídica y culpable puede irrogar responsabilidad penal y en ninguno de esos cuatro elementos del delito caben las presunciones de derecho de tal responsabilidad. Sostener lo contrario conduciría a la desprotección de los derechos tanto como a la infracción a una base del proceso justo, garantías que, hemos demostrado, nuestra Constitución asegura a todas las personas, sin excepción ni distinción"[10].*

En esta línea, la jurisprudencia del Tribunal Constitucional también ha reconocido la existencia de la presunción de inocencia como exigencia constitucional, extendiendo sus fuentes a diversos preceptos de la Carta:

> *"Que la prohibición de presumir de derecho la responsabilidad penal constituye "un principio que es concreción de la dignidad de la persona humana, consagrada como valor supremo en el artículo 1° de la Constitución Política, y del derecho a la defensa en el marco de un debido proceso, en los términos que reconoce y ampara el artículo 19 N° 3 de la Ley Fundamental", como esta Magistratura sentenció en fallo recaído sobre la causa Rol N° 519-2006. Acercándonos a la especie, la prohibición señalada representa un soporte sustancial a gran parte de las garantías de la doctrinariamente bien llamada igualdad ante la justicia que en nuestro ordenamiento adoptó la peculiar denominación "igual protección de la ley en el ejercicio de sus derechos", dando sustento a la presunción de inocencia en materia penal, de unánime reconocimiento doctrinario, legislativo y jurisprudencial"[11].*

A su vez, la jurisprudencia constitucional ha explicado con nitidez que la presunción constitucional de inocencia incluye una explícita regla probatoria condensada en el aforismo latino *in dubio pro reo*:

> *"En otras palabras, la llamada "presunción de inocencia", como lo señala el requerimiento, está compuesta de dos reglas complementarias. Una primera regla de trato o conducta hacia el imputado, según la cual toda persona debe ser tratada como inocente mientras una sentencia de término no declare lo contrario (nulla poena sine iudicio). Una segunda regla de juicio, en cuya virtud el imputado no debe probar su inocencia, correspondiendo a la parte acusadora*

---

[9]   Cea Egaña, José Luis (2012) *Derecho Constitucional Chileno,* Tomo II (Santiago, Ediciones UC, Segunda Edición), pp. 180-181 y 184-185.
[10] Cea Egaña, José Luis (1982) "La igual protección de los derechos" Revista Chilena de Derecho, V. 9, pp. 533
[11] Sentencia del Tribunal Constitucional Rol N° 825, de 6 de marzo de 2008, cons. 24.

> *acreditar, suficientemente, la existencia del hecho punible y la participación del*
> *acusado (in dubio pro reo)" (roles N°s 739, 993, 1351, 1352 y 1584)"*[12].

Quedan formuladas las dos reglas que derivan de la presunción: tratamiento procesal de inocente al acusado y carga estatal de la prueba para alterar ese trato.

De lo anterior, se refuerza el principio superior del acusado: las dudas serán inclinadas en favor del imputado o acusado, dando lugar al *in dubio pro reo*.

Toda posible duda interpretativa fue finalmente zanjada con la flamante llegada de la reforma, que insertó literalmente la presunción de inocencia en el artículo 4° del Código Procesal Penal[13].

¿Cómo operan estos preceptos?

Sostiene Cea Egaña que Constitución, jurisprudencia del TC y preceptos legales afirman las "constantes penales", emanadas de un proceso de interpenetración del Derecho Constitucional con el Derecho Penal para una protección integral y eficaz de los derechos fundamentales de la persona. elemento sustantivo del constitucionalismo humanista que promueve nuestro académico[14].

2. LA PRESUNCIÓN CONSTITUCIONAL DE INOCENCIA SÓLO PUEDE SER DESVIRTUADA MEDIANTE UN PROCEDIMIENTO RACIONAL Y JUSTO QUE ARROJE UNA CONVICCIÓN DE CULPABILIDAD INEQUÍVOCA, MÁS ALLÁ DE UNA DUDA RAZONABLE

Sabemos que la presunción de inocencia se desvirtúa judicialmente mediante el establecimiento de la culpabilidad de hechor y de los demás elementos del delito, todo mediante un proceso legalmente tramitado.

Ahora bien, para el establecimiento de la responsabilidad criminal, la presunción constitucional de inocencia exige que, a través de medios probatorios lícitos, sea acreditada "más allá de toda duda razonable". Así lo exige la ley y también el Tribunal Constitucional, que ha sintetizado el estándar condenatorio:

> *"Que es posible constatar que a los requirentes se les imputa la participa-*
> *ción punible en ciertos hechos constitutivos de delito, cuya efectividad debe ser*

---

[12]   Sentencia del Tribunal Constitucional Rol N° 1443, de 26 de agosto de 2010, cons. 45. En el mismo sentido, más recientemente, Sentencia del Tribunal Constitucional Rol N° 2936, de 20 de octubre de 2016, cons. 5°.

[13]   *"Artículo 4°.- Presunción de inocencia del imputado. Ninguna persona será considerada culpable ni tratada como tal en tanto no fuere condenada por una sentencia firme."*

[14]   Cea Egaña, José Luis (2002) "Marco constitucional del nuevo sistema procesal penal". Revista Chilena de Derecho, V. 29, N° 2, pp. 211-213.

acreditada más allá de toda duda razonable, por medio de prueba lícitos, para formar la convección del juez. Dicha exigencia emana del principio de presunción de inocencia"[15].

El estándar probatorio de la convicción más allá de la duda razonable tiene amplio reconocimiento comparado. Al sumarse a él, Chile replica más de cien años de doctrina constitucional penal. Explican los profesores Mónica Bustamante y Diego Palomo para el caso colombiano:

> *"Debe tenerse en consideración que la inclusión de la presunción de inocencia como principio constitucional, así como la delimitación del estándar de prueba de conocimiento más allá de toda duda en el proceso penal también obedece a una definición que desde la política criminal se realiza en el Estado Social de Derecho –caso colombiano–"*[16].

Los mismos autores, luego de desarrollar el concepto de prueba más allá de la duda razonable y su íntima conexión con la fundamentación de la sentencia en diversos derechos latinoamericanos, concluyen:

> *"Encontramos en la presunción de inocencia, en consecuencia, un principio informador del proceso penal, una regla de tratamiento, una regla probatoria y una regla de juicio que da cuenta, asociado al reforzado deber de fundamentación de las sentencias en materia penal, de una manera objetiva, del estándar de prueba de la duda razonable en el proceso penal, actuando como límite del ius puniendi estatal, con interdicción de la arbitrariedad y evitando que gran parte de la determinación de la culpabilidad o inocencia de un acusado quede entregado a convicciones personales o psicológicas de carácter individual, al conocimiento individual, al instinto o al sentido común del juez profesional, donde no huelga recordar que la legitimidad de la decisión trae como necesaria consecuencia la legitimidad de la sanción que se imponga y, según se cumpla o no con determinados postulados y no se les vacíe de contenido, se logrará hacer realidad el proceso penal en una sociedad democrática, no solamente en el texto de la ley, sino que en la realidad y aplicación de las mismas"*[17].

Así, la presunción constitucional de inocencia se conecta directa y necesariamente con el estándar llamado de la convicción más allá de toda duda razonable. Ello, por cuanto éste estándar –asentado en derecho penal constitucional

---

[15]   Sentencia del Tribunal Constitucional Rol N° 1.584, de 17 de junio de 2010, cons. 4°.
[16]   Bustamante Rúa, Mónica y Palomo Vélez, Diego (2018) "La presunción de inocencia como regla de juicio y el estándar de prueba de la duda razonable en el proceso penal. Una lectura desde Colombia y Chile". *Revista Ius et Praxis*, Año 24, N° 3, p. 658.
[17]   Bustamante Rúa, Mónica y Palomo Vélez, Diego (2018) "La presunción de inocencia como regla de juicio y el estándar de prueba de la duda razonable en el proceso penal. Una lectura desde Colombia y Chile", *Revista Ius et Praxis*, Año 24, N° 3, p. 689.

comparado como el único umbral compatible con los derechos fundamentales en un estado democrático para condenar–, es el piso mínimo de convicción que las leyes de derecho procesal penal deben construir en sus procedimientos para revertir la poderosa presunción constitucional de inocencia.

Cualquier estándar más débil de este, es decir, cualquier sistema, mecanismo o procedimiento que permita, incentive o acoja la formación de una convicción judicial condenatoria más débil a lo exigido por este estándar, es incompatible con el derecho constitucional al procedimiento racional y justo de que es titular quién se encuentra sometido al *ius puniendi* del Estado.

En efecto, las penas que son consecuencia de la responsabilidad criminal –en especial las privativas de libertad– constituyen una grave afectación de los derechos fundamentales y una vulneración de la presunción de inocencia, lo que sólo es admisible si dicha responsabilidad y sus elementos pueden acreditarse en juicio más allá de una duda razonable. No por nada la jurisdicción constitucional ha considerado la relevancia del criterio de la duda razonable para efectos de decidir conflictos de constitucionalidad en que se ven involucrados derechos fundamentales, puesto que en tal caso debe guiarse por el principio *"favor libertatis"*:

> *"SEXAGESIMOQUINTO: Que a pesar del valor que se asigna a las certezas en el mundo contemporáneo y, en particular, en el ámbito de las normas jurídicas, existen situaciones en que, inevitablemente, se configura una duda razonable. Así, pese a todo el esfuerzo jurisdiccional, se dan casos, como el de la especie, en que el juez no puede formarse convicción, puesto que las alegaciones y probanzas efectuadas durante el proceso se muestran equivalentes en los hechos, aunque diferentes en cuanto a su impacto constitucional. Se configura, así, una duda razonable que el juez debe enfrentar en función de los imperativos descritos en el considerando sexagesimotercero;*
>
> *SEXAGESIMOSEXTO: Que, para dilucidar el conflicto constitucional planteado y ante la evidencia de estar estos jueces frente a una duda razonable, ha de acudirse a aquellos criterios hermenéuticos desarrollados por la teoría de los derechos fundamentales, por ser ésa la materia comprometida en el presente requerimiento.*
>
> *En tal sentido, parece ineludible tener presente el principio "pro homine" o "favor libertatis" definido en la jurisprudencia de la Corte Interamericana de Derechos Humanos de la siguiente forma: "Entre diversas opciones se ha de escoger la que restringe en menor escala el derecho protegido (...) debe prevalecer la norma más favorable a la persona humana" (Opinión Consultiva 5, 1985)"*[18].

Por todo lo anterior, no es de extrañar que el legislador nacional cumpla este mandato constitucional, estableciendo en el artículo 340 del Código Procesal

---

[18]   Sentencia del Tribunal Constitucional Rol N° 740, de 18 de abril de 2008, cons. 65 y 66.

Penal, inciso primero, la regla de que nadie puede ser condenado sin que un tribunal así lo juzgue, más allá de toda duda razonable:

> *"Convicción del tribunal. Nadie podrá ser condenado por delito sino cuando el tribunal que lo juzgare adquiriere, más allá de toda duda razonable, la convicción de que realmente se hubiere cometido el hecho punible objeto de la acusación y que en él hubiere correspondido al acusado una participación culpable y penada por la ley".*

Como se observa, esta convicción más allá de una duda razonable en los elementos de la responsabilidad penal exigida por la ley no hace sino plasmar las exigencias constitucionales y de derechos humanos, en orden a garantizar la presunción de inocencia y el derecho a un procedimiento racional y justo. Lo contrario significa, siguiendo a Cea, vulnerar garantías que se deducen de la dignidad de la persona humana acusada del acto delictivo[19].

3. ESTÁNDAR INTERNACIONAL DE LA CONVICCIÓN MÁS ALLÁ DE UNA DUDA RAZONABLE Y UNANIMIDAD DEL CUERPO COLEGIADO JUZGADOR. CORTE SUPREMA DE ESTADOS UNIDOS Y COLEGIO DE ABOGADOS DE EE.UU.

Establecido el criterio de la necesidad de una convicción más allá de una duda razonable para emitir veredicto condenatorio como exigencia del principio constitucional de inocencia, cobran relevancia las consecuencias de este criterio en atención a los requisitos y modos en que el tribunal (o el jurado en ciertos sistemas legales) arribará o no a esa convicción, especialmente cuando es colegiado.

En la tradición constitucional norteamericana, conforme a la cual en toda persecución criminal el acusado tiene derecho a un juicio por un jurado imparcial[20], la exigencia de una convicción condenatoria más allá de una duda razonable se manifiesta en la necesidad constitucional de la decisión unánime del jurado para declarar culpable a un acusado.

Así se demuestra en la recientísima sentencia del año 2020 *Ramos v. Louisiana*[21], en la que la Corte Suprema norteamericana confirmó el carácter constitucional de la exigencia de la unanimidad para que un jurado pueda dictar un veredicto condenatorio contra el acusado. Este principio –por lo demás– también

---

[19]   Cea Egaña, José Luis (1982) "La igual protección de los derechos" Revista Chilena de Derecho, V. 9, pp. 532.

[20]   Constitución de los Estados Unidos de América, Sexta Enmienda.

[21]   *Ramos v. Louisiana*, 590 U.S. (2020).

es promovido por la asociación norteamericana de Colegios de Abogados (*American Bar Assosiation*)[22].

Esta exigencia de unanimidad –con larga tradición en este derecho constitucional– está íntimamente conectada con la presunción de inocencia y el criterio de la duda razonable. Tal como explica la profesora Kate Riordan, según la jurisprudencia de la Corte Suprema de Estados Unidos la unanimidad del jurado es indispensable para satisfacer el estándar de certeza más allá de la duda razonable:

> *"Los veredictos mayoritarios en juicios penales socavan el estándar de más allá de toda duda razonable. La Corte no solo mencionó la importancia de la unanimidad en los casos que se referían al procedimiento judicial; una de sus declaraciones más dramáticas sobre la importancia de los veredictos unánimes fue en una opinión sobre la aplicabilidad de las leyes de búsqueda e incautación a las llamadas telefónicas. Refiriéndose a esto como un "principio indestructible" del derecho penal estadounidense, la Corte declaró en Billeci v. United States que "la culpa debe establecerse más allá de toda duda razonable. La totalidad de los doce miembros del jurado deben estar convencidos más allá de esa duda". La opinión de la Corte continuó, "[e]stos principios no son tópicos piadosos recitados para aplacar las sombras de las veneradas antiguas leyes. Son reglas de derecho vigentes que obligan a la corte". Las implicaciones prácticas de estos requisitos fueron claras: "el fiscal en un caso penal debe efectivamente superar la presunción de inocencia, todas las dudas razonables sobre la culpabilidad y el requisito de veredicto unánime".*
>
> *Con respecto a los veredictos de mayoría, el juez de la Corte Suprema Marshall declaró en el caso Johnson que cuando un "fiscal ha intentado y no ha podido persuadir a los miembros [minoritarios] del jurado de la culpabilidad del acusado... hace violencia al lenguaje y a la lógica decir que el gobierno ha probado la culpa más allá de toda duda razonable"*[23].

---

[22]   American Bar Association, *Principles for Juries and Jury Trials* (revised 2016), Principle 4. B: *"A unanimous decision should be required in all criminal cases heard by a jury"*.

[23]   Riordan, Kate (2011) "Ten Angry Men: Unanimous Jury Verdicts in Criminal Trials and Incorporation After McDonald", *The Journal of Criminal Law & Criminology*, Vol 101, N° 4, pp. 1423-1424. La traducción es nuestra. El texto original en inglés es: *"Majority verdicts in criminal trials undermine the beyond-a reasonable-doubt standard. The Court not only mentioned the importance of unanimity in those cases which concerned themselves with trial procedure; one of the more dramatic statements as to the importance of unanimous verdicts was in an opinion on the applicability of search and seizure laws to phone calls.153 Referring to it as an "indestructible principle" of American criminal law, the Court stated in Billeci v. United States that "[g]uilt must be established beyond a reasonable doubt. All twelve jurors must be convinced beyond that doubt."154 The opinion continued, "[t]hese principles are not pious platitudes recited to placate the shades of venerated legal ancients. They are working rules of law binding upon the court."155 The practical implications of these requirements were clear: "the prosecutor in a criminal case must actually overcome the presumption of innocence, all reasonable doubts as to guilt, and the unanimous verdict requirement." Regarding majority verdicts, Justice Marshall stated in Johnson that when a "prosecutor has tried and failed to persuade those [minority] jurors of the defendant's guilt... it does violence to language and to logic to say that the government has proved the defendant's guilt beyond a reasonable doubt."*

En otras palabras, en la tradición constitucional anglosajona-norteamericana, de la cual precisamente proviene el criterio procesal penal de la certeza más allá de una duda razonable[24], la unanimidad del cuerpo colegiado encargado de pronunciar un veredicto es exigida por el respeto a los derechos fundamentales y constitucionales del inculpado y procesado ante el *Ius Puniendi* del Estado.

Además, considerando que en el sistema norteamericano los jurados no son letrados, son legos en cuanto al derecho y no necesitan fundar su decisión, la unanimidad como exigencia del debido proceso se hace aún más imperiosa en ordenamientos como el nuestro, en que los magistrados miembros del Tribunal Oral en lo Penal son jueces letrados y que están obligados a motivar su sentencia.

¿No es acaso el voto fundado de una magistrada letrada y con experiencia un antecedente de aún mayor peso que la simple decisión –sin necesidad de argumentación– de un jurado lego? Pues bien, si ya ese parecer del jurado lego constituye un obstáculo insalvable para una certeza más allá de una duda razonable, con mayor razón aún la fundada decisión absolutoria de una magistrada letrada.

4. INCOMPATIBILIDAD DE NORMAS DEL CÓDIGO PROCESAL PENAL CON LA PRESUNCIÓN CONSTITUCIONAL DE INOCENCIA. EXISTENCIA DE UN VOTO DE MINORÍA CONSTITUYE OBJETIVAMENTE UNA DUDA RAZONABLE QUE IMPIDE UNA CONDENA EN MATERIA PENAL. DOCTRINA NACIONAL

Asentada la presunción constitucional de inocencia –requerida por la Carta Política y por los tratados internacionales de derechos humanos–, la necesidad de una sentencia con certeza más allá de una duda razonable para poder desvirtuarla, y la importancia de la unanimidad del cuerpo colegiado juzgador para garantizar lo anterior, queda poner en evidencia la incompatibilidad algunas normas legales con la Constitución.

En efecto, los preceptos del artículo 19 COT y los otros artículos que por referencia regulan los acuerdos en los Tribunales Orales en lo Penal, permiten que dichos tribunales colegiados puedan por simple mayoría dictar una sentencia condenatoria y provocar la privación de libertad de un ciudadano objeto de la acusación del Estado.

---

[24] Etcheberry, Alfredo (2008) "Consideraciones sobre el criterio de condena en el Código Procesal Penal", en Rodríguez Collao, Luis (coordinador académico), *Delito, Pena y Proceso. Libro homenaje a la memoria del profesor Tito Solari Peralta* (Santiago, P. Universidad Católica de Valparaíso y Ed. Jurídica de Chile), p. 671.

Esta regulación es objetivamente incompatible con la presunción de inocencia y con la exigida certeza más allá de una duda razonable para condenar a un imputado, como ha puesto de relieve la más autorizada doctrina nacional.

El ilustre catedático Alfredo Etcheberry, luego de explicar las profundas diferencias entre el viejo criterio de la íntima convicción del antiguo Código de Procedimiento Penal y el nuevo estándar –actualmente vigente– de la duda razonable consagrado en el Código Procesal Penal, no trepida en indicar respecto de la hipótesis de una sentencia condenatoria por simple mayoría:

> "Es clarísimo, desde nuestro punto de vista, que un sistema semejante es incompatible con la regla de evidencia que exige una convicción de culpabilidad más allá de toda duda razonable para condenar.
>
> En efecto, a diferencia del jurado inglés o francés, que no necesita (e incluso al cual le está vedado) dar motivaciones o razonamientos para explicar cómo llegó a su convicción y cómo valoró los medios de prueba, nuestro tribunal de juicio oral (cada uno de sus integrantes si el fallo no es unánime o contiene prevenciones) debe fundamentar sus razones. Por consiguiente, si el fallo condenatorio se pronuncia solo por mayoría de votos (dos contra uno, única posibilidad), y el voto minoritario debe ser obligatoriamente fundamentado, ello es una clara muestra de que ha existido una duda razonable, a menos que califiquemos al miembro de la minoría como un juez irracional o como un juez prevaricante. Es posible que su duda no haya sido compartida por los otros dos miembros del tribunal, pero eso no le quita su calidad de razonable, especialmente si, como lo exige la ley, debe fundamentarla y razonarla en su disidencia. El admitir un fallo mayoritario, no unánime, para condenar, significa la adopción del criterio de culpabilidad probabilístico, expresamente rechazado en los países que han adoptado el criterio de la duda razonable. Recordemos, además, que incluso en los países de jurados legos, como Inglaterra, la regla para la condena más allá de toda duda razonable exige la unanimidad de los votos del jurado (con escasas excepciones que hemos mencionado y que al menos requieren 10 votos sobre 12) y de una mayoría especial de ocho votos en el sistema mixto francés, lo mismo que en el alemán y el italiano, según se ha explicado más arriba[25].

Por lo anterior, el insigne profesor de Derecho Penal de la Universidad de Chile concluye:

> "En suma, el Código Procesal Penal debe ser modificado cuanto antes, en el sentido de exigir que la sentencia condenatoria debe ser pronunciada por la unanimidad del tribunal. El fundamento de esta conclusión radica en que, si la condena exige una convicción más allá de toda duda razonable, el hecho de que uno de los miembros del tribunal no comparte el veredicto condenatorio y

---

[25]   Etcheberry, Alfredo (2008) "Consideraciones sobre el criterio de condena en el Código Procesal Penal", en *Ob. Cit.*, pp. 676-677.

*lo expresa así razonadamente, no se ha alcanzado el nivel de exigencia estable-
cido por la propia ley: hay un lugar para una duda razonable para condenar"*[26].

Sin embargo, esta constatación del profesor Etcheberry en realidad lleva a la conclusión de que las normas que permiten la dictación de una sentencia condenatoria por simple mayoría, al admitir una sentencia en que objetivamente existe –a lo menos– una duda razonable, vulneran derechamente la presunción constitucional de inocencia (y los respectivos preceptos constitucionales en que está afincada) y su exigencia de que nadie sea condenado sin que existan dudas más allá de lo razonable.

En concordancia con Etcheberry, los profesores Raúl Carnevali e Ignacio Castillo explican:

> *"La cuestión, como se ha adelantado, es la siguiente: si para uno de los miembros del Tribunal oral las pruebas aportadas por el persecutor, valoradas conforme a la sana crítica, mediante un sistema de libertad probatoria y con la obligada motivación, no superan el umbral que permita adquirir la convicción más allá de toda duda razonable, ya sea de la existencia del hecho punible o de la participación culpable, es posible aseverar entonces, que existen dudas razonables sobre aquellos puntos y, por tanto, que las pruebas no habrían sido suficientes como para revertir la presunción de inocencia. Parece pues, que habría una incoherencia entre la existencia de un voto disidente –que obviamente debería satisfacer lo dispuesto en el Art. 297 del Código Procesal Penal– y que se condene argumentando que la mayoría –los otros dos jueces– sí habría adquirido la convicción más allá de toda duda razonable"*[27].

Ahora bien, los profesores Carnevali y Castillo deducen la íntima conexión de la posibilidad de una sentencia de mera mayoría con la vulneración del principio de presunción de inocencia:

> *"Si, por ejemplo, la tesis de la defensa ha sido capaz de convencer a uno de los jueces que ésta ha sido plausible, ha sido capaz de introducir dudas razonables, que de conformidad al principio in dubio pro reo impediría condenar. Dicho en otros términos, si la postura de la defensa es plausible, razonable, quiere decir que la otra tesis, la del fiscal, no ha podido superar el estándar exigido y, en consecuencia, su prueba no va más allá de la duda razonable. Las hipótesis de falsación de la defensa han sido suficientes para rebajar los niveles de prueba, impidiendo llegar a la máxima exigencia para poder condenar.*

---

[26]   Etcheberry (2008) 678.
[27]   Carnevali Rodríguez, Raúl y Castillo Val, Ignacio (2011) "El estándar de convicción de la duda razonable en el proceso penal chileno, en particular la relevancia del voto disidente", *Ius et Praxis*, Año 17, N° 2, pp. 84-85.

> *En definitiva, si la postura minoritaria en su fundamentación, conforme a las exigencias del Art. 297 del Código Procesal Penal, estima, por ejemplo, que la tesis de la defensa estaba correctamente razonada, no es posible sino concluir que ésta era plausible. El fiscal fue incapaz de superar el umbral exigido para demostrar la comisión del hecho punible objeto de la acusación o la participación del acusado.*
>
> *Es por lo expuesto supra que, a nuestro modo de ver, las sentencias condenatorias en materia penal deberían contar con la unanimidad de los votos109. Es más, podría pensarse que una sentencia condenatoria que contenga un voto disidente, en donde se expresa que existen dudas razonables acerca del hecho punible objeto de la acusación o de la participación culpable del acusado podría estar violentando el principio de presunción de inocencia110. En efecto, existiendo una incertidumbre "plausible", visos de razonabilidad sobre los puntos en cuestión, es que no se ha alcanzado el umbral que la propia ley establece para que el tribunal pueda condenar, a saber, ir más allá de la duda razonable"[28].*

En otras palabras, la existencia de un fundado voto de minoría absolutorio constituye por sí solo el antecedente que permite descartar una convicción más allá de una duda razonable. Esto, pues el voto *razonado* de minoría precisamente es –a lo menos– una duda *razonable*.

La consecuencia constitucional de lo anterior es revelada con nitidez por Carnevali y Castillo:

> *"En efecto, consideramos que una interpretación constitucionalmente correcta debiera considerar que una condena a un ciudadano, respecto del cual uno de los jueces del proceso adjudicatario estuvo por absolverlo mediante un voto efectivamente razonado, es inadecuada desde el derecho al debido proceso que, entre otras cosas, debiera considerar el estándar de prueba de duda razonable como una exigencia de unanimidad"[29].*

Por lo anterior, quedando acreditada la existencia de una duda razonable por el voto fundado de minoría, en caso que la sentencia de mera mayoría produzca sus efectos condenatorios se está irremediablemente vulnerando el principio de presunción de inocencia y, por tanto, se están infringiendo los preceptos constitucionales que lo sostienen.

Para resolver esta afectación a las garantías constitucionales, la doctrina nacional ha propuesto diferentes salidas. Entre ellas, modificaciones en lo relacionado a la transparencia que debe proveer el tribunal acerca del razonamiento de los jueces; en la forma de redacción de las sentencias; y en materia recursiva,

---

[28] Carnevali Rodríguez y Castillo Val (2011) 107-108.
[29] Carnevali Rodríguez y Castillo Val (2011) 109.

principalmente conferir el derecho de apelar sentencias con voto disidente[30]. También se ha planteado enmendar el marco procesal, pasando de un sistema donde las contrapartes se propongan refutar a su contraparte, a uno en el que la institucionalidad fomente la búsqueda de la verdad material[31].

Ninguna de estas soluciones parece alcanzar con eficiencia, sin embargo, la imperiosa necesidad jurídica de destruir la presunción de inocencia con una convicción adecuada al estándar constitucional.

CONCLUSIONES

La adecuada protección de los derechos fundamentales exige que la ley sirva rigurosamente la presunción de inocencia, garantía constitucional central del individuo ante el ius puniendi del Estado.

La presunción exige tratar al acusado como inocente hasta que, luego de un debido procedimiento, se demuestre fehacientemente lo contrario. Presumir la responsabilidad penal es entonces abiertamente contrario al texto constitucional y a los tratados internacionales de derechos humanos que vinculan a Chile. En el derecho norteamericano esta presunción exige una convicción condenatoria más allá de una duda razonable, la que sólo se prueba mediante la decisión unánime del jurado juzgador.

El estándar de convicción que a nivel comparado y nacional en materia penal está afirmado como una convicción condenatoria más allá de la duda razonable. En Chile, tal umbral lo exige el artículo 340 del Código Procesal Penal.

El mismo Código admite-sin embargo- un mecanismo orgánico contrario a dicho estándar de convicción, tolerando que una convicción judicial "más allá de toda duda razonable" es compatible con un voto de minoría en un tribunal colegiado de tres jueces. Para Etcheverry y diversos autores en Chile, y para difundida jurisprudencia comparada y estándares extranjeros de tribunales colegiados, esto constituye una vulneración al derecho constitucional a la presunción de inocencia, asegurado en la Carta Fundamental y en tratados internacionales vigentes en Chile.

---

[30]   Coloma Correa, Rodrigo (2014) "Dos es más que uno, pero menos que tres. El voto disidente en decisiones judiciales sometidas al estándar de prueba de la "duda razonable". *Política criminal*, Vol. 9, N° 18.

[31]   Castillo Val, Ignacio (2013) "Enjuiciando al proceso penal chileno desde el inocentrismo (algunos apuntes sobre la necesidad de tomarse en serio a los inocentes). *Política criminal*. Vol. 8, N° 15 pp. 249-313.

BIBLIOGRAFÍA

Doctrina

Bustamante Rúa, Mónica y Palomo Vélez, Diego (2018) "La presunción de inocencia como regla de juicio y el estándar de prueba de la duda razonable en
el proceso penal. Una lectura desde Colombia y Chile", *Revista Ius et Praxis*,
Año 24, N° 3, p. 658.

Carnevali Rodríguez, Raúl y Castillo Val, Ignacio (2011) "El estándar de convicción de la duda razonable en el proceso penal chileno, en particular la relevancia del voto disidente", *Ius et Praxis*, Año 17, N° 2, pp. 84-85.

Castillo Val, Ignacio (2013) "Enjuiciando al proceso penal chileno desde el inocentrismo (algunos apuntes sobre la necesidad de tomarse en serio a los inocentes). *Política criminal*. Vol 8, N° 15, pp. 249-313.

Cea Egaña, José Luis (2012) *Derecho Constitucional Chileno*, Tomo II (Santiago,
Ediciones UC, Segunda Edición), pp. 180-181 y 184-185.

Cea Egaña, José Luis (2012) *Derecho Constitucional Chileno*, Tomo IV (Santiago,
Ediciones UC, Segunda Edición), pp. 81-82.

Cea Egaña, José Luis (2002) "Marco constitucional del nuevo sistema procesal
penal" Revista Chilena de Derecho, V. 29, N° 2, pp. 211-229.

Cea Egaña, José Luis (1982) "La igual protección de los derechos". Revista Chilena de Derecho, V. 9, pp. 521-539.

Cea Egaña, José Luis (1997) "Los tratados de derechos humanos y la Constitución Política de la República". Revista *Ius Et Praxis*, año 2, N° 2, pp. 81-92.

Coloma Correa, Rodrigo (2014) "Dos es más que uno, pero menos que tres. El
voto disidente en decisiones judiciales sometidas al estándar de prueba de la
"duda razonable", *Política criminal*, Vol. 9, N° 18.

Etcheberry, Alfredo (2008) "Consideraciones sobre el criterio de condena en el
Código Procesal Penal", en Rodríguez Collao, Luis (coordinador académico),
Delito, Pena y Proceso. Libro homenaje a la memoria del profesor Tito Solari Peralta
(Santiago, P. Universidad Católica de Valparaíso y Ed. Jurídica de Chile).

Riordan, Kate (2011) "Ten Angry Men: Unanimous Jury Verdicts in Criminal
Trials and Incorporation After McDonald", *The Journal of Criminal Law & Criminology*, Vol 101, N° 4, pp. 1423-1424.

Legislación y jurisprudencia nacional

Constitución Política de la República

Código de Procedimiento Penal

Sentencia del Tribunal Constitucional Rol N° 740, de 18 de abril de 2008.

Sentencia del Tribunal Constitucional Rol N° 825, de 6 de marzo de 2008.

Sentencia del Tribunal Constitucional Rol N° 1443, de 26 de agosto de 2010.

Sentencia del Tribunal Constitucional Rol N° 1.584, de 17 de junio de 2010.

Sentencia del Tribunal Constitucional Rol N° 2936, de 20 de octubre de 2016.

Sentencia del Tribunal Constitucional Rol N°8.872 del 4 de marzo de 2021.

Sentencia del Tribunal Constitucional Rol N°11.848, de 17 de marzo de 2022.

Instrumentos internacionales

Declaración Americana de los Derechos y Deberes del Hombre

Declaración Universal de Derechos Humanos de 1948

Pacto Internacional de Derechos Civiles y Políticos de 1966

Leyes y jurisprudencia extranjera

Constitución de los Estados Unidos de América, Sexta Enmienda.

Ramos v. Louisiana, 590 U.S. (2020).

American Bar Association, *Principles for Juries and Jury Trials* (revised 2016).

La dignidad humana en la legislación chilena

Gonzalo García Pino[1]

LA DIGNIDAD HUMANA EN LA LEGISLACIÓN CHILENA

La dignidad humana es uno de los conceptos estructurantes del constitucionalismo y su uso es parte consustancial de la retórica deliberativa de esta disciplina. Sin embargo, sus alcances normativos no parecen ir acompañados con el mismo entusiasmo que las veces que lo reiteramos. También en el pasado reciente, una de las consignas más reiteradas desde octubre de 2019 hasta la fecha es el alegato en torno a que "hasta que la dignidad se haga costumbre".

Resulta claro que la dignidad es un metavalor que supera con largueza la mera configuración normativa del mismo, pero es a la vez derecho. Por tanto, lo esencial será reconducir su fuerza interpretativa al servicio de un orden constitucional que objetivice sus mandatos y no que los vuelva arbitrarios en el uso de sus operadores.

Esta investigación se funda en un ejercicio inverso y se desmarca de la dimensión teórica para entrar en el modo en el que el legislador chileno ve necesario recurrir a él. Hemos analizado el uso conceptual de la voz dignidad en toda la legislación de fines del siglo XX y todo lo que llevamos del siglo XXI, la que ha sido revisada exhaustivamente. ¿Qué hilo conductor o núcleo normativo une casos tan disímiles que se entienden como vulneración de la dignidad humana? Los casos son innumerables, pero ya podemos advertir que muchos de estas argumentaciones o no nos son aplicables o sencillamente muchos discreparían de ellas en nuestro país.

La expresión de dignidad se invoca con gran asiduidad asociada a derechos o exigencias de trato fundamentales: una vivienda, un trato, un empleo, una vida, una existencia y una muerte digna e incluso la dignidad de las víctimas una vez muertas. La dignidad posee un poderoso valor retórico y persuasivo y su mismo éxito desdibuja los contornos normativos de su aplicación. Este tratamiento de esta noción se origina en la fuerte connotación y denotación de la idea misma de dignidad humana. ¿Cómo la aplicamos más allá de su uso retórico y discursivo?

---

[1]   Doctor en Derechos Fundamentales por la Universidad Carlos III de Madrid, Magister en Derecho Constitucional Universidad Católica de Chile. Profesor de Derecho Constitucional de la Universidad Alberto Hurtado en pregrado y posgrado y de la Universidad Católica de Chile en el LLM.

Un análisis de muy distintos cuerpos normativos nos lleva a la primera conclusión de que el legislador limita la referencia a la dignidad humana a un conjunto específico de cuestiones. Entre ellas, cabe constatar que dentro de la institucionalidad de Derechos Humanos en Chile no existe ninguna mención a la noción de dignidad humana, ni como deber de protección, promoción o respeto[2]. En segundo lugar, es muy raro verificar que se encuentre únicamente el cánon interpretativo de la dignidad humana como el único invocado. Usualmente viene acompañado de otras referencias a valores, principios o derechos fundamentales. Con ello se limita el efecto interpretativo o, más bien, resuena que la dimensión de la dignidad opera en el sustrato de todos ellos. Adicionalmente, podemos advertir que el tipo de materia es particularmente amplia y no restringida a aquellas cuestiones que la sociedad estima de alto contenido moral como serían, por ejemplo, asuntos relativos a salud pública tanto del inicio como del término de la vida o los comportamientos que se desenvuelven en la esfera sexual. Es muchísimo mayor el tipo de asuntos que convocan al legislador a recurrir a la figura del principio de la dignidad humana como valor a determinar. Lo anterior, se extiende a cuestiones que abarcan una naturaleza jurídica muy diversa. No se trata de cuestiones en donde el Estado deba retirarse y verificar un respeto a decisiones autónomas de las personas. A veces se vincula estrechamente con un mandato prestacional o de realización de derechos. Finalmente, la demanda por dignidad desde el 2019 en adelante prácticamente no ha tenido novedades legislativas significativas y ninguna en el ámbito social. A partir de estas conclusiones provisorias examinemos los casos. Agruparemos estas determinaciones legislativas por los escenarios en donde se manifiesta y por las finalidades que pretende satisfacer la invocación de la dignidad.

1. LA INTERDICCIÓN ESTATAL DE TRATOS INDIGNOS Y LA GARANTÍA DE LA INDEMNIDAD CORPORAL

Una de las cuestiones esenciales de la dignidad humana será el cumplimiento del deber estatal de respeto, promoción y protección de los derechos fundamentales (artículo 5° inciso segundo de la Constitución). Esta función será particularmente acuciante en los casos en donde los ciudadanos se encuentran en una posición debilitada en sus derechos frente al Estado o bajo condiciones de sujeción a la autoridad, donde el título de intervención estatal materialmente se extiende a otras condiciones. Veamos los ejemplos.

---

[2]   Nos estamos refiriendo, en particular, a la Ley N° 20.405 que crea el Instituto Nacional de Derechos Humanos, así como la Ley N° 20.885 que establece la Subsecretaría de Derechos Humanos dependiente del Ministerio de Justicia en donde la omisión de este valor es particularmente notoria.

1.1. El caso de los conscriptos

Uno de los casos de sujeción especial es la situación de la conscripción, en donde la realización de un deber ciudadano (artículo 22 de la Constitución), en el marco de una institución subordinada, obediente, disciplinada y jerárquica determina una posición del administrado de particular debilidad.

Esto se funda en un conjunto de abusos que fueron patentando la necesidad de establecer un procedimiento independiente e imparcial respecto de las Fuerzas Armadas que admitiera un régimen de reclamos. Para ello, se creó una Oficina de atención a los conscriptos y sus familiares que les permitieran formular solicitudes, peticiones e inquietudes verbales o escritas. No deja de llamar la atención que el fundamento de estos reclamos esté sostenido prácticamente en el valor de la dignidad humana.

Es así como esta Oficina, al margen de las atribuciones de los Comandantes de las Unidades en que se integran los conscriptos, "podrá recibir denuncias formuladas por los padres o apoderados de un Soldado Conscripto, referidas a tratamientos reñidos con la dignidad y honor de las personas, o que no se ajusten a la reglamentación vigente". Y frente a ellas, la Oficina será el organismo asesor que puede recomendar las medidas conducentes que "digan relación con denuncias de actos reñidos con la dignidad y honor de las personas o que no se ajusten a la reglamentación vigente, de acuerdo con el ordenamiento jurídico"[3]. Con ello, la Oficina del Conscripto se convirtió en un organismo auxiliar de reivindicación de derechos frente a conductas de abusos en el marco de la realización del servicio militar obligatorio.

1.2. La situación de las personas privadas de libertad

Esa sola circunstancia hace nacer obligaciones. Este deber estatal se manifiesta en un conjunto amplio de deberes de resguardo. Por lo mismo hemos de iniciar con la función que cumple el Instituto Nacional de Derechos Humanos en la asignación de ser el mecanismo nacional de prevención contra la tortura y otros tratos o penas crueles, inhumanas o degradantes. Y en el núcleo de definición de cuándo nos encontramos frente a un trato pena de esta naturaleza, esta ley, la define "todo acto que, sin constituir tortura, vulnere el derecho a la integridad o dignidad de las personas privadas de libertad"[4].

No ha dejado de llamar la atención el estatuto particularmente feble que organiza la vida de los privados de libertad por decisión judicial. El otorgamiento

---

[3]   Artículo 42, D de la Ley N° 20.045 que moderniza el Servicio Militar Obligatorio.
[4]   Artículo 2, literal b) de la Ley 21.154.

de poderes disciplinarios mediante normas reglamentarias tiende a incrementar la posición de garante estatal y a dejar en evidencia que los malos tratos y las condiciones infrahumanas de la prisión son una decisión que sólo el Estado puede desvirtuar. La carga de la prueba para desmentir estas condiciones reside únicamente en las autoridades encargadas de la tarea penitenciaria. Es relevante un Informe Inspectivo de la Comisión de Visita Semestral del año 2015 de la Corte de Apelaciones de Santiago que da cuenta de que "el hacinamiento de la población carcelaria de Santiago Sur que, en ocasiones, llega a estar reñida con los más elementales estándares que exige la dignidad humana"[5]. Parece ser bastante evidente a qué cuestiones puede referirse la exigencia de estándares. Quizás habría que asumirlo en el contexto de las exigencias normativas de Gendarmería de Chile.

No obstante, la normativa infra legal aplicable solo hace referencia a las facultades intrusivas respecto de registros y cacheos sobre los presos como sobre sus visitas. De esta manera, con el objeto de detectar la tenencia de elementos declarados prohibidos por la autoridad se hecho habituales estas revisiones visuales y táctiles exhaustivas. En ese contexto, "en la realización de los registros corporales, quedará prohibido el desprendimiento integral de la vestimenta de los internos, la ejecución de registros intrusivos, la realización de ejercicios físicos y, en general, cualquier otra actividad que menoscabe la dignidad de éstos. Para tales efectos, la administración penitenciaria propenderá a la utilización de elementos tecnológicos"[6].

La baja densidad normativa de estas reglas, así como la ausencia de parámetros normativamente sólidos determinará que ésta seguirá siendo un área de particular manifestación del principio de dignidad humana. Sólo a efectos comparativos, en el ámbito europeo, el Tribunal Europeo de Derechos Humanos ha ido enumerando a través de diversas sentencias un conjunto de condiciones que se ha de tener presente al momento de verificar un trato inhumano o degradante al interior de las cárceles. Entre estos requisitos están: el espacio disponible, "la ventilación de las celdas, las condiciones de intimidad de los aseos, el número de duchas e inodoros disponibles, la existencia de calefacción, la presencia de insectos o la duración de los períodos al aire libre"[7].

Por último, en cuanto a las personas condenadas al cumplimiento de penas penales, los mecanismos de resocialización y reparación pueden resultar ser una política tan efectiva como minoritaria. Sin embargo, ello no exime la posibilidad

---

5   www.pjud.cl/documents/396729/0/CONCLUSIONES+INFORME+CARCELES+SEGUNDO+SEM ESTRE+201, p. 217.
6   Artículo 27 bis del Reglamento de Establecimientos Carcelarios de Gendarmería de Chile dictado mediante el Decreto Supremo N° 518 de 1998, del Ministerio de Justicia.
7   Elvira (2015) 208.

de que puedan generar afectaciones a la dignidad humana, especialmente, tratándose del cumplimiento de la pena de prestación de servicios a favor de la comunidad. Esta pena consiste "en la realización de actividades no remuneradas a favor de esta o en beneficio de personas en situación de precariedad, coordinadas por un delegado de Gendarmería de Chile". En este ejercicio de coordinación de servicios en el ámbito público/privado, "Gendarmería de Chile y sus delegados, y los organismos públicos y privados que en virtud de los convenios a que se refiere el inciso anterior intervengan en la ejecución de esta sanción, deberán velar por que no se atente contra la dignidad del penado en la ejecución de estos servicios"[8]. Si bien no hay reportes sobre su uso disociado a un fin constitucionalmente legítimo, resulta plausible la preocupación por la percepción de humillación y envilecimiento que puede portar una condena de esta naturaleza.

1.3. El caso de los menores de edad infractores de ley

La situación de los menores de edad tiene un conjunto amplio de dificultades en su tratamiento normativo. Por ahora, sólo nos abocaremos a revisar la situación normativa de aquellos que la legislación denomina menores infractores de ley. La situación en que se encuentran estos menores, cuando sus conductas penales tienen particular gravedad, deviene en la privación de libertad. Los organismos responsables del cuidado de menores disponen de recintos especiales para la privación de libertad de estos adolescentes. Por razones evidentes, en su interior debe primar un sentido disciplinario básico, pero sus procedimientos y medidas "tendrán como fundamento principal contribuir a la seguridad y a la mantención de una vida comunitaria ordenada, debiendo, en todo caso, ser compatibles con el respeto de la dignidad del adolescente"[9].

Es connatural a un procedimiento penal la imposición judicial de sanciones. No obstante, la normativa penal adolescente, haciendo primar el interés superior del niño, plenamente aplicable en estos procedimientos, habilita al reconocimiento de derechos de éste en el marco de la ejecución de las sanciones. Para ello, el adolescente tendrá derecho a "ser tratado de una manera que fortalezca su respeto por los derechos y libertades de las demás personas, resguardando su desarrollo, dignidad e integración social"[10]. Por tanto, la perspectiva de cumplimiento de la sanción está orientada, aunque no exista una finalidad constitucionalmente reconocida, a la resocialización del menor de edad.

Esta dimensión penal de tratamiento de los menores infractores de ley viene de la mano de una cuestión previa: la carta de garantías de la niñez y que ha

---

[8]   Artículo 49 bis del Código Penal.
[9]   Artículo 46 de la Ley N° 20.084 sobre Responsabilidad Penal Adolescente.
[10]   Artículo 49 literal a) de la Ley N° 20.084 sobre Responsabilidad Penal Adolescente.

tomado tanto tiempo en consolidar los deberes internos que venían exigidos desde la aprobación de la Convención de Derechos del Niño. Por lo mismo, en este punto hay que precisar el "derecho a la protección contra la violencia", lo que supone que "todo niño, niña y adolescente tiene derecho a ser tratado con respeto. Ningún niño, niña o adolescente podrá ser sometido a violencia, malos tratos físicos o psíquicos, descuidos o tratos negligentes, abusos sexuales o de cualquier otra índole, venta, trata, explotaciones, tortura u otro trato ofensivo o degradante. Toda forma de maltrato a un niño, niña o adolescente, incluido el maltrato prenatal, está prohibido y no puede justificarse por circunstancia alguna. El maltrato corporal relevante y el trato degradante, que menoscabe gravemente su dignidad, constituyen delitos de conformidad a la legislación penal vigente"[11].

2. LA INTERDICCIÓN SOCIAL DE LOS TRATOS INDIGNOS Y ABUSOS EN EL MARCO DE LA INDEMNIDAD FÍSICA Y SÍQUICA DE LAS PERSONAS

La dignidad humana no se limita a la díada Persona/Estado. En ellas, opera en plenitud la eficacia horizontal de los derechos fundamentales en las relaciones entre particulares. "La dignidad no significa, por tanto, sólo un espacio interior del hombre, sino también su apertura a lo social, al momento de responsabilidad respecto del prójimo y la comunidad a la que pertenece, así como al momento de responsabilidad personal, es decir, de autodeterminación. La referencia interpersonal de los derechos fundamentales individuales también son parte de la dignidad del hombre"[12]. Esta dimensión social es la que convierte a la dignidad humana en un parámetro esencialmente relacional. Ésta se manifiesta, con luces y sombras, en la realidad de la sociabilidad humana.

Nuestra legislación manifiesta algunos indicios de la preocupación por el ejercicio de la dignidad humana en determinados supuestos. Partiendo por uno sencillo relativo a los regímenes de vigilancia y seguridad de los establecimientos comerciales. Estos sistemas "están especialmente obligados a respetar la dignidad y derechos de las personas"[13]. Esta obligación fue ampliada a toda actividad de comercio en relación con los consumidores. Y es una agravante, el "haber dañado la integridad física o psíquica de los consumidores o, en forma grave, su dignidad"[14].

---

[11] Artículo36 de la Ley 21.430.
[12] Haberle (2008) 225.
[13] Ley N° 19.496 que establece las normas sobre protección de los derechos de los consumidores.
[14] Artículo 1° de la Ley N° 21.081.

Asimismo, es así como en el ámbito económico se sitúa el reconocimiento al poder de dirección de la empresa, pero en el marco del respeto a todos los derechos fundamentales que se insertan en una relación laboral, sean derechos específicos como inespecíficos.

El riesgo de cosificación de la relación laboral que extiende el poder privado sobre una relación de subordinación que abarca más derechos que los que nacen del contrato de trabajo se puede dar como un riesgo real. Por lo mismo, el principio de dignidad humana opera como un límite de los poderes privados evitando que la dependencia del trabajo transmute en la dependencia existencial sostenida en la subsistencia material del trabajador respecto de su empleador, sea que opere como acoso laboral o sexual. Por lo mismo, el artículo 2° del Código del Trabajo, junto con reconocer la función social del trabajo, impone que "las relaciones laborales deberán siempre fundarse en un trato compatible con la dignidad de la persona". Y es contrario a este tipo de trato el acoso sexual como el laboral.

Asimismo, de los poderes disciplinarios del empleador se especifica el pleno derecho para verificar la marcha de la empresa, según sus criterios de autonomía, pudiendo al efecto disponer las sanciones y prohibiciones que permitan ejecutar el giro compatible con su emprendimiento. Para ello, podrá disponer la configuración de un reglamento interno que regule las relaciones laborales y elementos anexos a los contratos individuales y colectivos de trabajo. Sin embargo, ello ha de hacerse imponiendo medidas de control laboral las cuales "sólo podrán efectuarse por medios idóneos y concordantes con la naturaleza de la relación laboral y, en todo caso, su aplicación deberá ser general, garantizándose la impersonalidad de la medida, para respetar la dignidad del trabajador"[15].

De la misma manera hay deberes en otras organizaciones sociales. Es así como la legislación también plantea que "las asociaciones no podrán realizar actos contrarios a la dignidad y valor de la persona, al régimen de Derecho y al bienestar general de la sociedad democrática"[16]. Los poderes normativos de autoorganización generan derechos al colectivo en la medida que se garanticen los derechos fundamentales de los asociados, especialmente, de su dignidad.

Un criterio que se ha ido extendiendo es la consideración de una cláusula antiabuso sexual y laboral, como resultado a una infracción a la dignidad. Esto lo vemos como una norma de alcance para todo el sistema de educación superior[17], reiterado para todas las universidades estatales[18], y abarcador del estatuto de los

---

[15]   Artículo 154, numeral 13° del Código del Trabajo.
[16]   Artículo 1° de la Ley N° 20.500 sobre asociaciones y participación ciudadana en la gestión pública.
[17]   Artículo 2° de la Ley N° 21.091 y artículo 2° de la Ley 21.369.
[18]   Artículo 49 de la Ley 21.094.

asistentes al personal docente de la educación[19], con lo cual se busca un mandato fuerte de considerar un particular cuidado al espacio educativo como un ámbito en donde la dignidad humana puede mancillarse con grave riesgo para la trayectoria personal y futura de todos los estudiantes. En tal sentido, la regla de acoso sexual[20] tiene a la dignidad como uno de sus bienes jurídicos que debe ser cautelado. Ello también es extensible al mundo del deporte y su promoción social y comunitaria[21].

El mundo de la salud es otro sector social en donde la vulnerabilidad a la cual están expuestos los enfermos y las condiciones de los servicios hospitalarios exige particular cuidado. Por lo mismo, las exigencias de trato exigidas desde la dignidad abarcan a los pacientes y sus acompañantes, en el marco de programas de asistencia y con particular, atención a los niñas, niñas y adolescentes[22].

3. LA DIGNIDAD HUMANA COMO LÍMITE A LA LIBERTAD DE EXPRESIÓN

La legislación sobre televisión abierta, la calificación cinematográfica y la violencia intrafamiliar, incorporan algunas cláusulas que son explicables desde la lógica de los límites a la libertad de expresión.

En Chile, la Constitución asegura a todas las personas "la libertad de emitir opinión y la de informar, sin censura previa, en cualquier forma y por cualquier medio, sin perjuicio de responder de los delitos y abusos que se cometan en el ejercicio de estas libertades, en conformidad a la ley, la que deberá ser de quórum calificado"[23].

Con todo, el examen de los límites a la libertad de expresión resulta una cuestión propia del ejercicio de la ponderación. Es probable que la cláusula constitucional que establezca grados de complejidad en su entendimiento es la relativa a los "abusos" que se cometan en el ejercicio de estas libertades.

---

[19]   Artículo 18 de la Ley 21.109.
[20]   Artículo 2° de la Ley 21.369.
[21]   Artículo 1° de la Ley 21.197 modificatorio de la Ley del Deporte.
[22]   Artículo 1° de la Ley 21.372 que modifica la ley de derechos y deberes de los pacientes. En tal sentido, "las personas que brinden acompañamiento a los pacientes durante su hospitalización o con ocasión de prestaciones ambulatorias deberán recibir un trato digno y respetuoso en todo momento, entendiéndose por tal no sólo un buen trato verbal e información, sino también el otorgamiento de condiciones para que ese acompañamiento sea adecuado para velar por la integridad física y psíquica del niño, niña o adolescente, atendido el principio de interés superior del niño, niña y adolescente.".
[23]   Artículo 19, numeral 12°, inciso 1° de la Constitución.

Sostendremos que la legislación de televisión y cine, en relación con la dignidad humana, contiene dos cláusulas identificatorias de este abuso y que se trasuntan, una vez vulneradas, en sanciones administrativas. Bajo ningún aspecto puede entenderse que estas reglas constituyan una censura previa expresamente prohibidas por la Constitución.

3.1. El caso de la televisión abierta

Por una parte, una referencia a la función constitucional del Consejo Nacional de Televisión en orden a velar por "el correcto funcionamiento de la televisión". Sabido es que la Constitución dispone en el artículo 19, numeral 12° de la Constitución el estatuto de las libertades de la información y la opinión. Entre ellas, la norma que dispone que el Consejo Nacional de Televisión tiene esta función que implica controlar *ex post* los contenidos que vulneren un conjunto de propósitos públicos. El legislador ha precisado el conjunto específico de referencias que importan cumplir con el correcto funcionamiento de la televisión. Entre ellas, se acaba de especificar que se "entenderá por correcto funcionamiento de estos servicios el permanente respeto, a través de su programación, de la (…) dignidad humana y su expresión en la igualdad de derechos y trato entre hombres y mujeres"[24]. La referencia a la dignidad humana es genérica y una más entre un capítulo de finalidades públicas.

No obstante, en la revisión de la jurisprudencia administrativa del Consejo Nacional de Televisión en un examen cuantitativo y no cualitativo, se describe la significación de la causal denominada "atentado a la dignidad de las personas". Es la primera o segunda causal que genera mayores sanciones por parte de Consejo Nacional de Televisión. No es posible reproducir las razones que fundan esta consideración por lo parca que resultan sus indicaciones. No obstante, son habituales las multas a los canales de televisión que muestran sin consideración ni contexto situaciones como las víctimas de homicidios, de delitos sexuales, sus parientes o el dolor de sus deudos. Asimismo, están las largas escenas que ridiculizan a un joven ebrio o que manifiestan la truculencia de algunas ejecuciones extrajudiciales del Estado Islámico.

3.2. El caso del cine

En cuanto a la calificación cinematográfica, el legislador dispone que "para los efectos de esta ley se entenderá por: […] e) Contenido excesivamente

---

[24]   Ley N° 18.838 que creó el Consejo Nacional de Televisión, con modificaciones introducidas por la Ley N° 20.750, introducción de la televisión digital terrestre, Diario Oficial del 29.05.14.

violento: aquél en que se ejerce fuerza física o psicológica desmesurada y con ensañamiento sobre seres vivos o en que se produce la aplicación de tormentos o comportamientos que exaltan la violencia o incitan conductas agresivas que lesionan la dignidad humana, sin encontrar fundamento bastante en el contexto en que se producen o rebasando las causas que los hubieran motivado"[25]. Si bien no es posible contrastar técnicamente todas aquellas determinaciones administrativas de calificación puesto que han dejado de generar dificultades interpretativas, parece que el legislador apunta a consideraciones que limiten el ejercicio de conductas relativas a la violencia gratuita, a la deshumanización de comportamientos que degraden y humillen a las personas.

3.3. El caso de las campañas públicas

El legislador está consciente de la dimensión negativa o positiva que tienen los medios de comunicación social en el establecimiento, reproducción o reiteración de pautas culturales. Más allá de los límites de estas estrategias y de la capacidad técnica que tengan para focalizar adecuadamente sus propósitos, ha sido un interés público prevalente el propiciar campañas públicas que erradiquen algunos males públicos.

En tal sentido, como revelador de un objetivo que no puede entenderse como un límite a la libertad de expresión, sino que como un objetivo de política pública es que la legislación sobre violencia intrafamiliar, apelando a la idea de dignidad humana, le otorga una función al Servicio Nacional de la Mujer, cual es la de "promover la contribución de los medios de comunicación para erradicar la violencia contra la mujer y realzar el respeto a su dignidad"[26].

4. IGUAL DIGNIDAD COMO NO DISCRIMINACIÓN E INTEGRACIÓN SOCIAL

Una de las dimensiones tradicionales de la dignidad humana es el reconocimiento de la cualidad esencial de la condición humana. Por un lado, esta dimensión supone un grado de aceptación de la condición de la diversidad en todos los planos. Por lo mismo, aunque parezca algo alejado de estos criterios, cada vez es más evidente que uno de los despliegues de la dignidad es la consideración misma de respeto de quiénes promueven identidades distintas dentro de la sociedad.

---

[25]   Artículo 2° de la Ley N° 19.846 sobre calificación de la producción cinematográfica.
[26]   Artículo 4°, literal d) de la Ley N° 20.066 sobre violencia intrafamiliar.

En tal sentido, el reconocimiento que se hace a una función estatal y ministerial del Ministerio de las Culturas, las Artes y el Patrimonio supone el deber de "reconocer y promover el respeto a la diversidad cultural, la interculturalidad, la dignidad y el respeto mutuo entre las diversas identidades que cohabitan en el territorio nacional como valores culturales fundamentales"[27].

Pero, muchas veces diversos titulares de estos derechos se encuentran en una posición socialmente debilitada por su discapacidad física o mental, por el entorno de su desarrollo escolar. Esta condición de vulnerabilidad los pone en una situación de mayor susceptibilidad de ser víctimas de vulneraciones a su dignidad.

El legislador ha promovido un tipo de políticas que apunta a ampliar su autonomía incrementando las oportunidades, la inclusión social y aplanando las desigualdades. Para ello, ha apuntado al desarrollo de medidas contra la discriminación de que son objeto los discapacitados. En tal sentido, ha definido prevenir la conducta de acoso, entendida como "toda conducta relacionada con la discapacidad de una persona, que tenga como consecuencia atentar contra su dignidad o crear un entorno intimidatorio, hostil, degradante, humillante u ofensivo"[28].

Si este tipo de conductas son desalentadas con mayor razón aquellas que implican un delito atentatorio de la dignidad. Por tal circunstancia, el legislador propició el incremento de las garantías de integridad física y síquica a personas particularmente vulnerables, creando el nuevo delito de maltrato respecto de menores de 18 años, los adultos mayores o personas en situación de discapacidad. En tal sentido, se castiga al "que sometiere" a una de las personas indicadas anteriormente, "a un trato degradante, menoscabando gravemente su dignidad"[29].

Asimismo, en el ámbito escolar se ha puesto de manifiesto la necesidad de que los procesos de admisión se realicen sin discriminación arbitraria ni segregación social. "En ningún caso se podrán implementar procesos que impliquen discriminaciones arbitrarias, debiendo asegurarse el respeto a la dignidad de los alumnos, alumnas y sus familias"[30].

Por último, el entorno que implica grados máximos de vulnerabilidad es aquél que se vincula con los menores de edad que están en situación de abandono o bajo cuidados estatales. El propósito de los últimos años ha sido dar un vuelco a las condiciones de vida y atención que reciben los menores de edad que pertenecían a la antigua red del Servicio Nacional de Menores y que está recién en proceso de cambio. Parte del proceso de inclusión social es la consideración desde el mismo diseño institucional del Sistema de Atención a la Niñez y a la

---

[27]   Artículo 1° de la Ley 21.045.
[28]   Artículo 8° de la Ley N° 20.422 de normas sobre igualdad de oportunidades e inclusión social de las personas con discapacidad.
[29]   Ley N° 21.013 que incorpora el artículo 403 ter al Código Penal.
[30]   Artículo 13 de la Ley N° 20.845 que modifica la Ley General de Educación.

Adolescencia, que se inspire en "el trato digno evitando la discriminación y la estigmatización de los sujetos de atención y de su familia. Deberán recibir en todo momento y en todo medio el trato digno que corresponda a toda persona humana. Particular cuidado se deberá tener en las medidas, informes o resoluciones que produzcan efecto en las decisiones de separación familia"[31].

5. LA DIGNIDAD HUMANA EN PROCEDIMIENTOS INTRUSIVOS SOBRE LA INTIMIDAD

Se trata de casos en donde la Administración del Estado ha ejercido medidas intrusivas legítimas y mantiene información sobre ellas en registros bajo ciertas cautelas.

5.1. La identidad genética

La obtención de la huella genética puede constituir una de las invasiones más significativas sobre la dignidad de la persona humana, así como su intimidad. Por lo mismo, la regla general es la exclusión de este tipo de muestras y registros, siendo su uso reducido al ámbito de la investigación científica, así como en la dimensión de la investigación criminal.

En este último ámbito, el registro de ADN sólo puede ser obtenido en el marco de una investigación penal y la responsabilidad de su levantamiento, custodia y registro es resorte del Servicio de Registro Civil e Identificación. En tal marco institucional, el sistema de registro del ADN es de carácter reservado. "La información en él contenida sólo podrá ser directamente consultada por el Ministerio Público y los tribunales. Las policías podrán tener acceso previa autorización del Ministerio Público, y los defensores públicos y privados, previa autorización del tribunal respectivo. Bajo ningún supuesto el Sistema podrá constituir base o fuente de discriminación, estigmatización, vulneración de la dignidad, intimidad, privacidad u honra de persona alguna"[32].

---

[31]   Artículo 1 numeral 7 de la Ley 21.140 que modifica la Ley 20.032 que establece el sistema de atención a la niñez y adolescencia a través de la red de colaboradores del Sename y su régimen de subvención.

[32]   Artículo 2° de la Ley N° 19.970 que crea el Registro Nacional de ADN.

5.2. Los controles de drogas

El test de control de drogas se ha asentado en el país como un mecanismo que permite precaver el ejercicio de la función pública en contextos de probidad, esto es, haciendo prevalecer siempre el interés público por sobre el individual.

Es así como la propia Constitución dispone la pérdida de la ciudadanía por condena en delitos relativos al tráfico de estupefacientes, generando una compleja modalidad de rehabilitación en el Senado[33]. Si los ciudadanos tienen este riesgo de sanción, la perspectiva del consumo en funcionarios públicos ofrece un nuevo conflicto de derechos.

Por una parte, se dispone una regla general respecto a todos los funcionarios de la Administración del Estado, en el sentido de que el consumo personal de drogas es compatible con el ejercicio de la función pública, siempre que no se ejerzan cargos de alta sensibilidad pública o en organismos fiscalizadores, investigativos o judiciales.

Es así como un conjunto selecto de funcionarios tiene el deber de realizarse los controles de drogas. "Dicho procedimiento de control comprenderá a todos los integrantes de un grupo o sector de funcionarios que se determinará en forma aleatoria; se aplicará en forma reservada y resguardará la dignidad e intimidad de ellos (…)". En esta categoría también se insertan las autoridades o personas con rango equivalente en el Banco Central[34].

Este tipo de obligaciones se extiende a los organismos encargados de precaver el lavado de activos, las investigaciones criminales y el juzgamiento judicial propiamente tal.

5.3. Exámenes corporales

En el ámbito de la investigación criminal, un ámbito de enorme polémica tiene que ver con el cuerpo como prueba del delito. Para ello, la realización de exámenes sobre el mismo, habitualmente mediante grados legítimos o ilegítimos de coerción, importa la determinación de la validez de la misma prueba. Su realización y, no tanto, los registros que queden de ella, pueden ser objeto de enormes indignidades: la obtención de fluidos corporales, la inducción de vómitos, la captura de sangre, etc., se puede transformar en medios excesivos para finalidades que pueden ser obtenidas por otras vías, en el marco de criterios de proporcionalidad y razonabilidad.

---

[33] Artículo 17, numeral 3° de la Constitución.
[34] Artículo 81 bis de la Ley N° 18.840, Orgánica Constitucional del Banco Central.

La previa intervención de un juez de garantía que autorice la intervención[35] no exime que no se ponga en riesgo la propia vulneración de la dignidad humana. Es así como, "si fuere necesario para constatar circunstancias relevantes para la investigación, podrán efectuarse exámenes corporales del imputado o del ofendido por el hecho punible, tales como pruebas de carácter biológico, extracciones de sangre u otros análogos, siempre que no fuere de temer menoscabo para la salud o dignidad del interesado".

5.4. Las entrevistas videograbadas a víctimas de delitos sexuales menores de edad

El ámbito judicial nuevamente nos especifica un escenario de particular complejidad que compromete la revictimización en un delito clave y sensible como es el de los delitos sexuales. De esta manera, todo el procedimiento que regula las entrevistas grabadas en video como medio de prueba en un juicio por delitos sexuales, supone el establecimiento de particulares medidas de resguardo a los menores de edad. De este modo, uno de los principios a ser aplicados es el de prevención de la victimización secundaria. Conforme a este vector, "constituye un principio rector la prevención de la victimización secundaria, para cuyo propósito las personas e instituciones que intervengan en las etapas de denuncia, investigación y juzgamiento procurarán adoptar las medidas necesarias para proteger la integridad física y psíquica, así como la privacidad de los menores de edad. Asimismo, procurarán la adopción de las medidas necesarias para que las interacciones (…) sean realizadas de forma adaptada al niño, niña o adolescente, en un ambiente adecuado a sus especiales necesidades y teniendo en cuenta su madurez intelectual y la evolución de sus capacidades, asegurando el debido respeto a su dignidad personal"[36].

Lo anterior, ha llevado al establecimiento de una figura procesal que evite el encarnizamiento indagatorio. Por lo mismo, las preguntas al menor de edad solo las debe realizar el Presidente de la Sala, siendo deber de los intervinientes dirigir a éste sus preguntas. De este modo, éste tiene "el deber de impedir que se formulen preguntas que puedan causar sufrimiento o afectación grave de la dignidad del niño, niña o adolescente, a efectos de resguardar su interés superior"[37]. De todas formas, esta modificación es de aplicación gradual y está pendiente de su implementación mediante una reforma reglamentaria.

---

[35]   Artículo 83 de la Constitución.
[36]   Artículo 3° de la Ley 21.057.
[37]   Artículo 32 de la Ley 21.057 que modifica el artículo 310 del Código Procesal Penal.

5.5. El procedimiento de indagación en torno a la causal de aborto por violación

En otro ámbito particularmente sensible, es el que regula la Ley 21.030 que estableció la continuidad del delito de aborto, pero excluyendo tres causales específicas que tienen un régimen de justificación. En esa dimensión, aquél que confronta fuertemente la dimensión sanitaria con la procesal es aquella referida a la concurrencia de la causal de aborto por violación. En este contexto, "un equipo de salud, especialmente conformado para estos efectos, confirmará la concurrencia de los hechos que lo constituyen y la edad gestacional, informando por escrito a la mujer o a su representante legal, según sea el caso, y al jefe del establecimiento hospitalario o clínica particular donde se solicita la interrupción. En el cumplimiento de su cometido, este equipo deberá dar y garantizar a la mujer un trato digno y respetuoso"[38].

5.6. El derecho disciplinario escolar

Si bien no es propiamente tal una medida intrusiva ni tiene la intensidad de los procedimientos penales, lo cierto es que la dimensión disciplinaria escolar, en un mundo muy intenso de redes sociales, puede tener un alcance comprometedor del futuro escolar de una persona.

Por lo mismo, en el contexto de la imposición de "medidas pedagógicas y disciplinarias que puedan adoptarse en conformidad a la ley y los reglamentos, respecto de los niños, niñas y adolescentes en el contexto de la actividad educacional, deberán siempre basarse en un procedimiento que garantice el pleno respeto de sus derechos y ser compatibles con los fines de la educación y con la dignidad del niño, niña o adolescente". Con ello, no solo se garantiza un debido proceso, sino que es parte del mismo uno orientado a un proceso educativo que tome en cuenta la dignidad de cada niño.

6. LA DIGNIDAD COMO AUTONOMÍA Y LIBRE DESARROLLO DE LA PERSONALIDAD

6.1. El principio formativo de la dignidad humana

Esta es una de las más amplias categorías de aplicación de la dignidad humana y se enmarca en lo que el ordenamiento jurídico alemán denomina el ejercicio

---

[38] Artículo 119 bis del Código Sanitario conforme a la Ley 21.030.

del libre desarrollo de la personalidad. Como ya lo vimos, y aun no existiendo tal derecho fundamental expresamente reconocido en nuestro ordenamiento, el legislador los ha tendido a vincular ampliamente. Es así como, por ejemplo, uno de los objetivos de la educación es que el sistema escolar propicie la "dignidad del ser humano. El sistema debe orientarse hacia el pleno desarrollo de la personalidad humana y del sentido de su dignidad, (...)"[39]. Por tanto, como principio general de autonomía se permite el despliegue de lo que la Constitución denomina "la dignidad libre"[40].

Del mismo modo, para el ámbito de salud mental de los derechos de las personas, se impone "el respeto a la dignidad inherente de la persona humana, la autonomía individual, la libertad para tomar sus propias decisiones y la independencia de las personas"[41]. En una regla similar, está la invocación del derecho a la identidad la que debe ir presidida por el respeto al principio de la dignidad en el trato. En esa perspectiva, "los órganos del Estado deberán respetar la dignidad intrínseca de las personas, emanada de la naturaleza humana como un eje esencial de los derechos fundamentales reconocidos por la Constitución Política de la República y por los tratados internacionales sobre derechos humanos ratificados por Chile y que se encuentren vigentes. Toda persona tiene derecho a recibir por parte de los órganos del Estado un trato amable y respetuoso en todo momento y circunstancia"[42].

En el caso que estos tratos a los pacientes en el ámbito de la salud mental que puedan estimarse como maltratos "con el fin de garantizar los derechos humanos de las personas con enfermedad mental o discapacidad psíquica o intelectual, los integrantes profesionales y no profesionales del equipo de salud serán responsables de informar a la Secretaría Regional Ministerial de Salud y a la Comisión Regional de Protección de los Derechos de las Personas con Enfermedades Mentales sobre cualquier sospecha de irregularidad que implique un trato indigno o inhumano a personas bajo tratamiento o una limitación indebida de su autonomía. El funcionario podrá actuar bajo reserva de identidad y no se considerará que ha incurrido en violación del secreto profesional. La sola comunicación a un superior jerárquico dentro de la institución no releva al equipo de salud de tal responsabilidad si la situación irregular persiste"[43].

Esta dignidad es el mandato para que un servicio público ejerza su mandato con "un enfoque de derechos de manera concordante con la dignidad humana

---

[39]   Artículo 3, literal n) de la Ley 20.845 que modifica la Ley N° 20.370 General de Educación.
[40]   "Las personas nacen libres e iguales en dignidad y derechos". Artículo 1° inciso 1° de la Constitución. Bajo este predicamento existe la libre dignidad y la igual dignidad desde el nacimiento.
[41]   Artículo 3 de la Ley 21.331.
[42]   Artículo 5 de la Ley 21.120.
[43]   Artículo 19 de la Ley 21.331.

del niño, niña o adolescente"[44], como es el ejemplo del Servicio Nacional de Protección Especializada de la Niñez y de la Adolescencia que reemplaza al antiguo y cuestionado Servicio Nacional de Menores.

Esta dimensión debe manifestarse bajo la sola condición de persona, pero en algunos segmentos, supone un establecimiento de prioridades, atendidas las falencias institucionales en los cuales se cautelan determinados derechos. Un ejemplo paradigmático es la situación de los niños, niñas y adolescentes. Por lo mismo, "corresponde a los órganos de la Administración del Estado, en el ámbito de sus competencias, garantizar el pleno goce y ejercicio de los derechos de los niños, niñas y adolescentes. En particular: g) Dar prioridad a los niños, niñas y adolescentes vulnerados en sus derechos, sin discriminación arbitraria alguna, en el acceso y uso a todo servicio, prestación y recursos de toda naturaleza, sean públicos o privados, necesarios para su completa protección, reparación y restitución, en las debidas condiciones de seguridad y dignidad. El Estado tomará las medidas pertinentes, en caso de ser necesario, para el acceso y uso de recursos particulares y comunitarios, nacionales o convenidos en el extranjero"[45]. Este mandato no es una regla vacía de ejecución, por lo mismo, se complementa con la necesidad de que el Servicio Nacional de Protección Especializada de la Niñez y la Adolescencia establezca una oferta programática pertinente a estas necesidades. Las que "deberá proveerse a requerimiento del órgano administrativo o judicial competente de manera oportuna y suficiente, resguardando la dignidad humana de todo niño, niña y adolescente, y se prestará de modo sistémico e integral, considerando el contexto de su entorno familiar y comunitario, cualquiera que sea el tipo de familia en que se desenvuelva"[46].

6.2. La libre dignidad como indemnidad sexual

Existe un desarrollo del principio de la libre dignidad en su vertiente de autonomía cuando se propone la incolumidad o indemnidad sexual. Esta se determina como un ejercicio de no injerencia sobre personas que se encuentran en una situación de dependencia o subordinación. Por una parte, está la situación específica de los trabajadores, sea del ámbito público como privado. Es así como pesa sobre los funcionarios públicos[47] y municipales[48] la interdicción de "realizar cualquier acto atentatorio a la dignidad de los demás funcionarios". Con ello, se

---

[44]   Artículo 2, Ley 21.302.
[45]   Artículo 2° de la Ley 21.430
[46]   Artículo 2 bis de la Ley 21.302.
[47]   Artículo 84 literal l) del Estatuto Administrativo.
[48]   Artículo 82 literal l) de la Ley N° 18.883, estatuto administrativo de los funcionarios municipales.

extiende las reglas de acoso y discriminación arbitraria como conductas indignas en el marco de cualquier tipo de relación laboral.

Por otra parte, hay un tipo de sujeción significativa que es el caso de las personas discapacitadas, especialmente, aquellas con discapacidad mental. En tal sentido, abrogando una específica discriminación se reconoce el derecho a constituir y ser parte de una familia incluyendo su sexualidad y salud reproductiva, especialmente a mujeres que sufrían procedimientos quirúrgicos sin consentimiento, expreso o sustituido, que impedían del todo el desarrollo de su libertad sexual.

En tal sentido, la Ley N° 20.422 que establece normas sobre igualdad de oportunidades e inclusión social de personas con discapacidad dispone que "en ningún caso, la persona con discapacidad mental podrá ser sometida, contra su voluntad, a prácticas o terapias que atenten contra su dignidad, derechos o formen parte de experimentos médicos o científicos"[49]. No obstante, no se trata únicamente de cautelar la invasión a la intimidad sin el consentimiento sino que de precaver, dentro de lo posible, la mejor aptitud de ejercicio de los derechos reproductivos de las personas discapacitadas y su realización en familia y les garantiza que "el Estado adoptará las acciones conducentes a asegurar a los niños con discapacidad el pleno goce y ejercicio de sus derechos, en especial el respeto a su dignidad, el derecho a ser parte de una familia y a mantener su fertilidad, en condiciones de igualdad con las demás personas. (…) La rehabilitación de las personas con discapacidad mental, sea por causa psíquica o intelectual, propenderá a que éstas desarrollen al máximo sus capacidades y aptitudes"[50].

Del mismo modo, afecta severamente el desarrollo de los menores de edad. Bajo esta circunstancia la Ley de Derechos de la Niñez garantiza contra la explotación económica, la explotación sexual comercial y el trabajo infantil, entendiéndose por tal, "todo trabajo que priva a los niños, niñas y adolescentes de su niñez, su potencial y su dignidad, y que es perjudicial para su desarrollo físico y psicológico"[51].

6.3. La libre dignidad en la muerte o morir con dignidad

Finalmente, una de las manifestaciones más emblemáticas de la dignidad humana es el morir con dignidad, en el caso de personas que se encuentran con un estado de salud terminal. Bajo estas circunstancias, el enfermo tiene el derecho a otorgar o denegar su voluntad para someterse a cualquier tratamiento

---

[49] Artículo 7° de la Ley N° 20.422.
[50] Artículos 9° y 11 de la Ley N° 20.422.
[51] Artículo 37 Ley N° 21.430.

que permita la prolongación artificial de la vida[52]. En la legislación chilena, la negativa no se puede traducir en procedimientos que aceleren la muerte. Este derecho se ejerce previo consentimiento libre e informado y siempre supeditado al cumplimiento de reglas de salud pública, especialmente, frente a la inacción.

Bajo estos criterios, "las personas que se encuentren en este estado tendrán derecho a vivir con dignidad hasta el momento de la muerte. En consecuencia, tienen derecho a los cuidados paliativos que les permitan hacer más soportables los efectos de la enfermedad, a la compañía de sus familiares y personas a cuyo cuidado estén y a recibir, cuando lo requieran, asistencia espiritual"[53].

En la profundización de las garantías frente a la muerte, los cuidados paliativos y los derechos de las personas que padecen enfermedades terminales o graves son fundamentales. La legislación promueve "la protección de la dignidad y autonomía de las personas que padecen una enfermedad terminal o grave (lo que) supone siempre respetar su vida y considerar a la muerte como parte del ciclo vital"[54].

Hay que precisar que cruza el debate contemporáneo los alcances de lo que entendemos por derecho a una muerte digna, entendida en un ámbito estricto de ser parte que dimana de un derecho humano a la muerte. Sin embargo, esta legislación razona en un sentido diferente por cuanto concibe la noción de morir con dignidad como aquella que supone morir conforme a tus valores, respetado y auxiliado por tu comunidad de un modo tal que no implique abandono, sufrimiento, encarnizamiento terapéutico y con las necesidades afectivas y espirituales de compañía en ese tránsito.

En cuanto al encarnizamiento terapéutico, éste está vedado en línea de principio, salvo que tengan por finalidad obtener un objetivo terapéutico compatible con el menor daño posible, y usando todos los medios humanos y materiales posibles. En esa línea, "el empleo extraordinario de las medidas de aislamiento o contención física y farmacológica deberá llevarse a cabo con pleno respeto a la dignidad de la persona"[55].

---

[52] Artículo 16 de la Ley N° 20.584 que regula los derechos y deberes que tienen las personas en relación con acciones vinculadas a su atención en salud.
[53] Artículo 16 de la Ley N° 20.584 que regula los derechos y deberes que tienen las personas en relación con acciones vinculadas a su atención en salud.
[54] Artículo 4° de la Ley 21.375.
[55] Artículo 26 de la Ley N° 20.584 que regula los derechos y deberes que tienen las personas en relación con acciones vinculadas a su atención en salud.

7. LA IGUAL DIGNIDAD: PRESTACIONES BÁSICAS PARA LA DIGNA SUBSISTENCIA

Por último, el legislador agrupó un conjunto de beneficios sociales que se han otorgado en el marco de políticas de subvención y fomento para los segmentos socioeconómicos más postergados. La denominación tan clara como sencilla: subsidios por dignidad.

Es así como bajo esta categoría, se agrupan los correspondientes "Subsidio al Pago de Consumo de Agua Potable y de Servicio de Alcantarillado de Aguas Servidas, siempre que cumplan con los requisitos de la ley N° 18.778, en las condiciones que establece el artículo 8° de la ley N° 19.949; y serán causantes de la Subvención Educacional Pro-Retención de Alumnos, de acuerdo con lo establecido en la ley N° 19.873"[56]. Nótese que esta ley no crea estos beneficios, sino que los organiza bajo esta modalidad.

CONCLUSIONES

Giancarlo Rolla identifica en su estudio sobre este principio, las diversas modalidades de uso por el constitucionalismo iberoamericano en que se manifiesta la dignidad humana con funcionalidades múltiples. Las identifica con las siguientes características:

Como criterio de interpretación.

Como principio distintivo del ordenamiento constitucional.

Como el fundamento de la universalización de ciertos derechos fundamentales y

Como criterio de ponderación en el caso de conflicto entre diversos derechos constitucionales[57].

Siguiendo esta taxonomía podemos apreciar que para efectos del caso chileno no todas ellas se manifiestan con claridad. Es parte de los criterios de interpretación en cuanto se integra en las Bases de la Institucionalidad que sirve de fundamento del orden constitucional y se constituye en guía interpretativa de toda la Constitución. Si bien parece pacífico el asunto de que la dignidad humana constituye un principio interpretativo, lo cierto es que su uso en el ámbito de la jurisprudencia constitucional resulta bastante más escaso que lo que suele

---

[56]   Artículo 15 de la Ley N° 20.595 que crea el Ingreso Ético Familiar.
[57]   Rolla, Giancarlo (2009) "El valor normativo del principio de la dignidad humana. Consideraciones en torno a las Constituciones iberoamericanas", Dialnet-ElValorNormativoDelPrincipioDeLaDignidadHumana-1975599.pdf

ser el ejercicio hermenéutico de un principio axial en el derecho constitucional. Cuando examinemos los casos quedará más patente este aserto.

De una manera similar, la noción de que la dignidad humana constituye un principio distintivo del ordenamiento constitucional no parece encontrar un correlato que lo identifique nítidamente en esta funcionalidad. Se trata de especificar un principio de tal envergadura que, en un modo similar a la vertiente germánico-constitucional, se constituya en un parámetro de constitucionalidad definitivo, categórico e irredargüible. Justamente la ausencia de uso manifiesta la precariedad de las raíces que los operadores jurídicos han construido en torno a este principio en el derecho chileno.

Ahora bien, en su tercera perspectiva de ser el fundamento universalista de todos los derechos fundamentales del ordenamiento superior de un país, hay dilemas que abre el principio de dignidad humana que se verifican en todos y cada uno de los casos concretos en donde se manifiestan sus contenidos. En primer lugar, ello requiere despejar que no nos encontramos frente a un derecho fundamental a la dignidad humana, puesto que tal consideración restrictiva impediría integrar el componente "dignidad" en todos y cada uno de los derechos. En segundo lugar, en el orden nacional hay un dilema adicional acerca de las categorías desde donde se explican los derechos puesto que la propia Constitución los asimila o refleja con nociones tan distintas como "derechos constitucionales"[58], "garantías constitucionales"[59], "derechos esenciales que emanan de la naturaleza humana"[60], "derechos humanos"[61], "derechos de las personas"[62] "derechos convencionales"[63] o "derechos fundamentales"[64]. Esta ausencia de univocidad terminológica ha llevado a interpretarlos sin mucho rigor como términos equivalentes. Pero a efectos de lo que importa, la indefinición conceptual aleja la opción de decantar una hipótesis de que alguna de ellas sintetice de mayor o mejor forma la noción de dignidad humana. Sin embargo, hay un tercer factor que reviste una consideración decisiva. La dignidad humana no está configurada como derecho en sí mismo, pero hay ciertos derechos que manifiestan con mayor intensidad la protección de los bienes jurídicos que ésta cautela. De la experiencia germánico-constitucional existe un hilo conductor férreo entre la dignidad humana como principio y el derecho al libre desarrollo de la personalidad[65],

---

[58] Capítulo III de la Constitución.
[59] Artículo 19 N° 26 y artículo 64 de la Constitución.
[60] Artículo 5° inciso segundo de la Constitución.
[61] Artículo 9° de la Constitución.
[62] Artículo 8° inciso segundo de la Constitución.
[63] Artículo 5° inciso segundo de la Constitución.
[64] Artículo 93 N° 2 inciso 3° de la Constitución.
[65] Artículo 2.1 de la Ley Fundamental de Bonn de 1949. "Toda persona tiene el derecho al libre desarrollo de su personalidad siempre que no viole los derechos de otros ni atente contra el orden constitucional o la ley moral".

como primer derecho de aquellos que se construyen a partir de esos principios. Este derecho no tiene un reconocimiento directo en la Constitución chilena y justamente su configuración implícita a partir del derecho al respeto a la vida privada (artículo 19, numeral 4°) o el derecho a la libertad personal y la seguridad individual (artículo 19, numeral 7°) ha sido motivo de controversia para acoger o rechazar la constitucionalidad de conductas que parecerían *prima facie* recogidas en ese articulado. La discusión sobre su existencia ha debilitado parte de los fundamentos de la tradición germánico-constitucional en Chile.

Por último, la dignidad humana ha sido referida como un criterio de ponderación en el marco de conflicto de derechos. Si bien existen test que verifican cómo se hace uso de las argumentaciones que validan con mayor o menor profundidad un principio sobre otro, normalmente la dignidad humana aparece, en la reflexión constitucional chilena, al margen de un uso técnico. Más bien está construido como un argumento de refuerzo, aunque ocasionalmente sí ha sido decisivo para resolver un caso de libertad sexual entre la dignidad humana de un mayor de edad y un niño mayor de 14 años. Se opusieron las dignidades puestas en juego y se hicieron prevalecer otros derechos.

En consecuencia, este trabajo demuestra la enorme brecha entre las conceptualizaciones de las que hacemos sistemático uso y su difícil y lenta concreción normativa. En el examen de más de dos mil leyes, el registro de la dignidad humana es el reflejado en los términos y taxonomías explicadas. Esas son las huellas de su impronta en nuestro ordenamiento.

El derecho de acceso a la información: Una regla esencial del estado de derecho

Enrique Navarro Beltrán[1]

La transparencia constituye la tercera regla de oro del Derecho Público
José L. Cea Egaña, 2009

1. ACCESO A LA INFORMACIÓN EN EL DERECHO COMPARADO AMERICANO

Los diversos ordenamientos constitucionales hispanoamericanos han ido reconociendo en el último tiempo el derecho de acceso a la información.

Así, la Carta Fundamental de Colombia, además de las referencias generales acerca de la publicidad de las sesiones de las Cámaras y de las leyes y actuaciones judiciales, consagra también el derecho de todas las personas a *"acceder a los documentos públicos salvo los casos que establezca la ley"*[2].

Por su parte, la Constitución mexicana incorporó expresamente una serie de principios y bases que deben regir el derecho de acceso a la información y vinculadas a la publicidad como regla general, el respeto a la privacidad y datos personales y el establecimiento de mecanismos de acceso expeditos[3].

---

[1] Profesor de Derecho Constitucional U. de Chile y U. Finis Terrae.

[2] Constitución de Colombia, artículo 74. Vid. Jacobo Pérez Escobar (2004). Se ha dictado la Ley 1712, de 6 de marzo de 2014, reglamentada por Decreto 103, de 20 de enero de 2015. Ha señalado la Corte Constitucional de Colombia que es titular del derecho a acceder a la información pública toda persona, sin exigir ninguna cualificación o interés particular para que se entienda que tiene derecho a solicitar y a recibir dicha información de conformidad con las reglas que establece la Constitución y el proyecto de ley. Esta disposición se ajusta a los parámetros constitucionales del derecho de petición, de información y del libre acceso a los documentos públicos, a los principios de la función pública, que consagran los artículos 20, 23, 74 y 209 de la Carta (Sentencia C-274/13).

[3] *"I. Toda la información en posesión de cualquier autoridad, entidad, órgano y organismo federal, estatal y municipal, es pública y sólo podrá ser reservada temporalmente por razones de interés público en los términos que fijen las leyes. En la interpretación de este derecho deberá prevalecer el principio de máxima publicidad.*
II. La información que se refiere a la vida privada y los datos personales será protegida en los términos y con las excepciones que fijen las leyes.
III. Toda persona, sin necesidad de acreditar interés alguno o justificar su utilización, tendrá acceso gratuito a la información pública, a sus datos personales o a la rectificación de éstos.
IV. Se establecerán mecanismos de acceso a la información y procedimientos de revisión expeditos.
Estos procedimientos se sustanciarán ante órganos u organismos especializados e imparciales, y con autonomía operativa, de gestión y de decisión.
V. Los sujetos obligados deberán preservar sus documentos en archivos administrativos actualizados y publica-

A su vez, la Constitución de Perú de 1993 consagra el derecho a *"solicitar sin expresión de causa la información que requiera y a recibirla de cualquier entidad pública, en el plazo legal, con el costo que suponga el pedido. Se exceptúan las informaciones que afectan la intimidad personal y las que expresamente se excluyan por ley o por razones de seguridad nacional"*[4]. Del mismo modo, se alude a la transparencia en relación al origen de los recursos económicos de los partidos políticos[5].

Por su parte, en el capítulo II de la Constitución de Argentina ("nuevos derechos y garantías"), reformado en 1994, se incluyen dos disposiciones. Así, se estable el derecho a ser provisto de información ambiental por las autoridades públicas[6]. A la vez que se incorpora un caso específico de derecho de acceso a la información, en cuanto a que *"los consumidores y usuarios de bienes y servicios tienen derecho (...) a una información adecuada y veraz"*[7].

La Constitución de Costa Rica de 1949, modificada el año 2001, garantiza *"el libre acceso a los departamentos administrativos con propósitos de información sobre asuntos de interés público. Quedan a salvo los secretos de Estado"*[8].

---

rán a través de los medios electrónicos disponibles, la información completa y actualizada sobre sus indicadores de gestión y el ejercicio de los recursos públicos.

VI. Las leyes determinarán la manera en que los sujetos obligados deberán hacer pública la información relativa a los recursos públicos que entreguen a personas físicas o morales.

VII. La inobservancia a las disposiciones en materia de acceso a la información pública será sancionada en los términos que dispongan las leyes". Constitución Política de México, artículo 6. Vid. Ignacio Burgoa (2009). El año 2003 entró en vigor, en junio de 2003, la Ley Federal de Transparencia y Acceso a la Información Pública Gubernamental. Vid. Rigoberto Martínez B (2009).

[4]   Constitución Política de Perú, artículo 2 N° 1.

[5]   Ibid., artículo 35. Su regulación normativa se encuentra en la Ley de Transparencia y Acceso a la Información Pública, Ley N° 27806, y en el Reglamento de la Ley (D.S. 043-2003).

[6]   De acuerdo a lo señalado en el artículo 41, *"Las autoridades proveerán a la protección de este berecho, a la utilización racional de los recursos naturales, a la preservación del patrimonio natural y cultural y de la diversidad biológica, y a la información y educación ambientales"*.

[7]   Según el artículo 42, *"Los consumidores y usuarios de bienes y servicios tienen derecho, en la relación de consumo, a la protección de su salud, seguridad e intereses económicos; a una información adecuada y veraz; a la libertad de elección, y a condiciones de trato equitativo y digno"*. Vid. Ley 27.275, de 14 de septiembre de 2016. Vid. Santiago Díaz C. (2009); p. 151 y ss.

[8]   Artículo 30. Ello, sin perjuicio del derecho de petición, que garantiza el artículo 27. Jorge Córdoba Ortega (2012). No existe aún normativa legal sobre el tema. Se ha sentenciado que *"El ordinal 30 de la Constitución Política garantiza el libre acceso a los "departamentos administrativos con propósitos de información sobre asuntos de interés público", derecho fundamental que en la doctrina se ha denominado derecho de acceso a los archivos y registros administrativos, sin embargo, la denominación más acertada es la de derecho de acceso a la información administrativa, puesto que, el acceso a los soportes materiales o virtuales de las administraciones públicas es el instrumento o mecanismo para alcanzar el fin propuesto que consiste en que los administrados se impongan de la información que detentan aquéllas. (...)"*. (Resolución N° 136-2003 del 15 enero del 2003).

Por su lado, la Constitución de República Dominicana alude a la transparencia y publicidad, dentro de los principios que debe orientar la actuación de la Administración Pública[9].

A su vez, la Ley Fundamental de Venezuela tutela el derecho a ser informado *"por la Administración Pública, sobre el estado de las actuaciones en que estén directamente interesados e interesadas, y a conocer las resoluciones definitivas que se adopten sobre el particular. Asimismo, tienen acceso a los archivos y registros administrativos, sin perjuicio de los límites aceptables dentro de una sociedad democrática en materias relativas a seguridad interior y exterior, a investigación criminal y a la intimidad de la vida privada, de conformidad con la ley que regule la materia de clasificación de documentos de contenido confidencial o secreto. No se permitirá censura alguna a los funcionarios públicos o funcionarias públicas que informen sobre asuntos bajo su responsabilidad"*[10].

La Constitución ecuatoriana de 2008 consagra expresamente el derecho de las personas a *"acceder libremente a la información generada en entidades públicas, o en las privadas que manejen fondos del Estado o realicen funciones públicas"*. A la vez que, agrega, *"no existirá reserva de información excepto en los casos expresamente establecidos en la ley. En caso de violación a los derechos humanos, ninguna entidad pública negará la información"*[11]. Para tal efecto, se prevé expresamente una acción de acceso a la información pública[12]. A la vez que se crea una Función de Transparencia y Control Social[13].

A su turno, la Constitución boliviana de 2009 consagra la publicidad y transparencia con motivo de la jurisdicción[14], de la administración[15] y de la política

---

9   Constitución de República Dominicana, artículo 138. Sin perjuicio de lo anterior, dentro de la libertad de información se reconoce que *"Toda persona tiene derecho a la información. Este derecho comprende buscar, investigar, recibir y difundir información de todo tipo, de carácter público, por cualquier medio, canal o vía, conforme determinan la Constitución y la ley"* (artículo 49 N° 1). Vid. Ley General de Libre Acceso a la Información Pública Ley 200-04 y el Decreto No. 130-05 que crea el reglamento de dicha ley. Relevante es la sentencia del TC/0052/13.

10   Constitución de Venezuela, artículo 143. Aún no se ha dictado normativa legal que la reglamente.

11   Constitución de Ecuador, artículo 18 N° 2.

12   *"Art. 91.- La acción de acceso a la información pública tendrá por objeto garantizar el acceso a ella cuando ha sido denegada expresa o tácitamente, o cuando la que se ha proporcionado no sea completa o fidedigna. Podrá ser interpuesta incluso si la negativa se sustenta en el carácter secreto, reservado, confidencial o cualquiera otra clasificación de la información. El carácter reservado de la información deberá ser declarado con anterioridad a la petición, por autoridad competente y de acuerdo con la ley.* Existe una Ley orgánica de transparencia y acceso a la información pública (Ley N° 2004-34, 18 de mayo de 2004).

13   *"La Función de Transparencia y Control Social estará formada por el Consejo de Participación Ciudadana y Control Social, la Defensoría del Pueblo, la Contraloría General del Estado y las superintendencias. Estas entidades tendrán personalidad jurídica y autonomía administrativa, financiera, presupuestaria y organizativa"* (artículo 204).

14   Constitución de Bolivia, artículo 180.

15   Ibid., artículo 232. Vid. Ley 28168, de 17 de mayo de 2005, de Transparencia en la gestión pública del Poder Ejecutivo.

fiscal[16]. Finalmente, cabe citar el caso de Panamá, en la que se consagra el acceso a las bases de datos o registros[17].

Por último, existen casos, como en Uruguay, en el que el acceso a la información se entiende constitucionalmente de manera implícita[18]. Sin perjuicio de lo cual existe normativa legal y reglamentaria que regula la materia[19].

2. ANTECEDENTES DEL ACCESO A LA INFORMACIÓN EN CHILE[20]

Como se sabe, la Comisión de Ética Pública, en 1994, instó a legislar sobre acceso a la información. En tal sentido, se estimó conveniente incorporar en la Constitución Política de la República ("CPR") los principios de probidad funcionaria y de transparencia en la función pública. Así, se consideró necesario que, en el nuevo artículo octavo, además de incorporar el principio de probidad, *"debiera expresarse que toda función pública se ejercerá con transparencia, de manera que se permita y promueva el conocimiento de los procedimientos, contenidos y fundamentos de las decisiones que se adopten en el ejercicio de ellas, sin perjuicio de las materias que, por razones de seguridad o de interés nacional, deban mantenerse en secreto"[21].*

Del mismo modo, cabe recordar que a fines de los noventa se modifica la Ley de Bases de la Administración del Estado, incorporando expresamente el principio de transparencia en el ejercicio de la función pública, *"de manera que permita y promueva el conocimiento de los procedimientos, contenidos y fundamentos de las decisiones que se adopten en ejercicio de ella"[22].* De esta forma, como ha señalado el Tribunal Constitucional, *"el derecho de acceso a la información pública surgió primeramente a nivel legal para ser posteriormente recogido, en los términos que se han reseñado, por la reforma constitucional de agosto de 2005, en el artículo 8°, inciso segundo, de la Carta Fundamental"[23].*

---

16   Ibid., artículo 323.
17   Constitución de Panamá, artículo 43.
18   Artículo 72: *"La enumeración de derechos, deberes y garantías hecha por la Constitución, no excluye los otros que son inherentes a la personalidad humana o se derivan de la forma republicana de gobierno".*
19   Ley N° 18.381, que regula derecho de acceso a la información pública (17 de octubre de 2008) y su Decreto Reglamentario 232/010, de 2 de agosto de 2010.
20   Navarro Beltrán, Enrique (2014). Una versión preliminar del presente artículo, en la parte general, en RDUFT 1/2013; p. 143 y ss.
21   Informe de la Comisión Nacional de Ética Pública sobre probidad pública y la prevención de la corrupción, creada por Decreto N° 423, publicado en el Diario Oficial el 18 de abril de 1994. Una década después se propusieron diversas medidas para fortalecer la transparencia.
22   Artículo 13 de la Ley de Bases Generales de la Administración del Estado, modificado por la Ley N° 19.653.
23   TC, Rol 634/2006, consid. 11.

De igual forma, debe destacarse la sentencia dictada por la Corte Interamericana, en el 2006, en el caso Marcel Claude Reyes y otros contra la República de Chile, en el que se resalta que *"el valor del acceso a la información comprende la promoción de los objetivos más importantes en las Américas, incluida una democracia transparente y efectiva, respeto por los derechos humanos, la estabilidad de los mercados económicos y la justicia socioeconómica. Es ampliamente reconocido que, sin acceso público a la información en poder del Estado, los beneficios políticos que derivan de un clima de libre expresión no pueden realizarse plenamente. El acceso a la información promueve la rendición de cuentas y la transparencia dentro del Estado y permite un debate público sólido e informado. De esta manera el acceso a la información habilita a los ciudadanos para asumir un papel activo en el gobierno, que es condición de una democracia sana. Un mecanismo transparente que brinda acceso a información en poder del Estado es también esencial para fomentar un clima de respeto por todos los derechos humanos. El acceso a la información en poder del Estado es igualmente necesario para evitar futuros abusos de los funcionarios gubernamentales y para asegurar la garantía de contar con recursos efectivos contra tales abusos"*[24].

Cabe sí señalar que, en la misma decisión, la Corte Interamericana si bien se destaca la nueva legislación dictada a fines de los noventa, la estima insuficiente por considerar que sólo se aplica a los actos administrativos y por la amplitud y vaguedad de las excepciones previstas[25].

Ahora bien, el derecho a recibir la información forma parte de la libertad de expresión tutelada en el artículo 19 N° 12 de la CPR. En efecto, tal como lo reconoce el Tribunal Constitucional ("TC"), la *"historia y la doctrina constitucional en general permiten afirmar que estas libertades –se refiere a las de opinión e información– comprenden también el derecho a recibir informaciones"*[26].

El mismo TC ha concluido que el derecho de acceso a la información pública se encuentra reconocido en la CPR –aunque no en forma explícita– *"como un mecanismo esencial para la vigencia plena del régimen democrático y de la indispensable asunción de responsabilidades unida a la consiguiente rendición de cuentas que éste supone por parte de los órganos del Estado hacia la ciudadanía"*. Al mismo tiempo, la publicidad de los actos de tales órganos, garantizada, entre otros mecanismos, por el derecho de acceso a la información pública, *"constituye un soporte básico para el adecuado ejercicio y defensa de los derechos fundamentales de las personas que, eventualmente, puedan resultar lesionados como consecuencia de una actuación o de una omisión proveniente de los mismos"*[27].

---

[24] Comisión Interamericana de Derechos Humanos, 8 de julio de 2005 cap. VII, N° 48.
[25] Ibid., cap. VII, N° 90.
[26] TC, Rol 226/1995, 30.10.1995, consid. 20.
[27] TC, Rol 634/2006, 9.08.2007, consid. 9. En el mismo sentido, Roles 1732/2010, c. 12 y 2558/2013, c. 13. Por lo mismo, se ha sentenciado que el mandato de publicidad tiene como finalidad garanti-

3. LA REFORMA CONSTITUCIONAL DE 2005 Y LA CONSAGRACIÓN DEL PRINCIPIO DE PUBLICIDAD

La reforma constitucional de 2005 consagra expresamente la publicidad en el inciso segundo del artículo octavo[28], al indicar que *"son públicos los actos y resoluciones de los órganos del Estado, así como sus fundamentos y los procedimientos que utilicen. Sin embargo, sólo una ley de quórum calificado podrá establecer la reserva o secreto de aquéllos o de éstos, cuando la publicidad afectare el debido cumplimiento de las funciones de dichos órganos, los derechos de las personas, la seguridad de la Nación o el interés nacional"*.

Tal como se dejó constancia en la historia fidedigna de la reforma constitucional, la transparencia se asocia a la idea de acceder a la información por parte de los ciudadanos[29].

Para un autor, la publicidad *"se configura más bien como una obligación de los órganos del Estado, ligada al imperativo de dar a conocer sus actos decisorios"*; mientras que la transparencia *"se vincula a los procedimientos, contenidos y fundamentos de*

---

zar un régimen republicano democrático, garantizando el control del poder, obligando a las autoridades a responder a la sociedad por sus actos y a dar cuenta de ellos; promover la responsabilidad de los funcionarios sobre la gestión pública y fomentar una mayor participación de las personas en los intereses de la sociedad. Ahora bien, la publicidad es necesaria para el bien común, pero debe hacerse respetando los derechos que el ordenamiento establece y otros principios, como el principio de servicialidad del Estado. Es lícito, en consecuencia, que el legislador, invocando o teniendo en cuenta las causales que la CPR establece para calificar el secreto o reserva, cree excepciones a dicha publicidad. (TC, Rol 2153/2011, c. 15. En el mismo sentido, Rol 2246/2013, c. 22).

[28] La moción de los senadores de la Alianza por Chile (Boletín N° 2526-07), que sirvió de base al texto aprobado, proponía: *"Las actuaciones de los órganos del Estado y los documentos que obren en su poder son públicos, sin perjuicio de la reserva o secreto que se establezca con arreglo a la ley en casos en que la publicidad afecte el debido cumplimiento de las funciones de tales órganos, los derechos de las personas, la seguridad de la Nación o el interés nacional"*. Por su parte, la moción de los senadores de la Concertación (Boletín N° 2534-07) expresaba que *"toda función pública deberá desempeñarse de modo intachable, dando preeminencia al interés general sobre el particular, y de manera que permita y promueva el conocimiento de los procedimientos y fundamentos de las decisiones que se adopten en ejercicio de ella"*. En el debate producido en la Comisión del Senado se incorporó no sólo las "resoluciones" sino también los "actos" de la Administración.

[29] El profesor Rolando Pantoja hace presente que *"en general la publicidad se entiende como el hecho de notificar o publicar un acto, pero el sentido que le asigna la Ley sobre Probidad Administrativa fue más bien el de dar a conocer y tener siempre a disposición de los ciudadanos los actos de la administración. La publicidad, entonces, está estrictamente ligada a los actos de la Administración, en tanto que la transparencia está vinculada a los procedimientos, contenidos y fundamentos de estos actos"*. Por su lado, el profesor Humberto Nogueira indicó que el principio de transparencia *"dice relación con el conocimiento de algo, que no es lo mismo que la publicidad. Desde este punto de vista, la publicidad se vincula más bien con la obligación del órgano que desarrolla la función de entregar al público los temas que son de relevancia pública. En cambio, la transparencia implica que la ciudadanía tiene derecho a reclamar esa información para que la actuación del órgano sea efectivamente legitimada desde el punto de vista de lo que es una sociedad democrática"*. En Pfeffer U., Emilio (2005) p. 29 y 30. En el mismo sentido, el Senador Larraín hizo presente que la publicidad *"consiste en dar a conocer los contenidos y fundamentos de las decisiones que se adoptan"*, mientras que la transparencia *"significa que las personas puedan acceder a la información"* (En Senado de la República (2006) *Reformas constitucionales 2005, historia y tramitación*, p. 49).

estos actos, tema que se asocia al derecho de las personas a ser informadas [30]. Durante la tramitación de la reforma constitucional, se recordó por el profesor Rolando Pantoja que la publicidad se *"entiende que es una norma implícita dentro de la Carta Fundamental. El hecho de que Chile sea una República democrática implica que las autoridades públicas responden a la sociedad; por lo tanto, tiene a disposición de los ciudadanos los actos y da cuenta de ellos"* [31].

Efectivamente es posible sostener que la publicidad de las actuaciones de los gobernantes se encuentra íntimamente vinculado con el régimen republicano y democrático que establece nuestro artículo octavo. Por lo mismo, como lo recuerda Bobbio uno de los principios fundamentales del Estado Constitucional Democrático es que *"la publicidad es la regla; el secreto la excepción"* [32].

Adicionalmente, debe tenerse presente que la CPR asegura, en su artículo 19 N° 14, el derecho de petición, conforme al cual se pueden presentar peticiones a la autoridad sobre cualquier asunto de interés público o privado, sin otra limitación que la de proceder en términos respetuosos y convenientes [33].

Por último, no debe olvidarse que las excepciones sólo pueden establecerse por ley de quórum [34] y que éstas deben interpretarse restrictivamente [35].

---

[30]   Hernandez E., Domingo (2005) 33.

[31]   Pfeffer U. (2005) 29.

[32]   Bobbio, Norberto (1986).

[33]   Se ha sentenciado por el TC que la publicidad de las actuaciones de los gobernantes se encuentra íntimamente vinculada con el régimen democrático y republicano establecido en el art. 4°, y así se dejó constancia en la discusión de la reforma constitucional del año 2005. Este principio, a su vez, se relaciona íntima y directamente con el aseguramiento de la participación ciudadana, consagrado en el inc. final del art. 1°, y con el derecho de petición del art. 19, N° 14 (TC, Rol 1732/2010, c. 14. En el mismo sentido STC 1812/2010, c. 48).

[34]   Este punto fue resaltado por la Diputada señora Guzmán, enfatizando que *"los problemas que actualmente genera la aplicación de la ley de probidad en lo que concierne a la transparencia de los actos de Gobierno se deben a que cada servicio, incluso mediante un reglamento, puede decretar el secreto y la confidencialidad de los actos propios de sus funciones. Eso, obviamente, lleva a que nada sea transparente"* (En Senado de la República (2006) Reformas constitucionales 2005, historia y tramitación, p. 60). Como señala un autor *"debe descartarse, desde luego, toda alternativa de restringir el principio por medio de actos reglamentarios o, incluso, a través de decretos con fuerza de ley"*; Hernández E. Domingo (2005) 36. Otro autor, en el mismo sentido, sostiene que *"es inconstitucional –y siempre lo ha sido– declarar la reserva o secreto de los actos estatales, los documentos y antecedentes en que se fundan o de los procedimientos de los cuales son su resultado, mediante disposiciones infralegislativas"*. Por lo mismo, se habría producido la *"derogación de todos los preceptos reglamentarios que, en la actualidad, declaran confidencialidad de actos del Estado, así como las disposiciones legales que remiten o reenvían el ejercicio de esa potestad a los reglamentos o a disposiciones, incluso de inferior jerarquía que éstos"* (Fernández G., Miguel A. (2005) 200 y 205). Con matices, por último, se ha afirmado que el texto constitucional vigoriza la publicidad *"al elevarla a rango constitucional como regla general, definiendo los objetivos que autorizan su restricción y entregando a un legislador especial –de quórum calificado– el desarrollo de estos casos de excepción, minimizando la potestad reglamentaria"* (Ramírez A., José A. (2005) 244).

[35]   En tal sentido, el Senador Larraín señaló que las excepciones *"deben interpretarse en sentido estricto, como toda excepción en el ámbito legal"* (En Senado de la República (2006) Reformas constitucionales 2005, historia y tramitación, p. 55).

En tal sentido el TC resolvió que, al referirse a los derechos de las personas, dicha expresión *"está siendo utilizada en el mismo sentido amplio que en el artículo 1°, inciso cuarto, de la Carta Fundamental, comprendiendo tanto la protección de derechos subjetivos o derechos en sentido estricto cuanto de intereses legítimos"*[36]. Concluyendo que una disposición que permite que el jefe superior del órgano requerido deniegue, por resolución fundada, la entrega de determinada información que se le solicita, en base a una supuesta *"afectación sensible de intereses de terceras personas"*, no *resulta compatible con el artículo 8°, inciso segundo, de la Constitución. En efecto, y como se recordó, desde la vigencia de la Ley N° 20.050 sólo corresponde a una ley de quórum calificado la determinación del contenido y alcance de las causales de secreto o reserva previstas en la Carta Fundamental. Así, la autoridad administrativa debe sujetarse a los parámetros fijados por aquélla a la hora de denegar la entrega de documentación pública que le haya sido solicitada, por estar afecta a secreto o reserva"*[37].

4. LEY DE ACCESO A LA INFORMACIÓN

En cumplimiento del mandato constitucional, se dictó la Ley N° 20.285, sobre acceso a la información pública y que fuera publicada en el Diario Oficial con fecha 20 de agosto de 2008[38]. De acuerdo a la misma, en virtud del principio de transparencia de la función pública, *"los actos y resoluciones de los órganos del Administración del Estado, sus fundamentos, los documentos que le sirven de sustento o complemento directo y esencial, y los procedimientos que se utilicen para su dictación, son públicos, salvo las excepciones que establece esta ley y las previstas en otras leyes de quórum calificado"*[39]. Asimismo, es pública *"la información elaborada con presupuesto público y toda otra información que obre en poder de los órganos de la Administración, cualquiera sea su formato, soporte, fecha de creación, origen, clasificación o procesamiento, a menos que esté sujeta a las excepciones señaladas"*[40].

Para efectos de lo anterior, se regulan los antecedentes actualizados que deben mantenerse a disposición del público en los sitios electrónicos por parte de los órganos de la administración, principio conocido como "transparencia activa"[41]. Del mismo modo, se regula el derecho de acceso a la información de los órganos de la Administración del Estado, específicamente los principios que

---

[36] TC, Rol 634/2006, consid, 23.
[37] Ibid., consid. 28.
[38] El Reglamento de la misma se contiene en el Decreto N° 13, publicado en el diario Oficial de 13 de abril de 2009.
[39] Artículo 5, inciso 1° de la Ley N° 20.285.
[40] Artículo 5, inciso 2 de la Ley N° 20.285.
[41] Título III de la Ley N° 20.285.

lo informan[42], el procedimiento ante la autoridad, el amparo ante el Consejo de Transparencia y el reclamo de legalidad ante la Corte de Apelaciones[43]. Obviamente, también se contiene la normativa que regula el régimen jurídico del Consejo para la Transparencia, corporación autónoma de derecho público[44].

Al TC le correspondió revisar la constitucionalidad de algunas disposiciones de la Ley N° 20.285[45]. Especialmente, en relación a leyes orgánicas constitucionales de ciertas instituciones. Así, por ejemplo, debe destacarse que dicho tribunal dejó expresamente a salvo el control amplio de legalidad que le corresponde a la Contraloría General de la República[46]. De igual forma, señaló que no le resulta aplicable a dicho órgano el reclamo ante el Consejo de Transparencia[47] y, por lo mismo, no son vinculantes las normas generales que dicte dicho consejo[48]. En relación al Banco Central, como órgano autónomo, se declara que tampoco le resulta aplicable el artículo octavo en cuanto establece un reclamo ante el referido Consejo para la Transparencia[49].

Idéntico razonamiento se efectúa respecto de Ministerio Público[50], el Tribunal Constitucional y el Tribunal Calificador de Elecciones, *"por cuanto la autonomía que la Constitución ha asignado a ciertos órganos del Estado, como los recién mencionados, y que se proyecta en una triple dimensión –organizativa, institucional y normativa– implica, precisamente, que cada uno de estos ámbitos de acción no puede estar supeditado, en su ejercicio a órganos que se relacionen, aunque sea en forma indirecta, con las labores de gobierno y administración propias de la función ejecutiva"*[51]. Por lo mismo, tampoco resultan aplicables a dichos órganos las normas generales que dicte el Consejo para la Transparencia[52].

---

[42]   Particularmente los principios de relevancia, libertad de información, apertura o transparencia, máxima divulgación, divisibilidad, facilitación, no discriminación, oportunidad, control, responsabilidad y gratuidad (artículo 11).

[43]   Título IV de la Ley N° 20.285.

[44]   Título V de la Ley N° 20.285. Sobre el primer año de labor de dicho órgano vid. Rajevic M., Enrique (2009) *La jurisprudencia inicial del Consejo para la Transparencia*, Revista de Derecho del Consejo de Defensa del Estado, p. 31 y ss.

[45]   TC Rol N° 1051/2008.

[46]   Ibid., consid. 34.

[47]   Ibid., consid. 37.

[48]   Ibid., consid. 38.

[49]   Ibid., consid. 41. Cabe tener presente que se declaró inconstitucional la normativa que obligaba al Banco Central a "adoptar" las normas generales que dicte el Consejo para la Transparencia, al estimar que dichos términos imperativos afectaban su autonomía constitucional (consid. 54).

[50]   La Corte Suprema, en queja, acogida, ha señalado que respecto del Ministerio Público debe reclamarse directamente ante la Corte de Apelaciones respectiva (Rol N° 6787-2010, 6 de diciembre de 2010).

[51]   Ibid., consid. 44.

[52]   Ibid., consid. 48.

Adicionalmente se establece que no resulta procedente el reclamo de legalidad respecto del TC y de los tribunales electorales, *"toda vez que dichos órganos jurisdiccionales especializados se rigen por sus propios estatutos constitucionales (…) por lo cual, de acuerdo a lo previsto en el artículo 82 de la Carta Fundamental, están al margen de la superintendencia directiva, correccional y económica de la Corte Suprema"*. Por consiguiente, *"no resultaría constitucionalmente admisible que sus resoluciones o determinaciones queden sujetas al escrutinio de un tribunal ordinario de justicia, subalterno de la Corte Suprema, como es una Corte de Apelaciones"*. Por lo demás, se concluye *"el debido acatamiento de ellos al principio de publicidad y transparencia consagrado en el artículo 8° de la Constitución se satisface adecuadamente con la divulgación de sus resoluciones jurisdiccionales y de otros antecedentes relevantes de su quehacer, en los términos que contempla el artículo 7° de la Ley de Transparencia de la Función Pública y de Acceso a la Información de la Administración del Estado"*[53].

5. JURISPRUDENCIA DEL TRIBUNAL SOBRE EL DERECHO DE ACCESO A LA INFORMACIÓN

Una revisión de la jurisprudencia del TC en los últimos años nos permite sintetizar su principal doctrina[54].

5.1. Derecho de acceso a la información

Se ha sentenciado que el artículo 8 de la CPR no consagra un derecho de acceso a la información, sino que dicho derecho es reconocido implícitamente por el artículo 19 N° 12 de la CPR, al regular la libertad de información[55].

---

[53]   Ibid., consid. 46.
[54]   La jurisprudencia en Navarro Beltrán, Enrique y Carmona Santander, Carlos (2015).
[55]   Así, *"el derecho de acceso a la información pública se encuentra reconocido en la Carta Fundamental aunque no en forma explícita– como un mecanismo esencial para la vigencia plena del régimen democrático y de la indispensable asunción de responsabilidades unida a la consiguiente rendición de cuentas que éste supone por parte de los órganos del Estado hacia la ciudadanía. Al mismo tiempo, la publicidad de los actos de tales órganos, garantizada, entre otros mecanismos, por el derecho de acceso a la información pública, constituye un soporte básico para el adecuado ejercicio y defensa de los derechos fundamentales de las personas que, eventualmente, puedan resultar lesionados como consecuencia de una actuación o de una omisión proveniente de los mismos"*. (TC, Rol 634/2007, c. 9). En el mismo sentido, Roles 1990/2011; 2153/2011, c. 15; y 2246/2012, c. 22. Se ha señalado que el artículo 8° de la Constitución establece, en primer lugar, una declaración genérica de publicidad de ciertos aspectos de la actuación de los órganos del Estado. *"No habla ni de acceso, ni de entrega, ni de transparencia. No los descarta, pero tampoco cierra posibilidad al legislador. Tampoco habla de información"*. Igualmente, tampoco establece, como lo hace el inciso primero respecto de la probidad, un principio de publicidad, ni que los órganos del Estado deban "dar estricto cumplimiento" a dicha publicidad. *"Ello no desmerece la relevancia del mandato, ni relaja su cumplimiento. Sin embargo, constituye un elemento de interpretación, frente a otras disposiciones constitucionales que sí establecen*

Del mismo modo, se ha recordado que la circunstancia de que se encuentre el artículo 8° en el Capítulo I de la CPR no significa superioridad sobre el Capítulo III, que contiene el artículo 19, estableciendo el catálogo de derechos fundamentales[56].

Se ha recordado por el TC que su propósito es: a) garantizar un régimen republicano democrático, que asegure el control del poder, obligando a las autoridades a responder a la sociedad de sus actos y dar cuenta de ellos; b) promover la responsabilidad de los funcionarios sobre la gestión pública; y c) fomentar una mayor participación de las personas en los intereses de la sociedad[57].

5.2. Acceso a los actos, resoluciones, fundamentos y procedimientos

Del mismo modo, se ha puntualizado que el artículo 8° de la CPR, modificado el 2005, amplió el principio de publicidad que rige para los órganos de la Administración del Estado, extendiéndolo no sólo a los "actos" emanados de éstos, sino que también a sus resoluciones. Asimismo, el principio de publicidad se hace exigible a los fundamentos de tales actos o resoluciones, así como a los procedimientos que se utilicen en cada caso, no reduciéndolo –como hacía la Ley N° 18.575– sólo a los documentos que les sirvan de sustento o complemento directo y esencial[58].

De esta manera, expresa el TC, el acceso a la información no recae sobre todo lo que hace o tienen los órganos del Estado, sino sólo sobre: a) sus actos y resoluciones (expresión suficientemente amplia como para comprender, de manera genérica, la forma en que los órganos del Estado expresan su voluntad); b) sus fundamentos o motivaciones; y c) los procedimientos que utilicen (acceder a los expedientes, donde constan los trámites por los cuales pasa una decisión)[59].

La publicidad –ha agregado– se refiere a los actos y resoluciones de los órganos del Estado, de manera que no resulta aplicable este mandato cuando lo solicitado no constituyen actos o resoluciones específicas, determinadas o

---

una consideración de esta naturaleza". (TC, Rol 1990/2011, c. 18 y 19) (En el mismo sentido, Rol 2558/2013, c. 13).

56   Así, *"si bien el artículo 8° constitucional se encuentra inserto en las bases de la institucionalidad, éste está estructuralmente limitado por el secreto o la reserva, el que procede, entre otras razones que debe tener en cuenta el legislador, por afectar derechos de las personas. La publicidad siempre debe armonizarse con esos derechos. Por lo demás, el artículo 19 de la Constitución, que se encuentra en el Capítulo III de la misma, donde se consagra la protección de la vida privada, no por eso tiene menor entidad o valor que las disposiciones contenidas en el Capítulo I. Más todavía si la Constitución garantiza, respecto de la vida privada, su "respeto y protección"* (TC, Rol 1990/2011; c. 40). En el mismo sentido, Rol2153/2012).

57   TC, Rol 1990/2011, c. 25.

58   TC, Rol 634/2006, c. 14.

59   TC, Rol 1990/2011, c. 21. En el mismo sentido, Roles 2153/2011, c. 15; 2246/2012, c. 22; 2379/2012, c. 25; y 2558/2013, c. 21).

determinables. Al no estar referida a éstos, tampoco es posible identificar sus fundamentos, ni menos los documentos que les sirvan de sustento o complemento directo y esencial[60].

Respecto de los actos y resoluciones que no llevan en sí mismos sus fundamentos, ha recordado el TC que la ley debe procurar que las personas puedan acceder a conocerlos. Por ejemplo, pueden acceder al expediente administrativo, donde constan los informes, dictámenes, pruebas, etc.; o a las discusiones, que constan en actas o grabaciones de algún tipo. Nada dice la CPR respecto de la oportunidad en que debe hacerse público el fundamento. Este, por tanto, puede conocerse simultáneamente con el acto o con posterioridad; y hacerse público de oficio o a petición de parte interesada. Ello lo tendrá que establecer la ley[61].

5.3. Carácter no absoluto del derecho

Se fallado que dicho derecho no tiene carácter absoluto[62]. La publicidad es necesaria para el bien común, pero debe hacerse respetando los derechos que el ordenamiento establece[63] y otros principios, como el principio de servicialidad del Estado, que para la Administración se traduce en el deber de atender las necesidades públicas en forma continua y permanente[64]. Es lícito, en consecuencia, que el legislador, invocando o teniendo en cuenta las causales que la CPR establece para calificar el secreto o reserva, cree excepciones a dicha publicidad[65].

La dicotomía información público/privada es una cuestión de constitucionalidad para verificar si una información está o no regulada por el artículo 8° de la CPR. En cambio, la dicotomía información público/reservada es una cuestión de legalidad porque da por descontada la aplicación del artículo 8° de la Constitución, siendo resorte del juez de fondo determinar si ello acontece aplicando la regla general de publicidad o la excepción de las reservas[66].

Del mismo modo, se ha recordado que la Ley N° 20.285 constituye un elemento de partida para la interpretación del artículo 8°. Pero, en definitiva, son las leyes las que deben interpretarse conforme a la Constitución y no ésta en base a aquéllas[67]. Además, el carácter público de los actos, fundamentos y procedimientos puede lograrse a través de las modalidades que el propio legislador establezca, sin que exista un único mecanismo. Por lo mismo, puede consistir en

---

[60]   TC, Rol 2505/2013, c. 9.
[61]   TC, Rol 1990/2011, c. 21.
[62]   TC, Rol 634/2007. En el mismo sentido, Roles 1732/2011 y 1800/2012.
[63]   TC, Rol 1990/2011.
[64]   TC, Rol 1892/2011; c. 15.
[65]   TC, Rol 1990/2011.
[66]   TC, Rol 2505/2013, c. 26.
[67]   TC, Rol 1990/2011.

la entrega de un documento, en el acceso a ellos, en su publicación, en la puesta a disposición del público, en su difusión por distintos medios[68]. En suma, la Ley N° 20.285 no puede considerarse como la única y exclusiva normativa que concentra todo lo referente a la publicidad ordenada por el artículo 8°[69].

5.4. Alcance para todos los órganos del Estado

El derecho de acceso a la información se aplica a todos los órganos que ejerzan alguna función pública[70]. En otras palabras, la obligación constitucional de publicidad establecida en el art. 8°, se aplica, sin distinción, a todos los órganos del Estado[71].

5.5. Reserva o secreto

El TC ha insistido que el carácter reservado o secreto de un asunto no es algo en sí mismo perverso, reprochable o susceptible de sospecha. La CPR contempla la posibilidad de que la ley directamente o la Administración, sobre la base de ciertas causales legales específicas, declare algo como secreto o reservado. El carácter secreto o reservado de un acto, de un documento, de un fundamento, no es inmunidad ni ausencia de control. Existen otras formas de fiscalización, como es el procedimiento administrativo, los recursos administrativos, el ejercicio de las potestades de la Contraloría General de la República, etc. Todas esas formas permiten un escrutinio de lo que la Administración hace o deja de hacer y permiten que los ciudadanos puedan realizar una crítica fundada de las decisiones de la autoridad[72].

Así, la CPR establece varias causales para que el legislador determine cuándo se ven comprometidos determinados bienes jurídicos. Estas dicen relación con los derechos de las personas, la seguridad de la nación, el interés nacional y cuando "la publicidad afectare el debido cumplimiento de las funciones de dichos órganos". Se trata, en consecuencia, de una causal constitucional de reserva o

---

[68]   TC, Rol 1990/2011.

[69]   TC, Rol 1990/2011. En el mismo sentido, Rol 2152/2012.

[70]   Esta norma se aplica a todos los órganos del Estado, no sólo a los órganos de la Administración del Estado. Por lo tanto, queda comprendida aquí cualquier entidad creada por la Constitución o por la ley que ejerza algún tipo de función pública. Indudablemente, la ley tendrá que considerar la naturaleza propia de cada órgano para definir la publicidad. De hecho, eso es lo que ha efectuado la Ley N° 20.285, que ha diferenciado ámbitos de aplicación de acuerdo a cada órgano (Rol 1990/2011; c. 20).

[71]   TC, Rol 1732/2010, c. 8. En el mismo sentido, Rol 1892/2011, c. 9 y 1812/2010, c. 47.

[72]   TC, Rol 2153/2011, c. 20. En el mismo sentido, Roles 2246/2012, c. 26 y 2379/2012, c. 27.

publicidad. Nada hay en la CPR que la haga menos importante o menos valiosa que el resto de las causales[73].

De igual forma, ha expresado que la publicidad que establece el artículo 8° de la CPR está limitada estructuralmente por las causales de reserva o secreto calificadas por el legislador. Entre estas causales, se encuentran los derechos de las personas. Por lo mismo, no son los derechos los que deben subordinarse a la publicidad, sino ésta a aquéllos. De ahí que el artículo 20 del artículo primero de la Ley N° 20.285 establezca que cuando se requiera una información que afecte derechos de terceros, éstos deben ser consultados por la autoridad requerida. Y si se oponen a la entrega, el órgano requerido queda impedido de proporcionar la documentación o antecedentes solicitados. La existencia de derechos involucrados, entonces, veta la publicidad[74].

En este punto, el TC ha sentenciado que una de las excepciones que contempla la norma para la publicidad es la afectación de derechos de las personas. Cabe resaltar que la CPR utiliza la expresión "afectare", no la de privar, amenazar o perturbar. Con ello, permite que el legislador considere cualquier lesión, alteración o menoscabo, como una razón calificada para establecer la excepción a la publicidad. La CPR tampoco utiliza la expresión "derechos constitucionales". Habla de "los derechos de las personas". Caben aquí, en consecuencia, derechos de rango legal. De igual modo, no señala cuáles son esos derechos. Lo relevante es que la publicidad del acto o resolución, o de su fundamento o del procedimiento respectivo, afecte los derechos de las personas. Si la afectación no tiene que ver con la publicidad, sino con el acto mismo, o su fundamento, o el procedimiento que le precedió, estamos frente a otro ámbito, diferente del cubierto por el artículo 8°[75].

5.6. El acceso y la divisibilidad de la información

La única manera –recuerda el TC– en que un determinado acto, documento, procedimiento o información en poder de la Administración del Estado tenga la calidad de secreto o reservado, es mediante declaración expresa y explícita: a) del legislador mediante ley de quórum calificado y, b) de la autoridad administrativa, dentro de las causales señaladas por la ley. Sin esa declaración, se aplican en toda su amplitud los principios de transparencia y máxima divulgación[76].

También se ha fallado que el artículo 8° de la CPR no exige ningún test de interés público al momento de analizar la existencia de una causal de secreto o

---

[73]   TC, Rol 2997/2016; c.7.
[74]   TC, Rol 2246/2012; c. 66.
[75]   TC, Rol 199/2011, c. 27. En el mismo sentido, Rol 2379/2012, c. 33.
[76]   TC, Rol 2505/2013, c. 21.

de reserva. Si se invoca una causal y ésta reúne los requisitos que la Constitución establece, no hay publicidad. No cabe configurar, entonces, un test de proporcionalidad cuando la CPR resolvió, por anticipado, el conflicto. No cabe intermediar un test que balancee esta causal con la publicidad. De ahí que, cuando hay un derecho invocado, la reserva vence la publicidad. De lo contrario, los derechos contrapuestos a la publicidad serían excepciones relativas. Cabe agregar que un test en tal sentido, incorporado durante la tramitación de la Ley N° 20.285, fue expresamente eliminado durante su paso por el Senado[77].

Igualmente, se ha sentenciado que es deber de los órganos de la Administración entregar la información en los términos más amplios posibles, excluyendo sólo aquello que se encuentre sujeto a excepción. Esa entrega en términos amplios alcanza a todo aquello que no tenga el carácter de reservado. De esta suerte, el principio de máxima divulgación también permite la entrega parcial de información en aplicación del principio de divisibilidad[78].

El principio de divisibilidad –ha puntualizado el TC– importa un ejercicio razonable del legislador, que por una parte busca optimizar el acceso a la información de los órganos de la Administración del Estado y, por la otra, dar eficacia a las causales de reserva. Este principio es la ejecución del principio de proporcionalidad. Cuando se establece un principio general como la publicidad de los actos de los órganos de la Administración del Estado y se prevén excepciones a este principio, estas últimas deben interpretarse y aplicarse restrictivamente, de modo que no se frustre la aplicación del principio general. Además, el principio de proporcionalidad exige que las excepciones no traspasen los límites de lo que es adecuado y necesario para la consecución del objetivo perseguido. Su presencia permite que la norma no sea entendida únicamente como una regla binaria, donde las cuestiones son públicas o reservadas, extendiendo las excepciones más allá de lo permitido. En tal sentido, el principio de divisibilidad admite una correspondencia más coherente con el mandato constitucional del artículo 8°[79].

Nuestro sistema se estructura sobre la base de la corrección funcional, ha remarcado el TC. Esto significa que cada órgano del Estado tiene atribuciones que deben ser respetadas por el resto de los órganos. En este sentido, se deja sentado que ni siquiera el Congreso Nacional puede solicitar determinada información a los órganos de la Administración del Estado que ejerzan potestades fiscalizadoras, si los documentos y antecedentes pueden afectar el desarrollo de una investigación en curso[80].

---

[77]   TC, Rol 2246/2012; c. 67.
[78]   TC, Rol 2506/2013, c. 32.
[79]   TC, Rol 2506/2013, c. 34.
[80]   TC, Rol 2558/2013, c. 8.

5.7. No supone un derecho a elaborar información

La publicidad, afirma el TC, opera respecto de documentos o actos que ya existen. De acuerdo al art. 8° CPR, la publicidad opera respecto de documentos o actos que ya existen. La Constitución habla de "actos y resoluciones" y de "fundamentos" y de "procedimientos". Lo mismo hace la Ley N° 20.285, que dispone que lo que se entrega, después de solicitada la información, es copia de la misma (art. 19). El derecho de acceso a la información, que regula la Ley N° 20.285, pone a la Administración en la obligación de dar o entregar los actos o documentos que ella tenga. No es un derecho a que la Administración elabore una información. Eso transformaría la obligación de dar en una de hacer. La imposición ya no sería entregar algo, sino hacer un informe. Eso excede o contraviene el derecho legal de acceso a antecedentes que ya existen: actos, resoluciones, fundamentos, procedimientos. Este no es un derecho a que se procese, sistematice u ordene antecedentes contenidos en dichos documentos. El derecho de acceder no puede transformarse en un derecho a obtener informes hechos *ad hoc* para cada peticionario[81].

En ninguna parte la CPR –se insiste– obliga a que la Administración deba hacer algo más, como procesar, sistematizar, construir, elaborar, un documento nuevo o distinto. Eso es algo que puede hacer el receptor de la información, toda vez que la ley no permite que se impongan condiciones de uso o restricciones a su empleo[82].

EL TC también ha señalado que la afectación del debido cumplimiento de las funciones implica impactar negativamente en las labores del servicio, interfiriendo la publicidad en la toma de decisiones. Ello puede traducirse en revelar o difundir prematuramente algo, en entorpecer la deliberación interna, en dificultar el intercambio de información para facilitar las decisiones. Esta causal se da cuando la publicidad requiera distraer indebidamente a los funcionarios del cumplimiento regular de sus labores; cuando se formulen requerimientos genéricos, referidos a un elevado número de actos administrativos; cuando se trate de antecedentes o deliberaciones previas a la adopción de una resolución; cuando se trate de antecedentes necesarios a defensas jurídicas y judiciales. Dichas causales tienen que ver con que se menoscabe o impacte negativamente, interfiriendo las tareas entregadas por el ordenamiento jurídico a un órgano determinado. En definitiva, cuando la publicidad afecte la mejor toma de decisiones, porque se revela prematuramente algo o se difunde un asunto que no estaba destinado a ese propósito[83].

---

[81]   TC, Rol 2558/2013, c. 11.
[82]   TC, Rol 2558/2013, c. 22.
[83]   TC, Rol Roles 2153/2013c. 17. En el mismo sentido, Roles 2246/2013 y 2919/2017.

Se ha considerado enmarcada en esta causal, la legitimidad de negar el acceso a la información de los anteproyectos de ley, por comprometer negativamente el ejercicio de la potestad legislativa del Presidente de la República, al obstaculizar la necesidad de aunar posiciones de los distintos órganos y sectores afectados por la normativa en preparación[84]. También, ha considerado que los antecedentes necesarios a defensas judiciales ante instancias internacionales pueden entorpecer la función del Estado, pues la entrega de información se puede traducir en una ventaja estratégica de la contraparte, o producir indefensión[85].

6. DECISIONES DEL TC EN MATERIA DE INAPLICABILIDAD

Debe señalarse que al Tribunal Constitucional le ha correspondido conocer de algunas presentaciones de inaplicabilidad[86] dirigidas en contra de determinados preceptos contenidos en la Ley N° 20.285 sobre acceso a la información.

6.1. Remuneraciones

Así, desechó recursos dirigidos contra el artículo 2°[87], en el marco de un juicio en que se reclamaba la publicidad de sueldos de los profesores de la Universidad de Chile[88] e igualmente respecto del artículo décimo, letra h)[89], referido a las

---

[84] TC, Rol N° 2243/2013.

[85] TC, Rol N° 2919/2017.

[86] Navarro Beltrán, Enrique (2011) *Control de constitucionalidad de las leyes 1811-2011*, Cuaderno 43 del TC.

[87] Artículo 2°.- *Las disposiciones de esta ley serán aplicables a los ministerios, las intendencias, las gobernaciones, los gobiernos regionales, las municipalidades, las Fuerzas Armadas, de Orden y Seguridad Pública, y los órganos y servicios públicos creados para el cumplimiento de la función administrativa.*
La Contraloría General de la República y el Banco Central se ajustarán a las disposiciones de esta ley que expresamente ésta señale, y a las de sus respectivas leyes orgánicas que versen sobre los asuntos a que se refiere el artículo 1° precedente.
También se aplicarán las disposiciones que esta ley expresamente señale a las empresas públicas creadas por ley y a las empresas del Estado y sociedades en que éste tenga participación accionaria superior al 50% o mayoría en el directorio.
Los demás órganos del Estado se ajustarán a las disposiciones de sus respectivas leyes orgánicas que versen sobre los asuntos a que se refiere el artículo 1° precedente.

[88] TC Rol 1892/2011, 17 de noviembre de 2011. La ICA de Santiago acoge en parte requerimiento de U. de Chile (Rol 6248-2011, 7 de junio de 2012). También se acoge requerimiento en relación a documento que no está en su poder (ICA de SANTIAGO, Rol 6624-2011, 16 de mayo de 2012).

[89] Artículo décimo.- *El principio de la transparencia de la función pública consagrado en el inciso segundo del artículo 8° de la Constitución Política y en los artículos 3° y 4° de la Ley de Transparencia de la Función Pública y Acceso a la Información de la Administración del Estado es aplicable a las empresas públicas creadas por ley y a las empresas del Estado y a las sociedades en que éste tenga participación accionaria superior al 50% o mayoría en el directorio, tales como Televisión Nacional de Chile, la Empresa Nacional de Minería, la Empresa de Ferro-*

remuneraciones de ciertos directores superiores de TVN, en atención al carácter público de la entidad[90].

6.2. Información reservada y correos

En esta materia, se acogieron diversas acciones de inaplicabilidad. La primera, respecto del inciso 2°, del artículo 5°[91], y de la letra b), del numeral 1° del artículo 21[92] de la referida ley, al estimarse que afectaba la vida privada del recurrente, como consecuencia de que se faculta al Consejo para la Transparencia para disponer la exhibición de evaluaciones personales, en relación a informes psico laborales[93].

En otro caso, también dirigida contra el aludido inciso 2° del mismo artículo 5°, se admite la inaplicabilidad, al considerarse que se infringe la inviolabilidad de las comunicaciones privadas, al obligarse a exhibir correos electrónicos de funcionario público.[94] Otro caso fue acogido parcialmente[95].

---

carriles del Estado, la Corporación Nacional del Cobre de Chile o Banco Estado, aun cuando la ley respectiva disponga que es necesario mencionarlas expresamente para quedar sujetas a las regulaciones de otras leyes.
En virtud de dicho principio, las empresas mencionadas en el inciso anterior deberán mantener a disposición permanente del público, a través de sus sitios electrónicos, los siguientes antecedentes debidamente actualizados:
(...)
h) Toda remuneración percibida en el año por cada Director, Presidente Ejecutivo o Vicepresidente Ejecutivo y Gerentes responsables de la dirección y administración superior de la empresa, incluso aquellas que provengan de funciones o empleos distintos del ejercicio de su cargo que le hayan sido conferidos por la empresa, o por concepto de gastos de representación, viáticos, regalías y, en general, todo otro estipendio. Asimismo, deberá incluirse, de forma global y consolidada, la remuneración total percibida por el personal de la empresa.

[90]   TC, Roles 1732/2010 y 1800/2010, 21 de junio de 2011.

[91]   "Asimismo, es pública la información elaborada con presupuesto público y toda otra información que obre en poder de los órganos de la Administración, cualquiera sea su formato, soporte, fecha de creación, origen, clasificación o procesamiento, a menos que esté sujeta a las excepciones señaladas".

[92]   Artículo 21.- Las únicas causales de secreto o reserva en cuya virtud se podrá denegar total o parcialmente el acceso a la información, son las siguientes:
Cuando su publicidad, comunicación o conocimiento afecte el debido cumplimiento de las funciones del órgano requerido, particularmente: (...)
b) Tratándose de antecedentes o deliberaciones previas a la adopción de una resolución, medida o política, sin perjuicio que los fundamentos de aquéllas sean públicos una vez que sean adoptadas.

[93]   TC, Rol 1990/2011, 5 de junio de 2012. Vid. en tal sentido, respecto del sistema de la Alta Dirección, diversas sentencias de la ICA de Santiago (Roles 7938-2010, 17 de junio de 2011; 3436-2010, 15 de junio de 2011; 6344-2010, 3 de mayo de 2011 y 3547-2010, 4 de marzo de 2011).

[94]   TC, Rol 2153/2011, 11 de septiembre de 2012. En el mismo sentido, Roles 2246/2012 y 2379/2012.

[95]   TC, Rol 2689/2014.

6.3. La reserva sólo puede establecerse por ley

Con posterioridad, se ha sentenciado que es contraria a la Carta Fundamental, la disposición que autoriza[96], mediante reglamento interno, la reserva de documentos del Ministerio Público[97].

6.4. Derecho a impugnar decisión del CPLT

Se ha estimado por el TC que vulnera la CPR una norma que establece que no cabe reclamo de ilegalidad contra el Consejo para la Transparencia si éste otorgó el acceso a la información, que un servicio denegó inicialmente, fundado en que lo pedido afecta "el debido cumplimiento de las funciones del órgano requerido". Se estima que la disposición[98] afecta el derecho a la defensa jurídica y el debido proceso, en su vertiente del derecho al recurso[99]. Con antelación, el TC había rechazado un cuestionamiento al mismo artículo[100]. Por una parte, porque aquella vez la información ya se había entregado[101]. Y, por la otra, estaba formulado el requerimiento de tal forma, que implicaba una contienda entre el municipio requerido que entrega la información y el Consejo para la Transparencia[102].

6.5. Información que empresas privadas entregan a órganos de la Administración del Estado

En esta materia, cabe citar un primer caso, en que rechazó la inaplicabilidad por inconstitucionalidad del artículo 5° de la Ley de Transparencia, puesto que

---

[96]   Inciso cuarto del artículo 8° de la Ley N° 19.640, Orgánica Constitucional del Ministerio Público, precepto que dispone lo siguiente:
"Son públicos los actos administrativos del Ministerio Público y los documentos que les sirvan de sustento o complemento directo y esencial. Con todo, se podrá denegar la entrega de documentos o antecedentes requeridos en virtud de las siguientes causales: la reserva o secreto establecidos en disposiciones legales o reglamentarias; cuando la publicidad impida o entorpezca el debido cumplimiento de las funciones del organismo; la oposición deducida por terceros a quienes se refiera o afecte la información contenida en los documentos requeridos; el que la divulgación o entrega de los documentos o antecedentes requeridos afecte sensiblemente los derechos o intereses de terceras personas, según calificación fundada efectuada por el respectivo Fiscal Regional o, en su caso, el Fiscal Nacional, y el que la publicidad afecte la seguridad de la Nación o el interés nacional. El costo del material empleado para entregar la información será siempre de cargo del requirente, salvo las excepciones legales".

[97]   TC, Rol 2341/2012, cc. 13 y 24.

[98]   Artículo 28, inciso segundo, de la Ley N° 20.285:
"Los órganos de la Administración del Estado no tendrán derecho a reclamar ante la Corte de Apelaciones de la resolución del Consejo que otorgue el acceso a la información que hubieren denegado, cuando la denegación se hubiere fundado en la causal del número 1 del artículo 21".

[99]   TC, Rol 2997/2016.

[100]   TC, Rol N° 2895/2015.

[101]   Ibid., c. 11.

[102]   Ibid., c. 15.

se determinó que dicho artículo no corresponde ser aplicado en los casos en que la dicotomía se plantea a nivel de información pública o reservada, cuestión que sería de mera legalidad y más propia del juez del fondo[103]. Además, se señaló que no sólo la Administración debe entregar actos y resoluciones, sino también información pública en sentido amplio[104]. Finalmente, se sostuvo que, en ciertas circunstancias, la Administración no sólo queda obligada a entregar información previamente existente, sino que debe construir información nueva a partir de lo existente[105].

Un segundo caso fue acogido. Allí se declaró la inaplicabilidad del referido artículo 5°, en su inciso segundo, reconociendo –de manera consistente con la jurisprudencia anterior aplicable en la materia– que: a) cada órgano del Estado tiene atribuciones que deben ser respetadas por el resto de los órganos; b) que durante la historia legislativa de la normativa se observa que no se incluyó dentro del concepto de "información pública" los informes y antecedentes que las empresas privadas que presten servicios de utilidad pública proporcionen a las entidades fiscalizadoras y que sean de interés público; c) que el artículo 8° no hace pública toda la información que posea el Estado, sino sólo la que allí expresamente se señala; d) que, en definitiva, el derecho de acceso a la información pone a la Administración en la obligación de dar o entregar una información, no de hacer o crear informes ad hoc para quien solicita tal o cual información[106]. En otro caso más reciente, de manera similar se expresa que la norma reprochada excedía lo dispuesto en el artículo 8° de la Constitución[107].

Otro requerimiento fue también acogido, teniendo en cuenta que el precepto de la Ley de Transparencia ya citado excede lo dispuesto en el artículo 8° de la Constitución. Así, dado que el artículo 5° de la Ley obliga a entregar "la información elaborada con presupuesto público" y también "toda otra información que obre en poder de los órganos de la Administración"; se constata que amplía el objeto del acceso a la información, porque lo separa completamente de si se trata de actos, resoluciones, fundamentos de éstos, o documentos que consten en un procedimiento administrativo, como es aludido por la Constitución. Así, resulta difícil imaginarse una información que no esté comprendida en alguna de las dos categorías que el precepto establece, porque la Administración o produce información o la posee a algún título. El punto, se concluye, es que toda ella sería pública, independientemente de si tiene o no relación con el comportamiento o las funciones del órgano de la Administración[108].

---

[103]   TC; Rol N° 2505/2014.
[104]   Ibid.; c. 9°, 15° y 17°.
[105]   Ibid.; c. 22°.
[106]   TC, Rol 2558/2013.
[107]   TC, Rol 2907/2016.
[108]   TC, Rol 3111/2016.

Por último, puede citarse una sentencia en que solicitaba información respecto de un contrato de compraventa de energía, considerado un elemento determinante para que la CORFO haya adjudicado la licitación del proyecto, teniendo presente especialmente que ello conduce a ese órgano del Estado a discernir un aporte significativo como subsidio al proyecto mismo. Se afirma por el TC que el principio de publicidad de los actos y resoluciones de los órganos del Estado constituye una regla general que, como tal, encuentra excepciones en aquellos casos en que la publicidad afecte el cumplimiento de las funciones de dichos órganos, los derechos de las personas, la seguridad de la Nación o el interés nacional, como lo expresa la parte final del inciso segundo del artículo 8° del texto constitucional. Aplicado al caso concreto, no resulta dicha norma jurídica contraria a la Constitución, atendido que no afecta garantías constitucionales de la parte requirente por estar debidamente resguardado el secreto o reserva acerca del modelo original que contiene el proyecto de energía renovable no convencional[109].

CONCLUSIONES

El derecho a acceso a la información se encuentra reconocido en diversos ordenamientos constitucionales en Hispanoamérica (Colombia, México, Perú, República Dominicana, Venezuela, Ecuador, Bolivia y Panamá). En otros casos, de modo implícito.

En nuestro caso, a partir de la reforma constitucional de 2005, se incorpora el principio de publicidad, estableciendo excepciones a través de ley de quórum calificado. La normativa se aplica a toda la Administración del Estado y funcionarios públicos, pero el TC ha señalado una serie de alcances respecto de órganos constitucionales autónomos.

Se ha entendido por el TC que el acceso a la información, aunque no se encuentra expresamente reconocido en el texto constitucional, es consecuencia de la libertad de información y es una de las bases fundamentales del régimen democrático.

Se trata de un derecho no absoluto que admite diversas excepciones, en atención a la protección de diversos bienes, lo que solo procede por ley de quórum calificado.

El derecho de acceso a la información, que regula la Ley N° 20.285, pone a la Administración en la obligación de dar o entregar los actos o documentos que ella tenga. No es un derecho a que la Administración elabore una información.

---

[109]   TC, Rol 2870/2015.

El TC ha resuelto que son públicas las remuneraciones de los funcionarios públicos. En cambio, no lo son, los informes psico-laborales como tampoco los correos electrónicos. Se ha fallado que la administración tiene siempre derecho a impugnar decisión del CPLT.

En un futuro texto constitucional debería consagrarse expresamente el derecho de acceso a la información como un derecho esencial y que forma parte de las bases de la institucionalidad, aplicable además a todas las autoridades.

BIBLIOGRAFÍA

Bobbio, Norberto (1986) *El Futuro de la Democracia*, Ed. Fondo de Cultura Económico, México.

Burgoa, Ignacio (2009) *Derecho Constitucional Mexicano*, México.

Cea Egaña, José Luis (2009) Tercera regla de oro del Derecho Público, Revista de Derecho (Universidad San Sebastián).

Córdoba Ortega, Jorge (2012) *El derecho de acceso a la información pública y la existencia de herramientas que posibilitan la transparencia en la gestión administrativa en Costa Rica. Una visión legislativa*, Revista Centroamericana de Administración Pública 62-63.

Díaz C., Santiago (2009) E*l derecho de acceso a la información pública: situación actual y propuestas para una ley*, en Lecciones y Ensayos 86.

Fernández G., Miguel A. (2005) *El principio de publicidad de los actos estatales en el nuevo artículo 8, inciso 2°, de la Constitución*, en Reforma Constitucional, Ed. Francisco Zúñiga.

Hernández E., Domingo (2005) *Notas sobre algunos aspectos de la reforma a las bases de la institucionalidad, en la reforma constitucional de 2005: Regionalización, probidad y publicidad de actos*, en La Constitución Reformada de 2005, Ed. Humberto Nogueira A.

Martínez B., Rigoberto (2009) *El derecho de acceso a la información en México*.

Navarro Beltrán, Enrique (2011) *Control de constitucionalidad de las leyes 1811-2011*, Cuaderno 43 del TC.

Navarro Beltrán, Enrique (2014) *Bases constitucionales del principio de publicidad*. En obra colectiva "Las bases de la institucionalidad. Realidad y desafíos". H. Nogueira (coordinador). Ed. Librotecnia.

Navarro Beltrán, Enrique y Carmona Santander, Carlos (2015) *Recopilación de jurisprudencia del Tribunal Constitucional 1981-2015*, Cuaderno 59 del TC.

Pérez Escobar, Jacobo (2004) *Derecho Constitucional Colombiano*, Bogotá.

Pfeffer Urquiaga, Emilio (2005) *Reformas Constitucionales 2005*, Ed. Jurídica de Chile.

Rajevic M., Enrique (2009) *La jurisprudencia inicial del Consejo para la Transparencia*, Revista de Derecho del Consejo de Defensa del Estado.

Ramírez A., José A. (2005) *Principio de probidad y transparencia en el ejercicio de las funciones públicas: Alcances de la nueva Constitución de 2005*, en Reforma Constitucional, Ed. Francisco Zúñiga.

El principio de protección de la confianza legítima: Desarrollo y perspectivas para Chile

Iván Obando Camino[1]

INTRODUCCIÓN

El presente trabajo es una contribución al libro homenaje al profesor Dr. José Luis Cea Egaña, cuya dilatada obra académica ha servido de inspiración para nuevas generaciones de iuspublicistas y de marco de referencia para los estudiosos de la Constitución Política, especialmente de quienes comparten su visión de la persona humana como el fin de la organización política. Este trabajo expresa nuestra adhesión al homenaje a tan distinguido académico, organizado por nuestra Asociación Chilena de Derecho Constitucional.

En este trabajo analizamos el principio de protección de la confianza legítima en sus aspectos doctrinales, comparados y domésticos, con el objeto de determinar cuál ha sido el derrotero seguido por nuestra comunidad jurídica y cuál podría ser su proyección futura a nivel constitucional, dado el actual proceso constituyente que vive nuestro país.

Al proceder de esta forma partimos de un supuesto. Creemos que el principio citado se ha arraigado en nuestra *praxis* jurídica del último lustro y que resulta aconsejable su recepción formal por la Constitución Política, más allá de las críticas que puedan hacerse a su respecto, básicamente por un imperativo de certidumbre de los operadores jurídicos y de concreción –en un aspecto particular– de un Estado Social y Democrático de Derecho.

De esta manera, retomamos un análisis realizado hace algunos años[2], el que proyectamos ahora a la luz de eventos más contemporáneos, para lo cual recurrimos al método tradicional de las ciencias jurídicas, que es el dogmático jurídico, sin perjuicio de recurrir en algunas secciones al método comparado y al método de casos.

---

[1]   Abogado, Doctor y Magíster en Ciencia Política por la Universidad Estatal de Nueva York en Albany, Licenciado en Ciencias Jurídicas por la Universidad Católica de Valparaíso. Profesor Asociado en la Facultad de Ciencias Jurídicas y Sociales de la Universidad de Talca. Dirección electrónica: iobandoc@utalca.cl

[2]   Obando Camino, Iván y Allesch Peñailillo, Johann (2016) "El principio de protección de la confianza legítima ante la doctrina y la jurisprudencia chilenas". En Alcaraz, Hubert y Vergara Blanco, Alejandro (eds.): *Itinerario Latinoamericano del Derecho Público Francés. Homenaje al profesor Franck Moderne*. Valencia: Tirant Lo Blanch, 2016, pp. 237-255.

Para estos efectos, este trabajo se divide en cinco secciones las que discurren sobre los antecedentes doctrinales del principio citado, una visión comparada sobre este último, su recepción en nuestro país, los desarrollos jurisprudenciales posteriores y las perspectivas que podrían abrirse a su respecto en el proceso constituyente, con miras a hacer del mismo un principio constitucional.

1. ANTECEDENTES DOCTRINALES

El principio de protección de la confianza legítima constituye una de las normas jurídicas que preside el funcionamiento de los órganos estatales, en especial los administrativos, y se traduce en una garantía de que éstos mantendrán un mismo comportamiento ante hipótesis jurídicas futuras semejantes. Esta garantía es expresión de la confianza del administrado, la que le autoriza a solicitar la protección judicial en caso de infracción a aquélla[3].

Cassagne sostiene, al respecto, que la confianza del administrado implica *"prever razonablemente el grado de previsibilidad y seguridad jurídica que posee su relación con Estado y adoptar las medidas necesarias para cubrir o soportar las contingencias adversas"*[4]; en consecuencia, el principio atempera y modera *"la aplicación irrestricta de la legalidad"*[5]. Por lo mismo, Lorenzo sostiene que esta confianza se basa en expectativas ciudadanas legítimas sobre la conducta de los órganos administrativos, siendo una *"técnica de protección de situaciones jurídicas consolidadas"*[6], ya que ella se origina –históricamente– en una controversia jurídica sobre la aplicación de la legalidad objetiva estricta por la Administración, ante la invocación de la buena fe por el administrado[7].

El fundamento del principio analizado es la seguridad jurídica, no solo como un fin del Derecho, sino también como característica de un Estado de Derecho,

---

[3]   Bermúdez Soto, Jorge (2005) "El principio de confianza legítima en la actuación de la Administración como límite a la potestad invalidatoria". *Revista de Derecho Universidad Austral* XVIII, N° 2, pp. 83-105, pp. 84-85, 89; Rodríguez-Arana, Jaime (2013) "El principio general del derecho de confianza legítima". *Ciencia Jurídica Universidad de Guanajuato*, Año 1, N°4, pp. 59-70, pp. 63, 65; Bermúdez Soto, Jorge (2016) "El principio de protección de la confianza legítima como fundamento y límites a la actuación de la Administración del Estado". En Ferrada Bórquez, Juan Carlos; Bermúdez Soto, Jorge; Urrutia Silva, Osvaldo (eds.): *Doctrina y Enseñanza del Derecho Administrativo Chileno: Estudios en Homenaje a Pedro Pierry Arrau*. Valparaíso: Ediciones Universitarias de Valparaíso, pp. 223-239, pp. 223-224; Cassagne, Juan Carlos (2016) *Los grandes principios del Derecho Público (constitucional y administrativo)*. Madrid: Editorial Reus, 533 pp., p. 204.

[4]   Cassagne, Juan Carlos (2017) *Derecho Administrativo*. Lima: Palestra Editores, Tomo I, 944 pp., p. 67.

[5]   Cassagne (2017) 67.

[6]   Lorenzo de Membiela, Juan (2006) "El principio de confianza legítima como criterio ponderativo de la actividad discrecional de la Administración Pública". *Revista de Administración Pública*, N° 171, pp. 249-263, p. 261.

[7]   Cassagne (2017) 67.

la que permite adquirir certeza sobre las normas jurídicas vigentes y los comportamientos admitidos por estas últimas. No obstante, Rodríguez-Arana precisa que este principio no comprende una intangibilidad, petrificación o congelamiento del ordenamiento jurídico, sino sólo *"la racionalidad y la objetividad, junto a la congruencia o coherencia de su reforma"*[8], lo que implica que su innovación y reforma debe efectuarse acorde a los *"procedimientos establecidos en las normas y atendiendo a circunstancias racionales y objetivas"*[9].

Por su parte, Bermúdez sostiene que la legalidad –en sentido amplio– proporciona también un fundamento al principio en comento, pues comprende la previsibilidad, valoración y razonabilidad del Derecho[10]. Esto precluye la viabilidad jurídica de un comportamiento administrativo abusivo o arbitrario, pues obliga a la Administración a motivar y razonar sus actos ante los administrados, por lo cual *"[s]i tal actuación supone una alteración en la interpretación de la norma o un cambio en la manera de regular o de resolver, solo estará legítimamente autorizada para hacerlo si respeta, entre otros, la confianza que los administrados tienen en la forma o dirección de la actuación"*[11].

Esto implica que la infracción del principio analizado trae aparejada una reacción judicial, al decir de Lorenzo, causada por el abuso de la normatividad *"que sorprende la confianza de las personas destinatarias de la misma, que no esperaban tal reacción, al menos sin unas medidas transitorias que paliasen esos efectos tan bruscos"*[12]. Corresponde al juez, entonces, ponderar y determinar cuál interés prevalecerá en la especie[13], con lo cual los efectos jurídicos de un acto administrativo aparentemente regular pueden adquirir permanencia e intocabilidad, por haberse generado *"una legítima confianza en la estabilidad de la decisión y de sus derechos"*[14] en el administrado. Por último, como dice Bermúdez, el principio citado puede ser concebido como un instituto garantístico de los derechos fundamentales, pudiendo su aplicación extenderse a la actividad legislativa y judicial[15].

---

[8]   Rodríguez-Arana (2013) 67-68.

[9]   Rodríguez-Arana (2013) 68.

[10]   Bermúdez Soto, Jorge (2014) *Derecho Administrativo General.* Santiago: Thomson Reuters, 794 pp., p. 111.

[11]   Bermúdez (2014) 112.

[12]   Lorenzo (2006) 261.

[13]   Maurer, Hartmut (2012) *Derecho Administrativo Alemán.* Traducción de María José Bobes Sánchez, María Mercé Darnaculleta I Gardella, José García Alcorta, Javier García Luengo, Alejandro Huergo Lora, Núria Magaldi, Oriol Mir Puigpelat, Marc Tarrés Vives y Gabriel Doménech Pascual. México D.F.: Universidad Nacional Autónoma de México, 577 pp., p. 293; Wolters Kluwer (s.d.) *Confianza Legítima. Concepto.* Disponible en: https://guiasjuridicas.wolterskluwer.es/Content/Documento.as px?params=H4sIAAAAAAAEAMtMSbF1jTAAAUNDS0sLtbLUouLM_DxbIwMDCwNzA7BAZlqlS35 vSGVBqm1aYk5xKgDnlb3dNQAAAA==WKE [fecha de visita 10 de noviembre de 2021].

[14]   Cassagne (2017) 68.

[15]   Bermúdez (2014) 114.

Para la aplicación eficaz del principio, se exige la buena fe del administrado, la que no es otro fundamento del principio[16], y se deduce del hecho que "*[l] a Administración debe cumplir sus funciones en el marco del servicio objetivo al interés general*"[17]. Además, Lorenzo sostiene que deben concurrir algunos elementos, especialmente en sede judicial, a saber, que la Administración asegurare específicamente la regularidad de su conducta, las esperanzas del administrado deben ser fundadas, la situación o expectativa jurídica adquirible debe ser legal, la Administración no debe haber anunciado y justificado el cambio intempestivo de su conducta y esta última debe frustrar las expectativas ciudadanas[18].

Los elementos indicados descansan en ciertos deberes de la Administración, los que consisten en una coherencia conductual respecto de posiciones previas, vinculación general de la Administración con el precedente administrativo, necesidad de advertir sobre cambios de criterio con impacto en la conducta futura, otorgamiento de plazo para conocimiento del nuevo criterio y juridicidad del acto posterior emanado de la Administración[19]. Igualmente, la desconsideración del precedente administrativo supone expresar las razones para ello y que los cambios de criterio para ejercer atribuciones discrecionales sean de alcance general y carentes de efectos retroactivos, salvo que favoreciesen al administrado[20].

2. VISIÓN COMPARADA

Los orígenes del principio de protección de la confianza legítima se remontan al famoso caso de la "Viuda de Berlín", fallado por el Tribunal Administrativo Superior de dicha ciudad en 1956, cuyos antecedentes han sido reseñados por la doctrina[21]. Por lo anterior, aquel dijo relación inicialmente con la invalidación

---

[16]   Cassagne (2016) 67.
[17]   Rodríguez-Arana (2013) 67.
[18]   Lorenzo (2006) 261.
[19]   Bermúdez (2014) 114-120.
[20]   Cassagne (2016) 204.
[21]   La viuda de un funcionario, residente en Alemania del Este, había obtenido que la Conserjería de Interior de Berlín Occidental le certificara que cualificaría para percibir una pensión si se trasladaba a vivir a dicha ciudad, lo que la persuadió para mudar su residencia, permitiéndosele acceder al cobro de la pensión. La Administración revirtió su decisión posteriormente por inconcurrencia de los requisitos legales, cesó el pago de la pensión y además solicitó el reembolso de las sumas percibidas. La viuda acudió a la justicia administrativa y, en sentencia de 14 de noviembre de 1956 (confirmada por el Tribunal Federal de lo Contencioso-Administrativo), el Tribunal Superior de lo Contencioso-Administrativo de Berlín declaró la improcedencia de la invalidación del acto administrativo y del reembolso de las pensiones pagadas a la viuda, por lo que la Administración no podía interrumpir el pago de la pensión, ya que existía una confianza legítima de la viuda que debía ser amparada por el Derecho. Maurer (2012) 291-292; Rey Vásquez, Luis (2013) "El principio de confianza legítima. Su posible gravitación en el Derecho Administrativo argentino". *Anuario da*

de actos administrativos irregulares y la revocación de actos administrativos válidos en dicho país[22].

Al respecto, Maurer señala que la confianza no puede ser protegida, tratándose de la revisión de oficio de actos administrativos antijurídicos favorables: "*a) cuando el beneficiado ha obtenido el acto administrativo de modo obrepticio o empleando cualquier medio desleal; b) cuando el beneficiado conocía o debía conocer la ilegalidad del acto administrativo, y c) cuando la antijuridicidad del acto trae causa de una actuación que recae en su ámbito de responsabilidad (porque, por ejemplo, él aportó informaciones falsas, sin que sea relevante si es o no responsable de la falsedad de dichas informaciones)*"[23]. Según este autor, la jurisprudencia ha determinado que la protección de aquélla requiere "*que el beneficiario haya manifestado su confianza al adoptar medidas o disposiciones que la presuponen [...]*"[24]. Tratándose de actos con efectos prolongados, dicho autor indica que la jurisprudencia admite la revisión con efectos *ex nunc*, pero no *ex tunc*, desechándose la revisión *ex nunc* si el beneficiado "*ha determinado sus condiciones de vida basándose en la confianza en la continuidad del acto de forma decisiva, duradera y sin posibilidades de corrección*"[25].

Posteriormente, su aplicación fue extendida a la invalidación de algunas normas legales retroactivas, las que pugnaban con el principio constitucional del Estado de Derecho de los arts. 20 (3) y 28 (1) de la Ley Fundamental[26], en el que se han entendido ínsitos los principios de seguridad jurídica y confianza legítima. Lo anterior persuadió a García de Enterría para sostener que el principio analizado tenía jerarquía constitucional en dicho país, ya que derivaba del principio de seguridad jurídica[27], lo que ha sido receptado por algunas sentencias de la Corte Constitucional de la década de 1970[28].

En el ámbito comunitario, el Tribunal de Justicia de las Comunidades Europeas sostuvo que este principio integra el derecho comunitario, debiendo ser cumplido por las autoridades nacionales "*sin olvidar que su ámbito afecta a todos los países de la Unión frente a la actuación de la Administración Pública, [...]*"[29]. Según

---

Facultade de Direito da Universidade da Coruña, N°17, pp. 259-282, p. 261; Letelier W., Raúl (2014) "Contra la confianza legítima como límite a la invalidación de actos administrativos". *Revista Chilena de Derecho*, Vol. 41 N°2, pp. 609-634, pp. 612-613.

[22]   Maurer (2012) 292; Bermúdez (2005) 89-92.

[23]   Maurer (2012) 294.

[24]   Maurer (2012) 294.

[25]   Maurer (2012) 294.

[26]   Currie, David P. (1994) *The Constitution of the Federal Republic of Germany*. Chicago: The University of Chicago Press, 426 pp., p. 19.

[27]   García de Enterría, Eduardo (2002) "El principio de protección de la confianza legítima como supuesto título justificativo de la responsabilidad del Estado legislador". *Revista de Administración Pública*, N° 159, pp. 173-206, p. 175. Igualmente, Maurer (2012) 24.

[28]   Rey (2013) 261.

[29]   Lorenzo (2006) 251.

Letelier, la línea seguida por dicho tribunal ha implicado una limitación a las potestades de los gobiernos nacionales y una protección de la confianza legítima del administrado frente a normas o medidas administrativas ajustadas a derecho, pero cuya imprevisibilidad trastorna y desestabiliza la relación entre el administrado y la Administración[30]. En cualquier caso, estos eventos influyeron en la adopción del mismo principio por otros países europeos[31].

Fue este el caso de España, cuyo Tribunal Supremo receptó el principio citado en 1990, refiriéndolo más tarde al de seguridad jurídica del artículo 9.3. de la Constitución Política[32]. En el plano legislativo, la ley N°4/1999 modificó la ley N°30/1992, introduciendo inicialmente el principio analizado en el régimen jurídico iusadministrativo, el que se encuentra hoy en día en el artículo 3.1.e) de la Ley N°40/2015, de Régimen Jurídico del Sector Público, según el cual las Administraciones Públicas deberán respetar en su actuación y relaciones los principios de "[...] *buena fe, confianza legítima y lealtad institucional*", basado en el principio de seguridad jurídica previsto en el artículo 9.3. y el Estado Social y Democrático de Derecho contemplado en el artículo 1.1., ambos de la Constitución Política[33].

Por último, el Tribunal Supremo ha aplicado, en general, este principio con cierta latitud a objetos diversos, incluida la determinación de responsabilidades patrimoniales del Estado y el control de la discrecionalidad administrativa[34].

3. RECEPCIÓN DEL PRINCIPIO EN CHILE

El principio de protección de la confianza legítima cobra realce tras la dictación de la ley N° 19.880 de 2003. Esta ley reconoció la potestad invalidatoria de la Administración, por lo que la discusión inicial sobre el principio en comento dijo relación con los límites al ejercicio de esta potestad, aun cuando existía alguna recepción jurisprudencial del mismo –junto a los principios jurídicos de buena fe y seguridad jurídica– (e.g. Dictámenes N° 44.492 de 2000, N° 61.817 de 2000, N° 24.337 de 2002 y N° 29.385 de 2002, entre otros).

En este contexto normativo, Bermúdez señaló que el principio aludido debía ser ponderado antes de invalidar administrativamente, pues esta invalidación

---

30 Letelier (2014) 614-615.
31 Moderne, Franck (2005) *Los principios generales del derecho público*. Traducción de Alejandro Vergara Blanco. Santiago: Editorial Andrés Bello, 301 pp., p. 286.
32 Lorenzo (2006) 259-260; Rodríguez-Arana (2013) 67.
33 Lorenzo (2006) 252; Rodríguez-Arana (2013) 64-67.
34 Lorenzo (2006) 259-260; García de Enterría (2002) 174; Rodríguez de Santiago, José María (2020). *Vulneración por el legislador de la confianza legítima: ¿inconstitucionalidad o responsabilidad?* Disponible en: https://almacendederecho.org/vulneracion-por-el-legislador-de-la-confianza-legitima-inconstitucionalidad-o-responsabilidad [fecha de visita 5 de diciembre de 2021].

procedía respecto de actos afectados por un vicio grave de antijuridicidad, ya que el principio de conservación del acto administrativo aconsejaba considerar las expectativas y situaciones legítimas consolidadas bajo la apariencia de regularidad de la actividad administrativa[35]. Para este autor el principio analizado se deducía de los principios de Estado de Derecho de los arts. 5 a 7 CPR y de seguridad jurídica del art. 19 N° 26 CPR, debiendo entenderse que *"existirá una permanencia en la regulación y aplicación del ordenamiento jurídico"*[36]. Lo anterior implicaba una visión extensiva del principio de legalidad[37], en los términos referidos *supra*.

Una vez dictada la ley N° 19.880, la jurisprudencia administrativa receptó el principio de marras gradualmente, primero en relación con la invalidación de actos administrativos contrarios a derecho y la interpretación de la normativa administrativa[38], y después respecto de la terminación del personal a contrata de la Administración.

Diversos dictámenes afirmaron la procedencia de invocar la confianza legítima, junto a otros principios jurídicos (e.g. buena fe, seguridad jurídica, certeza jurídica o conservación), para limitar la invalidación de actos administrativos irregulares por la Administración (e.g. Dictámenes N° 48.554 de 2004, N° 54.179 de 2004, N° 7.941 de 2006, N° 33.622 de 2008, N° 8.058 de 2009, N° 2.091 de 2010), pero sin determinar si tales principios constituían exigencias, fundamentos o complementos de la confianza aludida[39]. No obstante, los Dictámenes N° 59.822 de 2008 y N° 2.556 de 2014 sugirieron que la buena fe era una exigencia para la confianza legítima.

El Órgano Contralor extendió más adelante la aplicación de la confianza legítima a la terminación del personal a contrata de la Administración[40], bajo el presupuesto que este principio *"[…] debe orientar la actuación de la Administración en general. [...]"*[41].

El Dictamen N° 22.766 de 2016 estableció que la recontratación reiterada de los peticionarios había transformado en *"[…] permanente y constante la mantención*

---

[35]   Bermúdez (2005) 104.
[36]   Bermúdez (2005) 84-85.
[37]   Bermúdez (2005) 85.
[38]   Millar Silva, Javier (2015) "El principio de protección de la confianza legítima. Análisis de su influencia y posible recepción en el Derecho Administrativo chileno". En Núñez Poblete, Manuel (ed.): *La Internacionalización del Derecho Público*. Santiago: Thomson Reuters, pp. 1.065-1.090, p. 1.071.
[39]   Millar (2015) 1.073
[40]   En la especie, se trató de dos funcionarios municipales cuyos empleos a contrata no habían sido renovados –sin justificación alguna– por las municipalidades respectivas, no obstante desempeñarse en ellas mediante renovaciones sucesivas por 15 y 4 años, respectivamente. Esta situación fue considerada arbitraria, injustificada y discriminatoria por aquéllos, pese a que las municipalidades habían obrado según lo dispuesto en el art. 2° de la ley N°18.883.
[41]   Bermúdez (2016) 237.

del vínculo con los interesados, lo que determinó así en definitiva que los ente (SIC) comunales mencionados incurrieran en una práctica administrativa que generó para los recurrentes una legítima expectativa que les indujo razonablemente a confiar en la repetición de tal actuación./ De esta manera, al ser renovada durante 15 y 4 años, en cada caso, la vinculación de los municipios con los peticionarios, a estos últimos les asistió –al amparo de los principios de juridicidad y de seguridad jurídica y los consagrados en los artículos 5°, 8° y 19 N° 26 de la Constitución Política de la República– la confianza legítima que serían recontratados para el año 2016. En efecto, la mencionada confianza legítima se traduce en que no resulta procedente que la administración pueda cambiar su práctica, ya sea con efectos retroactivos o de forma sorpresiva, cuando una actuación continuada haya generado en la persona la convicción de que se le tratará en lo sucesivo y bajo circunstancias similares, de igual manera que lo ha sido anteriormente."[42].

Basado en el art. 11 de la ley N° 19.880, el dictamen determinó que la no renovación de las designaciones carecía de fundamentos, pues las comunicaciones respectivas no indicaban las circunstancias de hecho para tal decisión, lo que *"[n] o se condice con el deber derivado del principio de la confianza legítima de tener los órganos de la (SIC) administración del Estado una actuación coherente, y en el caso de determinar una decisión distinta a la que ha venido adoptando, dar comunicación de dicho cambio de criterio a través de un acto de carácter positivo debidamente motivado a través del cual este se manifieste./ [...] teniendo en cuenta que las reiteradas renovaciones de las contrataciones -desde la segunda renovación al menos-, generan en los servidores municipales [...] la confianza legítima de que tal práctica será reiterada en el futuro, [...]"*[43]. Por último, el dictamen precisó que el cambio jurisprudencial debía producir efectos hacia el futuro, *"sin afectar las situaciones acaecidas durante la vigencia de la doctrina sustituida por el nuevo pronunciamiento. [...]"*[44].

Más allá de las críticas que pueden formularse a este dictamen[45], Bermúdez destaca que aquél implicó que el deber de fundamentación de los actos administrativos *"debe considerar los deberes que emanan del principio aludido"*[46].

4. DESARROLLOS JURISPRUDENCIALES POSTERIORES

La nueva jurisprudencia administrativa fue complementada y precisada por diversos dictámenes emitidos en el mismo año por el Órgano Contralor.

---

[42]   Contraloría General de la República. Dictamen N° 22.766. 24 de marzo de 2016. Disponible en: https://www.contraloria.cl/web/cgr/buscar-jurisprudencia [fecha de visita 25 de octubre de 2021].

[43]   CGR. Dictamen N° 22.766. 24 de marzo de 2016.

[44]   CGR. Dictamen N° 22.766. 24 de marzo de 2016.

[45]   Obando y Allesch (2016) 237-255, 246-247.

[46]   Bermúdez (2016) 238.

Primero, el Dictamen N° 23.518 de 2016 dispuso que el término anticipado de un empleo municipal a contrata, cuya prórroga se hubiere efectuado bajo la fórmula "mientras sean necesarios sus servicios", no eximía a la municipalidad del deber de fundamentar dicho término, como acontece en todo acto administrativo que afecte los derechos de los administrados[47]. Segundo, el Dictamen N° 53.844 de 2016 determinó que contrataciones a plazo fijo sucesivas, pero con duraciones diferentes, carecían de regularidad, por lo que la renovación del vínculo constituía una mera expectativa para el funcionario[48]. Tercero, el Dictamen N° 70.966 de 2016 precisó que existía una primera renovación anual si hubiere habido una designación a contrata una vez iniciado el año respectivo y dicha vinculación se extendiere por todo el año calendario siguiente, conforme a una o varias designaciones sucesivas y continuas, por lo que la segunda renovación del vínculo debía extenderse a toda la anualidad posterior, ya que la invocación de la confianza en una nueva designación anual requería que hubieren transcurrido más de dos años[49].

La nueva línea jurisprudencial condujo a la dictación del Dictamen N° 85.700 de 2016 (actualizado por el Dictamen N° 6.400 de 2018). Éste señaló que aquélla era aplicable a designaciones temporales de funcionarios susceptibles de renovación por la autoridad administrativa, fuere bajo la modalidad a contrata u otra figura semejante, con exclusión de suplencias o modalidades de reemplazo de otros funcionarios[50]. Indicó que el Dictamen N° 22.766 era aplicable exclusivamente a designaciones a contrata o contrataciones similares sucesivas, pero no a contratos a honorarios, sin que importare que las contratas previas fueren diferentes de la no prorrogada, originándose la confianza legítima cuando no mediare interrupción. Puntualizó, además, que el hecho que los servicios personales de un funcionario hayan sido requeridos mediante designaciones a contrata, hacía *"suponer que, salvo que medie una razón plausible, la última designación a contrata [...] será renovada por toda la anualidad siguiente; en el mismo grado y estamento"*[51].

---

47   Contraloría General de la República. Dictamen N° 23.518. 29 de marzo de 2016. Disponible en: https://www.contraloria.cl/web/cgr/buscar-jurisprudencia [fecha de visita 25 de octubre de 2021].

48   Contraloría General de la República. Dictamen N° 53.844. 20 de julio de 2016. Disponible en: https://www.contraloria.cl/web/cgr/buscar-jurisprudencia [fecha de visita 25 de octubre de 2021].

49   Contraloría General de la República. Dictamen N° 70.966. 29 de septiembre de 2016. Disponible en: https://www.contraloria.cl/web/cgr/buscar-jurisprudencia [fecha de visita 25 de octubre de 2021].

50   Respecto de excepciones, Contraloría General de la República. Dictamen N° 85.700. 28 de noviembre de 2016. Disponible en: https://www.contraloria.cl/web/cgr/buscar-jurisprudencia [fecha de visita 25 de octubre de 2021]; Contraloría General de la República. Dictamen N° 6.400. 2 de marzo de 2018. Disponible en: https://www.contraloria.cl/web/cgr/buscar-jurisprudencia [fecha de visita 25 de octubre de 2021].

51   CGR. Dictamen N° 85.700. 28 de noviembre de 2016.

El dictamen expresó, asimismo, que la práctica que hacía nacer la confianza legítima debía extenderse por más de dos años, siendo la segunda designación a contrata anual la que la origina; sin embargo, las designaciones a contrata múltiples y sucesivas, por periodos inferiores a un año calendario, eran útiles para la continuidad del vínculo que origina la confianza, siempre que fueren continuas y su tiempo total excediere de dos años calendario. Finalmente, la no renovación de una contrata, la renovación por un término inferior a un año o en un grado o estamento inferior y su término anticipado, debía efectuarse mediante la dictación –en el término legal– de un acto administrativo motivado y notificado al funcionario, siendo insuficiente *"para fundamentar esas determinaciones la expresión 'por no ser necesarios sus servicios' u otras análogas"*[52].

Posteriormente, el Dictamen N° 16.512 de 2018 reconoció al personal a honorarios traspasado a contrata, acorde a las leyes de presupuesto de 2016 a 2018, la prestación continua de servicios en el mismo organismo antes del traspaso, *"en la medida que aquellas labores hayan sido a jornada completa y correspondan a un cometido específico de naturaleza habitual de la institución"*[53], para fines de invocar la confianza legítima.

Más recientemente, el Dictamen N° 49.773 de 2020 indicó que el personal docente municipal puede esgrimir el principio analizado en caso de expiración del vínculo laboral por término del periodo por el cual se realizó el contrato y de una renovación por un plazo inferior, debiendo el acto administrativo motivado correspondiente *"dictarse y notificarse con treinta días de anticipación al inicio del año escolar [...]"*[54]. Y el Dictamen N° 79.690 de 2021 reconoció al personal a contrata traspasado a los Servicios Locales de Educación Pública, según la ley N° 21.040, el tiempo de servicio continuo previo para efectos de invocar la confianza legítima ante dichos servicios[55].

---

[52] CGR. Dictamen N° 85.700. 28 de noviembre de 2016. El Dictamen N° 6.400 de 2018 indicó que la formalidad se podía cumplir mediante un documento con otra denominación suscrito por la autoridad competente y que el plazo legal aludido se establecía debido al órgano que dispone la designación, prórroga o no renovación del funcionario a contrata y no de quien lo dirige, sin que éste pueda ser obviado si dicha autoridad asumiere el cargo tras su expiración, estableciéndose reglas especiales para educadores. CGR. Dictamen N° 6.400. 2 de marzo de 2018.

[53] Contraloría General de la República. Dictamen N° 16.512. 30 de junio de 2018. Disponible en: https://www.contraloria.cl/web/cgr/buscar-jurisprudencia [fecha de visita 25 de octubre de 2021].

[54] Contraloría General de la República. Dictamen N° 49.773. 6 de noviembre de 2020. Disponible en: https://www.contraloria.cl/web/cgr/buscar-jurisprudencia [fecha de visita 25 de octubre de 2021].

[55] Contraloría General de la República. Dictamen N° 79.690. 23 de febrero de 2021. Disponible en: https://www.contraloria.cl/web/cgr/buscar-jurisprudencia [fecha de visita 25 de octubre de 2021].

La jurisprudencia judicial ha acogido con más amplitud el principio en los últimos años, después de su tímida recepción a principios de siglo. En tal sentido, Millar analizó sentencias dictadas por la Corte Suprema, en las que se aplicó la confianza legítima para dejar sin efecto actos administrativos no atingentes a la invalidación administrativa (i.e. Corte Suprema. Rol N° 5202-2005; Corte Suprema rol N° 5973-2011), las que carecían de claridad, en general, sobre los fundamentos jurídicos de aquélla en nuestro ordenamiento jurídico[56].

Sin embargo, el principio ha cobrado mayor notoriedad en sede judicial en relación con la terminación anticipada y no renovación de los empleos a contrata, desde 2017 a la fecha. La Corte Suprema acogió acciones de protección interpuestas por funcionarios afectados por la no renovación de sus contratas, pero con fundamentos diversos en el tiempo, aunque sólo una minoría de las acciones intentadas fue acogida entre 2017 y 2019, a diferencia de aquellas relativas a la terminación anticipada de las contratas[57].

Más específicamente, la Corte Suprema acogió la línea jurisprudencial del Órgano Contralor en 2017, mediante la sentencia rol N° 35.103-2017, cuyo fundamento 4° discurrió sobre la idea de la legítima expectativa del funcionario y señaló: *"Que si bien puede colegirse de los artículos 2 de la Ley N° 18.883 y 10 de la Ley N° 18.834, que toda contrata termina por el solo ministerio de la ley llegado el 31 de diciembre de cada año, su naturaleza esencialmente provisoria y temporal cambia si es la propia Administración la que procede sucesivamente a su renovación, actuación permanente que generará en el empleo la legítima expectativa que anualmente su contrata será renovada, de modo que, una alteración a esta invariable situación de hecho, exigirá una motivación que justifique el cambio de criterio de la autoridad, [...]"*[58]. Más adelante, el mismo tribunal señaló que los razonamientos del acto administrativo correspondiente debían *"guardar relación con hechos objetivos"*[59].

En el mismo año y más claramente en 2018, la Corte Suprema aplicó los criterios del Órgano Contralor para configurar la confianza legítima[60], como se advierte en el fundamento 8° de la sentencia rol N° 38.681-2017, que expresa: *"Que [...] es un verdadero axioma que si una relación a contrata excede los dos años y se renueva reiteradamente una vez superado ese límite, se transforma en una relación indefinida, conforme al principio de confianza legítima que la Contraloría General de la*

---

56   Millar (2015) 1.075-1.076.
57   Muñoz Díaz, Héctor Eduardo (2020) "La ambivalencia de la excma. Corte Suprema frente a la estabilidad en los empleos de la función pública". *Revista Justicia y Derecho Universidad Autónoma de Chile*, Vol. 3 N° 2, pp. 1-18, pp. 3-4.
58   Corte Suprema. 21 de septiembre de 2017. Rol N° 35.103-2017. Disponible en: https://app-vlex-com. utalca.idm.oclc.org/#search/jurisdiction:CL;DE,ES+content_type:2+source:2127/35.103-2017/ WW/vid/693505573 [fecha de visita 15 de noviembre de 2021].
59   Muñoz (2020) 4.
60   Muñoz (2020) 6.

244 Iván Obando Camino

República comenzó a aplicar decididamente con ocasión del Dictamen N° 85.700, de 28 de noviembre de 2016, cuya normativa cubre, entre otros, a los funcionarios designados en empleos a contrata [...]"[61].

En 2019 la Corte Suprema comenzó a aludir a una vinculación ininterrumpida de más de 10 años, al momento de acoger recursos de protección deducidos por funcionarios a contrata cuya designación no había sido renovada[62]. Entre otros, el fundamento 4° de la sentencia rol N° 19.181-2019 señala: *"Que la circunstancia de haber prestado servicios continuos por más de diez años los actores [...], generó a sus respectos la confianza legítima de mantenerse vinculados con la recurrida, de modo tal que sus relaciones estatutarias sólo pueden terminar por sumario administrativo derivado de una falta que motive su destitución o por una calificación anual que así lo permita, supuestos fácticos que no concurren en la especie. [...]"*[63]. No obstante, existe la interrogante si dicha alusión constituye una exigencia o alude meramente a las circunstancias de cada caso, debido a sentencias posteriores[64].

Por último, el máximo Tribunal extendió la aplicación de la confianza legítima a la terminación anticipada de una contrata que afectaba a un funcionario de exclusiva confianza, basado en los criterios del Dictamen N° 6.400 de 2018 y en que dicho órgano administrativo, según el fundamento 7° de la sentencia rol N° 38.853-2019, está sujeto *"[...] -como todos los órganos del Estado- a los principios de juridicidad y de supremacía constitucional establecidos en los artículos 6 y 7 de la Carta Fundamental"*[65].

---

[61] Corte Suprema. 13 de marzo de 2018. Rol N° 38.681-2017. Disponible en: https://app-vlex-com. utalca.idm.oclc.org/#search/jurisdiction:CL;DE,ES+content_type:2+source:2127/38.861-2017/ WW/vid/697954997 [fecha de visita 15 de noviembre de 2018].

[62] Muñoz (2020) pp. 4-7.

[63] Corte Suprema. 8 de enero de 2020. Rol N° 19.181-2019. Disponible en: https://app-vlex-com. utalca.idm.oclc.org/#search/jurisdiction:CL;DE,ES+content_type:2+source:2127/19.181-2019/ WW/vid/834892329 [fecha de visita 15 de noviembre de 2021]. Igualmente, Corte Suprema. 6 de mayo de 2020. Rol N° 1.750-2019/N°1.755-2019 (acumulada). Disponible en: http://basejurisprudencial.poderjudicial.cl/# [fecha de visita 15 de noviembre de 2021]; Corte Suprema. 1 de diciembre de 2020. Rol N° 139.884-2020. Disponible: https://app-vlex-com.utalca.idm.oclc.org/#search/ jurisdiction:CL;DE,ES+content_type:2+source:2127/139.884-2020/WW/vid/852440758 [fecha de visita 15 de noviembre de 2021]; Corte Suprema. 12 de julio de 2021. Rol N°19.111-2021. Disponible en: https://oficinajudicialvirtual.pjud.cl/indexN.php# [fecha de visita 15 de noviembre de 2021].

[64] Corte Suprema. 3 de abril de 2020. Rol N° 38.853-2019. Disponible en: https://app-vlex-com.utalca.idm.oclc.org/#search/jurisdiction:CL;DE,ES+content_type:2+source:2127/38.853-2019/WW/ vid/842607495 [fecha de visita 15 de noviembre de 2021]; Corte Suprema. 30 de marzo de 2021. Rol N° 127.479-2020. Disponible en: http://basejurisprudencial.poderjudicial.cl/# [fecha de visita 15 de noviembre de 2021.

[65] Corte Suprema. 3 de abril de 2020. Rol N° 38.853-2019.

5. PERSPECTIVAS PARA CHILE

Probablemente, la acogida brindada al principio de protección de la confianza legítima por los tribunales, sobre todo en el último lustro, no habría adquirido la notoriedad actual sin la línea jurisprudencial acuñada por la Contraloría General de la República, especialmente a partir del Dictamen N° 22.766 de 2016, el que ha sido citado en diversas sentencias judiciales del máximo Tribunal.

Lo anterior ha despertado expectativas de operadores jurídicos y administrados, especialmente en su relación con los órganos estatales, las que no guardan relación con la eficacia de algunas acciones judiciales deducidas, como señalado *supra*, olvidándose a ratos de que se trata de una interpretación de normas iusadministrativas que no cuenta con una expresión formal a nivel constitucional o legal.

Asimismo, se advierte una coherencia mayor en la jurisprudencia administrativa del último lustro que en la jurisprudencial judicial, especialmente a la luz de las implicancias que el máximo Tribunal ha extraído de acoger la confianza legítima en favor del empleado a contrata cuya designación no fue renovada, esto es, que la relación estatutaria puede sólo puede terminar por destitución vía sumario administrativo o por una calificación anual que así lo permita, como reseñado *supra*, lo que no se condice con la regulación legal de estos empleos y los Dictámenes N° 85.700 de 2016 y N° 6.400 de 2018.

El tiempo transcurrido no ha acallado del todo las críticas hechas en su momento por un sector de la doctrina, en el sentido que el principio de marras tensiona la observancia de la legalidad estricta, la que debe ceder en ocasiones ante la buena fe del administrado[66]; no obstante, la aplicación del principio en comento ha implicado también una reducción, aunque en un grado variable, de prácticas discrecionales realizadas por órganos administrativos que afectaban negativamente la predictibilidad y la certeza jurídica que debían rodear las situaciones jurídicas consolidadas de los administrados. Por ello no constituye una exageración asumir que el principio de protección citado ha terminado por asentarse en la *praxis* jurídica, pese a sus orígenes y críticas en nuestro medio.

Encontrándonos en medio de un proceso constituyente, sería aconsejable que este principio fuera receptado formalmente por una nueva Constitución Política, no sólo porque otorgaría certidumbre a los operadores jurídicos, sino también porque constituye una concreción particular de un Estado Social y Democrático de Derecho, basado en una sociedad política, civil y económica vibrante, como la nuestra, para lo cual podrían emplearse dos vías, a saber: a) El principio podría ser introducido como una garantía jurídica acerca de la actuación

---

[66]   Letelier (2014) 623; Millar (2015) 1.086.

de los órganos estatales, en especial los administrativos, junto a otros principios jurídicos (e.g. seguridad jurídica, publicidad, racionalidad, irretroactividad de la ley respecto de situaciones de hecho agotadas o desarrolladas previamente, etc.), inspirado para ello en los textos relevantes del derecho público español (i.e. art. 9.3. de la Constitución Política y art. 3 de la Ley N° 40/2015) y el art. 15 de la Carta Iberoamericana de los Derechos y Deberes del Ciudadano en Relación con la Administración Pública del CLAD de 2013, que proviene del *soft law*; b) El principio podría ser introducido como una expresión adicional del derecho a la buena Administración Pública, tomando como modelo las normas del art. 41 de la Carta Europea de Derechos Fundamentales de 2000 y del art. 26 de la Carta Iberoamericana de los Derechos y Deberes del Ciudadano en Relación con la Administración Pública precitada, las que se verían enriquecidas y adicionadas de esta manera. Ello debería ir acompañado de un régimen de responsabilidad patrimonial del Estado, derivado de su actividad normativa que contraviniere el citado principio (exceptuada la retroactividad impropia de las leyes)[67].

CONCLUSIÓN

Este trabajo analizó el principio de protección de la confianza legítima, como norma de funcionamiento de los órganos estatales, en especial los administrativos, e instituto garantístico de los derechos fundamentales de los habitantes en sus relaciones jurídicas con los primeros, cuya transgresión autoriza a ocurrir a la justicia, en demanda de protección de la confianza depositada en el comportamiento de aquéllos.

Para estos efectos, este trabajo revisó los antecedentes doctrinales del mentado principio y sus orígenes en el derecho comparado, deteniéndose en los orígenes, criterios y efectos atribuidos al mismo en el derecho público alemán, comunitario y, en menor medida, español, los que han influido en la recepción del principio citado en nuestro país, tanto por la doctrina como por la jurisprudencia, en especial la administrativa emanada de la Contraloría General de la República.

Los desarrollos jurisprudenciales posteriores, analizados en este trabajo, y en los cuales ha jugado un papel importante la jurisprudencia administrativa, han terminado por arraigar el principio analizado en la *praxis* jurídica del último lustro, por lo que estimamos que es aconsejable su recepción formal por la Constitución Política, dado el actual proceso constituyente, más allá de las críticas que puedan hacerse a su respecto, básicamente por un imperativo de certidumbre de

---

[67]   Rodríguez de Santiago (2020).

los operadores jurídicos y de concreción –en un aspecto particular– de un Estado Social y Democrático de Derecho.

Por lo anterior, proponemos dos vías para su admisión en el derecho público nacional, a saber, como una garantía jurídica acerca de la actuación de los órganos estatales, en especial los administrativos, junto a otros principios jurídicos, o como una expresión adicional del derecho a la buena Administración Pública, en ambos casos basado en normas jurídicas relevantes del derecho público comparado y del *soft law*, referidas *supra*, las que serían enriquecidas y adicionadas de esta manera, sin perjuicio de un régimen de responsabilidad patrimonial del Estado, derivado de su actividad normativa que contraviniere el citado principio (exceptuada la retroactividad impropia de las leyes).

BIBLIOGRAFÍA

Bermúdez Soto, Jorge (2005) "El principio de confianza legítima en la actuación de la Administración como límite a la potestad invalidatoria". *Revista de Derecho Universidad Austral* XVIII, N° 2, pp. 83-105.

Bermúdez Soto, Jorge (2014) *Derecho Administrativo General*. Santiago: Thomson Reuters, 794 pp.

Bermúdez Soto, Jorge (2016) "El principio de protección de la confianza legítima como fundamento y límites a la actuación de la Administración del Estado". En Ferrada Bórquez, Juan Carlos; Bermúdez Soto, Jorge; Urrutia Silva, Osvaldo (eds.): *Doctrina y Enseñanza del Derecho Administrativo Chileno: Estudios en Homenaje a Pedro Pierry Arrau*. Valparaíso: Ediciones Universitarias de Valparaíso, pp. 223-239.

Cassagne, Juan Carlos (2016) *Los grandes principios del Derecho Público (constitucional y administrativo)*. Madrid: Editorial Reus, 533 pp.

Cassagne, Juan Carlos (2017) *Derecho Administrativo*. Lima: Palestra Editores, Tomo I, 944 pp.

Currie, David P. (1994) *The Constitution of the Federal Republic of Germany*. Chicago: The University of Chicago Press, 426 pp.

García de Enterría, Eduardo (2002) "El principio de protección de la confianza legítima como supuesto título justificativo de la responsabilidad del Estado legislador". *Revista de Administración Pública*, N° 159, pp. 173-206.

Letelier W., Raúl (2014) "Contra la confianza legítima como límite a la invalidación de actos administrativos". *Revista Chilena de Derecho*, Vol. 41 N° 2, pp. 609-634.

Lorenzo de Membiela, Juan (2006) "El principio de confianza legítima como criterio ponderativo de la actividad discrecional de la Administración Pública". *Revista de Administración Pública*, N° 171, pp. 249-263.

Maurer, Hartmut (2012) *Derecho Administrativo Alemán*. Traducción de María José Bobes Sánchez, María Mercé Darnaculleta I Gardella, José García Alcorta, Javier García Luengo, Alejandro Huergo Lora, Núria Magaldi, Oriol Mir Puigpelat, Marc Tarrés Vives y Gabriel Doménech Pascual. México D.F.: Universidad Nacional Autónoma de México, 577 pp.

Millar Silva, Javier (2015) "El principio de protección de la confianza legítima. Análisis de su influencia y posible recepción en el Derecho Administrativo chileno". En Núñez Poblete, Manuel (ed.): *La Internacionalización del Derecho Público*. Santiago: Thomson Reuters, pp. 1.065-1.090.

Moderne, Franck (2005) *Los principios generales del derecho público*. Traducción de Alejandro Vergara Blanco. Santiago: Editorial Andrés Bello, 301 pp.

Muñoz Díaz, Héctor Eduardo (2020) "La ambivalencia de la excma. Corte Suprema frente a la estabilidad en los empleos de la función pública". *Revista Justicia y Derecho Universidad Autónoma de Chile*, Vol. 3 N° 2, pp. 1-18.

Obando Camino, Iván y Allesch Peñailillo, Johann (2016) "El principio de protección de la confianza legítima ante la doctrina y la jurisprudencia chilenas". En Alcaraz, Hubert y Vergara Blanco, Alejandro (eds.): *Itinerario Latinoamericano del Derecho Público Francés. Homenaje al profesor Franck Moderne*. Valencia: Tirant Lo Blanch, 2016, pp. 237-255.

Rey Vásquez, Luis (2013) "El principio de confianza legítima. Su posible gravitación en el Derecho Administrativo argentino". *Anuario da Facultade de Direito da Universidade da Coruña*, N° 17, pp. 259-282.

Rodríguez-Arana, Jaime (2013) "El principio general del derecho de confianza legítima". *Ciencia Jurídica Universidad de Guanajuato*, Año 1, N° 4, pp. 59-70.

Rodríguez de Santiago, José María (2020) *Vulneración por el legislador de la confianza legítima: ¿inconstitucionalidad o responsabilidad?* Disponible en: https://almacendederecho.org/vulneracion-por-el-legislador-de-la-confianza-legitima-inconstitucionalidad-o-responsabilidad [fecha de visita 5 de diciembre de 2021].

Wolters Kluwer (s.d.) *Confianza Legítima. Concepto*. Disponible en: https://guiasjuridicas.wolterskluwer.es/Content/Documento.aspx?params=H4sIAAAAAAAEAMtMSbF1jTAAAUNDS0sLtbLUouLM_DxbIwMDCwNzA7BAZlqlS35ySGVBqm1aYk5xKgDnlb3dNQAAAA==WKE [fecha de visita 10 de noviembre de 2021].

JURISPRUDENCIA

Contraloría General de la República. Dictamen N° 22.766. 24 de marzo de 2016. Disponible en: https://www.contraloria.cl/web/cgr/buscar-jurisprudencia [fecha de visita 25 de octubre de 2021].

Contraloría General de la República. Dictamen N° 23.518. 29 de marzo de 2016. Disponible en: https://www.contraloria.cl/web/cgr/buscar-jurisprudencia [fecha de visita 25 de octubre de 2021].

Contraloría General de la República. Dictamen N° 53.844. 20 de julio de 2016. Disponible en: https://www.contraloria.cl/web/cgr/buscar-jurisprudencia [fecha de visita 25 de octubre de 2021].

Contraloría General de la República. Dictamen N° 70.966. 29 de septiembre de 2016. Disponible en: https://www.contraloria.cl/web/cgr/buscar-jurisprudencia [fecha de visita 25 de octubre de 2021].

Contraloría General de la República. Dictamen N° 85.700. 28 de noviembre de 2016. Disponible en: https://www.contraloria.cl/web/cgr/buscar-jurisprudencia [fecha de visita 25 de octubre de 2021].

Contraloría General de la República. Dictamen N° 6.400. 2 de marzo de 2018. Disponible en: https://www.contraloria.cl/web/cgr/buscar-jurisprudencia [fecha de visita 25 de octubre de 2021].

Contraloría General de la República. Dictamen N° 16.512. 30 de junio de 2018. Disponible en: https://www.contraloria.cl/web/cgr/buscar-jurisprudencia [fecha de visita 25 de octubre de 2021].

Contraloría General de la República. Dictamen N° 49.773. 6 de noviembre de 2020. Disponible en: https://www.contraloria.cl/web/cgr/buscar-jurisprudencia [fecha de visita 25 de octubre de 2021].

Contraloría General de la República. Dictamen N° 79.690. 23 de febrero de 2021. Disponible en: https://www.contraloria.cl/web/cgr/buscar-jurisprudencia [fecha de visita 25 de octubre de 2021].

Corte Suprema. 21 de septiembre de 2017. Rol N° 35.103-2017. Disponible en: https://app-vlex-com.utalca.idm.oclc.org/#search/jurisdiction:CL;DE,ES+content_type:2+source:2127/35.103-2017/WW/vid/693505573 [fecha de visita 15 de noviembre de 2021].

Corte Suprema. 13 de marzo de 2018. Rol N° 38.681-2017. Disponible en: https://app-vlex-com.utalca.idm.oclc.org/#search/jurisdiction:CL;DE,ES+content_type:2+source:2127/38.861-2017/WW/vid/697954997 [fecha de visita 15 de noviembre de 2021].

Corte Suprema. 6 de mayo de 2020. Rol N° 1.750-2019/N° 1.755-2019 (acumulada). Disponible en: http://basejurisprudencial.poderjudicial.cl/# [fecha de visita 15 de noviembre de 2021].

Corte Suprema. 8 de enero de 2020. Rol N° 19.181-2019. Disponible en: https://app-vlex-com.utalca.idm.oclc.org/#search/jurisdiction:CL;DE,ES+content_type:2+source:2127/19.181-2019/WW/vid/834892329 [fecha de visita 15 de noviembre de 2021].

Corte Suprema, 3 de abril de 2020. Rol N° 38.853-2019. Disponible en: https://app-vlex-com.utalca.idm.oclc.org/#search/jurisdiction:CL;DE,ES+content_type:2+source:2127/38.853-2019/WW/vid/842607495 [fecha de visita 15 de noviembre de 2021].

Corte Suprema. 30 de marzo de 2021. Rol N° 127.479-2020. Disponible en: http://basejurisprudencial.poderjudicial.cl/# [fecha de visita 15 de noviembre de 2021.

Corte Suprema. 1 de diciembre de 2020. Rol N° 139.884-2020. Disponible: https://app-vlex-com.utalca.idm.oclc.org/#search/jurisdiction:CL;DE,ES+content_type:2+source:2127/139.884-2020/WW/vid/852440758 [fecha de visita 15 de noviembre de 2021].

Corte Suprema. 12 de julio de 2021. Rol N° 19.111-2021. Disponible en: https://oficinajudicialvirtual.pjud.cl/indexN.php# [fecha de visita 15 de noviembre de 2021].

La expropiación y sus principios

Sandra Ponce De León Salucci[1]

La Asociación Chilena de Derecho Constitucional decidió, a través de la publicación de una obra colectiva, rendir un merecido homenaje a uno de los intelectuales, académicos y constitucionalistas más lúcido, sagaz y prestigioso de nuestro país, como es don José Luis Cea Egaña. Sumarse a este homenaje no resulta difícil para alguien como yo, que tiene la fortuna de conocerlo, primero como su alumna en las aulas de la Pontificia Universidad Católica de Chile, cuando fue director y docente del Magíster en Derecho Público, con mención en Derecho Constitucional y con posterioridad, en el trabajo, en diversas épocas e instancias de la vida profesional; una de ellas, quizá la más intensa y relevante, dentro del Tribunal Constitucional, reformado en el año 2005. Quiero testimoniar que durante el período en que el maestro Cea Egaña integró la Magistratura Constitucional, como Ministro y como Presidente (2002-2010), contribuyó sin duda, a consolidar la institución y sus procedimientos, como, también, a generar y mantener una cercana y permanente relación con órganos internacionales vinculados a la justicia constitucional, como la Comisión de Venecia y la Conferencia Iberoamericana de Justicia Constitucional. Lo hizo, asimismo, con otros tribunales y cortes constitucionales del mundo. Por último, destaco su dedicación a la difusión de la doctrina que emana de las sentencias constitucionales, no solo a través de publicaciones, sino también en conferencias, coloquios, seminarios y entrevistas a nivel nacional e internacional.

En esta oportunidad, decidí enfocar el trabajo que presento a este libro de homenaje, en un área del derecho que al igual que el maestro estimo de vital importancia para la convivencia política y social de un Estado de Derecho, como es el ejercicio de la potestad expropiatoria y los principios que la orientan.

INTRODUCCIÓN

La vida en sociedad importa la necesidad de conciliar el interés general con el interés de los miembros de la colectividad, labor que, por cierto, corresponde al Estado. El Estado, como ente soberano, tiene por fin promover o realizar el bien común, tomando en consideración el doble carácter de la propiedad, uno individual, que atiende al interés de los particulares y uno social, que mira al interés común o público.

---

[1]   Profesora de Derecho Administrativo, Pontificia Universidad Católica de Chile.

Por otra parte, el derecho concebido como un medio para lograr la mayor satisfacción posible de las necesidades humanas debe armonizar ambos aspectos reseñados que aparecen, en apariencia, como contradictorios. Conforme al aspecto o carácter social de la propiedad, ella puede limitarse o, incluso, eliminarse, en cuanto interese a la utilidad social. De este modo, para ejecutar la expropiación no basta el ánimo de conciliar intereses, sino que es necesaria la existencia de una razón jurídica que fundamente y justifique su aplicación.

Los principios esenciales de la institución expropiatoria radican en el derecho de propiedad consagrado como uno de los pilares fundamentales de nuestra sociedad y en la necesidad de procurar a los miembros de la colectividad las mejores condiciones de existencia mediante la ejecución de obras y trabajos que resulten necesarios, debiendo conciliarse ambos aspectos. Además, se debe proteger a las personas y empresas de la confiscación gubernamental de su propiedad, es decir, sin una compensación adecuada. El monto de la compensación puede especificarse con la utilización de términos como "justa", "completa", "adecuada", "suficiente", "que cubra el daño provocado", etc.

1. NOCIONES GENERALES SOBRE EL DERECHO DE PROPIEDAD RECONOCIDO CONSTITUCIONALMENTE

Es tradicional o usual examinar la propiedad desde dos vertientes:

Como instrumento puesto al servicio de la libertad de la persona y de su dignidad y,

Como un instrumento de dominación o de poder económico.

En el primero de los aspectos mencionados, la propiedad goza de pleno reconocimiento, pero, en el segundo, sólo es reconocida en la medida en que cumple una función social quedando así, subordinada a lo que este último concepto jurídico involucre para la sociedad en un momento determinado; subordinada al contenido que se le otorgue a dicha función social en el correspondiente ordenamiento jurídico[2].

Ahora bien, en países como el nuestro, de inspiración claramente romántica, se ha ido abandonando poco a poco la idea primaria extraída de los textos románicos y, luego, del Código Civil Napoleónico, de que la propiedad es un derecho absoluto e inviolable, por cuanto, hoy en día se reconoce ampliamente la facultad del legislador para establecer limitaciones al ejercicio de este derecho, por aplicación de la "función social" que le es propia.

---

[2]   L. Diez-Picazo y Ponce de León (1991) "Estudios sobre la Constitución Española", Libro Homenaje al Profesor García de Enterría, Tomo II, Ed. Cívitas, p. 1258.

Gracias al influjo de la Iglesia Católica, la cláusula *Función Social de la Propiedad*, es entendida en el sentido que la propiedad ya no es sólo una situación de poder jurídico, esto es, un derecho subjetivo, sino que se trata, más bien, de una situación jurídica compleja en la cual, al lado de las facultades de uso, goce y disposición del bien, pueden coexistir ciertas cargas y obligaciones impuestas por las leyes o, en su caso, por los actos de la Administración –decretos o reglamentos–, para permitir la satisfacción de los intereses públicos o de intereses genéricamente denominados como "sociales".

La tesis de la "Pluralidad de la Propiedad" o de los "Estatutos de Propiedad", también ha cobrado interés y aplicación en los ordenamientos jurídicos, superando al concepto tradicional de la propiedad inmobiliaria o de la tierra. Según esta teoría no existe dominio, sino, "propiedades", todas ellas especiales y que poseen su propio régimen jurídico.

Solo a modo de recuerdo, esta doctrina es una consecuencia de la creciente intervención que tuvo el Estado en la actividad económica después de la Primera Guerra Mundial en Europa y es reproducida tanto en aquellos estados que continuaron teniendo una postura liberal, como, también, en aquellos de corte fascista. Una expresión de ello es la sentencia 37/1987[3], del Tribunal Constitucional español, sobre recurso de Inaplicabilidad intentado en contra de la Ley de Reforma Agraria de Andalucía. En este fallo la Magistratura expresa: "Por la progresiva incorporación de finalidades sociales relacionadas con el uso y aprovechamiento de los distintos bienes sobre los que el derecho de propiedad recae, se ha producido una diversificación de la institución dominical en una pluralidad de figuras o situaciones jurídicas reguladas con un significado y alcance diverso. De ahí que se venga reconociendo con general aceptación doctrinal y jurisprudencial, la flexibilidad o plasticidad actual del dominio que se manifiesta en la existencia de diferentes tipos de propiedades dotadas de estatutos jurídicos diversos, de acuerdo con los bienes sobre los que cada derecho de propiedad recae".

Por otra parte, resulta de interés destacar la incorporación del concepto de *"Contenido Esencial de los Derechos Constitucionales"*, en el sentido que sólo por ley, que en todo caso deberá respetar su contenido esencial, podrá regularse el ejercicio de los derechos y libertades reconocidos constitucionalmente. Tratándose del derecho de propiedad esta idea resulta relevante, porque a la potestad legislativa se le impone como un límite de acción el concepto de contenido esencial que sea dominante en el momento histórico en que se produzca la situación, sin que con su accionar pueda sobrepasarlo.

---

[3]   Sentencia citada por L. Diez-Picazo y Ponce de León, ob. cit., p. 1260. Es interesante en el tema, ver sentencia Corte Suprema, Nueva Gaceta, Vol. IV, N° 8, 1981, p. 23.

En cuanto a nuestro país, desde los primeros textos constitucionales se ha dado reconocimiento expreso al derecho de propiedad, sin embargo, no es sino con la Constitución de 1980 que se han establecido importantes resguardos o garantías que lo protegen de manera más efectiva, sin olvidar la incorporación de la idea de función social que la propiedad ha de cumplir y que sólo el legislador ha de establecer.

En efecto, la "Declaración de Principios del Gobierno", de fecha 11 de marzo de 1974, reconoce que, si el Estado está al servicio de la persona humana y la primacía de "ser" y de "fin" la tiene la persona y su iniciativa por sobre el Estado, parece fundamental reconocer, asegurar y proteger el derecho de propiedad privada, tanto sobre los bienes de consumo como sobre los medios de producción. Y la misma Declaración continúa, recordando la historia recientemente vivida que, "el derecho de propiedad privada requiere garantías jurídicas que impidan el despojo" (Capítulo II, párrafo 5°).

Ya con anterioridad al referido instrumento, en las "Metas y Objetivos para una Nueva Constitución", la Comisión de Estudios planteó que el Texto Constitucional que rija los destinos del país en el futuro, deberá fortalecer el derecho de propiedad sin el cual "las libertades públicas constituyen una ilusión". Se sostuvo, además, que "la estructura constitucional descansará en la concepción humanista del hombre y de la sociedad, que es la que responde al íntimo sentir de nuestro pueblo, y según la cual la dignidad del ser humano, su libertad y derechos fundamentales, son anteriores al ordenamiento jurídico, al que debe prestarle segura y eficaz protección".

Esas ideas quedarán plasmadas primero, en el Acta Constitucional N° 3 (artículo 1° N° 16) y, luego, en la nueva Constitución plebiscitada en el año 1980 y que se encuentra vigente desde el 11 de marzo de 1981, en los artículos 19° N°s 23, 24 y 25.

El Acta Constitucional N° 3 señalaba que: "El desarrollo económico y social debe fundarse en una clara definición y adecuada protección al derecho de propiedad y su función social, ya que, además, él contribuye a hacer posible el ejercicio de las libertades públicas".

Mediante el nuevo régimen institucional chileno también se tiende al fortalecimiento constitucional de las bases de la estructura económico-social, reconociendo la necesidad de que éstas sean flexibles a fin de evitar el atropello de la libertad del hombre, producido por el "estatismo avasallador y omnipotente"[4].

---

[4]   Normas para una Nueva Constitución, año 1977. Documento emitido por el Presidente de la República al Presidente de la Comisión de Estudios para la Nueva Constitución. RCHD, VOL VIII, 1981, p. 142.

Asimismo, en otros antecedentes de la Constitución del año 80 se quiso dejar en claro que "Un régimen que desconozca y debilite el derecho de propiedad hace posible que el Estado controle o impida la actividad de la persona en sus múltiples manifestaciones, aniquilando su capacidad creadora"[5]. De esta forma, es posible afirmar que, en esencia, en nuestro sistema constitucional se ha pretendido fortalecer el derecho de propiedad otorgándole el carácter de derecho básico y general que ayuda al efectivo desarrollo de las personas y a su bienestar, en diversos ámbitos.

En cuanto a la función social del dominio, se siguió la tradición y consideró que el derecho de propiedad tiene una función social que cumplir, lo que limitará su ejercicio por parte del dueño, pero, además, dispuso que sólo la ley puede establecer esas limitaciones y obligaciones que de ella deriven. Además, entrega una idea matriz de lo que debe entenderse por función social de la propiedad señalando que ésta comprende cuanto exijan los intereses generales de la Nación, la seguridad nacional (novedad introducida por la Constitución actual con respecto a su antecesora del año 1925), la utilidad y la salubridad públicas y la conservación de patrimonio ambiental (también algo novedoso en nuestros textos constitucionales).

En la regulación constitucional de la materia, se distingue institucionalmente entre la expropiación, como garantía de estabilidad de la propiedad, y la función social de la misma, como garantía que mira al aprovechamiento del dominio de los bienes. De esta manera, la indemnización surge como la garantía del valor de la propiedad. En cambio, su ausencia denota el despliegue de una restricción o limitación de esta.

Otra diferencia entre expropiación y limitación motivada en la función social del dominio se manifiesta en la naturaleza de los límites. Así como la función social se desarrolla como límite interno del derecho de propiedad, la expropiación es una ejecución de un límite externo en cuanto al fundamento de la utilidad pública. En la expropiación la Administración del Estado aplica un interés público, sea que se llame utilidad pública o interés nacional, y ejerce una potestad externa que priva del bien a un particular. Todo ese ejercicio se desarrolla como límite exterior al derecho y no como delimitación de este. Los fines colectivos que se derivan de la aplicación de la función social de la propiedad se desarrollan de modo difuso por los propietarios, puesto que, en línea de principio, no hay oposición entre intereses individuales y los generales. En cambio, el fin público derivado de una expropiación es la aplicación concentrada de una decisión estatal a efectos de demostrar su utilidad pública o como manifestación de

---

[5]   "Proposiciones e Ideas Precisas", año 1978. Documento elaborado por la Comisión de Estudio de la Nueva Constitución. RCHD, ob. cit. p. 153.

un interés nacional. También hay diferencias relativas al procedimiento entre la expropiación y la limitación del dominio por función social[6].

Finalmente, nuestra Magistratura Constitucional, siguiendo la doctrina anglosajona que refiere a la "expropiación regulatoria", ha señalado que una limitación o regulación de gran magnitud puede constituir una privación de la propiedad. Así, ha sostenido que la magnitud de la regulación no resulta indiferente. Por una parte, porque toda regulación o limitación priva al propietario de algo. A partir de la regulación, alguna autonomía, privilegio, ventaja o libertad que tenía, desaparece para su titular. Si tuviéramos por propiedad cada aspecto de esa autonomía, privilegio, ventaja o libertad, la regla constitucional que permite limitar la propiedad equivaldría a letra muerta, lo que se contradiría con múltiples fallos del Tribunal Constitucional que han tolerado, en determinados casos y bajo ciertas condiciones, la regulación de la propiedad. Por el contrario, legitimar cualquiera regulación o limitación, sin considerar su impacto sobre la propiedad, desnaturalizaría la protección de este derecho fundamental ("la limitación tiene sus límites", para usar una expresión ya clásica del derecho anglosajón). El carácter esencial de lo privado en virtud de la regulación es un parámetro siempre útil para hacer la distinción y debe utilizarse, aunque se determine que, *prima facie*, se trata de una regulación[7].

En cuanto a la reserva legal, en materia de propiedad la Constitución ha dispuesto que sólo por ley se podrá establecer el modo de adquirir el dominio, de usar, gozar y disponer del mismo, lo cual significa que se prohíbe todo intento de regular el contenido de la propiedad por medio de reglamentos *extra legue*. No se impediría, no obstante, a nuestro juicio, que el legislador se remitiera a la Administración para que ésta complemente la regulación legal y lograr a través de esta vía la plena efectividad de sus mandatos.

La ley autoriza la expropiación y declara la causal de utilidad pública o de interés nacional que hace procedente la expropiación por un órgano administrativo habilitado. Esa ley será general cuando prefigura una autorización habilitante sobre un universo variable e indeterminado de bienes susceptibles de ser expropiados por encontrarse en la misma hipótesis de hecho. Ahora bien, será especial aquella ley en que se define con particularidad o especificidad el bien a expropiar.

Asimismo, cabe tener en consideración que las leyes aludidas son de "expropiabilidad" y no expropiatorias propiamente tales, es decir, autorizan o permiten que se afecte o se lleven a cabo las expropiaciones, en términos generales o

---

[6]   Sobre estos aspectos se ha pronunciado el Tribunal Constitucional; ver, por ejemplo: STC 2759 c. 10 y STC 3208 c. 13.

[7]   STC 505 cc. 22 y 23. En el mismo sentido, STC 506 cc. 22 y 23.

especiales, pero no constituyen el acto expropiatorio directamente, el cual corresponderá concretarlo solo al órgano administrativo competente, de acuerdo a la conveniencia y la oportunidad que sea determinada por la autoridad[8]-[9].

2. PROPIEDAD, EXPROPIACIÓN Y FUNCIÓN SOCIAL EN EL DERECHO COMPARADO

En las constituciones latinoamericanas se reconoce a las personas el derecho de propiedad privada y, como formas de afectación a su ejercicio, a la expropiación y a la función social. No siempre se entregan en el precepto fundamental, eso sí, un estándar o calificación que sirva para acotar la garantía o su protección. Así, por ejemplo, la Constitución de la República de Argentina declara en su artículo 17 que la propiedad es inviolable y que *"ningún habitante de la Nación puede ser privado de ella, sino en virtud de sentencia fundada en ley. La expropiación por causa de utilidad pública debe ser calificada por ley y previamente indemnizada".*

En cambio, en otras constituciones sí se consagra en el derecho de propiedad una garantía de indemnización al expropiado bajo una fórmula indemnizatoria sustantiva. Por ejemplo, podemos citar las constituciones de Colombia, Perú y México. La Constitución colombiana señala que la indemnización *"se fijará consultando los intereses de la comunidad y del afectado"* (artículo 58, inciso final); la del Perú establece que la expropiación requiere el *"pago en efectivo de indemnización justipreciada"* (artículo 70); y la mexicana establece que *"el precio que se fijará como indemnización a la cosa expropiada se basará en la cantidad que como valor fiscal de ella figure en las oficinas catastrales o recaudadoras"* (artículo 27, numeral 6.°).

En Europa sucede algo similar, ya que algunos ordenamientos contemplan el derecho del expropiado a obtener una indemnización, pero dejan su determinación a la ley. Es el caso de España, por ejemplo, cuya Constitución dispone que la expropiación procede *"mediante la correspondiente indemnización"* (artículo 33.3), y de Italia, que expresa que *"la propiedad privada podrá ser expropiada por motivos de interés general en los casos previstos por la ley y mediante indemnización"* (artículo 42, inciso segundo). En otros estados europeos, la Carta Fundamental contempla criterios materiales para la fijación de la indemnización. Por ejemplo, la norma alemana señala que *"la indemnización se fijará considerando en forma equitativa los intereses de la comunidad y de los afectados"* (artículo 14.3) y en Francia, en la

---

[8] Por ejemplo, será el Ministro de Obras Públicas, con la colaboración de las jefaturas técnicas correspondientes –Dirección de Vialidad o Dirección de Concesiones– quien decidirá hacer un camino público nuevo en un determinado lugar del territorio nacional, conforme al presupuesto disponible.

[9] Ver STC 2917 c. 14. En el mismo sentido, STC 3208 c. 15 y STC 3250 cc. 15 y 16.

Declaración de los Derechos del Hombre y del Ciudadano, se contempla que el expropiado tiene derecho a una *"indemnización previa y justa"* (artículo 17).

En lo relativo a la función social de la propiedad, ella está presente tanto en el derecho latinoamericano como en el europeo.

En nuestro continente, ejemplos de lo anterior son la Constitución de Brasil que *"garantiza el derecho a la propiedad; [...] 23. La propiedad privada atenderá a su función social"* (artículo 5, número 22), la colombiana establece que *"la propiedad es una función social que implica obligaciones"* (artículo 58, inciso segundo); la mexicana, en tanto, indica que *"la nación tendrá en todo tiempo el derecho de imponer a la propiedad privada las modalidades que dicte el interés público, así como el de regular, en beneficio social, el aprovechamiento de los elementos naturales susceptibles de apropiación, con objeto de hacer una distribución equitativa de la riqueza pública, cuidar de su conservación, lograr el desarrollo equilibrado del país y el mejoramiento de las condiciones de vida de la población rural y urbana"* (artículo 27, inciso tercero). En la Constitución de Costa Rica se lee: *"Por motivos de necesidad pública podrá la Asamblea Legislativa, mediante el voto de los dos tercios de la totalidad de sus miembros, imponer a la propiedad limitaciones de interés social"* (artículo 45, inciso segundo) y la *Carta* boliviana dispone que *"toda persona tiene derecho a la propiedad privada individual o colectiva, siempre que ésta cumpla una función social"* (artículo 56, número 1).

Respecto de las constituciones europeas encontramos similares referencias en la materia. Así, la Constitución española señala que *"se reconoce el derecho a la propiedad privada y a la herencia. 2. La función social de estos derechos delimitará su contenido, de acuerdo con las leyes"* (artículo 33.2), y la italiana, a su vez, indica que *"la propiedad privada será reconocida y garantizada por la ley, la cual determinará sus modalidades de adquisición y de goce y los límites de la misma, con el fin de asegurar su función social y de hacerla accesible a todos* (artículo 42, inciso tercero). Por último, la Constitución alemana, establece: *"La propiedad obliga. Su uso debe servir al mismo tiempo al bien común"* (artículo 14, número 2).

3. LA EXPROPIACIÓN Y SUS PRINCIPIOS EN EL ORDENAMIENTO JURÍDICO CHILENO

3.1. Concepto

La expropiación no se encuentra definida ni en la Constitución ni en la ley, sino que han sido los estudiosos del derecho los que se han preocupado de elaborar un concepto sobre el particular.

Según el Diccionario de la Real Academia de la Lengua Española "expropiar" significa "desposeer de una cosa a su propietario, dándole en cambio una indemnización, salvo casos excepcionales. Se efectúa legalmente por motivos de utilidad pública".

En nuestra doctrina ius publicista, el maestro don José Luis Cea Egaña se refiere a la expropiación señalando que "es un acto de autoridad administrativa competente, fundado en una ley que lo autoriza, en virtud del cual priva del dominio, del bien sobre el cual recae ese derecho o de alguno de sus atributos o facultades esenciales, por causa de utilidad pública o de interés nacional, con sujeción a un procedimiento legalmente determinado y pagando al expropiado la indemnización justa"[10].

Este concepto nos parece adecuado atendido a que en él alude a cada uno de los elementos que la distinguen de figuras análogas, a la vez que plasma el contenido del artículo 19, N° 24, inciso tercero, de la Constitución, norma sustantiva que la reglamenta[11].

Si bien este no es un concepto orgánico –no alude al órgano que lo debe dictar, aunque no cabe duda de que se trata de un órgano de la Administración del Estado–, contiene los elementos que, acorde con el ordenamiento jurídico, la reglamenta.

La jurisprudencia constitucional ha señalado, por su parte, que expropiar es privar a una persona de la titularidad de un bien o de un derecho, dándole a cambio indemnización. También ha indicado que es necesario distinguir entre "privar de propiedad, por una parte y regular o limitar la propiedad, por otra", reconociendo que esta es una materia en las que se ha suscitado un gran debate en la doctrina y sobre la que han debido pronunciarse las jurisdicciones constitucionales más influyentes del mundo. Para nuestro Tribunal Constitucional, ambas figuras son distintas, pues un acto de privación tendrá por objeto despojar, quitar, sustraer una determinada propiedad de su titular, mientras el acto regulatorio tendrá por función determinar las reglas a que debe ajustarse el ejercicio del dominio, estableciendo un modo limitado y menos libre de ejercer la propiedad sobre la cosa[12]. Así, expropiación y limitación son dos institutos públicos diversos en lo relativo a la causal. La expropiación, de acuerdo con el texto constitucional, tiene su fuente en una causa de utilidad pública o de interés nacional, calificada por el legislador (artículo 19 numeral 24° inciso cuarto); se expropia por utilidad pública o por el interés general; no como consecuencia de

---

[10]   Cea Egaña, José Luis (2012) 582.
[11]   *"Nadie puede, en caso alguno, ser privado de su propiedad, del bien sobre que recae o de alguno de los atributos o facultades esenciales del dominio, sino en virtud de ley general o especial que autorice la expropiación por causa de utilidad pública o de interés nacional, calificada por el legislador. El expropiado podrá reclamar de la legalidad del acto expropiatorio ante los tribunales ordinarios y tendrá siempre derecho a indemnización por el daño patrimonial efectivamente causado, la que se fijará de común acuerdo o en sentencia dictada conforme a derecho por dichos tribunales".*
[12]   STC Rol N° 506-06, c. 7.

alguna obligación particular que pesa sobre el administrado, ni como producto de alguna sanción que se pretende imponer al mismo[13]-[14].

3.2. Naturaleza jurídica

La expropiación está constituida por dos instituciones. Por una parte, refleja la potestad expropiatoria del Estado y, por la otra, los mecanismos de garantía y protección de quien se ve privado de algún bien de su dominio, sea corporal o incorporal y la Constitución se hace cargo de ambos tipos de problemas, como ha afirmado la Magistratura Constitucional[15].

Por otra parte, el tribunal Constitucional ha indicado que la expropiación es un instituto jurídico que contiene tres tipos específicos de garantías que deben concurrir copulativamente. Primero, la intervención del legislador. En segundo lugar, la procedencia de una sustitución del bien por la indemnización correspondiente. Y, tercero, un procedimiento expropiatorio que garantiza la legalidad del acto expropiatorio y la tutela judicial respectiva en todo el proceso mismo[16].

También la expropiación es un modo de adquirir el dominio en el ámbito público, consistente en el acto administrativo, por ende unilateral y coactivo de la Administración del Estado, por el cual se priva a una persona de la titularidad de un bien o un derecho o de las facultades esenciales de ambos, fundado en una ley habilitante que justifica la causa de utilidad pública o interés nacional, mediante un procedimiento reglado y previo pago de la indemnización por el daño patrimonial efectivamente causado.

---

[13]   STC Rol N° 541-06, c. 10. El mismo Tribunal ha señalado que expropiar implica "el cercenamiento de un derecho afectando su esencia y los atributos que lo identifican", en STC Rol N° 2299-14, c.8. También, ha señalado que es un acto de autoridad unilateral que usa mecanismos de derecho público, y por tanto "los privados no pueden llevarla a cabo [...], le pertenece al Estado"; "se trata de una transferencia coactiva"; "está sujeta a un procedimiento de derecho público"; "es un acto unilateral de la Administración"; "es el ejercicio de una potestad pública", en STC Rol 1576-09, cc. 5 y 7. Asimismo, que implica el uso de la potestad expropiatoria, que es "lo que distingue un genuino acto expropiatorio de una vía de hecho", en STC Rol N° 1576-09, c. 7. En el mismo sentido, STC 552 c. 18, STC 3100 cc. 8 y 23.

[14]   Ver STC 253 c. 13; en el mismo sentido: STC 1298 c. 59, STC 1576 c. 7, STC 2759 c. 9, STC 2912 c. 63, STC 3100 cc. 22, 41, STC 3099 c. 22, STC 3305 c. 5, STC 3110 c. 8, STC 5270 c. 9, STC 4953 c. 9, STC 3717 c. 9, STC 6734 c. 8.

[15]   STC 2759 c. 9.

[16]   STC 2759 c. 9. En el mismo sentido, STC 3100 c. 22, STC 3099 c. 22, STC 3110 c. 8, STC 5270 c. 11, STC 4953 c. 11, STC 6734 c. 10.

3.3. La ley en la expropiación

La ley cumple un rol fundamental, ya que autoriza la expropiación y declara la causal de utilidad pública o de interés nacional que hace procedente la expropiación por un órgano administrativo habilitado. Se trata de materias de reserva legal absoluta.

La utilidad pública está referida a la doble condición del fin de uso. Por una parte, es "útil" porque produce un beneficio directo en la población por la extensión de un servicio (tranvía, ferrocarril, agua, alcantarillado, escuelas, museos, hospitales, postas, cementerio o Registro Civil) o un rendimiento indirecto por el establecimiento de las condiciones para el disfrute de un bien público bajo reglas abiertas e igualitarias (plazas, calles, parques, puertos, aeropuertos, campos deportivos, etc.). Y la utilidad es "pública" por variadas razones. Primero, porque su objeto es permitir, de modo principal o subsidiario, el ejercicio de derechos fundamentales de los ciudadanos (salud, educación, movilización, vivienda, cultura, adecuadas condiciones de vida y salubridad). Segundo, porque permite incrementar en el largo plazo la capacidad de un país para producir bienes y servicios, determinando la calidad de vida de los ciudadanos. En tercer término, se trata de una expropiación que transforma materialmente bienes privados en bienes jurídicamente públicos, sean bienes nacionales de uso público, fiscales o municipales. Por último, esta transformación produce una transferencia de riqueza que permite satisfacer fines públicos que no eran posibles de alcanzar mediante procedimientos regulares[17].

Ahora bien, la ley puede ser de carácter o efectos generales cuando prefigura una autorización habilitante sobre un universo variable e indeterminado de bienes susceptibles de ser expropiados por encontrarse en la misma hipótesis de hecho, como sucede, por ejemplo, con la Ley Orgánica del Ministerio de Obras Públicas que habilita a expropiar una categoría genérica de bienes: todos los bienes y terrenos que sean necesarios para la ejecución de obras públicas de competencia de esa Secretaría de Estado[18]. O con lo dispuesto en la Ley General de Urbanismo y Construcciones que declara de utilidad pública todos los terrenos

---

[17] Es lo que ha dicho expresamente el Tribunal Constitucional en su sentencia STC 2759 c. 21.

[18] El DFL MOP N° 850 de 1997, en su Artículo 3° dispone: *"Además de las funciones previstas en los artículos precedentes, el Ministerio de Obras Públicas tendrá a su cargo las siguientes materias: a) Expropiación de bienes para las obras que se ejecuten de acuerdo con la presente ley y el decreto ley N° 2.186, de 1978.* Luego, en su artículo 44 indica: *"Se declaran de utilidad pública los terrenos de propiedad particular o municipal necesarios para la construcción de casas para camineros, en conformidad a los planos que apruebe el Presidente de la República, a proposición del Director General de Obras Públicas o Secretario Regional Ministerial correspondiente, debiendo llevarse a efecto las expropiaciones en conformidad al procedimiento establecido en el Decreto Ley N° 2.186, de 1978.",* y finalmente el artículo 105, dispone: *"La Fiscalía del Ministerio de Obras Públicas tendrá a su cargo la tramitación de las expropiaciones necesarias para la construcción de las obras públicas, como de aquellas a que se refiere el inciso 2°, del artículo 2°* (obras encomendadas al MOP por entidades

consultados en los planes reguladores comunales, planes reguladores intercomunales y planes seccionales destinados a circulaciones, plazas y parques, incluidos sus ensanches, en las áreas urbanas, así como los situados en el área rural que los planes reguladores intercomunales destinen vialidades[19].

Por el contrario, será especial aquella ley de expropiabilidad en que se define en ella de manera particular el bien que se requiere expropiar, como ocurrió, por ejemplo, con la Ley N° 2.981, de 1915, que dispuso la expropiación de un terreno particular específico para el emplazamiento del cementerio de Valdivia.

3.4. *La expropiación en la perspectiva de los derechos fundamentales*

La expropiación importa una doble vulneración de derechos constitucionales y de sus mecanismos de protección. Primero, porque revela un atentado a la igualdad ante la ley y a la igualdad de las cargas públicas, aseguradas por los numerales 2° y 20° del artículo 19 de la Carta Fundamental. Son solo algunos ciudadanos o administrados los que sufren la privación y deben soportar el sacrificio singular de determinados bienes para que pueda verse satisfecho un objetivo de política pública estatal. En tal sentido, es una carga excesiva que recae sólo sobre determinadas personas lo que exige que en el actuar de la Administración no se proceda a identificar a los que se verán privados de sus bienes de modo arbitrario, irracional o carente de objetividad. Y, en segundo lugar, la expropiación importa un atentado al contenido esencial del derecho de propiedad, garantizado en el artículo 19 N° 24° constitucional. Ello, porque el grado de afectación y extensión de este es de tal intensidad que simplemente "priva de aquello que le es consustancial de manera tal que deja de ser reconocible y que se impide el libre ejercicio en aquellos casos en que el legislador lo somete a exigencias que lo hacen irrealizable, lo entraban más allá de lo razonable o lo privan de tutela jurídica."[20]

En síntesis, impide que opere la regla del artículo 19, numeral 26°, de la Constitución que se constituye en el límite infranqueable a la hora de regular, complementar o limitar los derechos fundamentales.

---

públicas)*, las que se regirán por el Decreto Ley N° 2.186, de 1978. Para estos efectos se declaran de utilidad pública los bienes y terrenos necesarios para la ejecución de dichas obras.*

[19]   Artículo 59 Ley General de Urbanismo y Construcciones N° 20.791.

[20]   Así lo ha expresado el Tribunal Constitucional en STC Rol N° 43, c. 21°. Ver asimismo STC 3110 c. 8, STC 5270 c. 10, STC 4953 cc. 10 y STC 6734 c. 9.

3.5. ¿Cuándo se perfecciona la expropiación?

El perfeccionamiento de la expropiación ocurre cuando se han cumplido todos los requisitos que la Constitución y la ley, vigente al tiempo de dictarse el respectivo acto administrativo, fijan para que ella surta sus efectos propios[21].

3.6. El pago de una indemnización por la expropiación como garantía

3.6.1. Existencia de un daño

La expropiación debe producir un daño para que éste pueda y deba ser indemnizado al expropiado. Es decir, el acto expropiatorio debe provocar de manera directa e inmediata una disminución o pérdida de valor patrimonial por el despojo de que es objeto el expropiado. Sin perjuicio no habrá indemnización. No se puede pagar por amenaza o tentativa de expropiación.

La doctrina ha definido el daño como una pérdida, disminución, detrimento o menoscabo en su persona o bienes o en las ventajas o beneficios patrimoniales o extrapatrimoniales de que gozaba[22], o como todo detrimento que sufre una persona, ya sea en su patrimonio material o moral[23].

3.6.2. Naturaleza de la indemnización

En cuanto al carácter de la indemnización en la expropiación, nuestra doctrina autorizada está conteste con la idea según la cual el expropiado no debe sufrir un daño patrimonial, debiendo ser compensado de manera justa, y que ello se cumple asegurándole que quedará con el mismo patrimonio existente antes de la expropiación. En similar sentido, se ha sostenido que la indemnización que se pague al expropiado debe reparar todo el daño patrimonial que efectivamente le ha causado al expropiado el hecho de ser privado de su propiedad[24].

De la doctrina extranjera elegimos la de García de Enterría y Fernández, con la que concordamos, quienes señalan que la indemnización es un elemento esencial de la expropiación, ya que el administrado queda sujeto al ejercicio de una

---

[21] Así lo ha señalado el Tribunal Constitucional en sus sentencias: STC 552 cc. 25 y 26 y 27 y STC 2759 c. 6.

[22] Barros Bourie, Enrique (2006) 220-221.

[23] Abeliuk Manasevich, René (2001) 730.

[24] Nogueira, Humberto (2010) 297. Fermandois, Arturo (2010) 395. Ver también, Vivanco, Angela (2000) 464-465. Cordero Quinzacara, Eduardo (2006) 128. Aldunate, Eduardo (2006) 285 – 303. Mohor, Salvador (1989) 52. Cassagne, Juan Carlos (1998) 316.

potestad y a su efecto directo e inmediato, que es el sacrificio singular en que la expropiación consiste. Pero este sacrificio afecta únicamente a partes específicas de su patrimonio, no a su integridad económica, la cual queda compensada con una indemnización pecuniaria que restablece, al menos en principio, la sustracción de valor en que el sacrificio expropiatorio se concreta. La indemnización es, pues, un elemento esencial de la institución expropiatoria; si no está presente, estaremos en presencia de otra institución esencialmente diferente (comisos, confiscaciones, socializaciones generalizadas, etc.; en otro sentido, limitación de derechos no indemnizables). Así la indemnización surge no como un efecto o consecuencia derivada de la expropiación propiamente dicha, sino justamente como lo contrario, como un presupuesto de legitimidad para el ejercicio de la potestad expropiatoria. De este modo la relación jurídica trabada entre las partes de la indemnización (beneficiario y expropiado) no puede explicarse como relación de deuda –crédito–, ni su contenido referir un deber de reparación, supuesto que el daño a reparar no ha sido producido en el momento en que ha de efectuarse el pago que implicaría (de ser pago de un crédito) la extinción de la relación obligatoria. Por eso la naturaleza de la indemnización expropiatoria no es la de un crédito de resarcimiento, sino la de una carga que ha de cumplir el beneficiario interesado en llevar a efecto la expropiación, entendiendo por carga el concepto técnico que impone la necesidad de adoptar un cierto comportamiento para obtener un resultado ventajoso, de tal modo que si dicho comportamiento no se realiza, no se sigue de ello ninguna sanción, sino la simple consecuencia de resultar imposible la obtención del resultado ventajoso. La naturaleza jurídica de la indemnización expropiatoria está ligada a una nota fundamental que le está reservada dentro de la estructura institucional de la expropiación desde que ésta fue configurada en su forma moderna por la Revolución Francesa: su carácter preventivo, que la eleva a presupuesto de legitimidad del ejercicio de la potestad de expropiar. (…) A su vez, desde la perspectiva del efecto expropiatorio [la indemnización expropiatoria] es un presupuesto de su producción (*condictio iuris*), presupuesto esencial y de validez y no simple condición de eficacia, de tal modo que sin él no hay expropiación sino simple 'vía de hecho'"[25].

3.6.3. Tradición constitucional seguida por el Texto Constitucional vigente

Nuestro país ha seguido la tradición jurídica constitucional en la que se asegura al sujeto expropiado el derecho a recibir una indemnización.

---

[25]   García de Enterría, Eduardo, y Fernández, Tomás Ramón (2006) 1188 y 1189.

En efecto, son muchas las cartas fundamentales que reconocen como elemento esencial de la expropiación el pago de una indemnización al expropiado, aun cuando difieran en el modo en que se formula la cláusula indemnizatoria. Así, por ejemplo, en Europa encontramos un grupo de países que, reconociendo el derecho del expropiado al pago de una indemnización, no fijan criterios materiales para su determinación, sino que le encomiendan tal tarea a la ley. Así, por ejemplo, la Constitución española señala que sólo procede la expropiación por causa de utilidad pública o interés social "mediante la correspondiente indemnización" (artículo 33.3). La Constitución italiana expresa que "la propiedad privada podrá ser expropiada por motivos de interés general en los casos previstos por la ley y mediante indemnización" (artículo 42).

Pero existen otros ordenamientos que señalan criterios materiales conforme a los cuales deberá fijarse la indemnización por expropiación. Entre aquellos, por ejemplo, el alemán, ya que su Constitución de 1949 señala que "la indemnización se fijará considerando en forma equitativa los intereses de la comunidad y de los afectados" (artículo 14.3). Por su parte, en la Declaración de los Derechos del Hombre y el Ciudadano, que constituye un texto de rango constitucional en Francia, se dispone que el expropiado tiene derecho a una "indemnización previa y justa" (artículo XVII).

En el ámbito latinoamericano, encontramos ejemplos en el mismo sentido, como en la Constitución de la República Argentina que asegura al propietario el derecho a recibir una indemnización, sin calificativos (Capítulo I, artículo 17, de la Constitución Nacional). En otros casos sí se señalan criterios sustantivos que debe respetar la indemnización expropiatoria, como sucede en Colombia en que su Constitución dispone que la indemnización "se fijará consultando los intereses de la comunidad y del afectado" (artículo 58). En la Constitución del Perú se establece que la expropiación requiere el "pago en efectivo de indemnización justipreciada" (artículo 70). En la Constitución de los Estados Unidos Mexicanos, se determina que "el precio que se fijará como indemnización a la cosa expropiada se basará en la cantidad que como valor fiscal de ella figure en las oficinas catastrales o recaudadoras" (artículo 27.VI.).

3.6.4. La fórmula nacional de la indemnización: Daño patrimonial efectivamente causado

Nuestra fórmula constitucional respecto de la indemnización expropiatoria (artículo 19 N° 24) consiste en que la autoridad expropiante debe reparar el daño patrimonial efectivamente causado, por lo que se excluye de la garantía constitucional, el pago de una indemnización por daño moral.

Aquella fórmula puede ser entendida, preliminarmente, tanto por vía de negación como por vía de afirmación. Desde la primera óptica, se trata de que la indemnización no constituya enriquecimiento para el expropiado y, desde la afirmación, debe reparar el daño patrimonial efectivamente causado[26].

Nuestra Magistratura Constitucional ha señalado que el daño patrimonial "es descrito como un empobrecimiento patrimonial, sea por pérdida o menoscabo en los bienes de la víctima del ilícito, sea por privación de la ganancia, utilidad o provecho que, de no mediar el ilícito dañoso, pudo natural y previsiblemente obtener. El daño moral, en cambio, es definido por los autores como aquel sufrimiento o menoscabo originado por la lesión de un derecho que no tiene directamente una significación económica. El daño patrimonial producido sí debe cubrirse íntegramente[27].

La doctrina nacional ha sido particularmente enfática en rechazar cualquier fuente de lucro en la indemnización. Así, ha señalado que el perjuicio económico provocado por la expropiación tiene que ser compensado de manera completa, pero no más que ello, excluyéndose que pueda derivar en fuente de lucro o enriquecimiento sin causa[28]. En el mismo sentido, se ha sostenido que la indemnización que se debe al expropiado debe corresponder al perjuicio efectivamente causado a aquel a consecuencia de la expropiación y no puede ser un negocio para el propietario, ya que este acto de autoridad se ejecuta persiguiendo fines que interesan a toda la colectividad"[29].

Se entiende que la indemnización no puede, en caso alguno, significar al expropiado un beneficio superior al daño que se le ha causado, pues lo que la Constitución asegura es que se le deje patrimonialmente indemne, pero jamás como beneficiario de una utilidad adicional, ya que ello constituiría un enriquecimiento sin causa. Por lo tanto, la indemnización no puede convertirse en fuente de lucro para el expropiado, pues su objetivo esencial es equiparar los daños sufridos por este a consecuencia directa e inmediata del acto de autoridad y no generarle ganancias o utilidades adicionales. Esto se justifica en el fin esencial de la expropiación, que persigue un bien colectivo y no uno individual[30].

En suma, lo que el orden constitucional garantiza al expropiado es que la indemnización que tiene derecho a recibir de parte del expropiante comprenderá la reparación pecuniaria total del daño patrimonial efectivamente causado, comprendiendo el daño emergente, el lucro cesante, los perjuicios directos y los previstos o que debieran preverse por el expropiante. Se trata de dejar patrimonialmente indemne al afectado, pero jamás beneficiarlo con una utilidad adicional, que constituiría un enriquecimiento sin causa. Si por algún concepto se

---

[26]   Mendoza, Ramiro (2001) 395.
[27]   STC Rol N° 943/2008.
[28]   Cea Egaña, José Luis, ob.cit., p. 549.
[29]   Vivanco, Ángela, ob.cit., p. 465.
[30]   Fermandois, Arturo, ob.cit., p. 396.

produce para el expropiado un beneficio patrimonial, éste deberá compensarse con el daño causado[31].

Por otra parte, con la expresión daño "efectivo", la Constitución ha querido excluir expresamente de la indemnización expropiatoria los perjuicios eventuales que puedan causarse[32]. El daño patrimonial que se indemniza comprende la pérdida o disminución de valores económicos ya existentes (daño emergente) y la frustración de ventajas económicas esperadas (lucro cesante)[33]. Habrá que atender al valor de sustitución de la cosa expropiada. Así, el monto a indemnizar comprende indiscutible y primeramente el valor real del bien que se expropia, el que en nuestro sistema está dado por el valor que el mercado asigna al bien, ya que es allí donde el expropiado debe encontrar su equivalente y, para determinar ese valor (objetivo, patrimonial) se encarga a peritos expertos (comisión prevista en la Constitución y en el DL 2186) su apreciación[34]. Dicho valor de mercado impide una valoración subjetiva en la tasación, como pueden ser los valores afectivos sobre el bien.

En suma, el daño debe ser real, no eventual o hipotético.

3.6.5. El acuerdo sobre la indemnización prima sobre cualquier fórmula sobre monto, forma de pago y oportunidad

La parte final del inciso tercero del numeral 24 del artículo 19 de la Constitución establece expresamente que el expropiado podrá reclamar de la legalidad del acto expropiatorio ante los tribunales ordinarios y tendrá siempre derecho a indemnización por el daño patrimonial efectivamente causado, la que se fijará de común acuerdo o en sentencia dictada conforme a derecho por dichos tribunales. Por su parte el inciso cuarto de la misma disposición establece que a falta de acuerdo, la indemnización deberá ser pagada en dinero efectivo al contado.

El DL 2.186, a su vez, establece, que si existe acuerdo entre expropiado y expropiante el pago se hará directamente al expropiado, en la medida que el certificado de gravámenes y prohibiciones respectivo no muestre la existencia de algún gravamen o prohibición[35]. En caso de haber gravámenes, será necesario el

---

[31]   Evans De La Cuadra, Enrique (1999) 375.
[32]   Verdugo, Pfeffer, Nogueira (1994) 308.
[33]   Nogueira, Humberto, ob.cit., p. 229.
[34]   Mendoza, Ramiro, ob.cit., p. 396.
[35]   "Art. 16: Si no se produjere acuerdo, la indemnización se pagará en la forma señalada en la ley que autorizó la expropiación. Si dicha ley no señala que deba pagarse a plazo, se entenderá que ella debe ser pagada de contado y en dinero efectivo. Si la ley aplicable ordena que la indemnización se pague a plazo y no indica la duración de éste, se entenderá a falta de acuerdo, que el plazo es de cinco años y, en tal caso, se pagará en cuotas iguales, una de las cuales lo será de contado y el saldo en anualidades a partir del acto expropiatorio. Si para el pago de la indemnización la ley aplicable señala un plazo, el monto de las cuotas se determinará ..(...)."

acuerdo de los terceros. Si los hay, deben concurrir también al acuerdo los titulares de los respectivos derechos para determinar la forma en que debe pagarse la indemnización. El acuerdo de los terceros debe constar por escritura pública.

En caso de no haber acuerdo, la indemnización provisional fijada por la Comisión de Peritos independientes de las partes (tres peritos), prevista en el artículo 4° del DL 2186 y en el propio artículo 19 N° 24 de la Carta Fundamental, será pagada al expropiado mediante su consignación en la cuenta corriente bancaria del tribunal competente.

En cuanto a los efectos, del pago o de la consignación del todo o parte de la indemnización según corresponda, corresponde señalar que el principal efecto, es que el dominio del bien expropiado quedará radicado, de pleno derecho y a título originario en el patrimonio del expropiante, sin que nadie pueda reclamar derecho de dominio, posesión o tenencia por causa preexistente. Asimismo, coetáneamente con lo anterior, se extingue por el ministerio de la ley, el dominio del expropiado sobre el bien objeto de la expropiación, así como los derechos reales, con excepción de las servidumbres legales, que lo afecten o limiten.

3.6.6. La reajustabilidad de la indemnización

La Constitución vigente omite una referencia en la materia y no se tiene plena certeza de la razón de ello[36], pero sí dispone expresamente que "a falta de acuerdo, la indemnización deberá ser pagada en dinero efectivo al contado". Por consiguiente, es una materia que queda entregada a la regulación legal[37] y a la aplicación que de ella realicen los tribunales ordinarios de justicia, que son los competentes en este ámbito específico de la actividad jurídica de la administración del Estado (artículo 19 N° 24).

Así, como indica la Carta Fundamental, si no hay acuerdo en el monto definitivo de la indemnización, este debe ser determinado por los tribunales competentes. Es decir, entrega a los tribunales establecerlo.

En esta materia en particular, la Corte Suprema se ha pronunciado reconociendo la reajustabilidad de la indemnización, señalando que el daño patrimonial efectivamente causado debe comprender el reajuste del valor que el tribunal determine entre la fecha de la sentencia y aquella en que quede ejecutoriada[38]. La reajustabilidad la ha fundado en que el expropiado tiene derecho a la reparación del daño patrimonial efectivamente causado, pero debe discutirse en el

---

[36] Peñailillo, Daniel (2004) 81.
[37] Así lo reconoce el Tribunal Constitucional en STC 1576 cc. 20 y 22, y En el mismo sentido, en STC 2759 c. 13.
[38] SCS, Rol 6.562, 19.10.1988, Revista Fallos del Mes, N° 359, pp. 661 y siguientes.

marco del juicio respectivo, siendo un asunto de derecho, apelable e impugnable vía casación[39]. En consecuencia, es parte de la litis del juicio de expropiación fijar la reajustabilidad del monto de la indemnización [40].

3.7. Acciones o reclamaciones judiciales especialmente previstas en la Constitución y en la Ley

Conforme al texto expreso del numeral 24 del artículo 19 de la Constitución, el expropiado puede reclamar de la legalidad del acto expropiatorio y también puede pedir que se determine el monto definitivo de la indemnización derivada de la expropiación cuando no ha existido acuerdo con el expropiante. Esta última acción o reclamo de monto también la tiene el ente expropiante. Y todo ello ante los tribunales ordinarios de justicia, que son llamados por la propia Carta Fundamental a conocer y resolver de estos asuntos contencioso administrativos, como ya hemos mencionado. A esos reclamos debemos añadir –ya que están ligados al efecto del mismo acto expropiatorio a la luz de la garantía del derecho de propiedad– los reclamos que puede deducir el expropiado para pedir al tribunal que se disponga la ampliación de la expropiación parcial decretada. El afectado por una expropiación parcial podrá pedir al juez que ordene al expropiante dictar un nuevo acto administrativo que disponga la expropiación total del bien o la expropiación de otra porción determinada del bien ya expropiado parcialmente. Estas acciones están previstas en el artículo 9º del DL Nº 2.186[41].

BIBLIOGRAFÍA

Doctrina

Abeliuk Manasevich, René (2001) *Las obligaciones*, T. II, Santiago, Ed. Jurídica de Chile, 5ª ed.

Aldunate, Eduardo (2006) Limitación y expropiación: Scilla y Caribdis de la dogmática constitucional de la propiedad, Revista Chilena de Derecho, vol. 33 Nº 2, pp. 285 – 303.

Barros Bourie, Enrique (2006) *Tratado de responsabilidad extracontractual*, Santiago, Ed. Jurídica de Chile.

---

[39] SCS, Rol 3147-2008, 14.07.2010.
[40] STC Rol N° 1576, considerandos 13, 16 y 17 y STC Rol N° 2759, considerando 11.
[41] Sobre el procedimiento de esta clase de reclamaciones, ver Ponce de León Salucci, Sandra (2021) 84-100.

Cassagne, Juan Carlos (1998) *Derecho Administrativo*, Tomo I, Buenos Aires, Lexis Nexis Abeledo – Perrot.

Cea, José Luis (2012) *Derecho Constitucional Chileno*, Tomo II, Santiago, Ediciones UC.

Cordero Quinzacara, Eduardo (2006) "La dogmática constitucional de la propiedad en el Derecho chileno", Santiago, Revista de Derecho, Vol. XIX, N°1.

Diez-Picazo y Ponce de León, Luis (1991) "Estudios sobre la Constitución Española", Libro Homenaje al Profesor García de Enterría, Tomo II, Madrid, Ed. Cívitas.

Evans de la Cuadra, Enrique (1999) *Los Derechos Constitucionales*, Tomo II, Santiago, Editorial Jurídica.

Fermandois, Arturo (2010) *Derecho Constitucional Económico*, Tomo II, Santiago, Ediciones UC.

García de Enterría, Eduardo, y Fernández, Tomás Ramón (2006) *Curso de Derecho Administrativo*, Tomo II, Perú, Ed. Palestra-TEMIS.

Mendoza, Ramiro (2001) "La potestad expropiatoria en la Constitución de 1980", en Navarro Beltrán, Enrique, 20 años de la Constitución chilena 1981-2001, Santiago, Editorial Jurídica Conosur.

Mohor, Salvador (1989) "Taxonomía de las limitaciones al dominio y derecho de indemnización", Santiago, Revista Chilena de Derecho, Vol. XVI.

Nogueira, Humberto (2010) *Derechos fundamentales y garantías constitucionales*. Tomo 4. Santiago, Librotecnia.

Peñailillo, Daniel (2004) *La expropiación ante el Derecho Civil*, Santiago, Editorial Jurídica de Chile.

Ponce De León Salucci, Sandra (2021) *Jurisdicción contenciosa administrativa: El control de la administración por los tribunales. Acciones y procedimientos, Segunda edición actualizada y complementada*, Santiago, Ed. DER.

Verdugo, Pfeffer, Nogueira (1994) *Derecho Constitucional*, Tomo I, Santiago, Editorial Jurídica.

Vivanco, Ángela (2000) *Curso de Derecho Constitucional*, Tomo II, Santiago, Ediciones UC.

Sentencias del Tribunal Constitucional

STC Rol N° 43

STC Rol N° 253

STC Rol N° 505

STC Rol N° 506

STC Rol N° 541

STC Rol N° 552

STC Rol N° 943

STC Rol N° 1298

STC Rol N° 1576

STC Rol N° 2299

STC Rol N° 2759

STC Rol N° 2912

STC Rol N° 2917

STC Rol N° 3099

STC Rol N° 3100

STC Rol N° 3110

STC Rol N° 3208

STC Rol N° 3250

STC Rol N° 3305

STC Rol N° 3717

STC Rol N° 3110

STC Rol N° 4953

STC Rol N° 5270

STC Rol N° 6734

Documentos de historia constitucional

Normas para una Nueva Constitución, Año 1977. Documento emitido por el Presidente de la República al Presidente de la Comisión de Estudios para la Nueva Constitución. RCHD, Vol VIII, 1981.

Proposiciones e Ideas Precisas, Año 1978. Documento elaborado por la Comisión de Estudio de la Nueva Constitución. RCHD, Vol. VIII, 1981.

Principios de la Constitución Económica para un crecimiento inteligente[1]

José Antonio Ramírez Arrayás[2]

PRINCIPIOS DE LA CONSTITUCIÓN ECONÓMICA

El constitucionalismo posterior a las posguerras mundiales busca desde mediados del siglo XX, con singular destreza, institucionalizar estatutos orgánicos y dogmáticos que viabilicen el desarrollo de las actividades económicas, el rol protector del Estado y el aseguramiento de los derechos económicos y sociales mínimos para la vida digna de las personas.

Este desafío, que comienza a redactarse hacia 1947 con la Constitución Italiana o los Texto Políticos de Alemania en 1949, Francia 1958, darán paso a elaboraciones que recogerán su experiencia doctrinal como la Carta de Portugal en 1976 o España en 1978, décadas caracterizadas por la democratización de los regímenes políticos.

En el presente trabajo se busca centrar algunos aspectos de esta trayectoria con lo que ocurre en Chile, tras la recuperación del Estado de Derecho hacia 1990 y hasta nuestros días, marcados por la configuración de un nuevo trato constitucional.

Elementos que pueden servir para comprender el desafío que se enfrentó en Europa, con un constitucionalismo reconstruido entre las cenizas del horror bélico y ahora el proceso chileno que procura superar el liberalismo ortodoxo de la Carta autocrática de 1980, para avanzar en un compromiso público y privado en aras de un desarrollo basado en niveles de igualdad prestacional de servicios básicos.

Para comprender esta relación posible de procesos, conviene apuntar que los constitucionalismos de posguerras europeos aparecen marcados por disposiciones orgánicas a través de las cuales los organismos públicos juegan un rol activo en la búsqueda de la satisfacción de necesidades colectivas. El bien común, la utilidad pública, la dignidad de las personas, aparecen reflejadas en los deberes constitucionales que recaen en las entidades del aparato estatal. Ello va de la mano, a su vez, con la consagración de instituciones que recogen bases del

---

[1]   Con la Colaboración de la Ayudante Catalina Gabriela Cartes Núñez de la Universidad de O'Higgins.
[2]   Doctor en Derecho. Profesor de Derecho y Economía Universidad de O'Higgins.

liberalismo económico, caracterizado por la libertad en el emprendimiento económico y el derecho a la propiedad privada.

Estas Constituciones europeas, caracterizadas por el debate en su origen de las diversas fuerzas ideológico-políticas, explican la conjunción de institutos liberales clásicos interactuando con los propios del socialismo democrático, que prevé al Estado planificador, removedor de obstáculos que impidan el desarrollo o la igualdad social.

De allí que Pizzorusso advirtiera una verdadera "panoplia" constitucional caracterizada por la amalgama de normas que buscan satisfacer conquistas ideológicas de grupos de presión y fuerzas organizadas como partidos políticos con representación popular[3].

Esta verdadera red institucional soportará las nuevas democracias constitucionalizadas tras las guerras mundiales, enriquecido por la elaboración jurisprudencial, como la elaborada en Corte o Tribunal Constitucional de Italia o España, respectivamente.

Esto permitirá que en los textos europeos convivan en base a la hermenéutica periódica y evolutiva, que nos lleva a un derecho dúctil –como releva Zagrebelsky–[4]. Presenciaremos institutos que aseguran las bases del derecho privado, las reglas del mercado, la libertad económica, interactuando con principios esenciales para organismos públicos en la defensa del bienestar colectivo y las prestaciones básicas, como salud, educación, previsión o vivienda digna.

El Estado gendarme o policía convive de esta manera con el Estado benefactor y solidario. Quizá aquí se encuentra uno de los pilares explicativos del desarrollo sostenible del constitucionalismo europeo democrático. El techo y bases comunes que proporcionan las Cartas Políticas de posguerras asumen pilares doctrinarios e ideológicos de los diversos sectores democráticos de la sociedad de la época, dando cabida a proyectos gubernamentales cambiantes en sus signos o direcciones de políticas públicas, que tuvieron cabida institucional sin quebrantar o poner en riesgo el Estado Constitucional de Derecho. Será la ciudadanía la que al elegir a sus representantes o manifestarse en los procesos deliberativos, se pronunciarán por los diversos modelos de crecimiento propuestos en las sucesivas décadas posteriores a la segunda guerra mundial.

Precisamente la necesidad de contar con el apoyo ciudadano, los sucesivos gobiernos europeos ocuparán el estatuto de derechos sociales de rango constitucional como parte de sus proclamaciones partidarias para alcanzar el gobierno de turno. El rol del Estado variará, según las propuestas se basen en conseguir

---

[3]   Pizzorrusso, Alessandro (1984) Lecciones de Derecho Constitucional, tomos I y II, Ed. Centro de estudios constitucionales, Madrid, pp 163 y ss.

[4]   Zagrebelsky, Gustavo (2008) El Derecho Dúctil, 8° Edición, Madrid España: Editorial Trotta S.A.

estos objetivos potenciando meramente el mercado, la inversión privada y el empleo que pueda generar, o bien activando al Estado como motor de iniciativas económicas, como el emprendimiento de grandes obras públicas.

No será de extrañar que estas posiciones que antes de 1945 aparecían antagónicas, se confundan sanamente con basamento constitucional que permitan su normal desarrollo institucional. Quizá el fin de la constitucionalización de las ideas económicas en visiones mono-históricas, si procuramos asimilar al fin de la historia (de las ideologías) de Fukuyama[5].

En el caso chileno, la reacción del gobierno autocrático instaurado tras el Golpe de Estado en 1973 fue sustentar con rango constitucional un liberalismo ortodoxo caracterizado por un Estado subsidiario negativo y la ausencia de garantías en derechos prestacionales, como la salud, la educación o la previsión social.

Por el contrario, entregará la Carta de 1980 un modelo en que estas prestaciones estarán entregadas principalmente al funcionamiento del mercado y la actuación de los privados. El Estado deberá abstenerse, por regla general, de actuar en la economía, cumpliendo un rol regulador alejado del solidarismo constitucional.

El desarrollo alcanzado por el país hacia 2021 lo coloca con un producto interno bruto de los más altos de la región, pero con una tasa de desigualdad que lo ubica también en los primeros lugares de los rankings comparados[6].

A diferencia de lo que sucederá en Europa, el modelo constitucional autocrático chileno de 1980 no permitirá la "cohabitación" de modelos económicos, sino que se procura asentar las características del sistema liberal ortodoxo.

Debe eso sí advertirse que diversas disposiciones de principios constitucionales que se plasman en la Carta de 1980, tras la recuperación de la democracia hacia 1990, y su reforma a la Carta Política, plebiscitada en esa época, dan origen a una hermenéutica progresiva en la cual se producen interpretaciones que dan cabida casuística al reconocimiento del Estado prestacional y un frágil proceso de garantías de derechos económicos y sociales.

A vía de ejemplo encontramos la nueva norma (instaurada en 1990) de reconocimiento de los derechos fundamentales ubicados en tratados internacionales ratificados por Chile (inc. final del art. 5 de la CPE).

Las dificultades institucionales que debieron enfrentar los programas de las fuerzas políticas que postulan a la dirección del gobierno, explican que sus

---

5   Fukuyama, Francis (1990) El Fin de la Historia, Revista Claves, Madrid. Editorial Free Press 1992 USA.

6   OCDE, Informe Bienal, Chile Dentro de los Tres países Latinoamericanos más Desiguales en cuanto a Ingresos.
Banco Central, Ingresos Per Cápita año 2021. www.bcentral.cl

programas plantearan recurrentemente una nueva constitución o reformas profundas a la misma.

El fallido intento durante el mandato de la ex Presidenta Michelle Bachelet (Marzo de 2018) por un nuevo Texto Político, será la antesala del estallido social de 18 de octubre de 2019 y la solución intrasistémica por la cual el 15 de noviembre de 2019 se firma un Acuerdo por la Paz y la Nueva Constitución, reformándose la Carta Política el 29 de Diciembre del mismo año para convocar a un proceso de nueva Constitución, marcado por un plebiscito de entrada para consultar a la ciudadanía su aprobación para redactar un nuevo texto por una Comisión elegida popularmente (también existía una fórmula mixta con integrantes del Congreso Nacional) o bien mantener el texto actual.

Tras la aprobación plebiscitada en octubre de 2020, se instala la Convención en 2021, lo que, al escribir estas líneas, arroja ya ciertas bases del nuevo texto que se someterá a un plebiscito de salida, para aceptarlo o mantener la Carta vigente.

Uno de los aspectos centrales que da origen al estallido social y el clamor por un nuevo estatuto constitucional radica precisamente en el modelo de desarrollo y la factibilidad institucional que permita al Estado un mayor rol en su actuación económica y de garantización de los derechos económicos y sociales.

Conceptos vulgarizados pero significativos para comprender los postulados que –durante la crisis institucional– se enarbolan como "emparejar la cancha", "para crecer así es mejor no seguir creciendo", se van apoderando del discurso en el debate del modelo constitucional económico chileno, y ampliando el consenso en una búsqueda de equilibrios ideológicos-doctrinales que den cabida en el seno del Estado de Derecho institucionalizado a diversos programas, tanto liberales o socialdemócratas como de las diversas corrientes de pensamiento. Lo anterior, teniendo naturalmente como marco común el respeto de los pilares del Estado de Derecho.

Conviene a este punto, tener presente, para ilustrar el escenario de críticas y planteamientos, algunas de las opiniones de organizaciones sociales u académicas que se vierten en las sesiones de la Convención Constitucional con el objeto de procurar ser recogidas en el trabajo constituyente.

En cuanto al modelo económico, acotemos algunas observaciones formuladas en sesiones de la Convención, como la Asociación Campesina de Paine: "Desde siempre, los campesinos se han encargado de llevar los alimentos a la mesa de las familias. ¿Cómo olvidar los tomates con verdadero sabor a tomate? Los quesos frescos, los huevos de campo de todos colores, las sandías sin injertos, entre otros alimentos que nos ha entregado el campo chileno. Pero por la actualidad no es posible competir con los productos industriales, envueltos en plásticos y en las góndolas de los supermercados".

En base a este tema, la señora Romagnoli de la misma institución señala lo siguiente: "Como mujer de oficio les pido que nos protejan e impulsen a continuar con nuestro derecho fundamental, que es la libertad de emprender y ejercer actividades culturales y económicas con amplitud y respeto por el mundo rural. (…) Es por esto que estamos aquí para pedirles que el campesino y el mundo huaso sean declarados patrimonio nacional, protegiendo y fomentando todo lo que respecta a su economía circular, sustentable y de profunda identidad chilena. Que se reconozca el derecho a la libertad de emprender y realizar actividades económicas, con respeto a la vida rural campesina y los ecosistemas económicos rurales de forma amplia. Y que su regulación tenga en consideración la descentralización como principio"[7].

En este ámbito la Federación de PyMes de Chile consigna que su agrupación es vital en la representación nacional del empleo: "De acuerdo a las cifras que tenemos de empleo, que están constatadas en el Ministerio de Economía, tenemos o entregamos más de 2 millones 700 mil puestos de trabajo, lo que concentra el 36,7% de los empleos formales. La pequeña empresa de 11 a 49 trabajadores concentra el 13,1% y, en resumen, la MiPyME entregan el 65% de la fuerza laboral de Chile con empleos formales. ¿Cuántas somos? Bueno, según el Servicio de Impuestos Internos, hasta el 2019, 75,5% de las empresas nacionales son microempresas y 23,1 son pequeñas empresas. Es decir, el 98,6 % somos MiPyME".

Enfatizó tres aspectos a ser considerados dentro de la nueva Carta. El primero de estos puntos corresponde a la libertad de emprendimiento, respecto al cual manifestó la posición de que existan beneficios que podrían considerarse arbitrarios en favor de las Pymes, señalando lo siguiente: "La libertad de emprendimiento creemos que es muy necesaria porque en el artículo 19 de las garantías constitucionales numeral 21, se establece de que el Estado no va a generar discriminación arbitraria a ninguna actividad económica, pero creemos que, en el sector de la PyMEs, si tiene que haber una discriminación arbitraria en favor de las PyMEs. Porque la diferencia que existe con la gran empresa que ya lo mencioné es catorce mil versus un millón de empresas, nos pone en una diferencia y un problema muy grande al momento de competir. Entonces sentimos que en el derecho al emprendimiento tiene que haber una discriminación positiva en favor de la PyME".

El segundo elemento se refiere a la propiedad privada y la necesidad de resguardarla, otorgando para ello el siguiente argumento: "La propiedad privada, tiene que ser resguardada porque es nuestro patrimonio más importante que tenemos la PyME, la propiedad intelectual, el desarrollo de tecnología, el

---

7   Vásquez, Juan Francisco; Romagnoli, Marcela (2021) Exposición Asociación Campesina de Paine. Informe FLACSO, pp. 104-107. Disponible en: https://www.cconstituyente.cl/comisiones/verDoc. aspx?prmID=1996&prmTipo=DOCUMENTO_COMISION

desarrollo de muchos emprendimientos, que para nosotros es nuestro principal activo".

Por último, el tercer tema se vincula a garantizar el emprendimiento: "(…) no sacamos nada con tener garantizados el derecho a la propiedad privada, el derecho a emprender, si cada vez que queramos desarrollar nuestro emprendimiento tenemos problemas de seguridad"[8].

La Confederación de Producción y Comercio (CPC, por medio de su Presidente Juan Sutil) explica que su organización "(…) es un gremio empresarial chileno que agrupa los principales sectores productivos, entre ellos el comercio, la agricultura, la minería, la industria, la construcción y la banca. El propósito de la CPC es colaborar en la construcción de buenas políticas públicas que fortalezcan el bien común, promover la cultura de integridad en las empresas y contribuir al proceso de crecimiento económico sostenido en Chile; (…)"

Con respecto a la importancia de la CPC, el ponente enfatizó su relevancia económica para el país, señalando que "La CPC y sus ramas representan a medianas, grandes y pequeñas empresas de todas las regiones y rubros, aportando el sector privado más del 80% del empleo del país. De este porcentaje, dos millones setecientas mil mujeres y el resto son hombres. El sector privado aporta más del 80 por ciento de los impuestos que recauda el Estado y más del 80 por ciento del producto interno bruto".

Planteó la necesidad de incorporar los siguientes principios rectores en la nueva Constitución:

> "En primer lugar, respetar y promover el ejercicio de los Derechos Humanos esenciales a la dignidad de la persona y necesarios para el despliegue de todas sus capacidades. Junto a este principio rector creemos que es fundamental garantizar las libertades de las personas de desarrollar actividades económicas diversas, que les permitan desplegar al máximo su creatividad y su capacidad de innovación. Creemos en el derecho a emprender, el derecho a iniciar su propio negocio, el derecho a crear una PyME que pueda crecer y desarrollarse. Todo ello fundamentado y resguardado siempre la libre competencia, de manera que todos compitan en iguales condiciones y que puedan ofrecer los mejores bienes y servicios a la ciudadanía".

Con respecto al emprendimiento Estatal señaló, además: "Y cuando el emprendimiento sea realizado por el Estado, la nueva Constitución debe garantizar que éste la desarrolle en igualdad de condiciones, sin discriminaciones de ningún tipo".

---

8   Carreño, José (2021) Exposición Asociación de Pymes de Chile. Informe FLACSO pp. 157-160. Disponible en: https://www.cconstituyente.cl/comisiones/verDoc.aspx?prmID=1996&prmTipo=DOCUMENTO_COMISION

Por otro lado, la Constitución también debería contemplar la consagración de un Estado eficiente el cual "(…) provea infraestructura, seguridad, orden público y certeza en las reglas del juego. Que cree leyes eficientes tanto laborales, tributarias y medioambientales principalmente".

Siguiendo esta misma línea, con respecto a los deberes del Estado se señaló también la necesidad de consagrar "Un Estado que supervisa y protege el buen funcionamiento de los mercados, y que inhibe y castiga el abuso. Un estado que apoye a quienes buscan emprender en libertad, que no interviene en las actividades que puedan gestionar de buena forma los actores privados, salvo cuando se producen distorsiones y se hace necesario corregirlas. Un Estado que, en el esfuerzo de proveer los beneficios sociales que requieren especialmente los más vulnerables, promueva la participación de emprendedores con la debida vigilancia y probidad en el uso de los recursos. (…)"

Finalmente, la CPC presentó cinco propuestas concretas para la nueva constitución:

> "Primero, en la Constitución debe quedar consagrado el derecho a que cualquier persona pueda desarrollar la actividad económica que libremente decida en conformidad con la ley, el orden público, la seguridad nacional, la ética y el desarrollo sostenible".

> "Segundo, la promoción de este derecho y la existencia de las condiciones que se requieren para su ejercicio es siempre un deber del Estado que debe generar las condiciones necesarias y suficientes que faciliten y promuevan la creación de empresas, independiente de su tamaño, forma o giro, potenciando la innovación y los emprendimientos diversos".

> "Tercero, los frutos de trabajo de quienes desarrollan la actividad económica y emprenden, y se desenvuelve en el ámbito económico empresarial, le pertenecen a la propia persona. Por eso es necesario reconocer y consagrar en la Constitución el derecho a la propiedad (…)".

> "Cuarto, el ejercicio de todo emprendimiento o actividad económica debe desarrollarse en igualdad de condiciones, para todos los potenciales competidores y con herramientas eficaces para que el Estado pueda detectar, fiscalizar y sancionar cualquier acción que pudiera atentar contra la libre competencia. La libre competencia es el motor de la economía ya que asegura el derecho de todas las empresas y personas a participar con eficiencia en la actividad económica en una cancha pareja, logrando así ofrecer y acceder a productos y servicios que maximicen el bienestar de los consumidores, de las personas y la sociedad en general".

> "Quinto, el Estado sólo puede actuar como empresario en caso que la ley lo haya autorizado y deberá ceñirse a los mismos cuerpos legales que regulan la actividad empresarial privada. Por último, la actividad empresarial, tanto privada como del Estado, siempre deberá ejercerse respetando en plenitud la dignidad humana y los derechos propios de la persona. En otras palabras, la empresa debe tener al centro de la persona respetando sus Derechos Humanos

y previniendo riesgos y posibles impactos en ella y su entorno. Gracias". Esto evidencia la inclinación de mantener el actual modelo consagrado en el Articulo 19 N° 21 de la Constitución vigente, el cual establece que por regla general el Estado no puede actuar como empresario[9].

Los representantes de la Red de Constitucionalismo Ecológico, Liliana Galdámez y Cristian Frene (Sesión 7) advierten que el modelo de producción chileno, *"se basa en la explotación de los recursos naturales para obtener la mayor rentabilidad económica en el menor tiempo, lo que impacta directamente al medioambiente y la vida de las personas que habitan en esos territorios".*

Considerando el problema vislumbrado, se propuso la consagración de *"el deber del Estado de impulsar una economía diversificada y con valor agregado, con equidad territorial, ecológicamente sustentable, incorporando a la matriz económica las ciencias, la innovación, el conocimiento; (...)"*[10].

A su vez, Sebastián Salazar, en representación del Grupo de Académicos Constitución Económica señaló que la economía en Chile determinada por la Constitución vigente, *"trabaja con la privatización y la mercantilización, a costa de lo público, mediante el principio de subsidiariedad, que de una u otra forma predefine el rol del Estado en la economía"*[11].

Critica la centralización de la conducción de la política fiscal y la conducción de la política monetaria, otorgando como ejemplo de esta situación al Banco Central, entidad en que *"las decisiones de la política económica están abstraídas de las decisiones políticas y enraizadas en un organismo sumamente técnico, (...)".*

Finalmente, Salazar presenta ideas o propuestas referidas al modelo económico:

> *"La primera, asignar un nuevo rol al Estado en la conducción de la economía, que sea compatible con un modelo de desarrollo económico justo, inclusivo y sostenible; segundo, establecer las bases de una política macroeconómica, operativa mediante la política tributaria, fiscal y monetaria, con perspectiva de derechos, y que permita realizar el objetivo de instaurar un Estado social y democrático de derecho; tercero, consagrar un estatuto constitucional de resguardo de los bienes comunes y de protección de la propiedad compatible con su función social; por último, redefinir la libertad económica o libertad de empresa*

---

[9]   Sutil, Juan (2021) Exposición Confederación de la Producción y del Comercio. Informe FLACSO pp. 37-39. Disponible en: https://www.cconstituyente.cl/comisiones/verDoc.aspx?prmID=1996&prmTipo=DOCUMENTO_COMISION

[10]   Galdámez, Liliana; Frene, Cristian (2021) Exposición Red de Constitucionalismo Ecológico, Primer informe Comisión Medioambiente y Modelo Económico pp. 379, pp. 3-4.

[11]   Salazar, Sebastián (2021) Exposición Grupo Académicos Constitución Económica, Primer informe Comisión Medioambiente y Modelo económico, pp. 379, pp. 5-6.

bajo un nuevo encuadre político y normativo que revalorice el rol público en la prestación de los derechos sociales".

Para el Observatorio Plurinacional de Salares Andinos representado por los señores Ramón Morales Balcázar y Rudecindo Espínola Araya, el *"principal problema que existe es el extractivismo, mediado por un marco regulatorio que le es propicio y que es el que se pretende dejar atrás con este proceso constituyente (…)"*[12].

Esta cuestión se vincula a lo mencionado por la Red de Constitucionalismo Ecológico, cuyos representantes se refirieron al modelo económico chileno basado en la simple explotación de recursos, lo cual forma parte del denunciado problema extractivista mencionado anteriormente.

En la exposición de la Sociedad de Economía Política y Pensamiento Crítico de América Latina (SEPLA), se plantea *"desmontar los principios neoliberales y garantizar que cualquier principio de bienestar, por ejemplo, el de buen vivir, o el de desarrollo social o Eco-Social, tenga posibilidades ciertas y democráticas de concretarse".*

Finalmente, mencionaron tópicos claves para un nuevo modelo económico: *"poner fin al principio de subsidiariedad del Estado; la eliminación del principio de no discriminación económica sobre el estatus del Banco Central y debatir allí la ampliación de sus objetivos en función del modelo de desarrollo; término del status privilegiado de la propiedad privada por sobre otras formas de propiedad, por ejemplo, ancestral, comunitaria, social; y el rol de la planificación y coordinación del desarrollo, territorial y del medioambiente".*

Para Ezio Costa, en representación de la FIMA, los *"Temas como el buen vivir, deben ser parte de una Constitución Económica, porque la economía busca responder a preguntas sobre distribución de bienes escasos para la generación de bienestar de las personas, lo que se puede hacer de muchas maneras distintas, y con muchos objetivos distintos"*[13].

En el plano del estatuto dogmático, los derechos económicos y sociales van aparejados del grado efectivo de garantización. En este sentido la académica Miriam Hernández, de la Universidad Alberto Hurtado, explicita una "Propuesta regulativa garantías constitucionales" que presentó ante la comisión, en el que las garantías de los derechos fundamentales son *"elementos imprescindibles para la real eficacia jurídica de un derecho fundamental".* Por su parte, Jan Jarab, representante de la Alta Comisionada de las Naciones Unidas para los Derechos Humanos, enfatizó que *"se espera que en los Estados democráticos contemporáneos las garantías más importantes de los Derechos Humanos sí tengan rango constitucional".*

---

[12]   Morales Balcázar, Ramón; Espínola Araya, Rudecindo, Exposición Observatorio Plurinacional de Salares Andinos, Primer informe Comisión Medioambiente y Modelo Económico, pp. 379, pp. 8-9.

[13]   Costa Ezio (2021) Exposición FIMA, sobre Constitución Ecológica: Principios, Derechos Humanos Ambientales y Derechos de la Naturaleza, Primer Informe Comisión medioambiente y modelo económico pp. 379, pp. 9-11. Disponible en: https://www.cconstituyente.cl/comisiones/verDoc.as px?prmID=2279&prmTipo=DOCUMENTO_COMISION

Para Catalina Salem, Investigadora del Centro de Justicia Constitucional de la Universidad del Desarrollo *"la mera consagración de derechos sociales en el texto constitucional no asegura, por sí misma, la materialización de una igualdad sustantiva que permita garantizar la procura existencial de las personas, y de la cual depende en un sentido fuerte el ejercicio de los demás derechos fundamentales".*

Por su parte, Miriam Henríquez desglosa las garantías constitucionales en normativas, jurisdiccionales e institucionales. Las primeras *"corresponden a todas aquellas previsiones constitucionales, de carácter general, que orientan o disciplinan la actuación de los poderes públicos. De esta forma, sus destinatarios son los poderes públicos y su objeto es evitar que la actividad o inactividad de éstos pueda implicar un desconocimiento o vulneración de los derechos constitucionales".*

Bajo este parámetro, Henríquez realiza la siguiente propuesta regulativa para consagrar este tipo de garantías: *"Solo la ley podrá limitar, regular o complementar los derechos y garantías fundamentales que esta Constitución y los tratados con jerarquía constitucional establecen, la que deberá ser proporcionada"*[14].

Por otro lado, Alberto Coddou McManus Profesor del Instituto de Derecho Público de la Universidad Austral de Chile, señaló principios o deberes generales que a su juicio contribuyen a garantizar los Derechos Fundamentales: el deber general de respetar, el deber general de protección, y el deber general de promoción. Respecto a estos deberes, el académico señaló que " *"Mientras el deber de respeto corresponde tanto al Estado como a los particulares, el deber de protección y/o de realización corresponde fundamentalmente al Estado que tiene la capacidad de generar arreglos institucionales que permitan que los derechos estén libres de afectaciones, tanto por parte del propio Estado, como por parte de terceros".*

Como garantía normativa Coddou propone *"(…) actualizar lo que la Constitución vigente señala en su artículo 5°, inciso 2, que establece la obligación de todos los órganos del Estado sólo de "respetar y promover". En este sentido, cabe actualizar esta cláusula utilizando el leguaje del derecho internacional de los derechos humanos: ya sea usando la tríada de respetar, proteger y promover, o la de respetar, proteger y realizar los derechos fundamentales, y hacerse cargo de un deber general de no discriminación"*[15].

Por medio de las garantías jurisdiccionales –siguiendo a Henríquez– *"producida una vulneración de un derecho constitucional, a acudir a los órganos jurisdiccionales y obtener la preservación del derecho o el restablecimiento del mismo".*

---

[14]   Henríquez, Miriam (2021) Propuesta regulativa Garantías Constitucionales, pp. 5. Disponible en: https://www.cconstituyente.cl/comisiones/verDoc.aspx?prmID=652&prmTipo=DOCUMENTO COMISION

[15]   Coddou McManus, Alberto (2021) Presentación ante la Comisión de Derechos Fundamentales de la Convención Constitucional, pp. 3. Disponible en: https://www.cconstituyente.cl/comisiones/verDoc.aspx?prmID=622&prmTipo=DOCUMENTO COMISION

La exigibilidad judicial de los derechos fundamentales hace que Jan Jarab plantee que *"(...) [u]n derecho carente de protección judicial plantea la cuestión de si, a fin de cuentas, se trata de un derecho real"*. Esto debido a que la posibilidad de exigir judicialmente la protección a los derechos fundamentales aportaría un mecanismo que podría generar cambios institucionales dirigidos a prevenir futuros casos de vulneraciones a estos derechos.

Catalina Salem, por su parte, propone el siguiente sistema de exigibilidad a consagrar en la constitución: *"buscar un mecanismo de justiciabilidad, que al mismo tiempo fortalezca la deliberación democrática, [y] mecanismos de control ciudadano sobre nuestros gobernantes que tienen que implementar estos derechos y que exista algún tipo de protección judicial que asegure está inmediatez que requieren algunos derechos"*.

Consignemos la presentación del académico Tomás Jordán en este ámbito pues propuso una vía alternativa para comenzar el proceso de exigibilidad por sede administrativa y en caso de ser necesario luego proseguir por vía judicial. Calificó de especial y "polémico" el lugar que ocupan los derechos económicos y sociales en este esquema de garantías jurisdiccionales, advirtiendo que: *" "El gran problema, entre comillas, que tienen los derechos sociales es su forma de cumplimiento o la forma de exigibilidad. ¿Por qué? Porque requieren gastos o prestaciones muy cuantiosas del Estado. Y, por lo tanto, hay un temor siempre a judicializar o a hacer reclamable los derechos y por tanto siempre van a depender de la voluntad de la administración o del Ejecutivo de turno si se cumplen o no"*.

Sobre el mejor diseño para estas garantías dentro del nuevo texto constitucional, Ignacio Correa propone un diseño similar al español, el cual *"Establece que los derechos de primera generación, como son los de circulación, religión, etcétera, existe el amparo, tal cual como existe en Chile. Y, que los de segunda generación o derechos sociales tienen que ser, en primer lugar, incluidos en la Constitución; en segundo lugar, concretizados por la administración pública y ahí entonces recién el poder judicial tiene derecho a garantizarlos"*.

Siempre en el ámbito del rol jurisdiccional respecto a la exigibilidad de los de los DESC, Javier Couso Salas, académico de la Universidad Diego Portales, es de la postura dirigida a otorgarle facultades a las distintas Cortes para asegurar las garantías de los derechos fundamentales[16].

Resalta la propuesta por Catalina Salem, quien propone *"(...) establecer una acción de inconstitucionalidad por omisión legislativa, de conocimiento del Tribunal Constitucional, o del órgano que ejerza la jurisdicción constitucional. Se trataría de una acción popular, en la cual los mismos ciudadanos podrán exigir el incumplimiento del deber regulativo del legislador. En este sentido, requerida su intervención, el Tribunal se limitará a*

---

[16] https://www.cconstituyente.cl/comisiones/verDoc.aspx?prmID=639&prmTipo=DOCUMENTO COMISION

declarar la omisión o insuficiencia de regulación legal de una directriz, derecho o deber estatal consagrado en la Constitución. Para ello el mismo texto constitucional debe consagrar un plazo de cumplimiento desde la fecha de dictación de la sentencia, para que el legislador subsane su omisión".

Por su parte, Sergio Verdugo académico de la Facultad de Derecho de la Universidad del Desarrollo, plantea un control de constitucionalidad débil en el cual los jueces tengan facultades más limitadas a fin de que el problema retorne al proceso político.

El académico propone analizar los casos de Canadá y Nueva Zelanda como posibilidades a considerar en esta materia, señalando que *"se pueden establecer límites a los derechos basados en la democracia junto con una prohibición de invalidar leyes para los jueces. O sea, los jueces no pueden declarar que una ley es inconstitucional, pero se les entrega a los jueces la posibilidad de declarar la incompatibilidad, sin efectos jurídicos, de una ley con un derecho social (,,,) [A]demás, siguiendo el modelo de dos provincias de Australia, uno podría generar la obligación de que el Parlamento, o una comisión del Parlamento, establezca una respuesta por escrito respecto a esta declaración de incompatibilidad. De este modo, aunque la declaración de incompatibilidad no tenga efectos jurídicos, tiene efectos políticos importantes, al visibilizar el problema en la política, y al obligar a los políticos a hacerse cargo del mismo".*

La mediación o dialogo como mecanismo se sugiere por Javier Couso al plantear la posibilidad de que la sala constitucional de la Corte Suprema funcionara como entidad que facilite el aseguramiento de estos derechos consagrados en la Carta Magna, señalando que existe *" "la posibilidad de que incluso la Corte Constitucional (…) o la sala constitucional de la Corte Suprema (…) establezcan mesas de diálogo. Esto ha ocurrido en muchos países: en Colombia, en Sudáfrica, en Canadá; donde básicamente se sientan a ver cómo hacer compatible la responsabilidad fiscal, qué es crucial para mantener la máquina que genera dinero para financiar estos derechos, con una verdadera sensación de que aquí estamos hablando de derechos exigibles, no meras promesas".*

En relación al estatuto de los derechos fundamentales que deberían consagrarse dentro del nuevo texto Constitucional, Jorge Contesse plantea que *"la extensión de un catálogo yo creo que determina en buena medida la forma como posteriormente la Constitución sea virtuosa o no. (…) Existe el riesgo de querer ponerlo toda en la Constitución, de querer tener un catálogo lo más extenso posible, pero cierto no está acompañado de la manera en cómo organizamos el poder (…), entonces lo que va a pasar con eso es que son promesas, digamos, al viento".*

Concretamente se evidencia por diversos expositores que, si este catálogo de derechos no constituye normas "rectoras" y se limita simplemente a ser un compilado de derechos explicitados en el papel, su consagración en la práctica puede verse dificultada quedando solo como aspiraciones. En este sentido, Sebastián Soto, Académico de la P. Universidad Católica de Chile, señaló que *"No debemos olvidar que no es la declaración de derechos lo más relevante, sino que la capacidad de crear políticas públicas para hacerlos real".*

En la Comisión parece acuñarse la idea de que los *derechos sociales y económicos se caracterizan por ser derechos "prestacionales", que requieren de la acción de una persona o institución para concretarse. Se les denomina también "derechos positivos", por contraposición a los "derechos negativos" que sólo requerirían de la abstención del Estado para cumplirse".*

Se asume en este análisis como desafío en la consagración los derechos económicos y sociales la capacidad de lograr un equilibrio entre especificar adecuadamente estos derechos en el texto y al mismo tiempo otorgarles suficiente flexibilidad para que el mismo catalogo se pueda ir adaptando a la evolución histórica.

En este sentido José de Gregorio, Decano de la Facultad de Economía y Negocios de la Universidad de Chile, señaló que *"Pueden aparecer nuevos derechos sociales, o los actuales pueden ir mutando en el tiempo. Nadie hubiera dicho hace 10 años la importancia de la conectividad digital. La constitución no puede ser rígida en cuanto a qué derechos se deben garantizar".* Esta postura evidencia una clara intención de flexibilizar el área referida a los derechos fundamentales dentro de la nueva Constitución, a fin de que esta permita que estos vayan evolucionando en conjunto a la sociedad.

El académico se refirió a la importancia de contar con una sólida economía fiscal a fin de poder asegurar efectivamente estos derechos prestacionales:

> *"Dada la tendencia a sobre-ofrecer derechos sociales que se producen en las disputas electorales, la historia de fragilidad fiscal de nuestra región, y el reciente drástico deterioro de las finanzas públicas en Chile, propongo que también en la constitución se establezcan reglas que garanticen la sustentabilidad fiscal y por lo tanto la sustentabilidad en la garantía de los derechos sociales y de una vida digna. Pocos países en la región pueden garantizar derechos sociales al nivel que lo puede hacer Chile, pero debemos asegurar que siempre avancemos en esta materia. Aunque no es un tema para profundizar aquí, establecer en la constitución la necesidad de que el gobierno cuente con un marco definido de regla fiscal, poner límites al endeudamiento público, (…)".*

Sergio Verdugo por su parte, llama a la *"consideración dos tipos de reformas, en lugar de la adopción de garantías justiciables 'fuertes' para los derechos sociales: primero, reformas estructurales a los mecanismos de elección del presidente y del Congreso, que alineen más estrechamente la agenda de las dos ramas del gobierno (…), y reformas al modelo de financiamiento nacional vs. local de servicios clave, a fin de promover una aproximación más reactiva al diseño democrático de políticas públicas. Segundo, un conjunto específico de garantías 'débilesfuertes' de derechos sociales que consista en (a) mandatos al legislador [by law clause]; (b) un marco temporal específico para la adopción de la legislación relevante; (c) principios constitucionales que dirijan el alcance de las reformas a las políticas sociales y económicas; y (d) la posibilidad de revisión judicial de fallas legislativas en la implementación de los mandatos constitucionales".*

Para recibir la experiencia comparada expuso Juan Pablo Diaz, Licenciado en Ciencias Jurídicas y Sociales por la Universidad Autónoma de Chile, presentando "opciones" distintas basadas en ejemplos internacionales de recepciones en las Cartas.

En primer lugar, señala la opción de "(…) *no indicar derechos sociales: ese sería quizás como uno de los extremos; no indicarlo. O quizá una cláusula como general cómo lo hace Alemania".*

La segunda opción sería *"declarar una serie de políticas sociales, como lo hace Suiza."*

En tercer lugar, señala que una opción de carácter más intermedio sería consagrar *"los derechos sociales como derechos progresivos, como lo considera así el Pacto de San José de Costa Rica".*

La siguiente posibilidad *"podría ser, por ejemplo, sencillamente indicar que los derechos económicos, sociales y culturales son derechos y ya está, sin mayor definición".*

La quinta opción optar por *"[la] exigibilidad atenuada como [en] Sudáfrica, o como en la práctica ocurre hoy en día [en Chile], en dónde se concuerda con otro derecho fundamental y por virtud del cual, indirectamente, se logra obtener la satisfacción y protección de [un] derecho económico, social y cultural".*

Y finalmente, "(…) *opción podría ser que todos los derechos sociales [sean] exigibles. Esas serían las seis opciones".*

Por otro lado, con respecto al aseguramiento de estos derechos prestacionales, José de Gregorio advierte no solo el problema que implica su financiamiento "sino también los efectos que ello implica en el aprovechamiento de los bienes y servicios garantizados por estos derechos".

En este sentido, el experto señala que *"El nivel al que se garantizan los derechos sociales depende de la capacidad de financiamiento de dichos derechos, y ello depende de la capacidad de recaudación fiscal. Dicha recaudación depende de la tasa de impuesto y del nivel de ingreso del país (base tributaria), por lo tanto, es esencial el progreso económico para ampliar y mejorar la calidad de la cobertura de derechos sociales. Es muy distinto lo que se puede hacer exigible en Chile versus Bolivia o Noruega, para nombrar do caso en veredas opuestas".*

En relación a la universalidad de los derechos fundamentales, el académico presenta una postura crítica que tiene a lograr un punto medio, es decir sin caer en la sobre universalización. En este sentido, el señala lo siguiente:

> *"Respecto de la universalidad. Esta se ha elevado a niveles de ideología, siendo un tema bastante más simple. La universalidad es razonable cuando tenemos una población objetivo difícil de identificar, o las necesidades de actuar son urgentes, mientras la focalización permite mayor eficiencia en el uso de recursos escasos".*

No obstante, en la misma materia el señor Felipe Expósito de la Fundación Hogar de Cristo, presenta una postura notablemente más favorable en comparación, lo cual se evidencia en una de las propuestas presentadas para integrar en la nueva constitución, la cual señala:

"(…) se propone privilegiar la consagración de derechos (o prestaciones) universales para asegurar el acceso de todas las personas, sin distinción por su capacidad adquisitiva, a recursos vitales para el bienestar humano".

Finalmente, con respecto a la protección que la nueva Constitución brindará a los grupos desventajados, se ha propuesto que el catálogo de derechos que el nuevo texto consagre debiese adoptar un enfoque en que la accesibilidad universal sea un principio "transversalizable".

En este sentido, María Soledad Cisternas señala que se debe consagrar *"la accesibilidad universal, que es pilar y puente para el ejercicio de los Derechos Humanos y libertades fundamentales, tanto al espacio físico como la información a las comunicaciones, a los procesos, a los procedimientos, a los bienes a los servicios que se presten en distintos lugares tanto en ámbitos urbanos como rurales. Esto es tan gravitante, que sin accesibilidad se incrementa la pobreza multidimensional de las personas con discapacidad al no tener estos accesos".*

Vemos como los tópicos que se abordan en el constitucionalismo económico europeo de posguerras mundiales son rememorados en sendas discusiones doctrinarias en el actual debate constitucional chileno.

La novedad, como eje articulador de este proceso nacional, es la recepción de la panoplia constitucional que registra el viejo continente –a la que hacíamos referencia al iniciar este trabajo–, que conlleva una verdadera amalgama de conjugaciones normativas, cobijadoras de los diversos modelos ideológicos-doctrinales, permitiendo la factibilidad de los disímiles programas de gobierno.

Así se explica que la Convención Constitucional aceptara recoger el principio de libertad de emprender y desarrollar actividades económicas, pero exigiendo un funcionamiento "eficiente, justo y leal" de los mercados, el que debe responder al interés social, compatibilizándolo con la protección de los usuarios.

A su vez, la propiedad privada también se consagra por la Convención, pero también advirtiendo que los bienes que por su naturaleza son comunes a todas las personas, son inapropiables conforme a la Constitución y la ley.

Se abrirá un campo relevante en cuanto al rol del Estado en la cobertura garantizadora efectiva de prestaciones sociales y económicas, así como el de otorgamiento de títulos administrativos respecto de servicios de utilidad pública, su regulación de estándares técnicos y accesibilidad universal.

A su vez, el trabajo Constituyente no estará exento de desafíos hermenéuticos, pues se propugnan "derechos de la naturaleza", lo cual abre un espacio de discusión interpretativa en la titularidad de las acciones, obligaciones y responsabilidad estatal.

Presenciamos un camino incipiente de constitucionalismo económico en Chile que puede derivar en un crecimiento inteligente, basado en el desarrollo sostenible, que cobije en su seno tanto los valores ya asumidos del liberalismo del emprendimiento, con un nuevo rol solidario del Estado, centrado en el bien común y una visión cautelar del entorno vital.

BIBLIOGRAFÍA

Carreño, José (2021) Exposición Asociación de Pymes de Chile. Informe FLACSO pp. 157-160. Disponible en: https://www.cconstituyente.cl/comisiones/verDoc.aspx?prmID=1996&prmTipo=DOCUMENTO_COMISION

Coddou McManus, Alberto (2021) Presentación ante la Comisión de Derechos Fundamentales de la Convención Constitucional, pp. 3. Disponible en: https://www.cconstituyente.cl/comisiones/verDoc.aspx?prmID=622&prmTipo=DOCUMENTO_COMISION

Costa Ezio (2021) Exposición FIMA, sobre Constitución Ecológica: Principios, Derechos Humanos Ambientales y Derechos de la Naturaleza, Primer Informe Comisión medioambiente y modelo económico pp. 379, pp. 9-11. Disponible en: https://www.cconstituyente.cl/comisiones/verDoc.aspx?prmID=2279&prmTipo=DOCUMENTO_COMISION

Fukuyama, Francis (1990) El Fin de la Historia, Revista Claves, Madrid. Editorial Free Press 1992 USA.

OCDE, Informe Bienal, Chile Dentro de los Tres países Latinoamericanos más Desiguales en cuanto a Ingresos.

Galdámez, Liliana; Frene, Cristian (2021), Exposición Red de Constitucionalismo Ecológico, Primer informe Comisión Medioambiente y Modelo Económico pp. 379, pp. 3-4.

Henríquez, Miriam (2021) Propuesta regulativa Garantías Constitucionales, pp. 5. Disponible en: https://www.cconstituyente.cl/comisiones/verDoc.aspx?prmID=652&prmTipo=DOCUMENTO_COMISION

Morales Balcázar, Ramón; Espínola Araya, Rudecindo, Exposición Observatorio Plurinacional de Salares Andinos, Primer informe Comisión Medioambiente y Modelo Económico, pp. 379, pp. 8-9.

Pizzorrusso, Alessandro (1984) Lecciones de Derecho Constitucional, tomos I y II, Ed. Centro de estudios constitucionales, Madrid, pp 163 y ss.

Salazar, Sebastián (2021) Exposición Grupo Académicos Constitución Económica, Primer informe Comisión Medioambiente y Modelo económico, pp. 379, pp. 5-6.

Sutil, Juan (2021) Exposición Confederación de la Producción y del Comercio. Informe FLACSO pp. 37-39. Disponible en: https://www.cconstituyente.cl/comisiones/verDoc.aspx?prmID=1996&prmTipo=DOCUMENTO_COMISION

Vásquez, Juan Francisco; Romagnoli, Marcela (2021) Exposición Asociación Campesina de Paine. Informe FLACSO, pp. 104-107. Disponible en: https://www.cconstituyente.cl/comisiones/verDoc.aspx?prmID=1996&prmTipo=DOCUMENTO_COMISION

Zagrebelsky, Gustavo (2008) El Derecho Dúctil, 8° Edición, Madrid España: Editorial Trotta S.A.

El plazo de prescripción de las infracciones administrativas[1]
Comentario sobre el Dictamen de la Contraloría General de la República Nº 24.731-2019

CRISTIAN ROMÁN CORDERO[2]

PRESENTACIÓN[3]

Un problema recurrente en el DAS en Chile es la ausencia, en el marco legal de los órganos de la Administración dotados con potestad sancionadora, de una regla sobre la prescripción de la infracción administrativa y, a su vez, la ausencia de una regla supletoria sobre el particular, que pueda ser aplicada indubitadamente, en su defecto.

A fin de resolver este problema, la jurisprudencia administrativa de la CGR, desde el dictamen Nº 14.571-2005, había sostenido que siendo el DAS junto al DP manifestación del *ius puniendi* del Estado, y al no haber diferencias sustantivas entre la pena y la sanción administrativa, cabía aplicar supletoriamente, como *Derecho Común*, el Código Penal, en específico la regla de las faltas penales, contenida en su artículo 94, esto es, el plazo de 6 meses.

---

[1] He querido participar con el presente trabajo sobre el plazo de prescripción de las infracciones administrativas en este merecido homenaje al profesor José Luis Cea Egaña, como señal de gratitud por su gran aporte a mi formación jurídica. En primer lugar, como mi profesor de Derecho Político y Derecho Constitucional en la Facultad de Derecho de la Universidad de Chile, y en segundo, como Ministro del Tribunal Constitucional, a quien tuve la fortuna de asistir. En este trabajo, a partir del último dictamen de la Contraloría General de la República sobre dicha materia, a modo de comentario de jurisprudencia (administrativa), abordo cómo el principio de prescripción, aplicable a todo ejercicio del *ius puniendi* del Estado, se concretiza respecto de las infracciones administrativas en un plazo específico, en defecto de un precepto legal expreso sobre el particular.

[2] Profesor de Derecho Administrativo Universidad de Chile. Correo electrónico: croman@derecho.uchile.cl

[3] Abreviaturas: CGR: Contraloría General de la República; CS: Corte Suprema; DA: Derecho Administrativo; DAS: Derecho Administrativo Sancionador (como rama del Derecho); DAs: Derecho Administrativo sancionador (Derecho Administrativo, en relación "al ejercicio de potestad sancionadora por la Administración". No como rama del Derecho. Alude a la forma en la que la CGR, en este dictamen, aborda el problema en cuestión); DP: Derecho Penal; TC: Tribunal Constitucional; UAF: Unidad de Análisis Financiero.

Por su parte, la jurisprudencia judicial de la CS inicialmente se mostró titubeante sobre este punto[4]. Con todo, algunos años atrás ésta se uniformó en orden a aplicar supletoriamente, como *Derecho Común*, la regla de prescripción de las faltas penales, esto es, el plazo de 6 meses[5], con lo cual la jurisprudencia administrativa de la CGR quedaba *alineada* con dicha jurisprudencia judicial. Mas, últimamente, la jurisprudencia judicial de la CS se uniformó en orden a aplicar supletoriamente, como *Derecho Común*, la regla general de prescripción del Código Civil, contenida en su artículo 2515, esto es, el plazo de 5 años[6][7]; con lo cual la jurisprudencia administrativa de la CGR quedó *desalineada* con dicha jurisprudencia judicial (y en abierta contradicción).

En este contexto, la CGR, a través del dictamen N° 24.731-2019, que comentaremos, reconsideró su jurisprudencia administrativa histórica sobre esta materia, y estableció que ahora cabía aplicar supletoriamente, como *Derecho Común*, ya no el Código Penal (6 meses), sino que el Código Civil (5 años). Así, *alineó* su jurisprudencia administrativa con la reciente jurisprudencia judicial de la CS. Cabe destacar que luego de este dictamen la CGR no ha dictado ningún otro sobre el particular, por lo que la interpretación que introduce se encuentra plenamente vigente.

Conforme se observa, este dictamen tiene una singular relevancia por la sustancial diferencia, en cuanto al plazo de prescripción de las infracciones administrativas, entre la antigua y la nueva interpretación (en efecto, lo amplía desde 6 meses a 5 años), y por la enorme cantidad de casos en los que ella ha de operar, atendida la fuerza vinculante que singulariza a la jurisprudencia administrativa

---

[4]   Al respecto véase: Vergara Blanco, Alejandro (2019) El Derecho Administrativo ante la jurisprudencia de la Corte Suprema: líneas y vacilaciones, en Revista de Derecho Administrativo Económico, N° 18, pp. 30-31 y 62-63.

[5]   A modo ejemplar, véase: sentencias de la Corte Suprema Roles N°s 4627-2008, 7629-2009, 5565-2009, 2501-2010, 2563-2010, 5493-2013, 9186-2012, 5493-2013, 7559-2012, 14432- 2013 y 4503-2015.

[6]   A modo ejemplar, véase: sentencias de la Corte Suprema Roles N°s 100727-2016, 12164-2017, 27826-2017, 2961-2017, 11480- 2017, 38857-2017, 45141-2017, 765-2018, 8420-2017, 8157-2018, 44510-2017, 23150-2019 y 22247-2021.

[7]   Cabe destacar, en todo caso, la existencia de una "variante" de esta jurisprudencia, por el momento excepcional, que establece que el plazo de prescripción de las infracciones administrativas, en defecto de precepto legal expreso, es de 5 años, sin establecer en forma expresa el fundamento normativo que la sustenta. En este sentido, recientemente, Vergara ha observado que "*cabe consignar cuatro sentencias de los casos Laboratorios Pharma Investi con Instituto de Salud Pública (2019), Herrera (2020), Clínica Alemana (2020) y Clínica Alemana de Valdivia (2020) en que los firmantes (ministros Sandoval, Aránguiz, Vivanco y Muñoz, según los casos), junto con descartar la aplicación del art. 94 del Código Penal (que establece un plazo de seis meses), aplican el plazo de cinco años, "sea por aplicación de las normas del Código Civil o del Código Penal". Estos sentenciadores dejan en la indefinición la fuente normativa de su decisión, siendo únicamente importante para ellos el plazo de cinco años, lo cual es curioso y priva de fundamento cierto su voto.*" (Vergara Blanco, Alejandro (2021) "Plazo de prescripción de las infracciones y sanciones administrativas. Análisis Jurisprudencial. En: El Mercurio Legal (31/12/2021)).

de la CGR[8] (esto es, respecto a los órganos de la Administración dotados con potestad sancionadora y cuyo marco legal nada diga sobre el particular).

De ahí que sea muy necesario comentarlo, tal como lo haremos a continuación. Al efecto, y como plan de exposición, en la Parte 1., expondremos sucintamente este dictamen; en la Parte 2., lo comentaremos; y en la Parte 3., apuntaremos nuestras conclusiones. Al final, anotaremos las fuentes consultadas; y en el anexo, el texto íntegro del dictamen.

1. EL DICTAMEN DE LA CGR N° 24.731-2019

El Director de la UAF requirió pronunciamiento a la CGR en cuanto al plazo de prescripción de la acción de las infracciones administrativas consultadas en el artículo 3° de la Ley N° 19.913, Crea la Unidad de Análisis Financiero y Modifica Diversas Disposiciones en Materia de Lavado y Blanqueo de Activos, toda vez que ésta nada dice sobre el particular.

La CGR, reconsiderando su jurisprudencia histórica al respecto, dictaminó que procede ahora aplicar el plazo general de prescripción, de 5 años, establecido en el artículo 2515 del Código Civil, contados desde la comisión de la infracción. En cuanto a los fundamentos del dictamen, podemos reconocer dos clases: (1.1.).- *Fundamentos propios* de la CGR, esto es, los fundamentos que pertenecen a ésta y que le han permitido arribar a esta nueva interpretación, la que denomina "conclusión"; y (1.2.).- *Fundamentos de ratificación*, esto es, la actual jurisprudencia de la CS, misma que con ese propósito cita, luego de sus fundamentos propios y de su "conclusión" (en efecto, el dictamen, al comenzar a abordarlos, señala: "*La conclusión anterior resulta coherente con diversos pronunciamientos de la Excma. Corte Suprema…*").

A continuación, sintetizamos ambas clases de fundamentos.

1.1. Fundamentos propios de la CGR

Como *fundamentos propios,* la CGR señala:

(a).- El Derecho Penal y el Derecho Administrativo sancionador (sic) son distintos, lo que exige repensar la aplicación de las normas y principios del primero al segundo. Al efecto sostiene que "*si bien el Derecho Penal y el Derecho Administrativo sancionador tienen elementos comunes, no es posible soslayar que regulan ámbitos*

---

[8]   Al respecto, véase: Román Cordero, Cristian (2018) "Dictámenes de la Contraloría General de la República y acción declarativa de mera certeza". En: "Sentencias Destacadas 2017", Libertad y Desarrollo, Santiago, p. 411.

sustancialmente diferentes, teniendo particularidades y características propias que recla-
man repensar la aplicación que, por defecto, se ha dado a las normas y principios del pri-
mero al ámbito en análisis".

Tales diferencias se evidenciarían en dos órdenes de materias: (uno).- La naturaleza jurídica de la potestad que permite adjudicar las sanciones. La potestad
mediante la cual se adjudican sanciones en sede penal es jurisdiccional; en tanto
que la potestad mediante la cual ello se hace en sede administrativa es administrativa, no jurisdiccional, misma que *"históricamente aparece asociada a la actividad*
de policía y a la mantención del orden público en su más amplia concepción"; y (dos).-
Los fines. El procedimiento penal tiene por objeto la verificación de un hecho
punible descrito por la ley, a fin de determinar responsabilidades y adjudicar la
pena correspondiente; en tanto que los procedimientos sancionatorios administrativos persiguen determinar el cumplimiento formal y sustantivo de una determinada regla y reaccionar frente a su inobservancia, a través de una potestad
asignada a la Administración.

(b).- El Derecho Administrativo moderno es hoy suficientemente garantista.
En efecto, este dota a los órganos de la Administración de prerrogativas o poderes para resguardar el interés general y alcanzar los fines que la justifican, al
tiempo de asegurar un conjunto de garantías a los ciudadanos frente al ejercicio
de esas potestades públicas. En este sentido observa que la Ley N° 19.880, sobre
Bases de los Procedimientos Administrativos, consagra diversos principios y reglas adjetivas encaminados a proteger los derechos de los interesados en el procedimiento, los que resultan especialmente aplicables a la potestad sancionadora
(entre ellas, los principios de probidad, transparencia, imparcialidad, contradictoriedad e impugnabilidad), sin perjuicio de la aplicación preferente de reglas
especiales contenidas en normas legales.

(c).- Siendo el Derecho Penal y el Derecho Administrativo distintos, y siendo
este último suficientemente garantista, ya no es necesario aplicarle el Derecho
Penal. En efecto, planteó que *"Siendo así, y considerando las diferencias ostensibles*
entre las disciplinas penal y administrativa, debe concluirse que no resulta necesario acudir
a las reglas de la primera para asegurar derechos a los particulares, puesto que a esa labor
se avoca también el Derecho Administrativo, particularmente a través de la regulación del
acto y el procedimiento administrativo. (/) Así, si bien en épocas pretéritas parecía indis-
pensable acudir al ordenamiento penal para alcanzar la protección del ciudadano frente al
ejercicio de la potestad sancionatoria de la Administración, el estado actual de desarrollo
del Derecho Administrativo, tanto por la vía normativa como jurisprudencial, hacen inne-
cesaria esa operación".

Y agrega que no en vano tanto la jurisprudencia administrativa como judicial habían venido sosteniendo que la aplicación del Derecho Penal al ámbito en análisis no era automática, sino que reconocía *matices* y exigía un análisis

especial, lo que evidencia la dificultad de trasladar categorías propias de la sede penal a una diversa.

(d).- Por tanto, cabe aplicar el Derecho Civil al Derecho Administrativo como Derecho Común. En efecto, en lo medular sólo señala que "*Descartada la necesaria aplicación de las normas y principios del Derecho Penal al ejercicio de la potestad sancionatoria de la Administración para alcanzar la finalidad garantista que la justificaba, resulta menester entonces acudir al Derecho común en aquellas materias no reguladas por el Derecho Administrativo, el que en nuestro caso corresponde al Código Civil*".

1.2. Fundamentos de ratificación

Como *fundamentos de ratificación* de su "conclusión", a la que previamente ha arribado, en base a sus *fundamentos propios*, el dictamen refiere la última jurisprudencia de la CS.

En efecto, en lo medular, éste señala: "La conclusión anterior resulta coherente con diversos pronunciamientos de la Excma. Corte Suprema *en que no se considera al Derecho Penal o al Derecho Procesal Penal como parte del derecho común, puesto que los primeros son disciplinas especiales en relación al último, atendido, entre otros aspectos, la particularísima función social que desempeñan. (/) Atendido lo anterior, ese máximo tribunal ha concluido que, frente a la ausencia de un texto legal expreso que regule el plazo de prescripción en relación con el ejercicio de la potestad sancionatoria de la Administración, cabe aplicar en forma supletoria las normas del derecho común dentro del ámbito civil y, en ese entendido, hacer aplicación de la regla general de prescripción extintiva de cinco años a que se refiere el artículo 2.515 del Código Civil*".

Luego efectúa un resumen de los fundamentos considerados al efecto por dicha Magistratura. A saber: (a).- Las reglas relativas a la prescripción se aplican igualmente a favor y en contra del Estado, conforme dispone el artículo 2.497 del Código Civil; (b).- Aplicar la prescripción de 6 meses del artículo 94 del Código Penal en esta materia atentaría contra la debida relación y armonía que debe guardar el ordenamiento, ya que "*no resulta coherente que la acción disciplinaria por responsabilidad administrativa de los funcionarios públicos prescriba en cuatro años –de acuerdo a lo dispuesto en el artículo 158 del Estatuto Administrativo y 154 del Estatuto Administrativo para Funcionarios Municipales– y, en cambio, tratándose de la acción sancionatoria dirigida en contra de los administrados, la responsabilidad se extinga en el plazo de seis meses*"; y (c).- "*de resultar aplicable el Derecho Penal para colmar el vacío sobre el plazo de prescripción en estudio, correspondería acudir no a aquel contemplado para las faltas penales, sino que al término de cinco años asignado para los simples delitos, atendido que constituye la regla general y dada la entidad de los bienes jurídicos protegidos mediante el poder sancionatorio entregado a los órganos administrativos*".

2. COMENTARIO SOBRE EL DICTAMEN DE LA CGR N° 24.731-2019

2.1. Síntesis de los fundamentos del dictamen

Tal como hemos puesto de relieve previamente, el dictamen contiene dos clases de fundamentos: (a).- Los *propios* de la CGR, que la llevan a su "conclusión", esto es, a la interpretación conforme a la cual cabe aplicar en la especie, supletoriamente, como *Derecho Común*, el Código Civil, en específico su artículo 2515 (5 años); y (b).- Los *de ratificación* de su "conclusión", la actual jurisprudencia de la CS sobre esta materia.

Los fundamentos *propios* de la CGR, bien se pueden resumir de la siguiente manera: el DP es distinto del DA, y este último se encuentra en un nuevo estadio, en el cual ya es suficientemente garantista, razones por las cuales no es necesario aplicarle supletoriamente, en tanto *Derecho Común*, los principios y reglas del primero (en cuanto al ejercicio de la potestad sancionadora por la Administración). Aunque sí, contradiciéndose abiertamente con tal razonamiento, el Código Civil, en específico su artículo 2515.

2.2. El transcendental olvido del DAS

En una primera aproximación, llama la atención –y mucho– el hecho que el dictamen centre el problema en el DA, en cuanto al *"ejercicio de la potestad sancionadora de la Administración"* (u otras expresiones análogas), y no en el DAS como parece de toda lógica. Sólo en un párrafo se refiere al *"Derecho Administrativo sancionador"* (sic), aunque con esta última palabra en minúscula, como si quisiera referirse al DA, en relación *"al ejercicio de la potestad sancionadora de la Administración"*, y no a una rama específica del Derecho como lo es DAS y como tal regida por sus propios principios y reglas. [En lo sucesivo, en cuanto nos refiramos al DA, en relación al *"ejercicio de la potestad sancionadora de la Administración"*, en los términos aludidos por el dictamen en comento, emplearemos la abreviatura DAs –con la última letra, que alude a "sancionador", con minúscula–].

En este contexto, corresponde destacar que el DAS sí existe, y a él se refieren reiteradamente tanto la doctrina como la jurisprudencia[9]. Y podemos conceptualizarlo como la rama del Derecho que, inserta en el DA, rige el ejercicio por la Administración de la potestad sancionadora que la ley expresamente le ha atribuido, tanto en aspectos sustantivos como adjetivos. Esta rama se caracteriza por su vocación de autonomía, mas está aún en plena formación, y en este proceso se

---

[9]   Véase: Sentencia del Tribunal Constitucional Rol N° 244.

ha determinado tanto por la doctrina como por la jurisprudencia aplicar, como pauta, los principios del DP, aunque *con matices*, y en forma temporal, esto es, hasta que haya elaborado los propios, proceso en el que mucho se ha avanzado en el último tiempo[10].

Ahora bien, el hecho que el dictamen aborde el problema en función del DA (o DAs), y no en función del DAS, es trascendental, pues si lo hubiese hecho de esta última forma, la "conclusión" a la que habría arribado muy probablemente habría sido distinta, y si no, al menos le habría exigido a la CGR otra línea argumental, más sólida. Lo anterior por cuanto entre el DP y DA (DAs) las diferencias son patentes, a tal punto que no es posible sostener la aplicación supletoria de los principios del primero a este último; mas entre el DP y DAS las diferencias son menores o, mejor dicho, las similitudes son manifiestas, pues, tal como el TC ha señalado, ambos son manifestación del *ius puniendi* del Estado y entre la pena y la sanción administrativa no hay diferencias sustantivas, lo cual le ha permitido sostener que los principios del DP se aplican al DAS *con matices*[11].

¿Por qué el dictamen omitió referirse al DAS? Por lo pronto, cabe puntualizar que ello no ha obedecido a un olvido, pues la CGR conoce perfectamente esta rama del Derecho, sino a un propósito específico. ¿Cuál? Creemos que éste ha sido reencauzar esta materia, tratada por aquélla como DA (DAs) por la senda de otorgar mayor protección al interés general, como es lo propio de esa rama del Derecho, y, a la vez, rebajar el carácter garantista que, quizás en demasía, esta materia adquiere cuando es abordada bajo la nomenclatura DAS (en tanto se ha erigido, conforme se ha observado, sobre la idea de que los principios inspiradores del orden penal se aplican a él *con matices*). En otras palabras: *despenalizar* y *re-administrativizar* al DAS (lo que da por resultado el DAs). De ser ese el propósito, creemos que no era necesario proceder de esta forma (obviando el DAS), pues ello ya se ha ido produciendo naturalmente. En efecto, si bien el DAS surgió con un carácter muy garantista, dada la vinculación con el DP destacada en sus comienzos tanto por la doctrina como por la jurisprudencia, ésta se ha ido desdibujando en la medida que ha evolucionado, pues sus principios han adquirido alcances propios, distintos de los homónimos del DP, en un justo equilibrio entre la protección del interés general y los derechos del perseguido en esta sede[12].

---

[10]   Al respecto, véase, a fin de contrastar esta evolución: Román Cordero, Cristian (2008) "Derecho Administrativo Sancionador: "Ser o no ser: he ahí el dilema". En, Pantoja Bauzá, Rolando (coordinador) "Derecho Administrativo: 120 años de cátedra", Editorial Jurídica, Santiago, pp. 107-141, y Román Cordero, Cristian (2020): Derecho Administrativo Sancionador en Chile: "ubicación" y "límites", en Revista Derecho y Sociedad, N° 54, pp. 151-166.

[11]   Por todas, véanse: sentencias del Tribunal Constitucional Roles N°s 244, 479, 480 y 2264.

[12]   Al respecto, véase: Román Cordero, Cristian (2020) Derecho Administrativo Sancionador en Chile: "ubicación" y "límites", en Revista Derecho y Sociedad, N° 54, p. 159-160.

2.3. Algunas afirmaciones discutibles

El dictamen plantea dos afirmaciones discutibles que es necesario analizar:

En primer lugar, sostiene que el ejercicio de la potestad sancionadora por la Administración persigue determinar el cumplimiento formal y sustantivo de una determinada regla y reaccionar frente a su inobservancia. Esta afirmación es discutible por cuanto entiende que la responsabilidad administrativa tiene lugar con la sola verificación de la conducta típica, en circunstancias de que la responsabilidad administrativa, inserta en el DAS (y aquí aflora la relevancia de encuadrar esta materia en dicha rama y no en el DA (DAs)), precisa de culpabilidad (dolo o negligencia)[13], sin perjuicio de que, en casos muy excepcionales y calificados, ésta pueda entenderse satisfecha a título de mera inobservancia[14] o bien presumirse a partir de ésta[15].

Posteriormente señala que el DA, en el último tiempo, ha adquirido marcadas notas de garantismo, por ejemplo, con la Ley N° 19.880, Establece Bases de los Procedimientos Administrativos (y de esto concluye que ya no es necesario aplicar supletoriamente el DP al DA (DAs)). Esta afirmación es discutible por cuanto lentamente se ha observado tanto por la doctrina como por la jurisprudencia que el DA no es suficientemente garantista en lo que respecta al ejercicio de la potestad sancionadora, y que en este caso se precisa de un *plus adicional* cuyo alcance se ha ido estableciendo en el marco del DAS. Conforme se observa, aflora nuevamente la relevancia de encuadrar esta materia en el marco de esta rama jurídica, y no en el DA (DAs). Así, por ejemplo, el TC hace una década sostuvo que la Ley N° 19.880, Establece Bases de los Procedimientos Administrativos, es garantía de un debido procedimiento administrativo sancionador[16], mas recientemente ha sostenido exactamente lo contrario[17], representando incluso a los órganos colegisladores la necesidad de regularlo a través de una ley especial[18].

---

[13]   Dictamen de la Contraloría General de la República N° 31329-2005.

[14]   Sentencia de la Corte Suprema Rol N° 24245-2014.

[15]   Sentencia de la Corte Suprema Rol N° 14578-2015.

[16]   Sentencia del Tribunal Constitucional Rol N° 1410.

[17]   Sentencia del Tribunal Constitucional Rol N° 8853. Ésta en lo medular señala: "*la Ley N° 19.880 carece de un contenido operativo que posibilite materialmente un debido proceso adversarial, tal como es posible hallarlo en su congénere española a la cual se debe. Por lo que esta Magistratura se hace un deber -una vez más- expresar la necesidad de legislar al respecto, normando un específico procedimiento administrativo sancionador, cumplidor de las garantías de un procedimiento justo y racional (STC Rol N° 2682-14)*".

[18]   Asimismo, en tiempo intermedio destacó que el procedimiento administrativo sancionador precisa la observancia de una serie de principios (derecho a la defensa, derecho a la prueba, derecho al recurso, etcétera) –Sentencia del Tribunal Constitucional Rol N° 2264– y que es *similar al penal* –Sentencia del Tribunal Constitucional Rol N° 2682–.

2.4. Idea relevante: El momento de la "independencia" del DAS respecto del DP

El dictamen tiene una gran virtud: advierte que, en algún momento, el DAS (que aborda como DAs) se debe "*independizar*" del DP, vale decir, ya no será válido aplicar al primero los principios del segundo. Bajo ese predicamento, entiende que ese momento ya ha llegado, lo que no compartimos. Con todo, cabe destacar que de esta forma reconoce que el DAS es una rama jurídica con vocación de autonomía, la cual si bien se ha construido aplicando como guía los principios del DP (*con matices*), esto se hace en forma temporal, es decir, hasta que cuente con los propios. En otras palabras, entiende que el DAS evolucionará, en base a la doctrina, la jurisprudencia y la innovación legislativa, y desarrollará sus propios principios (y reglas), mismos que adquirirán notas propias, distintas de los homónimos del DP, a tal punto que, en algún momento, ya no será necesario acudir a los principios de este último. Entonces, agregamos, las soluciones a los problemas del DAS se buscarán y encontrarán en el propio DAS (valga la redundancia): las soluciones a los problemas de un DAS sectorial (por ejemplo, eléctrico, ambiental, casinos de juego, etcétera) se encontrarán en el DAS general o bien en otro DAS sectorial; pero ya no en el DP (y menos en el Código Civil –como hace el dictamen en comento–).

2.5. La contradicción argumental y la inercia civilista

Es singular la contradicción argumental que contiene el dictamen en tanto establece que el DA, en relación "*al ejercicio de la potestad sancionadora de la Administración*" (DAs), es hoy suficientemente garantista, razón por la cual no precisa que se aplique a su respecto supletoriamente el DP, como *Derecho Común*, mas, a renglón seguido, hace lo propio con el Derecho Civil. A nuestro entender, acá queda de manifiesto cierta inercia –persistente en la jurisprudencia (administrativa y judicial)– en cuanto a que los "vacíos normativos" que se hallen en el DA (DAs) deben "llenarse" aplicando supletoriamente, como *Derecho Común*, reglas foráneas contenidas en el Código Civil. Esta inercia ha impedido a la CGR, en este dictamen (así como también a la jurisprudencia judicial), analizar otras posibles soluciones como, por ejemplo, buscar en el propio DA o, mejor dicho, en el DAS, una regla análoga que pueda ser aplicada supletoriamente. Volveremos más adelante sobre este punto.

2.6. El verdadero fundamento: (alinearse con) la jurisprudencia de la CS

En suma, conforme a lo señalado, nos parece que los *fundamentos propios* de la CGR contenidos en este dictamen son insuficientes y contradictorios. Siendo así: ¿Cuáles han sido los verdaderos fundamentos de éste? Pues bien, nos parece que, en defecto de ellos, lo han sido los que hemos llamado *fundamentos de ratificación*, esto es, la actual jurisprudencia de la CS. Por tanto, los *fundamentos de ratificación*, en rigor estricto, no son tales (no ratifican) sino que son los verdaderos (y únicos). Así, prescindiendo de los *fundamentos propios*, habría bastado con que el dictamen hubiese señalado: "*reconsideramos nuestra jurisprudencia administrativa en esta materia para alinearnos con la actual jurisprudencia judicial de la CS*" o, si se quiere, "*nos inclinamos* motu proprio *ante la jurisprudencia judicial de la CS*". Atendido lo anterior, pareciera que los *fundamentos propios* son una suerte de "fachada", a fin de ocultar que la CGR ha procedido de esta manera.

Y si fuera así: ¿Qué ha buscado con ello la CGR? Conforme se ha señalado, previo a este dictamen, la jurisprudencia administrativa de la CGR y la jurisprudencia judicial de la CS estaban *desalineadas* (en abierta contradicción, pues mientras la primera sostenía que cabía aplicar, como *Derecho Común*, el Código Penal –6 meses–, la segunda sostenía que cabía aplicar como tal el Código Civil –5 años–). En este contexto, era cuestión de tiempo que un órgano de la Administración dotado con potestad sancionadora cuyo marco normativo sectorial nada dijera sobre el particular, y al cual cabía aplicar la jurisprudencia administrativa de la CGR (tesis penal –6 meses–) como, por ejemplo, la UAF –que es la que requiere a la CGR el pronunciamiento que da origen a este dictamen[19]–, impugnara judicialmente los dictámenes que consagraban esa interpretación, a fin de que los tribunales de justicia y, en su momento, la CS, hiciera prevalecer su jurisprudencia judicial (la tesis civil –5 años–), y los declarara ilegales (pudiendo incluso recordarle a aquélla, como ya lo ha hecho antes, que la jurisprudencia administrativa debe *inclinarse* ante la jurisprudencia judicial de la CS[20]). Así, entendemos, mediante este dictamen, la CGR ha precavido dicho potencial conflicto *alineando* (ex ante) su jurisprudencia administrativa a la jurisprudencia judicial de la CS.

De ser este el propósito: ¿Es buena esa práctica? A nuestro juicio, sí, y muy aconsejable. Esto por al menos tres razones: (a).- Evita que la jurisprudencia administrativa de la CGR y la jurisprudencia judicial de la CS estén *desalineadas* en un asunto tan relevante y objetivo como aquél sobre el cual se pronuncia el dictamen en comento (razón por la cual la interpretación debiera ser una y permanente, por exigencia de la igualdad ante la ley y de la seguridad jurídica); (b).- Evita el conflicto institucional que importaría la revisión judicial de los dictámenes de la CGR y su eventual anulación por ilegales (situación que por su gravedad bien puede ser calificada como "*choque de trenes*"); y (c).- Dota

---

[19]   Previo a este dictamen, la CS ya había dictado dos sentencias en relación a la UAF que seguían la tesis civilista –5 años–, contraria de la CGR entonces en vigor (tesis penalista –6 meses–): sentencias Roles N°s 38857-2017 (*Banco de Chile con Unidad de Análisis Financiero*) y 45141-2017 (*Montexchange S.A. con Unidad de Análisis Financiero*).

[20]   Por todas, véase: Sentencia de la Corte Suprema Rol N° 5984-2012.

de fuerza vinculante a la jurisprudencia de la CS en los términos que singulariza a la jurisprudencia administrativa de la CGR en relación a los órganos de la Administración[21].

Y tan buena práctica la estimamos que creemos que la CGR no sólo debiera emplearla profusamente en lo sucesivo sino que, además, explicitarla (no emplear fundamentos "de fachada" para esconderla), de suerte tal que cualquier persona u órgano de la Administración puedan solicitarle su ejercicio, esto es, que reconsidere su jurisprudencia administrativa en una determinada materia con el solo fundamento de que ésta se encuentra *desalineada* con la jurisprudencia judicial de la CS.

2.7. *Otra solución posible*

Una solución posible, que no ha sido considerada ni por la jurisprudencia administrativa ni judicial, es, sin "saltar" la *divisio* de las disciplinas jurídicas (hacia el Derecho Civil o el Penal), quedarse en el DA o, mejor dicho, en el DAS, y buscar en él la regla que quepa aplicar por analogía. En este contexto, la regla que más se observa en el marco normativo de los órganos de la Administración sectorial que abordan esta materia (DAS especiales), es el plazo de prescripción de 3 años. Ello acontece, por ejemplo, con la Superintendencia de Electricidad y Combustibles, la Superintendencia de Medio Ambiente, la Superintendencia de Insolvencia y Reemprendimiento y la Superintendencia de Casinos de Juego, o si se quiere, respectivamente, con el DAS-Eléctrico[22], el DAS-Ambiental[23], DAS-Insolvencia[24] y el DAS-Casinos[25].

---

[21] Al respecto, véase: Román Cordero, Cristian (2018) "Dictámenes de la Contraloría General de la República y acción declarativa de mera certeza". En: "Sentencias Destacadas 2017", Libertad y Desarrollo, Santiago, p. 414.

[22] Artículo 17 bis de la Ley N° 18.410, Orgánica de la Superintendencia de Electricidad y Combustibles: "La Superintendencia no podrá aplicar sanciones luego de transcurridos tres años desde la fecha en que hubiere terminado de cometerse la infracción o de ocurrir la omisión sancionada". Esta norma fue agregada por la Ley N° 20.402 y, según consta en la historia de la ley, respecto de su inclusión, "El Ministro, señor Tokman, explicó que esta norma era necesaria para precisar el plazo de prescripción de las sanciones" (Historia de la Ley N° 20.402, pp. 173-174).

[23] Artículo 37 de la Ley N° 20.417, Crea el Ministerio, el Servicio de Evaluación Ambiental y la Superintendencia del Medio Ambiente: "Las infracciones previstas en esta ley prescribirán a los tres años de cometidas, plazo que se interrumpirá con la notificación de la formulación de cargos por los hechos constitutivos de las mismas".

[24] Artículo 342 de la Ley N° 20.720, Sustituye el Régimen Concursal Vigente por una Ley de Reorganización y Liquidación de Empresas y Personas, y Perfecciona el Rol de la Superintendencia del Ramo: "Prescripción. Las infracciones que pudieren cometer los entes fiscalizados en el ejercicio de sus funciones prescribirán en el plazo de tres años contado desde la comisión del hecho constitutivo de infracción".

[25] Artículo 56 bis de la Ley N° 19.995, Establece la Bases Generales para la Autorización, Funcionamiento y Fiscalización de Casinos de Juego: "Las acciones de la Superintendencia para imponer las

Lo anterior es válido incluso si se considera que otros ámbitos sectoriales contemplan plazos de prescripción de las infracciones administrativas de 6 años (bancos[26]), 4 años (servicios sanitarios[27], bancos[28] y mercados financieros[29]) y seis meses (educación[30]). Ello por cuanto si bien los plazos de prescripción de las infracciones en el DAS chileno serían seis, cuatro y tres años, y seis meses, a fin de establecer el plazo a aplicar supletoriamente en los casos en los que no haya previsión legal expresa, cabría, en primer lugar, eliminar las plazos extremos (seis años y seis meses), pues ellos están referidos a casos singulares, y en segundo, restando los plazos de cuatro y de tres años, optar por este último, por aplicación del principio *in dubio pro reo* (o *in dubio pro administrado*).

Si bien esta solución puede ser criticada por cuanto aplica *extra legem* tales reglas (más allá del ámbito que le es propio), nos parece más cuestionable aplicar normas foráneas del DAS, y peor aún, tal como acontece en la tesis seguida por la CGR y la CS, aplicar el Código Civil, que rige materias patrimoniales, y no punitivas. Y, por el contrario, presenta al menos dos ventajas: (a).- Reafirma la autonomía del DAS (pues importa buscar y hallar la solución de los problemas del DAS en el DAS –valga la redundancia–); y (b).- En correspondencia con lo anterior,

sanciones a las que se refiere este Párrafo, prescribirán en el plazo de tres años desde la ocurrencia de las infracciones respectivas. Dicho plazo se interrumpirá con la notificación de la formulación de cargos por los hechos constitutivos de las mismas". Esta norma fue agregada por la Ley N° 20.856, artículo único N° 22.

26 Artículo 23, inciso 2°, del DFL N° 3, Fija Texto Refundido, Sistematizado y Concordado de la Ley General De Bancos y de otros Cuerpos Legales que se Indican: "Este plazo (prescripción de la infracción administrativa –nota nuestra–) será de seis años si se hubiere actuado con dolo y éste se presumirá cuando se hayan hecho declaraciones falsas a la Comisión relacionadas con los hechos cometidos".

27 Artículo 15, inciso 1°, de la Ley N° 18.902, Crea la Superintendencia de Servicios Sanitarios: "La Superintendencia no podrá aplicar multa a un infractor, luego de transcurridos cuatro años de la fecha en que se hubiere cometido la infracción".

28 Artículo 23, inciso 1°, del DFL N° 3, Fija Texto Refundido, Sistematizado y Concordado de la Ley General De Bancos y de otros Cuerpos Legales que se Indican: "Las multas y demás sanciones que aplique la Comisión prescribirán en el plazo de cuatro años contado desde la fecha en que hubiere terminado de cometerse el hecho o de ocurrir la omisión sancionada.". Cabe consignar que originalmente el plazo de prescripción era de tres años, el cual fue modificado a cuatro por la Ley N° 21.130, Moderniza la Legislación Bancaria, artículo 1°, N° 22, letra a), iii.

29 Artículo 61, inciso 1°, Ley N° 21.000, Crea la Comisión para el Mercado Financiero: "El Consejo no podrá sancionar a un infractor luego de transcurridos cuatro años desde la fecha en que hubiere terminado de cometer el hecho constitutivo de una infracción o de ocurrir la omisión sancionada".

30 Artículo 86, inciso 1°, de la Ley N° 20529, Sistema Nacional de Aseguramiento de la Calidad de la Educación Parvularia, Básica y Media y Su Fiscalización: "La Superintendencia no podrá aplicar ningún tipo de sanción luego de transcurridos seis meses desde la fecha en que hubiere terminado de cometerse el hecho. El inicio de la investigación respectiva suspenderá este plazo de prescripción".

maximiza la igualdad ante la ley, toda vez que aplica con alcance general, la regla de prescripción de DAS sectoriales que cuentan con ella[31].

2.8. La jurisprudencia del TC y la posible futura desalineación

Finalmente, quisiéramos apuntar que a pesar de la *alineación* jurisprudencial entre la CS y la CGR que este dictamen hace efectiva, la solución que establece (tesis civilista –5 años–) no puede ser considerada como definitiva. No sólo porque tales jurisprudencias pueden cambiar por distintas razones (*desalineándose*), sino, además, porque sobre esta materia recientemente se ha pronunciado otra jurisprudencia, la constitucional (no obstante ser un tema de mera legalidad).

En efecto, el TC ha sostenido que la solución correcta es aplicar supletoriamente el Código Penal en lo concerniente a las faltas, vale decir, el plazo de 6 meses[32]. Así, bien podría acontecer que una persona perseguida por un órgano de la Administración dotado con potestad sancionadora y cuyo marco legal nada diga sobre el plazo de prescripción de la infracción administrativa, y a la que por ello cabría aplicar la jurisprudencia administrativa de la CGR (artículo 2515 del Código Civil, 5 años), deduzca una acción judicial en contra del acto administrativo que la aplica o derechamente en contra de los dictámenes que la consagran. De esta forma, dispondrá de una gestión pendiente a fin de requerir al TC la inaplicación del referido artículo 2515 del Código Civil. En tal caso, si el TC, respetuoso de su precedente, declara su inaplicabilidad, dicho precepto legal sería excluido del *plexo normativo* conforme al cual debe resolver el tribunal de la gestión pendiente (por ejemplo, la CS), debiendo éste, en su defecto, aplicar la tesis penalista –6 meses– (siempre que las soluciones posibles en este caso sean, disyuntivamente, o la una o la otra[33]). Tal situación parece de ciencia ficción pe-

---

[31] Al respecto, véase: Román Cordero, Cristian (2020) Derecho Administrativo Sancionador en Chile: "ubicación" y "límites", en Revista Derecho y Sociedad, N° 54, p. 163.

[32] Sentencia del Tribunal Constitucional Rol N° 3056 (3136, 3137 y 3180 acumuladas). En efecto, ésta en lo medular sostuvo: "*De la lectura del precepto transcrito, no aparece claramente que en él se establezca una prescripción de esa índole. Y ello es efectivamente así, comoquiera tal figura extintiva solamente puede tener su fuente en una ley, corresponde a la Corte Suprema aclarar tal propósito del precepto e invocar la norma legal en que se basa. (/) De lo contrario, cabría entender supletoriamente aplicable el Código Penal, artículo 94, cuando establece que la acción para perseguir una falta prescribe en seis meses, atendido que las garantías del Derecho Penal se extienden al orden administrativo sancionador en general, y disciplinario en particular (STC roles N°s 244, 479, 480, 725, 766, 1183, 1184, 1203, 1205, 1221, 1229, 1518, 2682 y 2922, entre otras);*".

[33] Con todo, cabe destacar que igual podría llegarse a la tesis de los 5 años por aplicación supletoria del CP, en lo que atañe a los delitos. Así lo ha planteado, en un voto disidente, el Ministro señor Sergio Muñoz Gajardo: "*Quien disiente, ha manifestado su parecer detallado que la prescripción es una sanción y por lo tanto no puede ser aplicada por analogía en el Derecho Público sobre la base de normas del Derecho Privado. Sin embargo, en lo relativo al Derecho Administrativo Sancionador, en que existe consenso de su raíz común con el Derecho Penal, por representar ambos el ius puniendi del Estado, ha concordado que las sanciones a los administrados –sustancialmente diversa de la responsabilidad funcionaria–, en el evento que no se encuen-*

ro es precisamente lo que aconteció recientemente en relación a la tutela de derechos fundamentales de los funcionarios públicos, generándose así un conflicto entre el TC y la CS, que, en todo caso, esta última supo correctamente soslayar[34].

En suma, en este escenario de *alineaciones* y *desalineaciones* de jurisprudencias (administrativa y judicial, y, ahora, también constitucional) sobre esta materia, que en rigor estricto corresponde definir a la ley, parece ser una exigencia de primer orden que el Legislador establezca una regla al respecto con carácter supletorio. Ésta podría ser situada, por ejemplo, en la Ley N° 18.575, Orgánica Constitucional de Bases Generales de la Administración del Estado (Título I), en la Ley N° 19.880 sobre Bases de los Procedimientos Administrativos (quizás en un nuevo Capítulo referido exclusivamente a la potestad sancionadora)[35] o derechamente en una nueva ley de bases de los procedimientos administrativos sancionatorios[36]. Con todo, en tal caso, estimamos, el Legislador debería establecer plazos de prescripción diferenciados en razón de la gravedad de la infracción administrativa, conforme exige el principio de proporcionalidad[37].

---

tre reglada la prescripción de la acción y de la pena, procede aplicar la prescripción básica del Derecho Penal para los simples delitos, que es de cinco años." (Sentencia de la Corte Suprema Rol N° 62.128-2016).

[34]   Al respecto, véase: Román Cordero, Cristian, "Función pública: entre la laboralización y la deslaboralización. Comentario sobre la sentencia del Tribunal Constitucional Rol N° 3.853". En: Revista de Derecho Administrativo Económico, N° 29, pp. 163-178.

[35]   Al efecto, puede tenerse en consideración el respectivo precepto que consultaba el Proyecto de Ley de Bases de los Procedimientos Sancionatorios (Boletín 3475-06):
"Artículo 10.- Las infracciones y sanciones prescribirán según lo dispuesto en las leyes que las establezcan.
Si las leyes respectivas no establecen plazos de prescripción, las infracciones prescribirán a los dos años de cometidas y las sanciones impuestas, a los tres años desde la notificación del acto sancionatorio firme.
La prescripción de la infracción se interrumpe con el inicio del procedimiento sancionatorio, desde que el presunto responsable sea notificado de dicha circunstancia conforme a la ley.
La prescripción de las sanciones aplicadas se interrumpe con el inicio del procedimiento de ejecución, desde que el sancionado sea notificado de dicha circunstancia conforme a la ley".

[36]   Así Gómez González ha observado: "*Sin embargo, en materia de leyes de base se está al debe en muchos aspectos. Se extraña, por ejemplo, la existencia de una ley de base en materia sancionadora administrativa (…) En efecto, es una constante ver cómo en sede judicial y constitucional se ventilan sendos problemas generados por la falta de una orgánica sancionatoria de la Administración, discutiéndose desde las garantías aplicables a los sancionados, distintas particularidades del procedimiento, la aplicación de ciertos principios penales de orden constitucional,* plazos de prescripción, *transmisibilidad de las sanciones, responsabilidades solidarias y objetivas, la eficacia de sanciones administrativas que implican la privación de libertad, (…)*" Gómez González, Rosa (2016) "Rol e Importancia de las Leyes de Bases en el Derecho Administrativo Chileno". En: Revista de Derecho (Universidad Austral), Vol. XXIX, N° 2, pp. 225 y 226.

[37]   En este sentido, Cordero Quinzacara ha planteado que "*dicho plazo sea establecido por ley y que en su aplicación se debe respetar el principio de proporcionalidad, ya que no es constitucionalmente admisible establecer un plazo uniforme sin considerar la gravedad de las mismas*" (Cordero Quinzacara, Eduardo (2020) "El plazo de la prescripción de infracciones y sanciones administrativas". En Revista Chilena del Derecho, N° 47, N° 2, p. 376).

CONCLUSIONES

A modo de conclusiones, podemos señalar:

Este dictamen de la CGR incurre en varios yerros. El más grave de ellos y del cual se siguen los restantes, es centrar esta materia (la regla de prescripción de la infracción administrativa) en el DA (o en el DA, en relación al "ejercicio de la potestad sancionadora por la Administración" –el Das–), en circunstancias que lo correcto era hacerlo en el DAS, esto es, la rama jurídica que rige el ejercicio por la Administración de la potestad sancionadora, tanto en aspectos sustantivos como adjetivos. Si lo hubiese hecho así, la "conclusión" a la que habría arribado muy probablemente habría sido distinta, y si no, al menos le habría exigido a la CGR otra línea argumental, más sólida. Lo anterior por cuanto entre el DP y DA (DAs) las diferencias son patentes, a tal punto que no es posible sostener la aplicación supletoria de los principios del primero a este último; mas entre el DP y DAS las diferencias son menores o, mejor dicho, las similitudes son manifiestas, pues, tal como el TC ha señalado, ambos son manifestación del *ius puniendi* del Estado y entre la pena y la sanción administrativa no hay diferencias sustantivas, lo cual le ha permitido sostener que los principios del DP se aplican al DAS, *con matices*.

Este dictamen de la CGR tiene un verdadero fundamento: *alinear* en esta materia la jurisprudencia administrativa con la actual jurisprudencia judicial de la CS –tesis civilista, 5 años–. Así, el dictamen bien podría haber señalado: "*reconsideramos nuestra jurisprudencia administrativa en esta materia para alinearnos con la actual jurisprudencia judicial de la CS*" o, si se quiere, "*nos inclinamos motu proprio ante la jurisprudencia judicial de la CS*". Esta forma de proceder de la CGR nos parece correcta, pues maximiza la igualdad ante la ley y la seguridad jurídica; precave un eventual conflicto inter-orgánico (CGR vrs. CS); y provee de fuerza vinculante a la jurisprudencia de la CS en los términos que singulariza a la jurisprudencia administrativa de la CGR en relación a los órganos de la Administración. Con todo, creemos que lo ideal habría sido que la CGR hubiese explicitado esta práctica, dejando sentado así que cualquier persona u órgano de la Administración puede solicitarle la reconsideración de su jurisprudencia administrativa con el sólo fundamento de que ella se halla *desalineada* de la jurisprudencia judicial de la CS.

Una solución posible al problema de fondo que ni la CGR ni la CS han explorado es, sin "saltar" la *divisio* de las disciplinas jurídicas (hacia el Derecho Civil o el Penal), quedarse en el DA o, mejor dicho, en el DAS, y buscar en él la regla que quepa aplicar por analogía. En este contexto, la regla que más se observa en el marco normativo de los órganos de la Administración sectorial que abordan esta materia (DAS especiales), es el plazo de prescripción de 3 años. Ello acontece con la Superintendencia de Electricidad y Combustibles, la Superintendencia de Medio Ambiente, la Superintendencia de Insolvencia y Reemprendimiento y la Superintendencia de Casinos de Juego, o si se quiere, respectivamente, con el DAS-Eléctrico, el DAS-Ambiental, DAS-Insolvencia y el DAS-Casinos.

En este escenario de *alineaciones* y *desalineaciones* de jurisprudencias (administrativa y judicial, y, ahora, también constitucional) sobre esta materia, que en rigor estricto corresponde definir a la ley, parece ser una exigencia de primer orden que el Legislador establezca una regla al respecto con carácter supletorio. Ésta podría ser situada, por ejemplo, en la Ley Nº 18.575, Orgánica Constitucional de Bases Generales de la Administración del Estado (Título I), en la Ley Nº 19.880 sobre Bases de los Procedimientos Administrativos (quizás en un nuevo Capítulo referido exclusivamente a la potestad sancionadora) o derechamente en una nueva ley de bases de los procedimientos administrativos sancionatorios. Con todo, en tal caso, estimamos, el Legislador debería establecer plazos de prescripción diferenciados en razón de la gravedad de la infracción administrativa, conforme exige el principio de proporcionalidad.

BIBLIOGRAFÍA

Aróstica Maldonado, Iván (2005) "Sanciones administrativas y prescripción". En VVAA, Sanciones administrativas y derechos fundamentales: regulación y nuevo intervencionismo, Universidad Santo Tomás, Santiago, pp. 119-126.

Cerda Escobar, Jenny Lorena (2016) Prescripción de las multas sancionatorias vs contractuales, tesina para optar al grado de Magister en Derecho Público, Universidad Finis Terrae.

Cordero Quinzacara, Eduardo (2020) "El plazo de la prescripción de infracciones y sanciones administrativas". En Revista Chilena del Derecho, Nº 47, Nº 2, pp. 359-384.

Derpich Chamy, Josefina (2017) La prescripción de las infracciones y sanciones administrativas, Memoria para optar al grado de Licenciado en Ciencias Jurídicas, Pontificia Universidad Católica de Valparaíso.

Gómez González, Rosa (2016) "Rol e Importancia de las Leyes de Bases en el Derecho Administrativo Chileno". En: Revista de Derecho (Universidad Austral), Vol. XXIX, Nº 2, pp. 213-228.

Lapaz, Gastón (2017) "Seguridad jurídica: plazos de prescripción y caducidad de las infracciones y sanciones administrativas en nuestro derecho y jurisprudencia". En Revista de Derecho Público, año 26, número 52, diciembre 2017, Montevideo, pp. 71-82.

Román Cordero, Cristian (2008) "Derecho Administrativo Sancionador: "Ser o no ser: he ahí el dilema"". En, Pantoja Bauzá, Rolando (coordinador) "Derecho Administrativo: 120 años de cátedra", Editorial Jurídica, Santiago, pp. 107-141

Román Cordero, Cristian (2018) "Dictámenes de la Contraloría General de la República y acción declarativa de mera certeza". En: "Sentencias Destacadas 2017", Libertad y Desarrollo, Santiago, pp. 389 – 434.

Román Cordero, Cristian (2018) "La sanción administrativa y las fronteras del Derecho Administrativo Sancionador". En: Revista Ius Publicum, N° 40, pp. 115-139.

Román Cordero, Cristian (2019) "Función pública: entre la laboralización y la deslaboralización. Comentario sobre la sentencia del Tribunal Constitucional Rol N° 3.853". En: Revista de Derecho Administrativo Económico, N° 29, pp. 163-178.

Román Cordero, Cristian (2020) "Derecho Administrativo Sancionador en Chile: "ubicación" y "límites"". En Revista Derecho y Sociedad, N° 54, p. 151-166.

Vallejo Garretón, Rodrigo (2016) "Acerca del régimen supletorio de prescripción aplicable a las infracciones y sanciones administrativas". En Revista de Derecho de la Pontificia Universidad Católica de Valparaíso XLVII, pp. 281-301.

Vergara Blanco, Alejandro (2019) El Derecho Administrativo ante la jurisprudencia de la Corte Suprema: líneas y vacilaciones. En: Revista de Derecho Administrativo Económico, N° 18.

Vergara Blanco, Alejandro (2021) "Plazo de prescripción de las infracciones y sanciones administrativas. Análisis Jurisprudencial. En: El Mercurio Legal (31/12/2021). Link: http://derecho.uc.cl/cn/noticias/derecho-uc-en-los-medios/30497-profesor-alejandro-vergara-plazo-de-prescripcion-de-las-infracciones-y-sanciones-administrativas-analisis-jurisprudencial

JURISPRUDENCIA

Jurisprudencia constitucional

Sentencia del Tribunal Constitucional Rol N° 244

Sentencia del Tribunal Constitucional Rol N° 479

Sentencia del Tribunal Constitucional Rol N° 480

Sentencia del Tribunal Constitucional Rol N° 1410

Sentencia del Tribunal Constitucional Rol N° 2264

Sentencia del Tribunal Constitucional Rol N° 3056 (3136, 3137 y 3180)
Sentencia del Tribunal Constitucional Rol N° 8853

Jurisprudencia judicial

Sentencia de la Corte Suprema Rol N° 4627-2008
Sentencia de la Corte Suprema Rol N° 5565-2009
Sentencia de la Corte Suprema Rol N° 7629-2009
Sentencia de la Corte Suprema Rol N° 2501-2010
Sentencia de la Corte Suprema Rol N° 2563-2010
Sentencia de la Corte Suprema Rol N° 5984-2012
Sentencia de la Corte Suprema Rol N° 7559-2012
Sentencia de la Corte Suprema Rol N° 9186-2012
Sentencia de la Corte Suprema Rol N° 5493-2013,
Sentencia de la Corte Suprema Rol N° 14432- 2013
Sentencia de la Corte Suprema Rol N° 24245-2014
Sentencia de la Corte Suprema Rol N° 4503-2015
Sentencia de la Corte Suprema Rol N° 14578-2015
Sentencia de la Corte Suprema Rol N° 62128-2016
Sentencia de la Corte Suprema Rol N° 100727-2016
Sentencia de la Corte Suprema Rol N° 2961-2017
Sentencia de la Corte Suprema Rol N° 8420-2017
Sentencia de la Corte Suprema Rol N° 11480- 2017
Sentencia de la Corte Suprema Rol N° 12164-2017
Sentencia de la Corte Suprema Rol N° 27826-2017
Sentencia de la Corte Suprema Rol N° 38857-2017
Sentencia de la Corte Suprema Rol N° 44510-2017
Sentencia de la Corte Suprema Rol N° 45141-2017
Sentencia de la Corte Suprema Rol N° 765- 2018
Sentencia de la Corte Suprema Rol N° 8157-2018
Sentencia de la Corte Suprema Rol N° 23150-2019
Sentencia de la Corte Suprema Rol N° 22247-2021

Jurisprudencia administrativa

Dictamen de la Contraloría General de la República N° 14571-2005
Dictamen de la Contraloría General de la República N° 31329-2005

Dictamen de la Contraloría General de la República N° 59466-2015

Dictamen de la Contraloría General de la República N° 26202-2017

Dictamen de la Contraloría General de la República N° 24731-2019

Legislación

DFL N° 3, Fija Texto Refundido, Sistematizado y Concordado de la Ley General De Bancos y de otros Cuerpos Legales que se Indican.

Ley N° 18.575, Orgánica Constitucional de Bases Generales de la Administración del Estado.

Ley N° 18.410, Orgánica de la Superintendencia de Electricidad y Combustibles.

Ley N° 18.902, Crea la Superintendencia de Servicios Sanitarios.

Ley N° 19.880, Establece Bases de los Procedimientos Administrativos.

Ley N° 19.913, Crea la Unidad de Análisis Financiero y Modifica Diversas Disposiciones en Materia de Lavado y Blanqueo de Activos.

Ley N° 19.995, Establece las Bases Generales para la Autorización, Funcionamiento y Fiscalización de Casinos de Juego.

Ley N° 20.402, Crea el Ministerio de Energía, Estableciendo Modificaciones al DL N° 2.224, de 1978 y a otros Cuerpos Legales.

Ley N° 20.417, Crea el Ministerio, el Servicio de Evaluación Ambiental y la Superintendencia del Medio Ambiente.

Ley N° 20.529, Sistema Nacional de Aseguramiento de la Calidad de la Educación Parvularia, Básica y Media y su Fiscalización.

Ley N° 20.720, Sustituye el Régimen Concursal Vigente por una Ley de Reorganización y Liquidación de Empresas y Personas, y Perfecciona el Rol de la Superintendencia del Ramo.

Ley N° 20.856, Modifica la Ley N° 19.995 y Prorroga el Funcionamiento de los Casinos Municipales.

Ley N° 21.000, Crea la Comisión para el Mercado Financiero.

Ley N° 21.130, Moderniza la Legislación Bancaria.

Anexo: El dictamen de la CGR N° 24.731-2019

N° 24.731 Fecha: 12-IX-2019

El Director de la Unidad de Análisis Financiero –UAF– requiere a esta Contraloría General que se complemente el dictamen N° 26.724, de 2016, en el sentido de establecer el plazo de prescripción de la acción para perseguir las infracciones al artículo 3° de la ley N° 19.913, que crea la Unidad de Análisis Financiero y modifica diversas disposiciones en materia de lavado y blanqueo de activos.

Al respecto, el artículo 1° del citado cuerpo legal preceptúa que la UAF es un servicio público descentralizado, que tiene por objeto prevenir e impedir la utilización del sistema financiero y de otros sectores de la actividad económica para la comisión de alguno de los delitos descritos en su artículo 27 y en el artículo 8° de la ley N° 18.314, que determina conductas terroristas y fija su penalidad.

Luego, las letras b), f) y j) del artículo 2° de la referida ley N° 19.913, le confieren a ese organismo, entre otras atribuciones y funciones, las de solicitar antecedentes a cualquiera de los sujetos indicados en su artículo 3°, para desarrollar o completar el análisis de una operación sospechosa que haya sido previamente reportada a la UAF o detectada por esta; impartirles instrucciones de aplicación general para el adecuado cumplimiento de las obligaciones establecidas en el Párrafo 2° de su Título I, pudiendo en cualquier momento verificar su ejecución; e imponer las sanciones administrativas que establece ese texto legal.

Además, su artículo 3° obliga a los sujetos que consigna a informar sobre operaciones sospechosas que adviertan en el ejercicio de sus actividades. En tanto, el artículo 5° estipula que dichos sujetos deberán, además, mantener registros especiales por el plazo mínimo de cinco años, e informar a la UAF, cuando esta lo requiera, de toda operación en efectivo superior al monto que ahí indica.

Finalmente, su artículo 19 añade que quienes no cumplan con las obligaciones o deberes contenidos en esa misma ley serán sancionados por el director de la mencionada Unidad, sanciones que tienen naturaleza administrativa acorde con lo ordenado por el referido artículo 2°, letra j).

Por su parte, cabe recordar que mediante el citado dictamen N° 26.724, de 2016, se concluyó que la contravención a la obligación de informar las operaciones sospechosas previstas en la ley N° 19.913, y la consecuente acción para sancionarla, tiene el carácter de prescriptible, siguiendo las reglas generales.

Ahora bien, como es frecuente en nuestro ordenamiento jurídico administrativo, la indicada ley N° 19.913 no contiene disposiciones sobre el plazo de prescripción de la acción para perseguir la responsabilidad derivada de su contravención.

En este sentido, teniendo en consideración lo resuelto por esta Entidad Fiscalizadora en cuanto a que, cuando no existe un texto legal claro e inequívoco, resulta posible la aplicación por analogía de instituciones correspondientes a otras ramas del Derecho para resolver situaciones no reguladas expresamente, corresponderá buscar en aquellas alguna norma que resulte conciliable con el asunto de que se trata (aplica criterio del dictamen N° 14.571, de 2005, entre otros).

Puntualizado lo anterior, debe tenerse presente que la jurisprudencia de este Órgano de Control ha sostenido, hasta ahora, que no habiendo regulación especial en relación a esta potestad sancionadora y a la prescripción respectiva, se debe recurrir a la regla general contenida en los artículos 94 y 95 del Código Penal, según la cual la responsabilidad infraccional se extingue en el plazo asignado a las faltas, a saber, seis meses contado desde el día en que se hubiere cometido el ilícito (dictámenes N°s. 59.466, de 2015 y 26.202, de 2017, entre otros).

Sin embargo, se ha estimado necesario realizar un nuevo estudio de la materia, ya que si bien el Derecho Penal y el Derecho Administrativo sancionador tienen elementos comunes, no es posible soslayar que regulan ámbitos sustancialmente diferentes, teniendo particularidades y características propias que reclaman repensar la aplicación que, por defecto, se ha dado a las normas y principios del primero al ámbito en análisis.

En este sentido, cabe evidenciar que el procedimiento penal tiene por objeto la verificación de un hecho punible descrito por la ley –a fin de determinar responsabilidades e infligir la pena correspondiente–, y en cambio, los procedimientos sancionatorios administrativos –como los que instruye la UAF–, persiguen determinar el cumplimiento formal y sustantivo de una determinada regla y reaccionar frente a su inobservancia, a través de una potestad asignada a la Administración.

Desde esta perspectiva, la potestad sancionatoria administrativa no se identifica con el poder de que está provista la judicatura penal, sino que responde a un tipo de actividad administrativa y, por ende, no jurisdiccional, que históricamente aparece asociada a la actividad de policía y a la mantención del orden público en su más amplia concepción.

En este sentido, el foco del Derecho Administrativo moderno ha estado puesto en dotar a los órganos de la Administración de prerrogativas o poderes para resguardar el interés general y alcanzar los fines que la justifican, al tiempo de asegurar un conjunto de garantías a los ciudadanos frente al ejercicio de esas potestades públicas.

Siendo así, y considerando las diferencias ostensibles entre las disciplinas penal y administrativa, debe concluirse que no resulta necesario acudir a las reglas de la primera para asegurar derechos a los particulares, puesto que a esa labor se avoca también el Derecho Administrativo, particularmente a través de la regulación del acto y el procedimiento administrativo.

En nuestro medio, la ley N° 19.880 consagra diversos principios y reglas adjetivas encaminados a proteger los derechos de los interesados en el procedimiento, los que resultan especialmente aplicables a la potestad sancionadora, sin perjuicio de la aplicación preferente de reglas especiales contenidas en normas de rango legal. Entre ellas, los principios de probidad, transparencia, imparcialidad, contradictoriedad e impugnabilidad constituyen manifestaciones de la finalidad de garantía que reconoce el Derecho Administrativo al procedimiento.

Así, si bien en épocas pretéritas parecía indispensable acudir al ordenamiento penal para alcanzar la protección del ciudadano frente al ejercicio de la potestad sancionatoria de la Administración, el estado actual de desarrollo del Derecho Administrativo, tanto por la vía normativa como jurisprudencial, hacen innecesaria esa operación.

A mayor abundamiento, conviene recordar que tanto la jurisprudencia administrativa de este origen como la judicial habían venido sosteniendo que la aplicación del Derecho Penal al ámbito en análisis no era automática, sino que reconocía matices y exigía un análisis especial, lo que evidencia la dificultad de trasladar categorías propias de la sede penal a una diversa.

Descartada la necesaria aplicación de las normas y principios del Derecho Penal al ejercicio de la potestad sancionatoria de la Administración para alcanzar la finalidad garantista que la justificaba, resulta menester entonces acudir al Derecho común en aquellas materias no reguladas por el Derecho Administrativo, el que en nuestro caso corresponde al Código Civil.

La conclusión anterior resulta coherente con diversos pronunciamientos de la Excma. Corte Suprema en que no se considera al Derecho Penal o al Derecho Procesal Penal como parte del derecho común, puesto que los primeros son disciplinas especiales en relación al último, atendido, entre otros aspectos, la particularísima función social que desempeñan.

Atendido lo anterior, ese máximo tribunal ha concluido que, frente a la ausencia de un texto legal expreso que regule el plazo de prescripción en relación con el ejercicio de la potestad sancionatoria de la Administración, cabe aplicar en forma supletoria las normas del derecho común dentro del ámbito civil y, en ese entendido, hacer aplicación de la regla general de prescripción extintiva de cinco años a que se refiere el artículo 2.515 del Código Civil.

Ello resulta coherente, según esta línea jurisprudencial, con un mandato expreso del legislador, consignado en el artículo 2.497 del mismo Código, conforme al cual las reglas relativas a la prescripción se aplican igualmente a favor y en contra del Estado.

En refuerzo de lo anterior, el máximo tribunal ha señalado que la aplicación de la prescripción de seis meses del artículo 94 del Código Penal en esta materia atentaría contra la debida relación y armonía que debe guardar el ordenamiento, ya que no resulta coherente que la acción disciplinaria por responsabilidad administrativa de los funcionarios públicos prescriba en cuatro años –de acuerdo a lo dispuesto en el artículo 158 del Estatuto Administrativo y 154 del Estatuto Administrativo para Funcionarios Municipales– y, en cambio, tratándose de la acción sancionatoria dirigida en contra de los administrados, la responsabilidad se extinga en el plazo de seis meses.

Finalmente, como ha señalado también la Excma. Corte Suprema, aún de resultar aplicable el Derecho Penal para colmar el vacío sobre el plazo de prescripción en estudio, correspondería acudir no a aquel contemplado para las faltas penales, sino que al término de cinco años asignado para los simples delitos, atendido que constituye la regla general y dada la entidad de los bienes jurídicos protegidos mediante el poder sancionatorio entregado a los órganos administrativos.

Por las razones expuestas, atendida la falta de una norma que regule el plazo de prescripción de la responsabilidad por infracciones administrativas, procede aplicar el plazo general de prescripción de 5 años establecido en el artículo 2.515 del Código Civil, contados desde el momento que se comete la infracción.

En los términos expuestos se complementan los dictámenes N°s. 28.182, de 2015 y 26.724, de 2016, de este origen, y se reconsideran los dictámenes N°s. 59.466, de 2015 y 26.202, de 2017, y toda la jurisprudencia vigente en el sentido antes expuesto.

Finalmente, en resguardo del principio de seguridad jurídica, este nuevo criterio solo generará efectos para el futuro, sin alcanzar a las infracciones que ya prescribieron conforme al criterio sustituido (aplica criterio de los dictámenes N°s. 17.500, de 2016 y 3.263, de 2019, entre otros).

Saluda atentamente a Ud.,

JORGE BERMÚDEZ SOTO
Contralor General de la República

Principio de igualdad en el peso del voto

JUAN JOSÉ ROMERO GUZMÁN[1]

INTRODUCCIÓN

El derecho a la igualdad de sufragio es consustancial a la democracia. Está contemplado en la mayoría de las constituciones a nivel mundial y existen diversos tratados internacionales que lo reconocen. Nuestra actual Constitución Política de la República no es la excepción. El artículo 15, inciso primero, establece que "[e]n las votaciones populares el sufragio será personal, igualitario, secreto y voluntario".

Considerando el estado de avance de la democracia constitucional como estándar globalmente asentado en la que, por ejemplo, el voto censitario o la prohibición de la participación electoral de las mujeres son inaceptables desde todo punto de vista, cabe indagar si una disposición constitucional que consagre la igualdad del voto ha de interpretarse con un alcance que vaya más allá de la expresión de avances históricos que hoy se dan por descontado[2]. ¿Tiene el artículo 15 antes citado la función de constreñir al legislador más allá de lo obvio en lo que a la igualdad del voto se refiere? Y si se estima que la igualdad de sufragio tiene una faceta sustantiva que se traduce en la exigencia de lo que podemos denominar como "igualdad en el peso del voto" ¿cuál es el alcance de dicho principio en su función de límite a las diversas opciones disponibles para el legislador? Esto nos lleva a adentrarnos en el tema de la delimitación de territorios electorales (circunscripciones o distritos) y la asignación de escaños. Para tal efecto, revisitaremos la sentencia del Tribunal Constitucional Rol N° 2777 de 2015. Esta sentencia fue una ocasión propicia para profundizar, con ocasión de la reforma electoral que sustituyó el sistema binominal, sobre el sentido y alcance del principio de igualdad en el peso del voto.

---

[1] Profesor de la Facultad de Derecho de la Pontificia Universidad Católica de Chile.

[2] Zúñiga Urbina (2015, p. 391) defiende una visión restringida al sostener que "el auténtico sentido del concepto 'igualitario' con que el artículo 15 de la constitución define el sufragio no implica un mandato al legislador de darle una igualdad de peso a cada elector al momento de transformar los votos en escaños, sino que simplemente reafirma la conquista del sufragio universal y la igualdad política".

1. ¿A QUÉ NOS REFERIMOS CUANDO HABLAMOS DE "IGUALDAD EN EL PESO DEL VOTO"?

Ya sabemos, en un primer y básico nivel de análisis, que el principio del sufragio igualitario significa que la influencia del voto de todos los electores debe ser la misma, no debiendo diferenciarse en razón de propiedad, ingresos, capacidad impositiva, educación, religión, raza, sexo u orientación política. Sin embargo, como nos lo recuerda el profesor Cea Egaña, también "se postula bajo este principio de igualdad de sufragio, la igualdad cuantitativa de los votos de los electores"[3]. En palabras del profesor Silva Bascuñán (1997, p. 266) "creemos que la calidad de igualitario del voto exige que el sistema jurídico traduzca tal característica estableciendo modalidades que conduzcan a que el voto de cada ciudadano tenga el mismo alcance e influencia, repercuta del mismo modo y grado en el resultado. Lo que acabamos de decir puede ser tomado en cuenta en muy diversos aspectos y muy particularmente en la formación de las distintas circunscripciones electorales y fijación del número de cargos que han de ser proveídos en cada una de ellas".

Esta segunda dimensión de la igualdad de sufragio se encuentra asentada como principio a nivel global. De acuerdo a la Comisión de Venecia (2017, p. 29),[4] "[e]l principio de igualdad de sufragio, reconocido en el derecho constitucional nacional y en el derecho internacional, impone la asignación de escaños a las circunscripciones electorales sobre la base de la igualdad de representación. Esta asignación equitativa es una característica esencial de las elecciones democráticas. La igualdad de sufragio significa aquí, sobre todo, la igualdad de poder de voto: debe haber un número igual de habitantes, de nacionales residentes o de votantes registrados por escaño".

El principio de igualdad en el peso del voto es bien capturado por la expresión "*one person, one vote, one value*" ("una persona, un voto, del mismo valor"). Si el número de escaños asignados a una u otra circunscripción electoral no guarda debida proporción con el número de habitantes o electores que éstas tienen, el

---

[3]   Explicando el punto, el profesor Cea Egaña (2000, p. 235) señala que "[p]ara que la igualdad cuantitativa de los votos permanezca garantizada, se debe tener cuidado en la distribución de las circunscripciones electorales con el fin de lograr, por ejemplo, una relación igual entre la población (o el electorado) y el número de diputados que deben ser elegidos en relación a la proporción nacional (clave en la representación)".

[4]   El profesor Cea, fue miembro titular y gran impulsor (junto a don Juan Colombo) de la participación de nuestro país en la *Venice Commission for Democracy Through Law*, nombre oficial del organismo. La Comisión de Venecia es un órgano consultivo del Consejo de Europa, formado por expertos independientes en el campo del derecho constitucional y que cuenta, hoy, con un merecido prestigio como referente a nivel global en estas y otras materias afines. Al autor de esta contribución fue miembro titular de la Comisión de Venecia durante cuatro años, dentro de los cuales le correspondió presidir la Subcomisión para América Latina de la misma organización.

sufragio ejercido por una persona en uno u otro territorio tendrá la aptitud para elegir un mayor o menor porcentaje del total de representantes a ser elegidos en el acto eleccionario general. El hecho de que un individuo viva aquí o allá no es una razón legítima para sobreponderar o diluir la eficacia de su voto. El derecho a un sufragio igualitario busca minimizar la ocurrencia de dicho tipo de distorsión. En último término, se trata de una exigencia de igualdad en el valor político de los ciudadanos.

En suma, y tal como se señala en el voto particular por acoger redactado por este autor en la STC 2777, "*el sufragio igualitario o igualdad en el voto significa, básicamente, dos cosas: (i) la igualdad en el derecho a voto, lo cual se refiere a que cada votante tiene derecho a un voto y que cuando el sistema electoral otorga a los electores más de un voto, cada uno tiene el mismo número de votos y (ii) la igualdad en el poder de voto, lo que significa que el voto emitido por cada elector debe tener el mismo valor o peso en términos de su influencia en el resultado general de la elección. Esta segunda noción más sustantiva del principio de igualdad del voto enfatiza, expresado de otra manera, que cada escaño parlamentario debe ser obtenido en virtud de un número similar de votos. En conclusión, el principio de la igualdad del voto o sufragio igualitario no se satisface solamente con la prohibición del voto censitario*" (c. 22°).

2. DISTORSIONES DESDE LA PERSPECTIVA DE LA IGUALDAD EN EL PESO DEL VOTO DERIVADAS DE LA DELIMITACIÓN DE TERRITORIOS ELECTORALES Y/O LA ASIGNACIÓN DE ESCAÑOS A LOS MISMOS

Como señalamos previamente, el principio de igualdad en el peso del voto implica que los escaños estén asignados en proporción a la población. La preservación de dicho principio sólo tiene sentido en países que contemplan múltiples territorios electorales. Por el contrario, no se presenta problema alguno cuando hay un solo distrito en el país.

Los países divididos en diferentes territorios electorales pueden, a su vez, contemplar un sistema de distritos plurinominales (en las que resultan electos dos o más miembros por distrito para un órgano compuesto por múltiples miembros) o un sistema de distritos uninominales (en las que resulta electo un solo representante).

Los ajustes requeridos para lograr una igualitaria correspondencia entre el número de habitantes (o electores) y la cantidad de asientos a elegir pueden hacerse por la vía de *redistribuir* el número de escaños susceptibles de ser elegidos entre los diferentes territorios electorales ("reallocation") o por medio de redibujar las fronteras de los territorios electorales ("redrawing" o "redistricting").

Este último mecanismo es la única forma de hacer los ajustes con sistemas de distritos uninominales.

Con ocasión de la reforma electoral aprobada el 2015, nuestro país procedió a hacer ambas cosas, esto es, modificó las fronteras de los distritos (en muchos casos creando nuevos distritos por la vía de reagrupar dos o más distritos antiguos) y cambió el número de escaños que cada distrito electoral puede elegir. En lo sucesivo, sin embargo, la ley prevé que los ajustes se hagan a través de la redistribución de escaños entre los distintos territorios electorales en proporción al número de habitantes de cada uno.

Cada vez que se hace un ajuste (geometría electoral activa) existirá la posibilidad de incurrir en desviaciones que perjudiquen la igualdad en el peso del voto[5]. En general, las desviaciones o desigualdades también son conocidas bajo el nombre de "malapportionment" (mala distribución).

Un término, también de uso habitual, es "gerrymandering", fenómeno que –en estricto rigor– hace referencia a un acto negativo de manipulación política con ocasión de una redefinición de las fronteras de los distritos electorales dirigido a privar a un grupo racial o partido político de la representación de la que, en otras circunstancias, gozaría. En el primer caso se habla de "gerrymandering" racial y en el segundo de "gerrymandering" político. Siguiendo la explicación que sobre el particular nos da la Comisión de Venecia (2017, p. 22), "el gerrymandering político partidista implica una situación en la que un mapa que distribuye a los votantes con fines de representación política se dibuja para garantizar que un partido político obtenga un número desproporcionado de escaños. El gerrymandering incluye tanto el "cracking" como el "packing". El "cracking" consiste en dividir el voto a favor de un grupo entre distritos, de forma que el apoyo se divide de tal manera que se limita su impacto en un solo distrito. El "packing" consiste en agrupar a los partidarios de un grupo concreto en un distrito de forma que haya un gran número de votos que previsiblemente no tendrán ningún impacto en las elecciones. En pocas palabras, el gerrymandering significa una delimitación artificial de las circunscripciones o distritos para favorecer o beneficiar a un partido o grupo concreto, o para perjudicar o dañar a un partido o grupo contrario. Es una forma refinada de geometría electoral, que debe su nombre a Elbridge Gerry, uno de los Padres Fundadores, quinto Vicepresidente de los Estados Unidos (1813-1814). El gerrymandering no es, por tanto, una manipulación en la asignación de escaños a los distritos, sino en la delimitación de los mismos".

---

[5]   Cuando la desigualdad se produce tan pronto como se realiza una nueva delimitación de territorios electorales o una nueva distribución de asientos entre territorios ya delimitados se suele hablar de "geometría electoral activa". A su vez, cuando la desigualdad se produce debido a una prolongada mantención del status quo se habla de "geometría electoral pasiva".

Es importante no dejar pasar una distinción cuya relevancia se podrá apreciar más adelante: el fenómeno conocido como "gerrymandering" no constituye una distorsión directa a la igualdad en el peso del voto, sino más bien a la igualdad de oportunidades de los partidos políticos. Como lo afirma la Comisión de Venecia (2017, p. 22), "la igualdad en el peso del voto, stricto sensu, [...] no garantiza la representación proporcional de los partidos".

Más allá de las denominaciones, lo más relevante es hasta qué punto una desviación o desproporción es aceptable. Sobre el particular, ahondaremos más adelante al analizar la STC 2777.

3. EL IGUAL PESO DEL VOTO EN PROPORCIÓN A LA POBLACIÓN QUE TIENEN LOS ELECTORES REPRESENTADOS ES ALGO DISTINTO AL GRADO DE PROPORCIONALIDAD CON QUE ESTÁN REPRESENTADAS LAS DISTINTAS FUERZAS POLÍTICAS PARTICIPANTES LUEGO DE LA ELECCIÓN EN VIRTUD DEL SISTEMA ELECTORAL QUE SE UTILICE

Antes de avanzar, resulta importante hacer la siguiente distinción: una cosa es el igual valor o peso del voto de las personas para elegir a sus representantes, lo cual requiere que el número de escaños elegibles en cada territorio electoral (distrito o circunscripción) sea proporcional al porcentaje de la población total que dicho territorio tenga, y otra diferente es el carácter proporcional, mayoritario o híbrido del sistema electoral, aspecto que centra la atención en la cabida o representación que se le da a las distintas formaciones políticas que participan en la contienda electoral.

En otras palabras, no hay que confundir dos aspectos de un sistema electoral (en el sentido amplio de la expresión) que son diferentes: la distribución de los escaños entre las circunscripciones *en proporción* al porcentaje que la población total que cada uno representa y la distribución *proporcional* de escaños entre las diferentes formaciones políticas. El segundo tipo de distribución representa una de entre diversas opciones abiertas al legislador. El primer tipo de distribución, en cambio, obedece a un imperativo derivado del principio de la igualdad de sufragio y, por lo mismo, debiera constituir un límite a la amplia libertad de configuración que, generalmente, existe en materia electoral.

¿Puede existir alguna vinculación entre los dos aspectos antes explicados? Sí, pero se trata de dos conceptos que deben diferenciarse uno del otro. Los sistemas mayoritarios suelen configurarse usando distritos uninominales. En efecto, los distritos uninominales, debido a su tendencia a sobrerrepresentar a los partidos más votados y a subrepresentar a los otros partidos, no tienen la aptitud para que los distintos partidos políticos estén proporcionalmente representados en, por ejemplo, la Cámara de Diputados o el Senado. Los sistemas electorales que favorecen una mayor inclusión o representación de los diferentes partidos políticos están asociados a la utilización de distritos plurinominales. Sin embargo, como hemos dicho, el respeto por el principio de igualdad en el peso del voto puede lograrse con independencia del sistema elegido.

4. JUSTICIABILIDAD. UN DESAFÍO PERMANENTE A NIVEL GLOBAL Y, CIERTAMENTE, A NIVEL NACIONAL

El que cada uno de los electores cuente con un voto de igual peso o valor al del resto de los electores en un país debiera ser un derecho exigible con independencia de que se haya optado por un sistema electoral de tipo mayoritario o por uno de tipo proporcional. Afirmaciones como la anterior, sin embargo, suelen tener más respaldo a nivel teórico que práctico[6]. A las cortes constitucionales no les resulta cómodo entrar a dirimir requerimientos sobre la materia. O consideran que hacerlo significa entrometerse en decisiones políticas de oportunidad y conveniencia propias de los órganos colegisladores, o bien las innegables dificultades analíticas que suele involucrar un ejercicio de control de esta naturaleza las desanima. Cualquiera sea la razón, la jurisprudencia constitucional de nuestro país no ayuda a desmentir tal tendencia, no sin antes decir, interesadamente por este autor, que la última sentencia del Tribunal Constitucional sobre este tema (STC 2777) refleja un esfuerzo argumentativo encomiable[7].

En una opinión menos complaciente, Aldunate Lizama (2016, pp. 216 y 221) plantea que "la igualdad del sufragio del artículo 15 ("En las votaciones populares el sufragio será personal, igualitario, secreto y voluntario") ha tenido un pobre y triste desarrollo jurisprudencial bajo la vigencia de la Constitución de 1980. [.../...] [D]esde el fallo en el rol 67, hasta el recaído en rol N° 2777-2015, el contenido que el tribunal atribuye al precepto sobre igualdad del sufragio es de nulo valor normativo, o, expresado en términos más claros, no ha cumplido

---

[6]   A nivel europeo, de acuerdo a la Comisión de Venecia (2017, p. 13) la materia referida a la desigual asignación de escaños ha sido abordada en unos pocos casos ante la Corte Europea de Derechos Humanos (ECtHR Bompard v. France, N° 44081/02, 04/04/2006) y, previamente, ante la Comisión Europea de Derechos Humanos (Eur. Com. HR X v. Iceland, N° 8941/80, 08/12/1981). En Estados Unidos de Norteamérica la situación ha sido la opuesta, tal como se hará manifiesto más adelante.

[7]   No debe pasarse por alto el reducido plazo que la Ley Orgánica Constitucional del Tribunal Constitucional contempla para la dictación de las sentencias recaídas en controles preventivos de constitucionalidad. El artículo 67 de dicha ley (en concordancia con el inciso quinto del artículo 93 de la Constitución) fija un plazo de 10 días desde la declaración de admisibilidad del requerimiento, prorrogable por igual número de días.

ninguna función al momento de disciplinar la configuración legislativa de las circunscripciones electorales".

El fallo (voto de mayoría) del Tribunal Constitucional en la causa rol N° 2777 explica la evolución que ha tenido su propia jurisprudencia respecto de la justiciabilidad de este tipo específico de materias, en el que se ha transitado desde una absoluta declinación de competencia a una deferencia parcial o matizada hacia el legislador[8]. Como un caso ilustrativo de una aproximación prescindente hacia estos temas, la referida STC 2777 (c. 2°) cita la STC 67 (c. 10°), la que señala que "*la Constitución dejó, así, una amplia facultad al legislador para determinar los distritos electorales. Ni siquiera consideró conveniente fijarle criterios o pautas, de modo que el legislador ha tenido libertad para considerar factores de carácter geográfico, territorial, poblacional, socioeconómicos, estratégicos, etc.*". Continuando con su repaso de la jurisprudencia del Tribunal Constitucional sobre la materia, la STC 2777 (c. 3°) matiza el criterio de no justiciabilidad absoluta propuesto en la STC 67, afirmando que esta amplia libertad del legislador tiene límites, aludiendo a una prevención aditiva en la STC 2466 de los mismos redactores del fallo de 2015: "*en el examen del control preventivo del proyecto de ley sobre elección democrática de los Consejos Regionales (STC Rol 2.466), esta Magistratura, por la vía de prevenciones, manifestaba que tal libertad tiene matices puesto que debe vincularse a criterios constitucionales sustanciales que enmarcan decisiones legislativas no arbitrarias*".

Que el legislador goza de un amplio margen de apreciación para determinar la forma general que adoptará el sistema electoral no es algo discutido por los integrantes del Tribunal que no concurrieron con su voto a respaldar el fallo de mayoría sobre el capítulo referido a la igualdad en el voto en la STC 2777[9].

En lo que se difiere, eso sí, es en la distinción que he subrayado más arriba (y que para el fallo –o voto de mayoría– parece ser irrelevante) respecto de dos dimensiones o ámbitos diferentes de un sistema electoral. Para este autor, las limitaciones constitucionales derivadas del sufragio igualitario impactan fundamentalmente en la proporcionalidad demográfica desde la perspectiva de los ciudadanos (o de la población representada). Y, en este ámbito, el margen de discrecionalidad del legislador, siendo amplio, es más estrecho que tratándose de determinaciones respecto de la fórmula de representación político partidista. En este último caso nos referimos, por ejemplo, a la definición sobre el carácter mayoritario (con pocos partidos y que, por lo mismo, tiende a favorecer la

---

[8]   El artículo 18 de la Constitución establece que "[h]*abrá un sistema electoral público. Una ley orgánica constitucional determinará su organización y funcionamiento, regulará la forma en que se realizarán los procesos electorales y plebiscitarios (...)*".

[9]   En mi voto particular por acoger manifiesto que "*se trata de una materia justiciable o en que existe cierto espacio para que este Tribunal realice un examen de constitucionalidad sin que, por ello, necesariamente se estime que hay una intromisión en decisiones sobre materias en que el margen de apreciación de los órganos colegisladores*" (c. 12°).

gobernabilidad) o proporcional (más inclusivo de las diversas fuerzas políticas) del sistema electoral[10].

Lo indicado precedentemente permite entender la advertencia inicial del voto particular de mi autoría: *"el ámbito de controversia dice relación con una de varias dimensiones de un sistema electoral (la del mecanismo de asignación de escaños), la cual no tiene una vinculación necesariamente determinante con el tipo de sistema electoral. En otras palabras, la manera en que se asignan los escaños a cada distrito en atención al principio de proporcionalidad del voto (es decir, en relación con el número de habitantes de cada territorio o con el número de electores) no está necesariamente vinculado con la existencia de un sistema electoral general de carácter binominal o con uno de orientación más proporcional"* (c. 2°). Esto está en línea con el considerando 1° de dicho voto, en el que se señala que *"[s]alvo las consideraciones respecto del sufragio igualitario, cualquier otra consideración respecto de las virtudes o defectos del sistema electoral propuesto, así como del actualmente vigente, son materias de mérito sobre las cuales no corresponde que este Tribunal se pronuncie"*.

La jurisprudencia más desarrollada, y, posiblemente, más interesante sobre la justiciabilidad constitucional de materias electorales, en especial las referidas a la igualdad del voto, la encontramos en las sentencias de la Corte Suprema de Estados Unidos de Norteamérica. Al igual que en nuestro caso, el primer gran tema de discusión es el concerniente a si la justicia tiene o no competencia para resolver disputas relativas a la igualdad de sufragio ("one person, one vote")[11]. Y, al respecto, cobra importancia la distinción entre la igualdad entre los electores respecto del valor de su voto para la elección de escaños ("population inequality") y el agravio a nivel de las fuerzas políticas que puede dar lugar el dibujo y magnitud (número de escaños) de los distritos ("partisan gerrymandering").

En la sentencia de la Corte Suprema de EE.UU. Rucho v. Common Cause[12], del año 2019 y la última sobre este tipo de materias, dicho Tribunal sostuvo que "[e]l hecho de que la Corte pueda juzgar casos en que se alega la vulneración de la regla *una persona, un voto*, no significa que las reclamaciones de gerrymandering partidista sean justiciables. Los casos sobre la regla *una persona, un voto* conocido por esta Corte reconocen que cada persona tiene derecho a una voz

---

[10]   En estricto rigor, no es equivocado lo indicado en el considerando 7° del fallo, en el que se dice que "[n]*o es posible deducir, directa o indirectamente, de alguna norma un criterio que apunte a dotar al sistema político democrático de mayor representatividad o, por el contrario, que sacrifique grados de inclusión política por adoptar un criterio fuerte de gobernabilidad"*.

[11]   La influencia del desarrollo jurisprudencial norteamericano en la causa rol N° 2777 puede percibirse en la referencia a fallos de la Corte Suprema y en el uso de ciertas expresiones técnicas propias de esa judicatura, tales como "gerrymandering" o "political questions". De hecho, el abogado de la Presidenta de la República utilizó este último concepto, el cual es utilizado para referirse a aquellas materias que debieran resolverse por los órganos políticos y no por la judicatura.

[12]   US.SC Rucho v. Common Cause, 588 U.S. (2019).

igual en la elección de representantes. De este principio no se deduce que una persona tenga derecho a que su partido político obtenga una representación proporcional a su cuota de apoyo a nivel estatal. La dilución del voto en los casos de *una persona, un voto* se refiere a la idea de que cada voto debe tener el mismo peso. Ese requisito no se extiende a los partidos políticos; no significa que cada partido deba tener una influencia proporcional al número de sus partidarios. Los casos de gerrymandering racial tampoco son pertinentes: Piden la eliminación de una clasificación racial, pero una demanda de gerrymandering partidista no puede pedir la eliminación del partidismo"[13].

En el recién mencionado fallo, la Corte recuerda que los casos sobre redistritaje que han llegado a su conocimiento pueden clasificarse entre asuntos en los que el reclamo central dice relación con una desigualdad en el número de habitantes por distrito ("population inequality"), aquellos en que el factor de discriminación puede asociarse a la raza y, por último, la variable político partidista ("partisan gerrymandering"):

> "En el principal caso de referencia, Baker v. Carr, los votantes de Tennessee se quejaron de que el plan de distribución de distritos para los representantes estatales 'degradaba' sus votos, porque el plan se basaba en un censo de hace 60 años que ya no reflejaba la distribución de la población en el Estado. Los demandantes argumentaban que los votos de los habitantes de los distritos superpoblados tenían menos valor que los de los habitantes de los distritos menos poblados, y que esta desigualdad violaba la Cláusula de Igualdad de Protección de la Decimocuarta Enmienda. El Tribunal de Distrito desestimó la acción por considerar que la reclamación no era justiciable, basándose en los precedentes de esta Corte, incluido Colegrove. Baker v. Carr, 179 F. Supp. 824, 825, 826 (MD Tenn. 1959). Esta Corte revocó la decisión. Identificó varias consideraciones relevantes para determinar si una reclamación es una cuestión política no justiciable, incluyendo si hay 'una falta de estándares judicialmente identificables y manejables para resolverla'. 369 U. S., en 217. La Corte concluyó que el reclamo sobre la desigualdad poblacional entre los distritos no entraba en esa categoría, porque tal reclamo podía decidirse bajo los principios básicos de protección de la igualdad. Id. en 226. En Wesberry v. Sanders, la Corte extendió su fallo a la mala distribución de los distritos del Congreso, sosteniendo que el Artículo I, §2, exigía que 'el voto de un hombre en una elección del Congreso valga tanto como el de otro". 376 U. S., en 8'.

---

[13] Parte de la síntesis de la propia Corte respecto de una consideración contenida entre los párrafos 15-21. El texto citado corresponde a una traducción libre efectuada por el autor.

Es interesante notar que se trató de un fallo dividido y que los disidentes no discuten la doctrina recién aludida sobre la desigualdad poblacional y que, es útil recalcar desde ya, es más atingente con el conflicto constitucional discutido en la STC 2777. El voto de minoría de la sentencia Rucho v. Common Cause explica que se está ante un caso de gerrymandering político partidista que sí debiera ser justiciable[14].

5. EL TEST REFERIDO AL GRADO DE TOLERABILIDAD DE LAS DESIGUALDADES EN EL PESO DEL VOTO. LA BÚSQUEDA DE UN MÉTODO ANALÍTICO DE ACUERDO A LAS DIFERENTES POSTURAS DE LOS MINISTROS EN LA STC 2777

5.1. Análisis desarrollado en el voto particular por acoger redactado por este autor

El Tribunal Constitucional fue convocado por una parte de los diputados y senadores en ejercicio, a resolver reparos sobre la constitucionalidad del ya mencionado proyecto de ley. El principal reproche decía relación con una supuesta infracción a la norma constitucional sobre sufragio igualitario. Específicamente, se alegaba que la asignación de escaños (número de diputados) por distrito importaba una desviación significativa al principio de igualdad en el peso del voto

---

[14]   El voto disidente en dicha causa hace una fuerte réplica a la postura del fallo de mayoría en lo concerniente a la justiciabilidad de los casos de gerrymandering político partidista:
"El gerrymandering partidista opera a través de la dilución del voto -la devaluación del voto de un ciudadano en comparación con otros. Un creador de mapas traza las líneas de los distritos para "empaquetar" y "agrietar" a los votantes que probablemente apoyen al partido desfavorecido. [...] Agrupa a las supermayorías de esos votantes en un número relativamente reducido de distritos, en cantidades muy superiores a las necesarias para que sus candidatos preferidos se impongan. Luego reparte al resto en muchos más distritos, distribuyéndolos de tal manera que sus candidatos no podrán ganar. Tanto si la persona está empaquetada como si está dividida, su voto tiene menos peso –tiene menos consecuencias– que el que tendría en un mapa trazado de forma neutral (no partidista). [...] En resumen, el elaborador del mapa ha hecho que algunos votos cuenten menos, porque es probable que vayan a favor del otro partido.
Esta práctica afecta a la Cláusula de Igualdad de Protección de la Decimocuarta Enmienda. La Decimocuarta Enmienda, reconocimos hace tiempo, "garantiza la oportunidad de una participación igualitaria de todos los votantes en la elección" de los legisladores. Reynolds v. Sims, 377 U.S. 533, 566 (1964). Y esa oportunidad "puede ser negada por una degradación o dilución del peso del voto de un ciudadano con la misma eficacia que por la prohibición total del libre ejercicio del derecho de voto". Id. en 555. Basándose en ese principio, esta Corte en sus decisiones sobre casos referidos a la regla una persona, un voto, prohibió la creación de distritos con poblaciones significativamente diferentes. Un Estado no podía, explicamos, "diluir el peso de los votos por el lugar de residencia". Id. en 566. El perjuicio constitucional en un caso de gerrymandering partidista es muy parecido, salvo que la dilución se basa en la afiliación partidista".

de las personas. Como se advirtió desde el inicio en el referido voto particular por acoger *"no es objeto de discusión o reproche constitucional el dibujo o delimitación geográfica de los distritos electorales"* (c. 4°). Asimismo, se declaró que *"no existe (ni podría existir) objeción constitucional respecto del número de diputados que componen la Cámara de Diputados. De hecho, con anterioridad a la reforma constitucional introducida por la Ley N° 20.725, el número de diputados estaba definido por la Constitución (artículo 47), lo que hoy no ocurre"* (c. 5°).

La competencia del Tribunal es para controlar que una disposición de jerarquía legal no contravenga una norma constitucional (es decir, de jerarquía superior). Por lo mismo, *"la procedencia de un examen de compatibilidad constitucional de las disposiciones del proyecto de ley asume que efectivamente existen principios o reglas constitucionales respecto a los cuales deben contrastarse las estipulaciones objeto de control. Al respecto, son los artículos 15 y 49 de la Constitución los que, fundamentalmente, establecen los estándares constitucionales que deben tenerse presente para efecto del análisis de constitucionalidad"* (c. 14°).

El razonamiento desplegado para resolver la controversia constitucional comienza con una pregunta inicial: *¿Existen criterios constitucionales para la asignación de escaños que deban ser priorizados?* Recurriendo al texto constitucional se identifican dos criterios o parámetros de control para evaluar la constitucionalidad de la fórmula de repartición de escaños entre los distintos distritos electorales: el criterio poblacional - proporcional (que es aquel en base al cual se construye el principio de igualdad del voto contemplado en el artículo 15 de la Constitución) y el criterio territorial (consagrado en el artículo 49 de la Constitución y que es especialmente aplicable para la elección de senadores)[15]. Ante la realidad de que *"los diferentes criterios no necesariamente son compatibles entre sí [...] podría sostenerse* [como una opción analítica] *que en la aplicación combinada de criterios que realice el legislador no hay ninguno que deba ser prioritario. Dicha apreciación podría ser correcta sólo si los diferentes criterios tienen un reconocimiento normativo de igual jerarquía o si ninguno de ellos la tiene. Por el contrario, si entre diversos criterios existe uno que se diferencia del resto por tener reconocimiento constitucional, es de toda lógica sostener que en la aplicación combinada de los diferentes factores aquel especialmente reconocido debe gozar de prioridad"* (c. 18°). Al respecto, se concluye que *"en el caso de la elección de diputados el criterio poblacional - proporcional, sustentado en el principio de la igualdad del sufragio, debe tener una aplicación prioritaria. Para la repartición de escaños entre los distintos distritos el único criterio que cuenta con reconocimiento constitucional es el recién mencionado. Por consiguiente, sí existe un criterio rector"* (c. 19°). Se explica que, *"en contraste, en el caso del Senado la situación amerita ser matizada. En efecto, no cabe duda*

---

[15]   El artículo 49 de la Constitución, el cual dispone que *"[e]l Senado se compone de miembros elegidos en votación directa por circunscripciones senatoriales, en consideración a las regiones del país, cada una de las cuales constituirá, a lo menos, una circunscripción"* (énfasis agregado).

que el principio de la igualdad del voto también debe recibir aplicación, pero si –a diferencia de las elecciones de diputados– también existe un reconocimiento constitucional para otro criterio (el territorial), la intensidad de la prioridad que debe recibir el primero de los criterios mencionados será menor" (c. 20°)[16]. Y, como ya se había recalcado, *"no existe un vicio de constitucionalidad en el mecanismo de asignación de escaños para el Senado"* (c. 8°). De hecho, no fue alegado por los requirentes.

El que se haya identificado un criterio rector no significa que el legislador haya estado constitucionalmente impedido de establecer un mecanismo de escaños por distrito en el cual puedan confluir otros criterios o factores. Nadie discute que éste sí goza de un margen de libertad. Lo importante, en último término, es que la asignación de escaños de diputados a cada distrito derivada de la combinación de diferentes factores tenidos en cuenta por los órganos colegisladores no dé lugar a una distorsión matemática significativa en atención a la igualdad en el peso del voto y que, si así ocurre (tal como fue constatado), haya existido una justificación de interés público poderosa.

Hasta aquí, se subrayó el criterio poblacional-proporcional (igualdad del voto) como parámetro rector a nivel constitucional. Hay que tener presente, sin embargo, que –al menos a nivel de expresión de motivos– el mismo proyecto de ley reconoce la especial importancia de dicho criterio. En efecto, en el Mensaje de S.E. la Presidenta de la República con el que se inicia el proyecto de ley se señala que: "[t]ratándose de la Cámara de Diputados, el principio rector debe ser la igualdad en el voto de todos los chilenos" (ver c. 28°).

Siguiendo con el test o raciocinio para determinar la compatibilidad o no con la Constitución del mecanismo objeto de análisis, el voto particular se pregunta por *cuáles son los diferentes criterios de asignación de escaños en el proyecto de ley*[17]. Para la construcción del mecanismo inicial transitorio, con vigencia hasta el 2024 (a diferencia del mecanismo permanente que regirá a partir del año recién señalado

---

[16]   A modo ilustrativo, el c. 25° del voto particular cita al *"PNUD: 'el Senado tiene atribuciones a nivel nacional que requerirían una representación similar en la Cámara Alta de todas las regiones, de modo de equilibrar los intereses de todo el territorio. La distorsión del voto, en este caso, estaría justificada por una lógica distinta de representación (geográfica más que por electores). Sin embargo, si ese fuera el caso no se justifica una distorsión similar en la Cámara de Diputados, en la que el principio de 'una persona, un voto' debería prevalecer' (Programa de Naciones Unidas para el Desarrollo –PNUD–, 2014: Auditoría a la democracia: más y mejor democracia para un Chile inclusivo. Santiago, Programa de Naciones Unidas para el Desarrollo, p. 210)".*

[17]   Hay que tener presente que el reproche constitucional se focalizó en el mecanismo de asignación de escaños (número de diputados a elegir) por cada distrito. El c. 30° del voto particular plantea que "[e]l *número de diputados que se elige es una materia que ha dejado de estar contemplada en la Constitución y los criterios utilizados para la determinación o dibujo de los distritos en el Proyecto de Ley resultan razonables (y no son objeto de reproche en el requerimiento). Los criterios utilizados por el legislador para la determinación de los territorios distritales son los siguientes: (a) la extensión territorial máxima es la de una región según la actual división política-administrativa, y (b) los nuevos distritos se configuran a partir de los existentes".*

y que no presenta problemas de constitucionalidad) se identificaron las siguientes reglas: "*(i) ningún distrito o suma de distritos tendrá menos diputados de los que actualmente posee; (ii) las regiones de Arica y Parinacota, Tarapacá, Aysén y Magallanes serán sobrerrepresentadas; (iii) las regiones más pobladas (RM, V y VIII) recibirán escaños adicionales para intentar corregir la subrepresentación a la que están afectas; y, finalmente, (iv) se entrega un escaño a cada región en atención, quizás, a un cierto criterio de equidad territorial*" (ver c. 31°).

El hecho que el proyecto de ley conciba dos mecanismos distintos de asignación de escaños por distrito (la regla 1 o transitoria y la regla 2 o permanente a partir de 2024) es sintomático de la existencia de problemas de constitucionalidad. En efecto, "*para la regla 2 se tendrá como único parámetro la proporcionalidad (como efecto del principio de igualdad en el voto), con la excepción de un número mínimo y máximo de diputados por distrito (tres y ocho escaños respectivamente)*" (c. 32°), criterio que se desvanece tratándose de la regla 1, que es la reprochada. En otras palabras, el proyecto de ley tiene dos almas. El régimen posterior y permanente (o regla 2) "*obedece a un criterio claro de proporcionalidad según la población de cada distrito, salvo el límite mínimo de tres escaños y el máximo de ocho escaños, lo cual presenta un espacio razonable para concretar diferencias necesarias para alcanzar niveles de proporcionalidad aceptables*" (c. 54°). No ocurre lo mismo con la regla 1 (inicial y provisoria), tal como se demostrará.

¿Existen distorsiones (diferencias) significativas en relación al criterio de la igualdad del voto? La pregunta es indispensable y su respuesta exige un análisis cualitativo y cuantitativo. Esto último no es lo habitual en un análisis de constitucionalidad, aunque se trata de una aproximación idónea tratándose de este tipo de temas. La jurisprudencia comparada así lo atestigua. Para hacer frente a la interrogante planteada, el voto particular intenta identificar *parámetros aproximados acerca de cuán significativa es una diferencia (o desviación)* (ver apartado IV.A., cc. 35° - 37°). Luego, enfrenta el desafío cuantitativo, concluyendo que *sí existen diferencias o desviaciones significativas en cuanto al criterio de la igualdad del voto (poblacional - proporcional)* (ver apartado IV.B., cc. 38° - 48°). Para efectos de claridad en la explicación y fidelidad con el texto del voto particular, a continuación se transcribe el capítulo IV en su integridad:

"IV) ¿EXISTEN DISTORSIONES (DIFERENCIAS) SIGNIFICATIVAS EN RELACIÓN AL CRITERIO DE LA IGUALDAD DEL VOTO?

33°.   Que, en coincidencia con el mandato constitucional referido al sufragio igualitario, el Mensaje del Proyecto de Ley enviado por la Presidenta de la República señala, como primer objetivo del Proyecto, "reducir la desigualdad del voto" y hace un reconocimiento general de la situación actual. En efecto, en dicho Mensaje se manifiesta que: "[l]<u>a diferencia de valor del voto en Chile, según el lugar donde se emite, es demasiado alta y obstaculiza la igualdad del voto</u>. No se puede emprender una reforma sin reducir significativamente esta desigualdad inaceptable en cualquier democracia." (Mensaje, p. 3, énfasis agregado);

34°.   Que no se discute que el sistema electoral vigente presenta distorsiones o diferencias muy significativas en términos de la igualdad del voto. No obstante, las reglas de asignación de escaños objeto de control de constitucionalidad son aquellas que se proponen en el Proyecto, no aquella que impera en la actualidad. No se puede sostener válidamente que cualquier mejora que las reglas propuestas experimenten en comparación a la regla actual tiene el efecto de sanear cualquier vicio de inconstitucionalidad que aquellas puedan tener.

IV.A.- PARÁMETROS APROXIMADOS ACERCA DE CUÁN SIGNIFICATIVA ES UNA DIFERENCIA (O DESVIACIÓN).

35°.   Que en relación a la igualdad del voto (igual poder de voto), la Comisión Europea para la Democracia a través del Derecho (Comisión de Venecia) expresa que "la desviación máxima admisible respecto de la norma de repartición no debería ser superior al 10% y, en todo caso, no debería exceder el 15%, salvo en circunstancias especiales (protección de una minoría concentrada, entidad administrativa con baja densidad de población)." (Comisión de Venecia, 2003: *Código de Buenas Prácticas en Materia Electoral. Directrices e Informe Explicativo.* CDL-AD (2002)023rev, pp. 8-9);

36°.   Que, por su parte, el umbral de desviación máximo utilizado por el Tribunal Constitucional Alemán es de un 25%, lo cual ha sido objeto de precisión por vía legislativa (Bundewahlgesetz, BGW: artículo 3, número 2). De acuerdo al mencionado Tribunal, las diferencias deben ser justificadas en "razones específicas, objetivamente legítimas y poderosas" (Bundesverfassungsgericht, 2 BvC 1/07, 7/07 2 BvC, 3 de julio de 2008);

37°.   Que, como se verá, la constatación de diferencias relevantes en la igualdad del voto en razón de que sobrepasan determinados parámetros aproximados no significa que éstas sean incompatibles *per se* con la Constitución. No obstante, cuando se verifica la circunstancia anterior es el legislador quien debe demostrar la existencia de una justificación fuerte para la diferencia anotada.

IV.B.- SÍ EXISTEN DIFERENCIAS O DESVIACIONES SIGNIFICATIVAS EN CUANTO AL CRITERIO DE LA IGUALDAD DEL VOTO (POBLACIONAL – PROPORCIONAL).

38°.   Que para analizar si existen diferencias de valor del voto en Chile de magnitud significativa, se realizarán dos tipos generales de comparaciones. En primer lugar, se analizará la cantidad de escaños asignados a cada distrito en relación a su población. Luego, en segundo lugar, se examinarán las diferencias en términos de la igualdad o desigualdad del voto que derivan de la comparación entre las diferentes reglas de asignación de escaños distritales que establece el Proyecto de Ley (regla 1 y regla 2) y la regla D'Hondt pura o sin ajustes (la cual constituye un mecanismo altamente proporcional y, por ende, respetuoso del principio de la igualdad del voto). Como se apreciará, cualquiera sea la base de análisis existen diferencias significativas desde el punto de vista de la igualdad en el valor del voto. Es decir, para los habitantes o electores de determinados distritos del país su voto vale más o vale menos en cuanto a su capacidad para elegir un diputado que el de habitantes o electores de otros distritos del país. En el análisis anterior es irrelevante la voluntariedad del voto y las distinciones respecto de la cantidad efectiva de personas que hicieron uso de su derecho a sufragar. Lo relevante es si se tiene o no la posibilidad jurídica de emitir un sufragio que tenga el mismo peso que el de la población de otros distritos electorales.

a) Análisis de la asignación de escaños por distrito en comparación con su población o número de electores.

39°. Que el siguiente cuadro (tabla N° 1) muestra los escaños asignados a cada distrito según el Proyecto de Ley, de acuerdo a su población (variable que fue la que estableció, en definitiva, el Proyecto):

Región	Distritos nuevos (proyecto de ley)	Escaños de diputado (según regla transitoria del proyecto de ley) [regla 1]	Población 2002 por distrito (INE)	Población por escaño (población 2002)	Variación porcentual entre población por escaño (2002) y escaño ideal
XV	1	3	195.182	65.060	-55
I	2	3	247.729	82.576	-22
II	3	5	512.152	102.430	1
III	4	5	263.663	52.732	-92
IV	5	7	625.228	89.318	-13
V	6	8	810.308	101.288	0
V	7	8	785.692	98.211	-3
RM	8	8	1.167.369	145.921	31
RM	9	7	944.931	134.990	25
RM	10	8	858.318	107.289	6
RM	11	6	745.338	124.223	19
RM	12	7	1.118.544	159.792	37
RM	13	5	686.351	137.270	26
RM	14	6	764.422	127.403	21

VI	**15**	5	467.476	93.495	-8
VI	**16**	4	342.208	85.552	-18
VII	**17**	7	618.852	88.407	-14
VII	**18**	4	322.454	80.613	-25
VIII	**19**	5	501.759	100.351	-1
VIII	**20**	8	895.580	111.947	10
VIII	**21**	5	532.896	106.579	5
IX	**22**	4	291.270	72.817	-39
IX	**23**	7	610.030	87.147	-16
XIV	**24**	5	369.439	73.887	-37
X	**25**	4	327.619	81.904	-23
X	**26**	5	415.366	83.073	-22
XI	**27**	3	94.134	31.378	-222
XII	**28**	3	153.961	51.320	-97
	Total	**155**	**15.668.271**		
	Escaño promedio		**101.085**		

Fuente: Elaboración propia en base a los datos poblacionales del documento "Actualización de población 2002-2012 y proyecciones 2013-2013", del Instituto Nacional de Estadísticas, del año 2014.

40°.   Que, desde un punto de vista desagregado, y sólo a modo ilustrativo, es posible constatar que la regla 1 da lugar a que a distritos con población similar se les asigne un número muy distinto de escaños a diputados (distritos 2 y 5); que a distritos con menos población se les asigne más distritos que a otros con más población (distritos 9 y 12 en relación al 10 o al 20, respectivamente); o que a distritos con similar población se les asigne diferente número de escaños (24 y 25; 7, 6 y 14; 16 y 23, etc.);

41°.   Que, a su vez, para verificar la existencia de desigualdades en el valor del voto de la población de un distrito en relación a los otros (en cuanto al mecanismo de asignación de escaños) debe calcularse el porcentaje de aumento o disminución que deriva de la cantidad de habitantes por distrito necesarios para optar a elegir un diputado en relación a la cantidad de habitantes promedio a nivel nacional necesarios para ser beneficiados con la asignación de un escaño de diputado. De los datos poblacionales incorporados en la tabla N°1 se construyó un gráfico (gráfico N° 1) que permite visualizar nítidamente las diferencias o desviaciones en relación al promedio ideal de habitantes por escaño, lo cual da cuenta de distritos con niveles relevantes de sobrerrepresentación y subrepresentación.

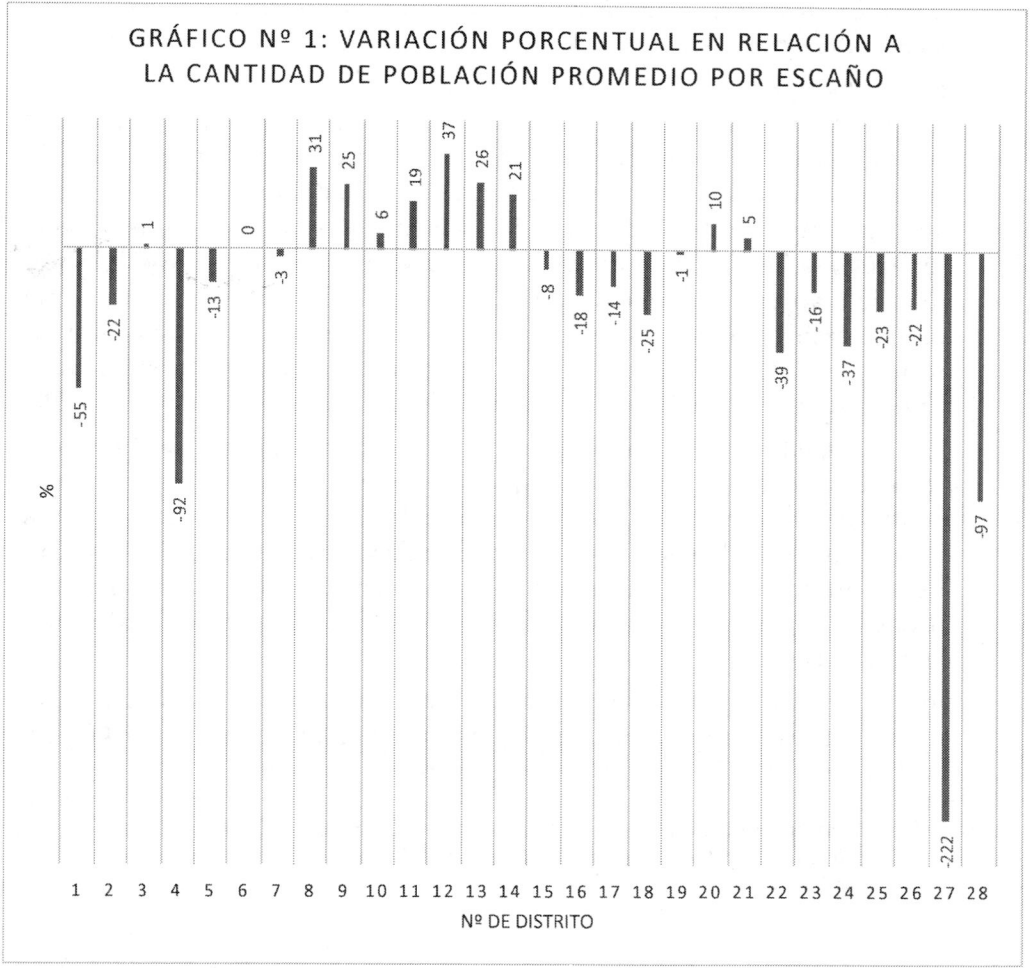

GRÁFICO Nº 1: VARIACIÓN PORCENTUAL EN RELACIÓN A LA CANTIDAD DE POBLACIÓN PROMEDIO POR ESCAÑO

42º.   Que del gráfico Nº 1 precedente es posible constatar que 18 de los 28 distritos (es decir, el 64% de los distritos del país) presentan desviaciones porcentuales de más de un 15%. Incluso, si se utilizara como parámetro un 25% de variación porcentual máxima, el resultado es que 11 de 28 distritos igualan o superan dicho umbral (es decir, el 39% de los distritos del país);

43º.   Que, en síntesis, tanto del análisis individual de cada distrito, como del sistema en su conjunto, se aprecian diferencias muy significativas que, a lo menos, requieren de una exigente justificación de interés público de por qué debiera admitirse una excepción al mandato constitucional del sufragio igualitario.

b) Análisis de la asignación de escaños por distrito en comparación con la asignación proporcional ideal.

44°.   Que una segunda vía de análisis consiste en comparar opciones concretas de asignación de escaños. Para este efecto, es posible analizar tres escenarios. El primero es la asignación (transitoria o provisoria) de escaños por distritos que contiene el artículo 179 del proyecto de ley – a la cual llamamos "regla 1". El segundo escenario es la aplicación de la regla del artículo 179 bis, que asigna los escaños en función de la población de cada distrito – que se denomina "regla 2". El tercer escenario – y que en este caso ocuparemos como grupo de control – es la asignación de escaños utilizando el método de D'Hondt sin la distorsión que significa el mínimo de tres y máximo de ocho por distrito - que sería la "regla ideal";

45°.   Que la comparación de las reglas 1 o 2 con la regla ideal permite determinar cuál es la desviación que se produce con un sistema de asignación de escaños de mayor proporcionalidad. Así, asumiremos que la óptima igualdad de voto – desde el punto de vista de la proporcionalidad - se produce cuando la diferencia entre la asignación de escaños propuesta por las reglas 1 y 2 y la repartición proporcional ideal es igual o más cercana a cero;

46°.   Que la siguiente tabla (tabla N° 2) busca realizar la comparación entre escaños de diputados asignados por la regla del artículo 179 (regla 1), 179 bis (regla 2) y la asignación proporcional ideal.

Tabla 2. Comparación entre escaños de diputados asignados por la regla del artículo 179 (regla 1), 179 bis (regla 2) y la asignación proporcional ideal

Región	Distritos nuevos (proyecto de ley)	Escaños de diputado (según regla transitoria del proyecto de ley) **[regla 1]**	Escaños de diputados (según regla definitiva del proyecto de ley, con la población 2015) **[regla 2]**	Escaños de diputados (según regla de D'Hondt, sin mínimo ni máximo de diputados) **[regla ideal de D'Hondt]**	Variación porcentual de la **regla 1 respecto** de la **regla ideal** (D'Hondt sin mínimo ni máximo de diputados)	Variación porcentual de la **regla 2 respecto de la regla ideal** (D'Hondt sin mínimo ni máximo de diputados)	Variación porcentual de la **regla 1 respecto de la regla 2** (D'Hondt con mínimo y máximo de diputados)
XV	1	3	3	2	-50%	-50%	0
I	2	3	3	3	0	0	0
II	3	5	6	5	0	-20%	16,67%

III	4	5	3	2	-150%	-50%	-66,67%
IV	5	7	7	7	0	0	0
V	6	8	8	8	0	0	0
V	7	8	8	8	0	0	0
RM	8	8	8	13	38,46%	38,46%	0
RM	9	7	8	9	22,22%	11,11%	12,5%
RM	10	8	8	9	11,11%	11,11%	0
RM	11	6	8	7	14,28%	-14,28%	25%
RM	12	7	8	11	36,36%	27,27%	12,5%
RM	13	5	7	7	28,57%	0	28,57%
RM	14	6	8	8	25%	0	25%
VI	15	5	5	5	0	0	0
VI	16	4	3	3	-33,33%	0	-33,33%
VII	17	7	6	6	-16,67%	0	-16,67%
VII	18	4	3	3	-33,33%	0	-33,33%
VIII	19	5	5	5	0	0	0
VIII	20	8	8	9	11,11%	11,11%	0
VIII	21	5	5	5	0	0	0
IX	22	4	3	2	-100%	-50%	-33,33%
IX	23	7	6	6	-16,67%	0	-16,67%
XIV	24	5	4	3	-66,67%	-33,33%	-25%
X	25	4	3	3	-33,33%	0	-33,33%
X	26	5	5	4	-25%	-25%	0
XI	27	3	3	1	-200%	-200%	0
XII	28	3	3	1	-200%	-200%	0
	Total	155	155	155			

Fuente: Elaboración propia en base a los datos poblacionales del documento "Actualización de población 2002-2012 y proyecciones 2013-2013", del Instituto Nacional de Estadísticas, del año 2014.

47°. Que una forma gráfica de mostrar la diferencia en los datos anteriores puede verse en la siguiente figura:

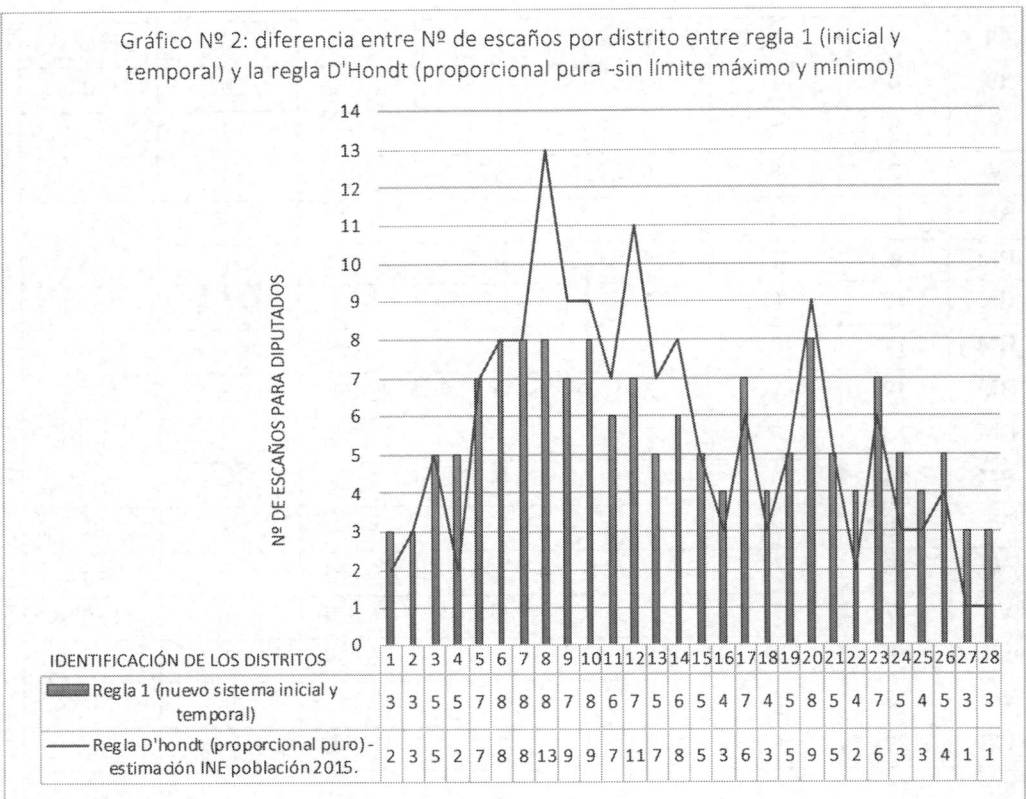

Gráfico Nº 2: diferencia entre Nº de escaños por distrito entre regla 1 (inicial y temporal) y la regla D'Hondt (proporcional pura -sin límite máximo y mínimo)

IDENTIFICACIÓN DE LOS DISTRITOS	1	2	3	4	5	6	7	8	9	10	11	12	13	14	15	16	17	18	19	20	21	22	23	24	25	26	27	28
Regla 1 (nuevo sistema inicial y temporal)	3	3	5	5	7	8	8	8	7	8	6	7	5	6	5	4	7	4	5	8	5	4	7	5	4	5	3	3
Regla D'hondt (proporcional puro) - estimación INE población 2015.	2	3	5	2	7	8	8	13	9	9	7	11	7	8	5	3	6	3	5	9	5	2	6	3	3	4	1	1

48°.   Que, en términos de las opciones concretas de mecanismos para la asignación de escaños, como se manifestó, la desigualdad en el voto es intensa. Esto se puede apreciar claramente del gráfico Nº 3:

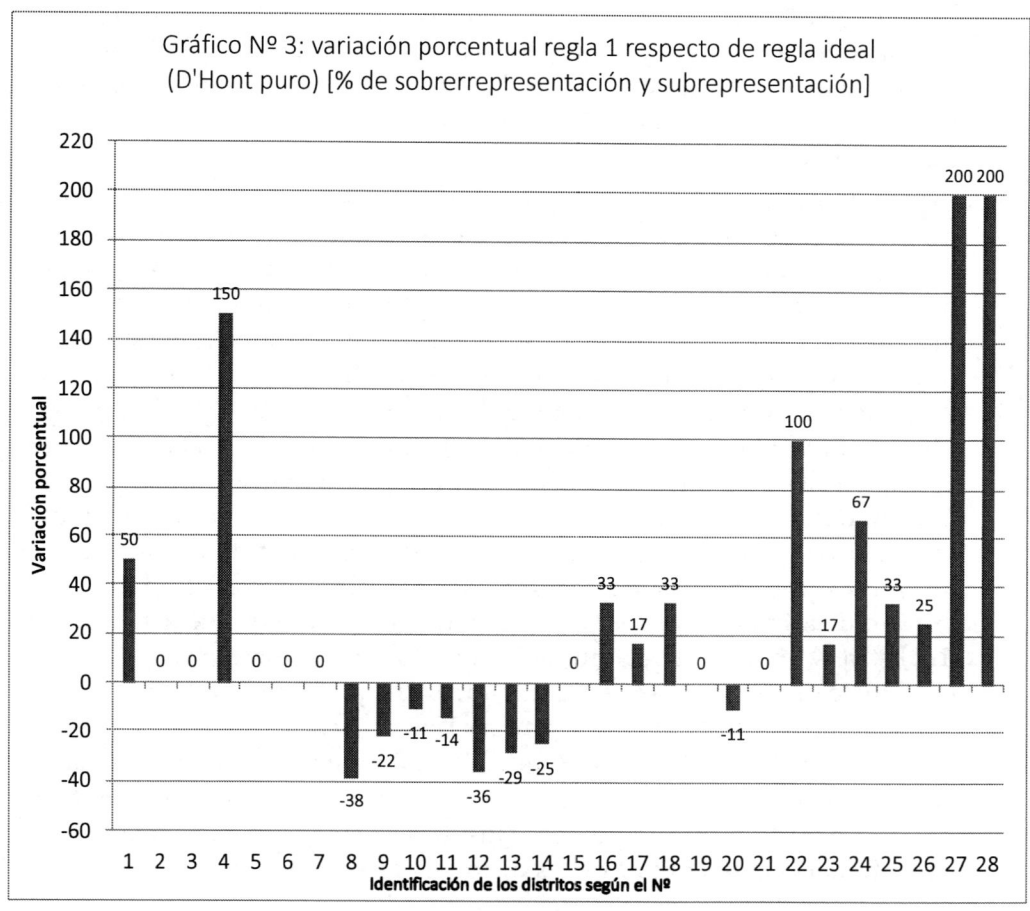

Gráfico Nº 3: variación porcentual regla 1 respecto de regla ideal
(D'Hont puro) [% de sobrerrepresentación y subrepresentación]

¿Se han dado justificaciones de interés público para explicar el significativo grado de desigualdad constatado? La pregunta y su respuesta es el último eslabón analítico para verificar si se está o no ante una desigualdad constitucionalmente intolerable en el peso del voto. Nuevamente, se transcribe, a continuación, el capítulo pertinente del voto particular por acoger redactado por este autor:

"V) CARENCIA DE JUSTIFICACIONES DE INTERÉS PÚBLICO PARA EXPLICAR CIERTAS DIFERENCIAS.

49°.   Que, como se ha planteado con anterioridad, es el criterio poblacional – proporcional el que debiera tener una clara preeminencia, tanto a nivel particular como desde una óptica agregada, para satisfacer el mandato de la igualdad del voto;

50°.   Que, en presencia de desigualdades muy significativas, como las que derivan del mecanismo de asignación de escaños que regiría a partir de la próxima elección parlamentaria (regla 1), el legislador tiene la carga de justificar (con una alta exigencia de racionalidad desde el punto de vista del interés público) las desviaciones que impactan en el mandato de la igualdad del voto o sufragio igualitario. En este sentido, el margen de apreciación o de deferencia con el legislador debe ser menor. El escrutinio debe ser más estricto;

51°.   Que, al respecto, corresponde realizar algunas precisiones: justificar en razón del interés público no es necesariamente lo mismo que explicar en base a qué criterios (cuando los hay) se ha efectuado la asignación de escaños distritales. En efecto, una explicación intenta descubrir los motivos o razones en virtud de los cuales una determinada legislación o propuesta legislativa existe. Una justificación (de interés público) intenta decir por qué una determinada legislación o propuesta legislativa es una idea buena o, al menos, una razonable. En algunos casos una explicación constituye, a veces, una justificación de interés público. Sin embargo, también puede ocurrir que la explicación o motivación no necesariamente coincida (en todo o en parte, como en este caso) con una justificación de interés público. Consideraciones de "realismo político", tal como el criterio de asignación de escaños fundado en que ningún distrito o suma de distritos tendrá menos diputados que los que actualmente posee, no constituye, en los términos manifestados, una justificación de interés público para construir (en parte) la regla 1 de repartición de escaños. Igualmente, y ante la ausencia de razones explícitas, una explicación basada en consideraciones de viabilidad política para no aplicar inmediatamente la regla 2 (la posterior y definitiva) no justifica tal situación, particularmente considerando la magnitud de las distorsiones relacionadas con el principio de la igualdad en el valor del voto;

52°.   Que, tal como ya se ha manifestado, sí se permiten excepciones o justificaciones respecto de distorsiones significativas en relación al criterio poblacional-proporcional. Sin embargo, dichas excepciones deben ser sustentadas en razones especiales, objetivamente legítimas y poderosas. Como se ha explicado en el considerando precedente con los dos ejemplos proporcionados, el diseño de la regla 1 no se sustenta en justificaciones de interés público y, por lo tanto, no se fundan en razones que cumplan con el estándar exigido;

53°.   Que, además de los dos ejemplos manifestados precedentemente, la ausencia de justificación para la asignación de escaños de acuerdo a la regla 1 se puede constatar en la distribución de los treinta y cinco escaños nuevos entre las regiones (salvo la asignación de un escaño extra para las regiones extremas): Siendo el principio rector la igualdad del voto (proporcionalidad) ¿Por qué se asignan veintitrés escaños a las regiones más pobladas y doce al resto, con distribución pareja entre ellas? ¿Por qué de los veintitrés escaños asignados a las regiones más pobladas, quince son para la RM, cuatro para la VIII región y cuatro para la V región? ¿Por qué se utilizó un criterio nominalista para repartir un escaño para cada región y se difuminó el efecto de sobrerrepresentación relativa de las regiones extremas? Incluso en la aplicación aislada y sucesiva de los criterios se incurre en una arbitrariedad al asignar ocho escaños al distrito diez y sólo siete cupos al distrito doce;

54°.   Que, a diferencia de la regla 1 (inicial y provisoria), la regla 2 (posterior y permanente) obedece a un criterio claro de proporcionalidad según la población de cada distrito, salvo el límite mínimo de tres escaños y el máximo de ocho escaños, lo cual presenta un espacio razonable para concretar diferencias necesarias para alcanzar niveles de proporcionalidad aceptables".

5.2. Análisis desarrollado en el fallo (voto de mayoría por rechazar). Síntesis y comentario

La postura del fallo (voto de mayoría) frente al valor de la igualdad en el peso del voto o "igualdad sustantiva del voto" es diferente. Obviamente, los datos son los datos y resulta innegable la existencia de diferencias o desviaciones no menores. Pero, en el fallo que rechaza el requerimiento se considera que éstas siguen siendo constitucionalmente tolerables. De hecho, si se sigue la argumentación (versada y profunda) en él desplegada se podrá concluir que –en la práctica– será casi imposible constatar una inconstitucionalidad, a no ser que se esté en presencia de un diseño legislativo absurdamente caprichoso y con un claro efecto favorable o perjudicial desde una perspectiva política - partidista (gerrymandering).

No se desconoce en el fallo la existencia del principio de igualdad en el peso del voto, pero su valoración se relativiza significativamente ante la presencia de diversos objetivos o criterios adicionales. Entre éstos, se le da un marcado énfasis al elemento geográfico o territorial como principal criterio justificante de cualquier desviación. No llama la atención, entonces, que el voto de mayoría declare que la justificación de las diferencias ha de someterse a un escrutinio débil[18].

Como decíamos, bajo un escrutinio poco exigente de las justificaciones dadas para las diferencias la sola existencia y observancia de diversos objetivos legítimos justifican o "neutralizan" (casi por completo) cualquier distorsión aritmética. El

---

[18]   Como se dice en el considerando 15° del fallo, *"el estándar de la legislación electoral debe sortear un escrutinio simple de igualdad, apuntando a las razones que legitiman las diferencias y siendo obligación del requirente probar las diferencias arbitrarias".*

fallo advierte que seguir el principio de igualdad en el peso del voto podría, incluso, infringir la Constitución: "*no toda proyección proporcional de la igualdad del voto es constitucional. La aplicación aritmética del principio importa un sacrificio de representación política para las zonas extremas que resultaría inconstitucional*" (c. 19°), ya que "*es deber del Estado 'promover la integración armónica de todos los sectores de la Nación y asegurar el derecho de las personas a participar con igualdad de oportunidades en la vida nacional' (artículo 1°, inciso quinto, de la Constitución)*" (c. 18°).

Ya explicamos más arriba que para lograr alcanzar un escenario de razonable igualdad en el peso del voto se podía actuar interviniendo en el dibujo de las fronteras distritales, así como en el número de escaños asignados a cada distrito. Respecto de lo primero, el diseño legislativo utiliza como base inicial la división política - administrativa existente. Esto es algo que no es reprochable. Por el contrario. Pero, no hay que perder de vista que se trata de una limitación natural que está lejos de constreñir las posibilidades del legislador para alcanzar resultados más igualitarios. Y, en lo concerniente al número de diputados a ser elegidos en cada distrito, no hay limitación estructural que derive de consideraciones geográficas. Parece asumirse como justificación suficiente sostener que "*el sistema electoral chileno tiene deficiencias aritméticas naturales para la proyección de la igualdad sustantiva del voto porque hay una decisión política adoptada con anterioridad: todos los distritos electorales tendrán un mínimo de 3 diputados, lo que genera que en zonas de baja densidad poblacional se produzca una natural sobrerrepresentación*" (c. 18°). El punto es que lo escrutado (y cuestionado) son, precisamente, las decisiones de política legislativa. ¿Introducir competitividad frente a los incumbentes? ¿igualdad de oportunidades? ¿inclusión social? En el considerando 23° se alude a dichos objetivos. Como hemos dicho antes, nada impide que en el diseño se tomen en consideración distintos objetivos, pero no debiera perderse de vista que hay uno preeminente y que no es otro que garantizar que el voto de población o los electores de los diferentes lugares de un país tenga un valor similar, es decir, que cada sufragio tenga una incidencia parecida en el número de diputados susceptibles de ser elegidos.

Sin perjuicio de lo señalado con anterioridad, la diferencia central más relevante entre ambos votos es que para el de mayoría (fallo) el redistritaje intolerable sería sólo aquel en que se demuestre que ha tenido como objeto o efecto un favorecimiento político partidista:

> "*En síntesis, desde la Constitución y desde el estándar propio de los tratados internacionales de los derechos humanos no existe ninguna obligación específica que cautele en contra de regulaciones electorales que manifiesten distorsiones territoriales como las alegadas en el requerimiento, salvo que ellas estuvieren construidas como una modalidad de discriminación de determinadas 'opiniones políticas o de cualquier índole*" (c. 15°). "*no es una construcción ad hoc para el sistema electoral [...] no pueden ser calificadas como "gerrymandering", esto es como una delimitación política de los distritos, efectuada ad hoc*

con el objeto de valorar resultados político - electorales conocidos, privilegiando zonas que favorecen y debilitando áreas desfavorables" (c. 18º).

El abogado de la Presidenta de la República, ampliamente versado en estas materias y, desde luego, en la jurisprudencia norteamericana, también recalca como criterio relevante la variante político partidista (gerrymandering político partidista) a la hora de identificar la existencia o no de una diferencia arbitraria. La siguiente afirmación contenida en un escrito posterior a la vista de la causa es ilustrativo lo anterior: "Para efectos de una mejor reflexión acompañamos notas de prensa que dan cuenta de la opinión de especialistas y centros de estudios de distinta orientación que coinciden en que, de haberse aplicado un sistema como el que se propone para las elecciones parlamentarias de los años 2001, 2005, 2009 y 2013, ello no habría producido ningún sesgo en favor de alguna de las coaliciones políticas nacionales, ni a su favor ni en su contra. [...] ellas sirven para confirmar que este diseño propuesto por el proyecto no tiene, ni la intención, ni el efecto, de favorecer a un sector por sobre otro [.../...] En la medida que el control que debe ejercer S.S. Excmo. tiene sentido para asegurar o verificar que no se ha producido el abuso de poder consistente en construir un régimen electoral 'a la medida' (gerrymandering), nos ha parecido extraordinariamente pertinente que S.S. conozca cuál ha sido la opinión de los técnicos y expertos en esta materia" (fojas 486).

6. CONSIDERACIONES FINALES

Se podrá discutir su alcance, pero el principio de igualdad en el peso del voto ("una persona, un voto, de igual valor") tiene un reconocimiento a nivel global. Exista o no una disposición constitucional como la del artículo 15, inciso primero, su existencia se desprende del carácter democrático de nuestra república, así como del principio general de igualdad.

La sentencia del Tribunal Constitucional Rol Nº 2777 marca un hito especial en el análisis nacional de esta materia específica. Nunca antes en Chile un tribunal o corte (o, incluso, trabajo académico) había desplegado un análisis tan profundo. Tal como ha ocurrido en otros temas, el análisis de la judicatura ha precedido al desarrollado por la academia nacional[19].

Además, se impugnaba la constitucionalidad de una reforma que sustituía el sistema electoral binominal, luego de muchos años de debate sobre el mismo.

---

[19] Una excepción destacable es el trabajo del profesor Bronfman (2013), quien aborda el tema aunque con un énfasis en la definición de los territorios electorales más que en la regla de asignación de escaños.

Desde la perspectiva constitucional de igualdad en el peso del voto, el sistema binominal presentaba incluso más problemas que el nuevo que estaba siendo evaluado. En contraste, el sistema permanente, el cual regiría a contar del 2024 (y que adopta como criterio la asignación de escaños según densidad poblacional de los distritos con mínimo de 3 y máximo 8 escaños) resultaba menos problemático. Lo curioso es que el proyecto contemplaba un mecanismo transitorio con distorsiones más elevadas y no justificables –en mi opinión– por razones de interés público. Como señalé en mi voto particular por acoger, en presencia de desigualdades muy significativas, el legislador tiene la carga de justificar (con una alta exigencia de racionalidad desde el punto de vista del interés público) las desviaciones que impactan en el mandato de la igualdad del voto o sufragio igualitario.

Hay autores que plantean que la evidencia sugiere que el principal factor detrás de la reforma electoral fue la necesidad de la Nueva Mayoría de resolver los sustanciales problemas relacionados con la negociación de las listas de la coalición. De esta manera, el nuevo sistema garantizaría que los partidos en el pacto pudieran presentar al menos un candidato en la mayoría de los distritos, reduciendo así las tensiones y peleas entre los partidos de dicha coalición con ocasión del proceso de selección[20].

Como también fue señalado en el voto particular aludido, consideraciones de realismo o viabilidad política no tienen la aptitud para justificar tan elevadas distorsiones en la igualdad del voto.

La visión de la postura del voto particular por acoger se asienta fuertemente en la consideración de que se está frente a un derecho subjetivo individual, en contraste con la posición del fallo, la que minimiza la protección del principio de igualdad en el peso del voto al vincularlo con una dimensión político partidista (political gerrymandering).

Pueden existir interpretaciones menos o más garantistas del principio comentado. Nadie discute que no es el único criterio a tomar en consideración al momento de evaluar un cambio en el dibujo de los distritos o en la distribución de escaños por distrito. Pero, los parámetros internacionales sobre la materia permiten aseverar que la igualdad en el peso del voto debe ser preponderante. En este sentido, nada impide –por ejemplo– que existan escaños reservados, sin embargo, en su diseño debe tenerse especial cuidado de no perjudicar el valor profundamente democrático e igualitario que significa que para los habitantes o electores de determinados distritos del país su voto no valga menos en cuanto a su capacidad para elegir un diputado que el de los habitantes o electores de otros distritos del país.

---

[20]   Gamboa, R. y Morales, M. (2016) 137.

BIBLIOGRAFÍA

Aldunate Lizama, E. (2016) "Desglosando la Igualdad Constitucional Reflexiones sobre la Igualdad Constitucional con ocasión de la Sentencia del Tribunal Constitucional en Rol 2935-15, 'Glosa de gratuidad'". *Anuario de Derecho Público UDP*, pp. 209-245.

Bronfman Vargas, A. (2013) "Igualdad del Voto y Configuración del Territorio Electoral de los Diputados en Chile". *Revista de Derecho de la Pontificia Universidad Católica de Valparaíso*, 40(1), 353-392.

Cea Egaña, J.L. (2000) *Teoría del Gobierno*. Ediciones Universidad Católica de Chile, Santiago.

Gamboa, R. and Morales, M. (2016) "Chile's 2015 Electoral Reform: Changing the Rules of the Game". *Latin American Politics and Society*, 58 (4), pp. 126-144.

Sentencia del Tribunal Constitucional de Chile, rol N° 2777 de 2015.

Silva Bascuñán, A. (1997) *Tratado de Derecho Constitucional*, tomo IV. Editorial Jurídica de Chile, Santiago.

Venice Commission (2017) *Report on Constituency Delineation and Seat Allocation*. CDL-AD (2017)034.

U.S. Supreme Court. *Rucho v. Common Cause*, 588 U.S. (2019).

Zúñiga Urbina, F. (2015) "Sentencia Rol N° 2777-15 del Tribunal Constitucional, sobre requerimiento de inconstitucionalidad del proyecto de reforma electoral (Boletín N° 9326-07)". *Revista de Derecho Público*, 82 (1), pp. 375-404.

El deber constitucional de hacer justicia

Lautaro Ríos Álvarez[1]

Dedico este Estudio como un merecido y afectuoso homenaje al distinguido Profesor de Derecho Constitucional de la Pontificia Universidad Católica de Santiago de Chile, Prof. José Luis Cea Egaña, honrando así una profunda amistad que compartimos desde el año 1988, junto a nuestro común Maestro y amigo el Prof. Don Alejandro Silva Bascuñán, quien fue una columna fundamental del Derecho Constitucional chileno y sigue inspirando su aprendizaje y su desarrollo con la valiosa contribución de sus tratados y sus estudios de inigualable valor y vigencia.

1. ORIGEN NORMATIVO Y DEFINICIÓN

Dos conceptos opuestos tienen relación directa con la inexcusabilidad. El primero es su versión afirmativa: "Excusable" (del latín *excusabilis*), que significa *"Que se puede omitir o evitar"* (R. Acad.). El segundo es su acepción negativa: "inexcusable" (del latín *inexcusabilis*) que quiere decir *"Que no puede eludirse con pretextos o que no puede dejar de hacerse"* (R. Acad.).

Para nosotros, la inexcusabilidad resolutiva[2] es un principio fundamental en el correcto ejercicio de la potestad jurisdiccional. Consideramos *principio fundamental* de cualquiera función o potestad, a aquél sin cuya presencia éstas dejan de funcionar válidamente. Y creemos, además, que son principios fundamentales en el ejercicio de la potestad jurisdiccional, la *juridicidad* (que algunos limitan impropiamente a la legalidad), la *congruencia*[3] y la *inexcusabilidad resolutiva*. La ausencia de cualquiera de ellos, en el conocimiento y resolución de un asunto jurisdiccional, le deja privado de valor y de eficacia jurídica.

---

[1]   Profesor Emérito de la Universidad de Valparaíso, Chile. El Prof. Lautaro Ríos Álvarez fue Profesor de Teoría Política y Derecho Constitucional de la Facultad de Derecho de la Universidad de Valparaíso y Profesor Emérito de dicha Universidad. Profesor Extraordinario Visitante de la Universidad del Norte, Santo Tomás de Aquino de Tucumán, República Argentina. Magíster en Derecho Administrativo por la Universidad de Chile; Doctor en Derecho por la Universidad Complutense de Madrid; Miembro y ex Vice-Presidente de la Asociación Chilena de Derecho Constitucional; y Miembro Correspondiente en Chile de las Asociaciones Argentina y Peruana de Derecho Constitucional. Correo electrónico: lautarorios@estudiorios.cl

[2]   Usamos el adjetivo "resolutiva" para distinguir esta inexcusabilidad de la de carácter cognitivo o inexcusabilidad por ignorancia de la ley (Art. 8° C. Civil). Ver, al respecto: Corral Talciani, Hernán (1987) "De la ignorancia de la ley. El principio de su inexcusabilidad", Ed. Jurídica de Chile, Stgo.

[3]   Al Principio de Congruencia dedicamos un estudio en la obra colectiva "Poder Judicial", "El Principio de Congruencia en la Doctrina y en la Jurisprudencia de la Excma. Corte Suprema", Ed. Jurídica de Chile Stgo., 2015, p. 249 y ss.

Entendemos por *juridicidad* la fiel sujeción del sentenciador al orden jurídico vigente, a partir de la Constitución Política respectiva. La *congruencia* –siguiendo a Guasp– *"Puede ser definida como la conformidad que debe existir entre la sentencia y la pretensión o pretensiones que constituyen el objeto del proceso, más la oposición u oposiciones en cuanto delimitan este objeto. Es, pues, una relación entre dos términos, uno de los cuales es la sentencia misma, y, más concretamente, su fallo o parte dispositiva, y otro el objeto procesal en sentido riguroso; no, por lo tanto, la demanda, ni las cuestiones, ni el debate, ni las alegaciones y las pruebas, sino la pretensión procesal y la oposición a la misma en cuanto la delimita o acota, teniendo en cuenta todos los elementos individualizadores del tal objeto: los sujetos que en él figuran, la materia sobre que recae y el título que jurídicamente lo perfila"*[4]. Y, por *inexcusabilidad resolutiva*, entendemos la obligación del juez de resolver derechamente el conflicto judicial que –siendo materia de su competencia– ha sido sometido a su decisión, debiendo hacerlo conforme a las normas que lo regulan y, en su ausencia, de acuerdo a las demás fuentes de derecho disponibles.

El principio de juridicidad está consagrado en el Art. 6° de la Carta Fundamental y acotado en su Art. 7°. El principio de inexcusabilidad resolutiva lo establece su Art. 76, inciso 2°; por lo que ambos están revestidos de rango constitucional. El principio de congruencia se desprende del Art. 19 N° 3, inciso 6° de la Constitución, está contemplado por los Arts. 160, 170 y por otras disposiciones del Código de Procedimiento Civil que aseguran su vigencia y aplicación, habiendo sido calificado por la constante jurisprudencia de la Excma. Corte Suprema como *"principio rector de la actividad jurisdiccional"*.

En los orígenes de nuestra organización republicana –y en lo tocante al tema de este estudio–, destaca el Título XII de la Constitución Política de 1823 "Del Poder Judicial", cuyo Art. 121 prescribía: *"Todo juez responde de las dilaciones i abusos de las formas judiciales"*.

Más específicamente, el Decreto Supremo de 25-IX-1837, sobre "Denegación de Justicia", en su Art. 1° disponía: *"El juez que en las causas cuyo conocimiento le compitiere se negare a administrar justicia:* (seguía la enumeración de diversas actuaciones reprobables que culminaban con la siguiente):

> *"Ya sea pretestando cualquiera otro motivo falso o manifiestamente frívolo que indique un ánimo deliberado de escusarse de tomar conocimiento de la causa.*
> *"Comete crimen de denegación de justicia".*

El Decreto Supremo referido acusa la influencia expansiva del Código Civil francés cuyo Art. 4° prescribe que *"El juez que rehúse juzgar bajo pretexto del silencio,*

---

4   Guasp, Jaime (1961) "Derecho Procesal Civil", Instituto de Estudios Políticos, Madrid, p. 533.

de la oscuridad o de la insuficiencia de la ley, podrá ser perseguido como culpable de denegación de justicia"[5].

En 1847, se presentó a la Cámara de Diputados, por don Antonio Varas, un proyecto de ley acerca del modo de acordar y fundar las sentencias definitivas. Consultado el autor de nuestro Código Civil, don Andrés Bello, propuso la siguiente disposición:

> *"Toda sentencia… contendrá:*
>
> *"3° Los hechos y las disposiciones legales, en defecto de éstas, la costumbre que tenga fuerza de ley; y a falta de unas y otras, las razones de equidad natural que sirvan de fundamento a la sentencia".*

Esta ley se promulgó el 12 de septiembre de 1851[6].

En el ordenamiento jurídico chileno posterior, la primera norma legal codificada que estableció la inexcusabilidad del juez, fue el Art. 9° de la Ley de Organización y Atribuciones de los Tribunales, de 1875, cuyo párrafo segundo prescribía: *"Reclamada su intervención en forma legal y en negocios de su competencia, [los tribunales] no podrán escusarse de ejercer su autoridad ni aun por falta de lei que resuelva la contienda sometida a su decisión".*

Esta norma, al dictarse el Código Orgánico de Tribunales (C.O.T.) de 1943, se reprodujo por su Art. 10°, párrafo segundo, con un texto idéntico al original de 1875.

Además, el Art. 112 del mismo Código dispuso que *"Siempre que según la ley fueren competentes para conocer de un mismo asunto dos o más tribunales, ninguno de ellos podrá excusarse del conocimiento bajo el pretexto de haber otros tribunales que puedan conocer del mismo asunto; pero el que haya prevenido en el conocimiento excluye a los demás, los cuales cesan desde entonces de ser competentes".* Cabe advertir, sin embargo, que ésta no es una novedad del C.O.T. sino la reproducción del Art. 196 de la Ley de Organización y Atribuciones de los Tribunales de 1875.

Fue la Constitución Política de 1980 la que elevó el deber de inexcusabilidad al supremo rango normativo en el segundo párrafo de su Art. 73 original, cuyo texto reproduce el contenido de la disposición transcrita de la Ley Orgánica de 1875, añadiendo sabiamente a la expresión *"contienda"* la más extensiva: *"o asunto"*, que perfecciona su alcance[7].

---

[5]   Ver Martínez Benavides, Patricio (2012) "El Principio de Inexcusabilidad y el Derecho de Acción desde la Perspectiva del Estado Constitucional", Revista Chilena de Derecho, Pontificia Universidad Católica de Chile, Vol. 39-1, pp. 113 y ss.

[6]   Ver del Prof. Fernández González, Miguel Ángel (2014) "El Principio Constitucional de Inexcusabilidad", en Revista de Derecho Público, Universidad de Chile, Vol. 80, 1er. Semestre, pp. 41 y ss.

[7]   Esta disposición figura en el Art. 76, inciso 2°, de la Constitución actualmente vigente.

Decimos que la expresión agregada es sabia y extensiva porque frente al texto del Art. 10 del C.O.T. y tratándose de un asunto incidental o de un trámite procesal, el juez podía eludir su pronunciamiento, fundándose en que la cuestión suscitada no afectaba la decisión de *"la contienda"* misma. Al añadir el vocablo omnicomprensivo *"o asunto"* se clausura esta vía de escapatoria y se obliga al tribunal a pronunciarse en todo caso.

El texto de la disposición constitucional aludida reza así: *"Reclamada su intervención en forma legal y en negocios de su competencia,* [los tribunales] *no podrán excusarse de ejercer su autoridad, ni aún por falta de ley que resuelva la contienda o asunto sometidos a su decisión".* La *inexcusabilidad* puede definirse –en nuestro sistema jurídico– como la obligación que la Constitución Política de la República impone expresamente a todo juez de resolver el asunto legalmente sometido a su decisión que la ley haya puesto dentro de la esfera de su competencia, debiendo hacerlo en conformidad con las leyes que lo regulan y, a falta de ellas, de acuerdo a las demás fuentes jurídicas aplicables.

2. FUNDAMENTO JURÍDICO-POLÍTICO

Dice al respecto el Prof. Hugo Pereira Anabalón:

> *"El Estado detenta el poder público de mandar y de ser obedecido por aquellos a quienes el mandato se dirige; pero la legitimidad del poder público exige el consentimiento de éstos. Por ello, la Declaración Universal de los Derechos Humanos expresa que "la voluntad del pueblo es la base de la autoridad del poder público". (art. 21.3).*
>
> *"La potestad jurisdiccional no escapa a tal postulado, de donde el fundamento de la misma es precisamente la voluntad popular, o la soberanía popular, o simplemente la soberanía. Por tanto, los titulares de la jurisdicción, los jueces, la ejercitan en representación del pueblo, del soberano.*
>
> *"Nuestra Constitución (…) expresa que la soberanía reside en la nación y que su ejercicio se realiza por el pueblo y por las autoridades que la Carta establece (art. 5°, inciso 1°), entre éstas, por cierto, la autoridad judicial* [Poder Judicial] *que regula su Capítulo VI, al cual asigna la potestad jurisdiccional"*[8].

La Excma. Corte Suprema, en sentencia de 6 de mayo de 1964, estableció que: *"… en el artículo 80 de la Carta Fundamental (actual art. 76) descansa la función jurisdiccional de los tribunales, la que es una emanación de la soberanía del Estado; y asegura asimismo la independencia de aquéllos para juzgar las controversias… etc."*[9].

---

[8]   Pereira Anabalón, Hugo (1993) "Curso de Derecho Procesal", t.I, Ed. Jurídica Conosur, Stgo., p. 93.
[9]   Revista de Derecho y Jurisprudencia (R.D.J.), t. 61, 2ª. p., s. 1ª. pg. 81.

La misma Excma. Corte, en sentencia de 3 de mayo de 1965, declaró que *"… el poder público en que la soberanía ha delegado la función de administrar justicia, tiene la facultad de hacer ejecutar lo juzgado, usando la fuerza si ello es necesario…"*[10].

3. TRASCENDENCIA DEL PRINCIPIO DE INEXCUSABILIDAD

La trascendencia de este principio fundamental del ejercicio de la jurisdicción no sólo deriva de haber sido establecido en una disposición de supremo rango normativo, como es el artículo 76 de la Carta Fundamental, cabeza de su Capítulo VI que regula el "Poder Judicial". Deriva, más bien, de la esencialidad de su aplicación, pues su ausencia o su infracción corrompería el deber del Estado de impartir justicia y la necesidad imperiosa de recibirla con prontitud por los afectados.

El Poder Ejecutivo y la Administración del Estado pueden abstenerse, en determinados casos –sea por razones de mérito, de oportunidad o de conveniencia– de adoptar medidas de gobierno o de administración. Puede hacerlo inclusive ante situaciones de excepción, sin infringir la Constitución.

El Congreso Nacional puede hacer lo mismo en todo cuanto concierne a la aprobación, modificación o rechazo de los proyectos de ley que reciba por mensajes del Ejecutivo o por mociones de los propios congresales.

Tanto el Gobierno y la Administración como el Congreso Nacional tienen opciones para actuar o para abstenerse de actuar y el que termina decidiendo acerca del acierto o el desacierto de tales opciones es el Cuerpo Electoral.

En cambio, los Tribunales de Justicia, ante el asunto de su competencia que legalmente se somete a su decisión, carecen de la opción de resolverlo o de abstenerse de hacerlo. Deben ejercer su autoridad, sin poder excusarse ni aún por falta de ley que resuelva el asunto sometido a su decisión.

Una sociedad puede vivir en ausencia de leyes que no necesite; puede sobrevivir agobiada por una burocracia frondosa que frene su capacidad de emprendimiento; o bajo gobiernos que a veces omitan o no entiendan debidamente las necesidades de seguridad y de vivir en paz de la población. Pero no puede subsistir desprovista de justicia ni angustiada por la tardanza injustificada en recibirla.

Por otra parte, la administración de justicia –salvo el escaso poder de la opinión pública– no cae bajo el control del Cuerpo Electoral y es mejor que así sea.

Pero esta falta de control externo y la trascendencia de su noble misión debiera interpelar la conciencia de los jueces para decidir los asuntos que se les

---

[10]   R.D.J., t. 62, 2ª. p., s.1ª., pg. 60.

someten de manera pronta y clara, y con la mirada puesta más en la justicia del caso que en la multitud de detalles que a veces nublan la fisonomía del problema entregado a su decisión.

4. REQUISITOS DE PROCEDENCIA DE LA INEXCUSABILIDAD

De acuerdo a su definición y al texto constitucional que lo establece, el deber de inexcusabilidad de todo tribunal de justicia depende de la conjunción de los siguientes requisitos: a) requerimiento judicial de la persona natural o jurídica habilitada para comparecer en juicio; b) que dicho requerimiento se practique en conformidad a la ley procesal correspondiente a su materia; y c) que el asunto propio del requerimiento esté comprendido dentro de la competencia del tribunal requerido[11].

5. PRECEDENTES HISTÓRICOS DEL DEBER DE INEXCUSABILIDAD

Aunque pareciera que la acuñación legislativa de esta obligación recién debió ver la luz a raíz de los procesos de codificación de las normas legales –esto es, a partir del comienzo del s. XIX– existen precedentes históricos que desvirtúan esta suposición[12].

Así, desde la Alta Edad Media empieza a perfilarse el sistema de legalismo jurídico que obligaba a los jueces a sentenciar en conformidad a las leyes vigentes, desechando la aplicación de la legislación de Roma e inclusive de las opiniones de los grandes jurisconsultos romanos (Ulpiano, Papiniano, Paulo, Modestino y Gayo).

Esta obligación se consagraba en el "Liber Judiciorum" o "Libro de los Jueces" del año 654 de nuestra era, compendio de las tres ediciones de la legislación civil visigoda que imponía a los jueces la obligación de aplicar los principios y normas contenidas en dicha normativa. Así, el Libro II, cuyo Título I se denomina *"De los jueces y de lo que juzgan"*, expresaba en su Ley VIII: *"Bien sufrimos y bien queremos que*

---

[11]   Ver las reglas sobre "Interpretación de la ley", en los Arts. 19 al 24 del Código Civil y en el Art. 170 N° 5 del Código de Procedimiento Civil de 1903, los cuales hacen referencia a otras fuentes jurídicas.

[12]   En esta incursión histórica nos hemos basado en el trabajo del Profesor de Historia del Derecho don Topasio Ferretti, Aldo (), titulado "Fundamentos históricos del Principio de Inexcusabilidad del Juez en el devenir jurídico hispánico y chileno", *Revista Chilena de Historia del Derecho, Universidad de Chile*, Año 1983, N° 9, pp. 155-164. *Y también en el estudio "Algunos antecedentes históricos sobre los Principios de Inexcusabilidad y Legalidad" de la Profesora Figueroa, María Angélica (1996) Revista de Estudios Histórico-Jurídicos, XVIII, Valparaíso, Chile.*

cada hombre sepa las leyes de los extraños para sí; pero cuando se trata de juzgar pleitos, defendémoslo y contradecimos que no las usen... porque abundan para hacer justicia las razones y las palabras y las leyes que son contenidas en este libro. Ni queremos que en adelante sean usadas las leyes romanas ni las extrañas".

La ley IX del mismo Libro de los Jueces prescribía: *"Ningún hombre de todo nuestro reino defendemos que no presente al juez para juzgar en ningún pleito otro libro de leyes sino este nuestro... Y si lo hiciere alguno, peche 30 libras de oro al rey. Y si el juez tomara el otro libro defendido, si no lo rompiere o no lo despedazare, reciba aquella misma pena".*

La Ley XI, por su parte, disponía qué ha de hacer el juez cuando no hay ley que decida el caso, ordenando que *"el señor de la ciudad, o el juez por sí mismo, o por su encargado haga presentar ambas las partes ante el rey para que el pleito sea tratado ante él ("que pleyto sea tratado antel") y sea terminado así sin más, y que se haga entonces ley".*

La Ley XII agregaba que *"Los príncipes tienen poder de añadir leyes en este libro todavía, y los pleitos que ya están iniciados y no están aún terminados, mandamos que sean terminados según estas leyes".*

La imposición de este temprano legalismo la explica el Prof. Alamiro de Avila señalando que *"La política de los reyes en esta materia es, fundamentalmente, la de imponer un sistema de derecho que contribuya a aumentar el poder de la monarquía"*[13].

Concluye el Prof. Topasio el Capítulo I de sus *"Fundamentos..."* señalando que *"... en conformidad a los preceptos del Libro de los Jueces, a falta de ley que resuelva el caso sometido a su decisión, el juez debe excusarse de pronunciar la propia decisión y deferir el asunto al rey para que éste lo defina".*

Sin embargo, no debe olvidarse que durante la Edad Media la potestad de hacer justicia estaba radicada en el monarca, de quien el juez era un simple delegatario de esa potestad que se ejercía en su nombre. De allí que la "excusa" del juez sólo significaba que, a falta de ley aplicable al caso, éste reenviaba el asunto al poder concentrado del rey quien no sólo era el titular de la potestad judicial sino también de la potestad legislativa, por lo que podía subsanar el vacío legal y, a continuación, resolver el asunto en conformidad a la nueva norma creada por él mismo. Quiero decir que –en mi modesta opinión– el deber de inexcusabilidad de hacer justicia continuaba vigente si resolvía el Rey.

Anota la Prof. María Angélica Figueroa que: *"Especial relevancia tiene al final del período altomedieval la dictación por las primeras Cortes del reino de León de los decretos aprobados por esta asamblea legislativa triestamental el año 1188, conocidos más tarde como "Carta Magna leonesa" por asimilación comparativa con la Carta Magna inglesa de 1215. Dicho texto, que rigió como derecho para todo reino, contiene en su mayoría, normas de tipo procesal. Entre ellas dispone que la denegación o retardo malicioso en la*

---

[13] Avila Martel, Alamiro de (1995) *"Curso de Historia del Derecho"*, t. I, Colección de Estudios Jurídicos y Sociales, Ed. Jurídica de Chile, Stgo., p. 219.

administración de justicia por parte del juez –y la carta leonesa entiende que existe retardo si "hasta el tercer día no se aplicara el derecho"– faculta al agraviado por la denegación o retardo para exigir del juez, una vez probado el hecho mediante testigos "pagar dobladas al querellante, tanto la cuantía de la demanda como los gastos"[14].

Durante la baja Edad Media –en lo que respecta al principio en estudio– merecen citarse el Código de las Siete Partidas del Rey Alfonso X, el Sabio, y el Fuero Real de España, otorgado por el mismo Rey, ambos en el s. XIII; los que resultan ser la continuidad del antiguo Libro de Los Jueces del s. VII.

En la Partida III, Título XXII, su Ley XI, se refería a *"Qué deben hacer los juzgadores cuando dudaren, y cómo deben dar su juicio"*; allí aparecía la siguiente minuciosa instrucción: Los jueces *"deben hacer escribir todo el pleito, como pasó ante ellos, bien y lealmente, y después hacerlo leer ante las partes, para que vean y entiendan si está escrito todo lo que fue razonado. Y si hallaren que alguna cosa está crecida o menguada o cambiada, débenla enderezar, y después sellar el escrito con sus sellos, y dar a cada una de las partes el suyo, para que lo lleven al Rey; y sobre todo esto deben los jueces hacer su carta, y enviarla al Rey, recontándole todo lo hecho, y la duda en que están. Y entonces el Rey, sabida la verdad, puede dar el juicio, o enviar decir a aquellos juzgadores, como lo den, si se quisiere"*.

Y en el Título XXVIII: *"Por qué leyes se pueden librar los pleytos"*, previendo qué debe hacerse en defecto de ley, Alfonso XI dispuso: *"Y si alguna contrariedad apareciere en las leyes sobredichas entre sí mismas, o en los fueros, o en cualquiera de ellos, o alguna duda fuere hallada en ellos, o algún hecho porque por ellos no se puede librar* [el pleito], *que Nosotros seamos requeridos sobre ellos, para que hagamos interpretación, o declaración o enmienda, y hagamos ley nueva, la que entendiéremos que cumple sobre ello, para que la justicia y el derecho sean guardados"*.

Por su parte, el Fuero Real de España, del año 1255, en su Libro I, Título VI, Ley V, expresaba lo siguiente: *"Bien sufrimos e queremos que todo home sepa otras leyes por ser más entendidos los homes, é más sabidores: mas no queremos, que ninguno por ellas razone, ni juzgue: mas todos los pleytos sean juzgados por las leyes de este libro, que nos damos a nuestro pueblo, que mandamos guardar: é si alguno aduxere otro libro de otras leyes en juicio para razonar, ó para juzgar por él, peche quinientos sueldos al Rey: pero si alguno razonare ley que acuerde con la deste libro, é las ayude, puede lo hacer, é no haya pena"*[15].

Anota el Prof. Topasio que desde la época de los Reyes Católicos en adelante el principio de inexcusabilidad de la justicia mantendría su vigencia, al menos en la legislación del Imperio español y de sus colonias. Así, la Pragmática de Madrid de 1499 que permitió excepcionalmente a falta de ley, la invocación en juicio de las opiniones de los jurisconsultos Bartolo, Baldo, Juan Andrés y del

---

[14]   Ver Figueroa, María Angélica: ob. cit., pp. 192-193.
[15]   "El Fuero Real de España", cit. por el Prof. Topasio, ob. cit., p. 157, nota 4.

Abad Panormitano, fue derogada por la Ley Primera de Toro, la que restaura, a falta de ley aplicable, la abstención del juez y el envío de todos los antecedentes al Rey para llenar el vacío legal y resolver el asunto en conformidad con la nueva ley que éste dicte.

La Reina Doña Isabel, por Real Cédula de 29 de marzo de 1503, expedida en Alcalá de Henares −en caso de duda insuperable del sentido de la ley− dispone: *"Si por ventura algún pleito fuere tan dudoso e intrincado, que parece que no se puede determinar bien la justicia, y que se debe mandar comprometer, los dichos Presidente y Oidores no lo hagan, sin consultarlo primero con Nos, y nos envíen la razón del negocio que fuere, con los votos de los Oidores que lo hubieren visto y con las causas que les movieren, para que Nos mandemos lo que se debe hacer".*

El principio de inexcusabilidad se mantendrá incólume en las Leyes 3 y 7 del Título I, y en la Ley 13 del Título V, ambos del Libro II de la Nueva Recopilación y en las Leyes 3 y 7 del Título II del Libro III de la Novísima Recopilación[16].

Respecto al derecho aplicable en las colonias españolas, la Prof. María Angélica Figueroa destaca lo siguiente:

"Pasemos finalmente al derecho indiano, el que como sabemos, fue creado como un derecho particular para América, el cual en los amplios vacíos respecto de materias no reguladas de modo especial, como derecho penal, civil, procesal, debía ser suplido por el derecho castellano de acuerdo al orden de prelación de las Leyes de Toro. Este, sabemos, cerraba la creación de derecho en torno al rey de modo expreso, con las salvedades que ya hemos advertido sobre la supremacía del derecho natural.

"Sólo la vigencia del derecho positivo indiano castellano supeditado al contenido de un concepto valorativo de derecho natural puede explicarnos funciones como las de las audiencias americanas respecto de la "suplicación de la ley injusta" frente a la cual la audiencia dejaba a salvo el reconocimiento de la legitimidad de la potestad real para legislar mediante el "acatamiento" de la ley, pero se hallaba obligada a suspender la aplicación de la ley y a "suplicarla" en los casos en que su contenido fuera "injusto". Como sabemos, en la práctica el mecanismo se utilizó correcta e incorrectamente, en nuestro análisis interesa en la medida que es una comprobación de la apertura del sistema hacia la equidad. Sólo del mismo modo es posible explicar la adaptación al tiempo, al lugar y a las circunstancias que se dio a las Partidas en América según nos testimonia la jurisprudencia indiana en la medida en que se ha ido trabajando sobre ella. Creemos que en América indiana imperó un sistema de arbitrio judicial que con diversos controles tendientes a evitar la arbitrariedad permitió a los jueces hacer prevalecer, sobre el texto positivo que resolviera el caso, la formulación de fallos

---

[16]   Topasio, Aldo: Ob. Cit., p. 161 y nota 11.

basados en la equidad. El juez no estaba obligado a fundamentar de modo expreso su sentencia"[17].

Cabe señalar que, concluida la reconquista, la Constitución de 1818 ratificó la vigencia de *"las leyes, cédulas y pragmáticas que hasta aquí han regido a excepción de las que pugnan con el actual sistema liberal de gobierno. En este caso consultarán con el Senado, que proveerá remedio"*[18].

El proceso de formación del derecho republicano en esta materia lo dejamos resumido en el punto 1 de este trabajo.

6. JURISPRUDENCIA DE LA EXCMA. CORTE SUPREMA EN APLICACIÓN DE DICHO PRINCIPIO

Pese a la antigüedad de la vigencia imperativa de esta obligación jurisdiccional, nuestros jueces no siempre han sabido asimilar la trascendencia de este deber ministerial ni en virtud del Art. 9° de la Ley Orgánica de los Tribunales de 1875 –reiterado en el Art. 10° del Código Orgánico de 1943– y ni siquiera por la fuerza vinculante del Art. 76 de la Constitución Política de 1980, actualmente vigente.

Resulta más cómodo para algunos jueces eludir su obligación de abordar la cuestión que se les plantea con el pretexto inadmisible de no hallarse resuelta expresamente por la ley, que resolver materias que –a veces– son un simple ejercicio de lógica y, en todo caso, son materia esencial de su deber de impartir justicia[19]-[20].

---

[17]   Figueroa, María Angélica: ob. cit., p. 194.

[18]   Título V: "De la Autoridad Judicial", Capítulo Primero, Art. 2°, de la Constitución de 1818.

[19]   El 09-IV-2018, la titular del 5° Juzgado Civil de Valparaíso, en el Rol C-2528-2013, por expropiación, proveyendo la designación de perito del Fisco y luego de acogerla, resolvió: *"... Notifíquese a fin que acepte el cargo, debiendo evacuar su informe pericial dentro de 20 días hábiles, contados desde que acepte dicho cargo y jure desempeñarlo fielmente"*. Como el tribunal no fijó plazo para dicha notificación, el expropiado lo solicitó para poder hacer cumplir lo resuelto, fundándose además en el Art. 238 del C.P.C. Contestando el traslado, el Fisco alegó que el D.L. 2.186 sobre Procedimiento Expropiatorio no contempla ningún plazo para ello. El tribunal negó lugar a lo solicitado. La afectada pidió reposición de lo resuelto fundándose además en 5 sentencias de la Corte Suprema y la Juez Titular, después de considerar el traslado del Fisco, rechazó el recurso de reposición en virtud de los mismos argumentos de la resolución recurrida, concediendo sólo la apelación subsidiaria interpuesta.

[20]   En el proceso Rol V-37-2016 sobre consignación expropiatoria, el 2° Juzgado Civil de Valparaíso, por resolución de 03-I-2017, accedió a la solicitud del Fisco de autorizarle a la toma de posesión material del bien expropiado, sin fijarle fecha para ello. Luego el Fisco publicó en el Diario Oficial del 15-II-2018 su petición de toma de posesión material, advirtiendo que el expropiado tiene plazo de 5 días para recoger los frutos pendientes. El expropiado hizo uso de este derecho, solicitó plazo para su recolección y pidió al tribunal que fijara día y hora para la toma de posesión, ya que

En este estudio sólo haremos referencia a los cinco fallos de nuestra Excma. Corte Suprema (E.C.S.) que en intervenciones recientes han hecho severa aplicación del principio en estudio.

6.1. Rol N° 19.993/2016

Con fecha 4-VIII-2016, la Tercera Sala de la E.C.S., integrada por los Ministros Sr. Sergio Muñoz G., Sr. Pedro Pierry A., Sra. Rosa Egnem S., y Sra. María Eugenia Sandoval G., y el Abogado Integrante (A.I.) Sr. Jorge Lagos G., en el Rol N° 19.993/2016 (Queja contra la I. Corte de Apelaciones de Santiago), en su Considerando 9°, estableció lo siguiente:

> *"9°) Que tales reflexiones ponen de manifiesto que la decisión de los sentenciadores de la Corte de Apelaciones de Santiago ha sido errada, pues la revocación del acto administrativo impugnado por el Banco del Estado de Chile no impide que el Tribunal de Contratación Pública se pronuncie respecto de su legalidad, la que no fue declarada ni reconocida por el Municipio reclamado al decidir ejercitar dicha facultad revocatoria, desde que, por el contrario, la decisión del ente edilicio se ha fundado exclusivamente en razones de mérito, conveniencia u oportunidad.*
>
> *"En estas condiciones y teniendo presente los deberes que sobre el citado tribunal recaen, particularmente el de inexcusabilidad prescrito en la Constitución Política de la República, forzoso es concluir que la sentencia de la Corte de Apelaciones de Santiago de treinta de marzo del año en curso acogió equivocadamente la reclamación prevista en el artículo 26 de la Ley N° 19.886, por cuanto ha quedado establecido que el Tribunal de Contratación Pública no sólo se hallaba facultado sino que, aun más, estaba obligado a pronunciarse acerca de la legalidad del acto administrativo impugnado. En tales circunstancias esta Corte, en uso de su facultad para obrar de oficio, debe enmendar el error en que se ha incurrido".*

Y, en su parte resolutiva –después de haber desechado el recurso de queja por no ser procedente y actuando de oficio– dejó sin efecto la sentencia recurrida de la I. Corte de Apelaciones de Santiago y –en su lugar– desestimó el recurso de reclamación interpuesto contra el fallo del Tribunal de Contratación Pública.

–a contar de esa fecha– corre un plazo fatal de caducidad del derecho a reclamar del monto de la indemnización. Contestando el traslado, el Fisco arguyó que: *"No hay norma alguna que establezca que es Su Señoría quién deba fijar una fecha determinada para la realización de dicha diligencia…"*. El Tribunal, por resolución de 25-VI-2018, fundándose en *"Que, de acuerdo al D.L. 2.186, los trámites solicitados por el expropiado, no están contemplados"*, dispuso *"Que se rechaza lo pedido por el expropiado, sin costas"*.

6.2. Rol N° 55.305-2016

Con fecha 04-IV-2017, la Tercera Sala de la E.C.S., integrada por los Ministros Sr. Sergio Muñoz G., Sra. Rosa Egnem S., Sra. María Eugenia Sandoval G., y Sr. Carlos Aránguiz Z., y el A.I. Sr. Juan Eduardo Figueroa V., en el Rol N° 55.305-2016 (Queja), en sus Considerandos 7° y 15°, razonó así:

> *"Séptimo: Que, en primer lugar, se debe señalar que, si bien los magistrados tienen un margen de interpretación de la ley, no es menos cierto que ésta debe ejercerse dentro del marco de aquélla. La relevancia de lo anterior radica en que los jueces, deben aplicar las normas que el ordenamiento jurídico contempla para resolver la controversia que ha sido puesta en su conocimiento, sin que puedan soslayar su existencia por atender a circunstancias fácticas que, a su juicio, podrían hacer estéril un pronunciamiento conforme a las normas específicas que regulan el caso concreto. Justamente, esta fue la conducta en la que incurren las juezas recurridas, toda vez que aquellas rechazan la reclamación interpuesta por haber entregado el órgano público, esto es, la Comisión de Energía Nuclear, la información relacionada con la lista de clientes que adquieren el litio concesionado a la quejosa, atendiendo a una conducta material, abstrayéndose de la cuestión jurídica que se debía resolver, amparando con ello una conducta que, de buena o mala fe, contraría el régimen de publicidad establecido en la Ley N° 20.285. Tal conducta, constituye por sí sola una falta o abuso grave, toda vez que aquellas han dejado de aplicar normas expresas que regulan la materia, so pretexto de estimar inútil la acción, puesto que, a su juicio, cualquiera que sea la resolución, ya no pueden impedir la entrega de la información, razón por la que estiman que el arbitrio perdió oportunidad. Tal razonamiento es abusivo, puesto que, como se dijo, existiendo normas constitucionales y legales que regulan la materia, aquellos deben aplicarlas, sin atender a los efectos de su decisión, pues su labor es aplicar el derecho para resolver la controversia que fue puesta en su conocimiento".*

El mismo fundamento agrega más adelante que *"De este modo, se constata que las recurridas efectivamente incurrieron en falta o abuso grave, puesto que a pretexto de circunstancias fácticas ajenas al litigio se han abstenido de resolver la controversia sometida a su conocimiento, desconociendo no sólo la aplicación de la normativa que regula el acceso a la información pública y las respectivas causales de reserva, vulnerando los artículo 8° de la Constitución Política de la República y 21 N° 2 de la ley de Transparencia, sino que además contravienen el mandato expreso contenido en el artículo 76 de la Carta Fundamental, que consagra el principio de inexcusabilidad, conforme al cual los jueces se encuentran obligados a resolver el conflicto de relevancia jurídica puesto en su conocimiento, a través de la aplicación de las normas jurídicas que regulan la materia, entregando así tutela judicial efectiva a quienes acuden a la judicatura".*

Y luego, el Considerando 15° remata así:

> *"Décimo quinto: Que, al haber obrado en la forma descrita en los fundamentos séptimo, octavo y noveno, las magistradas recurridas han actuado con abuso, puesto que omitieron la aplicación de texto normativo expreso que resolvía la controversia puesta en su conocimiento, faltando al principio de inexcusabilidad, al establecer que el reclamo de ilegalidad perdió oportunidad, fundadas en circunstancias ajenas a la normativa que regula la materia, según se analizó en el considerando séptimo. Asimismo, como se razonó en el fundamento octavo, validaron con grave falta, un examen realizado por el órgano público respecto de la publicidad de la información, en circunstancias que éste, conforme con lo establecido en el artículo 20 de la Ley N° 20.285, carece de atribuciones para tales efectos. Finalmente, de manera abusiva, omiten todo análisis de la causal de reserva invocada por el actor respecto de la entrega del listado de sus clientes que adquieren el litio exportado, soslayando el análisis de las normas referidas en los fundamentos décimo a décimo cuarto, expresando una conclusión resolutiva carente de razonamientos jurídicos, constatándose así la efectividad de la denuncia esgrimida por la quejosa".*

Y, en lo resolutivo, la Corte Suprema acogió el recurso de queja interpuesto en contra de la I. Corte de Santiago, dejando sin efecto su sentencia de 18-VIII-2016, motivo de la queja; y, en su lugar, dejó parcialmente sin efecto el amparo otorgado por el Consejo para la Transparencia en orden a dar a conocer el listado de adquirientes del litio exportado por S.Q.M., por su carácter reservado.

6.3. Rol N° 832-2018

Con fecha 18-IV-2018, la Primera Sala de la E.C.S., integrada por los Ministros señor Guillermo Silva G., señoras Rosa María Maggi D., Rosa Egnem S., Gloria Ana Chevesich R., y el Ministro Suplente señor Rodrigo Biel M., en el Rol N° 832-2018, no obstante rechazar –por improcedente– el Recurso de queja interpuesto en contra de la I. Corte de Santiago por la dictación de la sentencia materia del recurso, y actuando de oficio, resolvió la controversia fundándose en la infracción del principio de inexcusabilidad de la manera siguiente:

> *"Sexto:* (En lo pertinente) *Sin perjuicio de lo resuelto, actuando esta Corte de oficio tiene presente lo que sigue".*

A continuación, el fallo hace una prolija descripción del reclamo judicial dirigido en contra de una resolución de la Dirección Nacional del Trabajo, la cual denegó el recurso jerárquico esgrimido en contra del acto administrativo dictado por un órgano dependiente de ella.

En la audiencia verificada, ante el Juzgado del Trabajo, la Dirección Nacional interpuso una excepción de incompetencia absoluta del tribunal, fundándose en el Art. 360 del Código del Trabajo, cuyo inciso 11° prescribe que la decisión recurrida *"Sólo será reclamable ante la Dirección Nacional del Trabajo"*.

El Juzgado del Trabajo acogió dicha excepción, declarando su incompetencia; resolución que, una vez apelada, fue confirmada por la I. Corte de Apelaciones de Santiago.

El Considerando Sexto del fallo de la E.C.S. luego de rechazar, en su segundo párrafo, el recurso de queja en sus numerales 3°, 4° y 5° prosigue así:

> *"3° Que es precisamente del tenor de la última frase recién transcrita que los jueces desprenden que, con la reclamación allí aludida no sólo queda agotada la sede administrativa, sino que además las partes involucradas quedan privadas del derecho a acudir a la jurisdicción y, por ende, que los tribunales de justicia estarían impedidos de ejercer el cometido que les es propio, lo que traduce una clara vulneración de los principios básicos que gobiernan un estado de derecho.*
>
> *"4° Que, en efecto, y aun cuando se acude por los jueces al concepto de incompetencia absoluta, lo cierto es, que en estricto rigor se priva a los involucrados, en la especie al recurrente, de su derecho de acceder a la jurisdicción, desatendiendo con ello, entre otros, el principio de inexcusabilidad que nuestra Constitución Política de la República consagra en el artículo 76, texto que reconoce exclusivamente a los tribunales establecidos en la ley la facultad de conocer las causas civiles y criminales, de resolverlas y hacer ejecutar lo juzgado".*

Añade el texto que:

> *"...reclamada su intervención en forma legal y en negocios de su competencia, no podrán excusarse de ejercer su autoridad, ni aun por falta de ley que resuelva la contienda o asunto sometido a su decisión. Esta última prevención es reiterada en el artículo 10 del Código Orgánico de Tribunales. El recién referido principio de inexcusabilidad debe necesariamente ser vinculado a la noción de debido proceso y, específicamente con el ejercicio del derecho de acción, en cuanto prerrogativa de naturaleza fundamental que incluye no sólo el acceso a la justicia sino también el amparo y tutela efectiva del derecho sustantivo que se reclama (así lo proponen los profesores Luis Guilherme Marinoni, Alvaro Pérez Ragone, y Raúl Núñez Ojeda, en su obra "Fundamentos del proceso civil. Hacia una teoría de la adjudicación", de Abeledo Perrot Legal Publishing Chile, 2010, pp 195-206). De esta manera, no es extremo reconducir este concepto a la idea de que la inexcusabilidad, además de expresarse como una prohibición al juez de eludir la decisión de la cuestión que se somete a su conocimiento, también configura la prohibición de apartar del control jurisdiccional cualquier asunto que, cumpliendo las exigencias del artículo 76 de la Constitución Política de la República, deba caer bajo el amparo del órgano jurisdiccional correspondiente, conclusión que se ve claramente reafirmada y complementada con el tenor del inciso segundo del artículo 38 de la Carta Magna, al señalar que "Cualquier persona que sea lesionada en sus derechos por la Administración del Estado, de sus organismos o de las municipalidades, podrá reclamar ante los tribunales que determine la ley, sin perjuicio de la responsabilidad que pudiere afectar al*

funcionario que hubiere causado el daño". Ninguna duda cabe que en la especie se está en presencia de un conflicto de relevancia jurídica que genera y hace operativo el poder-deber entregado a los tribunales para conocer de él y de resolverlo por la vía del instrumento denominado proceso, y con efecto de cosa juzgada.

"5° Que en concordancia con lo anterior, no es posible soslayar que el ordenamiento jurídico, partiendo por la Carta Magna, otorga al ciudadano la garantía básica de un justo y racional procedimiento para ser sustanciado y resuelto ante un juez imparcial, que debe sujetarse a la ritualidad que la ley contempla para llevar adelante el proceso, y, lo que es de suyo relevante, quedando aquél también sujeto al sistema de ponderación de las pruebas que ha predeterminado el legislador".

Más adelante, en el numeral 12° del mismo Considerando Sexto, la E.C.S. concluye así:

"12° Que en las condiciones ya señaladas, resulta claro que al acoger la excepción de incompetencia absoluta interpuesta por la Dirección del Trabajo en la audiencia del 5 de octubre de 2017, se incurrió en un error que privó a la parte reclamante de la adecuada sustanciación del procedimiento al que se había dado curso en la causa Rit I-405-2017, del Primer Juzgado de Letras del Trabajo con arreglo a lo previsto por el artículo 504 del Código del ramo, yerro que hizo suyo la Corte de Apelaciones al confirmar la decisión en comento, anomalía la indicada, que esta Corte debe enmendar en uso de sus atribuciones".

Finalmente, en la parte resolutiva, el fallo de la E.C.S. decidió que:

"Por estos fundamentos, y actuando de oficio esta Corte, se deja sin efecto la resolución de tres de enero pasado, dictada por la Corte de Apelaciones de Santiago, en cuanto confirmó la de primer grado que acogió la excepción de incompetencia deducida por la Dirección del Trabajo y en su lugar se decide que se revoca tal decisión, y en consecuencia se declara que la excepción de incompetencia absoluta queda desestimada, debiendo el tribunal a quo disponer la prosecución del procedimiento por el juez no inhabilitado que corresponda".

6.4. Rol N° 7.342-2018

Con fecha 25-VII-2018, la Cuarta Sala de la E.C.S., integrada por los Ministros señora Rosa Egnem S., señor Ricardo Blanco H., señora Gloria Ana Chevesich R., y los A.I. señora Leonor Etcheberry C., y señor Iñigo De la Maza G., en el Rol N° 7.342-2018, pronunciándose sobre un recurso de queja interpuesto en contra de la Décima Sala de la Corte de Apelaciones de Santiago, la que confirmó la sentencia dictada por el Juez del Trabajo, quien declaró su incompetencia absoluta para conocer de la reclamación deducida en contra del Director Nacional del Trabajo, fundándose en el inciso 11° del Art. 360 del Código del Trabajo que prescribe que la resolución de la Dirección Regional del Trabajo *"sólo será reclamable ante la Dirección Nacional del Trabajo"*.

A esta materia nos referimos en el párrafo 4 de la sentencia precedente; y la Cuarta Sala de la E.C.S. reproduce los fundamentos básicos del fallo referido de la Primera Sala, por lo que sólo haremos referencia a las consideraciones agregadas a este fallo.

En su Considerando Sexto, numeral 10°, la Cuarta Sala precisa:

> *"10° Que es en el contexto de lo hasta aquí descrito y en concordancia con los principios y normas supra legales y aquellas legales citadas, que sólo cabe concluir que el artículo 360 en su inciso undécimo no pudo ser interpretado sino conforme a su tenor y prístino sentido, lo que significa que no es posible atribuirle otro alcance que el de demarcar el agotamiento de la vía administrativa, pero en modo alguno impedir o privar al afectado con la decisión de la Dirección Nacional del Trabajo, de acudir a la sede jurisdiccional. Lo expresado guarda coherencia con lo dispuesto por el artículo 19 N° 26 de la Constitución Política de la República, y con el ordenamiento jurídico internacional que reconoce el derecho a recurrir ante el juez correspondiente para los efectos de resolver las controversias surgidas en el ámbito de la libertad sindical, contexto en el cual se inserta la problemática que aquí se trata. Así lo reconoce, por ejemplo, el Comité de Libertad Sindical del Consejo de Administración de la OIT, que al pronunciarse a propósito del derecho de huelga, y específicamente, acerca de sus restricciones, como las referidas a los servicios mínimos, en específico, respecto las situaciones y condiciones en que puede imponerse tal calificación, señala que "un pronunciamiento definitivo y con completos elementos de apreciación sobre si el nivel de servicios mínimos fue o no el indispensable sólo puede realizarse por la autoridad judicial, toda vez que supone en particular un conocimiento en profundidad de la estructura y funcionamiento de las empresas y establecimientos concernidos y del impacto efectivo que tuvieron las acciones de huelga" (en "La libertad sindical – Recopilación de decisiones y principios del Comité de Libertad Sindical del Consejo de Administración de la OIT". Quinta edición revisada, 2006, p. 133, disponible en el sitio web de dicho organismo)".*

Cabe señalar que en el encabezamiento del mismo Considerando 6°, la E.C.S. rechazó el recurso de queja, materia de este proceso, y prosiguió actuando de oficio.

Por lo cual, en la parte resolutiva, el fallo concluyó así:

> *"Por estos fundamentos, y actuando de oficio esta Corte, se deja sin efecto la resolución de trece de abril último, dictada por la Corte de Apelaciones de Santiago, en cuanto confirmó la de primer grado que declaró la incompetencia del tribunal para conocer de la reclamación deducida, y, en su lugar, se decide que se revoca tal decisión, y en consecuencia, se declara que el tribunal a quo*

deberá disponer la prosecución del procedimiento por el juez no inhabilitado que corresponda".

6.5. Rol N° 2.573-2019

En fecha aún más reciente, el 06-II-2019, la Tercera Sala de la E.C.S., Integrada por los Ministros Sr. Sergio Muñoz G., Sr. Ricardo Blanco H. y Sra. Angela Vivanco M., el Ministro Suplente Sr. Rodrigo Biel M. y el A.I. Sr. Antonio Barra R., en el Rol N° 2.573-2019, aludió a su *"deber de inexcusabilidad"* frente a una resolución del Excmo. Tribunal Constitucional que –en un requerimiento de inaplicabilidad por inconstitucionalidad– habría ordenado la suspensión de un procedimiento, el que no incluía el proceso en que dicha suspensión aparente había sido solicitada.

Luego de aclarar, en el Considerando Tercero, que la suspensión del procedimiento se refiere a un proceso distinto al que es materia de esta sentencia, la Excma. Corte Suprema declara lo siguiente:

> *"Cuarto: Que, como se lee, la suspensión del procedimiento no puede entenderse extensiva al conocimiento y resolución del presente recurso de hecho, pues sus efectos han quedado expresamente delimitados por la petición formulada por las propias requirentes, restringiéndolo a un único y singular ingreso: El rol N° 254-2019 de esta Corte Suprema; conclusión que, por lo demás, se ve reafirmada por la excepcionalidad de dicha medida suspensiva, y por el deber de inexcusabilidad que la Constitución Política de la República y la Ley imponen a esta magistratura"*.

Finalmente, en la parte resolutiva, acoge el recurso de hecho interpuesto por CONADECUS en contra de una resolución del Tribunal de Defensa de la Libre Competencia, que se deja sin efecto y niega lugar al recurso de apelación subsidiario interpuesto por Entel S.A. en los autos Rol C-275-2014 de dicho Tribunal especial.

Queda en claro la estricta sujeción de la Excma. Corte Suprema al principio fundamental en estudio, en virtud del cual ha sabido rectificar la actuación indebida de tribunales ordinarios y especiales de jerarquía inferior.

7. CONSECUENCIAS DE LA INFRACCIÓN DE ESTE DEBER JURISDICCIONAL

El carácter fundamental del deber de inexcusabilidad se traduce en definitiva en el deber de todo Tribunal de hacer justicia. Ésta corre el riesgo de diferirse y hasta denegarse por eludir el juez su obligación esencial.

Piénsese en las funestas consecuencias jurídicas que habría traído –en los cinco casos relatados en el capítulo precedente– la falta de intervención oportuna de la Excma. Corte Suprema en todos esos procesos, en algunos de los cuales –rechazando la vía de la queja escogida por el recurrente– la Excma. Corte actuó de oficio cargando sobre ella el deber de inexcusabilidad de todo tribunal de justicia que había quedado desprovisto de resguardo y resolvió acertadamente la irregularidad procesal cometida por el sentenciador recurrido; y, en otros, señaló claramente el camino a retomar con sujeción al principio de inexcusabilidad.

Ahora bien, cuando la actitud excusatoria del juez se traduce en su abstención de resolver un asunto que dilata indebidamente el curso del proceso –como en los ejemplos de las Notas 18 y 19– se produce un retardo injustificado de la justicia. Y –como se sabe– "justicia tardía no es justicia".

Cuando la actuación del juez consiste en eludir la legislación aplicable en una materia de su competencia, dando lugar a otra legislación eventual en la que carece de competencia, su actitud no sólo infringe las reglas de la competencia sino que contraviene abiertamente su deber de inexcusabilidad y su obligación de resolver una materia legislada en la que ha sido requerido y en la cual es claramente competente[21].

---

[21]   Con fecha 1°-II-2018, en el Rol C-2893/2016, la Juez Titular del 5° Juzgado Civil de Valparaíso, resolviendo una incidencia de derogación legal, dictó la siguiente resolución:
"VISTOS Y TENIENDO PRESENTE:
1. Que, con fecha 17 de enero de 2018, comparece (N.N.) *en representación Agrovivo S.A., interponiendo incidente de previo y especial pronunciamiento, a fin que se declare la derogación de la expresión "el expropiante", contenida en el artículo 12 del D.L. 2.186, esgrimiendo para ello, su inconstitucionalidad* (sic.), *en virtud de los fundamentos que expresa.*
"2. Que, el Fisco de Chile evacuando el traslado, el 25 de enero de 2018, solicita el rechazo del incidente, toda vez que sus fundamentos son los de una acción de inaplicabilidad que no debe deducirse en este Tribunal.
"3. Que, el artículo 93 N° 6 de la Constitución Política de la República, señala que la inaplicabilidad de un precepto legal que resulte contrario a la Carta Fundamental, que se suscite en una gestión ante un tribunal ordinario, es de competencia del Tribunal Constitucional.
4. Que, de acuerdo al mérito de los antecedentes y teniendo en especial consideración, la norma Constitucional citada, aparece de manifiesto que este Tribunal no es competente para pronunciarse respecto a lo solicitado (sic.) *por Agrovivo S.A., en virtud de lo cual se resuelve que:*
"SE RECHAZA, incidente de previo y especial pronunciamiento deducido a lo principal de la presentación de 17 de enero de 2018, con costas".
Solicitada su reposición, haciendo ver que la incidencia versaba sobre la derogación de una norma legal, y que la cuestión de inaplicabilidad había sido introducida por el Fisco de Chile, la misma ma-

7.1. Consecuencias procesales de su infracción

Estas consecuencias van a depender de la naturaleza de la resolución que contenga la infracción al deber de inexcusabilidad y –por ende– de los recursos procesales que se admitan en su contra[22].

Así, si se trata de un auto o de un decreto, éstos son susceptibles del recurso de reposición, conforme al Art. 181 del Código de Procedimiento Civil (C.P.C.). Y aun cuando –por la regla general del Art. 188 del mismo cuerpo legal– ellos no son apelables, excepcionalmente lo son cuando la resolución impugnada altera la substanciación regular del juicio o cuando recae sobre trámites que no están expresamente ordenados por la ley, según lo autoriza la misma disposición. Es el caso de los ejemplos citados en las Notas 10 y 11 de este estudio.

De acuerdo al Art. 766 del C.P.C., si la resolución que afecta el deber de inexcusabilidad está contenida en una sentencia definitiva puede ser susceptible del recurso de casación en la forma siempre que dicho deber recaiga en alguna de las causales contempladas en el Art. 768 del C.P.C., especialmente en los motivos 5° y 9°; y siempre que se dé cumplimiento a los demás requisitos de procedencia que exige la ley procesal.

También procederá la casación en la forma contra las sentencias interlocutorias cuando ellas pongan término al juicio o hagan imposible su continuación, de acuerdo al mismo Art. 766 del C.P.C.

El recurso de casación en el fondo tiene lugar –conforme al Art. 767 del C.P.C.– en contra de las sentencias definitivas inapelables y en contra de las interlocutorias inapelables cuando ellas ponen término al juicio o hacen imposible su continuación. Estas sentencias deben haberse pronunciado con infracción de

---

gistrada insistió en que se trataba de una inconstitucionalidad y rechazó la reposición, concediendo la apelación subsidiaria.

La Segunda Sala de la I. Corte de Valparaíso, el 26-VI-2018, resolviendo el incidente cuya suma dice: "Como incidente de previo y especial pronunciamiento opone la derogación de la disposición contenida en el Art. 12 del D.L. 2.186 que sirve de fundamento a la demanda, etc.", dispuso lo siguiente:

"II. En cuanto al incidente de lo principal de la presentación de 17 de enero de 2018. Atendido el mérito de los antecedentes, los fundamentos de la resolución recurrida y entendiendo que en la especie lo que se reclama es la inconstitucionalidad (sic.) de un precepto legal, se considera al efecto, que el control de constitucionalidad concreto que la Carta Fundamental entrega en el numeral sexto del artículo 93 de su texto reformado el año 2005, corresponde en forma exclusiva y excluyente al Tribunal Constitucional, se confirma la resolución de uno de febrero de dos mil dieciocho, escrita a fojas 19 de esta carpeta judicial".

Aquí no sólo ambos tribunales eludieron pronunciarse sobre la incidencia de derogación en la que ambos eran competentes sino que, además, declararon la competencia del Tribunal Constitucional, que no la tiene para declarar la derogación de una norma legal (Art. 93-CPR.), siendo ésta de la competencia propia de la justicia ordinaria.

[22] La definición de las distintas clases de resoluciones judiciales está contenida en el Art. 158 del C.P.C.

ley –con mayor razón, el recurso es procedente si ellas infringen la Constitución– y siempre que dicha infracción haya influido substancialmente en lo dispositivo de la sentencia.

7.2. Consecuencias disciplinarias de la infracción del deber de inexcusabilidad

Conforme al Art. 82 de la Constitución Política, la Excma. Corte Suprema tiene la superintendencia directiva (jerárquica), correccional (disciplinaria) y económica (administrativa) de todos los tribunales ordinarios de la República.

Los tribunales superiores, que incluyen a las Cortes de Apelaciones, en uso de sus facultades disciplinarias, sólo podrán invalidar resoluciones jurisdiccionales en los casos y forma que establezca la ley orgánica constitucional respectiva.

Por su parte, el Título XVI del Código Orgánico de Tribunales trata "De la Jurisdicción Disciplinaria" y de otras materias afines.

Interesa destacar la expresión "correccional" que utiliza la Constitución al referirse a esta jurisdicción. E interesa hacerlo porque la razón y la finalidad principal de este ejercicio del poder consiste en corregir los errores, las faltas o los abusos que puedan cometer los tribunales inferiores al titular de esta potestad, en el ejercicio de su función jurisdiccional.

La sanción que pueda merecer quien dictó la resolución errónea o reprobable constituye una consecuencia eventual –no siempre procedente– y secundaria del objetivo principal.

El artículo 545 del C.O.T. prescribe: *"El recurso de queja tiene por exclusiva finalidad corregir las faltas o abusos graves cometidos en la dictación de resoluciones de carácter jurisdiccional. Sólo procederá cuando la falta o abuso se cometa en sentencia interlocutoria que ponga fin al juicio o haga imposible su continuación o definitiva, y que no sean susceptibles de recurso alguno, ordinario o extraordinario, sin perjuicio de la atribución de la Corte Suprema para actuar de oficio en ejercicio de sus facultades disciplinarias".*

7.3. Consecuencias penales de la infracción de este deber

Si un juez incurre en la infracción de este deber fundamental, puede ser sancionado por dos tipos penales de prevaricación, según el caso, que contempla bajo esta denominación el párrafo 4 del Título V del Libro II del Código Penal.

Dice el Prof. Edgardo López Pescio a este respecto: *"Si los jueces no cumplen este principio o violan las normas legales en las cuales está contenido, pueden incurrir en responsabilidad penal, ya que la ley establece que los jueces serán penados 'Cuando maliciosamente nieguen o retarden la administración de justicia y el auxilio o protección que legalmente se les pida', de acuerdo con el artículo 224 N° 3 del Código Penal o cuando 'Negaren o retardaren la administración de justicia y el auxilio o protección que legalmente se les pida'*, como lo dispone el artículo 225 N° 3 del citado Código Penal"[23]. En este segundo caso, deben haber obrado con negligencia o ignorancia inexcusables.

CONCLUSIONES

La inexcusabilidad resolutiva es un principio rector de la función jurisdiccional. Consiste en la obligación de todo tribunal de resolver la contienda o asunto sometido legalmente a su decisión y que esté dentro de competencia, debiendo hacerlo conforme a las normas que lo regulan y, en su ausencia, de acuerdo a las demás fuentes del derecho disponibles. Este principio jurídico está positivado en el artículo 10° del Código Orgánico de Tribunales y fue elevado al rango de norma constitucional al ser incluido en el Art. 76 de la actual Carta Fundamental de Chile.

Su trascendencia es tan evidente, por hallarse ligado a la realización de la justicia, que forma parte de la seguridad jurídica de la nación, de la confianza pública en la vigencia de aquélla y de la concreción de la dignidad de la persona pues, sin la certeza de que rige la justicia, ésta se desvanece como toda apariencia ilusoria.

Este deber –así como las prerrogativas de la función jurisdiccional– tienen fundamento en la soberanía del Estado.

La inexcusabilidad resolutiva es un deber ineludible de todo tribunal de justicia que se hace exigible ante cualquier requerimiento judicial que se le haga en conformidad a la ley y en materias de su competencia.

Aunque pareciera ser que el deber de inexcusabilidad resolutiva nació a raíz del proceso de codificación que se inicia a comienzos del s. XIX, lo cierto es que su origen se remonta, al menos, a la temprana Edad Media, hallándose claramente establecido en el "Libro de los Jueces" del año 654 de nuestra era, manteniéndose vigente en toda la historia del Imperio Español y de sus Colonias.

En el caso de Chile, se advierte que, a veces, algunos tribunales especiales como son los que se mencionan en la jurisprudencia de la Excma. Corte Suprema, y también algunos tribunales ordinarios de justicia, como los que se señalan en las Notas 18, 19 y 20, incumplen el deber de inexcusabilidad.

Finalmente, las consecuencias de la infracción del principio positivado de inexcusabilidad resolutiva, pueden ser resueltas ya sea mediante el ejercicio de los recursos procesales ordinarios –según sea la naturaleza de la resolución que la contiene– ya sea mediante el ejercicio del recurso extraordinario de la queja,

---

[23] López Pescio, Edgardo (1987) "Nociones Generales de Derecho Procesal" - (Derecho Procesal Orgánico), Tomo I, Edeval, Valparaíso, pp. 260-261.

como la acreditan algunos de los fallos de la Excma. Corte Suprema descritos en el Capítulo 6; o bien, haciendo efectiva la responsabilidad penal de el o de los jueces que incurren en tales infracciones.

El día en que todos los jueces tomen conciencia del tremendo poder que tienen en sus manos y –sobre todo– de la decisiva contribución que su buen ejercicio haría al reinado de la justicia, de la paz social y de la dignidad de la persona en nuestra Nación, habremos dado un enorme salto cualitativo, superando la denegación de justicia, las dilaciones injustificadas y la desesperación que provoca en sus víctimas la inobservancia del deber de inexcusabilidad.

BIBLIOGRAFÍA

Avila Martel, Alamiro de (1995) *"Curso de Historia del Derecho"*, t. I, Colección de Estudios Jurídicos y Sociales, Ed. Jurídica de Chile, Stgo.

Ballesteros Ríos, Manuel (1890) *"La Lei de Organización i Atribuciones de los Tribunales de Chile"*, Ed. Nacional, Stgo.

Casarino Viterbo, Mario (2015) *"Manual de Derecho Procesal"*, t. I, Ed. Jurídica de Chile, Stgo.

Fernández González, Miguel Ángel (2014) *"El Principio Constitucional de Inexcusabilidad"*, Revista de Derecho Público, vol. 80, 1er. Sem., Universidad de Chile.

Figueroa Quinteros, María Angélica (1996) *"Algunos Antecedentes Históricos sobre los Principios de Inexcusabilidad y Legalidad"*, Revista de Estudios Histórico-Jurídicos, XVIII, Valparaíso, Chile.

Guasp, Jaime (1961) *"Derecho Procesal Civil"*, Instituto de Estudios Políticos, Madrid.

López Pescio, Edgardo (1987) *"Nociones Generales de Derecho Procesal"*, 1a. Parte (orgánico), Edeval, Valparaíso.

Martínez Benavides, Patricio (2012) *"El Principio de Inexcusabilidad y el Derecho de Acción desde la Perspectiva del Estado Constitucional"*, Revista Chilena de Derecho, Pontificia Universidad Católica de Chile, Vol. 39-1.

Pereira Anabalón, Hugo (1993) *"Curso de Derecho Procesal"*, t. I, Stgo.

Topasio Ferreti, Aldo (1983) *"Fundamentos históricos del Principio de Inexcusabilidad del Juez en el devenir jurídico hispánico y chileno"*, Revista Chilena de Historia del Derecho, Universidad de Chile, Año 1983, N° 9.

Una Constitución Económica para el buen vivir: Hacia un nuevo paradigma social y económico

CAROLINA SALAS SALAZAR[1]

INTRODUCCIÓN

Las constituciones son una fuente directa de derechos, puesto que no sólo son una norma jurídica –dice GARCÍA DE ENTERRÍA[2]– sino específicamente la primera de las normas del ordenamiento jurídico; y, por ende, es el instrumento jurídico que define el sistema de fuentes formales del Derecho, de manera que éstas deberán ajustarse a las prescripciones de aquélla para ser válidas y jurídicamente vinculantes.

Este modelo constitucional identifica en la Constitución un objetivo, una guía para el legislador, a la que no sólo debe adaptarse, sino que debe desarrollar. El documento constitucional así concebido entonces aspira a ser un "instrumento capaz de modelar las relaciones sociales"[3].

En nuestro país, luego del estallido social de octubre de 2019, existe conciencia, a nivel social y político, de que no todo se ha hecho bien y resultan necesarios algunos ajustes para que el bienestar y el desarrollo lleguen a todas y todos; y que para ello necesitamos un Estado democrático, comprometido con la tarea de facilitar la libertad, el pluralismo, la prosperidad y la cohesión social; en definitiva, capaz de hacer realidad la justicia y la igualdad, al servicio de la dignidad de las personas.

De hecho, el proceso constituyente que vive nuestro país nos brinda la oportunidad de replantearnos algunos paradigmas recogidos en la Carta de 1980. Uno de ellos es la Constitución Económica y el modelo económico y social que se ha construido a partir de ella. Al estudiar este concepto, nos parece posible entender, como base teórica, la constitucionalización de las materias económicas y, a partir de ello, construir una propuesta armónica con el desarrollo del bienestar de las personas y su entorno natural, ya que los derechos fundamentales, al gozar

---

[1] Abogada y Doctora en Derecho Constitucional. Correo electrónico: carolina@dignitasasociados. com

[2] García de Enterría, Eduardo (1983) *La Constitución como norma y el Tribunal Constitucional*, Madrid: Civitas.

[3] Pozzolo, Susana (1998) "Neoconstitucionalismo y especificidad de la interpretación constitucional" en *Doxa*, N° 21, Tomo II, pp. 339-353, p. 343.

de un lugar central dentro del sistema constitucional, irradian hacia el tratamiento jurídico de materias. Entonces, ¿es posible una constitución económica acorde a los tiempos que vive nuestro país? ¿De qué aspectos debería hacerse cargo una nueva Constitución si deseamos avanzar en materias de desigualdad social?, ¿podemos construir categorías jurídico-constitucionales que permitan enfrentar los desafíos actuales y futuros de la sociedad chilena en materia de desarrollo? Estos cuestionamientos nos llevarán a plantear un nuevo modelo de constitución económica que supere las ideas liberales y androcéntricas de crecimiento económico por una construcción que se estructura a partir de las nociones de bien común y bienestar o buen vivir de todas y todos.

1. LA CONSTITUCIÓN ECONÓMICA

Con el afianzamiento del modelo de Estado liberal de Derecho a partir del siglo XVIII se impuso el rol abstencionista del Estado sobre la base del principio del *laissez faire*. En este panorama la iniciativa privada quedó transformada en la base para todo el progreso social[4] y los derechos de propiedad privada y libertad de comercio son los pilares que impulsaron la consolidación de un ambiente propicio para el desarrollo del capitalismo, sistema que (en teoría) se regulaba a sí mismo, por tanto, en sus postulados clásicos, la actuación del mercado no necesitaba de controles jurídicos. Es por ello, que, en la articulación del Estado liberal, no existía la necesidad de regular al sistema económico y bastaba con "garantizar la libertad negativa de los individuos a la propiedad y a la libre elección de oficio"[5]. Y, como señalaba GARCÍA PELAYO, "el orden estatal y el orden económico eran considerados como dos sistemas de funcionamiento sustancialmente independientes, cada uno orientado por sus propios fines y realizándose por la operación de leyes de distinta naturaleza (jurídicas en un caso, económicas en otro)"[6].

A pesar de ello, la evolución de los modelos estatales y de las constituciones consideró la necesidad de regular materias económicas desde el nivel constitucional. Es así como el concepto de Constitución Económica nace en la primera

---

4   Viera, Christian (2013) Libre iniciativa económica y Estado social. Análisis al estatuto de la libertad de empresa en la Constitución chilena. Thomson Reuters - Legalpublishing, Santiago de Chile, p. 65.

5   Cántaro, A. (1997) "El declive de la constitución económica del Estado social", en García Herrera, M. A. (ed.): El constitucionalismo en la crisis del Estado social, IVAP, Oñati, pp. 153-178. p. 153: "la constitución económica del Estado liberal es, en gran medida, la constitución del autogobierno del mercado y de la primacía de la economía".

6   García Pelayo, Manuel (1991) "Consideraciones sobre las cláusulas económicas de la Constitución", en él mismo: Obras completas, CEC, Madrid, Tomo III, pp. 2855-2874, p. 2856.

mitad del siglo XX[7], no obstante, puede decirse que todo texto constitucional contiene disposiciones de este tipo, las que dicen relación con un sistema económico meridianamente perfilado[8]. Pero la segunda posguerra imprimió particularidades novedosas para el Derecho Constitucional de la época, que apuntaron a consagrar en la Constitución normas de principio, de carácter ideológico y axiológico, acerca de fines sociales[9], configurando un orden jurídico fundamental de carácter cualitativo[10].

Ahora bien, como concepto, la Constitución Económica tiene dos acepciones: una formal y otro material, dependiendo de si los principios que la articulan tienen o no reconocimiento expreso en el texto fundamental. Junto a ello, es complejo determinar una definición, ya que en ella se incluyen diversos componentes como normas, procesos, interdependencia, situaciones económicas y aspectos jurídicos. Es por ello que además es posible distinguir dos niveles de actuación de este concepto: Un primer nivel que afecta la determinación, definición y funcionamiento del orden económico, cuyo fin es dotar de una ordenación a la vida económica, como sistema político-económico; y un segundo nivel, referido a la administración de la economía, que tiene que ver con los órganos de control y fiscalización o instituciones de regulación, quienes llevan a la realidad los principios constitucionales de naturaleza económica[11].

En definitiva, el objetivo de agrupar todas estas nociones en un concepto como el de Constitución Económica es establecer las bases a partir de las cuales se despliega el desarrollo económico y, por ende, el progreso social de un país, ya que los preceptos constitucionales logran integrar, de alguna manera, las

---

[7] El concepto de Constitución Económica (Wirtschaftsverfassung) fue introducida por los "ordoliberales" alemanes luego de la segunda posguerra inspirados en las ideas liberales de Kant y Von Hayek, quienes concibieron un nuevo orden constitucional y de desarrollo económico para la sociedad alemana, reconociendo con ello que la decisión política fundamental crea las estructuras básicas de un modelo económico. Gerber, David (1994). "Constitutionalizing the Economy: German Neo-liberalism, Competition Law and the "New" Europe" en American Journal of Comparative Law, N°1, pp. 25-84, p. 35.

[8] Bordalí, Andrés (1998a) "Constitución Económica y protección del medio ambiente" en Revista de Derecho (Valdivia), número especial, pp. 43-54, p. 44. A pesar de que el mismo autor reconoce que "...el término Constitución Económica naciera a comienzos del siglo XX, no quiere decir que las primeras constituciones no hayan tenido un contenido económico, sino que dichas disposiciones no eran agrupadas y estudiadas antes con las características que hoy en día conocemos. Sin duda que la mayor intervención del Estado en la economía fue un hecho crucial para el nacimiento del concepto a que me estoy refiriendo, pero constituye un error asociar dicho concepto exclusivamente con una economía intervenida por el Estado".

[9] Incorporación expresa de derechos sociales, previsión de medidas de nacionalización de sectores productivos, entre otros.

[10] Alexy, Robert (2002) "Epílogo a la Teoría de los Derechos Fundamentales" en Revista Española de Derecho Constitucional, año 22, N° 66, septiembre-diciembre, pp. 13-64, p. 22.

[11] Viera (2013) 68.

normas, principios e instituciones que abarcan los dos niveles a los que se hizo referencia[12].

Como concepto, la noción de Constitución Económica se utiliza para referirse a los principios y reglas constitucionales que regulan el régimen político-económico en un Estado determinado[13]. En este sentido, una cita ya clásica en esta materia es la de BASSOLS COMA, quien señala que ésta se refiere "a la ordenación jurídica de las estructuras y relaciones económicas en las que no sólo están implicados los ciudadanos, sino también, y de manera creciente, el propio Estado en su función de protagonista del desarrollo de la vida económica"[14]. Bajo la misma comprensión, el Tribunal Constitucional español ha dicho que "[...] existen varias normas destinadas a proporcionar el marco jurídico fundamental para la estructura y funcionamiento de la actividad económica; el conjunto de todas ellas compone lo que suele denominarse la constitución económica o constitución económica formal. Este marco implica la existencia de unos principios básicos del orden económico que han de aplicarse, con carácter unitario [...]"[15].

En el caso de Chile, la Constitución actualmente vigente reconoce ciertos principios básicos (dignidad, igualdad de oportunidades, bien común) y derechos fundamentales de naturaleza económica y social (libre iniciativa económica, propiedad, libertad de trabajo, libertad de contratación, seguridad social, etc.) que fundamentan e impulsan el desarrollo de toda la actividad económica, así como instituciones encargadas de velar por su correcta aplicación e interpretación (Banco Central, Tribunal Constitucional, Tribunales ordinarios)[16]. Por ende, se sigue de manera clara una inspiración liberal[17], que intenta ser atenuada con algunas ideas de Estado social, contenidas principalmente en el reconocimiento

---

[12]   Así lo indica SOLÁ: "La organización de competencia política para dar a los ciudadanos las normas y los bienes que desean es una tarea que debe cumplir la Constitución. Y éste es un razonamiento de proceso. Es decir, que como forma de determinar un valor constitucional podemos señalar que la Constitución es también un proceso por el cual eficazmente se proveen bienes públicos, se proveen normas, se provee un sistema eficaz de competencia política, se provee un sistema eficaz de protección de los bienes privados que desean los habitantes. También se provee una defensa de la autonomía de la voluntad a través de la libertad de contratar". Solá, J.V (2004). Constitución y Economía, Buenos Aires, Abeledo - Perrot., pp. 26-27.

[13]   Ferrada, Juan Carlos (2000) "La Constitución Económica de 1980. Algunas reflexiones críticas". En Revista de Derecho (Valdivia), Vol. XI, pp. 47-54, p. 48.

[14]   Citado por Ferrada (2000) 48.

[15]   TRIBUNAL CONSTITUCIONAL DE ESPAÑA, sentencia 1/1982, de 28 de enero, fundamento jurídico 1°.

[16]   Ferrada, siguiendo a la doctrina nacional, clasifica a grandes rasgos las reglas entre: aquellas que garantizan el libre acceso a la propiedad de los bienes, sin perjuicio de sus limitaciones; las que establecen las normas básicas de la gestión económica de los ciudadanos y de los órganos del Estado; normas que establecen concretamente las potestades, obligaciones y prohibiciones del Estado en la economía, y, en fin, principios y reglas que establecen la organización institucional del Estado para desarrollar sus competencias en el área económica, Ferrada (2000) 50.

[17]   A pesar de que lo políticamente correcto es consagrar una figura de "techo ideológico abierto", propio de un sistema democrático que se funda en acuerdos entre los diversos actores, o sea, un

expreso del derecho a vivir en un medio ambiente libre de contaminación y de la función social de la propiedad[18].

No obstante, esta opción ha resultado demasiado débil ya que el modelo socioeconómico de nuestro país se basa, por una parte, en una decisión política de desregularización en materia económica; y, por otra, en un fenómeno de normalización o de reglamentación de actividades del sector productivo y de servicios que se regula a través de normas técnicas, las que no cumplen –a pesar de ser normas generales, abstractas y aplicables a todos los ciudadanos– con las exigencias de legitimidad democrática y, por ende, de dudosa constitucionalidad[19], pero que tanto el sistema económico como la norma fundamental actual permiten aplicar y hacer exigibles en pos del progreso y crecimiento económicos.

De hecho, el denominado "estallido social" de 2019[20] es explicado por la constatación de una realidad que no se condice con las ideas liberales clásicas de "autocontrol"[21] por parte de quien ejerce el poder económico[22] y, de hecho, nos llevó al desarrollo de un proceso constituyente que tendrá como uno de sus objetivos cuestionar y criticar el modelo económico imperante a fin de establecer, si la ciudadanía así lo decide, una nueva constitución económica.

---

espacio de mínimos constitucionales que dé cabida a diversas cosmovisiones de desarrollo para la sociedad. Viera (2013) 229.

[18] Bordalí (1998) 45. No obstante, el Tribunal Constitucional da por sentado que nuestro país es un Estado social de Derecho en la sentencia Rol N° 976-2008, Requerimiento de inaplicabilidad deducido por Silvia Peña Wasaff respecto del artículo 38 ter de la Ley N° 18.933, conocida como Ley de Isapres, en recurso de protección contra Isapre ING Salud S.A., Rol de Ingreso N° 4972-2007, de la Corte de Apelaciones de Santiago.

[19] Al respecto se puede ver a Rojas Calderón, Christian (2009) "Implicancias jurídicas de la normalización técnica. Sus antecedentes, proyección y las manifestaciones para el caso de Chile" en Revista de Derecho (Coquimbo), año 16, N° 1, pp. 91-133, en especial pp. 3 y 4.

[20] Existen muchos factores para explicar lo que sucedió en Chile a partir del 18 de octubre de 2019, entre ellos, la crisis de representación; de participación; la desconfianza sostenida en la institucionalidad; la crisis de probidad pública, etc. Morales Quiroga, Mauricio (2020) "Estallido social en Chile 2019: participación, representación, confianza institucional y escándalos públicos. Análisis politico. [online], vol. 33, N° 98 [visitado 2021-11-30], pp.3-25. Disponible en: http://www.scielo.org.co/scielo.php?script=sci_arttext&pid=S0121-47052020000100003&lng=en&nrm=iso>.

[21] Adam Smith esperaba que una "mano invisible" condujera el egoísmo individual hacia el bienestar del mayor número de personas posible, lo que desde un punto de vista económico se traduce en la competencia que los mercados promueven y que es gobernado por la ley del más fuerte, lo que fomenta los monopolios en casi todos los sectores de la economía nacional.

[22] Sólo por nombrar algunos ejemplos: caso La Polar, caso colusión de farmacias, pollos, papel higiénico, retail, entre otros.

2. EL BUEN VIVIR

El Buen Vivir o Vivir Bien engloba un conjunto de ideas que se están forjando como reacción y alternativa a los conceptos convencionales sobre el desarrollo, pues los modelos generalmente aceptados han sido criticados a lo largo de décadas desde múltiples perspectivas y por varios motivos, así como el sistema económico capitalista o de mercado neoliberal asociado a ellos. En la última década, el paradigma del buen vivir se ha erigido en una posible alternativa al crecimiento económico. De hecho, la inclusión de las expresiones "buen vivir" y "vivir bien" en las constituciones de Ecuador[23] y de Bolivia[24] respectivamente, pareció abrir una vía para la implementación de este paradigma y atrajo la atención académica y social internacional[25].

Los defensores del buen vivir sostienen que, en los diferentes países del mundo, en lugar de un desarrollo, se ha producido un "maldesarrollo"[26] caracterizado por la heteronormalidad[27], la patriarcalidad[28] y la colonialidad[29] del poder, del saber y del ser, por la desigualdad socioeconómica y por el deterioro ambiental.

---

[23]   En efecto, se lo presenta como "derechos del buen vivir", y dentro de éstos se incluyen diversos derechos, tales como aquellos sobre alimentación, ambiente sano, agua, comunicación, educación, vivienda, salud, etc. Pero también la Constitución ecuatoriana presenta una sección dedicada al "régimen del Buen Vivir", el cual considera dos componentes principales: por un parte aquellos relacionados con la inclusión y la equidad; y, por otra, aquellos enfocados en la conservación de la biodiversidad y manejo de recursos naturales. A su vez, este régimen del Buen Vivir está articulado con el "régimen de desarrollo", estableciendo una precisión importante, ya que se indica expresamente que el desarrollo debe servir al buen vivir.

[24]   En la Constitución boliviana es presentado como Vivir Bien, y aparece en la sección dedicada a las bases fundamentales del Estado, entre sus principios, valores y fines (artículo 8). Allí se indica que se *"asume y promueve como principios ético-morales de la sociedad plural: ama qhilla, ama llulla, ama suwa (no seas flojo, no seas mentiroso ni seas ladrón), suma qamaña (vivir bien), ñandereko (vida armoniosa), teko kavi (vida buena), ivi maraei (tierra sin mal) y qhapaj ñan (camino o vida noble)".*

[25]   Villalba-Eguiluz, U., Pérez-de-Mendiguren, J. C. (2019) La economía social y solidaria como vía para el buen vivir. Iberoamerican Journal of Development Studies, vol. 8(1):106-136.

[26]   Tortosa, José María (2009) Maldesarrollo y mal vivir. Pobreza y violencia a escala mundial, Quito: Editorial ABYA-YALA.

[27]   Pues es "un sesgo cultural a favor de las relaciones heterosexuales, las cuales son consideradas normales, naturales e ideales, y son preferidas por sobre relaciones del mismo sexo o del mismo género". Henríquez, Miriam et. al (2020) Nueva Constitución con perspectiva de género. Disponible online: https://copadas.cl/wp-content/uploads/2020/10/Nueva-Constitucion-Perspectiva-de-Genero.pdf, p. 26.

[28]   Pues es un "Sistema social en el que los hombres tienen el poder primario y predominan en roles de liderazgo político, autoridad moral, privilegio social y control de la propiedad". Henríquez et al (2020) 27.

[29]   Pues "[…]contiene un aspecto analítico y crítico que tiene que ver con involuntariedad, dominación, alienación y asimetría de estructuras políticas, injusticia social, exclusión cultural y marginación geopolítica". Estermann, Josef (2014). Colonialidad, descolonización e interculturalidad, en Polis [En línea], N° 38, pp. 1 – 19, p. 4. Consultado el 12 diciembre 2021. URL: http://journals.openedition.org/polis/10164

Como alternativa al desarrollo, en el buen vivir se propone que las políticas públicas se orienten hacia la implantación de formas de vida en armonía con todos los seres de la naturaleza, con todos los seres humanos y con uno/a mismo/a[30]. De hecho, el buen vivir es un elemento clave para reformular el desarrollo económico de los países pues a través de estas ideas se busca y se ensaya un nuevo marco conceptual[31], y se presta especial atención a condicionar, por ejemplo, las reformas económicas, sociales y políticas.

2.1. Hacia un concepto del Buen Vivir

El concepto de Buen Vivir se relaciona con un interesante proceso de reinterpretación de los orígenes indígenas de América Latina[32]. El buen vivir es un concepto que se ha identificado con el Sumak kawsay (quechua) y con el Suma qamaña (guaraní), y significa en términos generales: la vida en plenitud. También alude al bienestar social, económico y político que los pueblos anhelan, al desarrollo pleno de los pueblos que aspiran a la riqueza de la vida, tanto en sus aspectos materiales como espirituales. Alude, en definitiva, a un modo de existencia que está en equilibrio con todos los demás elementos de la vida: los demás seres, animales, plantas, minerales, astros, espíritus y divinidades. Se rige además por los principios de relacionalidad, complementariedad, correspondencia, reciprocidad y ciclicidad[33].

De estas ideas es posible distinguir al menos tres corrientes de pensamiento sobre el buen vivir[34]:

La indigenista o culturalista o irreductible, que destaca por el énfasis en la autodeterminación de los pueblos indígenas en la construcción del buen vivir, el poder para preservar su identidad, así como a los elementos espirituales de las distintas cosmovisiones. Para esta perspectiva, el buen vivir es y debe ser una filosofía de vida basada en las tradiciones ancestrales de los pueblos indígenas.

---

[30]   Cubillo-Guevara, Ana Patricia; Hidalgo-Capitán, Antonio Luis; García-Álvarez, Santiago (2016). "El buen vivir como alternativa al desarrollo para América Latina". Revista Iberoamericana de Estudios del Desarrollo, N° 5, vol. 2, pp. 30-57.

[31]   Gudynas, Eduardo (2011) "Buen Vivir: germinando alternativas para el desarrollo" en América Latina en Movimiento, ALAI, N° 462, febrero, pp. 1 – 20.

[32]   Acosta, Alberto (2015) "El buen vivir como alternativa al desarrollo. Algunas reflexiones económicas y no tan económicas" en Política y Sociedad N° 52, pp. 299-330, p. 301.

[33]   Lalander, R., Cuestas-Caza, J. (2017) Sumak Kawsay y Buen-Vivir en Ecuador. En Ana Dolores Verdú Delgado (ed.), Conocimientos ancestrales y procesos de desarrollo: Nacionalidades Indígenas del Ecuador. Loja, Ecuador: Universidad Técnica Particular de Loja, pp. 30-64, p. 34.

[34]   Cubillo-Guevara, Hidalgo-Capitán, García-Álvarez, Santiago (2016) 34

La socialista o ecomarxista o light, que ponen énfasis en la gestión política estatal del buen vivir, así como a los elementos relativos a la equidad social, y se deja en un segundo plano las cuestiones ambientales, culturales e identitarias.

La postdesarrollista o ecologista o new age, cuyos autores destacan la preservación de la naturaleza y la idea de sostenibilidad y a la construcción participativa del buen vivir, con la inclusión de aportes procedentes de los diferentes movimientos sociales.

Los elementos centrales de estas tres visiones son: identidad y espiritualidad; estatismo y equidad; y, sostenibilidad y localismo. De todos ellos, habría tres elementos que pueden ser asumibles por la mayoría de los autores de las tres corrientes: identidad, equidad y sostenibilidad, mientras que la espiritualidad, el estatismo y el localismo suelen ser los elementos sobre los que se centran las principales controversias entre dichas corrientes[35].

Así, podemos definir el buen vivir como aquella "forma de vida en armonía con uno mismo, con la sociedad y con la naturaleza"[36]. Y dicho concepto incluye las nociones centrales recién reseñadas: identidad, equidad y sostenibilidad.

2.1.1. El buen vivir en la Constitución del Ecuador

La consagración constitucional del Sumak kawsay tiene como finalidad construir una nueva relación entre el Estado y la sociedad en armonía con la naturaleza; de esta manera, el buen vivir se muestra como una alternativa al modelo occidental de desarrollo-progreso, sustentado en el crecimiento económico basado en la explotación irracional del medio ambiente, concentración del capital en pocas manos, marginación y acrecentamiento de las desigualdades sociales[37].

A partir de la inclusión del Sumak kawsay como principio constitucional, este se convirtió en un deber del Estado tal como lo señala el artículo 3° *"Son deberes primordiales del Estado: […] 5.- Planificar el desarrollo nacional, erradicar la pobreza, promover el desarrollo sustentable y la redistribución equitativa de los recursos y la riqueza, para acceder al Buen vivir"*.

---

[35]   Cubillo-Guevara, Hidalgo-Capitán, García-Álvarez, Santiago (2016) 35.

[36]   Cubillo-Guevara, Ana Patricia; Hidalgo-Capitán, Antonio Luis (2015) El Sumak Kawsay genuino como fenómeno social amazónico ecuatoriano en Obets Revista de Ciencias Sociales, N° 10, vol. 2, pp. 301-333, p. 304.

[37]   En el Preámbulo de la Constitución de la República del Ecuador (c.e.) se puede leer lo siguiente: "NOSOTRAS Y NOSOTROS, el pueblo soberano del Ecuador RECONOCIENDO nuestras raíces milenarias forjadas por mujeres y hombres de distintos pueblos, CELEBRANDO a la naturaleza, la Pacha Mama, de la que somos parte y que es vital para nuestra existencia, […] Decidimos construir una nueva forma de convivencia ciudadana, en diversidad y armonía con la naturaleza, para alcanzar el Buen vivir, el sumak kawsay […]".

En este sentido, una de las primeras pretensiones es mejorar la calidad y ejercicio de los derechos de los ciudadanos a partir del fortalecimiento de sus garantías. A partir del artículo 14, se reconocen los "derechos del buen vivir"[38]-[39], entre los que se incluye el derecho de la población a vivir en un ambiente sano y ecológicamente equilibrado, que garantice la sostenibilidad y el buen vivir y lo vincula a la educación, la salud, los derechos de la naturaleza, la responsabilidad de los ciudadanos, la organización colectiva de la sociedad, por lo que *"las políticas públicas y la prestación de bienes y servicios públicos se orientarán a hacer efectivos el buen vivir y todos los derechos, y se formularán a partir del principio de solidaridad"*[40]. Por lo anterior, *"El buen vivir requerirá que las personas, comunidades, pueblos y nacionalidades gocen efectivamente de sus derechos, y ejerzan responsabilidades en el marco de la interculturalidad, del respeto a sus diversidades, y de la convivencia armónica con la naturaleza"*[41].

2.1.2. El vivir bien de la Constitución boliviana de 2009

La Constitución boliviana aprobada en enero de 2009 es la primera surgida de un proceso democrático y popular, donde la Asamblea Constituyente fue elegida mediante el voto, y las comisiones integraron las propuestas de diversas organizaciones sociales.

La Constitución incorporó el principio del "Vivir Bien" –Suma qamaña– y se articula como eje para lograr la integración de Bolivia y aparece consagrado en las bases fundamentales del Estado, como se indicó precedentemente,

---

[38]   Con ello la constitución ecuatoriana se aparta de la clásica clasificación de los derechos fundamentales en derechos civiles, políticos y sociales. Los derechos civiles se denominan "derechos de libertad"; los derechos colectivos se sustituyen por "derechos de las comunidades, pueblos y nacionalidades"; los derechos políticos son "derechos de participación"; los derechos del debido proceso cambian por "los derechos de protección", y los derechos de los grupos vulnerables por "los derechos de las personas y grupos de atención prioritaria". De esta manera, la nueva categorización busca una definición que permita identificar claramente el contenido esencial de cada derecho.

[39]   Los derechos del Buen vivir contemplan: la sección primera (arts. 12 y 13) agua y alimentación; sección segunda (arts. 14 y 15) ambiente sano; sección tercera (arts. 16 al 20) comunicación e información; sección cuarta (arts. 21 al 25) cultura y ciencia; sección quinta (arts. 26 al 29) educación; sección sexta (arts. 30 y 31) hábitat y vivienda; sección séptima (art. 32) salud; sección octava (arts. 33 y 34) trabajo y seguridad social. El capítulo cuarto del título segundo (arts. 56 al 60) se refiere a los derechos de las comunidades, pueblos y nacionalidades, donde se destaca el reconocimiento de la propiedad colectiva como forma ancestral de organización del territorio; y el capítulo séptimo del mismo título segundo (arts. 71 a 82), a los derechos de la naturaleza. Esta última es una situación sin precedente porque implica el rompimiento de una visión antropocéntrica para establecer una de carácter biocéntrico. En el capítulo octavo se establecen los derechos de protección, los que se refieren los derechos en materia penal y, por último, el capítulo noveno indica las responsabilidades de los ciudadanos ecuatorianos.

[40]   Artículo 85 N° 1 de la Constitución de 2008.

[41]   Artículo 275 inciso tercero de la Constitución de 2008.

reconocimiento que implica la pluriculturalidad, ya que ofrece la idea del vivir bien desde varias lenguas indígenas y todas en el mismo plano de jerarquía. Asimismo, este conjunto de referencias al vivir bien se encuentra en paralelo, y con la misma jerarquía, que otros principios del constitucionalismo clásico, tales como unidad, igualdad, inclusión, dignidad, libertad, solidaridad, reciprocidad, respeto, equidad social y de género en la participación, bienestar común, responsabilidad, justicia social, etc. todos establecidos en el artículo 8 de la constitución boliviana.

En ese contexto, se establecen y garantizan como obligación del Estado los derechos al agua y alimentación[42], sanidad y educación[43], vivienda, electricidad y alcantarillado[44], y se reconocen distintas formas de organización económica[45].

Además, estos principios son vinculados directamente con la forma de organización económica del Estado, donde vuelve a aparecer el vivir bien. La Constitución de 2009 indica que el *"modelo económico boliviano es plural y está orientado a mejorar la calidad de vida y el vivir bien"*[46]. Además, se postula un ordenamiento económico vinculado a principios como la solidaridad y reciprocidad, donde el Estado se compromete a la redistribución equitativa de los excedentes hacia políticas sociales de diverso tipo. Es más, se insiste en que para lograr el *"vivir bien en sus múltiples dimensiones"*[47], la organización económica debe atender propósitos como la generación de producto social, la redistribución justa de la riqueza, el industrializar los recursos naturales, etc.

2.2. Un modelo económico para el Buen Vivir

Como hemos podido observar, los tres elementos centrales que guían la estructuración del buen vivir y del vivir bien consideran la armonía a nivel personal (identidad); social (equidad); y con la naturaleza que nos rodea (sostenibilidad). Estos componentes se convierten entonces en los ejes que podrían guiar la articulación de un modelo económico que inspire la decisión política fundamental en torno a qué tipo de constitución económica desea la ciudadanía chilena a partir del próximo año.

En este sentido, las constituciones de Ecuador y Bolivia consagraron un modelo de convivencia social basado en el concepto de buen vivir o vivir bien

---

42   Artículo 16, II.
43   Artículos 17 y 18.
44   Artículos 19 y 20.
45   Artículo 304.
46   Artículo 306.
47   Artículo 313.

respectivamente, a fin de consagrar una guía que busca transitar hacia un nuevo paradigma de desarrollo económico para estos países.

Este nuevo paradigma de desarrollo económico y social requiere de varios procesos de transformación social, política, económica y jurídica, por lo que no ha sido fácil para estos países poder hacer realidad los principios y valores reconocidos a nivel constitucional[48].

Quizás las soluciones puedan venir de la mano de conceptos y modelos económicos de raigambre europea, ofreciendo con ello un abanico de posibilidades que pueden servir como alternativas al modelo capitalista actual basado en la idea de minimización del Estado en la economía y exacerbación de la libertad de empresa o libertad económica gracias a un alto nivel de desregularización.

2.2.1. La economía social y solidaria

Esta alternativa fusiona dos nociones emparentadas pero diferentes: por una parte, la economía social que se plantea como una forma diferente de hacer empresa, que se manifiesta en el compromiso de las organizaciones empresariales con una serie de valores y principios de actuación que estructuran su lógica organizativa y su actividad empresarial, esto es: una clara preeminencia de las personas sobre el capital (tanto en la toma de decisiones como en el reparto del excedente); una apuesta por la autonomía y democracia en la gestión; la solidaridad (interna y externa); y la prioridad del servicio a sus miembros y a la comunidad por encima de la consecución de beneficios[49].

Los valores y principios de la economía social se recogen en la Carta de Principios de la Economía Social[50] Sin embargo, la referencia global más compartida la proporcionan los siete principios cooperativos de la Alianza Cooperativa Internacional[51].

Por su parte, la economía solidaria se refiere a conceptos e ideas de origen latinoamericano y europeo y dice relación con un conjunto heterogéneo de prácticas que se manifiestan en todas las esferas del proceso económico desde la producción, distribución, financiación y consumo con las que se busca garantizar la seguridad de los medios de vida de las personas y democratizar la economía y los procesos económicos. La economía solidaria aboga por situar a las personas

---

[48]   Ribadeneira Aroca, Kepler (2020) buen vivir: críticas y balances de un paradigma social en construcción. En Dialogo Andino [online], pp. 41-51. Disponible en: <http://www.scielo.cl/scielo.php?script=sci_arttext&pid=S0719-26812020000200041&lng=es&nrm=iso>. ISSN 0719-2681. http://dx.doi.org/10.4067/S0719-26812020000200041.

[49]   Villalba-Eguiluz y Pérez-de-Mendiguren (2019) 109.

[50]   https://www.socialeconomy.eu.org/the-social-economy/the-social-economy-in-the-eu/

[51]   https://www.ica.coop/es/nuestro-trabajo/desarrollo-cooperativo-internacional.

y su trabajo en el centro del sistema económico, lo que otorga a los mercados un papel instrumental siempre al servicio del bienestar de todas las personas y de la reproducción de la vida en el planeta. De hecho, la carta de principios de economía solidaria[52] se articula en torno a una serie de ejes transversales y de seis principios. Los ejes transversales son: la autonomía como principio de libertad, la autogestión como metodología, la cultura liberadora, el desarrollo de las personas en todas sus dimensiones, la compenetración con la naturaleza y la solidaridad humana y económica como principio de las relaciones locales, nacionales e internacionales.

Un punto interesante de estos modelos es que los mecanismos de transformación y las dinámicas que adoptan estas propuestas de superación del capitalismo no se presentan como modelos cerrados, sino como tránsitos hacia horizontes posibles en los que los procesos económicos estén al servicio de la reproducción de la vida y sometidos a procesos democráticos participativos e inclusivos[53].

2.2.2. La economía del bien común

En este modelo las empresas tienen como objetivo producir el mayor aporte posible al bienestar general. De hecho, la meta individual de cada actor económico es determinada en la Constitución, por ende, previamente consensuados por la sociedad y aceptados democráticamente[54].

Para este modelo es relevante contar con un marco constitucional que consagre como valor a la dignidad humana y como fin del Estado al bien común, entendidas como sus bases fundamentales para luego ser desarrolladas por la legislación y las políticas públicas en lógica constitucional.

El punto interesante es que se propone una "matriz del bien común"[55] que busca medir las utilidades de las empresas incorporando valores fundamentales tales como: utilidad de los productos, condiciones laborales, producción ecológica, trato al cliente, solidaridad de la empresa con otras empresas, reparto de ingresos, trato y remuneración a mujeres, gestión democrática, etc. el que ha evolucionado a lo largo de los años para ofrecer un "balance universal"[56] al que cualquier empresa se puede adherir.

---

[52] https://www.economiasolidaria.org/carta-de-principios-de-la-economia-solidaria.
[53] Villalba-Eguiluz y Pérez-de-Mendiguren (2019) 111.
[54] *"Toda la actividad económica sirve al bien común, especialmente a garantizar una existencia humanamente digna para todos y una gradual elevación del nivel de vida de todas las capas sociales".* Artículo 151 de la Constitución de Baviera de 1946.
[55] Felber, Christian (2012) La economía del bien común. Un modelo económico que supera la dicotomía entre capitalismo y comunismo para maximizar el bienestar de nuestra sociedad. Planeta: Deusto, p. 54.
[56] Felber (2012) 57.

El objetivo que presenta este modelo es dejar atrás la obligación de crecimiento en la economía, ya que esta es el resultado de medir el éxito empresarial mediante indicadores monetarios y la competencia.

Además, propone un sistema financiero completamente diferente. Este modelo estima que el dinero en forma de crédito debe ser un bien público y los mercados financieros deben ser cerrados a fin de contar con una banca democrática, transparente y participativa, que garantice el ahorro y ofrezca cuentas corrientes gratuitas.

Estas ideas permiten incorporar una variable que acerca este modelo a las ideas de buen vivir recién consideradas: el impacto positivo en las relaciones sociales y con el entorno que una economía basada en el bien común genera. De hecho, tal como lo establece el concepto de bien común, considera elementos materiales y espirituales en la noción de desarrollo de los países.

3. HACIA UNA ECONOMÍA PARA EL BUEN VIVIR

Las constituciones son una expresión de un pueblo en un momento histórico determinado. El desafío que enfrenta todo proceso constituyente es considerar la diversidad de pueblos y naciones que actualmente viven en todos los territorios, así como de sus integrantes, es por ello por lo que cuando consideramos qué tipo de constitución económica deseamos consagrar para el Chile del futuro, podemos establecer primero la necesidad de cumplir con ciertos requisitos que den cuenta de –en primer lugar– de procesos participativos para la adopción de la decisión política fundamental. La deliberación constitucional implica el compromiso de amplios sectores de la sociedad: pueblos originarios, comunidades religiosas, grandes empresas, organizaciones de la sociedad civil, partidos políticos, así como del ciudadano común. La participación es, por tanto, un supuesto para la construcción de normas fundamentales, cumpliendo con ello el estándar de "democracia DE la Constitución" como lo señala ARAGÓN REYES[57], lo que gratamente observamos en la actualidad nacional.

Asimismo, estimamos que el articulado de la Constitución debe consagrar las bases fundamentales del modelo económico, dejando el detalle para el desarrollo legislativo. Estas bases pueden estar distribuidas desde el preámbulo, y a través de valores constitucionales, principios, derechos fundamentales e instituciones.

Conforme con lo expuesto en este trabajo, una nueva Constitución debe consagrar unos principios económicos que permitan articular un modelo económico

---

[57] Aragón Reyes, M. (2019) El futuro de la justicia constitucional. En Anuario Iberoamericano de Justicia Constitucional, N° 23, vol. 1, pp. 11-41, p. 21.

que supere la visión meramente economicista de desarrollo (basado en el crecimiento económico ilimitado) que pone en riesgo al planeta y a las generaciones futuras. Para ello, es necesario en mi entender el reconocimiento de derechos fundamentales para el buen vivir, pues estos se relacionan directamente con la noción de calidad de vida y equidad. Asimismo, se debe impulsar el desarrollo sostenible consagrando derechos de naturaleza económica cuyo ejercicio pueda ser armónico con el respeto a la dignidad humana y a la naturaleza.

Finalmente, la consagración de una institucionalidad económica encargada de ejecutar las decisiones adoptadas el poder constituyente: entidad reguladora de la economía, tribunales, entes administrativos que diseñen y apliquen políticas públicas, etc.

Estas nociones formalmente podrían quedar establecidas en un capítulo especial que reúna los principios rectores de la política social y económica, el que estaría directamente relacionado con una cláusula de Estado social, ya que el reconocimiento y protección de derechos del buen vivir requiere de intervención estatal. Así lo establecen constituciones, tales como la alemana, española, colombiana y peruana, incorporan expresamente el principio del Estado social de Derecho, que puede ser entendido como la superación del Estado liberal o neoliberal de Derecho.

CONCLUSIONES

Desde la década de los setenta del siglo pasado numerosas publicaciones y artículos científicos nos han advertido acerca de la necesidad de transformar el modelo económico basado en ideas neoliberales, ya que el capitalismo imperante a nivel global ha demostrado desde 2008, con la crisis sub prime, sus deficiencias y nefastas consecuencias. Los problemas ambientales son también otra prueba contundente del carácter entrópico del proceso económico. Asimismo, los problemas de deuda soberana y recurrentes convulsiones en el sector financiero son quizá el último estertor de una crisis de reproducción del propio sistema capitalista global. De hecho, las advertencias planteadas por el Club de Roma, por ejemplo, han sido superadas ampliamente por la realidad. Estamos a un paso del colapso ecológico en un ambiente social de crisis que escala prácticamente en todos los ámbitos de la vida social y política. El error ha sido entender como un dogma que una economía que "crece" (en ganancias, productos de consumo, capital), garantiza el bienestar de las personas, lo que no es así.

Ello implica la patente imposibilidad de seguir con la dinámica del crecimiento inherente en las estructuras de las instituciones hegemónicas en el sistema mundial que actualmente impera, de ahí que el análisis y debate por una nueva

Constitución permite plantear formulaciones para la construcción de alternativas sostenibles.

En Chile, la demanda social por una nueva Constitución, iniciada en 2015 y concluida en noviembre de 2019, genera la expectativa de poder ver transformaciones a lo que hemos denominado Constitución económica, a fin de consagrar las bases de un modelo económico que permita conjugar de una manera equilibrada por un lado, el principio de solidaridad y su conexión con el bien común, la cláusula de Estado social y el reconocimiento de derechos fundamentales del buen vivir al servicio de la dignidad de las personas; y por el otro, el desarrollo sostenible de la economía nacional.

Desde mi visión, ello permitiría plantearnos, como país, un propósito económico de mayor envergadura que el crecimiento: el bienestar humano, la calidad de vida, la plenitud de la vida como hemos revisado con anterioridad. Ello conlleva comprender al ser humano como un ser integral, en relación con todo lo que le rodea y el trabajo, la economía, el capital y los bienes están al servicio de ello… y no al revés.

BIBLIOGRAFÍA

Acosta, Alberto (2015) "El buen vivir como alternativa al desarrollo. Algunas reflexiones económicas y no tan económicas" en Política y Sociedad N° 52, pp. 299-330, p. 301.

Alexy, R. (2002) "Epílogo a la Teoría de los Derechos Fundamentales" en *Revista Española de Derecho Constitucional,* año 22, N° 66, septiembre-diciembre, pp. 13-64.

Ara Pinilla, I. (1990) *Las transformaciones de los derechos humanos,* Madrid, Tecnos.

Aragón Reyes, M. (2019) El futuro de la justicia constitucional. En Anuario Iberoamericano de Justicia Constitucional, N° 23, vol. 1, pp. 11-41.

Ardila, R. (2003) "Calidad de vida, una definición integradora" en *Revista Latinoamericana de Psicología,* vol. 35, N° 2, pp. 161-164.

Bobbio, Norberto (1991) *El tiempo de los derechos,* Trad. de Rafael de Asís, Sistema, Madrid.

Bordalí, A. (1997) "Comentario de Jurisprudencia 'Empresa Forestal Trillium Limitada'" en *Revista de Derecho (Valdivia),* N° 8, pp. 123-150.

Bordalí, Andrés (1998a) "Constitución Económica y protección del medio ambiente" en *Revista de Derecho (Valdivia),* número especial, pp. 43-54.

Bordalí, Andrés (1998b) "Titularidad y legitimación activa sobre el medio ambiente en el Derecho chileno" en *Revista de Derecho (Valdivia)*, Vol. 9, N° 1, pp. 43-64.

Cántaro, A. (1997) "El declive de la constitución económica del Estado social", en García Herrera, M. A. (ed.): *El constitucionalismo en la crisis del Estado social*, IVAP, Ofíati, pp. 153-178.

Cubillo-Guevara, Ana Patricia; Hidalgo-Capitán, Antonio Luis; García-Álvarez, Santiago (2016) "El buen vivir como alternativa al desarrollo para América Latina". Revista Iberoamericana de Estudios del Desarrollo, N° 5, vol. 2, pp. 30-57.

Estermann, Josef (2014) Colonialidad, descolonización e interculturalidad, en Polis [En línea], N° 38, pp. 1-19. URL: http://journals.openedition.org/polis/10164

Felber, Christian (2012) La economía del bien común. Un modelo económico que supera la dicotomía entre capitalismo y comunismo para maximizar el bienestar de nuestra sociedad. Planeta: Deusto.

Ferrada, Juan Carlos (2000) "La Constitución Económica de 1980. Algunas reflexiones críticas". En *Revista de Derecho (Valdivia)*, Vol. XI, pp. 47-54.

García de Enterría, Eduardo (1983) *La Constitución como norma y el Tribunal Constitucional*, Madrid: Civitas.

García Pelayo, Manuel (1991) "Consideraciones sobre las cláusulas económicas de la Constitución", en él mismo: *Obras completas*, CEC, Madrid, Tomo III, pp. 2855-2874.

Gerber, David (1994) "Constitutionalizing the Economy: German Neo-liberalism, Competition Law and the "New" Europe" en American Journal of Comparative Law, N° 1, pp. 25-84.

Gudynas, Eduardo (2011) "Buen Vivir: germinando alternativas para el desarrollo" en América Latina en Movimiento, ALAI, N° 462, febrero, pp. 1-20.

Häberle, Peter (2009) "Un derecho constitucional para las futuras generaciones. La otra forma del contrato social: el contrato generacional" en *Lecciones y Ensayos*, N° 87, pp. 17-37.

Henríquez, Miriam et. al (2020) Nueva Constitución con perspectiva de género. Disponible online: https://copadas.cl/wp-content/uploads/2020/10/Nueva-Constitucion-Perspectiva-de-Genero.pdf

Lalander, R., Cuestas-Caza, J. (2017) Sumak Kawsay y Buen-Vivir en Ecuador. En Ana Dolores Verdú Delgado (ed.), Conocimientos ancestrales y procesos de desarrollo: Nacionalidades Indígenas del Ecuador. Loja, Ecuador: Universidad Técnica Particular de Loja, pp. 30-64.

Pozzolo, Susana (1998) "Neoconstitucionalismo y especificidad de la interpretación constitucional" en *Doxa*, N° 21, Tomo II, pp. 339-353.

Rojas Calderón, Ch. (2009) "Implicancias jurídicas de la normalización técnica. Sus antecedentes, proyección y las manifestaciones para el caso de Chile" en *Revista de Derecho (Coquimbo)*, año 16, N° 1, pp. 91-133.

Solá, J. V. (2004). *Constitución y Economía*, Buenos Aires, Abeledo-Perrot.

Tortosa, José María (2009) Maldesarrollo y mal vivir. Pobreza y violencia a escala mundial, Quito: Editorial ABYA-YALA.

Viera, Christian (2013) *Libre iniciativa económica y Estado social. Análisis al estatuto de la libertad de empresa en la Constitución chilena.* Thomson Reuters-Legalpublishing, Santiago de Chile.

Villalba-Eguiluz, U., Pérez-de-Mendiguren, J. C. (2019) La economía social y solidaria como vía para el buen vivir. Iberoamerican Journal of Development Studies, vol. 8(1):106-136.

El principio de confianza legítima, fuente de protección de los derechos de los administrados. Reciente jurisprudencia de la Excma. Corte Suprema

Ángela Vivanco Martínez[1]

INTRODUCCIÓN

El principio de confianza legítima constituye una extensión explícita al ámbito público del principio de la buena fe, ha ido cobrando cada vez más importancia tanto en la doctrina como en la jurisprudencia, procurando ahondar los contenidos necesarios de las relaciones jurídicas del Estado tanto con los particulares como con sus propios funcionarios.

Desde la perspectiva conceptual, la confianza legítima deriva de una justificada expectativa sobre el actuar del Estado, por parte de quien observa y requiere de sus decisiones, pero, más aún, representa un aspecto relevante de la responsabilidad de los órganos del Estado y de sus agentes en relación con sus propios actos. En efecto, la determinación razonada de un actuar, el que por lo demás tiene necesariamente efectos sobre las personas, demanda mantener una estabilidad y certeza en dicho marco de relaciones y también exige la justificación de los cambios de criterio o de interpretación que puedan conducir a soluciones diversas.

Si bien este principio no se encuentra consagrado explícitamente en la Constitución o en la ley chilena, puede escindirse con claridad de principios tales como la servicialidad del Estado, la certeza y seguridad jurídica, la responsabilidad de la Administración y la interdicción de la arbitrariedad, todos ellos fundantes del Derecho público chileno.

En este trabajo, además de tratar los antecedentes y actual dimensión de este principio, trataremos los aportes doctrinarios que han ido construyendo una creciente importancia en su aplicación, como asimismo los ricos contenidos de la jurisprudencia de protección dictada por la Corte Suprema, que, basándose en este principio, ha otorgado cautela en distintos casos de afectación de los derechos fundamentales.

---

[1] La autora es Abogado UC y Doctora en Derecho y Ciencias Sociales por la Universidad de La Coruña, España. Ministra de la Excma. Corte Suprema y profesora de Derecho Constitucional de la Facultad de Derecho de la Pontificia Universidad Católica de Chile. E mail: avivancm@uc.cl.

1. CONCEPTO Y ANTECEDENTES

1.1. Confianza legítima como principio y garantía

El principio de confianza legítima se presenta como un límite al poder de revisión con que cuenta la Administración, en cuya virtud a ésta le es exigido "que se mantengan las situaciones que han creado derecho a favor de sujetos determinados"[2], dado que aquellos confían en la continuidad de las condiciones y relaciones jurídicas surgidas a partir de los actos que ha dictado; y en este sentido, se afirma que "la Administración debe tener en cuenta las expectativas formadas a la luz de su conducta anterior"[3].

Dicho principio toma la forma de *"una garantía en el ámbito público, consistente en la defensa de los derechos del ciudadano frente al Estado y en la adecuada retribución a sus esperanzas en la actuación acertada de éste"*[4]. Ésta tiene sus orígenes en el desarrollo experimentado por la doctrina y la jurisprudencia alemanas, quienes la configuran a partir de los principios constitucionales de Estado de Derecho y Seguridad Jurídica, consagrándolo como el principal límite a la potestad invalidatoria de la Administración Estatal, de manera de configurarlo como un marco dogmático suficiente para enfrentar la tarea de delinear los límites al ejercicio de tal potestad[5].

Al tenor de esta directriz, la confianza depositada por los particulares en la actuación administrativa, merece protección, y es por ello que el amparo de la confianza legítima ha alcanzado reconocimiento en nuestro sistema jurídico administrativo, vinculando su aplicación al principio de buena fe por parte del administrado y a la noción de legítima expectativa que éste tiene frente a dicha actuación.

En nuestro país, tanto la Contraloría General de la República como los Tribunales Superiores de Justicia, a través de sus dictámenes y sentencias, han exigido a la Administración dar cumplimiento a este principio, generando de esta forma una consistente jurisprudencia que recoge la vigencia de esta directriz.

---

[2] Cordero Vega, Luis (2015) Lecciones de Derecho Administrativo. Segunda Edición, Santiago: Thomson Reuters, 786 pp., p. 339.

[3] Phillips, Jaime (2018) "El principio de protección de la confianza legítima en el artículo 26 del Código Tributario" Revista Ius et Praxis, año 24, N° 1, pp. 19-68, p. 24.

[4] Bermúdez Soto, Jorge (2005) "El principio de confianza legítima en la actuación de la administración como límite a la potestad invalidatoria" Revista de Derecho de Valdivia, Vol. XVIII, N° 2, diciembre de 2005, pp. 83-105.

[5] Bermúdez (2005).

1.2. Antecedentes

La expresión confianza legítima proviene de la palabra alemana *vertrauenschutz* (Protección de la confianza). Específicamente, es en 1956, con el conocido caso de la "viuda de Berlín", en el que el Tribunal Contencioso Administrativo Superior de Berlín, aplicó por primera vez el principio, impidiendo que se dejara sin efecto un acto administrativo que había creado una situación favorable para la viuda de un funcionario público, pronunciamiento que fue confirmado por el Tribunal Administrativo Federal en 1957[6].

De esta manera, es posible señalar que: "Desde el punto de vista de la Teoría del Estado, se considera que la garantía de la confianza de los ciudadanos en las instituciones constituye una condición básica del orden político liberal y democrático… Desde la óptica de la teoría de los derechos fundamentales, se señala asimismo que la protección de la confianza significa protección de la libertad, ya que es aquélla la que garantizaría un desarrollo óptimo de la personalidad de los ciudadanos"[7].

No es casual que, sin perjuicio de la normativización posterior que este principio tuvo en la legislación alemana, su origen haya sido jurisprudencial, pues precisamente al resolver conflictos que involucran al Estado y a los administrados, la confianza legítima adquiere su característico sello de ser una fuente de equidad en tales relaciones usualmente desequilibradas. En efecto, este principio, de origen jurisprudencial, surge a favor de los particulares como un "instrumento de protección frente a la actuación de los poderes estatales, procurando la estabilidad de las situaciones jurídicas basadas en actuaciones administrativas que han generado en los particulares una confianza digna de protección"[8].

1.3. La confianza legítima en el Derecho chileno

El principio y la garantía de confianza legítima no encuentran un reconocimiento expreso en la normativa chilena, pero ello no ha impedido derivarlo de fuentes constitucionales y legales, tales como el principio de servicialidad del

---

[6]   Guajardo Maureira, Karem (2018) "La confianza legítima en el Derecho Administrativo", tesis de grado, Magister en Derecho Público Universidad Finis Terrae, p. 3. Disponible en: https://repositorio.uft.cl/xmlui/bitstream/handle/20.500.12254/1159/Guajardo_Karem%202018.pdf?sequence=1&isAllowed=y [Fecha de visita 20 de abril de 2022]

[7]   Schneider, Jens – Peter (2002) "Seguridad jurídica y protección de la confianza en el Derecho constitucional y administrativo alemán, Documentación Administrativa" pp. 263-264 (mayo-diciembre 2002), pp. 250 y ss.

[8]   Millar Silva, Javier (2012) "El Principio de Protección de la Confianza Legítima en la Jurisprudencia de la Contraloría General de la República: Una revisión a la luz del Estado de Derecho". Publicado en La Contraloría General de la República, Chile, pp. 417-423, p. 417.

Estado (artículo 1° de la Constitución) y el de certeza y seguridad jurídica[9] (artículo 19 N° 26 de la misma, en relación con el artículo 19 N° 3). Tal cosa no es extraña o antojadiza, pues corresponde a una interpretación finalista de la Carta Fundamental, que ha permitido dotarla de ricos contenidos y permitir su evolución tras varias décadas de vigencia. En lo particular, el concepto de *derechos implícitos*[10] deriva de tal pretensión y permite considerar al catálogo de derechos del artículo 19 de la Carta como no taxativo y susceptible de una apertura hacia otros derechos derivados de los consagrados explícitamente o contenidos en tratados internacionales sobre derechos humanos o que significan la concreción de principios iusfundamentales[11].

Esta extensión constitucional ha merecido críticas de algunos autores que han considerado tales extensiones como una forma de activismo judicial: "la construcción judicial de normas no busca solo discernir el significado de una cláusula constitucional abierta, sino también crear reglas que permitan la aplicación de aquella a un caso específico. Es por ello que dichas construcciones judiciales son esencialmente políticas y legislativas"[12] o un "método de inflar derechos": "Como las cláusulas constitucionales son de una amplitud extrema debemos llenar de contenido conceptos jurídicos indeterminados para luego, una vez que hemos "constitucionalizado" aquel contenido que nos parecía correcto y coherente, poder oponerlo ya sea como regla jerárquica superior y así justificar la invalidez de una norma legal o ya sea, de una manera menos invasiva, entendiendo que aquel contenido constitucionalizado interviene como forma de delimitación del ámbito de aplicación de una determinada norma jurídica legal"[13].

Por cierto, no compartimos tales aprehensiones, pues, a nuestro juicio, el reconocimiento de derechos implícitos o principios ius fundamentales no previstos explícitamente por la Constitución, no sólo permite a países como el nuestro ponerse a la altura del estándar del sistema interamericano, sino además, desarrollar una interpretación finalista de la Constitución, que no restrinja sus contenidos al lenguaje de hace cincuenta años y permita que sus contenidos

---

[9]   Vid. Cea Egaña, José Luis (2004) La Seguridad jurídica como derecho fundamental, Revista de Derecho Universidad Católica del Norte, Año 11 N° 1, pp. 47-70.

[10] "La Corte Suprema norteamericana ha señalado que existen derechos en la "penumbra" de aquellas garantías expresamente reconocidas en el *Bill of Rights*. Dichos *derechos* constituyen una categoría especial, la categoría de los "derechos no enumerados" o derechos implícitos": Vid. Candia Falcón, Gonzalo (2014) Analizando la tesis de los *derechos implícitos*: comentario a la sentencia del tribunal constitucional recaída sobre el requerimiento de inaplicabilidad rol n° 2.408-2013 de 6 de marzo de 2014, RDUCN [online], Vol. 21, N° 1 [citado 2022-04-26], pp. 497-521.

[11] Contreras, Pablo (2011) ¿Derechos implícitos? Notas sobre la identificación de normas de Derecho fundamental, Nuevas perspectivas en Derecho público, Santiago: UNAB-Librotecnia, pp. 149-184.

[12] Candia (2014) 497-521.

[13] Letelier Wartenberg, Raúl (2014) Contra la confianza legítima como límite a la invalidación de actos administrativos, Revista Chilena de Derecho, vol.41 no.2, pp. 609-634.

encuentren una adecuada evolución, compasiva de la doctrina y del Derecho comparado, como asimismo orientada a dar solución a la falta de regulación legal o administrativa, la cual normalmente no es neutra sino definitivamente dañosa y vulneratoria de los derechos y prerrogativas de quienes, como administrados, se enfrentan al Estado.

En tal perspectiva, "el principio de confianza legítima no garantizaría la perpetuidad de los marcos regulatorios existentes, ni ampararía una suerte de derecho al mantenimiento de determinados regímenes legales favorables. No se trataría de coartar, en modo alguno, la potestad soberana del legislador para aprobar, modificar o derogar las leyes; por el contrario, *se trata de conciliarla con las expectativas particulares que él mismo ha generado*[14]. Por eso es que se le entregan diversas alternativas de actuación conducentes a alcanzar ese objetivo, a saber: indemnizar a los particulares cuyas esperanzas legítimas se vieron defraudadas, adicionar a la ley disposiciones transitorias que atenúen los efectos de la modificación o, simplemente, derogar la norma contraria a la confianza desarrollada. En este sentido, el principio de confianza legítima no supondría un obstáculo al amplio margen de configuración del orden social que corresponde al órgano legislativo, para adecuar las normas existentes a las exigencias del interés nacional"[15]. A tales efectos, considera la autora, necesario es tender un nexo entre el principio y la Constitución vigente, lo cual no bastaría relacionándolo con cláusulas generales como la del Estado de Derecho, pues y citando a Moderne, estima que "no ha pasado inadvertida la dificultad que supone establecer el vínculo lógico entre Estado de Derecho, seguridad jurídica y confianza legítima; particularmente, debido a que la generalidad del primero parece ser incompatible con una pretensión de tutela de intereses concretos".

La verdad es que tal relación es justamente la esencia de la confianza legítima. Un Estado democrático no lo es tan sólo porque las personas puedan hacer uso en él de su derecho de sufragio, con cierto pluralismo, y porque se constate que existe una separación entre los poderes públicos y mutuos contrapesos. Tan importante como lo anterior es que el ciudadano vea protegidos sus derechos, en sus relaciones directas o indirectas con el Estado, particularmente cuando este último hace uso de potestades exorbitantes al derecho común que requieren ser leídas e interpretadas desde la buena fe y la seguridad, de modo tal que el sujeto más desprovisto de recursos y con menos poderes, afiance su situación y sus prerrogativas a partir de la propia actuación de los entes públicos, lo cual

---

[14]   La cursiva es nuestra.
[15]   Ponce de León Solís, Viviana (2014) La problemática invocación a la confianza legítima como límite a la potestad legislativa, Estudios constitucionales vol.12 no.1 Santiago, pp. 429-474.

reafirma sin duda otro principio de máxima relevancia, esto es, la interdicción de la arbitrariedad[16].

Desde esa óptica, la determinación de la confianza legítima por parte de los jueces contribuye al equilibrio del poder de administrar justicia, con los otros poderes del Estado: "La confianza legítima, en su dimensión subjetiva, se presentaría como un mecanismo de interpretación y de conciliación de los conceptos jurídicos indeterminados, como una forma de flexibilizar la legalidad objetiva con ocasión del examen de los casos particulares. Visto de tal forma, estamos de lleno aludiendo al ejercicio del poder discrecional que poseen, tanto el legislador y la autoridad administrativa, como el juez, al decidir las situaciones concretas. *Se presentaría así la confianza legítima como un principio que permite interpretar, modelar o conferir, en los casos concretos, las reglas de derecho objetivo*"[17].

2. LA CONFIANZA LEGÍTIMA EN LA JURISPRUDENCIA DE LA CORTE SUPREMA CHILENA

2.1. *Un principio aplicado y desarrollado por el máximo tribunal del país*

La Corte Suprema ha tenido la oportunidad de pronunciarse en esta materia, y en especial su Tercera Sala ha reconocido la vigencia del principio en diversos ámbitos de la actividad administrativa, dejando sin efecto aquellos actos administrativos que atentan contra el principio, o bien identificando supuestos en los cuales éste carece de aplicación.

En efecto, se afirma que "En virtud de este principio, el juez podrá sancionar la utilización regular en sí misma, por parte del autor del acto o norma

---

[16]   En la sentencia de constitucionalidad C – 131 de 2004. M.P. Clara Inés Vargas, la Corte Constitucional de Colombia se refiere a este principio como: "una exigencia de honestidad, confianza, rectitud, decoro y credibilidad que otorga la palabra dada, a la cual deben someterse las diversas actuaciones de las autoridades públicas y de los particulares entre sí y ante éstas, la cual se presume, y constituye un soporte esencial del sistema jurídico; de igual manera, cada una de las normas que componen el ordenamiento jurídico debe ser interpretada a luz del principio de la buena fe, de tal suerte que las disposiciones normativas que regulen el ejercicio de derechos y el cumplimiento de deberes legales, siempre deben ser entendidas en el sentido más congruente con el comportamiento leal, fiel y honesto que se deben los sujetos intervinientes en la misma. La buena fe incorpora el valor ético de la confianza y significa que el hombre cree y confía que una declaración de voluntad surtirá, en un caso concreto, sus efectos usuales, es decir, los mismos que ordinaria y normalmente ha producido en casos análogos. De igual manera, la buena fe orienta el ejercicio de las facultades discrecionales de la administración pública y ayuda a colmar las lagunas del sistema jurídico".

[17]   Mora, Patricia Silvina (2014) La confianza legítima como expresión de la *bonae fides* de la Administración, Disponible en: https://p3.usal.edu.ar/index.php/aequitasvirtual/article/download/2075/2607 [fecha de visita 20 de abril de 2022].

administrativos que han sido cuestionados por afectar a tal principio. Y ello porque el ejercicio de tales poderes de normación o resolución se ha llevado a cabo en condiciones que "sorprenden la confianza que los destinatarios de la norma discutida podían legítimamente tener en que el marco jurídico de desenvolvimiento de su actividad no sería modificado, sin al menos la adopción de ciertas medidas transitorias"[18].

A modo ejemplar, en materia de cambios de criterio de la Administración, la Corte Suprema ha sostenido que éstos sólo pueden ampararse en razones legítimas, "las que deben expresarse, fundamentarse y sostenerse con claridad y precisión frente al administrado"[19], dado "que las actuaciones de los poderes públicos generan la confianza entre los destinatarios de sus decisiones"[20]. Frente a ello, la protección de la confianza legítima se alza como expresión de previsibilidad y estabilidad de las relaciones jurídicas entre el Estado y sus administrados, buscando dar certeza y seguridad a las situaciones jurídicas creadas a partir de las propias actuaciones anteriores de la Administración.

Asimismo, a propósito del otorgamiento o pago indebido de asignaciones y/o beneficios a funcionarios públicos o particulares, el máximo tribunal ha expresado que no puede exigirse el reintegro de las sumas percibidas indebidamente a quien gozaba de ellas de buena fe y con la confianza legítima de que el pago se encontraba ajustado a derecho[21].

Por su parte, en materia urbanística, la Corte Suprema ha entendido que el legislador se ha encargado de precisar y reglamentar el análisis de la autoridad sobre el que descansa la actividad de inversión "remarcando los conceptos generales de presunción de legalidad, confianza legítima y hecho propio de la autoridad administrativa"[22]. En este sentido, ha sostenido, por ejemplo, que el certificado de informaciones previas "debe analizarse necesariamente a la luz del principio de la protección de la confianza legítima"[23].

Finalmente, tratándose de empleo público, particularmente en materia de no renovación o término anticipado de contratas, el máximo tribunal ha sostenido como criterio general, que luego de reiteradas y sucesivas renovaciones de una contrata, se genera respecto del funcionario "la confianza legítima de mantenerse vinculad[a] con la Administración, de modo tal que su relación sólo puede

---

[18]   Castillo Blanco, F (1998) La protección de confianza en el Derecho Administrativo, Editorial Marcial Pons, Madrid, pp.381 p. 108.
[19]   Corte Suprema. 14 de febrero de 2022. Rol N° 59.302-2021.
[20]   Corte Suprema. 05 de diciembre de 2016. Rol N° 47.588-2016.
[21]   Corte Suprema. 09 de septiembre de 2020. Rol N° 36.586-2019.
[22]   Corte Suprema. 13 de enero de 2020. Rol N° 20.741-2019.
[23]   Corte Suprema. 02 de febrero de 2017. Rol N° 34.788-2016.

terminar por sumario administrativo derivado de una falta que motive su destitución o por una calificación anual que así lo permita"[24].

En este mismo sentido, luego de un extenso período de vigencia de la relación laboral estatutaria, la Corte ha entendido que "resulta contrario a la razón sostener que se trata de una función meramente "transitoria", sino que, en contraposición, queda en evidencia que la necesidad pública que se pretende satisfacer a través de aquella prestación de servicios ha devenido en permanente, alejándose con ello de la naturaleza y fines propios de los empleos a contrata"[25], generándose respecto del funcionario afectado la confianza legítima de mantenerse vinculado con la Administración.

2.2. Líneas jurisprudenciales recientes de la Tercera Sala de la Corte Suprema a propósito del principio y garantía de confianza legítima[26]

En la siguiente sección del estudio, se revisarán y presentarán los considerandos más relevantes en relación a las líneas jurisprudenciales de la Corte Suprema respecto a la construcción del principio de confianza legítima.

A. Aplicación del Principio de Confianza Legítima en relación a la facultad dictaminante de la Contraloría General de la República.

La facultad de interpretar la ley por parte de la Contraloría mediante dictámenes, otorga a los administrados la confianza legítima de que frente a situaciones semejantes, la Administración actuará conforme a esos mismos parámetros.

a) Rol N° 12.207-2018, recurso de casación en el fondo (rechazado), sentencia dictada con fecha 10 de septiembre de 2018 por la Tercera Sala de la Corte Suprema

"Cuarto: Que, la facultad de emitir dictámenes tiene su fundamento en la propia Carta Fundamental al conferir a la Contraloría el control de legalidad de los actos de la administración, consagrado en los artículos 98 de la Carta Fundamental y 10 y 6° de la Ley N° 10.336, en relación con los artículos 51 y 52 de la Ley N° 18.695. Así, realiza un control jurídico mediante la emisión de dictámenes que, cuando inciden en las materias administrativas que específicamente señala el artículo 6° de su ley orgánica, constituyen la jurisprudencia administrativa y por ende, tienen carácter vinculante para la administración, conforme el artículo 5 de Ley N° 10.336.

24   Corte Suprema. 12 de julio de 2021. Rol N° 19.111-2021.
25   Corte Suprema. 24 de septiembre de 2020. Rol N° 27.619-2020.
26   Agradezco a los abogados Alejandra Inalaf Campos y Alejandro Maragaño Méndez, de la Dirección de Estudios de la Excma. Corte Suprema, por su valioso trabajo de sistematización de nuestros fallos en la materia.

La emisión del dictamen, como manifestación del órgano contralor, otorga a los administrados una especie de confianza legítima en que, frente a circunstancias similares o equivalentes, la Administración actuará conforme a los mismos parámetros determinados. Tratándose de un acto declarativo, enuncia una situación preexistente, con alcance retroactivo hasta la fecha de la situación jurídica de la que el administrado deduce el derecho que alega, de modo que las correcciones a los criterios o las precisiones que se otorguen a los ya dictaminados no varían la naturaleza del dictamen ni exigen, respecto de ellos, la adopción de un procedimiento de invalidación al no determinarse vicio de legalidad en su otorgamiento…"[27].

B. Aplicación del Principio de Confianza Legítima en los cambios de criterio de la Administración.

Los criterios de la Administración pueden modificarse, pero ello requiere una adecuada motivación, claridad y respeto al principio de confianza legítima, que se erige como expresión de previsibilidad y estabilidad de las relaciones jurídicas entre el Estado y sus administrados.

b) Rol N° 59.302-2021[28][29], recurso de casación en el fondo (acogido), sentencia de fecha 14 de febrero de 2022, pronunciada por la Tercera Sala de esta Corte Suprema

---

[27]   Corte Suprema. 10 de septiembre de 2018. Rol N° 12.207-2018.

[28]   Corte Suprema. 14 de febrero de 2022. Rol N° 59.302-2021.

[29]   En similar sentido, Corte Suprema: Rol N° 47.588-2016, sentencia de fecha 05 de diciembre de 2016 y voto disidente del Ministro Muñoz en sentencia Rol N° 38.754-2017 de fecha 22 de enero de 2018: "8° Que a este respecto, Rubén Saavedra Fernández señala: "Entre los principios generales frecuentemente señalados por la doctrina administrativa, y con un amplio reconocimiento jurisprudencial en el derecho comparado, se pueden mencionar los siguientes: a) Principio de igualdad; b) Principio de razonabilidad o interdicción de la arbitrariedad; c) Principio de proporcionalidad; d) Principio de buena fe; e) Principio de seguridad jurídica; f) Principio de confianza legítima".

(…)En otras palabras, el principio de legítima confianza "exige que se mantengan las situaciones que han creado derecho a favor de sujetos determinados, sujetos que confían en la continuidad de las relaciones surgidas de actos firmes de la Administración (") supone el amparo que debe dar el juez al ciudadano frente a la Administración Pública, la que ha venido actuando de una determinada manera, en cuanto esta lo seguirá haciendo de la misma manera en lo sucesivo y bajo circunstancias (políticas, sociales y económicas) similares" (Cordero (2015) pp. 307 y 308).

9° Que de lo antes señalado, es posible extraer, como conclusión básica, que el ejercicio de las facultades de las autoridades recurridas debe ajustarse a determinados fines que justifican su ejercicio en el campo de las leyes, reglamentos y de los principios señalados y si bien en el caso de autos no es discutible que la Administración cuenta con la habilitación legal para decidir, en caso de duda, una readecuación de los requisitos relativos al otorgamiento de los beneficios tributarios contenidos en la Ley Navarino, ella debe adecuarse a la interpretación conforme que resultará del análisis de las disposiciones en consonancia con los principios a que antes se hizo referencia, en particular, los de buena fe, confianza legítima y de proscripción de toda arbitrariedad.

10° Que en este caso, de la aplicación de los principios citados supra, y la interpretación de las reglas aplicables de acuerdo con el contenido de aquellos, llevan a la conclusión que *en los casos en que las actuaciones de los poderes públicos generen la expectativa entre los destinatarios de sus decisiones que*

"Quinto: Que, resulta necesario partir señalando que el principio de la confianza legítima, aunque de reciente reconocimiento a nivel doctrinario y jurisprudencial en nuestro país, sienta sus raíces en otros principios y doctrinas de larga data. Situados en la disciplina del derecho administrativo no puede limitarse su consagración, temporalmente, sólo a la publicación del Dictamen N° 85.700 de 2016, confirmado luego por el Dictamen 6.400 de marzo de 2018, ambos de la Contraloría General de la República, pues sus bases se encuentran en principios y doctrinas anteriores, como lo es el principio de la seguridad jurídica, inherente al Estado de Derecho y al orden jurídico mismo; en el de protección de la buena fe, esencial como guía de conducta que debe regir los comportamientos de los sujetos de derecho y de las personas en general; y en la doctrina de los actos propios, íntimamente ligado con el anterior, que no excluye la posibilidad de cambiar de opinión, pero sí la sanciona cuando este cambio se hace en perjuicio del otro que sobre la base de una conducta mantenida inalterable ha obrado seguro en que ésta se mantendrá en el tiempo. En el orden constitucional, como señala un autor, "el principio de confianza legítima se deduce desde los principios constitucionales de Estado de Derecho (arts. 5, 6 y 7 CPR) y de seguridad jurídica (art. 19 N° 26 CPR). En virtud de él se entiende que existirá una permanencia en la regulación y aplicación del ordenamiento jurídico." (Bermúdez Soto, Jorge, "El principio de confianza legítima en la actuación de la administración como límite a la potestad invalidatoria", Revista de Derecho Valdivia, Vol. XVIII, N°2, diciembre 2005).

En particular, y para dar protección a los administrados frente a la actuación de la administración estatal, *el principio de la protección de la confianza legítima se erige entonces como expresión de la necesaria previsibilidad y estabilidad de las relaciones jurídicas que nacen de esta interacción entre el Estado y sus administrados, y busca dar certeza y seguridad a las situaciones jurídicas creadas a partir de las propias actuaciones anteriores de la administración, exigiendo que un cambio en el comportamiento de ésta sólo puede ampararse si se funda en razones legítimas, las que deben expresarse, fundamentarse*

---

ellas se mantendrán invariables en el tiempo, constituyen una manifestación de la más amplia noción de la seguridad jurídica y aun cuando se sostuviera como lo hace la Tesorería Regional, en el sentido *que no se tratan de actos administrativos invalidatorios aquellos que han sido impugnados sino que el simple ejercicio de una potestad legítima entregada por el legislador* a la SEREMI de Desarrollo Social concerniente a una adecuación terminológica fundada en un Dictamen del año 2008 de la Contraloría General de la República, *ciertamente es posible considerar que esta nueva definición y establecimiento de requisitos adicionales, no exigidos pretéritamente por las autoridades recurridas, alteraron una situación que se mantuvo sin modificaciones durante más de ocho años, extensión en el tiempo que razonablemente generó en la actora una legítima expectativa en relación a que la conducta que tendría a futuro,* en particular la Tesorería Regional se mantendría, por cuanto son los órganos de la Administración los que se encuentra en mejores condiciones, en este caso, de evaluar la necesidad de modificar un concepto que finalmente redundará en la obtención o exclusión de un beneficio tributario, viéndose en consecuencia afectada la recurrente frente a un cambio de parecer intempestivo de la Administración que la afectó patrimonialmente. (En el mismo sentido, sentencia dictada por Corte Suprema en causa Rol N°28.422-2016, de 11 de enero de 2017)."

y sostenerse con claridad y precisión frente al administrado. En esta línea se ha señalado por el mismo autor antes citado que "una comprensión amplia de los principios de legalidad y seguridad jurídica puede servir también, incluso bajo nuestro ordenamiento, de base posible para asentar la vigencia de este principio. En virtud del principio de legalidad en su vertiente atributiva, le está vedado a la Administración Pública actuar en ejercicio de sus potestades de manera abusiva (arbitraria) o en exceso de poder. Es precisamente en el primer caso, el del abuso en el ejercicio de potestades, el de la arbitrariedad, comprendidos dentro del principio de legalidad en sentido amplio, en que la Administración deberá motivar y señalar las razones para su actuación. Si tal actuación supone una alteración en la interpretación de la norma o un cambio en la manera de regular o de resolver, solo estará legítimamente autorizada para hacerlo, si respeta, entre otros, la confianza que los administrados tienen en su forma o dirección de la actuación".

Así las cosas, *la aplicación del principio general de la protección de la confianza legítima, particularmente en sede de derecho administrativo, se ha construido en una triple dimensión que es anterior al señalado dictamen del órgano contralor: en primer lugar requiere analizar el comportamiento de la autoridad pública que ha generado expectativas en el administrado; en segundo lugar, exige la reconstrucción de la situación jurídica del administrado receptor de esa expectativa y confianza; y, en tercer lugar, importa la intervención del juez que debe apreciar, en cada caso en concreto, si concurre la confianza invocada, si esta es legítima y si ella debe efectivamente, equilibrando los intereses en juego, ser protegida y, en ese caso, cuál es el mejor modo de protegerla".*

c) Rol N° 20.701-2020, apelación de protección (se revoca sentencia apelada y se acoge recurso), sentencia dictada con fecha 07 de octubre de 2020, por la Tercera Sala de la Corte Suprema

"Duodécimo: Que, desde luego, la Contraloría General de la República puede cambiar su jurisprudencia administrativa. Sin embargo, tal y como lo reconoce el propio Contralor General de la República en el reporte aludido, y lo explicita el Informe en Derecho del profesor Luis Cordero Vega, el cambio de discernimiento procede siempre y cuando "en virtud de mayores antecedentes o circunstancias inexistentes o desconocidas en su oportunidad, adquiere la plena convicción de que debe resolverse de manera diferente".

Por otro lado, como sostiene Cordero Vega: *"En virtud de dicha obligatoriedad y fuerza vinculante del precedente administrativo, la determinación de no perseverar en una determinada interpretación por parte de un mismo órgano administrativo, en una hipótesis cuyos supuestos fácticos sean similares a los del precedente cuya revisión o desatención se pretende, requiere necesariamente de adecuada motivación, y debe garantizar que los principios de igualdad, seguridad jurídica, buena fe y confianza legítima no se vean defraudados"* (página 26). Más adelante señala: "Los criterios interpretativos contenidos en los precedentes y jurisprudencia vigente de Contraloría obligan tanto a la Administración activa como al propio órgano contralor, quien si bien puede modificar un criterio mantenido en dictámenes anteriores "esto es, modificar un precedente administrativo"; ello requiere necesariamente de una adecuada motivación que justifique el cambio interpretativo, especialmente tratándose de hipótesis en que se verifican los mismos o similares supuestos de hecho que en el precedente cuya modificación se pretende. La falta de motivación del cambio interpretativo por parte de Contraloría implica un actuar ilegal y arbitrario, en tanto la no expresión de las razones, motivos o fundamentos por los cuales el órgano contralor se aleja de su propia jurisprudencia infringe el principio de interdicción en la arbitrariedad" (página 26)"[30].

d) Rol N° 47.588-2016, recurso de casación en el fondo (acogido), sentencia dictada con fecha 05 de diciembre de 2016 por la Tercera Sala de la Corte Suprema

"OCTAVO: Que a la luz de lo hasta aquí indicado, resulta importante recordar que *uno de los principios del Derecho Administrativo es el de la protección de la confianza legítima, esto es, que las actuaciones de los poderes públicos generan la confianza entre los destinatarios de sus decisiones. Lo anterior vinculado directamente con el principio de conservación del acto administrativo, de la buena fe y de la seguridad jurídica, los que constituyen resguardos de la tutela invalidatoria ejercida por la propia Administración en relación con sus actos.*

Este principio tiene especial aplicación en el caso de autos donde un contribuyente contaba con un documento emanado de la Municipalidad ejecutante que lo autorizaba a funcionar como sociedad de inversión pasiva, exenta del pago de la patente municipal a la luz de lo que era la jurisprudencia administrativa de la Contraloría General de la República en la época en que había sido dictada la resolución y que la Municipalidad hizo suya al plasmarlo así expresamente.

"NOVENO: Que frente al principio antes referido y aún con mayor fuerza, se debe acudir igualmente a la doctrina de los actos propios que reconoce sus primeros orígenes en el Derecho Romano, donde, pese a no haberse estructurado con los perfiles de homogeneidad y generalidad, propios de una norma jurídica, vertida inicialmente en la máxima "venire contra factum proprium non valet" se recogió más tarde en sus líneas esenciales por la codificación de Justiniano, en la que se intentó consagrarla como criterio de aplicación general, según se evidencia en el Digesto, que establece una regla de acuerdo con la cual nadie puede cambiar su voluntad en perjuicio de otro.(…)

---

[30]   Corte Suprema. 07 de octubre de 2020. Rol N° 20.701-2020.

"Nuestro sistema normativo no establece una regulación específica en relación con la teoría de los actos propios, la cual, sin embargo, ha adquirido amplia acogida durante los últimos tiempos en la doctrina de los autores y en la jurisprudencia, donde se la reconoce como un criterio orientador derivado del principio general de la buena fe "concebida ésta en su faz objetiva- a la que se refiere el artículo 1546 inciso 3° del Código Civil cuando prescribe que los contratos deben ejecutarse de buena fe y que, por consiguiente, obligan no sólo a lo que en ellos se expresa sino a todas las cosas que emanan precisamente de la naturaleza de la obligación o que por la ley o costumbre pertenecen a ella.

Décimo: Que siempre *en referencia a la buena fe considerada como principio inspirador de la regla de los actos propios,* se ha dicho por la doctrina de los autores, principal fuente de elaboración conceptual de dicho instituto, ante la ausencia de regulación normativa sobre el tema: *"Si se observan los casos en que los autores y los tribunales han afirmado la vigencia del "venire contra factum proprium", se puede advertir que en todos ellos está en juego la protección de la buena fe objetiva, es decir, del deber de no defraudar deslealmente la confianza que un tercero ha podido legítimamente depositar en un determinado estado de hecho provocado voluntariamente por las palabras o las actuaciones de una persona. Es la lesión injustificada de la buena fe la que proporciona una razón suficientemente fuerte para poner de cargo del que se contradice el riesgo de su inconsistencia"* (Hernán Corral Talciani. "La doctrina de los actos propios en el Derecho de Familia Chileno". Cuadernos de Extensión Jurídica N° 18, Universidad de Los Andes; páginas 105 y 106).

La conducta contraria es una contravención o una infracción del deber de buena fe. Ya antes hemos señalado que el hecho de que una persona trate, en una determinada situación jurídica, de obtener la victoria en un litigio, poniéndose en contradicción con su conducta anterior, constituye un proceder injusto y falta de lealtad. He aquí por donde la regla, según la cual, nadie puede ir contra sus propios actos, se anuda estrechamente con el principio de derecho que manda comportarse de buena fe en las relaciones jurídicas" (Luis Diez Picazo. "La doctrina de los actos propios. Estudio crítico sobre la jurisprudencia del Tribunal Supremo". Citado por María Fernanda Ekdahl Escobar en "La doctrina de los actos propios". Editorial Jurídica de Chile. Páginas 72 y 73).

Décimo primero: Que debe apuntarse que, en general, *se entiende que la aplicación de la doctrina en análisis requiere la concurrencia copulativa de los siguientes requisitos:*

a.- Una conducta jurídicamente relevante y eficaz por parte del sujeto, manifestada con anterioridad a aquélla que, luego, pretende contradecir;

b.- Una pretensión antagónica con el comportamiento precedente, exteriorizada mediante el ejercicio, por el mismo sujeto, de un derecho subjetivo, originándose con ello una situación litigiosa debido a la contradicción de ambas conductas, con afectación del principio de la buena fe;

c.- Perjuicio grave para terceros que han ajustado su proceder a la conducta anterior y que resultan afectados por el cambio posterior de ésta; y

d.- Identidad entre el sujeto que desarrolló la conducta original y el que, con posterioridad, pretende desconocerla, desplegando un comportamiento en sentido contrario"[31].

e) Rol 24.815-2018, apelación de protección (se revoca sentencia apelada y se acoge recurso), sentencia dictada con fecha 29 de mayo de 2019 por la Tercera Sala de la Corte Suprema. (Fallo de mayoría)

"Séptimo: Interpretación legal efectuada por la Superintendencia de Salud. Que para resolver el aspecto jurídico que constituye el fondo de los agravios invocados bajo diversos acápites por los apelantes, es necesario en primer lugar, consignar que conforme lo establecido en el artículo 110 N° 2 del DFL N°1 la Superintendencia está dotada de la facultad de interpretar administrativamente, en materias de su competencia, las leyes, reglamentos y demás normas que rigen a las personas o entidades fiscalizadas.

En uso de esta facultad, puede modificar la interpretación efectuada, si considera que la realizada no establece el sentido y alcance derivado de la ley, en este caso, los artículos 181, 188 y 226 del DFL N° 1, y que contradice pronunciamientos anteriores sobre la materia interpretada.

El cambio de hermenéutica efectuada por la autoridad recurrida, no puede, por esa sola circunstancia ser calificada de ilegal, como tampoco de arbitraria.

Undécimo: Principio de la confianza legítima.

Que la doctrina ha establecido que "No es admisible, sin afectar la buena fe y lealtad que debe existir entre la Administración y los ciudadanos, disponer de un comportamiento oportunista de parte de esta (al cambiar de opinión drásticamente), afectando esas condiciones favorables y generando consecuencias negativas para la estabilidad y la seguridad jurídica".

"...la confianza legítima se ha ido imponiendo como límite a los poderes de revisión de la Administración, consecuencia de las certezas exigidas por la seguridad jurídica. Esta exige que se mantengan las situaciones que han creado derecho a favor de sujetos determinados, sujetos que confían en la continuidad de las relaciones surgidas de actos firmes de la Administración, por lo que había razón para considerarlos definitivos y actuar en consecuencia. Esto no quiere decir que las potestades de revisión no se puedan ejercer en contra de actos firmes, lo que hay es que esta es improcedente cuando con ello se vulneren las necesidades derivadas de la aplicación del principio de seguridad jurídica, principio que está

---

[31]   Corte Suprema. 29 de mayo de 2019. Rol N° 24.815-2019.

indisolublemente ligado al respeto de los derechos de los particulares como límites a la potestad revisora de la Administración." (Luis Cordero Vega, Lecciones de Derecho Administrativo, Segunda Edición corregida, Editorial Thompson Reuters, año 2015).

Aplicación del Principio de Confianza Legítima en materia de otorgamiento de beneficios o asignaciones pagadas indebidamente.

f) Rol N° 38.002-2021, apelación de protección (se confirma sentencia apelada que acoge recurso), sentencia de fecha 16 de diciembre de 2021, pronunciada por la Tercera Sala de la Corte Suprema

No puede exigirse el reintegro de sumas percibidas indebidamente a quien gozaba de ellas de buena fe y con la confianza legítima de que el pago se encontraba ajustado a derecho. El error es de la Administración.

g) Rol N° 36.586-2019[32], apelación de protección (se confirma sentencia apelada que rechaza recurso), sentencia pronunciada con fecha 09 de septiembre de 2020 por la Tercera Sala de la Corte Suprema, (Fallo de mayoría)

"Noveno: Que, en relación con la buena fe y confianza legítima invocadas como fundamento para percibir la asignación de turno, se debe precisar que la recurrida no las ha desconocido, ni en su informe como tampoco en las resoluciones atacadas, por lo que se debe entender que la funcionaria efectivamente ha procedido de buena fe y con la confianza legítima de que el pago de la asignación de turno era procedente conforme a derecho, más aun considerando el largo período en que las percibió sin que hubiese reparo u objeción alguna de la entidad de control.

Décimo: Que, en consecuencia, lo que esta Corte debe resolver es si la negativa de la recurrida a condonar la deuda no prescrita se encuentra ajustada a derecho, reconociendo que se trata de una potestad discrecional conforme se desprende del texto del artículo 67 de la Ley N° 10.336 (...)

Duodécimo: Que, si se examina con detenimiento la Resolución Exenta N° 371 de 5 de septiembre de 2019 (que dejó sin efecto la Resolución N° 141 y acogió parcialmente la alegación de prescripción extintiva), se constata que en ella no existe ningún fundamento o razonamiento relativo a la buena fe y confianza legítima que ampara a la funcionaria recurrente, como tampoco al error en que incurrió la

---

[32] En similar sentido, voto en contra del Ministro Suplente señor Zepeda en sentencia Rol N° 29.801-2019, de 09 de septiembre de 2020.

Administración al pagar indebidamente, durante más de diez años, la asignación de turno en su favor".

La aplicación del principio de confianza legítima debe conciliarse con el principio de probidad. La dispensa en reintegrar fondos percibidos indebidamente encuentra su límite en que las funciones remuneradas hayan sido efectivamente prestadas.

h) Rol N° 19.075-2018, recurso de apelación (protección), sentencia de fecha 20 de diciembre de 2018, pronunciada por la Tercera Sala de la Corte Suprema

"Quinto: Que, de la sola lectura de la Resolución N°3641 de 19 de diciembre de 2017, dictada por el Presidente de esta Corte, aparece que la comisión de servicio otorgada al actor para participar en el septuagésimo tercer Programa de Formación para postulantes al Escalafón Primario del Poder Judicial que imparte la Academia Judicial entre el 4 de septiembre de 2017 y el 12 de octubre de 2018, lo fue en su calidad de Oficial 4° a contrata del Juzgado de Letras y Garantía de Mulchén y no, como ha pretendido, en la de Jefe de Unidad del mismo tribunal, cargo que no se menciona en ninguno de los acápites del referido documento, circunstancia que resulta suficiente por sí solo para poner término a la segunda contrata mencionada.

Sexto: Que, sin perjuicio de lo que se acaba de expresar, conviene también señalar que así como se dio aplicación al principio de confianza legítima, al no requerir del actor el reintegro de los fondos mal percibidos, puesto que ese pago en exceso se originó en un error cometido en la dictación del decreto de prórroga de la contrata como Jefe de Unidad en favor del recurrente, Resolución Exenta N° 1017-2017, de 21 de diciembre de 2017, también debe respetarse el principio de probidad, en virtud del cual sólo corresponde remunerar las funciones efectivamente prestadas. En la especie, ha quedado establecido que Felipe Fica contaba con una comisión de servicio que le permitía no servir su cargo de Oficial Cuarto a contrata mientras cursara el Programa de Formación de la Academia Judicial, pero no existía razón alguna amparada por el derecho, para percibir la remuneración mayor asociada a la contrata de Jefe de Unidad grado XI puesto que no sirvió dicho cargo, dado que la indicada prórroga se autorizó con fecha posterior a la comisión de servicio.

Séptimo: Que, de esta forma, se debe concluir que las recurridas no han incurrido en ningún acto ilegal ni arbitrario, ni lesionado garantía constitucional alguna del actor, motivo por el cual la presente acción cautelar no puede prosperar…".

i) Rol N° 36.783-2019, apelación de protección (se confirma con declaración sentencia apelada que acoge recurso), sentencia dictada con fecha 01 de octubre de 2020 por la Tercera Sala de la Corte Suprema. (Fallo de mayoría)

La exclusión de un beneficio previamente reconocido a un funcionario por la Administración, exige la expresión de los motivos que determinaron dicha exclusión. Si el funcionario estaba de buena fe, operó a su favor la confianza legítima.

"Duodécimo: Que, sin perjuicio de la denominación de "Convenio" que las partes le asignaron, no cabe duda que el acto jurídico suscrito entre la Municipalidad de Concepción y el Servicio de Salud de la misma ciudad constituye un acto administrativo, conforme con lo establecido en el artículo 3 de la Ley N° 19.880 sobre Bases de los Procedimientos Administrativos, toda vez que exterioriza de manera formal la voluntad de dos órganos que forman parte de la Administración del Estado y que suscriben dicho acto ejerciendo sus respectivas potestades públicas, en estricto cumplimiento de las disposiciones contenidas en la Ley N° 20.919 y su Reglamento.

"De lo anterior fluye que, si la Administración cambió su parecer original, o bien, advirtió la presencia de un error en la determinación de los estipendios a que tenía derecho el recurrente, necesariamente debió ejercer alguna de las potestades establecidas en la Ley N° 19.880, a saber: a) subsanar los vicios de procedimiento o del acto administrativo (art. 13 inciso final); b) invalidación (art. 53); c) revocación; y d) aclaración (art. 62).

"En todos los casos la Administración debió dictar un acto administrativo fundado, a fin de cumplir con el estándar de motivación exigido en los artículos 11 y 41 de la Ley N° 19.880, máxime si con ello se afectan los derechos e intereses del recurrente.

"(…)

"Décimo cuarto: Que es necesario destacar que el recurrente se encontraba, frente a la Administración, en una disposición subjetiva de buena fe y amparado por la confianza legítima que para él supuso la suscripción del Convenio de fecha 24 de mayo de 2018, teniendo la legítima expectativa de incorporar a su patrimonio el incremento previsto en el artículo 7 de la Ley N° 20.919, al existir actos positivos de la Administración en orden a reconocerle dicho beneficio".

j) Rol N° 53-2019, recurso de apelación (protección), sentencia de fecha 05 de marzo de 2019, pronunciada por la Tercera Sala de la Corte Suprema

Es contrario al principio de confianza legítima que la Junta Nacional de Auxilio Escolar y Becas proceda a revocar el acto que erróneamente otorgó una beca de residencia a un estudiante de pregrado, y requiera además el reembolso de lo percibido, si es que el beneficiario de la misma ha actuado de buena fe.

"Cuarto: Que, en la especie, aun cuando pudiera considerarse procedente la dictación de la resolución recurrida, ésta no pudo disponer los efectos perjudiciales para la actora que en ésta se establecen, por favorecer a la administrada la confianza legítima en las decisiones de la administración.

Quinto: Que la Resolución Exenta N° 1.471, de 3 de octubre de 2017, dictada por la Dirección Regional de la Junta Nacional de Auxilio Escolar y Becas, que pretendía corregir un error de la misma repartición, y el Oficio N°649, de 27 de junio de 2018, que "ordena la restitución de recursos PRF 2017", han causado perjuicio y han lesionado las garantías constitucionales de la actora en lo relativo a sus derechos a recibir un trato igualitario ante la ley y de propiedad, por lo que resultan, entonces, manifiestas su arbitrariedad e ilegalidad al haber dispuesto no sólo el cese inconsulto e intempestivo del beneficio otorgado a la recurrente sino también la devolución de lo percibido por ésta de buena fe.

Aplicación del Principio de Confianza Legítima en materia urbanística.

La legislación urbanística descansa en los principios de legalidad, confianza legítima y hecho propio de la autoridad, a efectos de dar certeza a la actividad de inversión.

a) Rol N° 39.681-2020, recurso de casación en el fondo (rechazado), sentencia de fecha 25 de junio de 2021, pronunciada por la Tercera Sala de esta Corte Suprema

"DÉCIMO OCTAVO: Que, por lo expuesto, *se ha de desestimar el arbitrio en estudio en lo que dice relación, además, con la denunciada transgresión, por parte de la autoridad municipal, de sus actos propios y del principio de confianza legítima, desde que, como resultó demostrado, los permisos de construcción materia de autos no fueron otorgados en conformidad a lo prescrito en la normativa que regula la materia, pues en su extensión no se observó la regla que consagra la densidad habitacional máxima aplicable al sector especial en el que se sitúan los bienes raíces de que se trata, y, por lo mismo, no es posible afirmar que exista en la especie un acto anterior de la autoridad que haya tenido la virtud de crear para la actora un precedente o un derecho que haya sido desconocido o contradicho como resultado de la decisión invalidatoria en examen.*

DÉCIMO NOVENO: Que, por último, no cabe sino desechar el recurso en análisis, en cuanto por él se denuncia que la Dirección de Obras Municipales de Santiago otorgó efecto retroactivo a los pronunciamientos expedidos en este caso por la Secretaría Regional Ministerial Metropolitana de Vivienda y Urbanismo, puesto que, como surge de lo razonado precedentemente, esta última se limitó a constatar una situación preexistente, conforme a la cual los permisos de edificación de que se trata fueron, efectivamente, extendidos con infracción de las disposiciones que rigen en este ámbito, de modo que los pareceres manifestados por la autoridad regional no han declarado una situación previamente inexistente, ni han establecido una nueva interpretación en relación a los hechos en estudio".

b) *Rol 20.741-2019[33], apelación de protección (se confirma sentencia apelada que acoge recurso), sentencia dictada con fecha 13 de enero de 2020 por la Tercera Sala de la Corte Suprema*

"Séptimo: Que se advierte de lo expuesto la amplia discusión administrativa y judicial que han desarrollado las partes en esta controversia, que para precisar sus efectos jurídicos, resulta procedente hacer mención a algunas de las disposiciones legales que la regulan.

(...) "... *la estabilidad de la inversión particular descansa en el análisis de la autoridad, circunstancia que se encargó de precisar y reglamentar expresamente el legislador, remarcando los conceptos generales de presunción de legalidad, confianza legítima y hecho propio de la autoridad administrativa.* Tanto es así que el artículo 119, para evitar cualquier interpretación, consignó en términos imperativos que toda obra de edificación deberá ejecutarse "con sujeción estricta a los planos, especificaciones y demás antecedentes aprobados por la Dirección de Obras Municipales". Esta misma disposición regula las posibles modificaciones a los proyectos ya aprobados expresando que ante tal necesidad, éstas se tramitarán en la forma se indique la Ordenanza General. *Para dar mayor certeza a los administrados en estos casos*, se dispuso igualmente que la "Dirección de Obras proveerá por escrito la información u observaciones sobre el proyecto al propietario o profesional que interviene, en formulario tipo, a solicitud del interesado", siendo de "responsabilidad del profesional aportar los antecedentes necesarios y adecuar el proyecto a las exigencias que se le formulen".

(...)

Noveno: (...) *Tales argumentaciones adquieren soporte legal en las disposiciones transcritas con anterioridad, por los efectos que se otorga a cada una de las determinaciones de la autoridad, como se ha dicho, con el propósito de otorgar seguridad y certeza a los administrados, en lo cual se hace descansar la confianza legítima de los mismos.*

Conforme a este análisis, a la autoridad recurrida no le es posible desatender las determinaciones de fusión y permiso de edificación al revisar la modificación que ella misma aprobara sobre tales presupuestos, por ello no puede asentar su nueva determinación en una actual revisión de esos antecedentes, pues le son legalmente inamovibles".

c) *Rol 34.788-2016, recurso de casación en la forma y en el fondo (rechazados), sentencia dictada con fecha 02 de febrero de 2017 por la Tercera Sala de la Corte Suprema. (Fallo de mayoría)*

---

[33]   En el mismo sentido, Corte Suprema. 13 de marzo de 2020. Rol N° 6.755-2019.

Un permiso de edificación sólo permite construir aquello que ha sido autorizado y no un proyecto distinto, por lo que la modificación unilateral de la obra no se encuentra amparada en el principio de confianza legítima

"Trigésimo Tercero: Que, sin embargo, de no existir tales modificaciones en las normas urbanísticas que rigen al predio, la emisión del Certificado de Informaciones Previas debe analizarse necesariamente a la luz del principio de la protección de la confianza legítima, de acuerdo al cual las actuaciones de los poderes públicos generan la confianza entre los destinatarios de sus decisiones, resultando una manifestación de la más amplia noción de la seguridad jurídica.

"Al respecto, la doctrina ha señalado que el mencionado principio "exige que se mantengan las situaciones que han creado derecho a favor de sujetos determinados, sujetos que confían en la continuidad de las relaciones surgidas de actos firmes de la Administración (…) supone el amparo que debe dar el juez al ciudadano frente a la Administración Pública, la que ha venido actuando de una determinada manera, en cuanto esta lo seguirá haciendo de la misma manera en lo sucesivo y bajo circunstancias (políticas, sociales y económicas) similares" (Luis Cordero Vega. Obra citada. Pág. 307-308).

"De esta forma, si el Certificado de Informaciones Previas daba cuenta de determinadas circunstancias, sin que las normas urbanísticas aplicables al predio hayan sido modificadas en el tiempo intermedio, podía el administrado razonablemente esperar que el proyecto de edificación posterior no sería rechazado por la autoridad administrativa en tanto se conformara a ellas. Así fue considerado por la reclamante, quien presentó su proyecto de edificación de conformidad a las regulaciones contenidas en el Certificado de Informaciones Previas N° 56 de 21 de junio de 2013, según la información que en él se contemplaba en relación a las zonas del plano regulador en que el terreno se encuentra, el uso de suelo, altura máxima, densidad, constructibilidad y otros, además de la inexistencia de afectaciones a utilidad pública.

d) Rol N° 7.086-2010, casación forma y fondo (rechazados), sentencia de fecha 02 de enero de 2013, pronunciada por la Tercera Sala de la Corte Suprema

La vulneración del principio de confianza legítima puede configurar la responsabilidad del Estado por Falta de Servicio, en el caso que un municipio omite la dictación de una ordenanza para regular las vías y planes de transporte local, afectando de esa forma la inversión efectuada por el administrado.

"Décimo tercero: Que, asimismo, la actuación de la Municipalidad en los términos descritos en el motivo anterior vulnera el principio de la confianza legítima que la rige frente a los administrados.

"El referido principio es manifestación de la más amplia noción de la seguridad jurídica y de certeza de la situación de cada ciudadano, en que se basan, entre otras, las garantías

que se consignan en los numerales 2, 3, 16 inciso tercero, 20 inciso segundo y 22 del artículo 19 de la Carta Política.

"En tal virtud, era dable suponer que el actor al solicitar la información para adoptar la decisión de realizar una inversión de tal envergadura en la comuna, cumpliendo con todas las exigencias legales y los requisitos para obtener los permisos correspondientes, lo hizo confiado en que el municipio actuaría de manera acorde a su propia normativa y a lo que la autoridad de transporte le ordenaba.

Pero, contrario a ello, la Municipalidad omitió la dictación de la correspondiente ordenanza para regulación de vías y planes de transporte local, lo que vulneró la legítima expectativa del administrado, y lo que su propia normativa le ordena, configurando así la falta de servicio aludida, pues tal actuación en el hecho permitió que las líneas de buses continuaran usando un terminal no adecuado, dejando en desuso el construido especialmente al efecto, omisión que originó los daños que los jueces del fondo tuvieron por acreditados.

De ello resulta que el comportamiento o gestión municipal impugnada desconoce el deber de actuación coherente que se desprende del principio de protección de la confianza legítima que rige en el Derecho Administrativo moderno y que se traduce en la legítima expectativa del administrado, en relación a la conducta de la administración, ello, en el entendido que es el ente de la Administración –municipal en este caso– el que se encuentra en mejores condiciones de evaluar los antecedentes relativos al transporte, puesto que contaba con todas las herramientas legales para dictar la reglamentación para regular y ordenar el transporte rural e interurbano en la Comuna de Santa Cruz, cual es sin duda uno de los fines y obligaciones que se espera que cumpla. Es decir, la Municipalidad, como ente de la Administración local, tuvo un comportamiento impropio y bajo el estándar que le era exigible, en orden a regular conforme a su propia normativa y tal como incluso se le había ordenado, la dictación de la regulación de vías de modo de asegurar que la población contara con los terminales aptos y definitivos acordes incluso a evitar un riesgo y entorpecer el plan regulador y las zonas que para cada actividad están establecidas".

Aplicación del Principio de Confianza Legítima por el retardo o demora de la Administración en la dictación o notificación de actos administrativos.

El retardo en la dictación de criterios técnicos necesarios para que un particular dé cumplimiento a la normativa que lo regula, vulnera el principio de confianza legítima.

a) Rol N° 62.663-2020, apelación de protección (se revoca sentencia apelada y se acoge el recurso), sentencia de fecha 05 de enero de 2021, pronunciada por la Tercera Sala de la Corte Suprema

"Décimo octavo: *Que, de lo ya expuesto, fluye, en consecuencia, la dictación de un acto administrativo que, destinado a ser aplicado con efecto retroactivo, produce en el patrimonio de la actora consecuencias perniciosas conocidas por la recurrida, sin justificación expresa para que, en el marco de la implementación de una política pública, se afecte a sabiendas el presupuesto en ejecución de una de las instituciones educacionales, hecho que la actora no estaba en posición de prever al momento de admitir a los 574 estudiantes, pues confiaba que de manera oportuna se le comunicarían los criterios claros para efectuar el cálculo del límite de 2,7% de alumnos nuevos, circunstancia que permite calificar de arbitraria su dictación y vulneratoria de la garantía constitucional consagrada en el artículo 19 N° 2 de nuestra Carta Fundamental.*

"Décimo noveno: Que, aun cuando la materia discutida en autos es propia de un juicio de lato conocimiento, se debe precisar que, en virtud de la competencia conservadora, esta Corte puede adoptar todas las medidas que estime conducentes para otorgar la debida protección a quienes han visto amagados sus derechos constitucionales previstos en el artículo 20 de la Constitución Política de la República, constituyendo la acción una medida de tutela urgente consagrada para dar remedio pronto a los atropellos de los derechos constitucionales, producto de una acción u omisión que sea ilegal y/o arbitraria, cuestión que justifica una intervención jurisdiccional rápida que ampare suficientemente el derecho amagado, mientras se acude a la sede ordinaria o especial correspondiente, otorgando una tutela efectiva a la recurrente, cuestión que se justifica en la especie.

"Vigésimo: *Que la extemporaneidad de la Resolución Exenta N° 4.137 es contraria al principio de confianza legítima del administrado, en este caso, la Fundación Instituto Profesional DUOC, la cual ajustó su planificación del año 2019 a la normativa legal y reglamentaria existente, vigente y que era conocida a diciembre de 2018, pues hasta la fecha no se les ha informado los criterios para efectuar el cálculo respectivo.*

b) Rol N° 20.568-2018, apelación de protección (se confirma sentencia apelada que acoge recurso), sentencia dictada con fecha 24 de diciembre de 2018 por la Tercera Sala de la Corte Suprema

El retardo de la Administración en notificar la resolución que declara vacante un cargo público, hace nacer en el funcionario afectado la confianza legítima que se mantendrá en sus funciones.

"Sexto: Que los hechos descritos permiten a estos sentenciadores concluir que, *dado el prolongado tiempo transcurrido entre la adopción de la determinación de que se trata y su notificación a la interesada, la actuación de la institución recurrida ha generado en la actora la confianza legítima de que la causal invocada para poner término a su vínculo laboral no sería hecha efectiva, pues semejante tardanza, representada por un lapso de tiempo que se dilató hasta enterar tres meses cabales, le permitió adquirir la convicción de que su empleadora había abandonado su intención inicial.*

En las anotadas condiciones, resulta evidente que la efectiva ejecución, en los términos descritos, de la determinación impugnada en autos tiñe de arbitrariedad el proceder de la recurrida, a la vez que vulnera la garantía de igualdad prevista en el N° 2 del artículo 19 de la Carta Fundamental, pues la somete a un tratamiento impropio y distinto del que se dispensa a todos los demás funcionarios de la Administración del Estado cuyo cargo es declarado vacante debido a la incompatibilidad de su salud, a quienes se comunica oportunamente y dentro de términos razonables la adopción de decisiones de esta clase, no sometiéndolos a esperas prolongadas e injustificadas como aquella aplicada a la recurrente de autos."

Aplicación del principio de confianza legítima en materia educacional

No procede invocar el principio de confianza legítima a fin de mantenerse en un establecimiento educacional sin someterse al sistema de admisión escolar de la Ley N° Ley N° 21.052, dado que aquél no tiene aplicación contra norma legal expresa.

c) Rol N° 36.761-2019, recurso de apelación (protección), sentencia de fecha 30 de junio de 2020, pronunciada por la Tercera Sala de la Corte Suprema. (Fallo de mayoría)

"Tercero: El fallo apelado acoge el recurso interpuesto arguyendo que, no obstante lo dispuesto en el ORD. N° 640 de 22 de agosto de 2018, que establece los requisitos para mantener la continuidad de alumnos sin someterse al Sistema de Admisión Escolar, restringiéndolo exclusivamente hasta ese último proceso, igualmente debe estimarse que aquellos alumnos que ingresaron al nivel medio menor el año 2018 y que cursaron el nivel medio mayor en el presente año 2019, al tiempo de su ingreso, esto es, el año 2018, *atendida la duplicidad de criterios de admisión es posible considerar que estos alumnos que actualmente se encuentran en el nivel medio mayor, tenían la legítima confianza que se encontrarían excluidos de someterse al proceso regulado en el Sistema de Admisión Escolar, cuestión que efectivamente resulta del análisis de los documentos incorporados en la causa,* particularmente los Dictámenes y Ordinarios ya referidos. Agregan los sentenciadores que sin perjuicio que en el presente recurso, no todos los niños indicados en el mismo ingresaron al establecimiento al nivel medio menor el año 2018, situación concreta que genera la confianza legítima ya referida, es posible estimar que hacer una diferencia respecto de los otros compañeros de curso que no se encuentran en la misma situación de hecho, igualmente vulnera principios rectores de los derechos de los niños, niñas y adolescentes, cual es, el interés superior de los mismos, pues esta continuidad con el curso en el cual se encuentran actualmente, nivel medio mayor, les da un sentido de pertenencia al grupo que resulta esencial para el desarrollo en su etapa evolutiva, motivo por el cual corresponde que se les incluya dentro del universo total de los recurrentes en esta causa.

Cuarto: *Que el agravio para la recurrida de protección se fundamenta en que el fallo que acoge la acción constitucional sostiene erradamente que a los recurrentes les asiste la confianza legítima,* al efecto señala que se debe tener en consideración el ORD. 10DJ N° 1548 de fecha 16 de agosto de 2018, cuyo objetivo fue precisar la materia en cuestión *reconociendo el derecho de continuidad de estudios "de todos aquellos estudiantes que participaron en los procesos de admisión y/o fueron matriculados en el tiempo intermedio de entre la dictación del Dictamen N° 35, de este origen, que en términos contrarios a la Ley N° 21.052, admitía la continuidad de estudios de alumnos que hubieren sido matriculados en cursos anteriores al primer nivel de transición, y la entrada en vigencia de la Ley N° 21.052, con la genuina expectativa de mantener continuidad de sus estudios en el establecimiento, respecto de las cuales rige el principio de protección a la confianza legítima(...)",* coligiéndose de su tenor el alcance acotado y restrictivo del mismo, ya que supedita la aplicación del derecho a la continuidad de estudios sólo a los alumnos matriculados en procesos de admisión llevados a cabo antes del 28 de diciembre de 2017, fecha en que entró en vigencia la Ley N° 21.052. Conforme a ello, es que a los recurrentes no les asiste la confianza legítima que arguyen, ya que ésta no puede ser invocada en contra de una norma legal expresa, por ser contrario a derecho.

> *"... Octavo: Que, las normas precedentemente citadas, permiten desvirtuar la concurrencia de la confianza legítima esgrimida por los recurrentes de autos, puesto que para que les asista aquélla resulta necesario que sus pupilos hubiesen sido admitidos y/o matriculados –para cursar el año 2018 el nivel medio mayor– en el periodo que medió entre el 4 de agosto y el 28 de diciembre de 2017, requisito que no cumplían en dicha época los alumnos de autos, puesto que éstos, el citado año, recién cursaban el nivel medio menor e incluso algunos de ellos, en la aludida fecha, ni siquiera se habían incorporado como alumnos al establecimiento educacional referido...".*

Aplicación del principio de confianza legítima en relación a la información que transmiten los órganos de la Administración en sus páginas web[34]

Sólo pueden generar confianza legítima en el administrado, aquellas conductas de la Administración que se ajustan al ordenamiento jurídico vigente. La información errónea compartida en la página web oficial de un servicio público, no puede ser estimada como vinculante, si la normativa dispone una regulación diversa (estudios de bioequivalencia).

---

[34]   En esta materia es posible observar dos líneas jurisprudenciales diversas: La primera de ellas, rechaza la aplicación de la confianza legítima, al estimar que ésta no puede ser invocada en contra de norma legal expresa; la segunda, que acoge la aplicación del principio, en los casos en que ha sido la propia Administración la que al entregar información errónea, ha generado una actuación en el particular que pugna con la legislación vigente.

d) Rol N° 44.608-2020[35], recurso de casación en el fondo (rechazado), sentencia de fecha 21 de abril de 2021, pronunciada por la Tercera Sala de la Corte Suprema. (Fallo de mayoría)

"Décimo cuarto: Que, aun cuando lo razonado precedentemente basta para desestimar el arbitrio en estudio en este extremo, resulta necesario consignar que, además, no es posible entender que concurre el vicio descrito en este capítulo.

En efecto, *el recurrente sostiene sobre este particular que su parte adquirió la confianza legítima, a partir del actuar de la Autoridad sanitaria, que tenía una obligación alternativa en relación a los protocolos de bioequivalencia, de manera que si informaba que no comercializaría los medicamentos sujetos a éstos, no le era necesario presentarlo, cuestión que dice es consecuencia de la dictación de la Resolución Exenta N° 3.213, que ordenaba a los laboratorios informar durante el mes octubre de 2013 cuáles de los productos que tenían registros sanitarios vigentes serían comercializados, obligación que dice cumplió debidamente el día 10 de ese mes, siendo aquello suficiente para impedirle que se cursara a su respecto multa alguna.*

Aun cuando la citada resolución fue efectivamente dictada y por su intermedio se dispuso informar indicando en un listado todos los medicamentos registrados que el informante sea titular, así como aquellos que estaban siendo comercializados al 30 de septiembre de 2013 y cuáles no, es improcedente derivar de su texto las consecuencias que le atribuye el recurrente, esto es, que con dichos datos se pretendía determinar qué medicamentos de todos los registrados requerirían estudios de bioequivalencia. Lo cierto es que, su tenor no indica cuál es la finalidad de la información requerida, de modo que una conclusión como la propuesta por el recurrente, en cuanto entiende la existencia de una obligación alternativa, no pasa de ser una apreciación de su parte y desconocer un fundamento básico del Derecho Público, –una de las aristas del principio de legalidad– en virtud del que sólo podrá realizarse aquello que está expresamente permitido en la ley; más aún, y en el supuesto de que se reconociera que el efecto de dicha norma es precisamente el que le atribuye la reclamante, de todas maneras no se le podría otorgar valor, puesto que *la obligación de demostrar la equivalencia terapéutica de los medicamentos registrados surge de normas de jerarquía superior a la de una simple resolución del Instituto de Salud Pública, como la que invoca el recurrente.*

"Como se advierte, *la normativa que regula esta materia, tanto en lo que se refiere a la forma de cumplir esta obligación como a las consecuencias de su in-*

---

[35]   En el mismo sentido y a modo meramente ejemplar, las sentencias dictadas en las siguientes causas: Rol N° 23.150-2019, de fecha 17 de noviembre de 2020; Roles Nros. 19.149-2018 y 26.268-2019, ambas de 06 de agosto de 2020; Rol N° 28.258-2018, de 28 de julio de 2020; Rol N° 12.381-2018, de 26 de diciembre de 2019; Rol 7.904-2019, de 18 de diciembre de 2019.

observancia, está contenida en el propio Código Sanitario o en disposiciones de jerarquía reglamentaria que desarrollan el mandato legal, sin que sea admisible que normas como una simple resolución emanada de la Directora del Instituto de Salud Pública, y por ello de nivel infra reglamentario, como es el caso de la Resolución Exenta N° 3.213, puedan innovar en materias como la que es objeto del recurso de autos".

e) Rol N° 12.375-2019, recurso de casación en el fondo (rechazado), sentencia de fecha 26 de diciembre de 2019, pronunciada por la Tercera Sala de la Corte Suprema (Fallo de mayoría)

"DUODÉCIMO: Que, aun cuando lo razonado precedentemente basta para desestimar el arbitrio en estudio en este extremo, resulta necesario consignar que, además, no es posible entender que concurre el vicio descrito en este capítulo.

En efecto, *el recurrente sostiene sobre este particular que su parte adquirió la confianza legítima de que la autoridad sanitaria actuaría del modo descrito más arriba, esto es, sin aplicarle multa ni cancelar su registro sanitario,* como consecuencia de la dictación de la Resolución Exenta N° 3.213, que ordenaba a los laboratorios informar durante el mes octubre de 2013 cuáles de los productos que tenían registros sanitarios vigentes serían comercializados, obligación que su parte cumplió debidamente el día 10 de ese mes.

Aun cuando la citada resolución fue efectivamente dictada y por su intermedio se dispuso informar indicando en un listado todos los medicamentos registrados de que el informante sea titular, así como cuáles de ellos estaban siendo comercializados al 30 de septiembre de 2013 y cuáles no, es improcedente derivar de su texto las consecuencias que le atribuye el recurrente, esto es, que con dichos datos se pretendía determinar qué medicamentos de todos los registrados requerirían estudios de bioequivalencia. En efecto, su tenor no indica cuál es la finalidad de la información requerida, de modo que una conclusión como la avanzada por el recurrente no pasa de ser una apreciación de su parte; más aún, y en el supuesto de que se reconociera que el efecto de dicha norma es precisamente el que le atribuye la reclamante, de todas maneras no se le podría otorgar valor, puesto que *la obligación de demostrar la equivalencia terapéutica de los medicamentos registrados surge de normas de jerarquía superior a la de una simple resolución del Instituto de Salud Pública, como la que invoca el recurrente.* En efecto, el deber en examen emana tanto del artículo 94 del Código Sanitario, que encarga al Ministerio de Salud, por intermedio del Instituto de Salud Pública, velar porque la población acceda a medicamentos o productos farmacéuticos "de calidad, seguridad y eficacia", como del artículo 221 del Decreto Supremo N° 3 de 2010, que ordena al Ministerio de Salud determinar, mediante un decreto, los productos que deban demostrar su equivalencia terapéutica, a la vez que le obliga a establecer, también mediante un decreto, las normas y demás procedimientos necesarios para la realización de los estudios de equivalencia terapéutica.

Como se advierte, la normativa que regula esta materia, tanto en lo que se refiere a la forma de cumplir esta obligación como a las consecuencias de su inobservancia, está contenida en el propio Código Sanitario o en disposiciones de jerarquía reglamentaria que desarrollan el mandato legal, sin que sea admisible que normas como una simple resolución emanada de la Directora del Instituto de Salud Pública, y por ello de nivel infra reglamentario, como es el caso de la Resolución Exenta N° 3.213, puedan innovar en materias como las que son objeto del recurso de autos".

Aplicación del Principio de Confianza Legítima en materia de patentes y permisos municipales

La protección de la confianza legítima impide alterar en forma intempestiva situaciones de hecho respecto de quienes justificadamente aspiran a la estabilidad de las decisiones administrativas que se han adoptado a su respecto en estas materias.

Rol N° 19.686-2019, apelación de protección (se revoca sentencia apelada y se acoge recurso), sentencia dictada con fecha 26 de septiembre de 2019 por la Tercera Sala de la Corte Suprema.

"Sexto: Que de lo expuesto fluye que la Municipalidad de Antofagasta, a quien se le requirió informe, creó una situación ambivalente, toda vez que arrienda a un tercero el Estadio Regional, y a la vez, entrega permiso a los miembros del sindicato recurrente, para que presten sus servicios en el interior de este recinto, siendo evidente que la venta de los productos se debe realizar en los eventos para los que el municipio arrienda el estadio, sin que tal cuestión fuera prevista y resuelta en los instrumentos correspondientes.

Así, atendido que *no se encuentra discutido que los miembros del sindicato recurrente realizan sus actividades desde el año 1964, la protección de la confianza legítima, impide alterar situaciones de hecho respecto de los administrados que tienen una justa aspiración en la estabilidad de las decisiones administrativas, puesto que existiría en el ordenamiento jurídico una especie de necesidad de permanencia en la regulación y aplicación de las normas jurídicas que obligaría a la Administración a actuar de manera que no provoque una alteración intempestiva en la interpretación que ella misma viene dando a las normas o un cambio en la manera de regular o de resolver. Lo que se pretende proteger no es sólo una especie de invariabilidad de las decisiones públicas sino la buena fe de los administrados que confían legítimamente que aquellas decisiones que les han entregado ciertas ventajas o derechos se mantendrán en el tiempo, conforme a la trascendencia que implica proteger las expectativas que los ciudadanos poseen en la aplicación que las autoridades hacen del ordenamiento jurídico"*[36].

---

[36]   Letelier (2014).

Aplicación del principio de confianza legítima en los casos de negativa del Registro Civil a renovar la cédula de identidad

a) Rol N° 2.514-2019, apelación de protección (se revoca sentencia apelada y se acoge recurso), sentencia dictada con fecha 28 de mayo de 2019 por la Tercera Sala de la Corte Suprema

La negativa a renovar cédula de identidad a quien por error se reconoció la calidad de chileno durante un prolongado tiempo, implica actuar contra el principio de confianza legítima.

"Quinto: Que, de acuerdo a lo que se viene razonando, es un hecho indubitado que el Servicio de Registro Civil e Identificación reconoció al recurrente la calidad de chileno por un lapso de 19 años, habiendo actuado como tal ante todos, por así haberlo declarado su documento oficial de identidad durante el período antes señalado.

Sexto: Que lo anterior ocurrió por cuanto el actor utilizó un procedimiento especial que la reclamada aceptaba, y para el cual se exigían determinados requisitos que el actor cumplió en su momento.

Séptimo: Que, *si bien el Servicio recurrido puede tener razón en las conclusiones que extrae de los nuevos antecedentes obtenidos, gracias al avance de las tecnologías de que ha sido dotado en el último tiempo, no es menos cierto que la decisión de no renovar su cédula de identidad, en circunstancias que lo había venido haciendo por casi dos décadas, afecta la confianza legítima, principio reconocido por la jurisprudencia de esta Corte. Este principio protector exige que se mantengan las situaciones que han creado derechos a favor de sujetos determinados, quienes confían en la continuidad de las relaciones surgidas de actos firmes de la Administración.* (Corte Suprema Rol N° 28.422-2016 y 26.625-2018)

Octavo: Que, en la especie, el Servicio de Registro Civil e Identificación ha reconocido que son sus propios procedimientos y la deficiencia de las antiguas tecnologías, los que habrían permitido la duplicidad de las identidades para unas mismas impresiones dactilares, a lo que añade la conducta fraudulenta que le imputa al recurrente, circunstancia esta última no acreditada y que tampoco puede dilucidarse en esta sede.

De esta forma, esta Corte considera que *la actuación del referido servicio es arbitraria e ilegal* desde que vulnera la garantía de igualdad del recurrente protegida en el artículo 19 numeral 2 de la Carta Fundamental, *por cuanto ha procedido privando al actor de su documento oficial de identidad en los mismos términos que se lo venía otorgando por casi veinte años, pudiendo haberlo concedido al menos en calidad de extranjero, la cual no discute el Servicio.* Lo anterior, deja al recurrente en una posición de incertidumbre de su situación legal de permanencia en el país y sin posibilidad "ante el vencimiento del documento- para proceder a efectuar los trámites pertinentes a fin de obtener ya sea la nacionalidad chilena u otro trámite tendiente a aclarar la situación detectada por el Servicio recurrido".

Aplicación del Principio de Confianza Legítima en materia de función pública

Es contrario al principio de confianza legítima, que la Administración ponga de cargo de sus funcionarios, de forma absolutamente injustificada, una mayor dificultad en el ejercicio de la función pública, como consecuencia de restarles un beneficio que otrora les era concedido, producto de las especiales funciones que aquellos realizan.

a) Rol N° 8.755-2019, apelación de protección, sentencia de fecha 24 de julio de 2019, pronunciada por la Tercera Sala de la Corte Suprema. (Fallo de mayoría)

"Cuarto: *Que, de este modo, se advierte que la decisión objetada por el presente recurso importa una innovación radical respecto de lo que había sido la posición tradicional de la Contraloría respecto de este mismo tema, en circunstancias que los funcionarios del SENAME que prestan servicios en el mencionado Centro lo hacen en las mismas especialísimas condiciones en que lo hacían cuando se aprobaron entonces, hace más de cinco años y con sujeción a un mismo estatuto jurídico, bases que incluían alimentación para ellos.*

Por consiguiente, les asiste la legítima confianza en orden a que, por mantenerse las características y naturaleza del trabajo que han venido realizando, las condiciones en que venían siendo beneficiarios de alimentación conforme al referido marco contractual y jurídico serían mantenidas en la nueva licitación y conservarían el acceso a esa prestación.

Aplicación del Principio de Confianza Legítima en materia término anticipado y no renovación de contratas.

Transcurrido cierto espacio de tiempo, la relación estatutaria sólo puede terminar por sumario administrativo derivado de una falta que motive su destitución o por una calificación anual que así lo permita. Distintas posiciones dentro de la Sala.

b) Rol N° 19.111-2021[37], apelación de protección (se revoca sentencia apelada y se acoge recurso), sentencia de fecha 12 de julio de 2021, pronunciada por la Tercera Sala de la Corte Suprema

---

[37]   En el mismo sentido, y a meramente ejemplar las sentencias de la Corte Suprema: Rol N° 40.922-2021, sentencia de fecha 08 de julio de 2021; Rol N° 92.146-2020, sentencia de fecha 15 de marzo de 2021; Rol N° 85.155-2020, sentencia de fecha 15 de marzo de 2021; Rol N° 104.239-2020, sentencia de fecha 24 de noviembre de 2020; Rol N° 139.884-2020, sentencia de fecha 24 de septiembre de 2020; Rol N° 92.148-2020, sentencia de fecha 21 de agosto de 2020; Roles Nros. 88.334-2020, 91.978-2020, 88.335-2020, 85.125-2020, sentencias de fecha 11 de agosto de 2020; Rol N° 85.281-2020, sentencia de fecha de 04 de agosto de 2020; Roles Nros. 83.695-2020 y 79.523-2020, sentencias de fecha 31 de julio de 2020; Roles Nros. 79.298-2020, 79.308-1010, 79.031-2020, 79.035-2020 y 79.025-2020, sentencias de fecha 21 de julio de 2020; Rol N° 76.532-2020, sentencia de fecha 07 de julio de

Permanencia en el cargo a contrata por más de diez años, conlleva que la relación estatutaria está amparada por el principio de confianza legítima, pudiendo sólo terminar por destitución mediante sumario administrativo, o por una calificación anual que así lo permita.

"Cuarto: *Que la circunstancia de haber permanecido la parte recurrente en el cargo a contrata por más de 10 años generó a su respecto la confianza legítima de mantenerse vinculada con la Administración,* de modo tal que su relación sólo puede terminar por sumario administrativo derivado de una falta que motive su destitución o por una calificación anual que así lo permita, supuestos fácticos que no concurren en la especie.

Por ello, la decisión de no renovar la contrata del actor ha devenido en una vulneración de las garantías constitucionales por él invocadas".

c) *Rol N° 104.492-2020, apelación de protección (se confirma sentencia apelada que rechaza recurso), sentencia de fecha 16 de abril de 2021, pronunciada por la Tercera Sala de la Corte Suprema*

"Cuarto: Que, en principio y *como lo ha sostenido reiteradamente esta Corte, la circunstancia de haber permanecido (…) en el cargo a contrata por más de once años debió generar a su respecto la confianza legítima de mantenerse vinculado con la Administración, de modo tal que su relación estatutaria sólo puede terminar por sumario administrativo derivado de una falta que motive su destitución o por una calificación anual que así lo permita, supuestos fácticos que no concurren en la especie.*

Sin embargo, el caso de marras presenta matices con relación a otros anteriores, que hacen pertinente una reflexión más profunda y detenida por parte de este Tribunal Supremo.

(…)

Octavo: Que, en efecto, el principio de confianza legítima en materia de nombramiento de personal por parte del Estado, específicamente en lo que atañe a los cargos a contrata, sólo resulta aplicable en aquellos casos en que la contrata es la única fuente de ingreso del empleado público en su relación estatutaria con el Estado, independiente de que la contratación se haya verificado con posterioridad a la obtención de la pensión, o antes, como ocurre en la especie; toda

---

2020; Roles Nros. 76.307-2020 y 76.296-2020, sentencias de fecha 06 de julio de 2020; Rol N° 71.954-2020, sentencia de fecha 22 de junio de 2020; Roles Nros. 44.018-2020 y 43.663-2020, sentencias de fecha 10 de junio de 2020; Rol N° 63.082-2020, sentencia de fecha 08 de junio de 2020; Rol N° 19.181-2019, sentencia de fecha 08 de enero de 2020; Rol N° 15.135-2019, sentencia de fecha 18 de noviembre de 2019; Rol N° 15.137-2019, sentencia de fecha 18 de noviembre de 2019; Rol N° 4.787-2019, sentencia de fecha 16 de mayo de 2019; Rol N° 7.295-2019, sentencia de fecha 15 de mayo de 2019.

vez que lo que se busca proteger mediante la aplicación de dicho principio es el trabajo en sí mismo como derecho fundamental, en tanto fuente de ingresos para la persona, en los términos del artículo 19 N° 16 de la Constitución Política de la República.

Así las cosas, estando acreditado en autos que el recurrente percibe de la misma Institución –Armada de Chile– dos emolumentos cuya causa u origen es diferente (pensión de Capredena y la remuneración por la contrata, su situación jurídica no puede ser amparada en los mismos términos que las contratas de funcionarios públicos que han prestado servicio a la Administración por más de diez años, y cuya contrata no ha sido renovada, siendo ésta su única fuente de ingresos".

CONCLUSIONES

El principio de confianza legítima se ha trasformado, en la época contemporánea, en un reconocimiento doctrinal y jurisprudencial de las legítimas expectativas del administrado frente a la administración. Dicho reconocimiento no estriba en las interpretaciones o comprensión del interesado acerca de sus derechos o intereses, sino en el actuar de la propia autoridad, en su sostenida interpretación y conducta, lo cual da un fundamento objetivo a la expectativa de la persona y realza el principio de buena fe que debe primar en las relaciones entre los particulares y el Estado y no sólo en las relaciones entre estos últimos.

El consistente desarrollo de este principio tanto por la Contraloría General de la República como por los tribunales de justicia se ha tornado un instrumento eficaz de protección de los derechos de las personas y de control del actuar de la Administración, cumpliendo también con el principio de interdicción de la arbitrariedad.

El hecho que el principio en estudio no haya sido reconocido expresamente en la Carta de 1980 o en la ley, no impide derivarlo de otros principios constitucionales y legales. Ello implica una interpretación finalista de la Constitución y resguardar ante todo la servicialidad del Estado como un fundamento de legitimidad del actuar de éste. Tampoco puede considerarse que su invocación en acciones cautelares signifique un activismo judicial o un voluntarismo desti9nado va ampliar la dimensión de los derechos, sino la necesaria aplicación directa de la Carta Fundamental y de sus contenidos sustantivos para dar solución evidentes problemas de desequilibrio allí donde la Administración ejerce potestades exorbitantes al derecho común.

La revisión de los fallos de la Corte Suprema en materia de recurso de protección dictados los últimos años, evidencian no sólo la importancia de este principio sino las numerosas materias en las cuales se ha utilizado, permitiendo otorgar prontas soluciones a diversos conflictos que requieren cautela urgente para dar la debida protección a los derechos de las personas, contribuyendo a la creación de líneas jurisprudenciales destacables.

BIBLIOGRAFÍA

Libros

Castillo Blanco, F (1998) La protección de confianza en el Derecho Administrativo, Editorial Marcial Pons, Madrid, pp. 381.

Cordero Vega, Luis (2015) Lecciones de Derecho Administrativo. Segunda Edición, Santiago: Thomson Reuters, 786 pp.

Artículos

Bermúdez Soto, Jorge (2005) "El principio de confianza legítima en la actuación de la administración como límite a la potestad invalidatoria" Revista de Derecho de Valdivia, Vol. XVIII, N° 2, diciembre de 2005, pp. 83-105.

Cea Egaña, José Luis (2004) La Seguridad jurídica como derecho fundamental, Revista de Derecho Universidad Católica del Norte, Año 11 N° 1, pp. 47-70.

Contreras, Pablo (2011) ¿Derechos implícitos? Notas sobre la identificación de normas de Derecho fundamental, Nuevas perspectivas en Derecho público, Santiago: UNAB-Librotecnia, pp. 149-184.

Letelier Wartenberg, Raúl (2014) Contra la confianza legítima como límite a la invalidación de actos administrativos, Revista Chilena de Derecho, Vol. 41, N° 2, pp. 609-634.

Millar Silva, Javier (2012) "El Principio de Protección de la Confianza Legítima en la Jurisprudencia de la Contraloría General de la República: Una revisión a la luz del Estado de Derecho". Publicado en La Contraloría General de la República, Chile, pp. 417-423.

Phillips, Jaime (2018) "El principio de protección de la confianza legítima en el artículo 26 del Código Tributario" Revista Ius et Praxis, año 24, N° 1, pp. 19-68.

Ponce de León Solís, Viviana (2014) La problemática invocación a la confianza legítima como límite a la potestad legislativa, Estudios Constitucionales, Vol. 12, N° 1 Santiago, pp. 429-474.

Schneider, Jens – Peter (2002) "Seguridad jurídica y protección de la confianza en el Derecho constitucional y administrativo alemán, Documentación Administrativa", pp. 263-264 (mayo-diciembre 2002).

Tesis

Guajardo Maureira, Karem (2018) "La confianza legítima en el Derecho Administrativo", tesis de grado, Magister en Derecho Público Universidad Finis Terrae. Disponible en: https://repositorio.uft.cl/xmlui/bitstream/handle/20.500.12254/1159/Guajardo_Karem%202018.pdf?sequence=1&isAllowed=y [Fecha de visita 20 de abril de 2022]

Sentencias

Corte Suprema. 02 de enero de 2013. Rol N° 7.086-2010.

Corte Suprema. 02 de febrero de 2017. Rol N° 34.788-2016.

Corte Suprema. 05 de diciembre de 2016. Rol N° 47.588-2016.

Corte Suprema. 02 de febrero de 2017. Rol 34.788-2016.

Corte Suprema. 10 de septiembre de 2018. Rol N° 12.207-2018.

Corte Suprema. 20 de diciembre de 2018. Rol N° 19.075-2018.

Corte Suprema. 28 de mayo de 2019. Rol N° 2.514-2019.

Corte Suprema. 29 de mayo de 2019. Rol N° 24.815-2019.

Corte Suprema. 24 de julio de 2019. Rol N° 8.755-2019.

Corte Suprema. 05 de marzo de 2019. Rol N° 53-2019.

Corte Suprema. 26 de septiembre de 2019. Rol N° 19.686-2019.

Corte Suprema. 13 de enero de 2020. Rol N° 20.741-2019.

Corte Suprema. 30 de junio de 2020. Rol N° 36.761-2019.

Corte Suprema. 09 de septiembre de 2020. Rol N° 36.586-2019.

Corte Suprema. 24 de septiembre de 2020. Rol N° 27.619-2020.

Corte Suprema. 01 de octubre de 2020. Rol N° 36.783-2019.

Corte Suprema. 07 de octubre de 2020. Rol N° 20.701-2020.

Corte Suprema. 05 de enero de 2021. Rol N° 62.663-2020.

Corte Suprema. 16 de abril de 2021. Rol N° 104.492-2020.

Corte Suprema. 21 de abril de 2021. Rol N° 44.608-2020.

Corte Suprema. 25 de junio de 2021. Rol N° 39.681-2020.

Corte Suprema. 12 de julio de 2021. Rol N° 19.111-2021.

Corte Suprema. 16 de diciembre de 2021. Rol N° 38.002-2021.

Corte Suprema. 14 de febrero de 2022. Rol N° 59.302-2021.

II. PRINCIPIOS Y ORGANIZACIÓN DEL ESTADO

La importancia de los principios en los Estados de Excepción Constitucional

Marcela Ahumada Canabes[1]

INTRODUCCIÓN

Los Estados de excepción constitucional son regímenes de excepción, generalmente contemplados por los textos constitucionales, mecanismos de emergencia que permiten enfrentar, controlar y superar situaciones de crisis "para las que el Derecho común u ordinario no tiene una respuesta adecuada"[2]. Para tales efectos, los EEC otorgan facultades extraordinarias al Presidente de la República las que, a su vez, implican la suspensión o limitación del ejercicio de determinados derechos fundamentales.

La Constitución vigente establece la facultad presidencial (artículo 32 N° 5) de declarar cualquiera de los 4 estados de excepción que contempla, para hacer frente a diferentes situaciones de anormalidad o de peligro; Estado de asamblea, en caso de guerra externa; Estado de sitio, para guerra interna o grave conmoción interior: Estado de catástrofe, en caso de calamidad pública y Estado de emergencia, en caso de grave alteración del orden público o de grave daño para la seguridad de la Nación (arts. 39 a 45). La regulación complementaria está contenida en la ley N° 18.415, Orgánica Constitucional de los Estados de Excepción, que no ha sido modificado desde el año 1990, pese a las reformas introducidas al texto constitucional el año 2005.

La experiencia que nos deja la pandemia, la crisis sanitaria y el estado de excepción constitucional de catástrofe, bajo el cual se ha gobernado, nos debe servir para sacar algunas enseñanzas, especialmente sobre la importancia y el valor de los principios que rigen estos regímenes de excepción. Viejos y nuevos principios.

---

[1]   Doctora en Derecho por la Universidad Carlos III de Madrid. Magister en Derecho Público por la Pontificia Universidad Católica de Chile. Licenciada en Ciencias Jurídicas por la Universidad de Valparaíso.

[2]   Sólo excepcionalmente no prevén regímenes excepcionales las constituciones de Luxemburgo y la Constitución Belga o lo hacen de manera mínima, como la Constitución italiana, que sólo se refiere al estado de guerra en el artículo 78. Aba Catoira, Ana (2011) "El Estado de Alarma en España". *Teoría y Realidad Constitucional*, N° 28, pp. 320 y 316.

Hoy en día, vivimos en una "sociedad del riesgo", en la que será frecuente-mente nos enfrentaremos a amenazas o riesgos de carácter global[3]. La globali-zación también ha tenido manifestaciones en el ámbito de la salud y ya se habla de la "globalización de los riesgos" y dentro de ellos, "los riesgos de la salud", término dentro del cual pueden considerarse, por ejemplo, el VIH-SIDA y el CO-VID-19. El "recrudecimiento de viejas infecciones y la aparición de otras nuevas, fue vislumbrado Giovanni Berlinguer hace varios años. La difusión de cuadros patológicos, sin reconocimiento de fronteras, se atribuye, entre otras causas, a los traslados de las personas en todas partes del mundo[4].

Es necesario que la Constitución se refiera a los estados de excepción y que regule aspectos claves de estos regímenes. Debe contemplar las causales de pro-cedencia; los derechos que se verán afectados en cada uno de ellos; la posibilidad de fijar las zonas afectadas y las autoridades, civiles o militares, que estarán a cargo. Esta previsión es vital porque siempre está latente el abuso de estos meca-nismos y que se amenacen los derechos fundamentales de las personas[5]. Pero, ni la Constitución ni la ley puede preverlo todo. Por eso, se suele utilizar cláusulas generales[6] y enunciados que se refieran a los principios rectores de estos regíme-nes o manifestación de los mismos.

El objeto del presente trabajo es sistematizar los principios que rigen los es-tados de excepción constitucional, ya sea que tengan consagración expresa o tácita en la Constitución; o estén contenidos en tratados internacionales u otras normas internacionales. También se analizará su importancia y su incorporación en nuestra historia constitucional. Finalmente, se hará una breve alusión a nue-vos principios que pueden aplicarse, para enfrentar nuevos riesgos sin afectar la democracia.

Algunos de estos principios pueden estar ubicados en el capítulo inicial de la Constitución, en el que se plasman los principios y valores. Generalmente

---

[3]   Innerarity, Daniel (2020) *Pandemocracia. Una filosofía de la crisis del coronavirus* (Barcelona: Galaxia Gutenberg), pp. 25 y 36; Berlinguer, Giovanni (2002) Traducción de Omar Álvarez Salas. México: Editorial Siglo XXI, 1a edición en español, 232 pp. Este autor habla de "la globalización de los riesgos" y riesgos globales, pp. 191 y 194; Presno Linera, Miguel Ángel (2020) "Estado de alarma y sociedad del riesgo global". En Atienza Macías, Elena y rodríguez Ayuso, Juan Francisco (Direc-ción): *Las respuestas del Derecho a las crisis de salud pública,* (Madrid: Dykinson). Utiliza la terminología de Ulrich Beck, y se refiere a la "sociedad del riesgo global", pp. 15, 26.

[4]   Berlinger (2002) 191 y 192, "los priones, los virus, los microbios y los parásitos viajan sin pasaporte y sin visa a través de las fronteras"

[5]   Álvarez García, Vicente (2020) El Coronavirus (COVID.19): respuestas jurídicas frente a una situa-ción de emergencia sanitaria". *El Cronista del Estado Social y Democrático de Derecho,* N° 87-88, pp. 6-21. p. 7.

[6]   García Roca, Javier (2020) El control parlamentario y otros contrapesos del Gobierno en el Estado de Alarma: la experiencia del coronavirus". En Barceló Rojas, Daniel et al. (Coordinadores) *CO-VID-19 y Parlamentarismo. Los Parlamentos en cuarentena.* México: Universidad Autónoma de México, pp. 21-22.

estarán contemplados en el capítulo que regula los regímenes de excepción. Además, pueden tener una consagración expresa, al traducirse o proyectarse en normas jurídicas de la Constitución –y podrá hablarse de reglas– o estar de manera implícita y desprenderse de los enunciados constitucionales.

1. BREVE REFERENCIA A LA RECEPCIÓN DE LOS PRINCIPIOS RECTORES DE LOS ESTADOS DE EXCEPCIÓN EN NUESTRA HISTORIA CONSTITUCIONAL

En lo que sigue, se revisará la evolución constitucional de los estados de excepción en nuestro ordenamiento jurídico, para constatar cómo se han ido incorporando los principios en los estados de excepción, aunque advirtiendo que, en una primera época, no se hablaba propiamente de principios.

El antecedente más remoto de la regulación constitucional de los estados de excepción está en el Reglamento Constitucional Provisorio de 1812, cuyo artículo 26, una norma muy vaga y confusa, contempló la facultad del Ejecutivo de suspender todas las reglas invariables previstas en ese reglamento "en el caso de importar a la salud de la Patria amenazada; pero jamás la responsabilidad del que las altere sin grave motivo". Algo similar ocurrió en el Reglamento Provisorio de 1814, que concedió al Director Supremo, amplias e ilimitadas facultades, por 18 meses para enfrentar el conflicto entre patriotas y realistas (artículos 1 y 2).

La Constitución Provisoria de 1818, contenía algunas disposiciones que facultaban a la autoridad para suspender o restringir algunos derechos, como los artículos 5 y 9 del Capítulo Primero. El artículo 5, facultaba en casos urgentes, "en que lo acuerde el Senado", para "suspender el derecho que protege la casa y los papeles de cada individuo". El artículo 9, por su parte, facultaba para privar de la propiedad y uso libre de los bienes solo si lo exigía "la defensa de la Patria".

La Constitución de 1822 facultaba al Ejecutivo, en el artículo 121, para "pedir providencias muy prontas" "ante un peligro inminente del Estado. El Poder Legislativo podía conceder al Director Supremo "facultades extraordinarias por el tiempo que dure la necesidad, sin que por ningún motivo haya la menor prórroga". La disposición hacía una referencia muy vaga a la situación de excepción y a las atribuciones, y la temporalidad no concreta.

La Constitución de 1828, en el artículo 83 N° 12, se refería escuetamente a dos situaciones de emergencia, graves e imprevistas, en las que el Ejecutivo estaba facultado para adoptar "medidas prontas de seguridad", esto es, "en caso de ataque exterior o conmoción interior", y debía dar cuenta inmediatamente al

Congreso o en receso de éste, a la Comisión Permanente, de lo ejecutado y sus motivos[7].

La Constitución de 1833 contempló originalmente un solo estado de excepción constitucional, el de sitio, al regular las atribuciones del Presidente de la República (artículo 82). Además, estableció la atribución del Congreso de otorgar facultades extraordinarias al Presidente de la República, previo requerimiento de éste (artículo 36 N° 6). De acuerdo con el artículo 161, una vez declarado el estado de sitio, en algún punto de la República, se suspendía el imperio de la Constitución "en el territorio comprendido en la declaración". Como consecuencia, el Ejecutivo podía legislar, juzgar, condenar y suspender todas las libertades públicas. Definitivamente, dejaba de regir la separación de poderes y no se resguardaban los derechos fundamentales, funcionando como una dictadura romana[8].

En la práctica, ningún Presidente decidió hacer uso de todas esas facultades, aunque se cometieron varios excesos al amparo de dichas normas. Como reacción a esos abusos se introdujo la reforma constitucional del año 1874, que incorporó algunos requisitos y principios como la necesidad, la temporalidad, la afectación de determinados derechos y el principio de legalidad. Por otro lado, el estado de asamblea, que estaba en una ley, se incorporó al texto constitucional y se limitaron las facultades extraordinarias[9].

La Constitución de 1925 era muy breve en el tema y en la ley complementaria, lo que daba bastante discrecionalidad al poder[10]. Contemplaba los mismos estados de excepción que la Constitución anterior: el de asamblea y el de sitio, dentro de las atribuciones del Presidente de la República (artículo 72 N° 17). Durante su vigencia, y mediante diversas leyes se crearon otros estados de excepción. Se ampliaron las causales que los justificaban: guerra extranjera; ataque exterior, peligro de ataque exterior o de invasiones; conmoción interior; necesidad imperiosa de defensa del Estado; conservación del régimen constitucional; conservación de la paz interior; actos de sabotaje contra la seguridad nacional; actos de sabotaje contra la producción nacional y calamidad pública[11].

En la Constitución de 1980, los estados de excepción pasan a estar regulados con bastante detalle. Por primera vez se consagra un título completo para esta

---

[7] El texto constitucional no contemplaba el estado de sitio. Huneeus, Jorge (1890) *La Constitución ante el Congreso*. Tomo II. En Tribunal Constitucional, Colección Obras de Derecho Público, p 152.
[8] Ríos, Lautaro (2002) "Los Estados de Excepción Constitucional en Chile". Revista de Derecho. Universidad de Concepción, pp. 207-239, p. 211.
[9] Ríos (2002) 211-214.
[10] Cea Egaña, José Luis (2013) *Derecho Constitucional Chileno*, Tomo III, Santiago: Ediciones Universidad Católica de Chile, p. 196.
[11] Nogueira Alcalá, Humberto (2013) *Derecho Constitucional Chileno*. Tomo II, Santiago: Legal Publishing, pp. 358-359.

materia, dentro del Capítulo IV, dedicado al Gobierno. Se contemplan las situaciones o causales, que pueden dar lugar a 4 diferentes estados de excepción y, en el texto original, es una regulación acorde al exacerbado presidencialismo que le caracteriza[12].

En comparación con los textos constitucionales que la precedieron, presenta tres particularidades. En primer lugar, ningún texto constitucional anterior confirió "a las Fuerzas Armadas algún rol durante la vigencia de los estados de excepción constitucional"[13]. En segundo lugar, en el texto original, el Ejecutivo, debía contar con el acuerdo del Consejo de Seguridad Nacional, integrado, entre otros, por miembros por los Comandantes en Jefe de las FFAA. Además, los altos mandos de las Fuerzas Armada pasaban a estar a cargo de las zonas afectadas, situación que se mantiene a la fecha.

En tercer lugar, la Constitución de 1980 se diferencia de las anteriores, que se preocuparon más "del orden público y la seguridad del Estado" o de las prerrogativas exorbitantes de la autoridad "que de los derechos fundamentales, que se ven afectados" durante su vigencia[14]. Las dos grandes reformas de los años 1989 y 2005, mejoraron este último aspecto, al enumerar los derechos cuyo ejercicio puede ser suspendido o restringido. Durante la tramitación de esta última, se consideraron los Principios de Siracusa[15].

2. EL ORIGEN Y LA IMPORTANCIA DE LOS PRINCIPIOS EN LOS REGÍMENES DE EXCEPCIÓN CONSTITUCIONAL

Los principios que rigen los estados de excepción constitucional son una manifestación de la preocupación por limitar los poderes extraordinarios del gobierno en situaciones de crisis. La doctrina de los autores que, primero se preocupa de las potestades extraordinarias de la autoridad, luego se centra en la

---

[12]   Bulnes Aldunate, Luz (2005) "Los estados de excepción frente a la reforma constitucional". En Zúñiga urbina, Francisco (Coordinador), Reforma Constitucional. Santiago: LexisNexis, p. 422.

[13]   Quintana Benavides, Augusto (2021) "Rol de las Fuerzas Armadas en los Estados de Excepción Constitucional", Disponible en https://plataformacontexto.cl/cms/wp-content/uploads/2021/03/Estados-de-Excepcion.pdf, p. 6 [visitado el 23 de octubre de 2021].

[14]   Ríos (2002) 209.

[15]   García Pino, Gonzalo (2005) Los Estados de Excepción Constitucional. Un nuevo derecho de excepción". En Zúñiga Urbina, Francisco (Coordinador), *Reforma Constitucional*. Santiago: LexisNexis p. 454. También en Historia de la ley N° 20.050. pp. 186 y ss. Disponible en https://www.bcn.cl/historiadelaley/fileadmin/file_ley/6131/HLD_6131_e47ba7d45468d4ea63633103d9452aed.pdf [visitado el 23 de octubre de 2021].

protección de las personas y sus derechos fundamentales[16] y en la formulación de principios garantistas[17].

Los principios se plasmaron en instrumentos internacionales de derechos humanos para luego, recogerse en los textos constitucionales de los distintos ordenamientos jurídicos. A fines del siglo pasado hay esfuerzos de sistematización, en instrumentos no vinculantes como Los Principios de Siracusa, de 1984.

La importancia de los principios formulados a nivel internacional, radica en su recepción en los ordenamientos jurídicos internos, lo que implica "tomar en serio" el Derecho internacional, "aceptar que sus principios son vinculantes", que "se pueden hacer valer como claves de interpretación y como fuentes de crítica y deslegitimación de lo existente"[18]. Son criterios a considerar al interpretar las normas de los estados de excepción constitucional, las que por ser parte de regímenes excepcionales, deben interpretarse restrictivamente[19] y son el baremo que permite evaluar la legitimidad de su aplicación.

Como principios hermenéuticos, interesan al momento de un eventual control judicial, en la fiscalización de la Cámara de Diputados y en el control internacional. También son útiles para orientar la actuación de las autoridades y sirven para resolver situaciones no previstas expresamente. De ahí la necesidad de consagrarlos expresa o tácitamente a nivel constitucional[20].

3. LOS PRINCIPIOS EN LOS ESTADOS DE EXCEPCIÓN CONSTITUCIONAL

Dentro de los fundamentos de los estados de excepción, que dan origen a la utilización de poderes extraordinarios para enfrentar situaciones de crisis se suelen señalar dos principios. En primer lugar, la legítima defensa, que justifica un daño, el que en todo caso debe ser proporcional al que se trata de evitar[21]. En segundo lugar, el principio de necesidad, el cual supone que la legislación común no es suficiente para enfrentar las situaciones de crisis[22]. Se vincula con el principio de servicialidad del Estado y el bien común. Como la finalidad del

---

[16]   Ríos (2002) 208.
[17]   Zúñiga Urbina, Francisco (2005) Libertad y Autoridad en el Derecho Constitucional: El Derecho de Excepción". *Revista de Derecho Público*, N°67, pp. 184, 190.
[18]   Ferrajoli, Luigi (2001) *Derechos y Garantías. La ley del más débil.* 2a edición. Traducción de Perfecto Andrés Ibáñez y Andrea Greppi. Madrid: Trotta, 180 pp., p. 148.
[19]   Bulnes (2005) 417.
[20]   Cea (2013) 201, 206 y 197.
[21]   Nogueira (2013) 347-348.
[22]   Cea (2013) 202.

Estado es propender al bien común se ve obligado a realizar el interés general y actuar con los instrumentos que le proporciona el Derecho[23].

En este apartado se hará referencia tanto a los principios propios del Estado de Derecho como a los propios de los regímenes de excepción.

3.1. Los principios del Estado de Derecho

Los regímenes de emergencia no suponen la suspensión del Estado de Derecho, cuyos principios siguen vigentes[24]. Así, siguen rigiendo, el principio de supremacía constitucional; el principio de legalidad, el principio de control, el principio de separación de poderes y el respeto de los derechos fundamentales, aunque, con la limitación excepcional que estos últimos pueden verse afectados, en determinados casos previstos por la Constitución y las leyes. Precisamente, esta posibilidad excepcional, constituye una garantía del Estado de Derecho[25].

De acuerdo con el principio de supremacía constitucional, la Constitución es la norma superior del ordenamiento, en el fondo y en la forma, y "a ella deben someterse todas las normas jurídicas y tanto las decisiones de los gobernantes como los actos jurídicos de los gobernados"[26].

El principio de legalidad o de juridicidad rige plenamente, pues los EEC sólo pueden disponerse en los casos previstos previamente en la Constitución y la ley y sólo pueden verse afectados los derechos que se establecen en cada uno de esos casos. La autoridad también debe observar el principio de legalidad del gasto público respecto de los recursos que se destinan a superar los daños producidos por la situación de emergencia. Como todo gasto público, esos recursos están previstos en la ley de Presupuestos y emanan del endeudamiento público[27].

---

23 Álvarez García (2020) 7. El autor se refiere a "los poderes de seguridad" y al "Derecho de seguridad", pp. 7-8.

24 Oficina del Alto Comisionado de Derechos Humanos (2020) "Las medidas de emergencia y el Covid-19: Orientaciones", p. 1; Corte Interamericana de Derechos Humanos, "Covid-19 y Derechos Humanos: los problemas y desafíos deben ser abordados con perspectiva de derechos humanos y respetando las obligaciones internacionales (Declaración 1/20, de 9 de abril de 2020). Comité de Derechos Humanos, Pacto Internacional de Derechos Civiles y Políticos (CCPR/C(128//2, de 30 de abril de 2020), especialmente 2, letra d.

25 Jordán, Tomás (2020) "Covid-19 y derechos fundamentales: es necesario repensar la institucionalidad de crisis. Anomias de una pandemia", en El Mercurio Legal. Disponible en: https://www.elmercurio.com/legal/movil/detalle.aspx?Id=908403&Path=/0D/DC/

26 Cea Egaña (2002) *Derecho Constitucional Chileno*. Tomo I. Santiago: Ediciones Universidad Católica de Chile, p. 239.

27 Pallavicini Magnere, Julio (2012) "El principio de juridicidad en tiempos de catástrofe". *Revista de Derecho Público*, Vol. 77, pp. 185-199, p. 186. El Presidente de la República está constitucionalmente autorizado para utilizar gastos previstos en la ley de Presupuesto y, excepcionalmente, para recurrir al artículo 32 N° 20 de la Constitución vigente, y dictar un decreto de emergencia económica con los requisitos que allí se indican.

La Constitución vigente, en términos similares a las constituciones de 1833 y 1925, se refiere a este principio en el artículo 7, inciso segundo, con una fórmula similar: "Ninguna magistratura, ninguna persona ni grupo de personas pueden atribuirse, ni aun a pretexto de circunstancias extraordinarias, otra autoridad o derechos que los que expresamente se les hayan conferido en virtud de la Constitución o las leyes".

Sin embargo, podrán darse situaciones no previstas *ex ante* por la Constitución o las leyes, lo que requerirá de regulación urgente para enfrentarlas. Así ocurrió, por ejemplo. con la pandemia del COVID-19, la que hizo necesario dictar una gran cantidad de leyes, fenómeno que, además, dio lugar "a una profusa normativa administrativa para ponerla en ejecución"[28].

Sin embargo, el principio de legalidad implica que el Presidente de la República no queda habilitado para hacer uso de la potestad reglamentaria al margen de lo preceptuado por la Constitución (art. 32 N°6), "pues se mantiene vigente el principio de reserva legal"[29]. Solo existe una excepción constitucional, relativa a la modificación de la ley de presupuestos. En efecto, el Presidente de la República, en situaciones de emergencia –las mismas de los estados de excepción– está constitucionalmente habilitado para alterar una norma de rango legal vía decreto[30], pues de acuerdo con el artículo 32 N° 20, "podrá decretar pagos no autorizados por ley" y hacer uso de recursos extraordinarios, que no pueden exceder del 2%.

Cuando se reformó la Constitución el año 2005, el profesor Cea sostuvo en el informe solicitado por el Senado, "que, tratándose de poderes de crisis o estados de excepción, es indispensable asumir siempre que el principio de reserva legal es fuerte, o sea, que debe ser cumplido exhaustivamente por el legislador" y concluyó que es ineludible articular el más expedito régimen de control de supremacía en la materia"[31].

El principio de separación de poderes, o "de órganos y funciones" supone "la división del ejercicio del poder, la distribución de funciones entre órganos estatales competentes, cada uno de los cuales desempeña sus atribuciones con

---

[28] García Barzelatto, Ana María (2020) "Contexto Normativo y Político de Chile ante la emergencia sanitaria por COVID-19. Nuevas leyes y sus efectos en los derechos fundamentales". En Barceló Rojas, Daniel et al. (Coordinadores) *COVID-19 y parlamentarismo. Los Parlamentos en cuarentena.* México: Universidad Nacional Autónoma de México, pp. 119-130. Disponible en: https://biblio.juridicas.unam.mx/bjv/detalle-libro/6225-covid-19-y-parlamentarismo-los-parlamentos-en-cuarentena,   p. 125.

[29] Cea (2013) 222.

[30] Pallavicini (2012) 190. Esto se relaciona con el "principio de flexibilidad presupuestaria".

[31] Comisión de Constitución, Legislación, Justicia y Reglamento. Informe de 6 de noviembre 2001, p. 334.

autonomía y vigilando a los demás"[32]. La separación de funciones no es absolutamente rígida. Debe existir un equilibrio entre las atribuciones de los poderes públicos, con una serie de "relaciones, controles e intervenciones mutuas y recíprocas"[33], un sistema de pesos y contrapesos. Junto con los derechos fundamentales, se ve afectado, en alguna medida, por los mayores poderes que asume el Ejecutivo y el limitado control del Poder Judicial.

El principio de control, es fundamental para que se mantenga el Estado de Derecho. Los mecanismos de control de los estados de excepción son de orden interno y también, internacionales. Los controles internos, a su vez, son interorgánicos y están radicados en el Congreso Nacional y en el Poder Judicial. Los controles internacionales se satisfacen con la información periódica que debe proporcionar los Estados partes a la Organización de Estados Americanos y al Secretario General de Naciones Unidas y son subsidiarios.

Dentro de los controles internos, está la fiscalización que puede ejercer la Cámara de Diputados y la intervención del Congreso Nacional, que concurre con su acuerdo, en la declaración del estado de asamblea y estado de sitio, y a través de la autorización de su prórroga, en el caso del estado de catástrofe y de emergencia.

El control del Poder Judicial, es bastante limitado o "pobre" en la Constitución vigente, pues al excluirse del control judicial "los fundamentos y circunstancias de hecho invocadas por la autoridad" –artículo 45 de la Constitución–, se le priva de "lo esencial, que es la discusión sobre la pertinencia de esa declaración"[34]. Asimismo, hay también un control ciudadano, que dependerá de la difusión de la información.

El principio de responsabilidad, sigue recayendo en el Presidente de la República, aunque haya delegado algunas facultades en los Jefes de la Defensa Nacional. Tiene responsabilidad en el orden interno y en el ámbito internacional y también hay responsabilidad, en el caso de medidas como confiscaciones, porque quienes sufren algún daño o perjuicio deben ser indemnizados y responsabilidad por el mal uso de los recursos públicos (32 N° 20), para los Ministros de Estado y los funcionarios que autoricen o den curso a pagos no autorizados por ley.

Finalmente, el respeto de los derechos fundamentales, que son la "razón de ser del Estado de Derecho" y "elemento esencial del sistema de legalidad" en que este se apoya[35], es el elemento que se ve más afectado en los regímenes de

---

[32]   Cea (2002) 240.

[33]   Díaz, Elías (1968) *Estado de Derecho y sociedad democrática*. Madrid: Taurus. Novena edición, de 1998, p. 46.

[34]   Valdivia, José Miguel (2020) "Emergencia y Administración" en Contreras Vásquez, Pablo (Editor), *La ley de la emergencia. Ensayos sobre el derecho, la excepción y la pandemia*. Santiago: Der Ediciones, p. 37.

[35]   Díaz (1966) 15 y 51.

Marcela Ahumada Canabes

excepción y que justifica el establecimiento y consagración constitucional de los principios.

3.2. Los principios propios de los estados de excepción

La preocupación de los autores por la excepcionalidad ha ido desarrollando algunos principios que son esenciales para legitimar los regímenes de excepción[36], que conjugan la libertad con la suspensión o restricción de los derechos. Se trata de principios cuya finalidad es proteger al Estado, pero también limitar el poder, porque nunca se debe perder de vista, que lo esencial es el respeto de los derechos fundamentales de las personas.

En lo que sigue se enunciarán los principios establecidos en instrumentos vinculantes como el Pacto Internacional de Derechos Civiles y Políticos y la Convención Americana de Derechos Humanos, para continuar con los contenidos en otros documentos no vinculantes.

3.3. Los principios establecidos en el Derecho Internacional de los Derechos Humanos y en el Derecho Internacional Humanitario

El Derecho Internacional de los Derechos Humanos, rama del Derecho que pone en el "centro de su preocupación" a la persona[37], contempla normas de respuesta a situaciones de crisis y establece "los estándares bajo los cuales los Estados pueden restringir legítimamente los derechos fundamentales". Lo mismo ocurre con el Derecho Internacional Humanitario, especialmente las normas recogidas en la Convención de Ginebra, de 1940 y sus protocolos adicionales, que rigen para los casos de Estado de Asamblea (guerra externa) y de sitio (guerra interna)[38].

Dentro los instrumentos ratificados por Chile y vigentes, el Pacto Internacional de Derechos Civiles y Políticos de 1966 establece en el artículo 4.1. que en situaciones excepcionales que pongan en peligro la vida de la Nación, y cuya existencia haya sido proclamada oficialmente, los Estados Partes podrán adoptar disposiciones que, en la medida estrictamente limitada a las exigencias de la situación, suspendan las obligaciones contraídas en virtud de ese Pacto, siempre que tales disposiciones no sean incompatibles con las demás obligaciones que les impone el Derecho Internacional y no entrañen discriminación alguna fundada únicamente en motivos de raza, color, sexo, idioma, religión u origen social".

---

[36]   Cea (2013) 201.
[37]   Contesse (2020) "Emergencia y Derecho Constitucional", en Contreras Vásquez, Pablo (Editor): *La ley de la emergencia. Ensayos sobre el derecho, la excepción y la pandemia.* Santiago: Der Ediciones, pp. 68 y 73.
[38]   Nogueira (2013) 350, 354 y 384-385.

En el ámbito regional, el artículo 27.1 de la Convención Americana de Derechos Humanos o Pacto de San José de Costa Rica, señala que: "En caso de guerra, de peligro público o de otra emergencia que amenace la independencia o seguridad del Estado Parte, éste podrá adoptar disposiciones que, en la medida y por el tiempo estrictamente limitados a las exigencias de la situación, suspendan las obligaciones contraídas en virtud de esta Convención, siempre que tales disposiciones no sean incompatibles con las demás obligaciones que les impone el Derecho Internacional y no entrañen discriminación alguna fundada en motivos de raza, color, sexo, idioma, religión u origen social.

En la parte final de ambos instrumentos –artículos 4.3 y 27.3– se establece la obligación de los Estados Partes de notificar esa proclamación al Secretario General de las Naciones Unidas y al Secretario General de la Organización de Estados Americanos, respectivamente. En el ámbito regional europeo, la comunicación debe hacerse al Secretario General del Consejo de Europa.

En relación con lo anterior, la Observación General N° 29, del Comité de Derechos Humanos, que reitera la obligación de los Estados Partes de respetar las disposiciones del Derecho internacional en general y del Derecho Internacional humanitario. Asimismo, señala que debe considerarse la evolución del derecho internacional de derechos humanos[39]. En el ámbito europeo destaca el trabajo de la Comisión de Venecia del Consejo de Europa[40]. Recientemente, cuando los gobiernos comenzaron a hacer uso de estos mecanismos, durante la pandemia, los organismos internacionales alertaron sobre la observancia de esos principios y otros requisitos. Así, por ejemplo, lo hizo el Comité de Derechos Humanos, que emitió una declaración sobre las obligaciones dimanantes del Pacto en relación con la Covid-19[41]. Lo mimo hicieron, en el ámbito regional, la Comisión Interamericana[42] y la Corte Interamericana de Derechos Humanos[43].

---

[39]   Naciones Unidas, Comité de Derechos Humanos, Observación General N° 29 sobre Estados de Emergencia (Artículo 4), adoptada el 24 de julio de 2001. Los párrafos 9 y 10 aluden al Derecho Internacional, en general Derecho Internacional Humanitario y a la evolución de las normas de Derecho Internacional. En la nota del párrafo 10, considera dentro de esas normas, entre otras, los Principios de Siracusa sobre las Disposiciones de Limitación y Derogación del Pacto Internacional de Derechos Civiles y Políticos" y la Declaración de Normas Mínimas Humanitarias de Turku (1990).

[40]   La compilación más reciente de las opiniones e informes sobre los Estados de emergencia está disponible en: https://www.venice.coe.int/webforms/documents/?pdf=CDL-PI(2020)003-spa

[41]   Naciones Unidas, Comité de Derechos Humanos (2020), CCPR/C128/2 disponible en: https://www.ohchr.org/Documents/HRBodies/CCPR/COVIDstatementSP.pdf

[42]   Comisión Interamericana de Derechos Humanos. Resolución N° 1/20. Disponible en http://oas.org/es/cidh/decisiones/pdf/Resolucion-1-20-es.pdf

[43]   Corte Interamericana de Derechos Humanos. Declaración 1/2020. Disponible en: https://www.corteidh.or.cr/tablas/alerta/comunicado/declaracion_1_20_ESP.pdf

3.4. Los principios contenidos en normas de Derecho Internacional no vinculantes

A los instrumentos internacionales, se agregan los principios contenidos en instrumentos internacionales no vinculantes para los Estados (*soft law*), que han sido recogidos por diversos textos constitucionales. Entre estos destacan el documento denominado "Principios de Siracusa sobre las Disposiciones de Limitación y Derogación del Pacto Internacional de Derechos Civiles y Políticos" (Sicilia, Italia), de 1984[44], y los documentos elaborados por la Comisión de Venecia, del Consejo de Europa, que rigen en un ámbito más acotado.

Los Principios de Siracusa, desarrollaron varios principios garantistas[45] para la interpretación de los regímenes de excepción. Este instrumento fue considerado en la propuesta de reforma constitucional del año 2005, con el fin de hacer del régimen de excepción uno más acorde con los postulados del Estado Democrático de Derecho. En ese entonces, se consideró como hipótesis posible que "un derecho de excepción aplicado permanentemente" podría derivar en una "mutación del régimen político", pues su uso extendido debilita los controles y la restricción de derechos. Al no existir un proyecto sobre esa materia, se solicitó al Ministerio del Interior la elaboración de un documento de trabajo que se sometió a la revisión de la Comisión de Constitución del Senado[46].

Los principios que se contemplan, son el de necesidad; temporalidad; proporcionalidad; taxatividad y muchos más[47].

El principio de necesidad. Alude tanto al estado de excepción como a las medidas que durante él se adopten. Debe estar demostrado la existencia efectiva de una situación de crisis que no se puede enfrentar con la legislación común y que no existe otra herramienta para enfrentarla, es decir, debe existir un peligro real o inminente que lo justifique[48].

---

[44] Naciones Unidas/Consejo Económico y Social. Principios de Siracusa sobre las disposiciones de limitación y derogación del Pacto Internacional de Derechos Civiles y Políticos. Distribuido como documento Oficial del 41° Período de Sesiones de la Comisión de Derechos Humanos (La Conferencia Internacional se celebró en esa ciudad italiana, entre el 30 de abril y el 4 de mayo de 1984, y estuvo patrocinada por entidades como la Comisión Internacional de Juristas, la Asociación Internacional de Derecho Penal, la Asociación Estadounidense para la Comisión Internacional de Juristas y otras).

[45] Heiss, Claudia (2020) "Desafíos de los estados de excepción en el proceso constituyente", en *Revista de Ciencia Política*, Vol. N° 58, N° 164.

[46] García Pino, Gonzalo (2005) 453-454. El autor alude a un trabajo interno del Ministerio del Interior, elaborado por los abogados Jorge Claissac y Gonzalo García, y revisado por los profesores Francisco Cumplido y José Luis Cea Egaña. Documento no publicado.

[47] No se citan aquí algunos requisitos formales como la proclamación pública y la comunicación o notificación a los Estados miembros al Secretario General de Naciones Unidas y al Secretario General de la OEA.

[48] Actualmente se encuentra en trámite un proyecto de ley que pretende incorporar un nuevo estado de excepción constitucional, llamado "de alerta", que operaría en caso que el Sistema de Inteligen-

La excepcionalidad. Sólo deben declararse cuando el Derecho común y las potestades ordinarias no sean suficientes para enfrentar o resolver las situaciones de crisis.

La temporalidad o transitoriedad. Alude a la duración limitada en el tiempo del estado de excepción constitucional y también a la provisionalidad de las medidas dispuestas mientras está vigente. Es de la misma esencia de los regímenes de excepción su carácter temporal y mientras las circunstancias que los determinan subsistan[49]. Que tengan un período limitado de duración, permite que el Congreso ejerza el control a través de las prórrogas[50].

El principio de proporcionalidad. El Ejecutivo goza de cierta discrecionalidad a la hora de decidir si declara un estado de excepción constitucional. Sin embargo, debe considerar el principio de proporcionalidad, tanto en ese momento, como al disponer o solicitar, en su caso, la prórroga y determinar su duración. Lo mismo respecto de cada una de las medidas que se adopten durante su vigencia[51], las que se deben analizar a la luz del principio de proporcionalidad, lo cual permitirá determinar su legitimidad en cada caso concreto, así como la afectación de derechos fundamentales.

Lo anterior, supone hacer un juicio de idoneidad respecto de las medidas, aplicando los subprincipios que lo componen, la idoneidad, la necesidad y la proporcionalidad en sentido estricto.

Taxatividad o numerus clausus. Solo existen los estados de excepción contemplados en la Constitución y únicamente pueden verse afectados los derechos expresamente previstos.

El respeto de las obligaciones internacionales. La declaración de un estado de excepción no autoriza la inobservancia general de las obligaciones internacionales.

La no discriminación. Las medidas adoptadas no deben implicar discriminación alguna fundada en motivos de raza, color, sexo, idioma, religión u origen social. La no discriminación no está entre los derechos que pueden suspenderse durante los estados de excepción constitucional.

Principio de intangibilidad o inviolabilidad de determinados derechos. Supone que durante la vigencia de un estado de excepción constitucional hay derechos fundamentales, cuyo ejercicio, no se puede afectar bajo ninguna circunstancia,

---

cia del Estado emita una "alerta de ataque probable a Infraestructura crítica" sin que se advierta una situación de riesgo o peligro inminente que lo justifique (Boletín N°13086-O7).

[49]   Nogueira (2013) 391.
[50]   García Roca (2020) 24.
[51]   Álvarez García (2020) 11.

como por ejemplo, el derecho a la vida; la libertad de pensamiento, conciencia y religión; la prohibición de tortura[52].

Las normas internacionales, después de establecer la posibilidad de que determinadas situaciones den origen a regímenes de emergencia, enumeran los derechos que no pueden verse afectados por limitaciones o restricciones. Así lo hacen el artículo 4.2 del Pacto Internacional de Derechos Civiles y Políticos y el artículo 27.2 de la Convención Americana de Derechos humanos. Esa enumeración tiene una pequeña diferencia en los dos instrumentos referidos.

4. OTROS PRINCIPIOS QUE PUEDEN APLICARSE A LOS ESTADOS DE EXCEPCIÓN

Hay al menos dos amenazas globales, las situaciones en que peligra la salud de las personas, como las pandemias, y la falta de condiciones físicas para la vida de la colectividad[53], por crisis medioambientales o climáticas, que se deberían agregar expresamente al texto constitucional y contemplar, además, las medidas que, en cada caso, debe adoptar la autoridad. Hoy pueden resolverse, aunque no adecuadamente, con los estados de excepción y medidas existentes. De hecho, se hizo necesaria la dictación de muchas leyes, para enfrentar adecuadamente la pandemia del COVID-19.

Los principios que garantizan el Estado de Derecho y la democracia y los principios propios de los regímenes de emergencia, orientan la actuación de las autoridades y sirven para resolver situaciones no previstas. Pero, hay otros principios que podrían adoptarse, con el fin de permitir a las autoridades tomar decisiones en situaciones de riesgo, complejidad e incertidumbre, e incluso para gestionar adecuadamente las situaciones de crisis.

4.1. El Principio de Precaución

La pandemia y otros riesgos globales, propios de las sociedades complejas (desastres nucleares, derrames de petróleo, crisis climática, etc.) convierten a la

---

[52] O'Donnell, Daniel (1984) "Legitimidad de los Estados de Excepción, a la luz de los instrumentos de Derechos Humanos". *Derecho PUCP Revista de la Facultad de Derecho Pontificia Universidad Católica del Perú*, N° 38, p. 214. El autor clasifica los derechos, para estos efectos entre grupos: los derechos poco relacionados con el orden público y la seguridad nacional (que rara vez se ven afectados); los derechos que quedan completamente protegidos al estar comprendidos en los instrumentos internacionales contra la suspensión y los derechos relacionados con el orden público y la seguridad nacional y que pueden suspenderse durante los estados de excepción (pp. 213-214).

[53] Presno (2020) 17.

incertidumbre en un elemento central. Frente a un mundo, cada vez más imprevisible, necesitamos nuevas formas de protección[54]. El conocimiento científico es revalorizado y pasa a tener importancia en muchas decisiones políticas. Recientemente, para el ámbito europeo, la Comisión de Venecia sugirió la utilización del principio de precaución en la adopción de las medidas que consideren adecuadas en la lucha contra la pandemia del COVID-19[55].

Esos riesgos globales nos ponen ante escenarios nuevos, en los que se tienen que tomar decisiones en situaciones de incertidumbre científica o donde no hay evidencia científica suficiente[56]. La incertidumbre es "el presupuesto para la aplicación" del principio de precaución, el que habilita la adopción de medidas excepcionales, siempre sujetas a revisión, esencialmente temporales o provisionales.

El principio precautorio ha sido recogido en algunas Constituciones y varias leyes. Además, tiene alguna relación con la excepción del régimen jurídico vigente y una conexión con el Derecho a través del principio de proporcionalidad[57], pues el costo de las medidas adoptadas debe ser proporcional a los beneficios esperados[58].

En este sentido, la Carta del Medio Ambiente, que se incorporó a la Constitución francesa, el año 2005, señala en el artículo 5, que "cuando la producción de un daño, aunque incierta, en el estado de los conocimientos científicos, pueda afectar de manera grave e irreversible al medio ambiente, las autoridades públicas velarán, mediante la aplicación del principio de precaución y en sus ámbitos de competencia, por la evaluación de riesgos y la adopción de medidas provisionales y proporcionadas con el fin de prevenir la producción del daño"[59].

---

[54]   Innerarity (2020) 42, 47.

[55]   Comisión Europea para la Democracia por el Derecho (Comisión de Venecia): "Respeto por la Democracia, Derechos Humanos y el Estado de Derecho durante los Estados de Emergencia-Reflexiones (2020), p. 3, número 1 CDL-PI (2020)005rev Disponible en: http://www.cepc.gob.es/docs/default-source/comisionveneciadoc/respeto-por-la-democracia-derechos-humanos-y-el-estado-de-derecho-durante-los-estados-de-emergencia-reflexiones.pdf?sfvrsn=0 [fecha de visita:20 de noviembre de 2021].

[56]   Esteve Pardo, José (2020) "La apelación a la ciencia en el gobierno y gestión de la crisis de la COVID-19". *Revista de Derecho Público: Teoría y Método*, Vol. 2, pp. 38, 49. El autor distingue dos estrategias "para decidir en situaciones de incertidumbre científica": la estrategia interna, que resuelve con las herramientas propias del Derecho haciendo prevalecer la certeza sobre "los datos y aportaciones de la ciencia"; y la estrategia externa, que considera los aportes de la ciencia y tiene como principal instrumento el principio de precaución. Además, la ciencia es la que alerta sobre los riesgos y puede aportar con "apreciaciones [...] en términos probabilísticos" (pp. 39-41).

[57]   Esteve (2020) 41, 43.

[58]   Riechmann, Jorge y Tickner, Joel (2002) (Coordinación) *El Principio de precaución. En medio ambiente y salud pública De las definiciones a la práctica*, (Barcelona, Icaria), p. 26.

[59]   Aprobada por el parlamento galo el 1° de marzo de 2005. Disponible en: https://www.conseil-constitutionnel.fr/sites/default/files/as/root/bank_mm/espagnol/carta_del_medio_ambiente.pdf Algo similar hace la Constitución de Ecuador (art. 397 N° 5).

4.2. Los principios de publicidad y transparencia

La publicidad y la transparencia no se suspenden durante los estados de excepción constitucional. En virtud de esos principios las resoluciones y actos administrativos de la autoridad, así como los informes que el Gobierno envía al Congreso, se deben transparentar, puesto que es la única forma que permite ejercer el control ciudadano, el control político y el control jurisdiccional.

Cea Egaña sostiene a este respecto que "las medidas adoptadas deben difundirse para que líderes, partidos, medios de comunicación social y la ciudadanía tomen conocimiento de ellas y puedan reaccionar ante excesos o irregularidades"[60].

La Constitución vigente consagra los principios de publicidad y transparencia en el artículo 8, dentro de las Bases de la Institucionalidad. La ley N° 18.415, Orgánica Constitucional sobre los EEC se refiere a la publicidad, en artículo 8, de acuerdo con el cual, el decreto supremo que declara un estado de excepción debe publicarse en el Diario Oficial y desde ese entonces comienza a regir. Más adelante, el artículo 11 establece que las medidas que se adopten durante los estados de excepción serán difundidas o comunicadas en la forma que determine la autoridad, con la única limitación que esa difusión no puede implicar una discriminación entre medios de comunicación del mismo género. Dentro de esas medidas están los bandos, aludidos en el artículo 10 inciso 2° de la misma ley[61].

Por otra parte, la Constitución dispone en los artículos 41, inciso segundo (estado de catástrofe), y 42, inciso final (estado de emergencia), la obligación del Presidente de la República de informar al Congreso Nacional de las medidas adoptadas en esos estados. Debe entenderse que aun cuando no se dice nada en los estados de asamblea y de sitio, se trata de una obligación respecto de los regímenes de excepción, en la medida que se requiere de la intervención del Congreso Nacional para sus prórrogas[62].

La información periódica y su publicación es esencial para la fiscalización que la Cámara de Diputados hace de los actos del gobierno, y para la adopción de decisiones informadas por parte del Congreso Nacional, que está facultado para poner término a los estados de excepción, transcurridos un plazo determinado y otorgar su acuerdo para las prórrogas. Ello supone que cuenta con la información necesaria que le ha sido remitida periódicamente.

---

[60]   Cea (2013) 220.
[61]   En la práctica, especialmente durante los estados de excepción de catástrofe, los bandos que dictan los Jefes de la Defensa Nacional no han sido siempre fácilmente accesibles. Además, siguiendo a HEISS (2020), son un tipo de normas, que es propia de los Estados de Asamblea, p. 63.
[62]   Cea (2013) 223 El único en el que el Congreso Nacional no interviene en la prórroga, es el de Asamblea, porque se extiende por todo el tiempo que dure la situación de guerra exterior, salvo que el Ejecutivo, disponga su cese, con anterioridad.

Los Principios de Siracusa, al referirse al principio de legalidad (Parte I), señalan que "las normas jurídicas que limiten el ejercicio de los derechos humanos serán claras y accesibles a todo el mundo". Así, se hace referencia a un requisito adicional que se incluye dentro de la trasparencia y publicidad, cual es que la redacción de las normas se haga en un lenguaje claro, que permita a las personas acceder a ellos cabalmente y comprenderlas, de modo que puedan ejercer adecuadamente sus derechos.

En el caso específico de la pandemia, se advirtió sobre la necesidad de transparentar toda la información disponible, oportunamente y en lenguaje claro[63], para que sea accesible por la ciudadanía.

4.3. El principio de coordinación de los órganos de la Administración del Estado y en especial de las FFAA con la autoridad civil[64]

Este principio está vinculado con dos ideas, por una parte, el principio de coordinación entre los distintos órganos de la Administración del Estado y por la otra, la autoridad a cargo de las zonas bajo un EEC y sus atribuciones.

4.3.1. El principio de coordinación

El principio de coordinación es un principio jurídico que rige a todos los órganos de la Administración del Estado, dentro de la cual también están comprendidas las Fuerzas Armadas y de Orden y Seguridad. Tiene consagración constitucional y legal. Se desprende de los artículos 38, inciso primero; 118, incisos primero, segundo y octavo; y 123, inciso primero de la Constitución vigente. También está presente, entre otras disposiciones, en los artículos 3° y 5°, inciso segundo, de la ley N° 18.575, dentro de los principios que debe observar la Administración.

El artículo 5, inciso segundo, de la ley N° 18.575, prescribe que "los órganos de la Administración del Estado deberán cumplir sus cometidos coordinadamente y propender a la unidad de acción, evitando la duplicación o interferencia de funciones". Se trata de evitar que entre los distintos órganos administrativos se entraben sus funciones, al momento de adoptar una decisión[65].

---

[63]   De la Fuente, Gloria (2020) "Enemigo poderoso". En *La Tercera*, (20 de marzo de 2020). Disponible en: https://www.latercera.com/opinion/noticia/enemigo-poderoso/YIGCCTCJJ5GJ3ME-HK25BSMSGJQ/ [Consultado el 23 de octubre de 2021]. Lo mismo se señaló por la Comisión Interamericana en la Resolución 1/2020, N° 32.

[64]   Los Informes de la Comisión de Venecia se refieren a la colaboración entre civiles y militares. Compilado, p. 29.

[65]   Cordero Vega, Luis (2017) "El test de idoneidad para adoptar decisiones administrativas integradas", Mercurio Legal. Disponible en: https://www.elmercurio.com/legal/noticias/analisis-juridico/2017/12/28/el-test-de-idoneidad-para-adoptar-decisiones-administrativas-integradas.aspx

Hoy también está comprendido en la ley N° 21.364, artículo 4, letra c), que lo menciona como un principio que involucra a todos los órganos de la Administración del Estado y también a la sociedad civil. Los artículos 5 y 16, de la misma ley, se refieren a la coordinación de las Fuerzas Armadas a través del Ministerio de Defensa Nacional.

Los órganos del Estado están obligados a actuar coordinadamente dentro del marco de sus respectivas competencias. Pero merece especial atención la crítica al papel preponderante de las Fuerzas Armadas en todos los estados de excepción constitucional, la falta de coordinación con las autoridades civiles y técnicas y la delimitación de responsabilidades[66].

4.3.2. La autoridad a cargo de las zonas bajo estado de excepción y la subordinación de las fuerzas armadas al poder civil

No todas las Constituciones contemplan el traspaso de poderes desde el Ejecutivo a las autoridades militares durante los regímenes de excepción. El estado de excepción en el que las FFAA tienen un necesario protagonismo, es el estado de asamblea, ya que está vinculado con su principal función, que es la Defensa Nacional. En otros, en cambio, como los estados de emergencia y catástrofe, su intervención "se justifica sólo si se mantiene la obediencia irrestricta al Jefe de Estado, quien es, en definitiva, el responsable constitucional de velar por el orden público y la seguridad externa de Chile"[67].

En nuestra historia constitucional, sólo la Constitución de 1980 confiere a las Fuerzas Armadas un papel preponderante en los estados de excepción constitucional[68], aunque no todas las situaciones de riesgo o amenaza requieren de su presencia como autoridades encargadas. Se prioriza la "conducción estratégica y operativa militar, por sobre las autoridades civiles", sin distinción alguna. Al declarar el estado de excepción constitucional, el Presidente determina la zona afectada y designa Oficiales de las Fuerzas Armadas como Jefes de la Defensa Nacional. De esta manera, "las ramas castrenses siguen cumpliendo el rol de garantes del orden institucional ante la ocurrencia de calamidades naturales o antrópicas[69].

---

[66]   Heiss (2020) 65- 67. Contreras y Salazar (2020) 247.
[67]   Cea (2013) 222.
[68]   Quintana (2021) 7. Ni siquiera el Acta Constitucional N° 3, de 1973, les asigna una participación institucional.
[69]   Contreras, Pablo y Salazar Pizarro, Sebastián (2021) "Las Fuerzas Armadas y de Orden y Seguridad en la Nueva Constitución". En Asociación Chilena de Derecho Constitucional (Coordinación) Tránsito Constitucional. Camino hacia una nueva Constitución (Santiago: Tirant lo Blanch,) p. 666.

El diseño institucional de la Constitución de 1980 otorgó a las Fuerzas Armadas "un papel preminente y exclusivo en la función de garantizar el orden institucional"[70]. Ello era coherente con el "poder de seguridad" y la "democracia autoritaria" o "democracia protegida"[71], que se proyectó también en los estados de excepción constitucional.

La reforma del año 2005 cambió, en parte, ese papel protagónico, al modificar el artículo 6, inciso 1°, e introducir la garantía de "Defensa de la Constitución"[72]. De esta manera, el papel de garante de la institucionalidad ya no quedó entregado a las Fuerzas Armadas (antiguo artículo 90, inciso 2°, de la Constitución original), sino a todos los órganos del Estado. Pasó "de ser una garantía autoritaria fundada en la fuerza o amenaza de la fuerza" a "una garantía democrática sostenida en la soberanía popular y el respeto al Estado de Derecho y los derechos fundamentales de las personas"[73].

Incluso se intentó avanzar un poco más y en el proyecto del Ejecutivo se planteó la posibilidad de incorporar al texto constitucional la designación de un "funcionario público" (o autoridad administrativa) a cargo de la zona afectada por una situación de excepción, que podría ser una autoridad civil o militar, de la confianza del Presidente de la República, de la región afectada o del nivel central, pero esa idea no prosperó en el Senado[74].

Esa idea de la autoridad a cargo ha tomado fuerza nuevamente. Los autores han comenzado a cuestionar ese diseño institucional y a proponer "desconstitucionalizar" algunas de las innovaciones que introdujo la Constitución de 1980 en materias relacionadas con las Fuerzas de Orden y Seguridad, con el fin de "fortalecer la subordinación democrática" y "avanzar en una mayor democratización y consolidación institucional del poder civil electo, fortaleciendo éste[75], en el contexto de un Estado democrático y respetuoso de los derechos fundamentales.

El problema presente en la Constitución de 1980, está relacionado con "la subordinación militar al poder civil democrático", que está implícita en la no

---

[70] García Pino (2005) 456.

[71] Contreras, Pablo (2015) "Las Fuerzas Armadas en la Constitución". En Bassa Mercado, Jaime; Ferrada Bórquez, Juan Carlos y Viera Álvarez, Christian (Editores). *La Constitución Chilena. Una revisión crítica a su práctica política.* Santiago: LOM Ediciones, p. 315.

[72] Denominada también "lealtad constitucional", "conciencia constitucional" o "patriotismo constitucional". García Pino, Gonzalo; Contreras Vásquez, Pablo y Martínez Placencia, Victoria (2016) Diccionario Constitucional Chileno, Santiago: Hueders, p. 267.

[73] García Pino (2005) 456.

[74] García Pino (2005) 476; Ríos Álvarez, Lautaro (2002) "Los estados de excepción constitucional en Chile". *Revista Ius et Praxis,* Año 8, N° 1, pp. 274-275

[75] Contreras, Pablo y Salazar Pizarro, Sebastián (2020) "Desconstitucionalizar para democratizar: Las Fuerzas Armadas y las policías en la Nueva Constitución". *Revista de Ciencia Política,* Vol. N° 58, N° 1, pp. 5. 6, 14 y 16.

deliberación y apoliticidad de los cuerpos castrenses[76], pues, como sostiene Cea Egaña "en la democracia y el Estado de Derecho mandan el Presidente de la República y los órganos representativos, sin que sobre ellos puedan ejercer potestades quienes se les hallan subordinados"[77].

Lo más lógico, es que las Fuerzas Armadas pueden prestar colaboración, en actividades como la reconstrucción y la ayuda de personas damnificadas, aunque no se haya declarado un estado de excepción constitucional[78].

Aunque, en la práctica, en los estados de excepción constitucional se ha priorizado la "conducción estratégica y operativa militar", el protagonismo de las Fuerzas Armadas debe "reducirse a su mínima expresión", y fortalecer, en cambio, a las autoridades electas democráticamente[79].

Pese a lo anterior, parece necesario un cambio constitucional en este sentido, porque la reciente ley N° 21.364, que Establece el Sistema Nacional de Prevención y Respuesta ante Desastres, sustituye la Oficina Nacional de Emergencias por el Servicio Nacional de Prevención y Respuesta ante Desastres[80], asigna a las FFAA un papel preponderante en la prevención y gestión de riesgos. El artículo 18, inciso segundo, dispone que, "en caso de que se declare el estado constitucional de catástrofe, corresponderá al Jefe de la Defensa Nacional ejercer sus deberes y atribuciones, en permanente coordinación con quien presida el Comité respectivo en las Fases de Respuesta y Recuperación".

Algo similar ocurre con el decreto supremo N° 8, de 2020, que Establece Reglas sobre el uso de la fuerza para las Fuerzas Armadas[81]. Con el pretexto de regular el uso de la fuerza, regula en el artículo 4, aspectos propios de la ley orgánica constitucional sobre los estados de excepción constitucional y la detención de personas.

---

[76]   Heiss (2020) 66.
[77]   Cea Egaña, José Luis (1999) "Desafíos para la democracia constitucional de Chile", en *Revista de Derecho. Universidad Austral de Chile* Vol X, pp. 81-86.
[78]   Quintana (2017) 4. El autor destaca la evolución de la interpretación de la Contraloría General de la República, según la cual las Fuerzas Armadas sólo pueden desarrollar labores distintas a la Defensa Nacional en casos expresamente contemplados pon la Constitución o las leyes, como es el caso de los estados de excepción constitucional (dictamen N° 2.924, de 1997). En cambio, si aquéllos no se han declarado, las Fuerzas Armadas pueden prestar "actividades de colaboración con otros organismos de la Administración del Estado" (dictamen N° 42.822, de 2008). Criterio reiterado en dictamen N° E142895, de 2021.
[79]   Contreras y Salazar (2020) 23 y 24.
[80]   Diario Oficial (7 de agosto de 2021).
[81]   Diario Oficial (22 de febrero de 2020).

CONCLUSIONES

Los principios que rigen los estados de excepción constitucional se han ido incorporando progresivamente en nuestra historia constitucional. En este proceso, han tenido importancia los documentos internacionales ratificados por Chile y otros instrumentos no vinculantes, que garantizan el respeto de los derechos fundamentales.

La Constitución debe regular detalladamente los estados de excepción constitucional, establecer cuáles serán esos regímenes de emergencia; las causales que facultan su declaración y las atribuciones de la autoridad para restringir determinados derechos. También es imprescindible que se contemplen expresa o tácitamente los principios que los regulan, especialmente los nuevos principios, como los antes aludidos.

BIBLIOGRAFÍA

Aba Catoira, Ana (2011) "El Estado de Alarma en España". *Teoría y Realidad Constitucional,* N° 28, pp. 313-341.

Álvarez García, Vicente (2020) "El Coronavirus (COVID.19): respuestas jurídicas frente a una situación de emergencia sanitaria". *El Cronista del Estado Social y Democrático de Derecho,* N° 87-88, pp. 6-21.

Berlinguer, Giovanni (2002) *Bioética Cotidiana.* Traducción de Omar Álvarez Salas. México: Editorial Siglo XXI, 1a edición en español, 232 pp.

Bulnes Aldunate, Luz (2005) "Los Estados de Excepción frente a la reforma constitucional". En Zúñiga Urbina, Francisco (Coordinador), Reforma Constitucional. Santiago: LexisNexis, pp. 417-436.

Cea Egaña, José Luis (1999) "Desafíos para la democracia constitucional de Chile". *Revista de Derecho,* Universidad Austral de Chile, Vol. X, pp. 81-86.

Cea Egaña, José Luis (2002) *Derecho Constitucional Chileno.* Tomo I. Santiago: Ediciones Universidad Católica de Chile, 406 pp.

Cea Egaña, José Luis (2013) *Derecho Constitucional Chileno.* Tomo III. Santiago: Ediciones Universidad Católica de Chile, 579 pp.

Contesse, Jorge (2020) "Emergencia y Derecho Constitucional", en Contreras Vásquez, Pablo (Editor): *La ley de la emergencia. Ensayos sobre el derecho, la excepción y la pandemia.* Santiago: Der Ediciones, pp. 67-77.

Contreras, Pablo (2015) "Las Fuerzas Armadas en la Constitución". En Bassa Mercado, Jaime; Ferrada Bórquez, Juan Carlos y Viera Álvarez, Christian

(Editores) *La Constitución Chilena. Una revisión crítica a su práctica política*. Santiago: LOM Ediciones, pp. 315-335.

Contreras, Pablo y Salazar Pizarro, Sebastián (2020) "Desconstitucionalizar para democratizar: Las Fuerzas Armadas y las policías en la Nueva Constitución". *Revista de Ciencia Política*, Vol. N° 58, N° 1, pp. 5-28.

Contreras, Pablo y Salazar Pizarro, Sebastián (2021) "Las Fuerzas Armadas y de Orden y Seguridad en la Nueva Constitución". En Asociación Chilena de Derecho Constitucional (Coordinación) *Tránsito Constitucional. Camino hacia una nueva Constitución*. Santiago: Tirant lo Blanch, pp. 649-756.

De la Fuente, Gloria (2020) "Enemigo poderoso". Diario La Tercera (20 de marzo de 2020). Disponible en: https://www.latercera.com/opinion/noticia/enemigo-poderoso/YIGCCTCJJ5GJ3MEHK25BSMSGJQ/ [fecha de visita: 20 de noviembre de 2021]

Díaz, Elías (1966) *Estado de Derecho y sociedad democrática*. Madrid: Taurus. Novena edición, de 1998, 203 pp.

Esteve Pardo, José (2020) "La apelación a la ciencia en el gobierno y gestión de la crisis de la COVID-19". *Revista de Derecho Público: Teoría y Método*, Vol. 2, pp. 35-50.

Ferrajoli, Luigi (2001) *Derechos y Garantías. La ley del más débil*. 2a edición. Traducción de Perfecto Andrés Ibáñez y Andrea Greppi. Madrid: Trotta, 180 pp.

García Barzelatto, Ana María (2020) "Contexto Normativo y Político de Chile ante la emergencia sanitaria por COVID-19. Nuevas leyes y sus efectos en los derechos fundamentales". En Barceló Rojas, Daniel et al. (Coordinadores). COVID-19 y parlamentarismo. Los Parlamentos en cuarentena. México: Universidad Nacional Autónoma de México, pp. 119-130. Disponible en: https://biblio.juridicas.unam.mx/bjv/detalle-libro/6225-covid-19-y-parlamentaris-mo-los-parlamentos-en-cuarentena

García Pino, Gonzalo (2005) "Los Estados de Excepción Constitucional. Un nuevo derecho de excepción". En Zúñiga Urbina, Francisco (Coordinador), *Reforma Constitucional*. Santiago: LexisNexis, pp. 451-476.

García Pino, Gonzalo; Contreras Vásquez, Pablo y Martínez Placencia, Victoria (2016) *Diccionario Constitucional Chileno*. Santiago: Hueders, 1072 pp.

García Roca, Javier (2020) "El control parlamentario y otros contrapesos del Gobierno en el Estado de Alarma: la experiencia del coronavirus". En Barceló Rojas, Daniel et al. (Coordinadores) *COVID-19 y Parlamentarismo. Los Parlamentos en cuarentena*. México: Universidad Autónoma de México. pp. 17-35.

Heiss, Claudia (2020) "Desafíos de los estados de excepción en el proceso constituyente". *Revista de Ciencia Política*, Vol. 58, N° 1, pp. 57-71.

Innerarity, Daniel (2020) *Pandemocracia. Una filosofía de la crisis del coronavirus* (Barcelona: Galaxia Gutenberg), 152 pp.

Jordán, Tomás (2020) "Covid-19 y derechos fundamentales: es necesario repensar la institucionalidad de crisis. Anomias de una pandemia", en El Mercurio Legal. Disponible en: https://www.elmercurio.com/legal/movil/detalle.aspx?Id=908403&Path=/0D/DC/

Nogueira Alcalá, Humberto (2013) *Derecho Constitucional Chileno*, Tomo II. Santiago: Legal Publishing, 787 pp.

O'Donnell, Daniel (1984) "Legitimidad de los Estados de Excepción, a la luz de los instrumentos de Derechos Humanos". *Derecho PUCP Revista de la Facultad de Derecho Pontificia Universidad Católica del Perú*, N°38, pp. 165-231.

Pallavicini Magnere, Julio (2012) "El principio de juridicidad en tiempos de catástrofe". Revista de Derecho Público, Vol. 77, pp. 185-199.

Presno Linera, Miguel Ángel (2020) "Estado de alarma y sociedad del riesgo global". En Atienza Macías, Elena y Rodríguez Ayuso, Juan Francisco (Dirección): *Las respuestas del Derecho a las crisis de salud pública*, (Madrid: Dykinson) pp. 15-28.

Quintana Benavides, Augusto (2017) "Regulación en caso de catástrofes naturales: solidaridad y subsidiariedad en acción. Propuestas de cambios normativos". La ley al día. Thomsom Reuters. Disponible en http://www.laleyaldia.cl/?p=954

Quintana Benavides, Augusto (2021) "Rol de las Fuerzas Armadas en los Estados de Excepción Constitucional". Disponible en https://plataformacontexto.cl/cms/wp-content/uploads/2021/03/Estados-de-Excepcion.pdf

Riechmann, Jorge y Tickner, Joel (2002) (Coordinación) *El Principio de precaución. En medio ambiente y salud pública De las definiciones a la práctica*, (Barcelona: Icaria) 158 pp.

Ríos Álvarez, Lautaro (2002) "Los Estados de Excepción Constitucional en Chile". Revista de Derecho. Universidad de Concepción, pp. 207-239.

Valdivia, José Miguel (2020) "Emergencia y Administración". En Contreras Vásquez, Pablo (Editor), *La ley de la emergencia. Ensayos sobre el derecho, la excepción y la pandemia*. Santiago: Der Ediciones, pp. 27-38.

Vega Méndez, Francisco (2005) "Notas para una teoría de la excepción en torno a la reforma constitucional de 2005 en Chile", en Zúñiga Urbina, Francisco (Coordinador) *Reforma Constitucional*. Santiago: LexisNexis, pp. 477-487.

Zúñiga Urbina, Francisco (2005) "Libertad y Autoridad en el Derecho Constitucional: El Derecho de Excepción". Revista de Derecho Público, N° 67 pp. 170-190.

Naciones Unidas, Observación General N° 29, CCPR/C/21/Rev.1/add.11.

Naciones Unidas/Consejo Económico y Social, Principios de Siracusa sobre las disposiciones de limitación y derogación del Pacto Internacional de Derechos Civiles y Políticos, distribuidos como documento Oficial del 41° Período de Sesiones de la Comisión de Derechos Humanos.

Comisión Europea Para La Democracia Por El Derecho (Comisión De Venecia): "Respeto por la Democracia, Derechos Humanos y el Estado de Derecho durante los Estados de Emergencia-Reflexiones" (26.05.2020)

Notas sobre los tribunales contencioso administrativos y el principio de inexcusabilidad: El caso del Tribunal de Contratación Pública[1]

PABLO ALARCÓN JAÑA[2]

En el presente trabajo analizaremos la configuración de los tribunales contencioso administrativos en nuestra institucionalidad, y en especial, la situación del Tribunal de Contratación Pública, a la luz de los principios de inexcusabilidad de los tribunales y de control de la Administración del Estado, establecidos en la Constitución Política de la República de 1980.

INTRODUCCIÓN

Tal como hemos afirmado en otras oportunidades[3], y coincidiendo con la opinión de destacados autores nacionales[4], iniciamos estas notas reiterando la

---

[1] Sirva esta breve comunicación para rendir un merecido homenaje al profesor José Luis Cea Egaña, brillante maestro del Derecho Constitucional y del Derecho Público chileno.

[2] Abogado. Licenciado en Derecho y Magíster en Derecho Público, mención Derecho Constitucional, Pontificia Universidad Católica de Chile. Juez titular del Tribunal de Contratación Pública. Profesor de Derecho Administrativo en Universidad Finis Terrae. Correo electrónico: palarconj@uft.edu

[3] Alarcón Jaña, Pablo (1999) "Principios constitucionales de la organización judicial", en *Revista Chilena de Derecho Vol. 26, N° 1*, Sección Estudios, pp. 128 y 129; y "Perfeccionamiento del Poder Judicial: Notas acerca de sus aspectos institucionales y sobre la capacitación de los jueces", pp. 65-88, en *Derecho Procesal Constitucional. Libro homenaje al profesor Juan Colombo Campbell*, Coordinadores Enrique Navarro Beltrán y Francisco Zúñiga Urbina, Editorial Tirant lo Blanch, 1° edición, año 2021.

[4] Entre otros, véase a Briceño, Ramón (1849) *Memoria histórica-crítica del derecho público chileno, desde 1810 hasta nuestros días* (Santiago, primera edición); Bulnes Aldunate, Luz, "El Poder Judicial en nuestros ordenamientos constitucionales", en *Gaceta Jurídica N° 9*, sección Doctrina, Notas y Comentarios, año 1977. Ahora en *Doctrinas esenciales Gaceta Jurídica. Derecho Constitucional*, Mario Verdugo Marinkovic (Director) y Domingo Hernández Emparanza (Subdirector), Tomo V, 1976-2010, pp. 153-162; Bravo Lira, Bernardino, "Los estudios sobre la judicatura chilena de los siglos XIX y XX", *Revista de Derecho Público*, N°19/20 (1976), pp. 89-116; en su "La judicatura chilena en el siglo XX. Raíces de su crisis y vías para su consolidación", *Revista de Derecho Público*, N°51/52 (1992), pp. 87-102; en su *Por la razón o la fuerza. El Estado de Derecho en la historia de Chile*, Ediciones Universidad Católica de Chile, 1° edición, septiembre de 1996, pp. 123-204; y recientemente en *Anales de la Judicatura Chilena. Durante cuatro siglos, por mi habla el Derecho*, Volumen I, Ministros y Fiscales de los Tribunales Superiores de Justicia, Corte Suprema de Chile, año 2011, pp. IX y XX, y pp. 3-88, y abundante bibliografía en el Volumen II, pp. 1449-1455; Cea Egaña, José Luis (1990) Independencia de nuestra magistratura y democracia (1), *Gaceta Jurídica N° 121*, sección Doctrina, Notas

importancia de los tribunales de justicia, los cuales, en tanto integran el Poder Judicial, constituyen un pilar fundamental del Estado de Derecho[5]. Sin perjuicio de lo anterior, el legislador nacional ha creado, en los últimos veinte años, varios tribunales especiales que no forman parte del Poder Judicial, pero que ejercen una jurisdicción especializada. El objeto de estas notas es mostrar que dichos tribunales, en tanto ejercen jurisdicción especializada, y aunque no formen parte del Poder Judicial, son también tribunales de derecho que contribuyen al establecimiento de un verdadero Estado de Derecho.

1. FUNCIÓN JURISDICCIONAL Y TRIBUNALES CONTENCIOSO ADMINISTRATIVOS

Como un primer punto de partida, y desde la perspectiva del Derecho Procesal, diferenciamos los tribunales ordinarios de justicia de los tribunales especiales, teniendo presente lo dispuesto en el artículo 5° del Código Orgánico de

---

y Comentarios. Ahora en *Doctrinas Esenciales Gaceta Jurídica. Derecho Constitucional,* Mario Verdugo Marinkovic (Director) y Domingo Hernández Emparanza (Subdirector), Tomo V, 1976-2010, (Santiago, Editorial LegalPublishing), pp. 247-250; Cea Egaña, José Luis (2016) *Derecho Constitucional Chileno,* Tomo IV, (Santiago, Ediciones Universidad Católica de Chile, primera edición); Correa Labra, Enrique (1983) "El Poder Judicial y el Estado de Derecho", *Revista Chilena de Derecho* Vol. 10, N° 2, pp. 367-387; Del Valle Alliende, Jaime (1988) "El fortalecimiento del Poder Judicial chileno", *Revista Chilena de Derecho* Vol. 15, N° 1, pp. 37-46; Quinzio Figueiredo, Jorge Mario, "La justicia, un Poder del Estado", en *Temas actuales de Derecho Constitucional, Libro homenaje al profesor Mario Verdugo Marinkovic,* Editorial Jurídica de Chile, primera edición, agosto de 2009, pp. 217-221; Libedinsky Tschorne, Marcos (2014), *Palabra de Juez,* (Santiago, Ediciones Universidad Finis Terrae, primera edición); Molina Guaita, Hernán (2009) *Derecho Constitucional,* Santiago, Editorial LegalPublishing, primera edición; Nogueira Alcalá, Humberto (2007) "La independencia del Poder Judicial: una condición y garantía estructural del Estado Constitucional Democrático", en *Gaceta Jurídica* N° 329, sección Doctrina, Notas y Comentarios. Ahora en *Doctrinas esenciales Gaceta Jurídica. Derecho Constitucional,* Mario Verdugo Marinkovic (Director) y Domingo Hernández Emparanza (Subdirector), Tomo V, 1976-2010, pp. 183-222; y Ríos Álvarez, Lautaro (1990) "El Poder Judicial chileno y la protección de los derechos humanos", en *Gaceta Jurídica* N° 126, sección Doctrina, Notas y Comentarios. Ahora en *Doctrinas esenciales Gaceta Jurídica. Derecho Constitucional,* Mario Verdugo Marinkovic (Director) y Domingo Hernández Emparanza (Subdirector), Tomo V, 1976-2010, pp. 223-245; Silva Bascuñán, Alejandro (2002) *Tratado de Derecho Constitucional, Tomo VIII. Poder Judicial, Ministerio Público* (Santiago, Editorial Jurídica de Chile, segunda edición); Zapata Larraín, Patricio (2007) "La función judicial en Chile", en *La judicatura como organización,* Couso, Javier y Atria, Fernando (Editores), Santiago, Expansiva, primera edición, pp. 83-95.

[5]   Señalábamos en 1999, que: "Al juez le ha sido encomendada en forma exclusiva y excluyente, en nuestro ordenamiento jurídico, la función jurisdiccional, a él le corresponde la trascendental misión de determinar si gobernantes y gobernados han actuado en conformidad o disconformidad a Derecho; en definitiva, el juez es un artífice de la paz y de la concordia social, pues a él le corresponde declarar el derecho al caso concreto (iuris dictio), restableciendo así las relaciones de justicia entre los miembros de la comunidad. Vid. Alarcón (1999) 129.

Tribunales (COT)[6]. Y es el propio inciso 4° del citado artículo 5° el cual nos da el sustento de orden legal para la creación de tribunales especiales de lo contencioso administrativo, que se entienden, por el tenor literal de este artículo, que no forman parte del Poder Judicial. En efecto, al señalarse por el COT que… *"Los demás tribunales especiales se regirán por las leyes que los establecen y reglamentan, sin perjuicio de quedar sujetos a las disposiciones generales de este Código…"*, resulta claro que el legislador se está refiriendo – *"Los demás"*– a aquellos tribunales que, si bien no forman parte del Poder Judicial en calidad de ordinarios o especiales (incisos 1° al 3° del artículo 5° del COT), quedan sujetos a las disposiciones generales de dicho Código; y también, si revisamos las leyes de su creación, constataremos que están bajo la superintendencia directiva, correccional y económica de la Corte Suprema.

En efecto, mediante la Ley N° 19.886 (publicada en el Diario Oficial de 30 de julio del año 2003), se crea el Tribunal de Contratación Pública (TCP). Luego, el mismo año, mediante la Ley N° 19.911 (publicada en el Diario Oficial el 14 de noviembre de ese año), el Tribunal de Defensa de la Libre Competencia (TDLC). Tiempo después, en el año 2009, por Ley N° 20.322 (publicada en el Diario Oficial el 27 de enero de ese año), se crean los Tribunales Tributarios y Aduaneros (TTA). Y en el año 2012, la Ley N° 20.600 (publicada en el Diario Oficial el 28 de junio de 2012), crea los Tribunales Ambientales (TA). Tal como señaláramos en otra ocasión[7], todos estos tribunales especiales juzgan y dicen relación, y tienen una competencia especial, en un ámbito en específico del tráfico

---

[6]   *Art. 5°: A los tribunales mencionados en este artículo corresponderá el conocimiento de todos los asuntos judiciales que se promuevan dentro del territorio de la República, cualquiera que sea su naturaleza o la calidad de las personas que en ellos intervengan, sin perjuicio de las excepciones que establezcan la Constitución y las leyes.*

Integran el Poder Judicial, como tribunales ordinarios de justicia, la Corte Suprema, las Cortes de Apelaciones, los Presidentes y Ministros de Corte, los tribunales de juicio oral en lo penal, los juzgados de letras y los juzgados de garantía.

[F]   *orman parte del Poder Judicial, como tribunales especiales, los Juzgados de Familia, los Juzgados de Letras del Trabajo, los Juzgados de Cobranza Laboral y Previsional y los Tribunales Militares en tiempo de paz, los cuales se regirán en su organización y atribuciones por las disposiciones orgánicas constitucionales contenidas en la ley N° 19.968, en el Código del Trabajo, y en el Código de Justicia Militar y sus leyes complementarias, respectivamente, rigiendo para ellos las disposiciones de este Código sólo cuando los cuerpos legales citados se remitan en forma expresa a él.*

Los demás tribunales especiales se regirán por las leyes que los establecen y reglamentan, sin perjuicio de quedar sujetos a las disposiciones generales de este Código.

Los jueces árbitros se regirán por el Título IX de este Código.

[7]   Vid. nuestro "Subsidiariedad y rol del juez administrativo: breves reflexiones", en prensas. Artículo que es parte de la obra colectiva que reúne los trabajos presentados por profesores chilenos y argentinos, con motivo del Seminario Internacional "El Principio de Subsidiariedad y su Impacto en el Derecho Administrativo", realizado el 18 de junio de 2021, y organizado por la Facultad de Derecho de la Universidad Católica Argentina y por la Facultad de Derecho de la Pontificia Universidad Católica de Chile.

jurídico, ya sea sólo del actuar de la Administración del Estado –como el caso del TCP, de los TTA y los TA– como del obrar de organismos del Estado y particulares (TDLC); y no fueron creados como tribunales ordinarios administrativos, podríamos decirlo así, sino que como tribunales contenciosos-administrativos especiales para juzgar, en forma exclusiva, una determinada materia de competencia de la Administración del Estado.

Si revisamos la literatura administrativista nacional[8], veremos que ha sido un tema que ha suscitado interés el análisis por los autores, tanto profesores de Derecho Constitucional como de Derecho Administrativo, de los tribunales contencioso administrativos, ya desde un punto de vista orgánico, como también en cuanto a la finalidad de dichos tribunales especiales. Y ello, estimamos, motivado por la insólita situación producida durante el siglo XX en nuestro país, que derivó en una franca denegación de justicia, a partir de una disposición de la Constitución Política del Estado de 1925. En efecto, se señalaba, en el título sobre el Poder Judicial, lo siguiente:

> *"ART. 87. Habrá Tribunales Administrativos, formados con miembros permanentes, para resolver las reclamaciones que se interpongan contra los actos o disposiciones arbitrarias de las autoridades políticas o administrativas y cuyo conocimiento no esté entregado a otros Tribunales por la Constitución o las leyes. Su organización y atribuciones son materia de ley".*

Hasta ahí, pareciera que la intención del constituyente era la creación de tribunales administrativos especiales, los que lamentablemente no fueron creados sino hasta inicios del siglo XX, como hemos referido; y que, además, en un extenso período que podemos fechar entre los años 1925 a 1973, produjeron lo que he

---

[8]   Véanse, entre otros, Aldunate Lizana, Eduardo (2005) "La evolución de la Justicia Administrativa", en Ferrada, Juan Carlos (coordinador), La Justicia Administrativa, LexisNexis, Santiago de Chile, pp. 1-18; Costa Cordella, Ezio (2014) "Los Tribunales Administrativos especiales en Chile", en *Revista de Derecho (Valdivia)*, Vol. XXVII, N° 1, Julio de 2014, Universidad Austral de Chile, pp. 151-167; Lara Arroyo, José Luis (2011) "Algunas reflexiones sobre el contencioso administrativo en Chile", en *Litigación Pública*, Colección Estudios de Derecho Público, Jaime Arancibia Mattar, José Ignacio Martínez Estay, Alejandro Romero Seguel (Coordinadores), Editorial Abeledo Perrot LegalPublishing, 1° edición, pp. 65-92; Ferrada Bórquez, Juan Carlos (2020) *Justicia Administrativa*, colección Monografías, Der Ediciones, 264 pp.; Pantoja Bauzá, Rolando (2005) "Justicia administrativa: ¿Tribunales ordinarios, tribunales de jurisdicción general o tribunales especiales de lo contencioso administrativo?", en Ferrada, J. C. (coord.), *La Justicia Administrativa*, LexisNexis, Santiago de Chile, pp. 93-127; Ponce De León Salucci, Sandra (2018) *Jurisdicción contencioso-administrativa. El control de la administración por los tribunales ordinarios y especiales procedimientos aplicables*, Der Ediciones, 1° edición; Soto Kloss, Eduardo (1974), La competencia contencioso-administrativa de los tribunales ordinarios de justicia, Revista Chilena de Derecho, vol. 1, N°3/4, pp. 349-359; y "Lo contencioso administrativo y los tribunales ordinarios de justicia. Excepción de incompetencia", en *Revista de Derecho Público*, N°21/22 (año 1977), pp. 233 a 250.

denominado como el "descalabro interpretativo"[9], en el sentido que la defensa fiscal –esto es, el Consejo de Defensa del Estado– en los juicios que se dirigían principalmente en acciones ordinarias para hacer efectiva la responsabilidad del Estado, y también en acciones ordinarias de nulidad de derecho público contra determinados actos administrativo, presentaban como primera defensa fiscal el hecho de que los tribunales ordinarios de justicia serían incompetentes para conocer de dichas acciones contencioso-administrativas, en el entendido que, si no se habían creado los tribunales contenciosos-administrativos que disponía el artículo 87 de la Constitución Política de 1925, no podrían entonces conocer de ellas; lo cual sin duda alguna fue sentando un precedente nefasto, como bien lo ha sostenido el maestro Soto Kloss en uno de sus escritos[10], pues ello fue una patente de negación de justicia, porque si los propios tribunales ordinarios de justicia, que por disposición del Código Orgánico de Tribunales, tenían establecido el principio de inexcusabilidad[11], por lo que no podían negarse o excusarse de conocer estos asuntos, lo hacían, las personas afectadas por aquél actuar arbitrario o ilegal de la Administración del Estado quedaban en la más absoluta indefensión, conducta que también estimamos contribuyó al quiebre del Estado de Derecho en la década de los 70 del siglo XX en nuestro país[12].

---

9   Vid nuestro "Subsidiariedad y rol del juez administrativo: breves reflexiones", en prensas.

10   Véase Soto Kloss, Eduardo, "La competencia contencioso-administrativa de los tribunales ordinarios de justicia", *en Revista Chilena de Derecho*, vol. 1/1974, N°3/4, pp. 349-359; también en su *Derecho Administrativo. Temas fundamentales*, Editorial LegalPublishing-Thomson Reuters, tercera edición actualizada, año 2012, pp. 761 a 768; referencia en pp. 765.

11   Respecto al principio de inexcusabilidad, vid. nuestro "Principios constitucionales de la organización judicial", en *Revista Chilena de Derecho*, vol. XXVI N°1: pp. 121 a 129. Asimismo, el artículo 76 de la Constitución de 1980 recoge tanto este principio como el de plenitud jurisdiccional de los tribunales de justicia al disponer que:
     "La facultad de conocer de las causas civiles y criminales, de resolverlas y de hacer ejecutar lo juzgado, pertenece exclusivamente a los tribunales establecidos por la ley. Ni el Presidente de la República ni el Congreso pueden, en caso alguno, ejercer funciones judiciales, avocarse causas pendientes, revisar los fundamentos o contenido de sus resoluciones o hacer revivir procesos fenecidos.
     Reclamada su intervención en forma legal y en negocios de su competencia, no podrán excusarse de ejercer su autoridad, ni aun por falta de ley que resuelva la contienda o asunto sometidos a su decisión".

12   En efecto, y mirado tanto ayer como hoy, un Estado de Derecho no es tal si los derechos de las personas, afectados por actos, hechos u omisiones, ilegales y arbitrarios, de los órganos de la Administración del Estado, no son debidamente resguardados por los tribunales de justicia. Lúcidamente lo sostiene así el maestro Soto Kloss en su obra *Derecho Administrativo. Temas fundamentales*, Editorial LegalPublishing-Thomson Reuters, tercera edición actualizada, año 2012, en el acápite "Control jurisdiccional", pp. 607-620. Respecto a la crisis institucional de 1973, que derivó en una nueva institucionalidad, ver nuestro "Régimen político y génesis de la Constitución Política de la República de 1980", Revista Ius Publicum, N°13: pp. 57 a 70, y Aróstica Maldonado, Iván y Soto Kloss, Eduardo (1993) La destrucción del Estado de Derecho en Chile: 1970-1973 (hace 20 años), en Revista de Derecho Público N°53/54, pp. 57-116.

Y aquí recalamos en lo que consideramos la principal finalidad de los tribunales contencioso administrativos: en tanto tribunales especiales, que cuentan con una competencia fijada en la ley que los crea, permiten un efectivo control de la Administración del Estado, al juzgar si su actuar –u omitir– se ha ajustado a Derecho, en las más diversas materias que el legislador le ha atribuido potestades a los distintos órganos de la Administración del Estado para la satisfacción de determinadas necesidades públicas. Y no podía ser de otra forma, pues sólo un eficiente y oportuno control jurisdiccional respecto al actuar de la Administración del Estado permitirá el pleno respeto de los derechos de las personas; finalidad última que nunca ha de ser olvidada, y que nuestra Constitución Política recoge con pasmosa claridad tanto en su artículo 1° como en su artículo 5° –ambos en el capítulo I: Bases de la Institucionalidad–, al establecer el principio de servicialidad del Estado y la promoción del bien común, con pleno respeto a los derechos y garantías que la Constitución establece.

En otras palabras, podemos afirmar que, aunque no formen parte del Poder Judicial, los tribunales contencioso administrativos que se han creado en nuestro país –a saber, TCP, TDLC, TTA y TA–, en tanto órganos jurisdiccionales especiales, se han de sujetar igualmente a los principios que rigen la organización judicial, contenidos hoy en el capítulo VI de la Carta Fundamental. Y una consecuencia de esto es que, si bien su ámbito de competencia ha sido acotado por el legislador, ello no obsta a que se rijan por el principio de inexcusabilidad, entendido sí en la medida que las acciones judiciales de que conoce cada uno de ellos han sido tasadas por el legislador; en otras palabras, su competencia es especial, exclusiva y excluyente, por lo cual no puede darse la posibilidad que un tribunal ordinario de justicia conociera de un asunto que corresponde a un determinado tribunal contencioso administrativo, y si ello ocurriera, debiera éste declinar su competencia en favor del tribunal especial. Distinta ha sido, en alguna oportunidad, la situación producida entre dos tribunales especiales[13] –como el TCP y el TDLC–, en que determinadas situaciones de hecho podrían ser calificadas, por ejemplo, tanto como una infracción al principio de libre concurrencia y de igualdad entre los oferentes como una vulneración a la libre competencia.

---

[13]   Romero Seguel, Alejandro (2015) "El derecho al juez natural y la competencia de los tribunales especiales (la aplicación de la regla: electa una via per partem ad aliam potest venire). Comentario a la sentencia de la Corte Suprema de 6 de agosto 2014. Reclamo contra sentencia Tribunal de la Libre Competencia dictada en los autos "Sonda S.A. contra el Servicio de Registro Civil e Identificación". Rol CS N°13.972-2013", en Revista de Derecho (Universidad Católica del Norte), Sección: Comentarios de Jurisprudencia, Año 22 - N°1, 2015, pp. 597-604.

2. EL TRIBUNAL DE CONTRATACIÓN PÚBLICA

Un autor nacional, estimamos con acierto, ha calificado a este tribunal contencioso administrativo especial como un ejemplo de "justicia administrativa hiperespecializada", o "tribunal especializadísimo"[14]. En efecto, y al decir de otros autores, se trata más bien de un tribunal de la "pre contratación"; situación que es efectiva, pues el legislador fue muy preciso al describir la competencia del Tribunal –Ley N° 19.886– en los siguientes términos:

> *"Artículo 24.- El Tribunal será competente para conocer de la acción de impugnación contra actos u omisiones, ilegales o arbitrarios, ocurridos en los procedimientos administrativos de contratación con organismos públicos regidos por esta ley.*
>
> *La acción de impugnación procederá contra cualquier acto u omisión ilegal o arbitrario que tenga lugar entre la aprobación de las bases de la respectiva licitación y su adjudicación, ambos inclusive".*

Como se aprecia, la competencia del TCP abarca una materia acotada temporalmente dentro del íter licitatorio, pues no considera posible la impugnación de actos posteriores a la adjudicación (como sería la firma del contrato administrativo, la ejecución del mismo, su terminación, entre otros asuntos), y también sólo aplica a organismos de la Administración del Estado regidos por esta Ley, que es también conocida como Ley de Compras Públicas[15].

---

[14]   Vergara Blanco, Alejandro (2019), "El modelo atomizado de justicia administrativa en Chile", en *Justicia Administrativa en Italia, España y Latinoamérica,* Coordinador Gabriella Crepaldi, Editorial Tirant lo Blanch-G. Giappichelli Editore, Torino, pp. 91-136; la cita en pp. 107. Del mismo autor, junto a Eduardo Bartlett Burguera, véanse también (2017), "Propuestas para la regulación del Tribunal de Contratación Pública. Organización, competencia y procedimiento", en *Estudios Públicos, 147* (invierno 2017), pp. 33-93. También de utilidad véanse Lara Arroyo, José Luis y García-Huidobro Herrera, Luis Eugenio (2013), "Aspectos críticos de la solución de controversias en la contratación administrativa bajo la Ley N°19.886: El caso del Tribunal de Contratación Pública", en *Procedimiento administrativo y contratación pública: Estudios a diez años de la entrada en vigencia de las leyes N° 19.880 y N° 19.886,* ed. Gabriel Bocksang Hola y José Lara Arroyo, Santiago, Chile: Legal Publishing, pp. 405-448; Olmos Carrasco, Felipe (2013), "Aspectos orgánicos y competencia del Tribunal de Contratación Pública" en *Procedimiento administrativo y contratación pública: Estudios a diez años de la entrada en vigencia de las leyes N° 19.880 y N° 19.886,* ed. Gabriel Bocksang Hola y José Lara Arroyo, Santiago, Chile: Legal Publishing, pp. 449-480; y Díaz Bravo, Enrique (2020), "El Tribunal de Contratación Pública chileno: examen de su regulación", en *Contratación Pública Global: Visiones comparadas,* Editorial Tirant lo Blanch, Díaz Bravo y Moreno Molina (directores), pp. 743-779.

[15]   En otra ocasión, señalábamos que ello era propio de las particularidades tanto del régimen de control jurisdiccional como de la regulación de la contratación administrativa por nuestro ordenamiento jurídico. Al respecto, ver Alarcón Jaña, Pablo (2017), "Notas acerca del contencioso contractual administrativo en Chile", en *El Derecho Administrativo y la protección de las personas. Libro homenaje a 30 años de docencia del profesor Ramiro Mendoza en la UC.* Eduardo Soto Kloss (editor), Ediciones UC, noviembre de 2017, pp. 119-129.

Sin perjuicio de lo anterior, el juez del TCP, atendido que el fundamento de la acción de impugnación será un "acto u omisión, arbitrario o ilegal", puede resolver los conflictos jurídicos que se le presenten desde una perspectiva amplia; así, desde el punto de vista de la legalidad, habrá de considerar no solo las normas de la Ley N° 19.886, sino también la de leyes especiales que rijan a la entidad pública demandada; y, desde el punto de vista de la arbitrariedad, ello le permitirá velar por los principios que rigen la contratación administrativa, y que tienen además sustento normativo, destacándose entre ellos:

Estricta Sujeción a las Bases (Art. 10 Ley 19.886)

Igualdad de los Oferentes (Art. 9 Ley 18.575)

Transparencia Pública (Art. 16 Ley 19.880)

No Formalización (Art. 13 Ley 19.880)

Libre Concurrencia (Art. 9 Ley 18.575)

Cabe hacer presente finalmente que, a abril del año 2021, se encuentra en tramitación en el Congreso Nacional, en segundo trámite constitucional –ante el Senado– un proyecto de ley, originado por Mensaje del Presidente de la República en marzo del 2021, bajo el Boletín N° 14.137-05, que "Moderniza la Ley N° 19.886 y otras leyes, para mejorar la calidad del gasto público, aumentar los estándares de probidad y transparencia e introducir principios de economía circular en las compras del Estado". Dicho proyecto de ley, en lo que se refiere al TCP, entre otros aspectos, amplia el número de órganos del Estado y de organismos públicos que quedan sujetos a la Ley N° 19.866, y que antes no lo estaban, extiende la competencia del TCP a la etapa de ejecución contractual, y realiza modificaciones orgánicas al procedimiento bajo el cual se tramita la denominada acción de impugnación de que conoce. Y, por otra parte, también se ha planteado en la Convención Constitucional, como propuesta para el texto constitucional que será sometido al denominado plebiscito de salida, además del insólito cambio de nombre del capítulo respectivo de la Carta Fundamental del actual "Poder Judicial" a "Sistemas de Justicia"; entre otras materias relativas a los tribunales de justicia, la supresión de los tribunales contenciosos administrativos especiales existentes y su sustitución por tribunales contenciosos administrativos, al parecer generales (esto es, no con una competencia específica como la actual, sino general a todo tipo de contenciosos administrativos). Esta última propuesta, a todas luces, nos indica que el debate sobre estos tribunales administrativos especiales tiene para un buen tiempo.

CONCLUSIONES

Finalizamos esta breve comunicación, estimado lector, esperando que hayas tomado noticia de qué se entiende por un tribunal contencioso administrativo especial en nuestro ordenamiento jurídico. Sólo queremos reiterar que, si bien puede haber muy buenas razones, de lado y lado, ora por la creación de nuevos o el fortalecimiento de los actuales, ora por la supresión de los que hoy conocemos y su reemplazo por tribunales contencioso administrativos "ordinarios"; esto es, con una amplia competencia para conocer de toda contienda en que una de las partes del litigio sea un órgano de la Administración del Estado; lo que nunca se deberá perder de vista es que no ha de faltar juez que conozca de los actos, hechos y omisiones de la Administración del Estado, que lesionen derechos de las personas, pues sólo en la medida que ello sea así, existirá, por una parte, una real igualdad ante la ley (entre la persona y el Estado), y una efectiva protección de los derechos de las *personas,* que como certeramente lo señala una y otra vez el maestro Soto Kloss, son el objeto, sujeto y fin de toda sociedad, de todo Estado, y de todo Derecho.

BIBLIOGRAFÍA

Alarcón Jaña, Pablo (1999) "Principios constitucionales de la organización judicial", en *Revista Chilena de Derecho,* Vol. 26, N° 1, Sección Estudios, pp. 121-129.

Alarcón Jaña, Pablo (2018) "Notas acerca del contencioso contractual administrativo en Chile", en *El Derecho Administrativo y la protección de las personas. Libro homenaje a 30 años de docencia del profesor Ramiro Mendoza en la UC.* Eduardo Soto Kloss (editor), Ediciones UC, noviembre de 2017, pp. 119-129.

Alarcón Jaña, Pablo (2021) "Perfeccionamiento del Poder Judicial: Notas acerca de sus aspectos institucionales y sobre la capacitación de los jueces", en *Derecho Procesal Constitucional: libro homenaje al profesor Juan Colombo Campbell,* Editorial Tirant lo Blanch, primera edición, año 2021, páginas 65 a 87.

Aldunate Lizana, Eduardo (2005) "La evolución de la Justicia Administrativa", en Ferrada, Juan Carlos (coordinador), *La Justicia Administrativa,* LexisNexis, Santiago de Chile, pp. 1-18.

Aróstica Maldonado, Iván y Soto Kloss, Eduardo (1993) La destrucción del Estado de Derecho en Chile: 1970-1973 (hace 20 años), en Revista de Derecho Público N° 53/54, pp. 57-116.

Bravo Lira, Bernardino (1976) Los estudios sobre la judicatura chilena de los siglos XIX y XX, Revista de Derecho Público, N°19/20, pp. 89-116.

Bravo Lira, Bernardino (1992) La judicatura chilena en el siglo XX. Raíces de su crisis y vías para su consolidación, Revista de Derecho Público, N°51/52, pp. 87-102

Bravo Lira, Bernardino (1996) Por la razón o la fuerza. El Estado de Derecho en la historia de Chile (Ediciones Universidad Católica de Chile, primera edición).

Bravo Lira, Bernardino (2011) Anales de la Judicatura Chilena. Durante cuatro siglos, por mi habla el Derecho, Volumen I, Ministros y Fiscales de los Tribunales Superiores de Justicia (Corte Suprema de Chile).

Briceño, Ramón (1849) *Memoria histórica-crítica del derecho público chileno, desde 1810 hasta nuestros días* (Santiago, primera edición).

Bulnes Aldunate, Luz (1977) El Poder Judicial en nuestros ordenamientos constitucionales, *Gaceta Jurídica* N° 9, sección Doctrina, Notas y Comentarios. Ahora en *Doctrinas esenciales Gaceta Jurídica. Derecho Constitucional,* Mario Verdugo Marinkovic (Director) y Domingo Hernández Emparanza (Subdirector), Tomo V, 1976-2010, (Santiago, Editorial LegalPublishing), pp. 153-162.

Cea Egaña, José Luis (1990) Independencia de nuestra magistratura y democracia (1), Gaceta Jurídica N° 121, sección Doctrina, Notas y Comentarios. Ahora en Doctrinas esenciales Gaceta Jurídica. Derecho Constitucional, Mario Verdugo Marinkovic (Director) y Domingo Hernández Emparanza (Subdirector), Tomo V, 1976-2010, (Santiago, Editorial LegalPublishing), pp. 247-250.

Cea Egaña, José Luis (2016) Derecho Constitucional Chileno, Tomo IV, (Santiago, Ediciones Universidad Católica de Chile, primera edición).

Correa Labra, Enrique (1983) El Poder Judicial y el Estado de Derecho, Revista Chilena de Derecho Vol. 10, N° 2, pp. 367-387.

Costa Cordella, Ezio (2014) "Los Tribunales Administrativos especiales en Chile", en *Revista de Derecho (Valdivia),* Vol. XXVII, N°1, Julio de 2014, Universidad Austral de Chile, pp. 151-167.

Del Valle Alliende, Jaime (1988) El fortalecimiento del Poder Judicial chileno, Revista Chilena de Derecho Vol. 15, N° 1, pp. 37-46.

Díaz Bravo, Enrique (2020) "El Tribunal de Contratación Pública chileno: examen de su regulación", en *Contratación Pública Global: Visiones comparadas,* Editorial Tirant lo Blanch, Díaz Bravo y Moreno Molina (directores), pp. 743-779.

Ferrada Bórquez, Juan Carlos (2020) *Justicia Administrativa,* colección Monografías, Der Ediciones, 264 pp.

Huneeus Zegers, Jorge (1879) La Constitución ante el Congreso o sea cometario positivo de la Constitución Chilena, Segunda Parte, (Santiago, Imprenta de Los Tiempos –Chirimoyo, 13).

Lara Arroyo, José Luis (2011) "Algunas reflexiones sobre el contencioso administrativo en Chile", en *Litigación Pública*, Colección Estudios de Derecho Público, Jaime Arancibia Mattar, José Ignacio Martínez Estay, Alejandro Romero Seguel (Coordinadores), Editorial Abeledo Perrot LegalPublishing, 1° edición, pp. 65-92;

Lara Arroyo, José Luis y García-Huidobro Herrera, Luis Eugenio (2013) "Aspectos críticos de la solución de controversias en la contratación administrativa bajo la Ley N°19.886: El caso del Tribunal de Contratación Pública," en *Procedimiento administrativo y contratación pública: Estudios a diez años de la entrada en vigencia de las leyes N° 19.880 y N° 19.886*, ed. Gabriel Bocksang Hola y José Lara Arroyo, Santiago, Chile: Legal Publishing, pp. 405-448

Libedinsky Tschorne, Marcos (2014) Palabra de Juez, (Santiago, Ediciones Universidad Finis Terrae, primera edición).

Molina Guaita, Hernán (2009) Derecho Constitucional (Santiago, Editorial LegalPublishing, primera edición).

Nogueira Alcalá, Humberto (2007) La independencia del Poder Judicial: una condición y garantía estructural del Estado Constitucional Democrático, Gaceta Jurídica N° 329, sección Doctrina, Notas y Comentarios. Ahora en Doctrinas esenciales Gaceta Jurídica. Derecho Constitucional, Mario Verdugo Marinkovic (Director) y Domingo Hernández Emparanza (Subdirector), Tomo V, 1976-2010, (Santiago, Editorial LegalPublishing), pp. 183-222.

Olmos Carrasco, Felipe (2013) "Aspectos orgánicos y competencia del Tribunal de Contratación Pública" en *Procedimiento administrativo y contratación pública: Estudios a diez años de la entrada en vigencia de las leyes N° 19.880 y N° 19.886*, ed. Gabriel Bocksang Hola y José Lara Arroyo, Santiago, Chile: Legal Publishing, pp. 449-480

Pantoja Bauzá, Rolando (2005) "Justicia administrativa: ¿Tribunales ordinarios, tribunales de jurisdicción general o tribunales especiales de lo contencioso administrativo?", en Ferrada, J. C. (coord.), La Justicia Administrativa, LexisNexis, Santiago de Chile, pp. 93-127.

Quinzio Figueiredo, Jorge Mario (2009) La justicia, un Poder del Estado, en Temas actuales de Derecho Constitucional, Libro homenaje al profesor Mario Verdugo Marinkovic (Santiago, Editorial Jurídica de Chile, primera edición), pp. 217-221.

Ríos Álvarez, Lautaro (1990) El Poder Judicial chileno y la protección de los derechos humanos, Gaceta Jurídica N° 126, sección Doctrina, Notas y Comentarios. Ahora en Doctrinas esenciales Gaceta Jurídica. Derecho Constitucional, Mario Verdugo Marinkovic (Director) y Domingo Hernández Emparanza (Subdirector), Tomo V, 1976-2010, (Santiago, Editorial LegalPublishing), pp. 223-245.

Romero Seguel, Alejandro (2015) "El derecho al juez natural y la competencia de los tribunales especiales (la aplicación de la regla: electa una via per partem ad aliam potest venire). Comentario a la sentencia de la Corte Suprema de 6 de agosto 2014. Reclamo contra sentencia Tribunal de la Libre Competencia dictada en los autos "Sonda S.A. contra el Servicio de Registro Civil e Identificación". Rol CS N°13.972-2013", en Revista de Derecho (Universidad Católica del Norte), Sección: Comentarios de Jurisprudencia, Año 22 - N°1, 2015, pp. 597-604

Silva Bascuñán, Alejandro (2002) Tratado de Derecho Constitucional, Tomo VIII. Poder Judicial, Ministerio Público (Santiago, Editorial Jurídica de Chile, segunda edición).

Soto Kloss, Eduardo (1974) La competencia contencioso-administrativa de los tribunales ordinarios de justicia, Revista Chilena de Derecho, vol. 1, N°3/4, pp. 349-359.

Soto Kloss, Eduardo (1977) "Lo contencioso administrativo y los tribunales ordinarios de justicia. Excepción de incompetencia", en Revista de Derecho Público, N°21/22 (año 1977), pp. 233 a 250.

Vergara Blanco, Alejandro (2019) "El modelo atomizado de justicia administrativa en Chile", en *Justicia Administrativa en Italia, España y Latinoamérica,* Coordinador Gabriella Crepaldi, Editorial Tirant lo Blanch-G. Giappichelli Editore, Torino, pp. 91-136.

Vergara Blanco, Alejandro con Bartlett Burguera, Eduardo (2017) "Propuestas para la regulación del Tribunal de Contratación Pública. Organización, competencia y procedimiento", en *Estudios Públicos, 147* (invierno 2017), pp. 33-93.

Zapata Larraín, Patricio (2007) La función judicial en Chile, en La judicatura como organización, Couso, Javier y Atria, Fernando (Editores), (Santiago, Expansiva, primera edición), pp. 83-95.

Estado de Derecho y Nueva Constitución. Principios y desafíos

ANA MARÍA GARCÍA BARZELATTO[1]

Con especial cariño y reconocimiento al profesor José Luis Cea, infatigable impulsor del Estado de Derecho.

INTRODUCCIÓN

"Para ser libres hay que ser esclavos de la ley"[2].

Esta es una de las célebres frases pronunciadas en el siglo I A.C. por Marco Tulio Cicerón, en la antigua República Romana.

Debe entenderse que en el contexto de su pensamiento esta notable expresión estaba referida a leyes justas y respetuosas de los derechos de las personas.

Transcurridos más dos mil años, la frase tiene plena vigencia y puede traducirse en lo que hoy conocemos como "Estado de Derecho".

Sin embargo, al momento de explicar lo que significa la expresión "Estado de Derecho" comienzan las confusiones. ¿Es lo mismo Estado de Derecho que democracia? ¿Es lo mismo Estado de Derecho que Constitución? ¿Es lo mismo que liberalismo?

Y, si en la búsqueda de respuestas a estas interrogantes observamos el derecho comparado se verá que numerosas Constituciones Políticas contienen la expresión "Estado de Derecho".

La Constitución de Noruega de 1814, modificada numerosas veces, dispone *"La Constitución debe asegurar la democracia, el Estado de Derecho y los derechos humanos"*, como igualmente otras cartas europeas del siglo XX, Suecia (1974), Grecia, (1975) Estonia (1992), Suiza (1999), y la más reciente de Hungría de 2011.

Incluso la Constitución del Principado de Mónaco dispone en su artículo 2: *"El Principado es un Estado de derecho, comprometido con las libertades y los derechos fundamentales"*.

---

[1]   Profesora Titular de Derecho Constitucional, Universidad de Chile. Presidenta de la Asociación Chilena de Derecho Constitucional.
[2]   Marco Tulio Cicerón "De Legibus" (106-043 A.C.). "Hay un único derecho que mantiene unida la comunidad de todos los hombres, y está constituido por una sola ley, la cual ley es el criterio justo que impera o prohíbe: el que la ignora, esté escrita o no, es injusto".

En el siglo XX, las Constituciones comenzaron a consagrar la expresión *"Estado Democrático de Derecho"*, por ejemplo, Portugal 1976; y en la década de l990 Eslovaquia 1992, Polonia 1997, Finlandia 1999.

También hoy se acuña la nueva expresión, *Estado de Derecho democrático y Social,* o simplemente *"Estado Social de Derecho"* como, por ejemplo, la Ley Fundamental de Alemania (1949)[3] y la Constitución de España (1978)[4]. Más adelante, Rumania (1991)[5] y, recientemente, numerosas Constituciones de América Latina, como Colombia (1999), Ecuador (2008) y Bolivia (2009).

¿Y qué ha ocurrido con nuestros ordenamientos constitucionales?

Pues, nada explícito. Reconociéndonos como un Estado de Derecho desde los albores de nuestra República, ninguna Constitución chilena ha señalado en forma expresa la locución "Estado de Derecho" aunque, sin duda alguna, ha sido posible reconocerla a lo largo de su articulado y, específicamente, en los artículos 6° y 7° de la actual Constitución.

1. ¿CUÁL ES LA RELACIÓN ENTRE LOS TÉRMINOS "ESTADO" Y "ESTADO DE DERECHO"?

En primer lugar, la relación entre las expresiones "Estado" y "Derecho" ha sido objeto numerosas preguntas y planteamientos a lo largo de la historia, desde la antigua Atenas hasta nuestros días.

Planteamientos filosóficos, doctrinarios y axiológicos han intentado dar respuesta a la pregunta ¿qué ha sido antes, el Estado o el Derecho? o ¿qué debe estar subordinado a cuál?

Las respuestas son importantes porque si se admite que el Derecho debe estar subordinado al Estado, o sea a quienes ejercen el poder del Estado, fácilmente se podría derivar en un autoritarismo. En cambio, admitir que el Estado debe estar subordinado al Derecho, significa que el poder del Estado está limitado por el Derecho, debe someterse a él y, por lo mismo, la actividad de los gobernantes debe estar regulada jurídicamente y que éstos son responsables de sus actos.

---

[3]   Artículo 28 inc.1: "El orden constitucional de los *Länder* debe responder a los principios del **Estado de Derecho republicano, democrático y social** en el sentido de la presente Ley Fundamental."
[4]   Artículo 1 inc.1: "España se constituye en **un Estado social y democrático de Derecho,** que propugna como valores superiores de su ordenamiento jurídico la libertad, la justicia, la igualdad y el pluralismo político."
[5]   Artículo 1 inc.3. El Estado Rumano: "Rumania es un **Estado de Derecho, democrático y social".**

Esta última posición se ha desarrollado con relevancia en los dos últimos siglos, como consecuencia y corolario del movimiento histórico, jurídico y político denominado "Constitucionalismo".

En definitiva, cualesquiera sean las respuestas a los planteamientos teóricos o doctrinarios, la respuesta práctica y concreta la ha dado el Constitucionalismo.

Estado de Derecho para el Constitucionalismo, no es cualquiera forma de Estado o con cualquier contenido porque, evidentemente todo Estado requiere estar regulado por el derecho (como conjunto de normas que regula los distintos aspectos de la vida de las personas, tanto entre ellas, como de ellas con el Estado) sino que el Estado de Derecho es un Estado que responde y conjuga en su ser una serie de principios y técnicas que le fueron aportadas por el Constitucionalismo.

En suma, "Estado de Derecho" y "Constitucionalismo" son inseparables.

2. ORIGEN DE LA EXPRESIÓN "ESTADO DE DERECHO"

Siguiendo a Bockenforde, se puede decir que "el concepto del Estado de Derecho surge en la teoría del Estado del liberalismo temprano alemán, desde planteamientos propios de la concepción racional del Derecho"[6]. La expresión fue utilizada por primera vez por autores alemanes (Rechts-staat) y Robert Von Mohl la introduce en 1829.

El concepto da primacía a las personas y sus derechos de libertad, seguridad y propiedad. El Estado de Derecho se contrapone al despotismo "que no se da solo bajo la forma de monarquía absoluta, sino que puede aparecer también en las formas de una democracia absoluta o sin límites"[7].

A fines del siglo XIX y comienzos del XX el concepto comienza a orientarse hacia el principio de igualdad, incorporando elementos sociales y económicos que desarrollan las diversas concepciones políticas de la época, pero sin que se pierdan elementos constitucionales esenciales que siempre deben estar presentes como la libertad personal y la limitación del ejercicio del poder en favor de los derechos de las personas.

Hoy se estima que existe una estrecha relación entre el Constitucionalismo y el Estado de Derecho, estimando algunos autores que éste es el corolario de aquél[8].

---

[6]   Bockenford, Ernst W., "Estudios sobre el Estado de Derecho y la democracia", p. 18.
[7]   Ibidem p. 22.
[8]   Justo López, Mario, "Introducción a los Estudios Políticos", Tomo II, Editorial Kapelusz, 1971, p. 17.

En términos generales, se estima que Estado de Derecho es aquel que satisface las exigencias del Constitucionalismo, o sea que, para obtener los fines de este último, se vale de sus principios y técnicas.

En sentido formal, se puede decir que todo Estado es un Estado de Derecho porque todo Estado (como grupo humano superior) debe contener normas, un orden jurídico que regule el comportamiento de sus integrantes, desde la norma fundamental (Constitución Política) hasta las normas legislativas de carácter general y aquéllas de orden particular, sea que se utilice en su creación un método autoritario o democrático.

En sentido material o sustantivo, sin embargo, la expresión Estado de Derecho se reserva para un Estado con un especial contenido, "aquel que satisface los requerimientos del Constitucionalismo"[9].

El Estado de Derecho es un Estado limitado por el Derecho, sus contenidos le están dados por el Constitucionalismo.

3. CONSTITUCIONALISMO Y ESTADO DE DERECHO

Cabe preguntarse en qué momento y ¿de qué manera se produjo esta estrecha vinculación entre "Estado de Derecho" y "Constitucionalismo"?

3.1. Concepto

El Constitucionalismo es un movimiento o proceso histórico, político, jurídico y de carácter doctrinario, que surge a fines del siglo XVIII como una reacción al absolutismo monárquico existente en esa época y como consecuencia inmediata de movimientos revolucionarios, concretamente la Revolución Francesa 1789 y la Declaración de la Independencia de las colonias norteamericanas de la Corona Inglesa 1776, los que dieron origen a famosos documentos como son la "Constitución Política de Filadelfia" 1787 y la "Declaración de los Derechos del Hombre y del Ciudadano" 1789.

Uno de sus fines es impulsar el establecimiento de Constituciones Políticas con características formales, como constar por escrito, ser rígidas y más bien breves, con contenidos específicos tendientes a ser una limitación del ejercicio del poder y una garantía de los derechos fundamentales.

Ya un siglo antes, en el siglo XVII numerosos documentos constitucionales ingleses contribuyeron a este proceso, culminando con la "Bill o Rights" de 1689

---

[9]   Ibidem p. 18.

que dio paso al gobierno parlamentario inglés. Si bien la Constitución inglesa no es una Carta escrita en un texto único, articulado y codificado significó un importante antecedente inmediato del Constitucionalismo.

3.2. Antecedentes doctrinarios e históricos

Pero también el Constitucionalismo encuentra antecedentes doctrinarios e históricos mediatos o remotos.

Desde el punto de vista doctrinario son un antecedente obras de Aristóteles ("La Política"), en la antigua Grecia; y Cicerón ("La República"), durante la República Romana (s. I A.C.) que dieron importancia al imperio de la ley y al gobierno impersonal. En el Medioevo, Tomás de Aquino (s. XIII "El gobierno de los príncipes) y los filósofos españoles del siglo XVI (Juan de Mariana, Francisco Suárez y Francisco de Vitoria). Y en el siglo XVII John Locke, (Segundo ensayo sobre Gobierno Civil) y ya en el siglo XVIII Montesquieu ("El espíritu de las leyes"), Rousseau ("El contrato social") y Emmanuel Sieyès ("¿Qué es el Tercer Estado?")

Desde el punto de vista histórico, debe recordarse la forma de gobierno de democracia directa practicado en la antigua Atenas (siglo V A.C.) y, más adelante, los numerosos fueros medievales que constituyeron limitaciones al poder del monarca por privilegios concedidos a determinados estamentos (Concilios toledanos años 400-700); Carta Magna Leonesa (1017), Carta Magna Aragonesa (1283), y la muy notable Carta Magna Inglesa (1215). También son antecedentes históricos relevantes los numerosos documentos ingleses del siglo XVII que marcaron el tránsito hacia una monarquía constitucional[10].

4. ¿QUE PRINCIPIOS DEL CONSTITUCIONALISMO INCORPORA EL ESTADO DE DERECHO?

El Estado de Derecho incorpora numerosos principios del Constitucionalismo que no son normas jurídicas propiamente, sino que son "ideas fuerza" o "ideas directivas" que deben orientar al operador de la Constitución.

Son las líneas directrices o fundamentos teóricos y políticos básicos que dan sustento al ordenamiento jurídico constitucional y que inspiran los preceptos constitucionales y las restantes normas jurídicas, leyes, sentencias y resoluciones.

---

[10] Petition of Rights 1628; Agreement of the People 1647; Instrument of Government 1653; *Habeas Corpus* Act 1679; y Bill of Rights 1689 que consagró la superioridad de la ley sobre la voluntad del rey. Véase Mario Justo López tomo II (1971) p. 20.

Generalmente se distinguen principios generales, como la justicia y el bien común, por ejemplo; otros principios específicos, como son el debido proceso legal y la legalidad de la pena, por ejemplo; otros de carácter local, como son el federalismo o el tipo republicano de un Estado.

Pero es preciso reparar en que hay ciertos principios fundamentales que impregnan el Constitucionalismo y que, además, forman parte de nuestro acervo constitucional ya que han sido citados por miles de fallos nacionales, y que son característicos del Estado de Derecho.

Se destacarán cuatro de ellos.

4.1. Supremacía constitucional

Consistente en que la Constitución goza de un rango jerárquico superior dentro del ordenamiento jurídico estatal, de modo tal que todo el ordenamiento debe ajustarse a la Carta, y las normas legislativas y los actos de gobierno o administrativos que se aparten de ella son jurídicamente inválidos.

La supremacía constitucional es la más eficiente garantía de la libertad y dignidad de las personas, en cuánto exige a los poderes constituidos la obligación de encuadrar sus actos a las reglas que prescribe la ley fundamental.

El punto de fondo es que en un Estado de Derecho la supremacía constitucional, además de declararse, debe garantizarse, es decir, estar sujeta a sistemas de control. Hoy el sistema de control de constitucionalidad mayormente usado en América Latina y en Europa son los tribunales constitucionales.

En Chile, la Constitución de 1925 optó por el control jurisdiccional, ejercido por la Corte Suprema. En 1970 se creó el Tribunal Constitucional, órgano que a contar del año 2005 ejerce un control concentrado de constitucionalidad de las leyes[11].

Este es un tema al que la Convención Constitucional deberá dar especial atención, en el sentido de si debe establecerse un Tribunal Constitucional reformado o si radicar nuevamente esta facultad en la Corte Suprema. Personalmente, creo que el Tribunal Constitucional ha cumplido un papel relevante en difíciles momentos institucionales y existen sólidos argumentos para mantener el control en él con las revisiones y modificaciones necesarias.

---

[11]   Ley N° 17.284 de 23 de enero de 1970, **crea el Tribunal Constitucional. Ley N° 20.050 de 18 de agosto de 2005, radica en el Tribunal Constitucional el control de constitucionalidad** *a posteriori*.

4.2. Titularidad del poder constituyente en el pueblo

Poder constituyente es la facultad que tiene todo el cuerpo político de establecer su propia ley fundamental, su Constitución, es decir establecer la norma madre que contiene lo esencial de la estructura del Estado, destinada a regir los intereses generales de la colectividad y a resguardar los derechos de los gobernados.

Es poseedor del poder constituyente quien está facultado para dictar una Constitución, distinguiéndose en doctrina dos tipos:

Poder Constituyente Derivado, que radica en el órgano legislativo facultado para reformar o revisar la Constitución ya establecida, debiendo sujetarse al procedimiento que señala la propia Constitución. Atenerse al procedimiento de reforma establecido es su límite.

Poder Constituyente Originario: radica esencialmente en el pueblo elector, quien puede manifestarse a través de una Comisión de Expertos (Chile, 1925 y 1980); o a través del órgano legislativo especialmente facultado para ello; o de una Asamblea Constituyente.

Hoy, en el año 2022, tenemos la oportunidad única de establecer una Nueva Constitución a través de la Convención Constitucional, elegida el 11 de abril de 2021 con el único objeto de redactar una nueva Constitución, durante un período de tiempo determinado, debiendo disolverse una vez cumplido su cometido.

¿Tiene límites el poder constituyente?

No obstante que el poder constituyente originario tiene la máxima facultad de redactar una nueva Carta y el estatuto jurídico fundamental, la mayor parte de la doctrina estima que está sujeto a límites, como son los derechos fundamentales propios de la naturaleza humana y aquellos contenidos en los tratados internacionales suscritos por Chile.

En ese sentido, precisamente la reciente reforma constitucional, que abrió paso al proceso constituyente, dispone *"El texto de Nueva Constitución que se someta a plebiscito deberá respetar el carácter de República del Estado de Chile, su régimen democrático, las sentencias judiciales firmes y ejecutoriadas y los tratados internacionales ratificados por Chile y que se encuentren vigentes"*[12].

4.3. Derechos fundamentales

Los derechos fundamentales son un tema central para el Constitucionalismo.

---

[12]   Ley N° 21.221 de 26.03.2020, artículo 135, último inciso.

Hoy las Constituciones son verdaderas leyes de garantías de los derechos, los que se justifican por el valor de la dignidad humana, por el reconocimiento de que todas las personas son valiosas en sí mismas y merecen igual consideración y respeto.

En un Estado de Derecho la actividad de los gobernantes se encuentra limitada por la existencia, el reconocimiento y la protección de los derechos fundamentales.

Esa concepción –propia del Constitucionalismo– del Estado limitado, da base a la concepción del Estado de Derecho[13].

Uno de los primeros expositores de la doctrina de los derechos fundamentales y precedente relevante del constitucionalismo fue el inglés John Locke, afirmando los derechos individuales de libertad, igualdad y propiedad, los que fueron constitucionalizados a través de las declaraciones de derechos y las Cartas Políticas dictadas a fines del siglo XVIII y durante el siglo XIX[14].

Posteriormente, el catálogo de derechos se fue completando en razón del surgimiento de nuevas necesidades, del desarrollo de la sociedad y de exigencias de la vida cotidiana. Surgen los derechos políticos o de participación; luego, los derechos sociales, económicos, culturales; y los derechos de tercera y cuarta generación (derecho a la recreación, derecho a la paz, al desarrollo sustentable, etc.)[15].

El catálogo de derechos y su garantía jurisdiccional será un tema de primera relevancia en la Convención Constitucional. ¿Establecer garantías constitucionales comunes para todos los derechos sin distinción, sociales e individuales? ¿Establecer garantías a nivel constitucional y también legal? ¿Cómo operará la responsabilidad fiscal?

En la resolución de estas materias habrá que tener presente lo dispuesto por los tratados internacionales que han ido abriendo camino en las últimas décadas a las nuevas realidades y requerimientos sociales[16], y establecido garantías de los derechos sociales, como son los principios de progresividad y de no regresividad.

Así, el principio de "no regresividad" que impide volver atrás una vez reconocido y protegido un derecho social, o un contenido normativo mínimo e

---

[13] Mario Justo López (1971) Introducción a los Estudios Políticos Tomo II, Editorial Kapelusz, p. 13.

[14] "Declaración de derechos de Virginia" 1776 art. I; "Declaración de derechos del Hombre y del Ciudadano" 1789 art. 1 y 2.

[15] Squella, Agustín, "Introducción al Derecho", Editorial Jurídica de Chile.

[16] Entre los más relevantes: Declaración Internacional de los DD.HH. 1948; Declaración de derechos y deberes de la OEA 1949; Pacto Internacional de Derechos Civiles y Políticos 1969, Pacto Internacional de Derechos Económicos, Sociales y Culturales 1969; Convención Americana sobre DD.HH o Pacto de San José de Costa Rica 1978; Convención sobre la Eliminación de Todas las Formas de Discriminación contra la Mujer (CETFDCM; también conocida por sus siglas en inglés: CEDAW 1979.

indisponible de los derechos constitucionales (no discriminación, debido proceso); y el principio de "progresividad", en cuya virtud el Estado debe promocionar, compensar, proteger derechos sociales relacionados, por ejemplo, con la renta mínima, horarios laborales, derechos del adulto mayor, en materia de salud, educación, alimentos.; importancia de la publicidad de los actos, entre otros[17].

4.4. Separación de poderes

Los antecedentes de este principio han sido latamente estudiados, pero hay coincidencia en atribuir su creación al filósofo francés Charles de Montesquieu, quien reconoció en el Estado la existencia de tres poderes que se diferencian según las funciones que cumplen y que deben estar radicados en tres órganos separados: Ejecutivo, Legislativo y Judicial.

Esta es la única manera de salvaguardar la libertad y evitar el autoritarismo, otorgando especial importancia a la independencia del Poder Judicial.

Preciso es recordar el artículo 16 de la "Declaración de Derechos del Hombre y del Ciudadano" que dice "*Toda sociedad en la cual la garantía de los derechos no está asegurada, ni la separación de poderes determinada, carece de Constitución*".

Desde entonces, la distribución del ejercicio del poder es un requisito de todo Estado de Derecho, institucionalizado y aceptado por la doctrina, utilizado incluso como elemento para clasificar los regímenes políticos en "democracias" o "autocracias", según el ejercicio del poder esté o no distribuido en órganos separados, según Loewenstein[18].

Hoy el principio ha evolucionado hacia una mayor flexibilidad, de modo que en ciertos gobiernos los distintos órganos ejercen "preferentemente" una determinada función, sin perjuicio de desarrollar, en alguna medida, otras atribuciones correspondientes a un órgano diferente. Por ejemplo, en nuestro régimen presidencial, al Presidente de la República corresponde el ejercicio de la función ejecutiva, sin perjuicio de ejercer numerosas funciones legislativas como órgano colegislador.

A este respecto, la Convención tendrá que decidir entre mantener el modelo presidencial, o introducir cambios que permitan una mayor colaboración entre el Presidente de la República y el Congreso Nacional, con un Ejecutivo dual, por ejemplo, u optar por otra forma de gobierno, pero siempre dentro de los límites que impone un régimen político democrático.

---

[17]   Pisarello, Gerardo (2007) "Los derechos sociales y sus garantías, Elementos para una reconstrucción", Editorial Trotta, p. 93.
[18]   Loewenstein, Karl, "Teoría de la Constitución", Editorial Ariel.

Ahora bien, el Estado de Derecho adopta y contiene los principios del Constitucionalismo que recién hemos indicado, pero los desarrolla al amparo de una determinada ideología, y la ideología que prevaleció durante el siglo XIX fue el liberalismo. Así, entonces, surge el llamado Estado Liberal de Derecho.

5. ESTADO LIBERAL DE DERECHO (S. XIX)

Al amparo de la ideología imperante en el siglo XIX surge el Estado Liberal de Derecho, en oposición al Estado absolutista, caracterizándose por establecer un Estado mínimo en lo económico, adscribiendo esencialmente a "la propiedad privada de los medios de producción, a la libre iniciativa económica, y al respeto de la ley de la oferta la demanda"[19].

Destaca la Constitución de Cádiz de 1812 que reunió la mayoría de las características propias del Estado liberal de Derecho con reconocimiento de los derechos individuales, un Estado mínimo garantizador de los derechos de libertad, igualdad y propiedad, escasa participación ciudadana y derechos políticos limitados por el sufragio censitario. La Constitución de Cádiz inspiró la redacción de la Constitución Política de Chile de 1928, redactada por el jurista español José Joaquín de Mora, y resulta notable que gran parte de sus postulados fueron recogidos por las posteriores Cartas de 1833 y de 1925.

Si bien los derechos beneficiaban solo a un sector de la población, fue un avance declarar en las Constituciones derechos individuales, vinculados con la dignidad humana, tales como la libertad de tránsito, de expresión, de prensa, de reunión, de petición, inviolabilidad del hogar y de la correspondencia, el derecho de propiedad y derechos de carácter procesal y penal.

Sin embargo, las contradicciones sociales y las desigualdades económicas que se generaron, bajo la existencia de un aparato estatal mínimo, no intervencionista, hizo entrar en crisis el sistema.

A juicio de algunos autores, el liberalismo configuró desde el punto de vista normativo e institucional el Estado de Derecho, pero no supo recoger las demandas sociales de fines del siglo XIX, encapsulado en el individualismo y el papel abstencionista del Estado, no obstante las corrientes ideológicas que denunciaron fuertemente las profundas desigualdades económicas y sociales, y la injusticia social.

---

[19]   Pablo Lucas Verdú (1976) Curso de Derecho Político, Vol. I, 2ª edición revisada, Editorial Tecnos, Madrid, p. 225.

6. ESTADO SOCIAL DE DERECHO (S. XX)

La denominada "cuestión social" y la agudización de los conflictos económicos provocan el surgimiento y la adhesión ciudadana a nuevas doctrinas políticas (diversas versiones de socialismo, social cristianismo, corporativismo, marxismo), doctrinas que reclaman un nuevo orden, no individualista, y con mayor intervención del Estado para corregir y superar las desigualdades y la injusticia social.

El tradicional concepto de libertad y de igualdad consagrado en las declaraciones de derechos y en las Constituciones se orienta a otros ámbitos, se abre a estimar que "solamente es libre aquel que cuente con los medios para alcanzar un derecho"[20] (ej. libertad de escribir requiere alfabetización; libertad de comprar requiere dinero que reporta el trabajo) y proveer tales medios es tarea del Estado, o del Estado en conjunto con los particulares; se reformula el concepto de igualdad, particularmente de igualdad de oportunidades; como también la necesidad de ampliar el sufragio y crear medios de participación política[21].

Desde el punto de vista del constitucionalismo las Constituciones comienzan a agregar en su texto, además de los derechos individuales, aquéllos de carácter social, siendo las primeras, la Constitución mexicana de Querétaro (1917), la alemana de Weimar (1919), de Austria (1920) y España (1931). Así, se comienza a transitar, a paso lento, del Estado Liberal de Derecho al Estado Social de Derecho acuñándose diferentes expresiones y así marcar ciertos énfasis (Estado *democrático* de Derecho, Estado *constitucional y social* de Derecho).

En el período de la segunda postguerra los derechos económicos, sociales y culturales irrumpen con el apoyo de la Declaraciones de Derechos, lo que conduce a que la mayoría de las Constituciones incluyan en su texto derechos sociales, tales como el derecho a la salud, educación, seguridad social, vivienda, junto con reconocer limitaciones por la función social de la propiedad: Italia 1947, Alemania 1949; Francia 1958; España 1978; Chile 1925 y 1980. También numerosas cartas de países del este europeo (Polonia, Hungría, República Checa).

Sin embargo, en general, la constitucionalización de los derechos sociales es débil en un comienzo por carecer de mecanismos de protección, "más bien permiten al legislador adoptar medidas en ese ámbito, pero no son verdaderos

---

[20]   Nestor Pedro, Sagües (2001) "Elementos de Derecho Constitucional", Tomo I, 2ª edición actualizada, Editorial Astrea, Argentina, p. 17.

[21]   Sagües destaca dignificación ética y política del trabajo y de los trabajadores; la función social de la propiedad; la dignidad de vida como meta gubernativa; la justicia social como protectora y niveladora; y el intervencionismo estatal y rol protagónico del Estado en la vida económica y social (más legislación, más regulación, más planificación económica, pp. 18-19.

mandatos políticos que establezcan derechos justiciables como son los derechos individuales"[22].

Por ello será tarea ineludible de la Convención estudiar globalmente los derechos para encontrar una propuesta que establezca un reconocimiento armonioso y un adecuado balance entre las libertades fundamentales, las igualdades más significativas, especialmente la igualdad de oportunidades, los derechos sociales que habrá que acoger, y los derechos económicos.

7. ¿CÓMO SE HA CONSTITUCIONALIZADO EN EL DERECHO COMPARADO LA CLÁUSULA "ESTADO DE DERECHO"?

Para responder esta pregunta concluiremos tal como empezamos: la tendencia de los últimos cincuenta años ha sido incorporar en las Constituciones cláusulas explícitas para proclamarse como "Estado de Derecho".

Por lo general, las cartas lo incluyen en el Preámbulo o en los primeros artículos y las fórmulas difieren en los diversos países, según los énfasis que se desee destacar.

Por ejemplo, la Carta española dice: *Artículo 1 inc. 1: "España se constituye en un Estado social y democrático de Derecho, que propugna como valores superiores de su ordenamiento jurídico la libertad, la justicia, la igualdad y el pluralismo político" (1976).*

La Ley Fundamental de Bonn: *Artículo 28 inc.1: "El orden constitucional de los Länder*[23] *debe responder a los principios del Estado de Derecho republicano, democrático y social en el sentido de la presente Ley Fundamental" (1949).*

La Constitución de Portugal: Artículo 3 inc. 2. Soberanía y legalidad: *"El Estado está sometido a la Constitución y es un Estado Democrático de Derecho." (1976)*

Y de modo similar, las Cartas más recientes de Colombia (1991), Ecuador (2008) y Bolivia (2009)[24].

---

22   Pisarello P., Gerardo (2001) "Del Estado Social Legislativo al Estado Social Constitucional. Por una protección compleja de los derechos sociales", p. 83.

23   Corresponden a cada una de las dieciséis entidades territoriales en que se encuentra dividida Alemania desde 1990.

24   Asimismo, países del Este Europeo constituidos como democracias han incluido la cláusula: *Rumania* (1991) "Rumania es un Estado de Derecho, democrático y social"; *Estonia* (1992) "... Estado de Derecho que se crea para proteger la paz y defender al pueblo contra la agresión del exterior ..."; *Polonia* (1997) "La República de Polonia es un Estado democrático de Derecho que promueve los principios de la justicia social"; Hungría (2011) "La forma de gobierno basada en el Estado de Derecho, establecida de acuerdo con la voluntad de la nación mediante las primeras elecciones libres celebradas en 1990, y la dictadura comunista anterior son incompatibles".

CONCLUSIONES

"Estado de Derecho" es una concepción que surge en el siglo XIX, y que se vincula íntimamente con el movimiento constitucionalista. De modo tal que Estado de Derecho y Constitucionalismo son concepciones inseparables.

Las constituciones políticas tienen como objetivo central establecer la organización del poder, determinar la competencia y atribuciones de los órganos públicos, fijar los límites dentro de los que éstos debe actuar, con el fin de garantizar los derechos de las personas.

La cláusula jurídico constitucional "Estado Social y Democrático de Derecho" constituye un "elemento de interpretación de las normas infra constitucionales y un criterio orientador de la actividad de los poderes públicos"[25]. Es una "cláusula de habilitación al legislador para la legitimación de políticas públicas" orientadas a fines sociales.

La cláusula jurídico constitucional del Estado Social y Democrático de Derecho en ningún caso permite obtener soluciones inmediatas, sino que abre al legislador y a los poderes públicos la posibilidad de remover los obstáculos, corregir y rectificar situaciones de desigualdad.

Una Nueva Constitución deberá explicitar derechos que hoy están ausentes, pero es importante no exagerar su enumeración para evitar "la ficción constitucional que significa la proclamación pomposa, en la ley suprema, de un inagotable listado de fines, principios, y derechos personales y sociales…" (Sagües), que se distancia de la realidad y de las posibilidades ciertas y reales de protección estatal.

Es importante la prudencia, la mesura y tener presente que la Constitución Política, no soluciona problemas inmediatos, sino que otorga la estructura, los lineamientos generales del ordenamiento político y social, los que posteriormente deben ser desarrollados por la legislación, por la administración del Estado y por la jurisprudencia de los tribunales, como asimismo por todos y cada uno de los miembros de la comunidad que han decidido regirse por la Carta Fundamental que finalmente se adopte.

---

[25]   Fernández-Miranda Campoamor, Alfonso (2003) "El Estado Social", Revista Española de Derecho Constitucional, año 23, Num. 69, p. 179

BIBLIOGRAFÍA

Doctrina

Ciceron, Marco Tulio (2021) *De Légibus,* traducción de Álvaro D'Ors, Editorial Cec, Cuadernos de Economía Crítica.

Bockenford, Ernst W. (2000) *Estudios sobre el Estado de Derecho y la democracia,* Editorial Trotta.

Fernández-Miranda C. Alfonso (2003) *El Estado social,* Revista Española de Derecho Constitucional, año 23, Num. 69.

López, Mario Justo (1971) *Introducción a los Estudios Políticos,* Tomo II, Editorial Kapelusz, Argentina.

Loewenstein, Karl (1986) *Teoría de la Constitución,* Editorial Ariel.

Pisarello P., Gerardo (2007) *Los derechos sociales y sus garantías, Elementos para una reconstrucción,* Editorial Trotta.

Pisarello P. Gerardo, (2001) *Del Estado Social legislativo al Estado Social Constitucional. Por una protección compleja de los derechos sociales,* Isonomía, versión impresa, Isonomía N° 15, México, octubre 2001.

Sagües, Nestor Pedro (2001) *Elementos de Derecho Constitucional,* Tomo I, 2ª edición actualizada, Editorial Astrea, Argentina,

Squella N. Agustín (2011) *Introducción al Derecho,* Editorial Jurídica de Chile.

Verdú, Pablo Lucas (1976) *Curso de Derecho Político,* Vol. I, 2ª edición revisada, Editorial Tecnos, Madrid.

Legislación

Ley N° 17.284 de 23 de enero de 1970.

Ley N° 20.050 de 18 de agosto de 2005

Ley N° 21.221 de 26.03.2020

Constituciones Políticas consultadas

Ley Fundamental de la República Federal de Alemania (1949)

Constitución Política de Bolivia (2009)

Constitución Política de Colombia (1999)

Constitución Política de Ecuador (2008)

Constitución Política de Eslovaquia (1992)

Constitución Política de España (1978)

Constitución Política de Estonia (1992)

Constitución Política de Finlandia (1999)

Constitución Política de Grecia (1975)

Constitución Política de Hungría (2011)

Constitución Política de Mónaco (1962)

Constitución Política de Portugal (1976)

Constitución Política de Polonia (1997)

Constitución Política de Rumania (1991)

Constitución Política de Suecia (1974)

Constitución Federal de Suiza (1999)

Recepción del principio de lealtad constitucional en Chile

Marisol Peña Torres[1]

1. EL CONTEXTO DE ESTE HOMENAJE

Convocados a homenajear al ilustre jurista y maestro de tantos, José Luis Cea Egaña, no hemos querido restarnos. Y lo hacemos, animados por el conocimiento que tenemos del homenajeado a lo largo de tantos años de aprendizaje, trabajo conjunto y amistad.

Para concurrir a esta merecida obra hemos elegido sistematizar algunas ideas respecto del principio de lealtad a la Constitución o lealtad constitucional en el convencimiento de que, para el profesor Cea, la incorporación de principios y valores en las Constituciones contemporáneas marca un punto de inflexión respecto del constitucionalismo clásico. En efecto, él sostiene que "los valores, principios y normas (…) definen el telos constitucional, es decir, aquel que Georges Burdeau denominó el ideal de Derecho latente en un Código Político y que se actualiza cuando queda legitimado por el Pueblo o la Nación"[2].

En esta línea, nos asiste la convicción de que el Tribunal Constitucional de Chile, pese a todas las críticas que rodean su labor, ha asumido la responsabilidad de aplicar una Constitución de valores y de principios resaltando, en esa tarea, el rol que ambos juegan en la solución más justa de los conflictos sometidos a su conocimiento.

En aplicación de esa mirada de la Constitución contemporánea se inserta la sentencia de 17 de noviembre de 2020[3], recaída en el requerimiento deducido por diez diputados instando porque se declarara la cesación en el encargo del entonces diputado Hugo Gutiérrez Gálvez. En ella, nuestra Magistratura

---

[1]   Profesora investigadora del Centro de Justicia Constitucional de la Universidad del Desarrollo. Profesora titular de Derecho Constitucional de la Pontificia Universidad Católica de Chile. Miembro de número de la Academia de Ciencias Sociales, Políticas y Morales del Instituto de Chile y Miembro correspondiente de la Academia de Derecho y Ciencias Sociales de Córdoba, Argentina. marisolpena@udd.cl.

[2]   Cea Egaña, José Luis (2006). Sumisión de la Presidencia de la República al Estado de Derecho. En: El nuevo Derecho Público en la doctrina chilena. Cuadernos del Tribunal Constitucional N° 30, Santiago, p. 103.

[3]   Rol 8123-20.

Constitucional destaca y desarrolla, por primera vez, el principio de la "lealtad constitucional".

En dicha oportunidad, el Tribunal se hizo cargo de la trascendencia que revestía el pronunciamiento que expediría manifestando que esperaba que contribuyera a fortalecer el Estado de Derecho y a solidificar cuestiones esenciales para la vida en sociedad, como la supremacía y "lealtad constitucional", la libertad de expresión y sus límites, la democracia representativa y el ejercicio pronto de las competencias que la Constitución entrega a los órganos que prevé (considerando 12°).

Más adelante ahondó en precisiones sobre el principio de la lealtad constitucional afirmando que está "hermanado con el principio de supremacía constitucional" e invocando al Tribunal Constitucional de España agregó que implica "el más amplio deber de fidelidad a la Constitución". Reconoció, asimismo, que la lealtad constitucional no está reconocida expresamente en el texto de la Carta Fundamental, pero que es "emanación directa de su supremacía al estructurar el Estado Constitucional de Derecho", por lo que no respetarla genera el indefectible resultado de mermar la institucionalidad toda. Indicó también que, si bien el principio de supremacía constitucional sujeta a la Constitución tanto a los ciudadanos como a los integrantes de los poderes públicos, respecto de estos últimos el principio de lealtad constitucional cobra una particular importancia traduciéndose en un deber general positivo de realizar sus funciones de conformidad con la Constitución (considerando 25°).

En el caso concreto sometido a su decisión, el Tribunal Constitucional señaló que si un parlamentario incurre en actos que inciten a la alteración del orden público, conforme a lo previsto en el artículo 60, inciso quinto, de la Constitución, el representante de la voluntad ciudadana está imposibilitando el ejercicio de los derechos de las personas y, con ello, incumpliendo "un deber básico de lealtad al orden constitucional" que, según sea el caso, juró o prometió respetar y hacer respetar en el proceso de investidura (considerando 29°).

Por su parte, en sentencia de 30 de diciembre de 2020[4], que falló el requerimiento de inconstitucionalidad formulado por el Presidente de la República respecto del proyecto modificatorio de la Carta Fundamental que pretendía establecer y regular un mecanismo excepcional de retiro de fondos previsionales –más conocido como "el segundo retiro"–, aludió al principio de lealtad constitucional emanado del artículo 6° de la Constitución y desarrollado previamente en la sentencia rol 8123-20. Además, vinculó también el principio de lealtad constitucional al principio de juridicidad sosteniendo que su fuente se encuentra en el artículo 7° de la misma Carta, concibiéndolo como "el único remedio" a los

---

[4]   Rol 9797-20.

males de anarquía institucional que suelen aquejar a los países y único capaz de impedir su repetición con esta u otras constituciones futuras (considerando 12°).

Como veremos, las aproximaciones realizadas por el Tribunal Constitucional respecto del principio de lealtad constitucional asumen una perspectiva más bien clásica del mismo en cuanto lo deriva exclusivamente de los principios de supremacía constitucional y de juridicidad como se ha recordado previamente. Como pretendemos demostrar, su desarrollo en la doctrina y jurisprudencia comparadas es mucho más amplio, lo que merece prestarle particular atención.

Este artículo propone que el principio de lealtad constitucional emana no sólo del principio de supremacía constitucional, sino que del principio democrático en toda su amplia dimensión. Del mismo modo, sugiere que la manifestación del aludido principio se produce, especialmente, en el respeto del marco competencial que la Constitución asigna a cada órgano del Estado a partir del principio de separación de funciones.

2. EL PRINCIPIO DE LEALTAD CONSTITUCIONAL EN LA JURISPRUDENCIA COMPARADA

Los estudios sobre el principio de lealtad constitucional parecen coincidir en que, pese a la importancia del mismo, éste no suele encontrar acogida en los textos de las Cartas Fundamentales[5]. A pesar de ello, la jurisprudencia de diversos Tribunales Constitucionales ha contribuido a su desarrollo. A continuación, se revisarán algunos ejemplos.

2.1. Rumania

A partir del año 2003, cuando la Constitución fue revisada, la Corte Constitucional de Rumania empezó a pronunciarse en ejercicio de su nueva competencia de resolver los conflictos jurídicos de naturaleza constitucional entre las autoridades públicas. Fue así como en varios casos fue sentando la tesis de que ciertas conductas de los representantes de los tres poderes que, pese a estar formalmente apegadas a la letra de la Constitución, causaban un desbalance desde el punto de vista del principio de separación de poderes o creaban bloqueos ("blockages"), requerían encontrar un remedio. Estos bloqueos se producían por la ausencia de disposiciones constitucionales expresas que guiaran sus conductas

---

[5]   Safta, Mariela (2013) Separation of Powers and constitutionally loyalty. En: Juridical Tribune, Vol. 3, Issue 1, p. 183 y Tur Ausina, Rosario (2018). Lealtad constitucional y democracia. En: UNED: Revista de Derecho Político, N° 101, enero-abril, p. 505.

ante situaciones que debían enfrentar en la práctica derivadas, por ejemplo, de nuevos desarrollos sociales. En otros casos, la formulación general de ciertas normas constitucionales habría permitido el abuso de un poder respecto de otro. Frente a ambos tipos de situaciones, la Corte Constitucional fue propiciando una solución que considerara, ampliamente, el principio de la lealtad constitucional sustentado en el propio principio de separación de poderes del Estado[6]. De hecho, planteó que el deber de lealtad constitucional supone un enriquecimiento del principio de separación de poderes[7].

Así, por ejemplo, en su decisión 1431/2010, referida a la asunción de responsabilidad del Gobierno frente al Proyecto de Ley de Educación General[8], que involucraba la interrupción del procedimiento legislativo en el Senado, la Corte Constitucional de Rumania afirmó su inconstitucionalidad destacando la importancia, para el funcionamiento del Estado de Derecho, de la cooperación entre los poderes del Estado manifestada según las reglas de la "lealtad constitucional". En el caso concreto sometido a su conocimiento, su consideración tendía a prevenir que el Gobierno asumiera responsabilidad frente a un proyecto de ley que aún se encontraba sujeto al procedimiento parlamentario.

Si bien la Corte Constitucional de Rumania centró su argumentación en el principio de separación de funciones del Estado, podríamos pensar que su razonamiento también cauteló la plena vigencia del principio democrático procurando conciliar la responsabilidad del Gobierno con el respeto al principio de deliberación democrática en ambas Cámaras del Parlamento.

Por su parte, en un pronunciamiento anterior, de 28 de noviembre del año 2012[9], la misma Corte dirimió una disputa generada entre el Poder Judicial, representado por la Alta Corte de Casación y Justicia y el Senado relacionada con la incompatibilidad de un senador. En esa ocasión sostuvo que la propuesta de una Cámara del Parlamento, ejercida en virtud de las normas que la regulan, puede llegar, finalmente, a censurar una decisión obligatoria amparada por la *res iudicata*, transformando a esa autoridad en un poder judicial concurrente de las cortes llamadas a administrar justicia. Y apeló, nuevamente, a la importancia, para el

---

[6]   Safta (2013). Ibidem.
[7]   Ibidem, p. 184.
[8]   El artículo 114 de la Constitución de Rumania señala que "(1) El Gobierno podrá asumir su responsabilidad, ante la Cámara de Diputados y el Senado, en reunión conjunta, sobre un programa, una declaración de política general o un proyecto de ley" y que "(2) El Gobierno dimitirá si una moción de censura, entregada en un plazo de tres días desde la presentación del programa, de la declaración de política general o del proyecto de ley, fuera votada en las condiciones del artículo 113."
[9]   Decisión 972/2012.

funcionamiento del Estado de Derecho, de la cooperación entre los poderes del Estado que es manifestación de las reglas constitucionales de lealtad[10].

2.2. España

En un primer momento, el Tribunal Constitucional de España se pronunció sobre el alcance general del principio de lealtad constitucional entendiéndola como sujeción o acatamiento a la supremacía constitucional. Alicia González Alonso recuerda que la STC 122/1983 estableció que la obligación de los parlamentarios gallegos de jurar o prometer "acatar y guardar fidelidad a la Constitución y al Estatuto", "no implicaba la adhesión ideológica a los contenidos concretos de las normas mencionadas, sino a acatar las reglas del juego político y el orden jurídico existente y a no intentar su transformación mediante medios ilegales". Agregó que tal deber no era contrario a la libertad ideológica consagrada en el artículo 16, sino que importaba una concreción del deber de acatamiento a la Constitución previsto en el artículo 9.1 de la Constitución que, para el caso de los titulares de los poderes públicos, se traduce en un deber general de realizar sus funciones de conformidad con aquélla[11].

La misma doctrina se repite en la STC 119/1990 en la que el Tribunal clarifica, además, la relación entre lealtad constitucional y ejercicio de los derechos fundamentales, de modo que el deber de acatamiento y de sujeción lo es a toda la Constitución entendiendo que todas sus normas tienen el mismo rango, aunque tengan distinta eficacia. De la misma manera, no cabría, en nombre de la lealtad constitucional, establecer limitaciones o restricciones constitucionalmente inadmisibles a los derechos[12].

El Tribunal Constitucional de España también ha incorporado el principio de lealtad constitucional como fundamento de diversos pronunciamientos referidos a la delimitación de competencias entre el Estado y las comunidades autónomas. En sentencia de 18 de diciembre de 2014[13] afirmó, precisamente, que "las actuaciones del Estado y de las Comunidades Autónomas han de estar presididas por el principio de lealtad constitucional, principio que, aunque no está recogido de modo expreso en el texto constitucional "constituye un soporte esencial del funcionamiento del Estado autonómico y cuya observancia resulta obligada" (SSTC 239/2002, de 11 de diciembre, FJ 11; 13/2007, de 18 de enero, FJ 7; 247/2007,

---

[10] Safta (2013) 190.
[11] González Alonso, Alicia (2003) La lealtad constitucional. La Constitución como orden de valores o como procedimiento. En: Revista de Estudios Políticos N° 120. Centro de Estudios Políticos y Constitucionales, Madrid, p. 332.
[12] González Alonso (2003) 332.
[13] STC 215/2014.

de 12 de diciembre, FJ 4; 109/2011, de 22 de junio, FJ 5; 12372012, de 5 de junio, FJ 8; y 76/2008, de 8 de mayo FJ 4). Entre otros fundamentos, el Tribunal consideró que el principio de lealtad constitucional es concreción de un deber general de fidelidad a la Constitución (fundamento jurídico 4).

En sentencia de 22 de junio de 2011[14], cuyo argumento fue replicado en sentencia de 23 de septiembre de 2020[15], el Tribunal Constitucional español agregó que "hemos recalcado la conexión entre este principio ([lealtad constitucional] y el establecimiento de un sistema adecuado de colaboración adecuada entre administraciones, de manera que "el adecuado funcionamiento del Estado autonómico se sustenta en los principios de coordinación y colaboración entre el Estado y las comunidades autónomas y de estas entre sí, además de en el establecimiento de un sistema de relaciones presididas por la lealtad constitucional, principios todos ellos que deben hacerse efectivos al margen, incluso, del régimen de distribución competencial".

Ench Albertí sintetiza en tres puntos las manifestaciones concretas de la lealtad constitucional hacia las Comunidades Autónomas: a) Como fundamento de un principio de reciprocidad entre el Estado y las Comunidades Autónomas, de tal manera que una de las partes no puede alegar el incumplimiento de las obligaciones ajenas para justificar el incumplimiento de las propias; b) Como fundamento de supuestos de cooperación obligatoria; y c) Como indisponibilidad de competencias en cuanto no puede condicionarse el ejercicio de las mismas a través de la suscripción de convenios ni a través de la concesión de subvenciones[16].

Las sentencias del Tribunal Constitucional de España referidas a la distribución de competencias entre el Estado y las comunidades autónomas siguen una línea muy similar de razonamiento al desarrollado por el Tribunal Constitucional Federal alemán y, posteriormente, por las cortes de Bélgica y Suiza, en orden a realizar la importancia del principio de "lealtad federal". Ello ha llevado a Rosario Tur Ausina a sostener que el principio de lealtad federal se incardina en una más genérica norma de lealtad constitucional[17].

2.3. Alemania

En Alemania, el principio de lealtad constitucional no ha tenido un desarrollo coincidente al que hemos visto en Rumania y en España. No obstante, se ha manifestado en una interesante conceptualización de la "lealtad federal" (*Bundestreue*) o "comportamiento favorable a la Federación".

---

14   STC 109/2011, FJ 5.
15   STC 135/2020, FJ 4.
16   Citado por González Alonso (2003) 346.
17   Tur Ausina (2018) 541.

La doctrina comparada sitúa el origen del principio de la lealtad federal en los pactos contractuales del Reich alemán entre 1866-1870, que finalmente culminaron con la Constitución del Reich de 1871. Aunque las referencias más antiguas concretan la fuente histórica de este principio en el Acta Final de Viena del 15 de mayo de 1820[18].

Los gobiernos de los Estados interpretaron, a partir del Preámbulo de la Carta de 1871, que la estructura del Imperio se asentaba "sobre una unión contractual de principados", en la cual los Estados federados se obligaban al cumplimiento de los tratados en base al principio de lealtad federal. Ahora bien, este principio no surgió realmente como una norma justiciable, sino como una expresión legal de acuerdo y cooperación[19].

Desde la doctrina se cita el caso "Brunswick", fallado por el Consejo Federal, en 1884, como un ejemplo de aplicación del principio de lealtad federal en cuanto a la limitación de las competencias constitucionales de un Estado en particular. En este caso le correspondió al Consejo Federal mediar en el conflicto entre el Ducado de Brunswick, Prusia y el Reich. El Ducado pertenecía a la Confederación Alemana del Norte y al Reich. El sucesor del Duque Geor Wilhelm debía ser sucedido, luego de su muerte por el Duque de Cumberland quien pertenecía a una casa señorial que no gobernaba en Alemania e hizo demandas territoriales a Prusia sobre Hannover, lo que se vio como un obstáculo para el mantenimiento de las relaciones pacíficas con Prusia. Para garantizar la paz del Imperio se presentó el problema ante el Consejo Federal, el cual estableció el precedente de que cada Estado al ejercer su competencia en la elección del sucesor al trono solo elegiría a candidatos que aceptaran el orden constitucional del estado en su totalidad[20].

Ya vigente la Constitución de Bonn y, por ende, con la existencia del Tribunal Constitucional Federal, la doctrina entendió que la lealtad federal consiste en el deber de los componentes del sistema federal, el *Bund* (Federación) y los Länder (Estados federados), de tomar en consideración el interés general, concepto que englobaba el interés del conjunto y el de los otros miembros en sus relaciones recíprocas.

La sentencia de 21 de mayo de 1952, del Tribunal Constitucional Federal de Karlsrühe sostuvo que el principio de lealtad federal" "significa que todos los participantes de la unión constitucional que supone el Estado federal están obligados a colaborar en el mantenimiento de su esencia, así como contribuir a su fortalecimiento y a su salvaguardia". Este principio se derivaría de la misma

---

[18]   Mimentza Martin, Janire (2020) El desarrollo histórico del principio de lealtad federal en el Derecho alemán. En: UNED Revista de derecho Político N° 109, septiembre-diciembre, p. 264.
[19]   Ibidem, pp. 267 y 268.
[20]   Ibidem, p. 270.

Constitución de Weimar en la medida que el peso del principio federal resulta indiscutible en ella, pese a las limitaciones que impuso a los poderes legislativos de los Länder[21].

Pero, no cabían dudas que, en un Estado federal, caracterizado de suyo por la existencia de intereses contrapuestos, resultaba difícil clarificar qué debía entenderse por el "interés general". De esta forma, esta primera clarificación se fue dejando de lado para privilegiar la idea de que la lealtad federal importa un deber que se traduce en la necesidad de colaboración en los Estados compuestos, pero que no se identifica con la actuación simultánea en el ejercicio de las competencias, caracterizada por la existencia de competencias ejercidas en común. Las obligaciones derivadas de la lealtad federal impregnan la totalidad de las actuaciones de la Federación y los Estados federados y presiden, especialmente, el ejercicio de sus competencias, que debe tener en cuenta los intereses del resto[22].

Por su parte, las raíces del principio de "lealtad federal" pueden retrotraerse a algunas disposiciones de la Constitución de Weimar que se pueden clasificar en tres grupos: a) obligaciones de respeto mutuo; b) obligación de solución pacífica de disputas y c) obligaciones de información consulta y participación[23].

En la actualidad, para el Tribunal Constitucional Federal, el principio de lealtad federal emana de la esencia del artículo 20 de la Constitución[24] que consagra el principio federal.

En consecuencia, en Alemania, como en España, el principio de lealtad federal carece de consagración expresa en la Carta Fundamental y se ha ido configurando, más bien, por la jurisprudencia apoyada por la doctrina. Contrasta, entonces, la forma de acoger el principio en comento de los desarrollos más recientes como el experimentado por la Constitución de Bélgica que sí lo recoge expresamente (Art. 143.1)[25].

3. EL PRINCIPIO DE LEALTAD CONSTITUCIONAL EN LA DOCTRINA

La lealtad es un principio que, en el contexto de las relaciones humanas cotidianas, suele asociarse a la fidelidad. Se es fiel –y leal– a aquello en lo que se cree

[21] Mortati Constantino (2010) Valoración de conjunto de la experiencia constitucional. En: La Constitución de Weimar. Editorial Tecnos, Madrid, p. 47.
[22] Laso Pérez, Javier (2000) La lealtad federal en el sistema constitucional alemán. En: Cuadernos de Derecho Público N° 9, enero-abril, pp. 48-49.
[23] Martin Mimentza (2020) 279.
[24] Art. 20 (1). "La República Federal de Alemania es un Estado federal democrático y social."
[25] Art. 143. 1. "En el ejercicio de sus respectivas responsabilidades, el Estado Federal, las Comunidades, las Regiones y la Comisión Comunitaria Mixta actúan respetando la *lealtad federal*, a fin de evitar conflictos de intereses." (las cursivas son nuestras).

y que nos identifica, aunque esa lealtad implique subordinación y obediencia como ocurre cuando nos plegamos a los dictados y decisiones de la autoridad.

Sin embargo, hay quienes, como Augusto González Alonso, sugieren que es posible introducir un matiz entre la lealtad y la fidelidad. En sus propias palabras, "Si se extrapolan al ámbito jurídico las definiciones que de ambos sustantivos realiza la Real Academia de la Lengua Española, resultaría que la fidelidad consiste en observar la fe que un ente debe a otro, entendiendo por fe el conjunto de normas que obligan a que las relaciones entre ellos sigan ciertos parámetros, mientras que la lealtad añade un plus muy significativo por cuanto no sólo significa ser fiel a unas normas de conducta debidas, sino que además hay que mantener una suerte de comportamiento ético o moral en esas relaciones"[26].

Como plantea Rosario Tur Ausina, "la lealtad parece exigir no una devoción ciega, simbólica ni irracional, sino que el trabajo constante por el compromiso de defensa de aquello y de aquellas personas en las que una comunidad cree, de tal modo que el conocimiento y la cultura socio-política se convierten en elementos inescindibles de la lealtad"[27].

Por su parte, Leonardo Alvarez sugiere que la lealtad constitucional se identifica con "una norma o un conjunto de normas constitucionales que, a modo de mandato, de permiso o de prohibición, y asumiendo la estructura del principio o de regla, ejerce la función normativa consistente en dotar de eficacia al contenido de uno o de varios *principios estructurales*, conformado por la abstracción de las normas constitucionales en las que se materializa la regulación de la creación normativa en el ordenamiento jurídico en sus niveles superiores"[28].

La idea de compromiso puede ubicarse, entonces, en el centro de la lealtad. Y, en esa perspectiva, la lealtad, desde el punto de vista político, se vincula con la legitimidad mientras que, desde el punto de vista jurídico, podemos asociarla a la obligatoriedad en conciencia más que en la coacción.

Esta última afirmación aparece corroborada en la cita que hace el profesor Cea Egaña del Tratado de Derecho Constitucional, del profesor Alejandro Silva Bascuñán, con motivo de su presentación en el año 1997: "el Poder, aunque disponga de la fuerza material, por excepción y como potencial de su eficacia, no es meramente coactivo, sino eminentemente moral, o sea, que ha de ser consentido

---

[26]   González Alonso, Augusto (2008) La lealtad institucional como principio de relación entre las administraciones públicas. En Revista Teoría y Derecho N° 4, p. 250.

[27]   Tur Ausina, Rosario (2018) Lealtad constitucional y democracia. En: UNED Revista de Derecho Político N° 101, enero-abril, p. 507.

[28]   Alvarez Alvarez, Leonardo (2008) La lealtad constitucional en la Constitución española de 1978. Centro de Estudios Políticos y Constitucionales, Madrid, p. 13.

y aceptado por la razón de los gobernados que comprenden y admiten la necesidad y contenido del mandato a que obedecen"[29].

Concebida la lealtad como un compromiso, es posible sostener que no se puede ser leal a todo y ello hace surgir los conflictos de lealtades. Como sugiere Javier Jiménez Campo, parafraseado por Alicia González, "La lealtad constitucional no es sujeción o sometimiento a la Constitución. Esto último ha de darse por supuesto (art. 9.2 CE). Tampoco es adhesión emocional a la misma ni una identificación con carácter perpetuo a sus postulados. La lealtad constitucional es una actitud previa que todos deben –o al menos pueden– tener ante la Constitución, sobre todo en los casos de discrepancia con sus contenidos o con otras lealtades. La Constitución pretende ordenar la vida comunitaria en su conjunto, pero en esta pretensión no debe desconsiderar la autonomía moral del individuo, sino que debe ser cobijo para los diferentes postulados morales"[30].

La pregunta que parece emerger de la consideración que precede es si se puede ser leal con la Constitución a través del tiempo. El tema no es menor, porque "la confianza en la sensibilidad del ordenamiento constitucional desempeña un papel crucial en la preservación de la autoridad de la Constitución"[31].

No obstante, la práctica nos demuestra que la lealtad constitucional tiende a resquebrajarse cuando se propician distintas interpretaciones sobre sus postulados. Una cosa es que la Constitución sea una norma "abierta" donde sus prescripciones son, en gran medida, "conceptos jurídicos indeterminados"[32] que han de ir siendo desarrollados por los operadores del derecho, operación en la que pueden chocar distintas posturas. Otra muy distinta es que asumamos que, dentro de la Constitución, todo contenido es interpretable.

Si se optara por el último camino, indudablemente, la idea de la Constitución como "compromiso" se debilita, pues las mismas bases en que se sustenta tenderían a ponerse en duda.

De allí que Rosario Tur ha sostenido que "Tras cuarenta años (de constitucionalismo, de hecho, la realidad jurídica, política y social parece mostrar unos contornos necesitados de equilibrios, acordes a la norma de lealtad y a los fundamentos que están en su base, pues ni es posible confiar el destino del pacto constitucional a la mera suma de voluntades ciudadanas, ni menos podemos seguir

---

[29]   Cea Egaña, José Luis (2006) Patrimonio constitucional chileno. En: El nuevo Derecho Público en la doctrina chilena. Cuadernos del Tribunal Constitucional N° 30, p. 51.

[30]   González Alonso (2003) 337.

[31]   Post, Robert y Siegel, Reva (2013) Constitucionalismo democrático. Sigo XXI editores, Buenos Aires, p. 34.

[32]   Se entiende por "conceptos jurídicos indeterminados "aquellos que necesitan de la interpretación del juez para ser concretizados". Tamayo Yáñez, Sergio (2009) Conceptos jurídicos indeterminados e interpretación constitucional. Ara Editores, Lima, p. 41.

pensando que una clase política coyuntural posee una legitimación absoluta para decidir el destino de dicho pacto al margen de la sociedad misma." Y agrega, "la lealtad exige aunar, en palabras de Grimm, la estabilidad del pacto social, con el control de los cambios, pero también con la permanente actualidad del texto"[33].

4. NATURALEZA DEL PRINCIPIO DE LEALTAD CONSTITUCIONAL: ¿REGLA CONSUETUDINARIA O PRINCIPIO GENERAL?

La doctrina especializada ha debatido en torno a si el principio de lealtad constitucional involucra un principio o una regla de carácter consuetudinario.

Los mayores desarrollos se encuentran en la doctrina alemana a propósito del principio de lealtad federal al cual ya se ha aludido en este análisis. Así, se atribuye a Rudolf Smend ser el primero en intentar sistematizar los alcances de este principio y trasladarlo desde el campo político al jurídico. Inicialmente planteó que las relaciones entre el Reich y los Estados miembros se caracterizaban por seguir un rango constitucional de supremacía y de subordinación. Posteriormente, complementó esta posición con la idea de que, al mismo tiempo, el Reich y los Estados miembros compartían en una relación de iguales a partir de la cual concluye que cada uno de los Estados miembros debe lealtad federal y contractual a los demás y al conjunto, ejerciendo sus derechos y obligaciones en este sentido[34].

Anschütz y Triepel estudiaron la obra de Smend llegando a la conclusión que el principio de lealtad federal enunciado por él tenía el carácter de Derecho Constitucional no escrito o consuetudinario. Kaufmann siguió a Bismarck en el sentido de impulsar la tesis de que la lealtad federal supone un principio constitucional no escrito que no se opone, en absoluto, al derecho positivo de la Carta Fundamental[35].

El Tribunal Constitucional Federal de Alemania parece haberse inclinado, al igual que la doctrina más contemporánea, por la tesis de que la naturaleza de la lealtad federal es la de un principio general. Específicamente, y aun cuando se presente como una cláusula general y abierta, habría adquirido el rasgo de un principio orientador del contenido de otras disposiciones constitucionales que resultan ser su expresión concreta. En esta misma línea, se sostiene que el principio de lealtad constitucional puede operar en forma autónoma sin que requiera de un desarrollo legislativo previo[36].

---

[33] Tur Ausina (2018) 510-511.
[34] Mimentza Martin (2020) 271 y 274.
[35] Mimentza Martin (2020) 276-278.
[36] Laso Pérez (2000) 54.

En el caso de la doctrina española, el carácter de "principio" de la lealtad constitucional no parece haberse puesto en duda.

Leonardo Alvarez sitúa su existencia en el artículo 9.1 de la Constitución española de 1978[37] procurando diferenciarlo del principio de sujeción. Aún más, sostiene que "la única pretensión de eficacia de la CE sólo puede ser la que se expresa a través de una norma de lealtad como defensa del Estado"[38].

Rosario Tur Ausina releva, por su lado, el carácter de deber cívico e institucional jurídicamente exigible, de comportamiento y ejercicio competencial que tiene en cuenta el mantenimiento constante de la idea de comunidad como proyecto diverso, pero común del principio de lealtad constitucional[39].

Augusto González precisa, por su parte, que la lealtad constitucional parece ser el germen de la lealtad institucional. Agrega que no en todos los Estados federales –o fuertemente descentralizados– impera el principio de lealtad constitucional, pues en Estados Unidos se aplica el principio de la "cooperación intergubernamental" en forma similar a la expresión utilizada por la Constitución italiana de 1947. Agrega que "parece implícitamente reconocida en al artículo 2 de la Constitución Española[40] cuando combina con extrema finura jurídica los principios de unidad, autonomía y solidaridad"[41].

Las concepciones reseñadas se alejan de la tesis de que el principio de lealtad constitucional tenga una naturaleza exclusivamente consuetudinaria para concebirlo como un principio –e incluso un deber– jurídicamente exigible por el custodio de la Constitución.

El Tribunal Constitucional de España ha acogido plenamente la tesis de que la lealtad constitucional constituye un principio –y no una mera práctica consuetudinaria–. Así, en su sentencia de 23 de septiembre de 2020 ha afirmado que "del principio de lealtad deriva un deber de colaboración e informaciones recíprocas entre las administraciones implicadas que debe presidir las relaciones entre el Estado y las comunidades autónomas y que es concreción, a su vez, de un deber general de fidelidad a la Constitución. Por tanto, de la Constitución y de la doctrina de este tribunal se deduce *un principio inherente de colaboración y lealtad constitucional*, que postula la adopción de procedimientos de consulta, negociación o, en su caso, la búsqueda del acuerdo previo" (las cursivas son nuestras).

---

[37]   Art. 9.1: Los ciudadanos y los poderes públicos están sujetos a la Constitución y al resto del ordenamiento jurídico.

[38]   Alvarez Alvarez (2008) 148.

[39]   STC 135/2020, FJ 4.

[40]   Art. 2: La Constitución se fundamenta en la indisoluble unidad de la Nación española, patria común e indivisible de todos los españoles, y reconoce y garantiza el derecho a la autonomía de las nacionalidades y regiones que la integran y la solidaridad entre todas ellas".

[41]   González Alonso (2008) 252 y 253.

De lo señalado puede desprenderse que no ha sido necesario que la Constitución recoja expresamente el principio de lealtad constitucional como expresión del valor de la colaboración que debe existir entre los distintos órganos del Estado en un esquema que es plenamente compatible con el clásico principio de separación de poderes. Es, entonces, perfectamente posible que el principio de lealtad constitucional sea desprendido de ciertos valores y principios estructurales como el principio democrático, el valor de la unidad propio de un Estado unitario, el principio de la separación de poderes con competencias determinadas para cada órgano del Estado y, también, los valores de la colaboración institucional y la transparencia de la información entre los diferentes órganos del Estado.

Corroborando este enfoque, la Constitución italiana de 1947 también recoge el principio de lealtad constitucional a propósito de la estructura político-administrativa del país cuando regulando la forma en que el gobierno puede sustituir a los órganos de las regiones, de la Ciudad Metropolitana, de las Provincias y de las Comunas, en su artículo 120, encomienda a la ley definir al procedimiento que garantice el respeto al principio de subsidiariedad y al principio de "colaboración leal".

Finalmente, no podría dejar de mencionarse que se ha visto en el principio de lealtad constitucional una forma de favorecer la identidad constitucional o "el sentimiento sincero y crítico de identificación de la ciudadanía y los poderes con los principios constitucionales"[42]. Por nuestra parte, hemos sostenido que la identidad constitucional "supera el marco meramente normativo para identificarse con una forma de ser que se irradia en la Constitución en cuanto compromiso fundamental de la sociedad que asume su pasado, confronta su presente y proyecta su destino. Por ello, la identidad constitucional, aunque se refleje en cláusulas expresas de la Carta Fundamental las trasciende en cuanto identifica lo perenne, lo indeleble, aquello que nos distingue por ser expresión de la misma cultura"[43].

A MODO DE CONCLUSIÓN. IDEAS PARA LA RECEPCIÓN DEL PRINCIPIO DE LEALTAD CONSTITUCIONAL EN CHILE

Teniendo presentes las lecciones extraídas de la jurisprudencia y doctrina comparadas respecto del principio de lealtad constitucional, podríamos preguntarnos ¿cuáles son aquellos fundamentos que están en la base del pacto social

---

[42]   Tur Ausina (2018) 521.
[43]   Peña Torres, Marisol (2019) Mirada a la identidad constitucional chilena con perspectiva de futuro. En: Revista Societas N° 21, Academia de Ciencias Sociales, Políticas y Morales del Instituto de Chile, Santiago, p. 26.

expresado en la Constitución sobre los cuales se sustenta el principio de lealtad constitucional?

A nuestro juicio, esos postulados coinciden exactamente con las grandes ideas que han ido forjando el desarrollo de constitucionalismo a través del tiempo y que pueden llevar a sostener que el principio de lealtad constitucional es mucho más que un mero concepto jurídico indeterminado subyacente en nuestra Carta Fundamental.

Así, encontramos, en primer lugar, la idea de la limitación del poder, esto es, la concepción de la Constitución como un instrumento que regula y constriñe el ejercicio del poder, especialmente cuando éste llega a afectar los derechos inalienables de la persona humana.

En segundo término, el principio de separación de funciones del Estado que delimita, adecuadamente, la esfera de competencia de los órganos que las ejercen y que se complementa con los *checks and balances* o frenos y contrapesos que obedecen a la idea de la vigilancia recíproca que debe existir entre cada uno de ellos.

Así, por un lado, la doctrina de la separación de los poderes refleja la aspiración humana, a través de los siglos, de contar con un sistema de gobierno en el cual el ejercicio del poder gubernamental esté sujeto a control[44]. Por otro lado, como recuerda Sebastián Soto, citando a Madison en El Federalista, la forma de equilibrar la necesaria división de los poderes con los intentos de usurpación de los poderes ajenos debe buscarse no en precauciones de carácter externo, como las declaraciones, sino que "ideando la estructura interior del gobierno de tal modo que sean sus distintas partes constituyentes, por sus relaciones mutuas, los medios de conservarse unas a otras en su sitio"[45].

En tercer término, la idea de que la garantía de los derechos fundamentales no es sólo una expresión de la limitación del poder, sino que se erige como un verdadero parámetro de legitimidad en la actuación de los órganos públicos a través del ejercicio de sus precisas competencias.

En cuarto lugar, la plena vigencia del principio democrático que supone que las decisiones públicas provienen de aquellos que van a ser sus destinatarios directos a través de un procedimiento deliberativo que favorezca los consensos y el respeto de las diversas opiniones evitando la tiranía de la mayoría. En la concepción actual no sólo importan los resultados expresados en el consenso sino el procedimiento a través del cual se arriba a ellos, por lo que bien puede

---

[44]   Vile, M.J.C. (1998) Constitucionalism and the separation of powers. Second edition. Liberty Fund Inc., Indianapolis, p. 21.

[45]   Soto, Sebastián (2017) El Federalista: De la separación de poderes a los pesos y contrapesos. En: Alvarado, Claudio (ed.). Imaginar la República. Reflexiones sobre El Federalista. Instituto de Estudios de la Sociedad, Santiago, p. 139.

sostenerse que el ejercicio de la democracia supone un doble estándar: la adopción del consenso a través de un adecuado procedimiento deliberativo, presidido por el respeto al principio de la igualdad entre los partícipes y, también, la conformidad del resultado del ejercicio deliberativo a los parámetros propios de la democracia como el pluralismo, la tolerancia y el respeto irrestricto a los derechos de la naturaleza humana.

Así, los cuatro supuestos que se han enunciado van dando vida al principio de lealtad constitucional sobre la base:

De que cada persona y cada órgano del Estado adhiere al pacto fundamental por la convicción de que ha concurrido a su generación, directamente o a través de sus representantes.

De que la adhesión al pacto generado desde la misma sociedad se transforma en un compromiso de sujeción y acatamiento de los valores, principios y reglas contenidos en la Constitución, esto es, de su integridad.

De que el referido compromiso es asumido por toda persona, institución o grupo que acepta, además, el carácter vinculante de la Carta Fundamental, esto es, su eficacia directa sin necesidad de mediación de la ley.

De que, si bien el principio de supremacía constitucional y su corolario, que es el principio de juridicidad, configura la base positiva directa de la lealtad a la Constitución, la idea del compromiso, no solo normativo sino que institucional, e incluso espiritual, que subyace a la idea de la lealtad constitucional, constituye el fundamento último de su desarrollo y obligatoriedad en conciencia.

De que, desde el punto de vista de los órganos del Estado, la lealtad constitucional se traduce en el respeto a las propias competencias, una colaboración leal y una actuación transparente en el contexto de una equilibrada separación de funciones del Estado con *checks and balances*.

No podría dejar de mencionarse, en este intento de aproximación a la lealtad constitucional desde la doctrina chilena, que el principio que hemos venido estudiando encuentra una coincidencia con la idea de Constitución como "integración" a la que dedicara sus estudios Rudolf Smend y, según la cual el Estado es una realidad espiritual y dinámica en continua renovación y cambio, de modo que no puede reducirse a la mera estructura de normas jurídicas vigentes como planteaba Kelsen[46]. En efecto, si la Constitución es solo concebida de esta última forma bastaría fundar la lealtad a ella en el principio de supremacía constitucional.

---

[46]   Jove Villares, Daniel (2020). Smend y Kelsen. Estado como integración y problemas actuales. Anuario Facultad de Derecho, Universidad de La Coruña, p. 74.

Nuestra propuesta es más ambiciosa: creemos que, en Chile, con la Constitución vigente y con la que vendrá, existen bases que forman parte de nuestra tradición, y que ligan a la lealtad constitucional con otros principios claves dentro de un Estado de Derecho democrático. El desarrollo de los mismos está confiado al guardián de la Constitución que, sinceramente, esperamos siga siendo el Tribunal Constitucional, a fin de que tenga la oportunidad, que ya ha desplegado inicialmente, de perseverar en su desarrollo dogmático para hacer de los límites al ejercicio del poder y del respeto a los derechos fundamentales la práctica cotidiana de los diferentes órganos del Estado.

Principios constitucionales: El principio de solidaridad como elemento de la subsidiariedad. La tercera vía dos principios constitucionales complementarios

MARCELA INÉS PEREDO ROJAS[1]

INTRODUCCIÓN

El principio de solidaridad constituye una base esencial en un Estado Constitucional de Derecho. Ese principio se define como un elemento fundante de la sociedad civil tanto en su relación con el Estado como con todos los integrantes de la comunidad. Tal como lo explica Cea Egaña "[D]e cara al Estado, la Sociedad Civil goza de autonomía y merece protección según el principio de subsidiariedad. Empero, de creciente importancia resulta enfatizar el principio de solidaridad, rector de las relaciones al interior de la Sociedad Civil, porque le infunde a la actividad de las agrupaciones intermedias el deber de asumir como propias las carencias, insuficiencias o debilidades ajenas, procurando remediarlas o resolverlas sin que el Estado tenga que intervenir para hacerlo".

En consonancia con lo anterior, es posible deducir que la relación del Estado con la Sociedad Civil implica el reconocimiento de múltiples grupos intermedios que articulan la vida en democracia. Esa realidad supone considerar que el Estado, la Constitución y la sociedad civil se unen entorno al bien común. Ese fin objetivo de la comunidad política es también el sentido de la comunidad civil.

En ese sentido, el bien común no es un concepto abstracto o jurídicamente indeterminado, sino que se encuentra definido como un deber estatal en relación a la sociedad civil de establecer las condiciones materiales y espirituales, para que todas las personas alcancen su mayor realización material y espiritual posible. De manera que, en pos de este objetivo la solidaridad constituye un mecanismo del que dispone el Estado y la sociedad civil, para alcanzar el bien común.

Sin perjuicio de lo anterior, el principio de solidaridad se ha planteado como un elemento contrapuesto e irreconciliable con el de subsidiariedad. Ello porque, se considera que la subsidiariedad es una mera abstención del Estado

---

[1] Profesora de Derecho Constitucional, Universidad de los Andes, Chile. Doctora en Derecho y Magíster en Investigación Jurídica por la misma Universidad. Magíster en Derecho Público mención derecho constitucional de la PUC. Agradezco a mi ayudante de investigación Don Gerardo Garrido por su colaboración en el desarrollo de esta investigación.

en su relación con la sociedad civil. Este artículo planteará una "tercera vía" en el entendido que la subsidiariedad posee una faz negativa y de abstención, pero también implica desde los orígenes de su existencia un sentido positivo de apoyo a los grupos intermedios que no pueden satisfacer sus necesidades por sí mismos y requieren el apoyo estatal. De modo que, ambos principios se complementan y pueden ser comprendidos como elementos de solidaridad en la relación Estado, grupos vulnerables y sociedad civil. Para ello se acreditará esta visión a partir de la doctrina y jurisprudencia basada esencialmente en lo expresado por Don José Luis como juez constitucional y en el sentido axiológico del constitucionalismo al tenor del deber de servicialidad del Estado.

1. SOBRE EL PRINCIPIO DE SOLIDARIDAD

La solidaridad constitucional es una expresión de la sociabilidad del ser humano. Así, los grupos intermedios, estructuran y organizan la Sociedad civil o no Estado, implica el "conglomerado de numerosas entidades intermedias, de la índole más variada, en las cuales vive y convive la persona, desplegando, con autonomía sus aspiraciones e intereses socioeconómicos legítimos"[2]. Por tanto, el principio de solidaridad es el "rector de las relaciones al interior de la Sociedad Civil, porque le infunde a la actividad de las agrupaciones intermedias el deber de asumir como propias las carencias, insuficiencias o debilidades ajenas, procurando remediarlas o resolverlas sin que el Estado tenga que intervenir para hacerlo"[3]. De manera que, la solidaridad constitucional es una exigencia del bien común como fin objetivo del Estado, y que es base esencial de su justificación jurídico-política.

En el derecho comparado español, se ha asociado la solidaridad constitucional con un tipo de Estado determinado, esto es, con el Estado Social de Derecho[4]. Así, se ha explicado que ésta "ha sido de una menor noción de menor relevancia dogmática que, por ejemplo, las de libertad e igualdad, pero lo cierto es que, con el devenir del tiempo, la solidaridad, piedra angular de la herencia cultural del humanismo cristiano, se ha convertido en un valor de referencia meta-ideológico, o lo que es igual, en una referencia axiológica general reivindicada desde cualquier posición ideológica"[5]. Por ello, no se conduce con una clase de Estado determinado, sino que la solidaridad basada en la tradición judeo cristiana se

---

[2]   Cea Egaña, José Luis (2020) Derecho Constitucional Chileno, Tomo I, Ediciones UC, p. 216.
[3]   Cea Egaña (2020) 216.
[4]   Fernández, Francisco (2012) "La solidaridad como principio constitucional". Revista Teoría Constitucional, núm. 30, p. 140.
[5]   Fernández (2012) 140.

origina en la idea de la doctrina social de la Iglesia en que aquella surge como un principio, un deber, una virtud y una actitud[6]. De modo, que la solidaridad constituye un deber para el Estado. Lo anterior, se explica porque el término tiene sus orígenes en el ámbito jurídico, en el "derecho romano, que contemplaba un tipo de obligación *in solidum,* por la cual un conjunto de deudores estaba vinculados entre sí por una obligación y formaban una unidad indivisible en la que cada deudor estaba obligado a responder de la totalidad de la deuda, y no solamente de su parte"[7]. En suma, la obligación solidaria supone que unos responden por otros, construyendo desde el derecho un principio de reciprocidad.

Sin perjuicio de lo anteriormente expuesto, cabe indicar que algunos autores conciben desde el solidarismo de Burgeois, la expresión solidaridad como un término aplicable a lo político y social[8]. Y, es que, Burgeois del solidarismo no solo como la responsabilidad mutua de varias personas, sino que transita hacia la idea de un "vínculo fraternal que obliga a todos los seres humanos con otros haciendo un deber de asistir a personas más desfavorecidas"[9].

En razón de lo anterior, la solidaridad es una variante de la fraternidad como base de la república francesa. En ese sentido, la idea central del solidarismo es que "el hombre vive en la sociedad, y no puede vivir sin ella, todo el tiempo tiene un deber hacia aquella. Es la base de sus deberes, y el peso de su libertad. La obediencia de ese deber social no es la aceptación de una carga a cambio de un beneficio. Es el reconocimiento de una deuda"[10]. De este modo, desde el laicismo, se estructura el solidarismo como una forma de pensamiento político y filosófico del período de entre guerras.

Por tanto, el devenir histórico del principio supone distinguir entre "la solidaridad de los antiguos, que arranca de la cultura clásica, se prolonga en la Edad Media y también en la moderna hasta el siglo XVIII, y la solidaridad de los modernos"[11]. Desde esa mirada, se categoriza el principio en fases determinadas. Así, Fernández Segado indica que la "cristalización definitiva del valor solidaridad y su influencia en la configuración de los fines y funciones de la sociedad

---

[6] Guitian, Gregorio. Sobre la formulación del principio de solidaridad de la Doctrina Social de la Iglesia. Teol. vida [online]. 2020, vol.61, n.1 [citado 2021-11-13], p.23. Disponible en: <http://www.scielo.cl/scielo.php?script=sci_arttext&pid=S0049-34492020000100021&lng=es&nrm=iso>. ISSN 0049-3449. http://dx.doi.org/10.4067/S0049-34492020000100021.

[7] Guitián, (2020) 26.

[8] Mievre, Jacques (2001) "La solidaridad de Léon Bourgeois Nacimiento y metamorfosis de un concepto", en Cahiers de la Méditerranée [Online], 63 | 2001, publicado el 15 de octubre de 2004, consultado el 15 de noviembre de 2021. URL: http://journals.openedition.org/cdlm/17 ; DOI: https://doi.org/10.4000/cdlm.17, p, 6.

[9] Ídem.

[10] Mieyre (2001) 7.

[11] Fernández (2012) 142.

civil y del Estado tendrá lugar a partir del siglo XIX"[12], que relaciona el concepto a una exigencia de igualdad material y a un Estado social.

En ese sentido, la constitucionalización del principio de solidaridad proviene del Preámbulo de la Constitución Francesa de 1946, que consagra a aquella como una base necesaria del bloque constitucional, reconociendo que la solidaridad e igualdad de todos los franceses deviene de las cargas que resulten de las calamidades nacionales[13]. En esos términos se sustenta la idea de constitucionalismo social, que también fue acogido en la Constitución italiana de 1947 que va a consagrar expresamente el principio de solidaridad en el artículo 2 el que dispone "[L]a república reconoce y garantiza los derechos inviolables del hombre, ora como individuo, ora en el seno de las formaciones sociales donde aquel desarrolla su personalidad, y exige el cumplimiento de los deberes inexcusables de solidaridad política, económica y social"[14]. De manera que la solidaridad emana como un deber constitucional a propósito de los derechos inalienables que el Estado debe tutelar y que la Constitución se limita a reconocer, puesto que, del texto se desprende que no son creados por el Estado, sino que emanan de la naturaleza humana. Con razón, Fernández afirma que a "esa correlación entre derechos y deberes no ha de dársele un carácter absoluto. Es necesario distinguir dentro de esos deberes, los de contenido puramente negativo, que se agotan en el respeto del principio de no dañar la esfera propia de otros sujetos (*alterum non laedere*), de otros deberes vinculados a derechos que se reconocen a sus titulares para la satisfacción de intereses que, por su misma naturaleza trascienden la esfera propia de tales personas, en cuanto comprometen directamente intereses colectivos o generales, no pudiendo por lo mismo confiarse al mero criterio de la conveniencia de quien ejercita el derecho"[15].

Por su parte, en Alemania, el principio de solidaridad no se encuentra expresado explícitamente en la Carta Fundamental de Bonn, sin perjuicio que en la relación del Estado Federal y los Lander, existen algunos apoyos económicos que buscan la solidaridad e igualdad en razón de la forma jurídica de Estado alemana[16]. En sentido contrario, la Constitución española que regula una forma de Estado compuesto como es el caso del Estado autonómico, consagra expresamente el principio de solidaridad en el artículo 2 de la Carta de 1978[17]. Desde la norma

---

[12]   Fernández (2012) 143.
[13]   Véase Consejo Constitucional Francés: Preámbulo de la Constitución francesa de 27 de octubre de
        1946   https://www.conseil-constitutionnel.fr/es/preambulo-de-la-constitucion-francesa-de-27-de-
        octubre-de-1946.
[14]   Véase Constitución de la República italiana de 21 de diciembre de 1947. Disponible en: http://
        www.ub.edu/ciudadania/hipertexto/evolucion/textos/ci1947.html.
[15]   Fernández (2012) 149.
[16]   Véase artículo 104ª de la Ley Fundamental de Bonn
[17]   La Constitución se fundamenta en la indisoluble unidad de la Nación española, patria común e
        indivisible de todos los españoles, y reconoce y garantiza el derecho a la autonomía de las naciona-

constitucional emanan diversas perspectivas, así, preliminarmente, se entiende como un valor del ordenamiento jurídico español, también, supone un deber constitucional vinculante para los órganos del Estado, y en particular, como una contraposición o límite a la autonomía. En ese sentido, Fernández explica que la solidaridad "aparece como un principio más, junto a los de unidad y autonomía, de la organización territorial del Estado, un principio que bien puede considerarse como de equilibrio entre la unidad y la autonomía (…) llamado a modular las inevitables tendencias centrífugas y centrípetas que esos dos principios pueden generar"[18].

En consonancia con lo anterior, en la Constitución española existen otros artículos que en conjunto con el artículo segundo regulan el principio de la solidaridad constitucional. En ese sentido, el artículo 138.1 dispone que "[E]l Estado garantiza la realización efectiva del principio de solidaridad consagrado en el artículo 2 de la Constitución, velando por el establecimiento de un equilibrio económico, adecuado y justo entre las diversas partes del territorio español, y atendiendo en particular a las circunstancias del hecho insular. 2. Las diferencias entre los Estatutos de las distintas Comunidades Autónomas no podrán implicar, en ningún caso, privilegios económicos o sociales". Por ende, la solidaridad supone equidad económica dentro del territorio español. A su vez, el principio también supone un límite a la autonomía financiera de las comunidades autónomas, así se desprende de la lógica de los artículos 156. 1[19] y 158. 2[20] de la Constitución española[21].

En nuestro país, el principio de solidaridad se aprecia como un principio no ideologizado, sino que esencialmente implica "contribuir a la realización del bien común"[22]. Ese sentido de bien común como fin de la solidaridad, no es otro que aquel expresado en la doctrina social de la Iglesia. Así, de *"la dignidad, unidad e igualdad de todas las personas deriva, en primer lugar, el principio del bien común, al que debe referirse todo aspecto de la vida social para encontrar plenitud de sentido.* Según una primera y vasta acepción, por *bien común* se entiende el conjunto de

---

lidades y regiones que la integran y la solidaridad entre todas ellas.
18　Fernández (2012) 154 -155.
19　1. Las Comunidades Autónomas gozarán de autonomía financiera para el desarrollo y ejecución de sus competencias con arreglo a los principios de coordinación con la Hacienda estatal y de solidaridad entre todos los españoles.
20　2. Con el fin de corregir desequilibrios económicos interterritoriales y hacer efectivo el principio de solidaridad, se constituirá un Fondo de Compensación con destino a gastos de inversión, cuyos recursos serán distribuidos por las Cortes Generales entre las Comunidades Autónomas y provincias, en su caso.
21　Sin perjuicio de los deberes de solidaridad genéricos que algunos autores han debatido debido a que la solidaridad no tendría sólo un sentido económico. Al respecto, véase De Lucas, Javier "La polémica de los deberes de solidaridad", p. 9 y ss.
22　Cea (2020) 224.

condiciones de la vida social que hacen posible a las asociaciones y a cada uno de sus miembros el logro más pleno y fácil de la propia perfección (…) *La responsabilidad de edificar el bien común compete, además de las personas particulares, también al Estado, porque el bien común es la razón de ser de la autoridad política*"[23]. De modo que, la solidaridad como principio rector de la comunidad política y su reconocimiento constitucional supone que la autoridad política no se oriente a fines particulares sino a la realización espiritual y material de las personas que gobierna dentro del Estado. Y, es que, los fundamentos del orden político constitucional son preconstitucionales pues la dignidad humana, la libertad y la igualdad, que sustentan la solidaridad son anteriores a la Constitución que no los crea, sino que sólo los reconoce.

A mayor abundamiento, en la Constitución vigente, la solidaridad es reconocida constitucionalmente en el artículo tercero de la Carta Fundamental. Esencialmente se refiere a la expresión de fraternidad y equidad territorial dentro del Estado Unitario. En ese sentido, Delooz explica que "[L]os términos equidad y solidaridad son mencionados expresamente una sola vez en la CPR, artículo 115, inc. 1° y 3°, respectivamente. Sin embargo, el art. 3°, inc. 2°, CPR menciona "el desarrollo equitativo y solidario" y el ya citado art. 115, inc. 1°, que recoge esa expresión, señala que "las leyes que se dicten al efecto deberán velar por el cumplimiento y aplicación de dicho principio, incorporando asimismo criterios de solidaridad entre las regiones, como al interior de ellas, en lo referente a la distribución de los recursos públicos.

Como ha sido señalado, la codirección –obra del constituyente y del legislador– precede a la coordinación y la cooperación, actividad propia de las administraciones. De la misma manera, son el constituyente y el legislador quienes fijan el marco de las relaciones de equidad en cuanto definen las reglas de la convivencia pacífica y del bien común, lo que permite a su vez el desarrollo de relaciones de solidaridad"[24]. Por ende, el principio de solidaridad se encuentra constitucionalizado en nuestro derecho público.

---

[23]   Compendio Doctrina social de la Iglesia, punto II, puntos 164 y 168. Disponible en: https://www.vatican.va/roman_curia/pontifical_councils/justpeace/documents/rc_pc_justpeace_doc_20060526_compendio-dott-soc_sp.html#Significado%20y%20aplicaciones%20principales. Fecha de consulta: 31 de agosto de 2021.

[24]   Delooz Brochet, Benoît (2019) Equidad y solidaridad territoriales en Chile. Algunas reflexiones preliminares. Ius et Praxis [online]. vol. 25, n. 2 [citado 2021-11-13], pp. 462 - 463. Disponible en: <http://www.scielo.cl/scielo.php?script=sci_arttext&pid=S0718-00122019000200461&lng=es&nrm=iso>. ISSN 0718-0012. http://dx.doi.org/10.4067/S0718-00122019000200461.

2. SOBRE EL PRINCIPIO DE SUBSIDIARIEDAD

El principio de subsidiariedad emana de la naturaleza social del ser humano que genera vínculos a través de su libertad para generar asociaciones según sus intereses, esas asociaciones pueden ser tan variadas como las actividades que la persona realiza en aras al bien común. En ese sentido, los grupos intermedios o asociaciones persiguen comunitariamente el desarrollo material y espiritual del ser humano.

En consonancia con lo anterior, la subsidiariedad como principio rector de las relaciones sociales, no obedece a una ideología determinada, o a un modelo económico específico. Por el contrario, el origen de este principio es preconstitucional, y obedece a la lógica reconocida en la Doctrina Social de la Iglesia que al respecto dispone que: "[E]s imposible promover la dignidad de la persona si no se cuidan la familia, los grupos, las asociaciones, las realidades territoriales locales, en definitiva, aquellas expresiones agregativas de tipo económico, social, cultural, deportivo, recreativo, profesional, político, a las que las personas dan vida espontáneamente y que hacen posible su efectivo crecimiento social. 396 Es éste el ámbito de la sociedad civil, entendida como el conjunto de las relaciones entre individuos y entre sociedades intermedias, que se realizan en forma originaria y gracias a la «subjetividad creativa del ciudadano». La red de estas relaciones forma el tejido social y constituye la base de una verdadera comunidad de personas, haciendo posible el reconocimiento de formas más elevadas de sociabilidad"[25].

Desde esa perspectiva, el principio de subsidiariedad originariamente posee una estrecha vinculación con la justicia, ya que "no se puede quitar a los individuos y darlo a la comunidad lo que ellos pueden realizar con su propio esfuerzo e industria, así tampoco es justo, constituyendo un grave perjuicio y perturbación del recto orden, quitar a las comunidades menores e inferiores lo que ellas pueden hacer y proporcionar y dárselo a una sociedad mayor y más elevada, ya que toda acción de la sociedad, por su propia fuerza y naturaleza, debe prestar ayuda a los miembros del cuerpo social, pero no destruirlos y absorberlo"[26]. Luego, es necesario recordar que la subsidiariedad no es un mero deber de abstención desde el Estado hacia los grupos intermedios que integran la Sociedad civil. Por el contrario, la subsidiariedad implica en sentido positivo que "todas las sociedades de orden superior deben ponerse en una actitud de ayuda («*subsidium*») –por tanto, de apoyo, promoción, desarrollo– respecto a las menores. De este modo, los cuerpos sociales intermedios pueden desarrollar adecuadamente las funciones que les competen, sin deber cederlas injustamente a otras agregaciones

---

[25]   Compendio Doctrina Social de la Iglesia. punto 385.
[26]   Compendio Doctrina Social de la Iglesia, punto 186.

sociales de nivel superior, de las que terminarían por ser absorbidos y sustituidos y por ver negada, en definitiva, su dignidad propia y su espacio vital"[27].

De modo que, un Estado realmente subsidiario debe cumplir el deber de "*subsidium*" que desde el latín etimológicamente significa "ayuda". Un Estado subsidiario, ayuda a sus integrantes a lograr sus fines, aun económicamente, pero no debe reducirse la expresión original a un modelo determinado. A mayor abundamiento, en nuestra doctrina constitucional se advierte que la "gobernabilidad o gobernanza que se demanda para lograr mayor eficiencia y eficacia en la gestión pública presupone el repliegue estatal y el despliegue social"[28]. Por ende, reducir el principio de subsidiariedad sólo a cuestiones económicas implica olvidar el fin para el cual fue creado que implica tanto aspectos materiales como espirituales del ser humano basados en la libertad intrínseca de la persona.

Ahora bien, conforme a lo anteriormente expuesto, cabe advertir que no desconocemos aquello que Petersen denomina la "crítica al "modelo chileno" que se refiere al modo de entender la relación que existe entre el principio de subsidiariedad y lo que se conoce como neoliberalismo"[29]. Concretamente, se refiere a que la formulación "neoliberal" del principio ha impactado su naturaleza y aplicación en el ordenamiento constitucional chileno. Desde esa perspectiva, que se sustenta en la doctrina que emana del "otro modelo"[30], se plantea el carácter económico de la subsidiariedad, y se limita aquella sólo desde su perspectiva de autonomía de los grupos intermedios y de no intervención estatal que se traduce en hacer sinónimos subsidiariedad y la denominada "privatización de lo público"[31].

En ese contexto, la "comprensión "neoliberal" del orden social es incapaz de dar cuenta de lo público, de aquello que se refiere a la vida en común, justamente por estar basada en criterios puramente económicos"[32]. No obstante, aquello implica el reduccionismo de un principio que posee diferentes ámbitos y acepciones, tal como se colige con Føllesdal[33]. Por tanto, existen al menos las siguientes concepciones; subsidiariedad política, jurídica, territorial y económica[34]. Y es que, en definitiva, el principio de subsidiariedad "es un principio de orden

---

[27]   Compendio Doctrina Social de la Iglesia, punto 186.
[28]   Cea (2020) 219.
[29]   Petersen, Matías (2015) Subsidiariedad, neoliberalismo y el régimen de lo público, en Subsidiariedad más allá del Estado y el mercado, IES, p. 139.
[30] Atria, Fernando; Larraín Guillermo; Benavente, José Miguel; Couso, Alfredo Joingnat (2013) El otro modelo del orden neoliberal al régimen de lo público. https://fdocuments.es/document/atria-fernando-el-otro-modelo.html
[31]   Atria; Larraín; Benavente; Couso (2013).
[32]   Petersen (2015) 147.
[33]   Véase Follesdal, Andreas, Subsidiarity (1998) Revista de Filosofía Política, vol. 6, núm. 2, págs. 231-259, 1998, disponible en SSRN: https://ssrn.com/abstract=173193.
[34]   Follesdal (1998).

político que ha recibido variadas formulaciones a lo largo de la historia y no se trata de ninguna novedad en teoría política. Los orígenes de este principio se pueden rastrear, al menos, hasta la filosofía política clásica, y en particular hasta el pensamiento de Aristóteles"[35]. Desde esa visión, se entiende que el reduccionismo del "modelo chileno" se produce con la asimilación de subsidiariedad como una herramienta del mercado o de un modelo económico determinado.

Lo anterior, resulta contrario al origen del principio en la doctrina social de la Iglesia que manifiesta expresamente en la encíclica Cuadragessimo Anno que "[L]a Iglesia no tiene modelos para proponer. Los modelos reales y verdaderamente eficaces pueden nacer solamente de las diversas situaciones históricas, gracias al esfuerzo de todos los responsables que afronten los problemas concretos en todos sus aspectos sociales, económicos, políticos y culturales que se relacionan entre sí. Para este objetivo la Iglesia ofrece, como orientación ideal e indispensable, la propia doctrina social, la cual –como queda dicho– reconoce la positividad del mercado y de la empresa, pero al mismo tiempo indica que éstos han de estar orientados hacia el bien común. Esta doctrina reconoce también la legitimidad de los esfuerzos de los trabajadores por conseguir el pleno respeto de su dignidad y espacios más amplios de participación en la vida de la empresa, de manera que, aun trabajando juntamente con otros y bajo la dirección de otros, puedan considerar en cierto sentido que «trabajan en algo propio», al ejercitar su inteligencia y libertad"[36]. Por ende, desde el origen del principio, no existe un modelo económico que esté predeterminado.

Tampoco, desde la filosofía[37] se aprecia una *conditio sine qua non* que asocie la subsidiariedad a un solo prisma. Con razón, se afirma que "las diversas formulaciones que ha recibido este principio pueden ser subsumidas en al menos cuatro categorías:1) la tradición que se remonta a Althusius y que conecta con varias corrientes contemporáneas de federalismo y Confederalismo, cuyo énfasis estaría en la libertad individual, 2) la tradición del federalismo fiscal, inspirada en los criterios de eficiencia comúnmente utilizados en la teoría económica contemporánea, 3) la doctrina social de la Iglesia, con su énfasis en la justicia y en una noción "sustantiva" del bien humano, y 4) la tradición contractualista de inspiración kantiana, que incluiría a autores contemporáneos como John Rawls o Thomas Scalon"[38]. De manera que, es posible concluir que no existe una sola acepción del principio, si bien es cierto que conviven diversas concepciones y

---

[35] Petersen (2015) 141.
[36] Véase Carta Encíclica Centesimus Annus del Sumo Pontífice Juan Pablo II https://www.vatican.va/content/john-paul-ii/es/encyclicals/documents/hf_jp-ii_enc_01051991_centesimus-annus.html. Fecha de consulta. 03 de septiembre de 2021.
[37] Follesdal (1998).
[38] Petersen (2015) 141.

una tradición de origen que es la lógica de la cultura judeo cristiana expresada en la doctrina social de la Iglesia.

Lo anterior, no obsta para que el principio de subsidiariedad sea "ideológicamente neutro, y su origen histórico y dogmático, se funda en la necesidad de que entidades de niveles superiores ayuden a las inferiores cuando estas por sí solas, no sean capaces de alcanzar sus propios fines específicos de manera eficiente, para así lograr el bien común, pero concibiendo este último como un resultado a alcanzar en concreto"[39]. Con razón, García y Verdugo advierten que, en la interpretación constitucional del principio es posible encontrar diversas manifestaciones[40].

Y, es que, en algunos casos se ha aplicado la subsidiariedad en sentido negativo, esto es, como autonomía de los grupos intermedios[41] y en otros, se ha zanjado la discusión constitucional mediante la subsidiariedad positiva, como ocurrió en el fallo sobre el alza de los precios de los planes de las Isapres[42].

En consonancia con lo anterior, concordamos con la doctrina constitucional que concluye que "[L]a teoría constitucional respecto de la subsidiariedad, entonces, se relaciona con una manera reducida de concebir al Estado en materia social y económica. No obstante, esta perspectiva no corresponde a la realidad práctica de la jurisprudencia del Tribunal Constitucional, especialmente después de los paradigmáticos casos de las Isapres. Bajo *esta jurisprudencia, se ha hecho una entonación en la dimensión positiva y activa de la subsidiariedad, de la cual nacen obligaciones que se pueden invocar incluso contra particulares*"[43]. Conforme a esta premisa, en el próximo apartado revisaremos entonces la relación de la solidaridad y la subsidiariedad, no como principios antagónicos, sino como prismas integrados.

3. LA TERCERA VÍA

Conforme a lo expuesto anteriormente, se puede advertir que el sentido del principio de subsidiariedad resulta compatible con el constitucionalismo ya que "protege a las personas de los abusos de las instancias sociales superiores e insta

---

[39] Lagos Torres, Alejandro (2020) "El vilipendiado "principio de subsidiariedad" en Chile antología de malentendidos, en *Revista Derecho Público Iberoamericano*, ISSN 0719-2959, N° 16, pp. 102 -103.

[40] García, José Francisco y Verdugo, Sergio (2015) "Subsidiariedad: mitos y realidades en torno a su teoría y práctica constitucional", en *Subsidiariedad más allá del Estado y del mercado*, IES, p. 221.

[41] Véase sentencias Tribunal Constitucional roles. STC Rol N° 184-1994 c. 7, En el mismo sentido, STC Rol N° 2536-2013 c. 18, STC Rol N° 2537-2013 c. 22, STC Rol N° 2731-2014 c. 28, STC Rol N° 1295-2008 c. 56, STC Rol N° 226-1995 cc. 29 y 30, STC Rol N° 2487-2013 c. 45, STC Rol N° 5437-2018 c. 6, STC Rol N° 5572-2018 c. 8 y 9, STC Rol N° 5650-2018 c. 8 y 9.

[42] Véase STC Rol N°1710-2010.

[43] García y Verdugo (2015) 224. (El destacado es nuestro).

a estas últimas a ayudar a los particulares y a los cuerpos intermedios a desarrollar sus tareas. Este principio se impone porque toda persona, familia y cuerpo intermedio tiene algo de original que ofrecer a la comunidad. La experiencia constata que la negación de la subsidiariedad, o su limitación en nombre de una pretendida democratización o igualdad de todos en la sociedad, limita y a veces también anula, el espíritu de libertad y de iniciativa"[44]. Y, además, el principio de subsidiariedad es compatible con el principio de solidaridad, ello porque la solidaridad no se opone a la libertad y la democracia constitucional y porque ambos están configurados hacia un mismo fin, a saber, el bien común.

A mayor abundamiento, en nuestra doctrina constitucional, no resulta del todo desconocida la relación existente entre el principio de solidaridad y el principio de subsidiariedad. En ese sentido, se ha afirmado que "[E]s efectivo que entre el principio de la solidaridad y el de subsidiariedad en su fase activa, que impone al Estado el deber de actuar cuando las llamadas sociedades inferiores no son capaces o no quieren hacerlo, media una muy sutil distinción, que podría llamar a equívocos (…)"[45]. Por tanto, en la "fase activa" del principio de subsidiariedad como ayuda del Estado propiamente tal, el principio constitucional de solidaridad encuentra también una expresión concreta que no debe ser desconocida o eliminada por una visión que limite la subsidiariedad exclusivamente al ámbito económico y a un rol de abstención del Estado.

Por ello, y con razón en el sentido activo de la subsidiariedad como elemento de solidaridad constitucional, es que resulta necesario ilustrar sus diferencias, pues con todo, no son términos sinónimos, sino complementarios. Así, "el principio de subsidiariedad activo y el de la solidaridad, podríamos decir que el primero mira al cuándo de la actividad estatal mientras que el segundo al por qué de la misma "No es dable confundir el principio de la solidaridad con el principio de subsidiariedad activo, puesto que el primero responde a la pregunta de por qué actúa el Estado (o los particulares), en cambio el segundo dice relación a cuándo tal actividad debe o puede producirse"[46]. De modo que, el complemento entre subsidiariedad y solidaridad se produce desde una relación de causalidad, en que el primero determina al segundo en tanto mecanismo protector de grupos intermedios, desfavorecidos o personas vulnerables, recordando que los principios constitucionales están al servicio de la primacía de la persona, como base de la configuración de cualquier comunidad política.

Y, es que, la función de suplencia del Estado subsidiario es una función de solidaridad constitucional, v.g. como principio de aplicación de equidad y justicia

---

[44] Compendio Doctrina Social de la Iglesia puntos 185 y ss.
[45] Quintana Benavides, A. (2014) "El principio de subsidiariedad" en *Revista de Derecho Público*, p. 636-637.
[46] Quintana Benavides (2014) 637-638.

en términos territoriales, o en términos de distribución de la riqueza mediante políticas públicas sociales que el Estado puede adoptar, si considera la faz positiva de la subsidiariedad como complemento de un Estado social y democrático de Derecho.

En consonancia con lo anterior, aquello se desprende del origen del principio en la doctrina social de la Iglesia, que afirma que el rol realmente subsidiario del Estado permite que aquel "promueva la economía, a causa de la imposibilidad de que la sociedad civil asuma autónomamente la iniciativa; piénsese también en las realidades de grave desequilibrio e injusticia social, en las que sólo la intervención pública puede crear condiciones de mayor igualdad, de justicia y de paz"[47].

De manera que la tercera vía se construye a partir de la acepción que compatibiliza la subsidiariedad como mecanismo constitucional de libertad y solidaridad, y que constituye un elemento que la configura en sentido positivo, sin que deban ser considerados como principios constitucionales antagónicos sino complementarios que velan por el fortalecimiento y apoyo a la Sociedad civil en su relación con el Estado.

Desde esa perspectiva, los grupos intermedios y vulnerables poseen dos mecanismos constitucionales que rigen el obrar de los órganos del Estado, ya que conforme a la misma doctrina social de la Iglesia emana desde la subsidiariedad y solidaridad constitucional la "exigencia de favorecer la participación, sobre todo, de los más débiles, así como la alternancia de los dirigentes políticos, con el fin de evitar que se instauren privilegios ocultos; es necesario, además, un fuerte empeño moral, para que la gestión de la vida pública sea el fruto de la corresponsabilidad de cada uno con respecto al bien común"[48].

CONCLUSIONES

Conforme a lo expuesto precedentemente, es necesario advertir que tanto el principio constitucional de solidaridad y de subsidiariedad deben ser considerados en razón al fin del Estado, esto es el bien común. A partir de ello, ambos principios resultan complementarios.

Lo anterior, no obsta a reconocer, que cada principio ha tenido un desarrollo dogmático, que es más vasto que el sentido constitucional de ambos términos. Pues, ambos tributan a escuelas de pensamiento económicas, políticas y filosóficas que determinan el sentido y alcance de lo que se entienda como subsidiario

---

[47]   Compendio Doctrina Social de la Iglesia, punto 188.
[48]   Compendio Doctrina Social de la Iglesia, punto 188.

o solidario[49]. En esos términos, a partir de la doctrina social de la Iglesia en que ambos principios reciben su Fuente principal, y que ha partir de la tradición judeo cristiana se han plasmado en las Constituciones, v.g chilena de 1980, española de 1978, etc., se puede construir lo que hemos denominado "la tercera vía". Es decir, restablecer el sentido positivo de la subsidiariedad, que proviene del latín, *subsidium,* y supone un Estado que sí interviene en ayuda de los grupos intermedios desfavorecidos. Por tanto, ese sentido es complementario a la solidaridad constitucional, ya en su expresión, territorial, política, social o jurídica dentro de un Estado Constitucional de Derecho, para que los principios constitucionales se encuentren al servicio de la persona humana a partir de la aplicación constitucional que de ellos deben hacer los órganos del Estado.

BIBLIOGRAFÍA

Atria, Fernando; Larraín, Guillermo; Benavente, José Miguel; Couso, Alfredo Joingnat (2013) El otro modelo del orden neoliberal al régimen de lo público. Disponible en: https://fdocuments.es/document/atria-fernando-el-otro-modelo.html.

Carta Encíclica Centesimus Annus Del Sumo Pontífice Juan Pablo II (1991) https://www.vatican.va/content/john-paul-ii/es/encyclicals/documents/hf_jp-ii_enc_01051991_centesimus-annus.html. Fecha de consulta: 03 de septiembre de 2021.

Cea Egaña, José Luis (2020) Derecho Constitucional Chileno, Tomo I, Ediciones UC.

Compendio Doctrina Social De La Iglesia (2004) Disponible en: https://www.vatican.va/roman_curia/pontifical_councils/justpeace/documents/rc_pc_justpeace_doc_20060526_compendio-dott-soc_sp.html#Significado%20y%20aplicaciones%20principales. Fecha de consulta: 31 de agosto de 2021.

Delooz Brochet, Benoît (2019) Equidad y solidaridad territoriales en Chile. Algunas reflexiones preliminares. Ius et Praxis [online], vol.25, n.2 [citado 2021-11-13], pp. 462 - 463. Disponible en: <http://www.scielo.cl/scielo.php?script=sci_arttext&pid=S0718-00122019000200461&lng=es&nrm=iso>. ISSN 0718-0012. http://dx.doi.org/10.4067/S0718-00122019000200461.

---

49   Y que, por cierto, exceden el propósito de esta contribución.

Fernández Segado, F. (2012) La solidaridad como principio constitucional. Teoría Y Realidad Constitucional, (30), 139–181. https://doi.org/10.5944/trc.30.2012.7004

Follesdal, Andreas, (1998) Subsidiarity, Journal of Political Philosophy, Vol. 6, N° 2, pp. 231-259, 1998, Available at SSRN: https://ssrn.com/abstract=1731937.

García, José Francisco y Verdugo, Sergio (2015) "Subsidiariedad: mitos y realidades en torno a su teoría y práctica constitucional", en Subsidiariedad más allá del Estado y del mercado, Instituto de Estudios de la Sociedad. Disponible en: https://www.ieschile.cl/libros/sub.pdf

Guitian, Gregorio (2020) Sobre la formulación del principio de solidaridad de la Doctrina Social de la Iglesia. Teol. vida [online], vol. 61, N° 1 [citado 2021-11-13], p. 23. Disponible en: <http://www.scielo.cl/scielo.php?script=sci_arttext&pid=S0049-34492020000100021&lng=es&nrm=iso>. ISSN 0049-3449. http://dx.doi.org/10.4067/S0049-34492020000100021.

Lagos Torres, A. (2020) El vilipendiado "principio de subsidiariedad" en Chile. Derecho Público Iberoamericano, (16), 69-105. Recuperado a partir de https://revistas.udd.cl/index.php/RDPI/article/view/423.

Mièvre, Jacques (2001) «Le solidarisme de Léon Bourgeois», Cahiers de la Méditerranée [En ligne], 63, mis en ligne le 15 octobre 2004, consulté le 18 novembre 2021. URL: http://journals.openedition.org/cdlm/17; DOI: https://doi.org/10.4000/cdlm.17.

Petersen, Matías (2015) Subsidiariedad, neoliberalismo y el régimen de lo público, en Subsidiariedad más allá del Estado y el mercado, Instituto de Estudios de la Sociedad. Disponible en: https://www.ieschile.cl/libros/sub.pdf.

Quintana Benavides, A. (2014) El principio de subsidiariedad. Revista de Derecho Público, pp. 125-136. doi:10.5354/0719-5249.2014.31682.

Normativa

Consejo Constitucional Francés: Preámbulo de la Constitución francesa de 27 de octubre de 1946 https://www.conseil-constitutionnel.fr/es/preambulo-de-la-constitucion-francesa-de-27-de-octubre-de-1946.

Constitución de la República italiana de 21 de diciembre de 1947. Disponible en: http://www.ub.edu/ciudadania/hipertexto/evolucion/textos/ci1947.html.

Constitución de Alemania. Ley Fundamental para la República Federal Alemana de 1949. Disponible en: https://personal.us.es/juanbonilla/contenido/FAYUE/MATERIALES/LEY%20FUNDAMENTAL%20DE%20BONN.pdf.

Jurisprudencia

Tribunal Constitucional, 31 de enero de 1994, Rol N° 184-1994 "Control de constitucionalidad respecto del proyecto de ley que modifica las Leyes de Mercado de Valores, Administración de Fondos Mutuos, de Fondos de Inversión, de Fondos de Pensiones, de Compañías de Seguros, y otras Materias que Indica." [Fecha de visita 15 de octubre del 2021].

Tribunal Constitucional, 02 de octubre de 1995, Rol N° 226-1995 "Requerimiento de un grupo de Diputados respecto del artículo 1°, inciso tercero; artículo 9°, inciso primero; artículo 20, inciso segundo, y artículo 43, inciso segundo, del proyecto de ley sobre "Libertad de expresión, información y ejercicio del periodismo" [Fecha de visita 15 de octubre del 2021].

Tribunal Constitucional, 31 de diciembre del 2008, Rol N° 1295-2008 "Requerimiento de inaplicabilidad por inconstitucionalidad de catorce Compañías de Seguros Generales respecto de los artículos 3° y 4° del Decreto Ley N° 1.757, de 1977, en recurso de reclamación de que conoce la Corte de Apelaciones de Santiago, causa rol N° 7910-2008." [Fecha de visita 15 de octubre del 2021].

Tribunal Constitucional, 27 de abril del 2010, Rol N° 1710-2010 "Proceso de inconstitucionalidad iniciado de oficio por el Tribunal Constitucional en relación al artículo 38 ter de la Ley 18.933" [Fecha de visita 15 de octubre del 2021].

Tribunal Constitucional, 20 de junio del 2013, Rol N° 2487-2013 "Control de constitucionalidad del proyecto de ley que establece la obligación de los canales de televisión de libre recepción de transmitir propaganda electoral para las elecciones primarias presidenciales en los términos que indica (Boletín N° 8895-06). (D. Oficial: 25/06/2013)" [Fecha de visita 15 de octubre del 2021].

Tribunal Constitucional, 09 de octubre del 2013, Rol N° 2536-2013 "Requerimiento de inaplicabilidad por inconstitucionalidad presentado por la Corporación Club de Deportes Santiago Wanderers respecto del artículo 19, incisos undécimo, exclusivamente en la frase "aumentando en un cincuenta por ciento", duodécimo y decimotercero, del Decreto Ley N° 3.500, que establece el nuevo sistema de pensiones, en los autos RIT A-1264-2007, sobre cobranza previsional, caratulados "A.F.P. Santa María S.A. con Club de Deportes Santiago Wanderers", de que conoce el Juzgado de Cobranza Laboral y Previsional de Valparaíso" [Fecha de visita 15 de octubre del 2021].

Tribunal Constitucional, 09 de octubre del 2013, Rol N° 2537-2013 "Requerimiento de inaplicabilidad por inconstitucionalidad presentado por la Corporación Club de Deportes Santiago Wanderers respecto del artículo 19, incisos undécimo, exclusivamente en la frase "aumentando en un cincuenta por ciento", duodécimo y decimotercero, del Decreto Ley N° 3.500, que establece el nuevo sistema de pensiones, en los autos RIT A-234-2012, sobre cobranza previsional, caratulados "A.F.P. Provida S.A. con Club de Deportes Santiago Wanderers", de que conoce el Juzgado de Cobranza Laboral y Previsional de Valparaíso" [Fecha de visita 15 de octubre del 2021].

Tribunal Constitucional, 24 de octubre 2014, Rol N° 2731-2014 "Requerimiento de inconstitucionalidad presentado por un grupo de Diputados, respecto de los preceptos que indican del proyecto de ley que crea el administrador provisional y administrador de cierre de instituciones de educación superior y establece regulaciones en materia de administración provisional de sostenedores educacionales, contenido en el Boletín N° 9333-04" [Fecha de visita 15 de octubre del 2021].

Tribunal Constitucional, 12 de octubre del 2018, Rol N° 5437-2018 "Requerimiento de inaplicabilidad por inconstitucionalidad presentado por la Caja de Ahorro de Empleados Públicos respecto de los artículos 557, inciso cuarto y 559, inciso primero, letra c), e inciso segundo, ambos, del Código Civil, en los autos caratulados "Fisco de Chile, Consejo de Defensa del Estado con Caja de Ahorros de Empleados Públicos", sobre acción de disolución en juicio sumario, de que conoce el Segundo Juzgado de Letras en lo Civil de Santiago, bajo el Rol C-20381-2018" [Fecha de visita 15 de octubre del 2021].

Tribunal Constitucional, 31 de octubre del 2018, Rol N° 5572-2018 "Requerimiento inconstitucionalidad presentado por Jacqueline Van Rysselberghe Herrera y otros H. Senadores que representan más de la cuarta parte de los senadores en ejercicio respecto del artículo 13, inciso segundo, del Decreto Supremo N° 67, de 23 de octubre de 2018, del Ministerio de Salud, que aprueba el Reglamento para ejercer objeción de conciencia según lo dispuesto en el artículo 119 ter del Código Sanitario" [Fecha de visita 15 de octubre del 2021].

Tribunal Constitucional, 19 de noviembre del 2018, Rol N° 5650-2018 "Requerimiento de inconstitucionalidad presentado por Javier Macaya Danús y otros H. Diputados que representan más de la cuarta parte los diputados en ejercicio, respecto del artículo 13, inciso segundo, del Decreto Supremo N° 67, de 23 de octubre de 2018, del Ministerio de Salud, que aprueba el Reglamento para ejercer objeción de conciencia según lo dispuesto en el artículo 119 ter del Código Sanitario" [Fecha de visita 15 de octubre del 2021].

El principio democrático en la jurisprudencia del Tribunal Constitucional

María Pía Silva Gallinato[1]

INTRODUCCIÓN

Me resulta muy grato sumarme al muy merecido homenaje que la Asociación Chilena de Derecho Constitucional efectúa a través de la publicación de esta obra a quien fuera presidente de su directorio durante un importante período de su actividad, el distinguido profesor don José Luis Cea, de quien destaco el excelente papel que desempeñó en la organización del Congreso Mundial de Derecho Constitucional, que se desarrolló en Chile en 2004 cuando él estaba a la cabeza de la Asociación. El profesor Cea, además de su dilatada, fecunda y reconocida trayectoria como uno de los mejores constitucionalistas que ha tenido este país, se desempeñó como ministro y presidente del Tribunal Constitucional. En esta última calidad le correspondió la desafiante tarea de implementar la reforma constitucional de la ley N° 20.050, que, como se sabe, no sólo modificó la composición de esa Magistratura, sino que le confío nuevas atribuciones. Pero lo que más resulta de justicia destacar es que, durante el período en que participó como uno de sus más connotados miembros, el Tribunal Constitucional solidificó su prestigio y la densidad de su jurisprudencia. Las sentencias y votos de don José Luis tienen un valor particular por cuanto contribuyeron a densificar la doctrina de la máxima judicatura constitucional de nuestro país, como he podido observar, por mi parte, especialmente ahora que tengo la honrosa responsabilidad de integrarla. La figura del profesor Cea se agranda a medida que pasa el tiempo, para mostrarnos a todos la profunda huella que ha dejado en sus alumnos y en el desarrollo del Derecho Constitucional en Chile como queremos destacar en este libro en su homenaje.

Pues bien, en esta ocasión hemos sido convocados para exponer acerca de los principios de interpretación constitucional que el profesor Cea ha debido estudiar en sus investigaciones académicas y que, en su calidad de juez constitucional, le correspondió aplicar.

---

[1]   Licenciada y Magister LLM-UC Mención en Derecho Constitucional. Profesora de Derecho Constitucional de la Pontificia Universidad Católica de Chile y Ministra del Tribunal Constitucional de Chile.

De entre ellos me quiero detener aquí en el denominado "principio democrático", que ha sido el fundamento de varias de las sentencias del Tribunal Constitucional ya que, en ejercicio de su función de control de constitucionalidad no ha podido menos que considerarlo ya que la democracia es base del Estado Constitucional y Democrático de Derecho que consagra la Carta Fundamental y cuyo guardián es justamente la judicatura constitucional.

1. EL PRINCIPIO DEMOCRÁTICO EN EL CONSTITUCIONALISMO ACTUAL

1.1. Al analizar la forma en que la justicia constitucional ha aplicado el referido principio, cabe hacer notar que, como éste impregna el constitucionalismo actual, es tarea primordial de los tribunales constitucionales su defensa y promoción.

Sabemos que históricamente el fenómeno del constitucionalismo surge dentro de una concepción de un Estado Liberal de Derecho, en el cual las constituciones eran concebidas como meras cartas políticas sin que pudiesen imponerse sobre el legislador porque éste no tenía límites por ser el intérprete de la expresión de la voluntad general.

Recordemos que a comienzos del siglo XX y durante el período de entre guerras y, sobre todo, después de la Segunda Guerra Mundial, se comienza a transitar hacia un Estado Constitucional y Democrático de Derecho, en la medida que se comienzan a implementar una serie de medidas correctoras para evitar el llamado "absolutismo del Parlamento", a través de lo que Garrorena denomina "el constitucionalismo racionalizado"[2]. Se hacía necesario adoptar medidas para garantizar el efectivo cumplimiento por el órgano legislativo de las reglas constitucionales, entre las cuales destaca el establecimiento de tribunales especializados en ejercer un control de constitucionalidad sobre su actuación[3].

Se descubre en Europa el valor de la supremacía constitucional –que había sido destacado en el constitucionalismo norteamericano a través del juicio de constitucionalidad de las leyes, planteado ya en El Federalista[4] y luego aplicado en 1803, a través de la sentencia en el célebre caso Marbury con Madison– para

---

[2]   Garrorena, Ángel (2011) *Derecho Constitucional*, Centro de Estudios Políticos y Constitucionales, Madrid, p. 63.

[3]   Como sabemos a Hans Kelsen se atribuye la idea del establecimiento de tribunales constitucionales, como órganos especializados encargados de ejercer el control de constitucionalidad de la ley, siendo el primero de ellos el creado por la Constitución de Austria de 1920.

[4]   Hamilton, A., Madison, J. Y Jay, J., (2001) *El Federalista* Nos. 33 y 78, Ed. Fondo de Cultura Económico, 2001, México, pp.129 y 330.

promoverse, con cada vez con más fuerza, la existencia de una Constitución "garantizada", como la denomina Luis Prieto Sanchís[5], conformada no sólo por normas sino por principios y valores. A ello se suma el reconocimiento de la fuerza vinculante a la Constitución; la imposición de la rigidez constitucional a través de mecanismos que dificultan el cambio constitucional; la consideración de que las leyes y las demás normas jurídicas deben interpretarse conforme a la Constitución y, en fin, a que ésta se aplica e influye directamente sobre las relaciones políticas[6].

El fenómeno descrito llevó al proceso de "constitucionalización del derecho", que propicia que todo el ordenamiento jurídico se encuentre impregnado por una Constitución invasiva, que condiciona la legislación, la jurisprudencia, la doctrina y el comportamiento de los actores políticos[7].

Tres factores influyen en el cambio del constitucionalismo al modelo que conocemos en la actualidad: 1) la definitiva desaparición de cualquier alternativa al principio democrático, que pasa a ser ahora el único e indiscutido de la organización política; 2) la consagración definitiva del sistema de justicia constitucional que, con base en el sistema norteamericano, controla la conformidad de la ley con jurisdicción exclusiva; y 3) la idea de que, para proteger el sistema democrático y el sistema de derechos fundamentales y de los valores sustantivos en que se apoya, es necesario crear un sistema de especial protección de los mismos frente a las mayorías electorales eventuales y cambiantes mediante la justicia constitucional capaz de hacer valer ese núcleo esencial frente a las leyes ordinarias, fruto de posibles mayorías ocasionales[8].

1.2. En este escenario, la democracia es un "valor" esencial, o sea, como dice el Diccionario Panhispánico del Español Jurídico, una de aquellas "ideas básicas o estructurantes de todo el ordenamiento", en este caso, del ordenamiento constitucional. Esa misma definición de los valores contemplada en el referido Diccionario indica después la importancia práctica que tienen para el máximo intérprete de la Carta Fundamental los que se encuentran contenidos en la Carta Fundamental, al expresar, después de la antedicha definición, "la jurisprudencia

---

5   Prieto, Luis (2007) "El constitucionalismo de los derechos", en Miguel Carbonell (coord.): *Teoría del neoconstitucionalismo. Ensayos escogidos*, Ed. Trotta, Madrid, p. 214.

6   Atienza, Manuel (2010) "Constitucionalismo, globalización y derecho", en Miguel Carbonell y Leonardo García Jaramillo (editores): El canon neoconstitucional, Ed. Universidad Externado de Colombia, Bogotá, p. 574.

7   Comanducci, Paolo (2009) "Constitucionalización y Neoconstitucionalismo", en Paolo Comanducci, María Angeles Ahumada y Daniel González Lagier (coord.): *Positivismo jurídico y neoconstitucionalismo*, Ed. Fundación Coloquio Jurídico Europeo, p. 86.

8   García de Enterría, Eduardo (2006) *La Constitución como norma y el Tribunal Constitucional*, 4° edición, Ed. Thomson Civitas, Navarra. pp. 293 y 294.

constitucional se refiere a los valores dándoles habitualmente la misma significación que a los principios".

Es decir, el ideal democrático que fundamenta el orden constitucional es también un "principio", o sea, como dice también el Diccionario, "un axioma que plasma una determinada valoración de justicia construida por doctrina o aforismos que gozan de general y constante aceptación", o como dice Dworkin, una norma que debe ser observada porque es una exigencia de la justicia, la equidad o alguna otra dimensión de la moralidad, o, según las concepción de Robert Alexy, una norma que ordena que algo se realice en la mayor medida posible, de acuerdo con las posibilidades fácticas y jurídicas.

De todas esas concepciones del término "principio" –como es el democrático– resulta que este es un ideal que orienta y regula la vida social a través de normas que lo concretan.

1.3. En la comprensión del principio democrático no puede olvidarse que éste constituye uno de los cimientos sobre los cuales se construye la Carta Fundamental.

Recordemos que la Constitución es "Política", lo cual significa que en ella se establecen los cimientos del poder del Estado. En efecto, si la "política" es la actividad relacionada con el gobierno -como sinónimo de poder del Estado- éste último es un elemento que lo constituye, siendo el poder público, estatal o supremo, "la potencialidad eficaz de conducción de la sociedad política hacia su fin, que es el bien temporal público"[9].

Aunque el poder estatal se vale del derecho para organizar y encauzar la sociedad hacia su fin propio, ese mismo derecho se convierte, al mismo tiempo, en un límite a su propia actividad para garantía de los derechos de los gobernados. Dentro de las normas jurídicas positivas corresponde a la Constitución, como regla suprema y fundamental, fijar en primerísimo lugar dichos límites, siendo así ella el pilar sobre el cual se construye el Estado de Derecho.

Si el poder del Estado es único y singular, éste se concreta a través de las diversas formas de actividad o funciones que ejercen los órganos que lo conforman. Para que tales funciones sean debidamente desempeñadas en resguardo de los derechos fundamentales, deben ejercerse en forma separada por órganos distintos, de manera que a cada uno corresponda una función diferente. Ello supone la existencia de un equilibrio entre dichos órganos para que ninguno anula al otro, dentro de una concepción del principio de separación de las funciones públicas que no es meramente formal –es decir, como una simple distribución de funciones entre distintos órganos como se entendió en los primeros años

---

9   Silva Bascuñán, Alejandro (1997), *Tratado de Derecho Constitucional*, tomo I, Ed. Jurídica de Chile, p. 210.

posteriores a la Revolución Francesa[10]– sino una que necesariamente, para ser tal, exige el establecimiento de un sistema de control recíproco entre ellos, y de pesos y contrapesos.

En ese entendido, si la democracia es el sistema de gobierno que se funda en el respeto de los derechos fundamentales, el reconocimiento del pueblo como titular de la soberanía y su participación en la toma de las decisiones políticas más trascendentales para la garantía de tales derechos, debe existir un modelo en donde prime una auténtica separación de las funciones públicas. Al efecto, cabe recordar la Declaración de los Derechos del Hombre y del Ciudadano de 1789, que da origen al fenómeno del constitucionalismo, en cuanto señala: "Una Sociedad en la que no esté establecida la garantía de los Derechos, ni determinada la separación de los Poderes, carece de Constitución" (art. 16).

1.4. La democracia entonces, como dice Norberto Bobbio, se caracteriza por ser una forma de gobierno en la que la propia sociedad política orienta, dirige y le fija límites al poder del Estado, "[i]mponiéndose un conjunto de reglas que establecen quien está autorizado para tomar las decisiones colectivas y mediante qué procedimientos"[11].

En este último sentido el principio democrático se ajusta a la regla de la mayoría, la cual constituye una condición de eficiencia de la democracia, dado que permite llegar más fácilmente a la decisión colectiva frente a la simple heterogeneidad de la multitud de las opiniones de los individuos integrantes del pueblo. Entendida la democracia como aquella teoría o creencia según la cual la mayoría debe tomar las decisiones colectivas, pues en ella reside propiamente el poder político, entonces ella tiene como fuente el Derecho en el sentido pleno de la expresión, es decir, es el origen mediato e inmediato de derechos y de obligaciones, y no sólo fuente de las fuentes[12].

2. EL PRINCIPIO DEMOCRÁTICO EN LA CONSTITUCIÓN DE 1980

2.1. Recogiendo entonces las distintas aristas que revela el concepto de "democracia", la Constitución chilena va consagrando en su texto una serie de disposiciones que buscan concretarla.

2.2. Así, y dentro del capítulo I sobre Bases de la Institucionalidad, su art. 4° dispone que "Chile es una república democrática", recogiendo de este modo la

---

[10]   Jiménez Asencio, Rafael (2016), *Los frenos del poder*, Ed. Marcial Pons, Madrid, p. 99.
[11]   Bobbio, Norberto (1984) *El futuro de la democracia*, México, Editorial Fondo de Cultura Económica, p. 5.
[12]   Rubio Llorente, Francisco (2012) *La forma de poder. Estudio sobre la Constitución*, Centro de Estudios Políticos y Constitucionales, T.I, 3ª ed., Madrid, p. 91

forma de gobierno que se ha dado nuestro Estado desde sus orígenes. Al aludir a una república y no a una monarquía, la regla afirma que la forma de gobierno que nos rige se caracteriza por la existencia de un Jefe de Estado responsable, que dura en el cargo durante un determinado período de tiempo y que recibe su título del electorado. En el texto de la Carta Fundamental la forma republicana se concreta en que la Jefatura del Estado recae en el Presidente de la República, a quien corresponde el gobierno y la administración del Estado, siendo el Jefe de éste (art. 24 inc. 1°); es elegido en votación directa y por mayoría absoluta de los sufragios válidamente emitidos (art. 26 , inc. 1°); es responsable, ya que es susceptible de ser acusado y condenado en juicio político conforme a las causales que dispone la Carta Fundamental (art. 52 N° 2, letra a) y, por último, dura en el ejercicio de sus funciones por el término de cuatro años, sin poder ser reelegido para el período siguiente (art. 25 inc. 2°).

Pero además la república a que la Carta alude es "democrática", es decir, como señala el Diccionario al definir el concepto de "democracia", en ella existe un "sistema político en el que la soberanía reside en el pueblo, que la ejerce directamente o por medio de representantes". En tal sentido el vocablo "democracia" fue entendido por Abraham Lincoln como el gobierno "del pueblo" –reconociendo a este la titularidad de la soberanía, entendido este último concepto como sinónimo del poder estatal ejercido en su máxima expresión– y "por el pueblo", ya que a él corresponde dirigir y participar en diferentes ámbitos de la vida colectiva y, en especial, en las votaciones populares, ya sea para elegir a sus representantes en los más altos cargos de dirección política, ya para pronunciarse en los plebiscitos al cual pueda ser llamado según lo que disponga la Constitución.

2.3. Otra de las definiciones de la palabra "democracia" que da el Diccionario es la de aquella "forma de sociedad que reconoce y respeta como valores esenciales la libertad y la igualdad de todos los ciudadanos ante la ley" y, en tal sentido, la democracia constituye el gobierno "para el pueblo" –como termina también afirmando Lincoln–, de manera que persigue que todas y cada una de las personas puedan disfrutar del goce efectivo de sus derechos. De este modo la Constitución, después de señalar que el Estado está al servicio de la persona humana y que su finalidad es promover el bien común (art. 1° inciso), asegura los derechos que se comprenden especialmente en su artículo 19. Asimismo, reconoce que los derechos esenciales que emanan de la naturaleza humana constituyen un límite al poder del Estado, siendo deber de sus órganos "respetar y promover tales derechos, garantizados por esta Constitución, así como por los tratados internacionales ratificados por Chile y que se encuentren vigentes" (art. 5° inc. 2°).

2.4. La Carta asegura además el derecho de todas las personas a participar con igualdad de oportunidades en la vida nacional (art. 1° incisos 4° y 5°), participación que, en materia política, se ejercita en los procesos electorales y plebiscitarios a través del derecho de sufragio tanto activo como pasivo por quienes son ciudadanos y, en determinados casos, por los extranjeros que cumplan con los requisitos que señala la Constitución y la ley (arts. 13 a 17). Para el debido ejercicio de tales derechos, la propia Carta Fundamental establece las bases del sistema electoral público que ha de regular la ley orgánica constitucional que se dicte al efecto (art. 18), cumpliendo el Servicio Electoral las labores de administración, supervigilancia y fiscalización de los procesos electorales y plebiscitarios (art. 94 bis) y el Tribunal Calificador de Elecciones la tarea de conocer del escrutinio general de tales votaciones populares y resolver las reclamaciones a que den lugar (art. 95), sin perjuicio del rol que le cabe a los tribunales electorales regionales en relación a otra índole de elecciones (art. 96).

2.5. Por otra parte, el inciso 1° de su art. 5 reconoce que la titularidad de la soberanía -o del poder del Estado- es de la Nación y su ejercicio se realiza por el pueblo, el cual participa en la toma de decisiones colectivas no sólo a través de las elecciones periódicas y plebiscitos, sino también por medio de las propias autoridades que la Constitución establece (art. 5 inc. 1°), entre las que se incluyen las que reciben su título del electorado y lo representan materialmente, como son los parlamentarios, el Presidente de la República, los alcaldes, concejales, gobernadores y consejeros regionales a que alude la Carta en las diversas disposiciones que se refieren a ellos y regulan la composición y atribuciones de los órganos que integran, como son el Gobierno, el Congreso Nacional, las municipalidades y el Gobierno Regional. Nuestro régimen democrático no es sólo representativo, porque también se expresa por medio de las consultas plebiscitarias a que pueden ser convocados los ciudadanos en materia de reforma constitucional (art. 128) y de elaboración y aprobación de una nueva Constitución (arts. 130 y 142), sin perjuicio además de la posibilidad de que las comunidades locales se pronuncien a través de plebiscitos comunales (art. 119).

3. EL PRINCIPIO DEMOCRÁTICO EN LAS SENTENCIAS DEL TRIBUNAL CONSTITUCIONAL

3.1 De todo lo anterior resulta que el Tribunal Constitucional, como órgano encargado de ejercer el control de constitucionalidad de los actos públicos y, en especial, de la ley, cumple un rol esencial en el resguardo de la democracia constitucional.

Ahora bien, si se revisa la jurisprudencia de la Magistratura Constitucional, podemos constatar que el principio democrático ha sido recogido en numerosas de sus sentencias para aplicarlo: a) como manifestación del pueblo soberano a través del ejercicio de los derechos políticos en los procesos electorales a que es llamado, ya sea a través del derecho de sufragio o al de optar y acceder a cargos públicos de elección popular; b) como expresión del pluralismo político, del control ciudadano sobre quienes ejercen autoridad y en resguardo de los derechos fundamentales, en especial de la libertad de expresión y de acceso a la información; c) como expresión del pueblo soberano por medio de las decisiones regularmente adoptadas por quienes actúan como sus representantes, en especial, a través de los integrantes del Congreso Nacional.

Aun cuando los derechos políticos que la Constitución reconoce a los ciudadanos y el sistema electoral que los regula han sido garantizados permanentemente por el Tribunal Constitucional a lo largo de una rica y constante jurisprudencia[13] y el pluralismo y control ciudadano han vinculados al valor de la democracia en diversas sentencias[14], como son muchísimas los fallos que abarcan estas tres miradas del principio democrático que acabamos de esbozar, nos limitaremos a revisar aquí la jurisprudencia de estos últimos años relacionadas con las decisiones autónomas adoptadas por el legislador democrático.

---

[13]   Pueden citarse en materia del derecho de sufragio, entre otras sentencias, la referida a la constitucionalidad de la autorización para que las personas con discapacidad puedan votar de forma asistida (STC rol N° 745); a la infracción al carácter público del sistema electoral y a la igualdad ante la ley en el acceso restringido a la información contenida en el Registro Electoral o en el Padrón Electoral Provisorio (STC rol N° 2152, c. 36°); al alcance de la suspensión del derecho a sufragio por acusación por delito que merezca pena aflictiva contenida en el art. 17 de la LOC N° 18.556, para considerarla constitucional en el entendido que se aplica a las personas respecto de las cuales existe un auto de apertura del juicio oral firme o ejecutoriado (STC rol N° 2152, c. 33°); a la inclusión de criterios demográficos para modificar las circunscripciones electorales (STC rol N° 2777, c. 11°); a la constitucionalidad de la LOC en materia de voto de los chilenos en el extranjero, incluyendo el alcance de la norma relativa a que en cada país en que exista un consulado habrá al menos una Junta Electoral (STC rol N° 3183, c. 14°); a la inaplicabilidad del art. 17 de la ley 18.556, en relación a la comunicación por parte de los tribunales penales al Servicio Electoral cuando una persona haya sido acusada por el Ministerio Público por delito que merezca pena aflictiva (STC rol N° 10.006); a la inconstitucionalidad de la norma que establecía que, en caso de existir una única circunscripción en el país extranjero en que residen los ciudadanos habilitados para sufragar y que decidan voluntariamente inscribirse para participar en los procesos electorales, ella sería cancelada por el Servel si existían menos de nueve electores habilitados para sufragar, por ser contraria al principio pro homine, afectando un derecho fundamental, como es el de sufragio (STC rol N° 11.690, c. 23°).
       En cuanto al derecho a acceder a cargos de elección popular, el Tribunal se ha pronunciado especialmente sobre la inhabilidad para seguir ejerciendo un cargo alcaldicio cuando, durante su desempeño, se pierden los requisitos para acceder a él, lo cual se extiende también a aquellos cargos de carácter representativo en el régimen democrático (STC rol 660, c. 19°); también lo ha hecho respecto de reglas que suspenden a un alcalde en el ejercicio de su cargo cuando es acusado por un delito que merece pena aflictiva (STC Rol N° 4103) o en un proceso de remoción de un alcalde (STC rol N° 9431).

[14]   Así, por ejemplo la sentencia rol 567, recaída en un requerimiento de inconstitucionalidad del Movimiento Patria Nueva Sociedad, que, al recordar que Chile es una república democrática, indica que en ella se admiten como legítimos los diversos intereses, ideas y opiniones, estableciéndose reglas para dirimir pacíficamente los conflictos y las controversias, lo cual únicamente puede existir de la mano del pluralismo, cuyo antecedente histórico es la tolerancia (c. 21° y 22°); o aquellas recaídas en la Ley de Transparencia, que señalan que el principio de publicidad de los actos públicos posibilita el control en una sociedad democrática como la nuestra.

Garantía de que leyes surjan por aplicación del principio democrático

3.1.1 Como toda Carta Fundamental debe establecer un sistema en que el ejercicio del poder político esté institucionalizado y sujeto a límites y controles, aquellos órganos integrados por los representantes del pueblo deben ajustarse a la forma democrática en su actuación por medio de mecanismos que aseguren que sus decisiones se adopten ajustándose a la voluntad mayoritaria, pero con respeto también a la minoritaria.

Es por ello que, al velar por la supremacía constitucional para el mantenimiento del Estado Constitucional y Democrático de Derecho, la justicia constitucional ha de preocuparse no sólo de garantizar que las reglas constitucionales no sean vulneradas, sino que las que emanen del legislador sean fruto de la aplicación del principio democrático.

3.1.2. Para comprender el alcance que tiene el principio democrático en la actividad del legislador, partamos recordando que el fin del Estado es el "bien común", concepto recogido en el art. 1° de la Constitución, que obliga a todos los órganos del Estado –entre ellos al Parlamento–, "a crear las condiciones sociales que permitan a todos y a cada uno de los integrantes de la comunidad nacional su mayor realización espiritual y material posible, con pleno respeto a los derechos y garantías que esta Constitución establece" (inc. 3°).

Mientras tanto, desde un punto de vista subjetivo, concreto, específico o relativo, el bien común comprende la idea de derecho que prevalece en una sociedad política en un momento determinado de su devenir histórico[15], es decir, consiste en el objetivo que inspira a un Estado particular y que se impone por la mayoría en un instante de su existencia. Pues bien, a la importante tarea de auscultar cuál es esa idea de derecho que prevalece en un determinado medio y de concretarla en normas jurídicas vinculantes está llamado, en primerísimo lugar, el órgano legislativo, el cual crea, deroga o adapta la legislación a las necesidades cambiantes de una sociedad que espera del Estado en un sistema democrático tanto poder participar en la toma de las decisiones colectivas, como que éste asegure el debido ejercicio de los derechos fundamentales de personas y grupos.

3.1.3 Consecuentemente, desde un punto de vista sustantivo, en el establecimiento del ideal de derecho que se impone por decisión mayoritaria al órgano legislativo se le reconoce amplia autonomía para determinar tanto el contenido como la oportunidad de la ley, con el único límite de que su actuación no sea arbitraria y contraria a la Constitución, y, desde un punto de vista formal, el Parlamento también posee independencia para adoptar las decisiones que juzgue adecuadas para ir avanzando en el debate, tramitación y aprobación de los

---

15   Silva Bascuñán (1997) 199-200.

proyectos de que conozca, aunque siempre dentro de los límites que deriven del proceso legislativo establecido tanto por la Carta Fundamental como por la ley[16].

Como sostiene Peter Häberle, el Parlamento constituye el "principal órgano legitimado democráticamente de manera directa. Incluso en una democracia le corresponde una especial legitimación, ya que representa la diversidad del pueblo dividido pluralistamente y en cierto modo es un 'espejo', un foro amplio de la Nación"[17]. Lo recién afirmado conduce principalmente a que en las Cámaras se produzca el debate legislativo para ir determinando cuál voluntad se va imponiendo para dar origen a la ley que emane de su labor, sin perjuicio, por cierto, del importante rol que la Constitución también confía al Ejecutivo en su calidad de colegislador. Ello es expresión de lo que Ferrajoli denomina "dimensión formal de la democracia política", porque se asegura a través de las reglas de formación de la ley ellas la expresión de la voluntad de la mayoría[18].

3.1.4. Pues bien, el principio democrático busca que la ley resulte ser efectivamente manifestación de la voluntad mayoritaria del Congreso, para lo cual, durante su formación, se debe garantizar la intervención de todos los sujetos legitimados mediante un procedimiento público.

Respecto de la forma en que se tramitan los proyectos de ley, en general se ha planteado que las actuaciones privativas de las Cámaras, que son de carácter político, están exentas del control de constitucionalidad por cuanto la mayoría de ellas corresponden a prácticas que permiten arribar a los consensos requeridos o a reglas de carácter reglamentario relacionadas con cuestiones políticas. Se ha dicho al efecto que "[e]l control jurisdiccional de los actos internos de las Cámaras Legislativas sólo es posible en casos excepcionales, ya que el rol institucional del alto tribunal está guiado no por la misión de control contra-mayoritario de los poderes políticos, sino por el acompañamiento coordinado del gobierno mayoritario, limitándose a controlar el respeto de las reglas del proceso democrático. Para la opción democrática, el estándar de balance del ejercicio del control de constitucionalidad es estricto frente a los procesos mayoritarios, cuando se alteran o lesionan las reglas que regulan dicho proceso democrático; la doctrina de las cuestiones políticas no justiciables juega un papel relevante en el mecanismo del control de constitucionalidad; y la autonomía de las cámaras y sus facultades discrecionales o reservadas, propio de la división de poderes, sólo pueden verse afectadas ante situaciones excepcionales, producto de la violación de las reglas del juego democrático o de la manifiesta o grosera alteración de un

---

[16]   Para Häberle (2007), la actividad legislativa "puede concebirse como procesamiento permanente del cambio social en el tiempo y ofrece variedad de procedimientos y técnicas pertinentes", en *El Estado Constitucional*, Ed. Astrea, Buenos Aires, p. 158.

[17]   Häberle (2007) 339.

[18]   Ferrajoli, Luigi (2000) *Derechos y garantías*, 7º edición, Ed. Trotta Madrid, p. 23.

precepto constitucional"[19]. Es por ello que la jurisdicción constitucional ha de reconocer discrecionalidad al legislador en relación a los interna corporis acta, porque recaen en decisiones de carácter político, vinculadas a la apreciación de la conformidad del acto con el fin propuesto, con su adecuación, conveniencia y eficacia, sin que quepa respecto de ellos ejercen un control jurídico de naturaleza constitucional.

Pues bien, dentro de los criterios que ha empleado el Tribunal Constitucional en ejercicio de su función de controlar la constitucionalidad de la ley para auto limitarse en ámbitos relacionados con las funciones privativas que corresponden al Parlamento, como órgano encargado de representar la voluntad política del pueblo, se encuentra el principio democrático, el cual sólo si es abiertamente vulnerado y con ello conduce a la infracción de un precepto constitucional, puede llevar al Tribunal Constitucional a intervenir.

La justicia constitucional, por lo tanto, debe proteger las prerrogativas del legislador en aquellos aspectos en que tiene un margen de decisión que no es enjuiciable por el Tribunal. Sin embargo, como dijo Andreas Vozkuhle, en el discurso que dio en Chile en 2018, en su calidad entonces de presidente de la Corte Constitucional Federal de Alemania, el alcance de ese margen es "difícil de determinar de manera abstracta. Depende en particular del objeto y la naturaleza del tema en cuestión, de los bienes jurídicos en juego, la intensidad de la injerencia, y del alcance de los parámetros constitucionales de control existentes"[20].

3.1.5. Durante el proceso de tramitación de la ley la discusión que se produzca dentro del Parlamento debe fundarse en el valor democrático, lo cual significa que todos sus miembros tienen derecho a ser escuchados y a participar en el debate como única forma de lograr que la ley sea fruto del intercambio de opiniones y del consenso a que se arribe. Entonces para que la ley sea efectivamente manifestación de la voluntad del Parlamento (y por ello imputable al pueblo soberano) su elaboración debe ajustarse a un procedimiento público que respete la regla de la mayoría, la participación de todos los intervinientes en condiciones de libertad e igualdad y una adecuada publicidad y transparencia de las actuaciones que ocurran dentro de las Cámaras, constituyendo el secreto una excepción.

Por lo anterior, el juez constitucional debe declarar contrarios a la Ley Fundamental únicamente aquellos vicios de inconstitucionalidad de forma que hayan influido decisivamente en el resultado y siempre que no hayan sido después corregidos o subsanados durante su misma tramitación. Se ha señalado al efecto

---

[19]   Amaya, Jorge Alejandro (2013) "El control jurisdiccional de los interna corporis acta", en Estudios de Derecho Público, de la Asociación de Docentes de la Facultad de Derecho y Ciencias Sociales, Universidad de Buenos Aires, pp. 54-55.

[20]   *El Tribunal Constitucional de Chile y la Corte Constitucional Federal de Alemania* (2019), edición del Tribunal Constitucional de Chile, p. 43.

que "un vicio se subsana o convalida si en una actuación posterior se corrige la infracción. Una infracción a una regla del procedimiento puede ser subsanada, ya sea por sanación, es decir, por el cese de sus consecuencias negativas, o por subsanación, esto es, por la corrección del vicio en cuanto tal"[21].

3.1.6. Es tarea entonces del Tribunal tratar de mantener vigentes las reglas legales para asegurar así la seguridad y certeza del derecho, evitando en lo posible las graves consecuencias que produce su invalidez debido a la laguna preceptiva que resulte de ella, especialmente si el legislador no cubre de inmediato el hueco que deja tal vacío.

Recogiendo estas ideas el Tribunal Constitucional afirmó, en sentencia rol N° 558:

> *"Que el ordenamiento constitucional es un sistema normativo, que regula poderes públicos, reconoce y ampara derechos subjetivos y fundamenta, en fin, la cohesión y equilibrio político y social. La exclusión de una norma legal es consecuencia de la ruptura de ese ordenamiento, para restablecerlo en plenitud. Dicha finalidad no se logra si la expulsión del precepto legal puede acarrear efectos aún más nocivos que los que produce su pervivencia. Una decisión de tal envergadura requiere, pues, la ponderación de su conveniencia para el orden constitucional que esta Magistratura debe cautelar. El criterio adecuado para calificarlo es la determinación de las consecuencias de la desaparición del precepto legal. Si deviene una situación más perjudicial o negativa que la preexistente a su anulación, no resulta conveniente para el interés público y la plena vigencia del Estado de Derecho la derogación de la norma"[22].*

3.1.7. Ello se acentúa respecto del control que ejerce el juez constitucional sobre las infracciones de las reglas formadoras de la ley, debiendo distinguirse entre aquellos vicios que son relevantes y los que no lo son, porque sólo los primeros pueden ser juzgados por el Tribunal Constitucional. Como dice Paloma Biglino[23], en el caso de la ley –como ocurre con otros tipos de actos públicos o privados– el procedimiento desempeña una función instrumental, por lo tanto, sólo si se altera el diseño institucional fundado en la adecuada deliberación democrática producida en el seno de las Cámaras, el defecto puede llevar a la nulidad del acto.

Así el Tribunal Constitucional en la sentencia rol N° 2646[24] sostuvo *que "un vicio se subsana o convalida si en una actuación posterior se corrige la infracción. Ello puede*

21 Palacios Torres, Alfonso (2005) *Concepto y control del procedimiento legislativo*. Universidad Externado de Colombia, Bogotá, p. 301.
22 Cons. 19°.
23 Biglino, Paloma (2001) "Parlamento, principio democrático y justicia constitucional", en *Revista de Derecho de la Universidad Austral de Chile*, Vol XII, p. 186.
24 STC rol 2646, de 22 de abril de 2014.

ocurrir en la misma Cámara donde se originó la posible infracción o bien en la Cámara revisora, siempre que esté habilitada al efecto", siendo tal criterio *"el que ha informado implícitamente la jurisprudencia de esta Magistratura. Cuando ésta ha elevado los defectos de forma al carácter de inconstitucionalidades, en el trámite de control preventivo obligatorio o preventivo provocado, ha restringido su declaración sólo a vicios que han influido decisivamente en el resultado de la tramitación legislativa y siempre que aquéllos no hayan sido ulteriormente corregidos durante la tramitación. Tal ha sido el caso, v. gr., de los roles 1.410 y 1.504, citados en considerando 33° del mencionado Rol 2025, que reconducen a hipótesis de actuaciones irreversibles e irrevocables en la tramitación legislativa"*[25].

En el mismo sentido, el Tribunal ha desechado requerimientos de inconstitucionalidad de la ley por haberse presentado en una etapa prematura de su tramitación, fundado en que, en tales casos, aún existe margen para que el legislador enmiende los vicios alegados durante lo que resta de su formación. De este modo en sentencia rol N° 2411, de 23 de marzo de 2013, sostuvo que los reproches que formulaba el requerimiento en una etapa tan inicial de la deliberación parlamentaria presupone que no se encuentra aún consolidado el conflicto o cuestión de constitucionalidad, puesto que es requisito sine qua non que la inconstitucionalidad sea patente, manifiesta, palmaria o evidente[26].

Asimismo, al examinar un requerimiento de inconstitucionalidad en contra del proyecto que aprobaba un tratado internacional, aplicó distintos criterios para no admitirlo a trámite, sosteniendo al efecto que: *"En primer lugar, el requerimiento parlamentario es prematuro puesto que aún no se ha suscitado una cuestión de constitucionalidad. En segundo lugar, el problema planteado por este requerimiento es un conflicto normativo aún en desarrollo al interior del Congreso Nacional. En tercer término, no es razonable que el Tribunal Constitucional invada las prerrogativas del Congreso ni ejerza una función consultiva de la que carece. En cuarto término, la deliberación democrática de los tratados internacionales se debe ceñir al deber del Congreso Nacional de garantizar el orden institucional de la República. Y, finalmente, esta cuestión de constitucionalidad podría suscitarse en el futuro y el efecto de esta inadmisión a trámite es que puede presentarse nuevamente ante el Tribunal Constitucional en el cumplimiento de requisitos constitucionales y legales"*[27]. Refiriéndose en dicha sentencia al debate democrático que se estaba desarrollando todavía en el Parlamento, sostuvo que la función jurisdiccional de garantía de la supremacía constitucional *"no lo convierte en un suprapoder omnímodo puesto que la Constitución asigna, distribuye y arbitra atribuciones y competencias a un conjunto mucho más amplio de órganos del Estado. Entre las funciones asignadas a partir de la ley de reforma constitucional N° 20.050, compete a todos los órganos del Estado "garantizar el orden institucional de la República" (inciso primero del*

---

[25] Cons. 30° y 31°.
[26] Cons. 4°
[27] STC Rol N° 6662, cons.1°.

artículo 6° de la Constitución)", para concluir que *"nos parece que este es un caso en donde el Tribunal Constitucional no puede pronunciarse, puesto que el problema aún está dentro del ámbito del deber de garantizar el orden institucional de la República que pesa sobre los colegisladores, conforme le corresponde a cada Cámara, por lo que corresponde que el procedimiento continúe desarrollándose en forma progresiva y en sus distintas etapas con el fin de ir avanzando en el debate, tramitación y aprobación del proyecto de acuerdo de tratado internacional sometido a la decisión del Congreso Nacional, ya que aún no se ha suscitado la cuestión de constitucionalidad entre las Cámaras o en su interior. Si esto último acontece no rehuiremos el deber de pronunciarnos"*[28].

También, en sentencia rol N° 9529, expresó que *"el Tribunal Constitucional ha de ser cuidadoso para juzgar los eventuales vicios de forma producidos durante la formación de la ley, siendo guardián asimismo del principio democrático, como señala Paloma Biglino (2001) (Parlamento, principio democrático y justicia constitucional, Revista de Derecho Universidad Austral de Chile, Vol. XII, pp. 183 y 184)"*, lo cual *"le impone la necesidad de respetar la voluntad del órgano que expresa la soberanía popular. Es cierto que dicho principio justifica la existencia de controles acerca de la manera en que se ha formado dicha voluntad. Pero también es verdad que dicho principio obliga a establecer las fronteras que corresponden al enjuiciamiento constitucional" (Biglino, 2001: 188)"*[29]-[30].

En fin, al no admitir a trámite un requerimiento del Ejecutivo en contra del proyecto de reforma constitucional que establecía un tercer retiro de los fondos previsionales que los afiliados mantenían en sus AFP, mediante resolución en causa Rol N° 10.774 señaló que *"parece discutible la existencia de una cuestión de constitucionalidad concreta, susceptible de ser analizada –al menos en este momento– considerando*

---

[28]   Considerandos 19° y 20°.

[29]   Cons. 3°.

[30]   En el voto disidente de la causa rol 9797 se señaló que el requerimiento del Presidente de la República deducido en contra de la reforma constitucional que permitía un segundo retiro de los fondos previsionales no debía ser acogido a trámite, entre otras razones, porque el conflicto era prematuro, ya que *"no resulta prudente que, existiendo todavía etapas legislativas para la deliberación democrática de la ley, el Tribunal Constitucional entre a conocer del presente requerimiento"* (c. 8°). Asimismo, el voto disidente en la sentencia de 30 de diciembre de 2020 expresó que *"las controversias de carácter político que surjan entonces durante la discusión en el Congreso Nacional se resuelven generalmente a través del control que los propios órganos colegisladores ejercen y no mediante un control jurídico, como es el que compete al Tribunal Constitucional. Los acuerdos políticos y las negociaciones para llegar a zanjar las discrepancias de esa índole se vinculan directamente con el principio democrático, ya que es en el Parlamento donde se refleja el pluralismo y la división de los poderes y, aunque tal órgano decide conforme a la regla de la mayoría, también se preocupa de articular cauces de participación para las minorías (Biglino, Paloma (2001). Parlamento, principio democrático y justicia constitucional, en Revista de Derecho de la Universidad Austral de Chile, Vol XII pp. 180-181)"*(c. 21°); *"De este modo, este Tribunal Constitucional se encuentra regido por el principio de impulso de parte y por el principio de competencia específica: solo puede actuar a petición de parte y no puede extenderse a asuntos no sometidos a su conocimiento en el marco de la traba de la litis, todo ello en el marco de sus atribuciones constitucionales, que en este caso se refiere a un proyecto de norma que fue rechazado, careciendo entonces de objeto el proceso, pues lo que se cuestionó es el texto y no actos procedimentales de su tramitación"* (c. 22°).

la etapa en que se encuentra, las negociaciones existentes entre los colegisladores que permita destrabar la controversia y, aún más, encontrándose aún pendiente el ejercicio del veto presidencial que podría tener efectos modificatorios respecto de la iniciativa legal." (c. 4°). Luego sostuvo que: *"Al no acoger a tramitación el requerimiento presidencial, este Tribunal no está excusándose de conocer, sino que simplemente está constatando que el conflicto no se encuentra asentado jurídicamente de manera definitiva con los elementos planteados en el requerimiento que formularlo en esos términos es parte de las cargas procesales de quien requiera la intervención de éste órgano jurisdiccional, ya que de otra forma el conocimiento de la cuestión planteada, habiéndose aperturado el debate legislativo sobre la misma materia y entre los mismos órganos, actuando como colegisladores, llevaría a este tribunal decidir políticamente y no jurídicamente en sentido estricto"* (c. 10°).

3.1.8. Por último, vinculado asimismo a los principios democráticos y de separación de funciones públicas que lo garantiza, este Tribunal Constitucional, en diversas sentencias ha reconociendo la esfera de autonomía que cabe reconocer al legislador en relación al contenido sustancial de la ley, expresando que ésta *"comprende, básicamente, el conjunto de apreciaciones de conveniencia y oportunidad política que lo llevan a la adopción de una u otra fórmula normativa"*(STC Roles Nos. 1219, c. 10° y 1295, c. 28°), sin que le competa emitir un juicio de mérito técnico o político sobre la ley (STC Rol N° 141, c. 26°, 465 c. 22°, 1838 c. 36°, 2487 c. 15°, entre otras), por cuanto esa Magistratura *"no legisla ni administra, ni entra a calificar la bondad de las disposiciones legales o administrativas sometidas a su control. Sólo debe resolver si dichos actos se ajustan o no a los preceptos constitucionales. De una parte, debe velar por que la ley o el decreto no vulneren los límites constitucionales y, de otra, no puede inmiscuirse en la esencia del ejercicio de la función pública que le corresponde al Congreso Nacional, al Presidente de la República o a los otros tribunales de la organización de justicia, y sólo cuando el Parlamento exceda su ámbito de competencia, infringiendo los márgenes contemplados en la Constitución, o violente el proceso de formación de la ley, el Tribunal Constitucional puede intervenir para reparar los vicios de inconstitucionalidad en que éste haya incurrido"* (STC Rol N° 517 c. 12°). Es por ello que el Tribunal no puede incorporar *"a los fundamentos de sus resoluciones cualquier elemento de ese carácter"* (STC Rol N° 231, c. 7° y rol N° 242 c. 3°), debiendo *"prescindir de cualquier consideración o raciocinio factual"* (STC Rol N° 325, c. 38). Tampoco está facultado para cuestionar *"la precisión, completitud y eficiencia de la ley"*, ya que no puede sustituir *"el juicio propio del legislador ni juzgar la sabiduría o mérito de los instrumentos que emplea"* (STC N° 1295, c. 2), expresando que *"sólo cuando el Congreso Nacional excede su ámbito de atribuciones, infringiendo los márgenes contemplados en el texto, principios o valores esenciales de la Carta Fundamental, o violenta el proceso de formación de la ley, el Tribunal Constitucional puede intervenir para reparar los vicios de inconstitucionalidad en que éste haya incurrido"* (STC Rol 1254, c. 26°). Por último, al enfrentarse a una omisión del legislador sostuvo que su control *"se mueve en un plano en que debe mantenerse el equilibrio entre el principio de garantía de la Constitución, cuya concreción está cargo del órgano llamado a ejercer la justicia constitucional, por una parte, y el respeto al principio democrático, encarnado por el Poder Legislativo"* (STC 5272, c. 24°).

Lo anterior le ha llevado también a expresar que *"Como el Tribunal Constitucional sólo ejerce un control de juridicidad o jurídico, vinculado a la constitucionalidad de los preceptos legales, y no un control político o de las "cuestiones políticas", porque esto último es facultad privativa del órgano legislativo, ha de respetar el principio del "judicial restraint" –es decir, de la auto limitación judicial– o también llamado de la"deferencia razonada" o de la "corrección funcional", el cual –según Pérez Luño– "[o]bliga al intérprete a respetar el marco de distribución de funciones estatales consagrado por la Constitución"* (Pérez Luño, Antonio E. (2010). Derechos Humanos, Estado de Derecho y Constitución. Madrid. Ed. Tecnos, 10° ed., p. 283), *para así no desvirtuar la distribución de funciones y el equilibrio entre los poderes del Estado diseñado por la Constitución"* (STC rol 8614, c. 52°).

CONCLUSIONES

Siendo la democracia la base sobre la cual se construye la estructura de la Constitución Política y el fundamento directo de diversas normas contenidas en su texto, el Tribunal Constitucional lo ha aplicado como principio en diversas de sus sentencias.

Entre éstas hemos destacado las que han aludido al principio democrático en relación a la actividad legislativa, de manera de asegurar que la ley resulte ser efectivamente manifestación de la voluntad mayoritaria del Congreso, siendo el Tribunal un garante del proceso deliberativo que se produzca en su seno, para auto limitarse en ámbitos relacionados con las funciones privativas que corresponden al Parlamento –como órgano encargado de representar la voluntad política del pueblo– y respetuoso de la autonomía del legislador en cuanto al contenido sustantivo y oportunidad de la ley, para intervenir únicamente en los casaos en que sea necesario reparar los vicios de inconstitucionalidad en que haya incurrido.

BIBLIOGRAFÍA

Amaya, Jorge Alejandro (2013) "El control jurisdiccional de los interna corporis acta", en Estudios de Derecho Público, de la Asociación de Docentes de la Facultad de Derecho y Ciencias Sociales, Universidad de Buenos Aires.

Atienza, Manuel (2010) "Constitucionalismo, globalización y derecho", en Miguel Carbonell y Leonardo García Jaramillo (editores) El canon neoconstitucional, Ed. Universidad Externado de Colombia, Bogotá.

Biglino, Paloma (2001) "Parlamento, principio democrático y justicia constitucional", en *Revista de Derecho de la Universidad Austral de Chile*, Vol XII.

Bobbio, Norberto (1984) *El futuro de la democracia*, México, Editorial Fondo de Cultura Económica.

Comanducci, Paolo (2009) "Constitucionalización y Neoconstitucionalismo", en Paolo Comanducci, María Angeles Ahumada y Daniel González Lagier (coord.): *Positivismo jurídico y neoconstitucionalismo*, Ed. Fundación Coloquio Jurídico Europeo.

Ferrajoli, Luigi (2000) *Derechos y garantías,* 7° edición, Ed. Trotta Madrid.

García De Enterría, Eduardo (2006) *La Constitución como norma y el Tribunal Constitucional,* 4° edición, Ed. Thomson Civitas, Navarra.

Garrorena, Ángel (2011) *Derecho Constitucional,* Centro de Estudios Políticos y Constitucionales, Madrid.

Para Häberle (2007) *El Estado Constitucional,* Ed. Astrea, Buenos Aires.

Hamilton, A., Madison, J. y JAY, J. (2001) *El Federalista,* Ed. Fondo de Cultura Económico, México.

Jiménez Asencio, Rafael (2016) *Los frenos del poder,* Ed. Marcial Pons, Madrid.

Palacios Torres, Alfonso (2005) *Concepto y control del procedimiento legislativo.* Universidad Externado de Colombia, Bogotá.

Prieto, Luis (2007) "El constitucionalismo de los derechos", en Miguel Carbonell (coord.): *Teoría del neoconstitucionalismo. Ensayos escogidos,* Ed. Trotta, Madrid.

Rubio Llorente, Francisco (2012) *La forma de poder. Estudio sobre la Constitución,* Centro de Estudios Políticos y Constitucionales, T.I, 3ª ed., Madrid

Silva Bascuñán, Alejandro (1997) *Tratado de Derecho Constitucional,* Tomo I, Editorial Jurídica de Chile, Santiago.

Vozkuhle, Andreas (2019) *El Tribunal Constitucional de Chile y la Corte Constitucional Federal de Alemania,* edición del Tribunal Constitucional de Chile.

Atributos del juez constitucional para la vigencia del principio de independencia

Sebastián Soto Velasco[1]
y Alejandra Ovalle Valdés[2]

"Preocuparse del Juez Constitucional, asignándole preponderancia sobre los demás elementos de la Justicia Constitucional, equivale a priorizar las personas por encima de las estructuras, la creatividad y razonabilidad antes que la sumisión rígida a normas formales".

José Luis Cea Egaña[3].

INTRODUCCIÓN

Si se observan los primeros textos constitucionales chilenos, se encuentran diversas menciones a la independencia del Poder Judicial[4]. Junto a ellas, también se pueden leer algunas disposiciones que delinean las cualidades que deben tener quienes ejercen la judicatura. Tal vez la más pretensiosa es la contenida en la Constitución de 1818 que señalaba: "integridad, amor a la justicia, desinterés, literatura y prudencia deben ser las cualidades características de los miembros del Poder Judicial"[5].

El tiempo ha hecho que este tipo de cláusulas ya no figuren en nuestros textos. La independencia del Poder Judicial se instaló como una base evidente de la estructura de poderes lo que hacía superflua cualquier declaración. Y en lo que respecta a las cualidades del juez, las futuras constituciones las reemplazaron por

---

[1] Licenciado en Derecho Pontificia Universidad Católica de Chile, Master en Derecho LLM Universidad de Columbia y Doctor en Derecho Universidad de Chile. Profesor de Derecho Constitucional y Director del Departamento de Derecho Público de la Facultad de Derecho de la Pontificia Universidad Católica de Chile. Agradezco especialmente la colaboración de la ayudante Magdalena Loeser.

[2] Licenciada en Derecho y Magíster en Derecho Público con mención en Derecho Constitucional, Pontificia Universidad Católica de Chile. Profesora de Derecho Constitucional de la Pontificia Universidad Católica de Chile.

[3] Cea Egaña, José Luis "Imagen del juez y de la justicia constitucional en América Latina". En: Cea Egaña, José Luis (2006): Escritos de justicia constitucional. Santiago: Cuadernos del Tribunal Constitucional N° 35, Tribunal Constitucional, pp.170–192. p. 181.

[4] Así, por ejemplo, el artículo 2 de la Constitución de 1818, los artículos 12 y 158 de la Constitución de 1822 y el artículo 19 de la Constitución de 1823.

[5] Artículo 2, Título V, Capítulo 1 de la Constitución de 1818.

requisitos objetivos –tales como los años de ejercicio de la abogacía– delegando además a la ley sus especificaciones.

Este silencio, que se adecúa bien a constituciones más reglamentarias sin aspiraciones declarativas, no puede hacernos olvidar que para la vigencia efectiva del orden constitucional es de máxima importancia examinar también las cualidades de quienes ejercen la función pública.

Es por eso que nuestro homenajeado y querido amigo, el profesor José Luis Cea Egaña, ha relevado en diversos escritos e intervenciones la importancia que presenta el perfil y atributos del juez constitucional para el adecuado funcionamiento y legitimidad de la justicia constitucional. Hace más de 15 años el profesor Cea se preguntaba por qué eran tan escasos los estudios referidos al juez constitucional, en circunstancias que abundaban los concernientes a la naturaleza, estructura y funciones de los tribunales que aquellos integran[6]. Tal realidad parece desconocer el hecho de que "el juez es determinante del éxito, rutinización o fracaso de esa Justicia"[7].

En este trabajo argumentamos que la independencia de la justicia constitucional está íntimamente unida a las cualidades de los jueces y juezas que la integran. Reconocemos que, para la independencia de los órganos jurisdiccionales, debe prestarse enorme atención a los mecanismos y arreglos constitucionales que rigen estas instituciones. Así, las reglas que regulan los nombramientos, el estatuto de los magistrados, las inhabilidades y otros similares son de máxima importancia para el resguardo de la independencia. Con todo, tal diseño nunca será suficiente si la institución no está integrada por un conjunto de mujeres y hombres que, por las cualidades que presentan, hacen de la función jurisdiccional que ejercen una labor a la altura de la responsabilidad que tienen en sus manos. Con el objeto de destacar esas virtudes tan relevantes para el principio de independencia, este trabajo examina los testimonios de quienes han ejercido la tarea de juzgar y extrae, desde la propia experiencia, un conjunto de cualidades sobre las que invitamos a reflexionar.

El primer capítulo se detiene en la independencia de la justicia constitucional destacando tanto su importancia como los mecanismos institucionales que usualmente se utilizan para resguardarla. Un acápite final complementa esta mirada cuando analiza la reflexión que hizo el Tribunal Constitucional chileno sobre su independencia y los riesgos latentes. El segundo capítulo examina las cualidades que deben tener los jueces constitucionales para dar vida al principio de independencia. En particular analizamos la figura del juez constitucional como

---

[6]   Cea Egaña, José Luis (2003) "Perfil axiológico, independencia y responsabilidad del juez constitucional". Ius et Praxis, vol.9, N°2, pp.187-199, p.188.

[7]   Cea (2006) 170.

soporte del orden constitucional y luego extraemos del testimonio y reflexiones de algunos jueces las cualidades que nos parecen valiosas. Así destacamos la independencia respecto de sí mismo, el autocontrol, la autoestima, el respeto por el derecho, la imparcialidad reflexiva, la confianza y la cultura deliberativa. Por último, el artículo termina con una breve conclusión.

1. INDEPENDENCIA DE LA JUSTICIA CONSTITUCIONAL

1.1. La importancia de la independencia

Mucho se ha teorizado en torno a las distinciones y variadas dimensiones que involucra el principio de independencia judicial, desarrollos que habitualmente responden a la función que es propia de la justicia ordinaria y a las estructuras orgánicas que caracterizan al Poder Judicial. Atendidas las diferencias que presenta el control de constitucionalidad encomendado al Tribunal Constitucional, resulta pertinente adoptar un concepto amplio de jurisdicción independiente, entendiéndola como aquella que se ejerce "basándose en los hechos y en consonancia con el derecho, sin restricción alguna y sin influencias, alicientes, presiones, amenazas o intromisiones indebidas, sean directas o indirectas, de cualesquiera sectores o por cualquier motivo"[8].

La independencia de los jueces constituye una exigencia del Estado de Derecho que se encuentra suficientemente consolidada en el constitucionalismo, puesto que es condición para una actuación judicial guiada por lo prescrito en el ordenamiento jurídico. Resulta fútil que gobernantes y ciudadanos se rijan por el derecho, si al momento de someter un asunto a la decisión de un tribunal éste resuelve –de un modo definitivo– sobre la base de consideraciones distintas de la aplicación del derecho[9].

A su vez, el Derecho internacional de los Derechos Humanos ha reforzado la independencia judicial, en cuanto elemento esencial del derecho a un juicio justo o de las garantías judiciales reconocidas a toda persona[10]. La Corte Interamericana de Derechos Humanos ha señalado que este derecho, del que es titular el justiciable, tiene como correlato el deber que pesa sobre las autoridades públicas

---

[8]   Naciones Unidas (1985) Principios básicos relativos a la independencia de la judicatura, N° 2.
[9]   En Raz, Joseph (1979) The authority of law: Essays on law and morality. Oxford: Clarendon, pp. 216-217.
[10]   Así, por ejemplo, el artículo 10 de la Declaración Universal de Derechos Humanos, el artículo 14 del Pacto Internacional de Derechos Civiles y Políticos y el artículo 8 de la Convención Americana sobre Derechos Humanos.

de abstenerse de realizar cualquier injerencia indebida en la función judicial, así como la obligación que se impone al propio juez de actuar únicamente movido por el derecho y de fallar conforme a derecho[11].

Sin desconocer que se trata de un asunto controvertido, creemos que al Tribunal Constitucional le corresponde ejercer un control de naturaleza jurídica, respetando las garantías constitutivas del debido proceso y resolviendo la constitucionalidad de una norma mediante una decisión fundada en el derecho y no en consideraciones políticas, de mérito o ideológicas.

Como es bien sabido, una de las principales críticas que enfrenta en la actualidad el Tribunal Constitucional chileno es la referida a su politización. La existencia de un Tribunal Constitucional receptivo a las influencias políticas no solo desnaturaliza la función que le cabe en el Estado de Derecho, sino que conspira en contra de su propia legitimación y de la confianza que genera en la ciudadanía. Barack entiende que la confianza se expresa en "que el público reconozca la legitimidad de las decisiones judiciales, incluso cuando discrepen de su contenido"[12]. Bühlmann y Kunz anotan que esta legitimidad descansa fundamentalmente en los atributos de las instituciones judiciales, ya que carecen de aquella que alcanzan los órganos políticos mediante elecciones populares competitivas. En este sentido, sostienen sobre la base de un análisis empírico que la legitimidad institucional de la judicatura -medida en términos de confianza individual hacia el sistema judicial- correlaciona con su nivel de independencia[13]. Esta arista es especialmente relevante para la jurisdicción constitucional chilena.

Lo expresado ha sido correctamente resumido en una frase usualmente invocada en la jurisprudencia del Tribunal Europeo de Derechos Humanos: "no solo debe hacerse justicia sino también debe verse que se hace". La Comisión de Venecia, comentando esta fórmula, agrega: "esto implica una imparcialidad objetiva y subjetiva. La percepción del público puede ayudar a evaluar si la judicatura es imparcial en la práctica"[14].

---

[11]   Corte Interamericana de Derechos Humanos. 30 de junio de 2009. "Caso Reverón Trujillo vs. Venezuela", Serie C, N° 197, párr. 146. Disponible en https://www.corteidh.or.cr/docs/casos/articulos/seriec_197_esp.pdf [Fecha de visita 3 de febrero de 2022], p. 42.

[12]   Barak, Aharon (2006) The judge in a democracy. Princeton: Princeton University Press, 332 pp., p. 109.

[13]   Bühlmann, Marc y Kunz, Ruth (2011) "Confidence in the Judiciary: Comparing the Independence and Legitimacy of Judicial Systems". West European Politics, vol. 34, N° 2, pp. 317-345.

[14]   European Commission for Democracy Through Law (Comisión de Venecia) (2016) Rule of Law Checklist, N° 89.

1.2. Independencia y mecanismos institucionales para su resguardo

La centralidad de la independencia se advierte desde los orígenes del modelo de justicia constitucional concentrada en un órgano especializado. Kelsen señala como evidente el postulado relativo a la independencia del Tribunal Constitucional frente a los órganos sujetos a su control (el parlamento y el gobierno)[15], para luego afirmar que sería deseable –aunque muy difícil– "alejar de la jurisprudencia de la jurisdicción constitucional toda influencia política"[16].

De este planteamiento se desprende que en el caso de la magistratura constitucional deben redoblarse los esfuerzos para asegurar su independencia respecto de los otros poderes del Estado. El Presidente de la República, el Congreso Nacional, el juez del fondo en el caso de la acción de inaplicabilidad y otros organismos públicos, habitualmente son intervinientes directos e interesados en los asuntos sometidos a su resolución. Asimismo, son precisamente estos poderes del Estado los destinatarios de la sentencia constitucional. Ambas hipótesis son de menor ocurrencia ante la justicia ordinaria.

La garantía de la independencia externa se ha abordado tradicionalmente desde una perspectiva institucional, en orden a lograr el mentado "deber de ingratitud" que pesa sobre el juez constitucional respecto de los órganos políticos que concurren a su designación, y que luego quedan sometidos a su control. Nos referimos, en primer lugar, a la regulación del sistema de nombramiento de los integrantes del Tribunal Constitucional en términos de transparencia, la consideración de mecanismos de control durante el proceso de selección y la efectividad en la designación de jueces idóneos mediante el establecimiento de requisitos para acceder al cargo. Un segundo aspecto es la garantía de la inamovilidad durante el período preestablecido, que se expresa además en el régimen de responsabilidad al que están sujetos los ministros. Asimismo, son relevantes las definiciones acerca de la posibilidad de reelección de sus integrantes y las limitaciones que operan una vez concluido su período.

Con todo, y cuando se escribe sobre independencia, no es posible soslayar que muchas veces los pronunciamientos del Tribunal Constitucional tienen un amplio alcance y significativa relevancia pública. Aunque formalmente los intervinientes sean únicamente órganos públicos o las partes de la respectiva gestión pendiente, la decisión puede afectar intereses de sectores o grupos de la sociedad de la más diversa naturaleza.

---

[15]   Kelsen, Hans (2011) "La garantía jurisdiccional de la Constitución (la justicia constitucional)". Traducción de Rolando Tamayo y Salmorán. Anuario Iberoamericano de Justicia Constitucional, N° 15, pp. 249-300, p. 276.

[16]   Kelsen (2011) 277.

Esta dimensión de la independencia también es susceptible de enfrentar desde una perspectiva institucional, a través de institutos del estatuto que rige a los miembros del Tribunal Constitucional tales como, las inhabilidades, prohibiciones e incompatibilidades, los mecanismos de prevención de los conflictos de interés, el sistema de implicancias y recusaciones, la inmunidad y el régimen de remuneraciones. Además, inciden las limitaciones que se establezcan tras el término de su período.

1.3. Los riesgos a la independencia del TC en su propia evaluación

Resulta interesante revisar la valoración que realiza el mismo Tribunal Constitucional chileno respecto a su independencia externa. En respuesta a un cuestionario elaborado con ocasión de la 4ª Conferencia Mundial de Justicia Constitucional, nuestro tribunal descarta la existencia de presiones directas ejercidas por otros poderes del Estado sobre casos pendientes, aunque señala que en el contexto de asuntos de alta connotación pública sectores del parlamento han presionado a través de la prensa sugiriendo la reducción de sus atribuciones (indica como ejemplos la reforma laboral y la denominada ley Emilia). En cuanto a la resistencia o dificultades para ejecutar las decisiones constitucionales, alude a los problemas suscitados con el Poder Judicial en el cumplimiento de las sentencias de inaplicabilidad. Respecto a ataques recibidos tras la toma de decisiones, refiere a la agresión sufrida por el Ministro Hernández en el contexto del requerimiento en contra del proyecto de ley que despenalizó el aborto en tres causales, sin perjuicio de aclarar que se trató de un hecho de carácter excepcional. Finalmente, en el acápite relacionado con la promoción de iniciativas legislativas tendientes a obstruir su actividad, plantea que en la discusión del proyecto de nueva Constitución presentado por la Presidenta Bachelet, podrían proponerse reformas motivadas por decisiones del tribunal[17].

Seguramente en el listado de eventuales amenazas a la independencia de nuestros jueces constitucionales podamos incluir otras adicionales que han surgido en los cinco años que han transcurrido desde la elaboración del informe. La crítica al rol del Tribunal Constitucional se ha intensificado y subido en animadversión. En marzo del 2018, por ejemplo, pocos días después de dejar su cargo, la expresidenta Bachelet cuestionó una sentencia del Tribunal Constitucional sosteniendo que "distorsiona la decisión democrática", uniéndose así –como tituló

---

[17]   Hernández Emparanza, Domingo (2017) Independencia de las cortes constitucionales. Ponencia presentada en el Cuarto Congreso de la Conferencia Mundial sobre la Justicia Constitucional, Vilnia, Lituania. Santiago: Tribunal Constitucional, pp. 1-13.

un medio de prensa– a la ofensiva en su contra[18]. En diciembre de ese mismo año, el Ministro Iván Aróstica fue duramente agredido con golpes de puños y pies que lo derribaron a la salida del Tribunal Constitucional y que solo pudo detenerse por la intervención de Carabineros[19].

Aunque en otro nivel, la propia Corte Suprema ha contribuido a deteriorar este principio constitucional debilitando la ejecución de los fallos del Tribunal. En junio del 2017, por ejemplo, un exministro de la Corte Suprema y un abogado integrante que recientemente ha sido designado ministro de esa corte, Carlos Aránguiz y Jean Pierre Matus respectivamente, suscribieron una prevención que dejó ver una incipiente lucha de poderes. Sostuvieron que un considerando de la sentencia que hacía referencia a otra del Tribunal Constitucional debía eliminarse por tratarse de "un tribunal político (en el sentido estricto de la palabra), y sus fallos no pueden constituir fuente de jurisprudencia para el Tribunal Máximo de la República"[20]. Más tarde, a este razonamiento infundado se sumó una sentencia que argumentó, contradiciendo norma constitucional expresa y antiguos precedentes, que las sentencias del Tribunal Constitucional podían ser objeto de revisión por medio del recurso de protección[21].

Todo lo anotado más arriba deja de manifiesto la centralidad del principio de independencia y de los mecanismos tradicionales para protegerla. Adicionalmente, mostrar la aproximación que el Tribunal Constitucional tiene de los riesgos a su independencia, da cuenta de un principio vivo que está permanentemente siendo objeto de atención a fin de procurar su resguardo. Todo ello es valioso y debe destacarse. Sin embargo, una mirada al principio de independencia judicial no puede quedarse únicamente en eso y requiere ser complementada con un examen a la figura del juez constitucional y, en particular, a las cualidades que permiten hacer realidad el principio de independencia y que, en gran medida, sostienen toda la justicia constitucional.

---

[18]   La Tercera. Bachelet lidera ofensiva contra TC por fallo que elimina prohibición de lucro. 28.03.2018.

[19]   T13. Manifestantes agreden al presidente del Tribunal Constitucional, Iván Aróstica. 19.12.208.

[20]   Corte Suprema. 08 de junio de 2017. Rol N° 2.925-2017. "Sepúlveda San Martín Silvia Alejandra v. Isapre Colmena Golden Cross S.A". Disponible en: https://oficinajudicialvirtual.pjud.cl/indexN.php# [Fecha de visita: 04.04.2022], p. 13.

[21]   Corte Suprema. 7 de octubre de 2019. Rol N° 21.027-2019. "Confederación Nacional de Funcionarios v. Tribunal Constitucional". Disponible en: https://oficinajudicialvirtual.pjud.cl/indexN.php#modalDetalleSuprema [Fecha de visita: 04.04.2022].

2. LAS CUALIDADES DE LOS JUECES CONSTITUCIONALES COMO FUNDAMENTO DE SU INDEPENDENCIA

2.1. La figura del juez constitucional como uno de los soportes orden constitucional

Si bien para toda institución es relevante la idoneidad de las personas que la conforman, es posible sostener que para la justicia constitucional el asunto el especialmente crítico. La necesaria estructura abierta de las disposiciones de una constitución que aspira acoger el pluralismo y proyectarse hacia el futuro[22], elevan las exigencias respecto de quienes están llamado a interpretar y adjudicar la norma constitucional. Dado este amplio margen de discrecionalidad, el modo en que comprenda y ejerza su labor cada uno de los jueces constitucionales influye significativamente en la extensión de la competencia de la respetiva corte constitucional. La institucionalidad constriñe, pero es ciertamente decisiva la auto restricción impuesta por el mismo tribunal que se puede manifestar en la inhibición para conocer cuestiones de hecho, de legalidad o de mérito, en el desarrollo de ciertos criterios de interpretación y en el método de análisis que emplea para resolver[23].

De este modo, la vigencia de la norma fundamental descansa en buena medida en las personas llamadas a aplicarla con competencia y lealtad. Plantearlo así, no quiere decir que pongamos en duda el camino que, desde hace siglos, ha seguido nuestra cultura prefiriendo el "gobierno de las leyes" por sobre el "gobierno de las personas". Esa antigua dicotomía, que atraviesa toda la filosofía política, hoy ha sido resuelta a favor del gobierno de las leyes. La universalidad de la idea de Estado de Derecho da cuenta de aquello. Pero tal afirmación no puede hacernos olvidar que, al decir de Aristóteles, la misma forma de gobierno puede tener una expresión virtuosa y otra defectuosa que depende si quien ejerce el poder piensa en el interés general o en el interés de unos pocos.

Lo mismo ocurre en este escenario: dos tribunales con competencias y mecanismos de designación similares pueden insertarse de modo muy distinto en un sistema jurídico según las cualidades de sus integrantes. Unos pueden exacerbar la expresión virtuosa y otros la defectuosa y eso generar importantes consecuencias para el ordenamiento constitucional. Como ha escrito Sagüés, algunos de los riesgos que entraña la figura del juez constitucional son el facilismo,

---

[22]   Zagrebelsky, Gustavo (2008) "El juez constitucional en el siglo XXI". Traducción de Eduardo Ferrer Mac-Gregor. Revista Iberoamericana de Derecho Procesal Constitucional, N° 10, pp. 249-268, p. 251.

[23]   Carmona Santander, Carlos (2012) "Autorestricción en el Tribunal Constitucional chileno". Derecho y Humanidades, N°19, pp. 75-128, pp. 112-123.

la manipulación ideológica, el hiperactivismo y el dogmatismo[24]. Todos estos riesgos pueden matizarse e incluso contrapesarse con las cualidades personales adecuadas.

Estamos conscientes de que esta aproximación, que enfatiza las virtudes de quienes ejercen la judicatura, ha sido calificada como "un voto de confianza ingenuamente optimista" y una insuficiente herramienta de control del juez constitucional[25]. Sin embargo, nuestro planteamiento no se construye sobre una dicotomía que promueve virtudes y olvida reglas. Por el contrario, ya hemos destacado la importancia de los arreglos institucionales. Pero creemos que estos nunca serán suficientes si no van acompañados de un conjunto de cualidades que, desde el testimonio y reflexiones de los propios jueces, proponemos a continuación.

2.2. El testimonio de jueces y juezas

En lo que sigue, analizaremos las cualidades propias del juez desde sus propios testimonios. Examinaremos los escritos y reflexiones de diversos jueces y juezas e intentaremos extraer de ellos algunas virtudes y características esenciales que permitan contribuir en la determinación de un perfil. Como quedará de manifiesto, lo que sigue no es una reflexión sobre virtudes fundamentales, que no solo los jueces sino toda persona debe intentar alcanzar. Se trata más bien de una reflexión sobre cualidades que quienes ejercen la judicatura deben ponderar para fortalecer así su independencia.

Una buena forma de iniciar esta reflexión es leyendo las palabras que escribió el profesor José Luis Cea. Quien fuera abogado integrante, ministro y Presidente del Tribunal Constitucional chileno puede dar un certero testimonio de aquellas cualidades a las que poner atención:

> "Creo en el juez que se somete a la Constitución y a las leyes, aunque no expresen su posición política, que actúa, dentro y fuera del tribunal, de manera ética y profesionalmente impecable; que hace de su oficio un estilo de vida, alejado de la riqueza material, de los halagos y de la publicidad; que busca siempre la verdad, metódica y honestamente; que es modesto, humilde intelectualmente y renuente a complacer a grupos, autoridades o individuos; que defiende los valores, principios y normas articulados en la Constitución, por ser expresivos del consenso de la sociedad civil en ellos, que se aparta de la conveniencias circunstanciales; que no busca la publicidad ni se rige por las tendencias populares reflejadas en encuestas o estadísticas. Tal juez tiene tem-

---

[24]   Sagüés, Néstor Pedro (2000) "Del juez legal al juez constitucional". Anuario Iberoamericano de Justicia Constitucional, N° 4, pp. 337-346, pp. 344-345.

[25]   Busch Venthur, Tania (2021) "La confianza en las virtudes del juez constitucional y la aporía de los principios de autorrestricción judicial". Revista de Derecho Público, N° 94, pp. 17-49.

Sebastián Soto Velascoy Alejandra Ovalle Valdés

peramento algo solitario, siempre reflexivo, atento a las argumentaciones ajenas y que nunca es infiel a su conciencia"[26].

Lo que sigue es un examen que complementa y profundiza, desde diversas perspectivas, la reflexión de nuestro homenajeado.

2.2.1. Independencia respecto de sí mismo

En el año 1943, la Corte Suprema de Estados Unidos debió resolver un caso que aún se estudia en las aulas de las Facultades de Derecho: *West Virginia State Board of Education v. Barnette*. La Corte decidió que vulneraba la primera enmienda de la Constitución exigir, como lo hacía West Virginia, que los estudiantes de un colegio público saludaran la bandera de Estados Unidos y recitaran un juramento de lealtad, si ello iba contra sus creencias religiosas. Marie and Gathie Barnett eran alumnas y Testigos de Jehová de un colegio público cerca de Charleston que se negaban a participar en dicha ceremonia.

El caso nos interesa por una disidencia que anota el juez Felix Frankfurter que suele ser recordada cuando se reflexiona sobre la independencia del juez respecto de sí mismo. Frankfurter consideró que la obligación impuesta a los estudiantes perseguía fortalecer el sentimiento de ciudadanía y ese era un fin legítimo que habilitaba al legislador a dictar la ley cuestionada. Si bien no compartimos tal posición, queremos destacar la forma en que Frankfurter se aproxima a un caso que lo toca personalmente. Dice: "Cuando uno pertenece a la minoría más vilipendiada y perseguida en la historia, no es probable ser insensible a las libertades garantizadas por nuestra Constitución. Si mi actitud puramente personal fuera relevante, debería asociarme plenamente a la mirada general libertaria de la decisión de la Corte, que representa, como lo hace, el pensamiento y acción de toda una vida. Pero, como jueces no somos ni judíos ni gentiles, ni católicos ni agnósticos. Nosotros debemos igual apego a la Constitución, y estamos igualmente atados a nuestras obligaciones judiciales, ya sea que nuestra nacionalidad derive de los primeros o últimos inmigrantes a estas costas. Como miembro de esta corte, no está justificado que escriba mis nociones políticas particulares en la Constitución, sin importar qué tan profundamente las aprecie o cuán perjudicial considere su desprecio (...) Nunca se enfatizará demasiado en que la propia

---

26   Cea Egaña, José Luis "El juez constitucional en Chile". En Bazán, Víctor (coordinador) (2010). Derecho procesal constitucional americano y europeo, Tomo I. Buenos Aires: Abeledo Perrot, pp. 449-460, p. 452.

opinión sobre la sabiduría o maldad de una ley debe excluirse por completo cuando uno está cumpliendo con su deber en el tribunal"[27].

Con estas líneas, el juez Frankfurter, plantea con dramatismo la independencia que se exige de un juez. Su propia vivencia como judío podría haberlo inclinado a suscribir el voto de mayoría y así evitar lo que las hermanas Barnette y la confesión religiosa a la que pertenecían, consideraban una imposición indebida. Pero todo juez debe mostrarse independiente respecto de tales vínculos y atarse únicamente a la Constitución. Por eso es que, pese a su propia vivencia, Frankfurter rechaza el reclamo de Barnette.

Más de medio siglo después de esas líneas, otro juez teoriza sobre lo mismo. Carlos Rosenkrantz, juez de la Corte Suprema de Argentina, sostuvo en el acto inaugural de la Conferencia Judicial de las Cortes Supremas del G20 en 2018, que la imparcialidad e independencia de los jueces no se exige solo respecto de los otros poderes del Estado o los grupos de presión. Un juez que quiera ser independiente lo debe ser también respecto de sí mismo: "la justicia debe ser ciega a los condicionamientos de los poderosos pero también a las convicciones personales de quienes tienen la responsabilidad de juzgar". Por eso, continúa, el juez es "una persona que hace un esfuerzo constante, honesto e inteligente por auto-restringirse, por poner sus visiones partisanas a un lado, por entender que no todo lo que nos gustaría que suceda es jurídicamente exigible". Y concluye afirmando que esta perspectiva de la imparcialidad "que incluye la independencia de uno mismo, es la virtud judicial soberana"[28].

El mismo Rosenkrantz, en el discurso inaugural de las Jornadas de Derecho Constitucional Iberoamericano celebradas en Buenos Aires en mayo del 2019, profundizó sobre el tema. Sostuvo que la independencia "más difícil de honrar" es aquella respecto de las propias convicciones ideológicas y políticas: "un juez que no respete esa exigencia quizás tenga poder. Pero nunca autoridad. Y un poder judicial independiente solo es posible con jueces que tengan autoridad, no poder. Un poder judicial independiente solo es posible con jueces que sean impermeables a su propia ideología. Es imposible que un juez dominado por una ideología contribuya a la paz social. Es imposible porque depende, justamente, de cuál sea la ideología dominante. En otras palabras, depende del poder"[29].

---

[27] Supreme Court of the United States. 14 de junio de 1943. 319 U.S. 624 (1943). "West Virginia Board of Education et al. v. Barnette". Disponible en: https://www.law.cornell.edu/supremecourt/text/319/624 [Fecha de visita: 04.04.2022].

[28] Los Jueces frente al Desarrollo: Discursos de Carlos Rosenkrantz & Sir Peter Henry Gross. Conferencia Judicial de las Cortes Supremas del G20 (2018). Santiago: Observatorio Judicial. pp. 46 p. 15.

[29] Carlos Rosenkrantz. Discurso al inaugurar la Jornada de Derecho Constitucional Iberoamericano. Buenos Aires. 2019. Inédito.

2.2.2. Autocontrol

La independencia de sí mismo puede ser declarada, pero debe también ser procurada por cada uno de los jueces. No basta simplemente con declarar la independencia respecto de la propia ideología o de la fe religiosa que profesa. Un juez debe hacer los máximos esfuerzos para que, tales declaraciones sean efectivamente asumidas en su propia reflexión y aproximación al derecho.

Es eso lo que sugiere Evelyn Haas, Jueza del Tribunal Constitucional Federal Alemán entre 1994 y 2006, cuando enfatiza el indispensable autocontrol que debe poseer el juez constitucional, precedido por la capacidad de identificar los factores de riesgo y acompañado de una actitud de apertura respecto de sus propias concepciones, juicios y certezas.

La jueza Haas comienza reconociendo la dificultad de una independencia absoluta: "no es posible de ninguna manera que un magistrado alcance una libertad absoluta de influencias interiores y exteriores y de entendimientos obtenidos a base de su propia socialización". Tal constatación, sin embargo, debe ser asumida y resuelta como la propia jueza sugiere a continuación: "Para alcanzar y preservar esta libertad, se precisa, con todo, un autocontrol permanente. El magistrado debe tener conciencia de los factores que puedan afectar su independencia interior y siempre debe estar dispuesto a poner en tela de juicio sus propios conceptos fundamentales y representaciones de valor en virtud de nuevos entendimientos, y de modificarlos o abandonarlos si se diera el caso. La independencia del magistrado es una actitud que debe conseguirse luchando a diario, al ocuparse el magistrado de las propias, y subjetivas, representaciones de valor y de las de otros grupos sociales ante el trasfondo de los valores de nuestra Constitución"[30].

Resulta interesante la conexión que realiza la jueza Haas entre el autocontrol -esta vez sobre las emociones- y la independencia que debe guardar cada juez respecto de los demás integrantes del órgano. Es categórica al afirmar que "el que se deje llevar por la simpatía o antipatía hacia determinados colegas ha perdido. En este caso el asunto mismo ya no domina la toma de decisiones; lo que está en el foco de la atención es la emoción no dominada, y ya no la cuestión jurídica. Es más que obvio que tal actitud no favorece la aplicación jurídica. El que no pueda reprimir tales emociones no es apto para ser magistrado"[31].

---

[30]   Haas, Evelyn (2004) "La posición de los magistrados de la Corte Constitucional Alemana y su significado para la vida jurídica y la sociedad". Ius et Praxis, vol. 10, N° 1, pp. 309-358, p. 327.
[31]   Haas (2004) 327-328.

2.2.3. Autoestima

Un juez constitucional es también una autoridad dotada de una cierta motivación personal para proteger sus atribuciones y elevar la independencia del órgano que integra. Quien ha reflexionado sobre esto es Gustavo Zagrebelsky, antiguo juez de la corte constitucional italiana. En su clásico libro en que relata sus vivencias judiciales, desarrolla la idea de la autoestima de los jueces como un mecanismo para proteger la institución que integra. Y lo hace en el contexto de una crítica que en Chile ha adquirido la forma de slogan: motejar al TC como una "tercera cámara".

Se pregunta Zagrebelsky cómo enfrentar las críticas de politización que también se hacen al Tribunal Constitucional italiano. En sus palabras, qué hacer con los "nombramientos que siempre recaen en juristas que tienen a sus espaldas una carrera política o al menos una clara vinculación político-cultural". Una primera alternativa, que descarta, sería "buscar para el Tribunal Constitucional un jurista desconocido, sin personalidad y de segunda fila". No es este el camino, a juicio de Zagrebelsky, pues "las medias figuras, los tibios, los Nicodemos que no manifiestan sus ideas con claridad, constituyen el grupo de los que siempre están dispuestos, como se dice, a 'cambiar de chaqueta' según sople el viento".

¿Cuál es la solución entonces? Y aquí es donde entra la autoestima del juez. Afirma que un antídoto posible es "el deber de todo juez de desarrollar un papel ante sus propios colegas". Para ello requiere *auctoritas*, autonomía de juicio, deber de ingratitud y, ante todo, "la autoestima que impulsa, también a los jueces constitucionales, a hacerse valer ante sus colegas, en el cumplimiento del propio trabajo incluso cuando ceden al amor propio"[32]. Dicho de otra forma, la autoestima de un juez es la que facilita la desconexión con quienes lo designaron pues, en caso de ser percibido como un simple mandatario de aquellos que concurrieron a la designación, su influencia y potencia en la deliberación simplemente se esfuma.

Esta subjetividad en la comprensión del rol del juez constitucional que destaca Zagrebelsky se inserta dentro de una perspectiva más amplia. La "sala de máquinas" de una corte constitucional, argumenta, es la "sala de deliberaciones". Ahí no solo se ejercen atribuciones, sino que se configura una institución y se le imprime carácter. Por eso, anota, "más que un lugar físico, es así también y sobre todo un espacio espiritual"[33]. Es en este espacio donde se despliega la autoestima de cada juez, al debatir, reflexionar y deliberar colectivamente. Zagrebelsky lo describe magníficamente cuando dice que "el Tribunal Constitucional es lo que

---

[32]   Zagrebelsky, Gustavo (2008) Principios y votos. El Tribunal Constitucional y la política. Ediciones Trotta. P. 59.
[33]   Zagrebelsky (2008) 17.

se desarrolla en este círculo cerrado, en este crisol de personalidades, ideas, cultura y relaciones interpersonales. Sólo en una mínima parte depende de reglas escritas"[34].

Es en este escenario, tan difuso como subjetivo, donde la autoestima del juez ocupa un espacio. Si su valoración como juez constitucional pretende ser positiva está obligado a asumir su historia y una comprensión del derecho; nadie podría negárselo. Pero, al mismo tiempo, el juez también debe comprender que se ha insertado en un órgano de cuya consciencia es ahora parte y eso le exige una especial lealtad con esa institución y con el rol que juega en la estructura de poderes. Es esto lo que demanda no solo la independencia de esa institución que llega a integrar, sino que la propia autoestima de cada uno de los jueces.

2.2.4. Respeto por el derecho

No es novedoso decir que una cualidad del juez debe ser el respeto al derecho. Sin embargo, tal afirmación requiere una mirada más profunda para llenarla de contenido. Quien ha intentado hacerlo es el ex integrante de la Corte Suprema de Estados Unidos, Antonin Scalia, uno de los jueces más importantes en el último medio siglo pues influyó decisivamente en el derecho y, en especial, en el derecho constitucional. En parte por eso, su posición como figura pública trascendió con creces el rol tradicional de un juez.

En uno de sus viajes al extranjero, específicamente a Perú, destacó algunas características del buen juez que lo vinculan con el derecho. Sostuvo que la primera cualidad del buen juez era "ser un servidor de la ley y no un ejecutor de sus predilecciones personales", agregando que "debe decidir cada caso como dicta la ley, no como él hubiera resuelto el asunto si él hubiera redactado la ley o la disposición constitucional en juego"[35]. El propio Scalia reconoce que decirlo es más fácil que aplicarlo pues es claro que nunca el derecho ofrecerá todas las respuestas.

Ante este desafío Scalia propone una segunda cualidad. La llama "*scholarship*" que, para este contexto, debiéramos traducir como "erudición". Al respecto anota: "al resolver los casos conforme a derecho, el juez debe guiar sus respuestas siguiendo el marco para la toma de decisiones neutrales y objetivas que es dictado por la tradición legal del sistema en el cual opera". Y agrega "los métodos de interpretación que emplea deben ser los tradicionales, y no aquellos que lo dirigen al resultado que hubiera preferido"[36].

---

[34]   Zagrebelsky (2008) 21.
[35]   Scalia, Christopher J. y Whelan, Edward (editores) (2017). Scalia Speaks. Reflections on law, faith and life well lived. New York: Crown Forum, 432 pp., p. 170.
[36]   Scalia & Whelan (2017) 172.

Como se sabe, Scalia tenía una intensa convicción sobre lo que era el derecho y la forma de aplicarlo. Su originalismo, recurrentemente invocado en la resolución de los casos constitucionales, y su textualismo en la interpretación de la ley, fueron mecanismos que, en alguna medida, renacieron al amparo de sus sentencias. En otra publicación, escrita junto a Bryan Garner explica que los textualistas "buscan el significado en el texto de referencia" y "rechazan la especulación judicial acerca tanto de los fines meta-textuales del redactor como de la conveniencia de una lectura justa que anticipe las consecuencias"[37]. Y luego proponen 70 cánones de interpretación legal para textualistas.

Pese a esta convicción tan intensa, Scalia no plantea que el respeto al derecho implica siempre una lectura textualista. Quienes lo escuchaban en Perú pudieron haber pensado que, frente a la pregunta por el buen juez, presentaría sus propias convicciones legales. Pero Scalia no hizo eso. Reconoció en cambio que el juez es parte de una comunidad epistémica que se levanta sobre ciertos conocimientos y metodologías que el juez no solo debe dominar adecuadamente, sino que también debe seguir con lealtad. Eso dependerá de cada sistema y cultura jurídica. Lo relevante, y es lo que nos interesa destacar, es que el respeto por el derecho necesariamente se vincula con una cierta erudición que permita al juez comprender y aplicar los métodos tradicionales de una comunidad jurídica. No quiere esto decir que sobre esos métodos y resultados haya siempre consenso. Pero sí permite afirmar, al menos, que estos son conocidos y usualmente aplicados. Como concluye Scalia, ya eso es un mérito a destacar: "el buen juez consistentemente aplica teorías interpretativas de general aplicación que lo protegen contra el mal uso del poder judicial, sea intencional o no intencional"[38].

2.2.5. Imparcialidad reflexiva

La imparcialidad es, junto con la independencia, una de las primeras exigencias de la labor del juez. Aunque a veces pueden confundirse, se suele entender que el deber de independencia judicial requiere resistir las motivaciones externas que pueden venir de otros poderes u otros jueces. Mientras que el deber de imparcialidad obliga a resistir las presiones de las partes o el objeto del litigio[39].

Sea o no esta la mejor forma de plantear la distinción, aquí nos queremos referir a una especial forma de imparcialidad que consideramos una más dentro

---

[37]   Scalia, Antonin y Garner, Bryam (2012) Reading Law. The interpretation of legal texts. Minnesota: West, 567 pp., p. xxvii.

[38]   Scalia & Whelan (2017) 172.

[39]   Papayanni, Diego "Independencia, imparcialidad y neutralidad en la aplicación del derecho". En Vial-Dumas, Manuel y Martínez Zorrilla, David (coordinadores) (2019). Pensando al juez. Madrid: Marcial Pons, pp. 131-150, p. 140.

de las cualidades de un juez. Y la hemos llamado imparcialidad reflexiva, pues no solo consiste en una distancia respecto de las partes, sino que también en una revisión razonada que jueces y juezas deben hacer frecuentemente sobre propias experiencias y preconcepciones. O dicho de otra forma: el juez imparcial evidentemente es quien no está afecto a implicancias o recusaciones que lo involucran con las partes en litigio. ¿Pero es eso suficiente? ¿No exigirá también la imparcialidad que el juez no tenga una posición preconcebida sobre materias que son objeto del litigio? Contribuye a responder esta pregunta la idea de una imparcialidad reflexiva que todo juez debiera asumir.

Creemos que la imparcialidad no puede significar que se exija al juez la ausencia de posiciones jurídicas preconcebidas. Y es que los jueces están llamados a reflexionar sobre las preguntas que plantea el derecho, por lo que es natural que tengan posiciones y estén convencidos de ellas. No puede pretenderse, por lo mismo, que la imparcialidad de un juez suponga una "mente en blanco" en los temas que aborda la controversia. Como alguna vez escribió William Renquist, Presidente de la Corte Suprema de Estados Unidos, "la demostración de que la mente de un juez al momento de incorporarse a un tribunal era una completa *tabula rasa* en materia de adjudicación constitucional sería evidencia de falta de calificación, no de imparcialidad"[40].

Por eso es que, entonces, la imparcialidad que se exige a los jueces debe ser fruto de una reflexión. No corresponde esperar una distancia de las partes y del tema como si nunca antes este hubiera sido objeto de examen. Se requiere, en cambio, una imparcialidad que emane precisamente de un razonamiento previo que pudo haber configurado opiniones jurídicas en la mente del juez que tendrán ahora aplicación en el caso concreto.

La Corte Suprema de Estados Unidos tuvo oportunidad de abordar tangencialmente este asunto en el caso *Republican Party of Minnesota v. White*. La discusión giraba en torno a la prohibición que se imponía a los candidatos a jueces electos popularmente en el estado de Minnesota de "anunciar sus posturas en disputas legales o en temas políticos". En concreto se analizó si esta prohibición, que afectaba la libertad de expresión del juez, podía fundarse en la necesidad de procurar jueces imparciales. Para resolverlo, el voto de mayoría examinó las tres posibles facetas de un juez imparcial a las que hemos hecho referencia. Comienza aludiendo al significado tradicional que la entiende como "la ausencia de prejuicios a favor o en contra de cualquiera de las partes del procedimiento", para luego descartar la faceta que propone "la falta de preconcepciones a favor o

---

40   Laird v. Tatum, 409 U. S. 824, 835 (1972). Citado en Supreme Court. 27 de junio de 2002. 536 U.S. 765 (2002). "Republican Party of Minnesota v. White, Chairperson, Minnesota Board of Judicial Standards, et al.". Disponible en: https://supreme.justia.com/cases/federal/us/536/765/case.pdf [Fecha de visita: 04.04.2022].

en contra de un particular punto de vista legal", pues "es virtualmente imposible encontrar un juez que no tenga preconcepciones sobre el derecho".

Por último, plantea un tercer significado de "imparcialidad" que describe como "mente abierta". Vista así, la imparcialidad no exigiría carecer de posiciones jurídicas, sino que "una predisposición a considerar las posiciones que se oponen a las preconcepciones del juez, y permanecer abierto a ser persuadido". De esta forma entonces, los puntos de vista jurídicos de cada litigante no tienen las mismas posibilidades de ser acogidos, pero "al menos una cierta chance de serlo".

Así, la mejor expresión de una imparcialidad reflexiva es la idea de "mente abierta" que plantea el fallo y a la que antes también hizo referencia la jueza Haas. Dado que los jueces sí tienen preconcepciones y, posiblemente ellas son conocidas por las partes, motivar una mente abierta al enfrentar los casos es una forma de mostrar una imparcialidad pues siempre habría una posibilidad de ser persuadido lo que dependerá, en última instancia, de la fuerza de los razonamientos en juego. Así, la existencia de concepciones jurídicas preconcebidas se balancea con la existencia de una inclinación especial a volver a reflexionar una y otra vez sobre ellas.

2.2.6. Capaces de generar confianza

Quien ha desarrollado el tema de la confianza en los tribunales es Aharon Barak, juez de la Corte Suprema de Israel. En su libro *The Judge in a Democracy* examina diversos aspectos del rol del juez en las democracias contemporáneas. Recurriendo a casos que debió enfrentar y a sus propias reflexiones, propone diversas facetas que los jueces deben atender.

Una de las claves para que la judicatura pueda generar confianza en la ciudadanía es la propia actitud de los jueces. En este sentido, Barak es de aquellos que sostiene que dentro y fuera de las cortes los jueces deben mantener ciertas actitudes que generen esa confianza. Y por eso es que sostiene que ser juez no es una profesión sino que "una forma de vida", que no se apoya en la búsqueda de la riqueza material sino que de la riqueza espiritual y que, en definitiva, incluye una objetiva e imparcial búsqueda de la verdad. Resume esta concepción cuando anota que el rol del juez: "no es *fiat* sino razón; no maestría sino modestia; no fuerza sino compasión; no riqueza sino reputación; no un intento de agradar a todos sino una firme insistencia en los valores y principios; no someterse o comprometerse con grupos de interés sino una insistencia en sostener el derecho; no tomar decisiones de acuerdo con caprichos temporales sino progresar consistentemente sobre la base de creencias firmemente sostenidas y valores fundamentales"[41].

No es necesario coincidir con esta exigente caracterización moral del juez que nos ofrece Barak. Pese a ello, no puede negarse la relevancia que tiene la especial percepción que la ciudadanía tenga de los propios jueces en la confianza que despierta la institución. Así como la confianza en los legisladores redunda en la confianza en el Parlamento, lo mismo puede esperarse del juez constitucional y la confianza en la Corte que integra.

Por eso es que resulta útil la aproximación que el mismo Barak hace cuando propone cuatro rasgos de los jueces que ayudan a fortalecer la confianza en la judicatura. El primero, es que el juez esté consciente de su poder y sus límites. Segundo, que el juez reconozca sus errores. Tercero, "que en sus escritos y en sus reflexiones, los jueces muestren modestia y ausencia de arrogancia". Por último, que sean honestos. Este último rasgo es descrito por Barak de un modo novedoso pues no es tanto un llamado a la probidad como a la verdad. Al respecto dice: "si ellos (los jueces) crean nuevas leyes, debieran decirlo. Ellos no deben esconderse tras la retórica de que los jueces dicen lo que la ley es y no la hacen. Los jueces hacen leyes y el público debiera saberlo"[42].

2.2.7. Cultura deliberativa

En las últimas décadas se ha prestado atención a un factor que pareciera ser una de las más intensas fuentes de desconfianza al rol del juez constitucional. Se trata de las alianzas que informalmente se producen al interior de las cortes al momento de resolver determinados casos. Estas alianzas se aprecian con claridad en la Corte Suprema de Estados Unidos donde, de antemano, la prensa anuncia los votos de los jueces que la integran dividiéndolos en conservadores o liberales. Incluso se habla de un "*swing vote*" que puede decidir el resultado definitivo. En Chile, con menos sofisticación, se ha planteado la misma división al interior del Tribunal Constitucional.

Esta suerte de distribución predeterminada de las posiciones ciertamente puede afectar la confianza en el rol del juez y de la corte respectiva. Si se expande la sensación de que los resultados ya están definidos, que esta definición es política y que no son las consideraciones jurídicas las que están en juego, el tribunal sufrirá un severo daño a su credibilidad como órgano que decide en derecho. Dos testimonios nos permiten abordar esta disyuntiva.

---

[41]   Barak (2006) 110.
[42]   Barak (2006) 112.

Gertrude Lübbe-Wolff fue magistrada del Tribunal Constitucional Federal alemán. Sobre el tema, destaca la importancia de la cultura del propio Tribunal. Anota: "la principal contribución cultural del Tribunal –la más importante, pues todas las demás dependen de ella– es la forma en que se llevan a cabo las deliberaciones: libres de la formación de grupos políticos, muy imparciales, bastante minuciosos y marcadamente orientados hacia el consenso. Esto es cualquier cosa menos una cuestión obvia. Para un Tribunal que constantemente tiene que decidir sobre cuestiones de una gran importancia política y cuyos jueces, al igual también que otras personas, tienen sus opiniones políticas, es bastante obvio que existe especialmente el peligro de que se produzca en el colegiado de jueces la formación de cuasi facciones que ya no dialogan entre sí de manera seria"[43].

Para evitar la formación de estas "cuasi facciones", la exmagistrada subraya la importancia de una cultura deliberativa orientada al consenso al interior del Tribunal. Ello, junto a otras reglas propias del estatuto de los jueces, permite alejarlos de quienes los designaron.

El planteamiento es sugerente aunque requiere algunos matices. Es cierto que una cultura deliberativa permitirá diluir, en alguna medida, las diferencias políticas, pero ello no significa que necesariamente haya de estar orientada al consenso. El mejor ejemplo para apreciarlo es la Corte Suprema de Estados Unidos que, como ha explicado entre otros Sunstein, tiende a dispersar opiniones abundando entonces las prevenciones y disensos[44].

¿Quiere decir esto que la cultura deliberativa de la Corte Suprema de Estados Unidos es precaria en comparación con la de su par alemán? No lo creemos pues de la lectura de los fallos puede apreciarse una reflexión profunda y un diálogo entre las diversas posiciones. La gran diferencia es la orientación de esa cultura deliberativa: mientras la alemana se dirige al consenso, en palabras de la jueza Lubbe-Wolff, la estadounidense se enfoca en la filosofía judicial del juez.

Esto último queda muy claro en un reciente libro de Stephen Breyer, quien renunció hace algunos meses a la Corte Suprema de Estados Unidos. Para explicar las usuales alineaciones que se dan en esa corte anota: "normalmente reflejan una filosofía judicial similar (también) miradas similares sobre el significado y la importancia relativa de determinadas cláusulas constitucionales". Y luego continúa: "algunos jueces enfatizan el texto y la historia; otros los propósitos y las consecuencias. Algunos ven partes de la primera enmienda como amarras más intensas a la estructura básica del gobierno". Y concluye, "esos factores, claves en

---

43   Lübbe-Wolff, Gertrude (2019) ¿Cómo funciona el Tribunal Constitucional Federal alemán? Lima: Palestra, 56 pp., p. 43.
44   Sunstein, Cass (2015) Constitutional Personae. New York: Harvard University Press, 171 pp.

casi todos los casos, pueden explicar las alineaciones y la predictibilidad muchos más fácil y convincentemente que una referencia a la política"[45].

En ciertas culturas jurídicas, la filosofía judicial de cada juez, que no es como se encarga de advertir Breyer, lo mismo que decir política, empapa con mucha más intensidad la decisión judicial que cualquier otro factor. Negar la existencia de una filosofía judicial que inspire a los jueces implica exigir una suerte de automatización inexistente en la labor de la judicatura. Por eso, es importante recalcar que la diversidad de filosofías judiciales en la labor de los jueces no debiera dañar la confianza en la labor de estos ni la profundidad de sus deliberaciones sino que, por el contrario, debiera solo reivindicar la existencia de una sociedad plural.

Con todo, es cierto que la filosofía judicial puede confundirse en ocasiones con la posición política o puede hacer imposible una deliberación que busque el consenso. Esto especialmente en la aplicación de textos constitucionales que, por la textura abierta de sus normas, admiten una amplia gama de interpretación. Es aquí donde juega un rol importante el desarrollo de una cultura deliberativa que debe empapar a un tribunal y a la que cada juez debe contribuir. Esa cultura especial exige independencia respecto de cualquier interés ajeno a la cuestión jurídica que debe resolverse, así como una cierta actitud abierta al diálogo respetuoso e inteligente. Además, las filosofías judiciales dispares no solo deben explicarse con mucha pedagogía, sino que se requieren actuaciones que permitan concluir que, más allá de la filosofía judicial de cada juez, quienes resuelven intentan construir posiciones consensuadas sobre bases fundamentales comunes que comparte toda la comunidad jurídica.

CONCLUSIONES

El momento constitucional por el que transita Chile propicia la reflexión en torno a la legitimidad y funcionamiento de la justicia constitucional en nuestro país. La brecha que aún se advierte entre la aceptación y la efectiva vigencia del principio de independencia, nos invita a ampliar la mirada en la revisión de aquellos elementos que envuelve la interpretación y adjudicación constitucional.

Como hemos dicho, todas las instituciones, reglas y prácticas que rodean a los órganos que ejercen justicia constitucional son relevantes para fortalecer su independencia. Así, no debe caber duda que un mal diseño institucional en la etapa de nombramientos, un mecanismo incapaz de hacer valer ciertas inhabilidades o

---

[45]   Breyer, Stephen (2021) *The authority of the Court and the peril of politics*. Cambridge, Massachusetts: Harvard University Press, 128 pp., p. 55.

la existencia de limitaciones muy ligeras tras haber cesado en sus funciones, afectarán seguramente la fortaleza del órgano. También son relevantes otras formas de presión más solapadas que pueden tomar los ropajes de una excesiva animadversión política o un debilitamiento de la eficacia de las sentencias. Cada uno de estos factores, a su modo, dañan el prestigio del Tribunal y con ello, también afectan su independencia.

No obstante, el análisis científico y la experiencia práctica permiten advertir que ni el más perfecto diseño institucional prescrito en la Constitución y las leyes aseguran la absoluta independencia de una Corte Constitucional. Es por esto, que en el presente trabajo hemos querido rescatar una faceta una tanto postergada de la discusión, aquella referida a ciertos atributos personales de los jueces constitucionales que favorecen la independencia del órgano e impactan en el alcance y delimitación de su competencia. Para ello, hemos recurrido al testimonio de jueces y juezas que han ejercido esta importante función.

Tal como nos recuerdan Frankfurter, Rosenkrantz y Haas, el juez constitucional carga con sus vivencias personales, convicciones políticas, representaciones de valor y concepciones filosóficas y morales. Además, como sostienen Scalia y Renquist, un juez bien formado tendrá siempre preconcepciones y posiciones jurídicas, incluso –al decir de Breyer– una determinada filosofía judicial que se expresa en corrientes interpretativas y en la valoración de ciertas cláusulas constitucionales. Y, si seguimos a Zalgrebezky, lo probable y deseable es que aquellas personas que accedan a esta alta magistratura posean una importante trayectoria, durante la cual hayan manifestado clara y públicamente sus convicciones y posiciones.

Es en este contexto en el que cobra relevancia la independencia del juez respecto de sí mismo, que se expresa en su sujeción al derecho, cualquiera sea, como plantea Frankfurter, su opinión respecto a la bondad o conveniencia de la norma que aplica. Lograrlo no es sencillo, por lo que Haas pone el énfasis en la capacidad del juez de identificar los factores que pueden comprometer su independencia interior, así como en el ejercicio del autocontrol. En la misma línea, Rosenkrantz refiere al esfuerzo constante y honesto de los jueces por auto-restringirse. Desde otra perspectiva, Scalia anota que la formación jurídica o erudición de los jueces sirve de antídoto al razonamiento judicial orientado a obtener el resultado que interesa personalmente. Se trata de una condición necesaria para que los jueces comprendan y apliquen con lealtad los métodos tradicionales de la comunidad jurídica en la que se insertan.

De los testimonios revisados se desprende que la vigencia del principio de independencia también se juega en la interacción entre los integrantes de estos órganos colegiados. Es en este espacio donde, según Zalgrebezky, tiene un importante rol la autoestima de cada juez para hacerse valer ante sus colegas, y se expresa en toda su extensión la reiteradamente mencionada predisposición a ser persuadido. Asimismo, es donde debe operar el autocontrol de las emociones al que alude Haas, en orden a prescindir de la amistad o enemistad que se tenga con los demás jueces. Tal como destacan Lübbe-Wolff y Breyer, el modo en que se conduzca esta reflexión colectiva, determinará el surgimiento de una cultura deliberativa que se imponga a las divisiones o facciones al interior de la corte por razones meramente políticas. Finalmente, Barak llama la atención en que la actitud de cada juez, dentro y fuera del tribunal, impacta en la confianza de la ciudadanía hacia la respectiva institución.

El ejercicio que hemos realizado en este trabajo no tiene una finalidad meramente descriptiva. En primer lugar, se busca motivar la reflexión entre quienes tienen a su cargo la jurisdicción constitucional, en el entendido que estas cualidades personales se despliegan y desarrollan tanto de un modo individual como colectivo. En segundo lugar, avanzar en una caracterización ideal del juez constitucional proporciona una orientación a los órganos que concurren a su designación. Muchos han planteado la necesidad de generar en nuestro país un procedimiento más transparente, deliberativo y fundado, pero poco se ha dicho sobre aquellos aspectos que debieran ser evaluados respecto de cada candidato y los criterios que han de seguirse al momento de la selección. Nos parece de la mayor relevancia que en estos procesos se tengan en consideración algunos atributos personales esenciales para la independencia de la judicatura como los que hemos propuesto.

Somos conscientes de que fortalecer la independencia y legitimidad de la justicia constitucional chilena involucra un complejo entramado de variables de diversa naturaleza. Con este artículo nos hemos propuesto únicamente relevar que en la consecución de este objetivo no se puede prescindir de las cualidades personales del juez constitucional. Compartimos, en este sentido, la convicción del profesor Cea sobre que "el principio y el fin, el éxito y el fracaso, la prosperidad y las penurias de la comunidad humana, nacional e internacionalmente entendida, tienen en la persona el protagonista principal. Las instituciones, si llegan a ser tales y cobran grandeza, no son más que la medida de quienes las van forjando y cuidan de ellas"[46].

BIBLIOGRAFÍA

Barak, Aharon (2006) The judge in a democracy. Princeton: Princeton University Press

---

[46]   Cea (2010) 451.

Breyer, Stephen (2021) The authority of the Court and the peril of politics. Cambridge, Massachusetts: Harvard University Press, 128 pp.

Bühlmann, Marc y Kunz, Ruth (2011) "Confidence in the Judiciary: Comparing the Independence and Legitimacy of Judicial Systems". *West European Politics*, vol. 34, N°2, pp.317-345.

Busch Venthur, Tania (2021) "La confianza en las virtudes del juez constitucional y la aporía de los principios de autorrestricción judicial". *Revista de Derecho Público*, N°94, pp. 17-49.

Carmona Santander, Carlos (2012) "Autorestricción en el Tribunal Constitucional chileno". *Derecho y Humanidades* N° 19, pp. 75-128.

Cea Egaña, José Luis (2003) "Perfil axiológico, independencia y responsabilidad del juez constitucional". *Ius et Praxis*, vol. 9, N° 2, pp. 187-199.

Cea Egaña, José Luis (2006) "Imagen del juez y de la justicia constitucional en América Latina". En Cea Egaña, José Luis: *Escritos de justicia constitucional.* Santiago: Cuadernos del Tribunal Constitucional N° 35, pp.170–192.

Cea Egaña, José Luis (2010) "El juez constitucional en Chile", En Bazán, Víctor (coordinador) *Derecho procesal constitucional americano y europeo*, Tomo I. Buenos Aires: Abeledo Perrot, pp. 449-460.

Haas, Evelyn (2004) "La posición de los magistrados de la Corte Constitucional Alemana y su significado para la vida jurídica y la sociedad". *Ius et Praxis*, vol. 10, N° 1, pp. 309-358.

Hernández Emparanza, Domingo (2017) "Independencia de las cortes constitucionales". Ponencia presentada en el Cuarto Congreso de la Conferencia Mundial sobre la Justicia Constitucional, Vilna, Lituania. Santiago: Tribunal Constitucional, pp. 1-13.

Kelsen, Hans (2011) "La garantía jurisdiccional de la Constitución (la justicia constitucional)". Traducción de Rolando Tamayo y Salmorán. *Anuario Iberoamericano de Justicia Constitucional*, N° 15, pp. 249-300.

Lübbe-Wolff, Gertrude (2019) ¿Cómo funciona el Tribunal Constitucional Federal alemán? Lima: Palestra, 56 pp.

Papayanni, Diego "Independencia, imparcialidad y neutralidad en la aplicación del derecho". En Vial-Dumas, Manuel y Martínez Zorrilla, David (coordinadores) (2019). Pensando al juez. Madrid: Marcial Pons, pp. 131-150.

Raz, Joseph (1979) *The authority of law: Essays on law and morality.* Oxford: Clarendon.

Rosenkrantz, Carlos y Gross, Peter Henry. Los Jueces frente al Desarrollo: Discursos de Carlos Rosenkrantz & Sir Peter Henry Gross. Conferencia Judicial de las Cortes Supremas del G20 (2018). Santiago: Observatorio Judicial. pp. 46

Sagüés, Néstor Pedro (2000) "Del juez legal al juez constitucional". *Anuario Iberoamericano de Justicia Constitucional*, N° 4, pp. 337-346.

Scalia, Antonin y Garner, Bryam (2012) Reading Law. The interpretation of legal texts. Minnesota: West, 567 pp.

Scalia, Christopher J. y Whelan, Edward (2017) Scalia Speaks. Reflections on law, faith and life well lived. New York: Crown Forum, 432 pp.

Sunstein, Cass (2015) Constitutional Personae. New York: Harvard University Press, 171 pp.

Zagrebelsky, Gustavo (2008) "El juez constitucional en el siglo XXI". Traducción de Eduardo Ferrer Mac-Gregor. *Revista Iberoamericana de Derecho Procesal Constitucional*, N°10, pp. 249-268.

JURISPRUDENCIA

Corte Interamericana de Derechos Humanos. 30 de junio de 2009. "Caso Reverón Trujillo vs. Venezuela", Serie C, N° 197, párr. 146. Disponible en https://www.corteidh.or.cr/docs/casos/articulos/seriec_197_esp.pdf [Fecha de visita 3 de febrero de 2022]

Corte Suprema. 08 de junio de 2017. Rol N° 2.925-2017. "Sepúlveda San Martín Silvia Alejandra v. Isapre Colmena Golden Cross S.A". Disponible en: https://oficinajudicialvirtual.pjud.cl/indexN.php# [Fecha de visita: 04.04.2022]

Corte Suprema. 7 de octubre de 2019. Rol N° 21.027-2019. "Confederación Nacional de Funcionarios v. Tribunal Constitucional". Disponible en: https://oficinajudicialvirtual.pjud.cl/indexN.php#modalDetalleSuprema [Fecha de visita: 04.04.2022]

Supreme Court. 14 de junio de 1943. 319 U.S. 624 (1943). "West Virginia Board of Education et al. v. Barnette" n° 591. Disponible en: https://www.law.cornell.edu/supremecourt/text/319/624 [Fecha de visita: 04.04.2022]

Supreme Court. 27 de junio de 2002. 536 U.S. 765 (2002). "Republican Party of Minnesota v. White, Chairperson, Minnesota Board of Judicial Standards, et al.". n° 01-521. Disponible en: https://supreme.justia.com/cases/federal/us/536/765/case.pdf [Fecha de visita: 04.04.2022].

El legislador y la nulidad
¿Leyes que anulan otras leyes?

PATRICIO ZAPATA LARRAÍN[1]

Dedicado, con afecto y admiración, a don José Luis Cea... mi maestro.

El propósito de este artículo es intentar responder, desde la doctrina constitucional, a la siguiente pregunta sobre el derecho nacional tal cual es: ¿Habilita la Carta Fundamental chilena vigente al legislador para que, por la vía de una ley, anule una ley anterior? Esta reflexión ha sido motivada por la discusión en el Congreso Nacional de un proyecto de ley que pretende anular la Ley de Pesca (Boletín N° 10.527-07).

1. ALGUNOS CONCEPTOS FUNDAMENTALES

Me ha parecido conveniente abrir este estudio con una breve referencia a algunas nociones jurídicas generales que, en mi opinión, deben tenerse presentes a la hora de considerar la cuestión objeto de este artículo.

1.1. *"Dentro de su competencia": Idea central del Estado de Derecho*

Los actuales son tiempos difíciles para la deferencia, la autorrestricción (el *self-restraint*) y, en general, para la mesura. Las opiniones sobre lo público (pues ya no cabe hablar de una Opinión Pública), manifestadas principalmente a través de encuestas omnipresentes y redes sociales impacientes e implacables, empujan a los órganos del Estado para que se hagan cargo, y rápido, de cuanto problema, crisis o dificultad aflija o parezca afligir a la Polis. Y si, por una parte, debe saludarse positivamente que este fenómeno someta a presión ciudadana a elites y burocracias, conviene estar alertas frente a la tentación de respuestas facilistas que, contra toda regla y toda experiencia, tengan por único objeto complacer o aplacar a los requirentes.

La presión recién descrita también impacta sobre el Derecho Constitucional. En la misma medida que todos los órganos del Estado enfrentan la demanda

---

[1] Profesor de Derecho Constitucional; Abogado, Pontificia Universidad Católica de Chile; Magister en Derecho, Pontificia Universidad Católica de Chile; Master en Derecho (LlM), Universidad de Harvard.

por "hacer algo" frente a los distintos problemas que afligen a la comunidad (ambientales, delincuencia, salud, probidad, etc.), los incentivos apuntan en la dirección de tomar medidas, las que sean, aun cuando el asunto no corresponda, en propiedad, a la esfera de las propias atribuciones. En el clima social que estamos describiendo, el hecho de asumir que se carece de competencia para actuar puede aparecer como falta de sensibilidad o falta de compromiso. En este contexto, concepciones plásticas o flexibles del poder público pueden ser útiles para validar ejercicios de autoridad que van más allá de una lectura estricta de las propias facultades.

Aunque parezca paradojal, una de las formas de justificar la plasticidad del poder público consiste en sustentar una versión absoluta del principio de Supremacía Constitucional, tan absoluta que eclipse completamente otras ideas importantes de la Carta Fundamental.

Existe, en efecto, una cierta lectura ingenua del constitucionalismo según la cual la idea de jerarquía sería el pilar único y excluyente del Estado de Derecho. Bajo esa comprensión, basta la imagen de una "pirámide" para explicar las relaciones que existen, y deben existir, entre los distintos tipos de normas jurídicas. Arriba, en la cúspide, figurará la Constitución Política, ordenando desde allí a todas y cada una de las decisiones de autoridad (y a las acciones de las personas también). Más abajo, aparecen las leyes, encorsetadas muy rígidamente por la Constitución. Debajo de la ley, en la base de la pirámide, estarían los decretos y los reglamentos, muchas veces entendidos como meros actos de ejecución de las leyes.

No vamos a negar, por supuesto, que la idea de "*Stufenbaulehre*" o doctrina de la estructuración jerárquica debida a Kelsen y a Merkl, traducida como pirámide, es una las teorías más influyentes cuando se trata de discutir para juzgar la validez de una determinada norma. El problema se produce, sin embargo, cuando la imagen de la pirámide cobra vida propia. Y empieza a alejarse de las ideas del propio Kelsen. Eso ocurre, por ejemplo, cuando se acepta que con tal de dar eficacia a valores constitucionales los órganos del Estado pueden estirar sus competencias, O cuando se asume que las leyes son meros destilados o subproductos de la Constitución. O cuando se piensa que decretos o reglamentos, más que colaboradores dinámicos de la ley, son simples instrumentos mecánicos. La distorsión se manifiesta también cuando se concluye que los peldaños "superiores" de la pirámide pueden, en caso de existir causa suficiente, prescindir de los escalones más "bajos".

Como se ve, un foco exclusivo y absoluto en la noción de jerarquía arriesga con arrastrar al sistema jurídico a la más peligrosa de las vulgarizaciones: aquella que, con tal de avanzar en la línea de ciertos fines estimados superiores, termina por dar salvoconducto a todo tipo de medios. Es en este contexto que me interesa reivindicar la importancia del principio de competencia, como pilar fundamental del Estado de Derecho. La norma clave constitucional clave, por supuesto, es el artículo 7 de la Carta Fundamental. Y muy especialmente el inciso segundo: "Ninguna magistratura, ninguna persona ni grupo de personas pueden atribuirse, ni aun a pretexto de circunstancias extraordinarias, otra autoridad o derechos que los que expresamente se les hayan conferido en virtud de la Constitución o las leyes".

Todo el desarrollo de este artículo, así como sus conclusiones, estará animado, entonces, por mi convicción profunda en el sentido que la Constitución Política no es solo un enunciado de valores o fines valiosos que deben ser protegidos y/o promovidos, sino que es, también, respecto de los órganos del Estado, una definición muy clara y precisa del *quién, cómo* y *cuándo* puede utilizar poder político soberano para realizar ese cometido.

1.2. La ley y los vicios de la voluntad del legislador

El proyecto de ley cuya constitucionalidad examinaré se funda en dos tesis esenciales: a) Una voluntad legislativa contaminada por la existencia de coimas o sobornos, en la misma medida que no podrá, entonces, responder fielmente a la voluntad del Pueblo que se representa, adolece de un vicio que la vuelve inidónea para producir efectos jurídicos válidos y b) El propio legislador está llamado a constatar ese vicio de la voluntad y declarar la correspondiente nulidad de esa ley.

Más adelante discutiré en detalle la segunda tesis, esto es aquella que atribuye al Parlamento potestad anulatoria de leyes. En esta parte introductoria me interesa reflexionar sobre el interesante problema de los vicios de la voluntad del legislador. Para hacerlo me remitiré, textualmente, a ideas que sobre el particular expuse en mi libro "Justicia Constitucional" hace más de una década:

> La ley es el producto de la voluntad del legislador. ¿Qué ocurre cuando dicha voluntad está influida, o –más aún– determinada por el engaño o el chantaje? ¿Tendrá valor dicha ley? ¿Puede hablarse de vicios de la voluntad en el Derecho Público?

> Trátase éste, está claro, de un tema complejo y delicado. Debiera ser evidente, por lo demás, que cualquier indagación sobre la voluntad del legislador es un ejercicio plagado de problemas y ambigüedades. Pese a lo anterior, sin embargo, no parece sensato que un sistema constitucional deba simplemente cruzarse de brazos frente a un proyecto de ley, o una ley, respecto del cual existe evidencia irrefutable en cuanto a que la voluntad legislativa ha sido arrancada merced a la fuerza o el engaño.

> Sobre este particular, conviene recordar que la Constitución de 1925 contenía una norma expresa que señalaba que: "Toda resolución que

acordare el Presidente de la República, la Cámara de Diputados, el Senado o los Tribunales de Justicia, a presencia o requisición de un ejército, de un jefe al mando de fuerza armada o de alguna reunión del pueblo que, ya sea con armas o sin ella, desobedeciere a las autoridades, es nula de derecho y no puede producir efecto alguno" (artículo 23).

La Constitución Política de 1980, sin embargo, no incluye ningún precepto que recoja explícitamente el principio del artículo 23 de la Carta de 1925 recién citado. No obstante, la falta de un texto expreso no significa necesariamente que la actual Carta Fundamental sea indiferente ante la posibilidad que una ley o un decreto puedan ser arrancados bajo una amenaza de violencia acreditable. Más aún, una interpretación sistémica y finalista de la Constitución Política permitiría identificar bases normativas para invalidar actos legislativos o reglamentarios dictados a resultas de una fuerza ilegítima.

La fuerza invalidante supone una amenaza directa e ilegítima. En consecuencia, no vicia la voluntad del legislador el hecho de existir simples presiones dirigidas en un sentido determinado. Obviamente, ni el temor a perder el voto de las personas a las que se representa ni el miedo a desagradar a actuales o potenciales benefactores constituyen verdaderas hipótesis de fuerza invalidante.

Ahora bien, y aun cuando se aceptare que la violencia ejercida sobre un cuerpo legislativo puede tener el efecto de viciar las manifestaciones de voluntad que de allí resulten, más problemático aún resulta aceptar que el error grave o el dolo pudieren tener análogo efecto.

¿No debe acaso confiarse en el juicio, madurez y perspicacia de los representantes? ¿No es acaso de la esencia de la democracia y la libertad que las mayorías puedan equivocarse de vez en cuando?

Pese las dificultades anotadas, parece conveniente dejar abierta la posibilidad que ciertas situaciones de engaño grave y deliberado pudieren ser corregidas en sede jurisdiccional.

Respecto del error no inducido, producto simplemente de la ignorancia o ingenuidad del legislador, pareciera difícil justificar alguna institución o doctrina según la cual tales equivocaciones pudieren acarrear la invalidez de la manifestación de voluntad. Mal que mal, en una democracia tales errores se pagaran tarde o temprano con la no reelección[2].

---

[2]   Zapata, Patricio (2008) "Justicia Constitucional", Editorial Jurídica de Chile, pp. 311-313.

Ruego se me disculpe esta larga cita textual. Más allá de algún énfasis que cambiaría, la verdad es que, en lo esencial, lo escrito por mí sobre esta materia en 2008 me sigue interpretando.

Sigo pensando, entonces, que es concebible que una ley pudiera ser declarada inconstitucional en caso de acreditarse una fuerza determinante. Sigo creyendo, como en 2008, que ni "el temor a perder el voto de las personas a las que se representa ni el miedo a desagradar a actuales o potenciales benefactores constituyen verdaderas hipótesis de fuerza invalidante". Y sigo pensando, como hace 13 años, que cualquier decisión invalidante, en caso de proceder, correspondería al Tribunal Constitucional ("en sede jurisdiccional").

El sentido de recordar antiguas ideas propias no es traerlas a colación como argumento de autoridad, lo que sería presuntuoso y ridículo; sino que responde, más bien, al propósito de mostrar que, buenas, regulares o malas, las conclusiones de este artículo van más allá de la casuística de la ley particular sobre la que se me consulta.

1.3. Derogar, declarar inconstitucional y anular

Derogar es distinto a anular. Muy distinto.

La derogación es una manifestación de la llamada potestad de contrario imperio. El mismo legislador que ha producido una norma de rango legal, decide volver sus propios pasos, revocando la decisión anterior, ya sea en forma parcial (cambiando la ley) o total (derogándola completamente). La derogación no implica, *per se*, ningún tipo de reproche jurídico sobre la norma a ser derogada. No solo seguirán amparadas por el Derecho todas las situaciones regidas y resueltas conforme a la norma derogada mientras ella estuvo vigente, sino que incluso se le reconocerá ultra actividad a la ley derogada a efectos de seguir siendo norma aplicable para la resolución futura de asuntos ocurridos durante su vigencia.

La nulidad, por su parte, es una sanción jurídica. Probablemente la más común. Para el caso de las leyes afectadas por un vicio de validez, sin embargo, la Constitución Política ha optado por una solución especial. Por una parte se reserva al Tribunal Constitucional, en exclusiva, la competencia para sancionar a los proyectos de ley y leyes que adolecen de algún vicio o defecto de inconstitucionalidad. Por otra parte, la propia Carta Fundamental establece un muy concreto régimen sancionatorio.

En el caso de los proyectos de ley, la sanción consiste en que el contenido normativo reprochado "no podrá convertirse en ley". En el caso del control concreto represivo de leyes, el precepto legal cuya aplicación resulte contraria a la Constitución será declarado inaplicable para la decisión de la gestión de que se trate.

En el caso de las sentencias de inconstitucionalidad del Tribunal Constitucional, ellas producen sus efectos *ex nunc*, esto es, desde el momento en que ellas se publican. El hecho que la norma objetada estuviera viciada desde su origen y que –doctrinariamente– la invalidación vuelve nulos en general los actos celebrados bajo la norma viciada, no obsta a que nuestro Código Político haya excluido todo efecto retroactivo de la sentencia de inconstitucionalidad. En ese sentido puede decirse, como lo hace la Carta Fundamental, que el precepto declarado inconstitucional "…se entenderá derogado." La inconstitucionalidad, sin embargo, no es *stricto sensus* una derogación. Si lo fuera, habría que entender que la norma derogada aun cuando ha dejado de estar vigente en el sistema jurídico, sigue siendo parte del ordenamiento jurídico a efectos de seguir regulando las situaciones nacidas bajo su amparo (véanse Alchourron y Bulygin para esta distinción).

Que la sentencia de inconstitucionalidad no afecte retroactivamente las relaciones contractuales celebradas antes de la sentencia de acuerdo con las leyes entonces vigentes no significa, sin embargo, que las leyes declaradas inconstitucionales por el Tribunal Constitucional, por el hecho de estar implicadas, por ejemplo, en un contrato, puedan seguir produciendo sus efectos. Acierta el Ministro Ivan Aróstica, me parece, al señalar que "forzoso resulta concluir que si una ley, por contravenir la Carta Fundamental, es excluida del ordenamiento jurídico, quedando, en consecuencia, invalidada, no puede subsistir tampoco en razón de una estipulación contractual, puesto que ella estaría afectada hacia el futuro del mismo vicio que motivó la declaración de inconstitucionalidad".

Como hemos visto, la sentencia de inconstitucionalidad, aun cuando tenga algunos de los efectos de la derogación, no es, estrictamente, una derogación sino que es, más bien, una invalidación. No puede ser de otra manera. La inconstitucionalidad no es simplemente un cambio de criterio sobre la forma de abordar un problema (lo propio de las derogaciones) sino que implica un reproche sobre la norma objetada. La sanción al vicio es la nulidad de la norma, o, para ser más exactos, su anulabilidad. Por lo mismo, y a diferencia de lo que ocurre con la derogación, en que la norma derogada sigue, sin embargo, produciendo efectos en relación a las situaciones producidas bajo su amparo, la ley reprochada no debe, si nos tomamos la Constitución un poquito en serio, seguir regulando relaciones sociales como si nada.

La Carta Fundamental, en todo caso, y por consideraciones de seguridad jurídica, protección de la buena fe y, principalmente, deferencia hacía las interpretaciones de los otros órganos del Estado, ha previsto que esta declaración de nulidad/derogación (*"nuligación"*, si se me permite) no tendrá efectos retroactivos. Esto quiere decir que las transacciones y prestaciones realizadas mientras estaba en pie la comprensión del legislador –antes que el Tribunal Constitucional hubiera declarado la inconstitucionalidad– no son alcanzadas por la sanción.

Esta interpretación, que entiende que la Constitución contempla un efecto *sui generis* para sus declaraciones de inconstitucionalidad (mitad derogación mitad anulación) es coherente con una lectura sistemática y finalista de la Carta Fundamental (artículo 7° incluido) y, además, es deferente con el legislador.

Espero que estas líneas hayan demostrado que la Constitución Política considera una fórmula especialísima para reglamentar la situación de leyes aquejadas de vicios de inconstitucionalidad. La cautela de la Carta Fundamental para proyectar los efectos de esta declaración por parte del Tribunal Constitucional debiera ser, me parece, un elemento para descartar interpretaciones creativas que, sin apoyo en el texto constitucional, introduzcan una nueva y peculiar nulidad de las leyes.

2. LA HIPOTESIS DE ANULACIÓN LEGISLATIVA DE LEYES EN EL DERECHO COMPARADO

Las páginas que siguen pretenden dar un vistazo general a la forma en que algunos regímenes constitucionales comparados abordan la posibilidad de atribuir o reconocer al propio legislador la facultad de sancionar con la nulidad un acto legislativo previo. Si bien el grupo a estudiar es muy acotado, me parece que de los casos analizados, seleccionados por tener algún aire de familia con nuestro sistema constitucional, pueden desprenderse antecedentes relevantes y pertinentes para la discusión que nos ocupa[3].

Dicho lo anterior, me interesa dejar establecidos los límites del uso argumentativo del derecho comparado[4]. El recurso al comparativismo supone siempre una debida contextualización y en mi opinión, en todo caso, está llamado a siempre a ser un argumento complementario y no el corazón de la tesis que se defiende[5].

---

[3] El derecho extranjero, y el método comparativista, son amplia y recurrentemente utilizados por la jurisprudencia constitucional chilena (Nogueira, Humberto (2013) "El uso del derecho y jurisprudencia constitucional extranjera y de tribunales internacionales no vinculantes por el Tribunal Constitucional chileno en el período 2006-2011", Estudios Constitucionales, Centro de Estudios Constitucionales, Universidad de Talca, Año 11, N° 1, pp. 221-274).

[4] Siempre conviene estar prevenidos contra el uso selectivo oportunista de herramienta del derecho extranjero y comparado. A dicho empleo sesgado se le conoce como *cherry picking* (falacia de la evidencia incompleta). Véanse, entre otros, Hirschl, Ran: "The Question of Case Selection in Comparative Constitutional Law", The American Journal of Comparative Law, Vol. 53, No. 1 (Winter, 2005), pp. 125-155. Freidman, Andrew: "Beyond Cherry-Picking: Selection Criteria for the Use of Foreign Law in Domestic Constitutional Jurisprudence", Suffolk University Law Review, Vol XLIV, 2011, pp. 873-889. Zhou, Han-Ru: "A contextual defense of "comparative constitutional common law", International Journal of Constitutional Law, Volume 12, Issue 4, October 2014, Pages 1034–1053.

[5] Sobre este punto, hacemos nuestras las ideas de Anna-Bettina Kaiser: "there are good reasons for constitutional courts' reluctance when it comes to using comparative constitutional law in their rea-

En la presente sección examinaremos lo que pueden decirnos sobre el tema de este Informe los sistemas constitucionales de Estados Unidos, España y Argentina. Lo haré en ese orden, atendiendo a la secuencia temporal en que dichas naciones adoptaron sus primeras Constituciones escritas (1787, 1812 y 1819, respectivamente).

2.1. Estados Unidos

Nada dice la Constitución de los Estados Unidos sobre una eventual facultad o poder del Congreso para anular leyes previas. En efecto, si se examina con atención la sección octava del artículo I de la Carta de Filadelfia, se comprueba que ninguna de las dieciocho materias de ley allí identificadas autoriza, ni siquiera por analogía, una posible potestad anulatoria de ley. Más aun, de la lectura de la sección novena del mismo artículo I, que establece ocho cuestiones expresamente vedadas al legislador, queda claro que la Constitución norteamericana no ha querido que el Congreso apruebe leyes que signifiquen la imposición de sanciones o castigos. Eso explica, por supuesto, que dicha Carta Fundamental prohíbe expresamente las leyes que imponen penas penales a una persona (*Bill of Attainder*) o que castiguen retroactivamente ciertas conductas (*Ex post facto laws*).

Del texto de la Constitución de los Estados Unidos se desprende que mientras el Congreso sí está facultado para destituir a ciertos magistrados (*Impeachment*), no le corresponde emitir pronunciamientos, sin embargo, sobre la validez jurídica de los actos del gobierno o de los tribunales. El verdadero gran poder del Congreso radica en el hecho que materias tan importantes como la imposición de tributos o el giro de pagos con cargo a recursos públicos por parte de la tesorería requieren de una expresa y previa autorización de la ley.

A lo largo de la historia de los Estados Unidos han existido, por supuesto, leyes federales que han suscitado polémica y que, con el tiempo, han sido objeto

---

soning. Such reluctance may be traced back to legitimation problems, to the considerable shortcomings of comparative constitutional law as a method of interpretation, and to the functional limits of constitutional jurisprudence. Does this mean that comparative constitutional law by constitutional courts should be abandoned altogether? No. Comparative constitutional law might solidify its place in court decisions as a method of persuasive reasoning, under the condition that differences in the respective textual, institutional, and cultural contexts are taken into account. To develop appropriate methods of comparison, efforts need to be made both in academic jurisprudence and in legal practice. Further, resources in the courts will be required. Rising to this challenge seems to be an especially promising venture in those areas of constitutional legal doctrine that do not seem to be bound to a particular constitution.90 This challenge might for example take place within the paradigms of the horizontal effect of human rights, proportionality, and the scope of judicial review". Kaiser, Anna-Bettina: "It isn´t true that England is the moon": Comparative constitutional law as means of constitutional interpretation by the courts", German Law Journal, Vol. 18, N° 02, 2017, p. 208.

de un cuestionamiento severo. Nunca ha ocurrido, sin embargo, que el propio Congreso haya procedido a una ulterior invalidación. Veamos algunos ejemplos.

Cuando John Adams consiguió que el Congreso de mayoría federalista aprobara en 1798 el *Sedition Act* (imponiendo penas a quienes criticaran al gobierno con afirmaciones consideradas falsas), la oposición demócrata-republicana, encabezada por Thomas Jefferson, levantó una fuerte y justificada crítica. Producido el triunfo de Jefferson en 1800, sin embargo, no hubo ningún demócrata-republicano que pensara en usar su predominio en el nuevo Congreso para anular el odiado *Sedition Act*[6]. Completados sus tres años de vigencia, la ley no fue renovada, el presidente Jefferson indultó a varios condenados y el Congreso resolvió indemnizar a quienes habían sido objeto de multas por dicho acto.

En 1810, la Corte Suprema de los Estados tiene ocasión de pronunciarse directamente sobre la validez constitucional de una ley estadual que anulaba una ley estadual anterior ("*Fletcher v. Peck*"). Ocurrió que en 1795 la legislatura del Estado de Georgia dio su aprobación a una regulación que adjudicaba a algunos pocos privados, vía contratos, grandes extensiones de tierras indígenas ("Yazoo Land Act"). Muy pronto se supo que muchos de los legisladores que habían dado sus votos para la aprobación de la ley en cuestión habían recibido sobornos de parte de los beneficiarios del estatuto. La reacción ciudadana fue muy dura y en las elecciones siguientes se sacó de sus puestos a los principales involucrados. Un nuevo gobernador y una nueva legislatura dieron su aprobación en 1796 a una ley que, en razón de esas graves irregularidades, anulaba la ley de 1795. Los favorecidos por la adjudicación no se conformaron y llevaron el asunto hasta la Corte Suprema. Dicho tribunal declaró inconstitucional la ley invalidante (es la primera ocasión en que la Corte Suprema declara la inconstitucionalidad de una ley estadual)[7]. Hay que destacar, en todo caso, que *Fletcher* no se basó en negar al legislador competencia para anular; sino que, más bien, en la fuerza que se le reconoce a la cláusula constitucional que reconoce la intangibilidad de los

---

[6]   Luego de las elecciones de 1800 los demócratas republicanos tienen amplia mayoría en la Cámara de Representantes (68 a 48). A mediados de 1801 han conseguido, además, una mayoría en el Senado (18 a 14).

[7]   En 1833, la Corte Suprema resolvería en "*Barron v. Baltimore*", y de manera unánime, que las distintas garantías y derechos del "Bill of Rights", incorporado a la Constitución en 1791, solo constituyen restricciones para actos del gobierno federal, y no limitan la acción de las leyes estaduales. El fallo, redactado por el mismo John Marshall, afirma que "las primeras diez enmiendas no contienen ninguna expresión que permita desprender alguna intención de aplicarlas a los gobiernos estaduales. Por lo mismo, esta Corte no puede aplicarlos en ese sentido". Ahora bien, la garantía de intangibilidad de los contratos se encuentra, no en el Bill of Rights, sino en la sección 10 del artículo I de la Constitución y como un límite impuesto expresamente a los estados.

contratos[8]. Contratos, dice la Corte, que deben ser respetados aunque la ley que los estableció hubiera tenido un origen corrupto.

El debate sobre la esclavitud también dio pie a legislación controversial. Enfrentados los Estados Unidos al desafío de organizar los nuevos territorios de Lousiana, Missouri, Texas y California, fue necesario decidir cuál sería el status de la esclavitud en eventuales nuevos estados. Tanto en 1820 como en 1850, se legisló en el sentido de dividir los nuevos territorios sobre la base de una línea paralela (al sur del eje "estados con esclavitud", al norte del eje "estados libres"). Derogando parcialmente dichos estatutos, en 1854 se aprobó la ley para organizar los territorios de Kansas y Nebraska, entregando a los propios ciudadanos de dichos territorios la decisión sobre la materia (*"popular sovereignty"*). Esta ley generó una fuerte reacción contraria en los estados del norte y el movimiento abolicionista en general. En 1856 nacería el Partido Republicano comprometido muy centralmente con la derogación de la ley Kansas-Nebraska. No su nulidad. Va a ser la Corte Suprema, en 1857, en el desafortunado fallo *"Dred Scott v. Sanford"*, la instancia que terminará por invalidar tanto los compromisos de 1820 y 1850 como la ley Kansas-Nebraska.

En septiembre de 1996, un Congreso de mayoría Republicana aprobó el *"Defense of Marriage Act"* (DOMA) definiendo el matrimonio, a nivel federal, como un pacto que solo pueden celebrar un hombre y una mujer. Por distintas razones, en los años siguientes se produjo un vuelco en la opinión pública. Si en 1988/1989 más de dos tercios de las personas se manifestaban contra la posibilidad de validar legalmente el matrimonio entre dos personas del mismo sexo, hacia 2006 el apoyo empezó a superar el rechazo. Ese mismo año, el partido Demócrata consiguió mayoría en ambas Cámaras. No obstante la convicción de muchos congresistas en el sentido que DOMA era inconstitucional, no hubo nadie que planteara aprovechar el nuevo panorama para anular dicha ley. En 2013, la Corte Suprema a través del fallo *"United States v. Windsor"* resolvió que DOMA debía ser invalidado por vulnerar la cláusula de debido proceso de la Quinta Enmienda de la Constitución.

En Marzo de 2010 una mayoría Demócrata, con firma del Presidente Obama, aprobó la "Ley de protección al paciente y cuidado de salud asequible" (conocida popularmente como *"Obamacare"*). Los Republicanos han insistido, en todo momento, que dicha ley era gravemente inconstitucional. Habiendo conseguido

---

[8]   En la Cláusula primera de la sección 10 del artículo I de la Constitución, la que dispone: "Ningún estado celebrara tratados, alianzas o confederación alguna, ni otorgará patentes de corso (*"letter of marquee and Reprisal"*), acuñar monedas, emitir notas de crédito (*"Bills of Credit"*) hacer de cualquier cosa menos oro y plata valores de curso forzoso para el pago de deudas, aprobar leyes de castigo penal (*"Bill of Attainder"*), leyes retroactivas (*"ex post Facto law"*), leyes que vulneren la obligación de los contratos o concedan cualquier tipo de título nobiliario". El subrayado es nuestro.

mayoría en ambas cámaras en las elecciones de Noviembre de 2010, el partido Republicano se propuso derogar (*repeal*) "Obamacare". Entre principios de 2011 y fines de 2018 se han presentado y votado 67 proyectos de ley en tal sentido. Hay que anotar, en todo caso, que ni siquiera los parlamentarios más contrarios han pensado en una ley anulatoria. La discusión constitucional se ha llevado adelante en los tribunales de justicia. En 2012, en *"National Federation of Independent Business v. Sebelius"*, y por 5 votos contra 4, la Corte Suprema validó aspectos centrales de *"Obamacare"*, declarando que la norma constitucional que faculta al Congreso para imponer tributos, en sentido lato, autorizaba al Congreso para obligar a las personas a contratar un seguro de salud. Comenzando 2019 varios Estados de la Unión han vuelto a plantear un desafío constitucional contra *"Obamacare"* ante la Corte Suprema.

Creemos haber mostrado que la idea de leyes federales anulatorias de leyes federales anteriores es completamente ajena al pensamiento y práctica constitucional de los Estados Unidos. Cuestión distinta, sin embargo, es que cada cierto tiempo, los detractores de ciertas leyes federales que se consideran gravemente atentatorias a los *states rights* hayan levantado la tesis según la cual los Estados miembros de la Unión tienen la facultad de anular dichas leyes (*nullification*).

El primero en plantear, hace casi 200 años, la legitimidad de una tal anulación fue el político de Carolina del Sur John Calhoun. Lo hizo a propósito del rechazo que generaron, en su Estado de origen, las leyes tarifarias proteccionistas de 1828 y 1832 (llamadas por él tarifas "abominables"). El asunto no se quedó en la mera teoría. Arriesgando una intervención militar, Carolina del Sur aprobó una "Ordenanza de Nulificación"[9]. Una oportuna suavización de las tarifas, en 1833, tuvo el efecto de desactivar la crisis.

La teoría de la nulificación ha vuelto a ser esgrimida contra otras leyes federales. Así, por ejemplo, se la ha invocado contra la ley de esclavos fugitivos de 1850, contra legislación de derechos civiles en los años 50 y 60 del siglo pasado, y, en

---

[9]   Reproduzco a continuación la parte crucial de la Ordenanza de Nulificación (Noviembre de 1832): "...We, therefore, the people of the State of South Carolina, in convention assembled, do declare and ordain and it is hereby declared and ordained, that the several acts and parts of acts of the Congress of the United States, purporting to be laws for the imposing of duties and imposts on the importation of foreign commodities, and now having actual operation and effect within the United States, and, more especially, an act entitled "An act in alteration of the several acts imposing duties on imports," approved on the nineteenth day of May, one thousand eight hundred and twenty-eight, and also an act entitled "An act to alter and amend the several acts imposing duties on imports," approved on the fourteenth day of July, one thousand eight hundred and thirty-two, are unauthorized by the constitution of the United States, and violate the true meaning and intent thereof and are null, void, and no law, nor binding upon this State, its officers or citizens; and all promises, contracts, and obligations, made or entered into, or to be made or entered into, with purpose to secure the duties imposed by said acts, and all judicial proceedings which shall be hereafter had in affirmance thereof, are and shall be held utterly null and void" (el subrayado es mío).

este siglo 21, contra leyes federales que prohíben la venta y posesión de marihuana, contra leyes federales que controlan la venta y posesión de armas de fuego, contra Obamacare, etc.

Ahora bien, el *hecho* que esta tesis de la nulificación cuente con partidarios no significa que ella tenga auténtico valor constitucional. Ella nunca ha sido acogida por la Corte Suprema. No tiene respaldo importante en la doctrina constitucional. Y, más allá de la retórica incendiaria de algún Gobernador, ella nunca ha llegado a llevarse a la práctica. Se puede afirmar, me parece, que la *Nullification* es excéntrica y contraria a la Constitución.

Todo lo que hemos venido examinando viene a confirmar que, para efectos del sistema constitucional norteamericano, "Madre" de los distintos constitucionalismos fundados en separación de poderes, los tribunales de justicia son la única sede institucional en que, legítimamente, cabe discutir y decidir la validez constitucional de las leyes.

2.2. España

Tampoco encontramos en la Constitución española de 1978 ninguna norma que autorice a las Cortes para la anulación de las leyes. Es bastante claro, por lo demás, que la facultad de enjuiciar la constitucionalidad de las leyes ha sido radicada expresamente en el Tribunal Constitucional (artículo 161).

No obstante lo anterior, conviene dar cuenta de un proyecto de ley reciente que pretende que las Cortes anulen la ley de Amnistía de 1977.

La ley de Amnistía que se pretende anular, la ley 46/77, fue aprobada en octubre de 1977 con 296 votos a favor, dos en contra, 18 abstenciones y uno nulo. Es el fruto de un amplio consenso que congregó, *entonces*, a centristas, socialistas, comunistas y grupos nacionalistas. Todos ellos entendían –*entonces*– que, dados los muchísimos hechos de violencia política cometidos por derecha e izquierda desde el inicio de la guerra civil hasta el fin del régimen franquista, la difícil transición a la democracia necesitaba de un momento de perdón y reconciliación[10].

Parece razonable pensar que la abrumadora votación favorable a la Amnistía en el Congreso de Diputados reflejaba también un alto apoyo en la opinión

---

[10]   Del texto de la Ley de Amnistía de 1977:
       Artículo primero.
       I. Quedan amnistiados:
       a) Todos los actos de intencionalidad política, cualquiera que fuese su resultado, tipificados como delitos y faltas realizados con anterioridad al día quince de diciembre de mil novecientos setenta y seis.
       b) Todos los actos de la misma naturaleza realizados entre el quince de diciembre de mil novecientos setenta y seis y el quince de junio de mil novecientos setenta y siete, cuando en la inten-

pública de entonces. Destaco que los partidos políticos que impulsaron la amnistía a fines de 1977 verían revalidado su apoyo en las elecciones de marzo de 1979[11].

El propio desarrollo político de las décadas siguientes, con la consolidación de la democracia y la emergencia de nuevas generaciones que someten a escrutinio crítico la transición de sus padres, son factores que explican que, 30 años después, surjan voces que exijan justicia para las muchísimas víctimas de delitos de lesa humanidad cometidos por el Estado franquista. En ese contexto, allá por

---

cionalidad política se aprecie además un móvil de restablecimiento de las libertades públicas o de reivindicación de autonomías de los pueblos de España.

c) Todos los actos de idéntica naturaleza e intencionalidad a los contemplados en el párrafo anterior realizados hasta el seis de octubre de mil novecientos setenta y siete, siempre que no hayan supuesto violencia grave contra la vida o la integridad de las personas.

II. A los meros efectos de subsunción en cada uno de los párrafos del apartado anterior, se entenderá por momento de realización del acto aquel en que se inició la actividad criminal.

La amnistía también comprenderá los delitos y faltas conexos con los del apartado anterior.

Artículo segundo.

En todo caso están comprendidos en la amnistía:

a) Los delitos de rebelión y sedición, así como los delitos y faltas cometidos con ocasión o motivo de ellos, tipificados en el Código de Justicia Militar.

b) La objeción de conciencia a la prestación del servido militar, por motivos éticos o religiosos.

c) Los delitos de denegación de auxilio a la Justicia por la negativa a revelar hechos de naturaleza política, conocidos en el ejercicio profesional.

d) Los actos de expresión de opinión, realizados a través de prensa, imprenta o cualquier otro medio de comunicación.

e) Los delitos y faltas que pudieran haber cometido las autoridades, funcionarios y agentes del orden público, con motivo u ocasión de la investigación y persecución de los actos incluidos en esta Ley.

f) Los delitos cometidos por los funcionarios y agentes del orden público contra el ejercicio de los derechos de las personas.

[11] De hecho, en esos comicios de 1979, y en relación a las elecciones de Junio de 1977, los tres principales partidos detrás de la amnistía española aumentaron, aunque solo fuera levemente, su votación. La Unión de Centro Democrático subió de 34.44% a 34.84%, el Partido Socialista Obrero Español creció del 29.32% al 30.4% y el Partido Comunista Español aumentó del 9.33% al 10.77%. Mientras tanto Alianza Popular, el partido derechista que en la votación de la amnistía se abstuvo por considerar que beneficiaba injustamente a grupos terroristas nacionalistas, bajo su votación de 8.21% a 6.05%. En línea similar, el altísimo apoyo brindado por los españoles al proyecto de nueva Constitución en el referéndum del 6 de Diciembre de 1978 (88% de votos favorables en una participación del 67% del padrón) también puede ser considerado como expresivo de la conformidad del pueblo español con la forma con que se llevaba adelante la transición. Obviamente, ninguno de estos datos puede ser argumento para evitar un debate posterior sobre el mérito y justicia de todas las decisiones adoptadas entonces. Sirve, si, para distinguir una ley de amnistía como la española, aprobada en democracia, con apoyo de todos los sectores relevantes, incluido aquel que representa políticamente al bando con más víctimas, de una ley de amnistía como la Chilena (Decreto Ley 2191 de 1978), impuesta en dictadura por una Junta Militar y en circunstancias que miles de opositores languidecían en el exilio y las cárceles, con servicios de inteligencia que matan, torturan y hacen desaparecer disidentes y sin una prensa libre que permita un mínimo debate.

2011, coincidiendo con el movimiento de los indignados, se empieza a promover la derogación de la ley de amnistía[12].

Ya en 2009 la Comisión de Derechos Humanos de la ONU había recomendado a España "...derogar su ley de amnistía, puesto que no es conforme con las leyes internacionales de Derechos Humanos". Dicha recomendación, elaborada por 18 expertos de la organización internacional, toma como base el Pacto Internacional de Derechos Civiles y Político, ratificado por España en 1985.

En 2012, la oficina de la Alta Comisionada de Naciones Unidas para los Derechos Humanos, Navi Pillay, pide a España la derogación de la ley de amnistía de 1977 porque incumpliría la normativa internacional en materia de Derechos Humanos.

Frente al argumento jurídico que postula que, dada la fuerza del principio constitucional de irretroactividad de una ley penal más desfavorable, la derogación sería inútil para el propósito de llevar adelante eventuales juicios, hay políticos como el joven dirigente de Izquierda Unida Alberto Garzón que han decidido impulsar la anulación legislativa de la amnistía.

Sobre esa base, el 25 de Octubre de 2017 Izquierda Unida (IU) ingresó a trámite legislativo un proyecto para anular la amnistía. El proyecto de IU comienza declarando la nulidad de la ley de amnistía "por vulnerar algunos de sus artículos derechos fundamentales del Derecho Internacional en materia de persecución de crímenes de lesa humanidad". Los partidarios del proyecto han esgrimido algunos supuestos precedentes que arrancarían de la historia constitucional española. La verdad sea dicha, los argumentos del derecho interno o son muy débiles o invocan momentos de cambio revolucionario que no sirven para tiempos de normalidad[13].

---

[12]   En julio de 2011, el Congreso de Diputados rechaza por amplio margen (8 a favor, 320 en contra) un proyecto de ley patrocinado por nacionalistas gallegos que proponía la derogación de la amnistía.

[13]   Algunos partidarios del proyecto de IU recuerdan la decisión del Colegio de Abogados de Madrid, en 1930, impulsada –entre otros– por Luis Jiménez de Azua, de declarar que "El Código penal gubernativo, impuesto por Real Decreto de 8 de septiembre de 1928, previo acuerdo del primer Consejo de ministros de la Dictadura adolece, por esta sola razón, de ilegítima procedencia, del más rotundo vicio de ilegalidad". Cabe mencionar que una de las primeras decisiones de la II República Española, instaurada el 14 de abril de 1931, fue, precisamente, decretar, el 15 de abril de 1931, lo siguiente: "1) Queda anulado, sin ningún valor ni efecto, el titulado Código penal de 1928. Igual declaración de nulidad se extiende a todos los titulados decretos-leyes de la Dictadura, que establecieron o modificaron definición de delitos o fijación de penas". Ahora bien, yo no veo como un decreto de la jovencísima Segunda República, instaurada *de facto* tras la salida de España del Rey Alfonso XIII, y que deja sin efecto un decreto-ley de la dictadura de Primo de Rivera, pueda invocarse *seriamente* como un precedente para justificar que, sin revolución de por medio, y bajo la misma Constitución, las Cortes democráticas de 2018 puedan anular una ley de las Cortes igualmente democráticas de 1977.

En lo que a mí respecta, en todo caso, el argumento desde el derecho internacional de los derechos humanos tiene un enorme peso moral, político... y jurídico. El punto es que los requerimientos de las Naciones Unidas bien pueden justificar que el Congreso español proceda a derogar, cuestión que está dentro de las competencias constitucionales del Parlamento hispano, o –incluso– pueden ser razón para reformar la Constitución; pero difícilmente pueden ser título para que dicho Congreso se atribuya competencias que la actual Constitución no le concede. Ahora bien, y como fuere, nada de lo discutido en España a propósito de la anulación de la ley de amnistía de 1977 sirve para sustentar una supuesta potestad general anulatoria del legislador.

2.3. Argentina

Interesados en acopiar elementos de juicio que sirvan para arribar a una respuesta sobre la legitimidad de leyes que anulan leyes, hemos revisado en las páginas anteriores algunos antecedentes del derecho constitucional de los Estados Unidos de Norteamérica y España. Se trata, como se sabe, de dos modelos constitucionales que han tenido, y siguen teniendo, innegable influencia sobre la forma en que Chile diseñó, y piensa, sus instituciones políticas.

Corresponde, ahora, mirar la experiencia de la República Argentina. Creo que esta última referencia también está ampliamente justificada, no solo por el lógico paralelismo con Chile que se advierte al observar el desarrollo cultural, social, político e institucional de esta república hermana; sino que atendiendo, además, al alto nivel de sofisticación de la reflexión jurídico-constitucional transandina. En efecto, y más allá de los problemas institucionales de la democracia argentina, los nombres de Carlos Santiago Nino, Jorge Reinaldo Vanossi, German Bidart Campos, Nestor Sagüés, Pedro José Frías, Roberto Gargarella y Segundo V. Linares Quintana, entre otros, honran la ciencia del derecho y han marcado a generaciones de jueces, en Argentina y el resto de América Latina.

Digamos de entrada que la Constitución de la República Argentina no contiene ningún precepto que faculte ni directa ni indirectamente al Congreso Nacional para anular leyes.

La circunstancia anterior no fue óbice, sin embargo, para que en Agosto de 2003, hace más de 16 años, el Congreso Argentino procediera a dar su aprobación a la ley 25.779 que, en lo esencial, declara insanablemente nulas las leyes 23.492 ("Punto final") y 23.521 ("Obediencia debida"), aprobadas en diciembre de 1986 y Junio de 1987. Se recordará que estas últimas leyes se aprueban en los que fueron los primeros y tumultuosos años de la democracia argentina postdictadura militar.

Los militares abandonan el poder a fines de 1983. Uno de los últimos actos de la dictadura argentina fue dictar la ley 22.924 (de "Pacificación Nacional"), una verdadera autoamnistía, promulgada el 22 de septiembre de 1983, un mes antes de las elecciones que ganaría Raúl Alfonsin[14].

Raúl Alfonsin ganó las elecciones con la promesa de derogar la amnistía de la Junta Militar. Y la cumplió. La primera ley aprobada en democracia, por el Congreso elegido también en Octubre de 1983, fue la ley 23.040 que deroga la amnistía. En virtud de esa derogación, los tribunales argentinos pudieron hacer efectivas las responsabilidades de los líderes de las Juntas Militares. Videla y Massera fueron condenados a cadena perpetua, Viola a 17 años, Lambruschini a 8 años de prisión y Agosti a 4 años de presidio.

Tres años después, el contexto político había cambiado. En medio de una crisis económica, el gobierno de Alfonsín ha perdido mucho de su alto apoyo inicial. Los juicios por violaciones a los derechos humanos suscitaron la resistencia activa de amplios sectores militares. Fue en esas circunstancias que el Presidente Alfonsín impulsó la aprobación de las leyes 23.492 y 23.521 que limitaron la responsabilidad criminal de los mandos medios militares (la segunda de estas normas responde, en buena medida, a la insurrección abierta de los militares "carapintadas").

Las leyes recién mencionadas fueron muy criticadas en su momento por organizaciones de derechos humanos y fuerzas políticas de izquierda. Es probable, en todo caso, que en esa época fueran aceptadas como necesarias por buena parte de la opinión pública. Al igual que lo ocurrido en España, el desarrollo del proceso político argentino ha ido modificando esa percepción. Y si en 1998 el Congreso Nacional decidió derogar las leyes 23.492 y 23.521, en 2003 hay una mayoría parlamentaria suficiente para declarar, por medio de la ley 25.799, la nulidad de dichas preceptivas.

---

[14]   De la autoamnistía contenida en la ley 22.924 de la dictadura, destaco los siguientes preceptos:
ARTÍCULO 1° — Decláranse extinguidas las acciones penales emergentes de los delitos cometidos con motivación o finalidad terrorista o subversiva, desde el 25 de mayo de 1973 hasta el 17 de junio de 1982. Los beneficios otorgados por esta ley se extienden, asimismo, a todos los hechos de naturaleza penal realizados en ocasión o con motivo del desarrollo de acciones dirigidas a prevenir, conjurar o poner fin a las referidas actividades terroristas o subversivas, cualquiera hubiere sido su naturaleza o el bien jurídico lesionado. Los efectos de esta ley alcanzan a los autores, partícipes, instigadores, cómplices o encubridores y comprende a los delitos comunes conexos y a los delitos militares conexos.
ARTÍCULO 5° — Nadie podrá ser interrogado, investigado, citado a comparecer o requerido de manera alguna por imputaciones o sospechas de haber cometido delitos o participado en las acciones a los que se refiere el artículo 1° de esta ley o por suponer de su parte un conocimiento de ellos, de sus circunstancias, de sus autores, partícipes, instigadores, cómplices o encubridores.1
ARTÍCULO 12. — Los Jueces Ordinarios, Federales, Militares u organismos castrenses ante los que se promuevan denuncias o querellas fundadas en la imputación de los delitos y hechos comprendidos en el artículo 1°, las rechazarán sin sustanciación alguna.

Llamada la Corte Suprema de Argentina a pronunciarse sobre la validez de esta ley anulatoria de leyes, ella resolvió, en fallo de 2005 ("Caso Simón"), que dicha ley se ajustaba a la Constitución.

Las líneas que siguen intentarán evaluar si la ley y la sentencia argentinas recordadas pueden ser alegadas como precedente o respaldo útil para validar la constitucionalidad del concreto proyecto de ley sobre el que se me pregunta. Para eso analizaremos con cierto detalle la sentencia del "Caso Simón".

El caso a examinar tiene su origen en terribles crímenes cometidos a fines de 1978. Fue en esa época que fuerzas de seguridad de la dictadura argentina detuvieron a José Liborio Poblete Roa (de madre chilena), a su esposa Gertrudis Marta Hlaczik y a la hija de ambos Claudia Victoria, de apenas ocho meses de edad. Los servicios de seguridad entregaron a la niñita a una familia de uniformados que la adoptaron. De Poblete y Hlaczik consta que estuvieron en poder de los servicios de seguridad durante un par de meses, período durante el cual fueron objeto de torturas y vejámenes varios. No existen noticias de ellos después de Enero de 1979. Todas estas circunstancias permiten concluir que ambos fueron asesinados por agentes del Estado.

La investigación penal, casi 20 años después de los hechos descritos, acusa a Julio Simón como uno de los responsables del secuestro, torturas y desaparición de Poblete y Hlaczik. La justicia decreta procesamiento y prisión preventiva contra Simón. Este deduce acciones ante la Corte Suprema pidiendo, entre otras cosas, que se apliquen en su favor las leyes 23.491 y 23.521 ("punto final" y "obediencia debida") y que se desestime la anulación de las mismas por la ley 25.779.

Este recurso dará lugar al "Caso Simón". Con fecha 14 de Junio de 2005 la Corte Suprema argentina dio a conocer su decisión. Por siete votos a uno, dicho alto tribunal resolvió, entre otras cosas, declarar la inconstitucionalidad de las leyes 23.492 y 23.521 y la constitucionalidad de la ley 25.779. Es muy comprensible que alguien pudiera pensar que un fallo de esas características podría servir de aval o apoyo para la ley anulatoria que estamos informando.

Ahora bien, y habiendo revisado atentamente el fallo del "Caso Simón", me parece que, más allá de las apariencias, dicha sentencia está muy lejos, en realidad, de sustentar la existencia de algún tipo de potestad legislativa anulatoria de leyes.

Veamos.

Ninguno de los ocho magistrados que participan de la decisión del "Caso Simón" sustenta la tesis según la cual el Congreso Nacional, en base a algún principio democrático o de soberanía, tendría competencia constitucional general para anular leyes.

Ninguno de los ocho magistrados que participan en la decisión del "Caso Simón" plantea que la ley 25.799, sobre cuya constitucionalidad han de pronunciarse, haya decretado o producida, por ella misma, la pérdida de validez de las reprochadas leyes 23.492 y 23.521. De entre los siete magistrados que concurren a la declaración de constitucionalidad de la ley 25.799, cinco de ellos (Petrachi, Highton, Maqueda, Zafaroni y Lorenzetti) enfatizan el carácter excepcional y meramente declarativo de la nulidad proclamada por la ley 25.799, resaltan que la causa real de la nulidad que se anuncia en dicha ley deriva de la contradicción de las leyes 23.492 y 23.521 con la "Convención sobre la imprescriptibilidad de los crímenes de lesa humanidad" ratificada por Argentina días antes de aprobarse la ley 25.799 y que, en todo caso, y más allá de lo que diga la citada ley anulatoria, siempre serán los jueces los llamados a aplicar en concreto y en definitiva la sanción de nulidad.

Ninguno de los ocho magistrados que participan de la decisión del caso Simón adhiere a la teoría según la cual el Congreso Nacional tendría competencia para anular leyes que, en cuanto a su generación, se han visto afectadas por circunstancias que habrían podido viciar la voluntad de la Asamblea legislativa (ya sea fuerza o cohecho).

En suma, y más allá de la opinión de fondo que nos merezca, en su propio mérito, la decisión del "Caso Simón", me parece que no hay nada en dicho fallo que pueda servir como argumento para afirmar que, en el contexto del constitucionalismo democrático, los Congresos Nacionales gozarían de alguna especie de poder implícito para aprobar leyes cuyo objeto sea anular otras leyes.

Más aún, los razonamientos vertidos en dicha sentencia de la Corte Suprema argentina van, todos ellos, en la dirección de negar al legislador este nuevo y original super poder.

Al momento de cerrar el análisis del "Caso Simón", debo llamar la atención sobre el hecho que, examinadas la exposición de motivos del proyecto que pretende anular en Chile la ley 20.657 y las distintas intervenciones que, en su favor, se han hecho durante su discusión en primer trámite, se constata que *nadie* ha invocado, *nunca*, ni siquiera recordado, la sentencia argentina que hemos examinado. En principio, esta omisión resulta sorprendente. Mal que mal se trata del único caso del que yo tenga noticia en que el máximo tribunal de un país declara la constitucionalidad de la decisión de un legislador constitucional y democrático (el Presidente Kirchner elegido en Abril de 2003 y el Parlamento renovado en las urnas en Octubre de 2001) que anula una ley aprobada por otro legislador constitucional y democrático (el Presidente Alfonsín elegido en 1983 y el Parlamento renovado en las urnas en 1985). Yo debo suponer que los asesores de los parlamentarios patrocinantes y los profesores de Derecho Público que concurren a defender la constitucionalidad de un proyecto de ley chileno que anula una ley, conocen este antecedente. Puedo asumir, entonces, que el hecho de no citarlo revela o bien que se han convencido de la debilidad de dicho fallo o bien que, por la materia específica de qué trata, no constituye precedente pertinente para efectos de discutir en Chile la anulación legislativa de la Ley de Pesca[15].

Que el propio Congreso argentino que aprobó a mediados de 2003 la ley anulatoria 25.799 tenía conciencia de la excepcionalidad de esa medida, queda comprobado, me parece, al observar el debate y respuesta que se dio desde el mismo Parlamento, unos pocos meses después, a la situación planteada por la ley 25.250 de reforma laboral. La aprobación de esa ley, en abril de 2000, durante el gobierno de Fernando de la Rua, fue muy resistida por el movimiento sindical argentino. Desde la Central General de Trabajadores, su líder Hugo Moyano denunció que el voto favorable sorpresivo de algunos senadores peronistas se había obtenido gracias a coimas gestionadas desde la propia Presidencia de la República. En 2003, el ex secretario parlamentario del Senado, Mario Pontaquarto ofreció cooperar con la justicia y detalló cómo habrían sido los sobornos. Luego de una década, en 2013, el Tribunal Oral Federal N° 3 absolvió a todos los acusados, estimando que no se habían probado las coimas. En diciembre de 2015 la Cámara Federal de Casación confirmó la absolución del ex presidente Fernando de la Rúa y del resto de los acusados. Los magistrados reiteraron que no existían elementos para probar los sobornos. No habiéndose apelado ante la Corte Suprema por la fiscalía o la Oficina anticorrupción, la causa por las "coimas" terminó con el sobreseimiento de todos los acusados.

Nosotros, en 2019, conocemos el desenlace de la investigación judicial por el "caso coimas". Cuando se discutió una reforma a la reforma laboral, en 2003, sin embargo, muchos parlamentarios argentinos estaban convencidos, y tenían razones para estarlo, que la ley de reforma laboral 25.250 era el fruto de una voluntad parlamentaria viciada por el cohecho. Y si hubo alguien que insinuó la posibilidad *de anular por ley* dicha ley 25.250, la verdad es que la mayoría rechazó expresamente la declaración de nulidad por considerar que el Congreso no tenía esa facultad. Con la concurrencia del Presidente Kirchner, el legislador se inclinó por la derogación. Ese fue el contenido de la ley 25.877, de marzo de 2004.

2.4. Al concluir esta sección

La referencia al derecho extranjero nunca servirá para zanjar, por si misma, una interrogante de derecho nacional. No obstante, puede constituir un antecedente útil.

---

[15] En el caso del proyecto de ley, iniciado en Moción el 2 de mayo de 2006, que pretende que se declare la nulidad insanable del Decreto Ley N° 2.191 de 1978 (ley de Amnistía), por contraste, la exposición de motivos hace expresa referencia al antecedente de la sentencia de la Corte Suprema argentina que había anulado, seis meses antes, las leyes de Punto Final y Obediencia Debida (Boletín 4162-07).

Nuestra revisión al derecho público de los Estados Unidos de Norteamérica, de España y Argentina, que en ningún caso ha pretendido ser exhaustiva, permite afirmar que, al menos en dichos sistemas constitucionales, la idea según la cual los miembros del legislador democrático podrían anular las decisiones previas adoptadas en el pasado por el mismo legislador democrático no cuenta con ningún respaldo ni en la doctrina, ni en la jurisprudencia ni en la propia práctica legislativa.

Lo anterior no obsta a que no puedan identificarse casos en el derecho comparado de decisiones de rango legal que anulan o invalidan preceptos legales anteriores. El punto es que dichos casos corresponden, típicamente, a períodos de cambio de régimen, ya sea desde el autoritarismo a la democracia o desde la democracia al autoritarismo. En circunstancias como esas, de carácter revolucionario, no es raro que el nuevo legislador proceda a invalidar preceptos legales del régimen depuesto.

La Francia de 1944 es un buen ejemplo de esta situación de transición. Liberado el país de la ocupación alemana, uno de los primeros actos del gobierno provisional encabezado por el General De Gaulle fue anular o invalidar un conjunto importante de normas legales dictadas por el régimen colaboracionista que, desde la ciudad de Vichy, lideró el General Petain. La norma en cuestión, la Ordenanza del gobierno provisional del Gobierno de Francia del 9 de agosto de 1944, declara solemnemente que, en Derecho, y para todos los efectos, Francia nunca dejó de ser la "República de Francia" y, por tanto, todos los actos en contrario del régimen de Petain son nulos[16]. Son numerosas las leyes y sentencias posteriores galas que han validado y aplicado esta Ordenanza.

---

[16]   *Ordonnance du 9 août 1944 relative au rétablissement de la légalité républicaine sur le territoire continental.*
Le Gouvernement provisoire de la République française, Sur le rapport du ministre de la justice, Vu l'ordonnance du 3 juin 1943 portant institution du Comité français de la libération nationale, ensemble l'ordonnance du 3 juin 1944 ;
Vu l'avis exprimé par l'assemblée consultative à sa séance du 26 juin 1944 ;
Le comité juridique entendu,
Article 1: La forme du Gouvernement de la France est et demeure la République. En droit celle-ci n'a pas cessé d'exister.
Article 2: Sont, en conséquence, nuls et de nul effet tous les actes constitutionnels législatifs ou réglementaires, ainsi que les arrêtés pris pour leur exécution, sous quelque dénomination que ce soit, promulgués sur le territoire continental postérieurement au 16 juin 1940 et jusqu'au rétablissement du Gouvernement provisoire de la république française.
Cette nullité doit être expressément constatée.
Article 3: Est expressément constatée la nullité des actes suivants; L'acte dit loi constitutionnelle du 10 juillet 1940;
Tous les actes dits : "actes constitutionnel", Tous les actes qui ont institué des juridictions d'exception, Tous les actes qui ont imposé le travail forcé pour le compte de l'ennemi, Tous les actes relatifs aux associations dites secrètes, Tous ceux qui établissent ou appliquent une discrimination quelconque fondée sur la qualité de juif. L'acte dit "décret du 16 Juillet 1940" relatif à la formule exécutoire. Toutefois, les porteurs de grosses et expéditions d'actes revêtus de la formule exécutoire prescrite

En la misma línea de legislación anulatoria dictada para invalidar el legado normativo de una dictadura, cabe recordar la ley uruguaya 15.738 de marzo de 1985. Hay que recordar que en Noviembre de 1984, tras más de una década larga de dictadura cívico-militar, y luego de rechazar en Plebiscito la prolongación del autoritarismo, el pueblo uruguayo eligió Presidente de la República a Julio María Sanguinetti. Una de las primeras medidas de Sanguinetti fue plantear al nuevo Congreso Nacional, también elegido en Noviembre de 1984, la necesidad de invalidar varios de los actos legislativos del régimen dictatorial. La propuesta fue aprobada y se transformó en ley[17].

---

par l'acte dit "décret du 16 juillet 1940" pourront les faire mettre à exécution sans faire ajouter la formule exécutoire rétablie.

Article 4: Est également expressément constatée la nullité des actes visés aux tableaux I et II, annexés à la présente ordonnance (annexe non reproduite). Pour les actes mentionnés au tableau I, la constatation de nullité vaut peur les effets découlant de leur application antérieure à la mise en vigueur de la présente ordonnance.

Article 5: Sont déclarés immédiatement exécutoires constatation sur le territoire continental de la France, les textes visés au tableau III de la présente ordonnance (annexe non reproduite).

… *Article 10:* En savoir plus sur cet article...

Sont immédiatement dissous les groupements suivants et tous les organismes similaires et annexes.

La légion française des combattants,

Les groupements, anti-nationaux dits ;

La milice,

Le groupe collaboration,

La milice anti-bolchévique,

La légion tricolore,

Le parti franciste,

Le rassemblement national populaire,

Le comité ouvrier de secours immédiats,

Le mouvement social révolutionnaire,

Le parti populaire français,

Les jeunesses de France et d'Outre-mer.

Les biens de ces groupements sont immédiatement placés sous le séquestre de l'administration de l'enregistrement et à la diligence de celle-ci.

Sans préjudice de l'application des articles 12, 75 et suivants du code pénal sera puni d'un emprisonnement de un à cinq ans et d'une amende de 1000 à 100000 fr quiconque participera directement ou indirectement au maintien ou à la reconstitution des groupements énumérés au présent article.

[17]   Ley N° 15.738: *"Actos legislativos dictados por el Consejo de Estado se convalidan desde el 19 de diciembre de 1973 hasta el 14 de febrero de 1985, excepto las declaraciones de nulidad y las derogaciones que se determinan".*

El Senado y la Cámara de Representantes de la República Oriental del Uruguay, reunidos en Asamblea General, decretan:

Artículo 1°.- Decláranse con valor y fuerza de ley los actos legislativos dictados por el Consejo de Estado, desde el 19 de diciembre de 1973 hasta el 14 de febrero de 1985, los que se identificarán como "Decretos-Leyes", con su numeración y fechas originales.

Artículo 2°.- Exceptúanse de esta declaración los "Decretos-Leyes" (llamados "Leyes Fundamentales" y "Leyes Especiales"), que a continuación se indican, cuya nulidad absoluta se declara:

A)   Las llamadas "Leyes" 14.173 (Número de integrantes de Entes Autónomos y Servicios Descentralizados), 14.248 (Declaración jurada de fe democrática), 14.373 (Incautación y confiscación de bienes procesados por la justicia militar), 15.137 (Asociaciones Profesionales), 15.252 (Denomina-

Insistamos, al concluir, en la diferencia sustancial entre el hecho que los cambios de régimen pueden traer como consecuencia la anulación de legislación aprobada por el régimen depuesto, y la tesis según la cual el legislador democrático está facultado, aun a falta de texto constitucional habilitante, para anular leyes suyas anteriores, aprobadas en democracia y con sujeción a las formas constitucionales expresas, pero que presentarían vicios o defectos particularmente graves. No deja de sorprenderme que haya quienes pretendan, sin más, que lo primero sería *razón jurídica* para justificar lo segundo. En lo que respecta a este artículo, en todo caso, no incurriremos en el error analítico de evaluar las potestades que, de acuerdo a la Constitución vigente, detenta válidamente un órgano del Estado, sobre la base de usar como modelo comportamientos de carácter revolucionario o fundacional que, con mejores o peores razones morales o políticas, pudo atribuirse un órgano que actúa, en los hechos, como Poder Constituyente.

---

ción de la represa de "Paso de Palmar"), 15.328 y 15.385 (Convenios Colectivos), 15.530 (Huelga), 15.587 (Fuero Sindical), 15.601 (Estabilidad de los Profesores de Educación Secundaria, UTU y Liceos Militares), 15.683 (Beneficios Jubilatorios para "asimilados" del Ministerio de Defensa Nacional), 15.684 y 15.705 (Compilación del Código Civil), 15.695 (Ley Forestal).
B)   Las llamadas "Leyes Fundamentales" Nros. 3 (Huelga de los funcionarios públicos), 5 y 6 (Estabilidad de los funcionarios públicos contratados), 7 (Redistribución de funcionarios Públicos).
C)   Las llamadas "Leyes Especiales" Nros. 9 y 10 (Beneficios Jubilatorios para cargos políticos y de particular confianza).
Asimismo, declárase la nulidad absoluta de los artículos 93 a 99 de la llamada " Ley Especial" 7, de 23 de diciembre de 1983 (cargos de particular confianza).
Artículo 3°.- El Poder Legislativo, el Poder Ejecutivo, el Poder Judicial, el Tribunal de lo Contencioso Administrativo, el Tribunal de Cuentas y la Corte Electoral, así como los Entes Autónomos, los Servicios Descentralizados y los Gobiernos Departamentales procederán a revocar de oficio, en la órbita de su competencia, los actos administrativos ilegítimos dictados en aplicación de dichos actos legislativos nulos, precisando en cada caso los efectos de la revocación.
Artículo 4°.- Deróganse las llamadas "Leyes" 14.153 (Administración de Pluna por la Fuerza Aérea), 14.413 y 14.851 (Condecoración "Protector de los Pueblos Libres General José Gervasio Artigas"), 14.955 y 15.066 (Condecoración "Orden Militar al Mérito Tenientes de Artigas"), 15.068 (Condecoración "Orden al Mérito Naval Comandante Pedro Campbell"), 15.529 (Condecoración "Orden de la República Oriental del Uruguay").
Artículo 5°.- Suspéndase la vigencia de las llamadas "Leyes Fundamentales" Nros. 2 y 4 por un término de sesenta días.
Artículo 6°.- Comuníquese, publíquese el texto de esta ley conjuntamente con la exposición de motivos, etc.
Sala de Sesiones de la Cámara de Representantes, en Montevideo, a 6 de marzo de 1985.

3. EVALUACIÓN CONSTITUCIONAL DEL PROYECTO DE LEY QUE DECLARA LA NULIDAD DE LA LEY N° 20.657, MODIFICATORIO DE LA LEY DE PESCA (BOLETÍN 10.527-07)

Cuando se revisa con atención la exposición de motivos en que se funda argumentativamente el proyecto de ley que declara la nulidad de la ley N° 20.657 se advierte que son tres las razones jurídicas que se esgrimen para justificar este particular ejercicio de poder.

Se invoca, en primer lugar, el artículo 8° de la Constitución Política. "La ley de pesca debe ser declarada nula", expresan los parlamentarios patrocinantes, "… porque en el proceso de discusión parlamentaria se vulneró el principio constitucional de probidad. De acuerdo a lo expresado, en su elaboración intervinieron parlamentarios que tenían, a esa fecha, intereses económicos en la industria pesquera, sin que lo advirtieran ni, menos aún, que se inhabilitaran en la votación. Por otra parte, es un hecho público y notorio que actores particulares de la industria financiaron irregularmente a algunos parlamentarios mientras se discutía la ley. Este principio, entendido como la preeminencia del interés general por sobre el particular, es aplicable por mandato de la propia Constitución a todas las personas que son titulares de funciones públicas, por lo que quedan incluidos los senadores y diputados".

En segundo lugar, y con referencia al artículo 7 de la Carta Fundamental, el proyecto se apoya en una extrapolación, para este este caso, de la Tesis de la Nulidad de Derecho Público, en los términos primigenios y absolutos en que habría sido propuesta por el Profesor Eduardo Soto.

El proyecto, finalmente, cita como precedente el hecho que el gobierno de la Presidenta Bachelet otorgó urgencia, en diez ocasiones, al proyecto de ley que declara la nulidad del Decreto Ley N° 2191, de Amnistía, de 1978 (Boletín 4162-07).

Algunos de los abogados invitados por la Comisión de Constitución, Legislación, Justicia y Reglamento de la Cámara de Diputados a informar sobre este proyecto anulatorio de la ley de Pesca, opinaron en el sentido que se trataría de un ejercicio ajustado a la Constitución Política, entregando argumentos complementarios o adicionales.

El profesor Domingo Lovera situó la potestad anulatoria del legislador en el terreno de los poderes implícitos, expresando: "En cuanto a los poderes implícitos, la teoría de los derechos implícitos ha sido acogida por la práctica constitucional. Se ha objetado su procedencia a partir del artículo 7 de la Constitución Política, pero no es un asunto resuelto, pues acoger tal negativa implicaría tener que eliminar la posibilidad de reconocer derechos implícitos, cuestión que en la práctica constitucional se ha aceptado, como el derecho implícito a recibir informaciones, el deber implícito de los canales de televisión a aceptar obligaciones razonables, el deber implícito de la judicatura de fundamentar sus sentencias, o el efecto de cosa juzgada, implícito en el artículo 76 de la Constitución".

El profesor Matías Guiloff fue muy explícito en el sentido de fundar la pretendida potestad anulatoria del Congreso en lo que llamó una "interpretación armónica", análoga a construcción que, según él, le había permitido a profesores y jueces deducir la nulidad de derecho público de los actos de la administración[18].

El abogado Rubén Jerez, finalmente, y que concurre representando a algunas asociaciones de pescadores, despliega una interesante y extensa argumentación para justificar constitucionalmente la competencia anulatoria del Congreso.

Jerez manifiesta que tanto el poder Ejecutivo como el Poder Judicial disponen de facultades para dejar de efecto, retirar o invalidar sus propios actos anteriores. ¿Por qué no habría de poder hacer algo similar el Poder Legislativo?, se pregunta Jerez[19].

---

[18]　Expresa textualmente el profesor Guiloff: "En ninguna parte, al ver las atribuciones del Congreso en la Constitución, se encuentra con una facultad del tipo "el congreso podrá anular las leyes". Pero a modo contra fáctico, planteó que algunos de los presentes habrán oído sobre la nulidad de derecho público de los actos de la administración, y la cuestión era de qué norma surge tal propuesta, y no existe tal norma, era una construcción que se ha elaborado a partir de la interpretación armónica de diversos artículos de la Constitución. En otras palabras, el establecimiento de la acción de nulidad de derecho público de las leyes no era más explícita que la nulidad de las leyes que acá se discuten. Esa tesis surgió de la interpretación armónica de los artículos 6 y 7 en relación al 38 inciso segundo de la Constitución". En el Informe de la Comisión de Constitución, Legislación, Justicia y Reglamento de la Cámara de Diputados.

[19]　Señala Jerez: "Es en ese contexto histórico que hay que analizar si la Constitución actual establece o no la posibilidad de que el Congreso retire sus actos del derecho. Al respecto comentó que el Estado chileno para dos poderes como son el Ejecutivo y el Judicial, establece con cierta claridad que pueden retirar sus actos por ser contrarios a derecho. Así, en materia judicial encontramos la nulidad procesal, la casación, la apelación o la reposición, y en materia penal recurso de anulación y de revisión, que permiten que los tribunales retiren o dejen sin efecto sus actos por ser contrarios a derecho. En ese sentido recordó que la Corte Suprema ha utilizado el recurso de revisión para dejar sin efecto los Consejos de Guerra del año 1973, es decir, el Estado chileno permite a uno de sus poderes retirar por razones de legalidad o de juridicidad sus actos. Añadió que la Administración del Estado, a través del poder Ejecutivo, también tiene esa facultad, a partir del año 2013 con la dictación de la ley 19.880 sobre bases de procedimientos administrativos, que en el artículo 53 contempla la potestad de invalidar sus actos propios por ser contrarios a derecho, sin perjuicio que con anterioridad la Administración ya se auto atribuía la facultad de sacar sus actos propios del derecho por razones de legalidad o por ser anti jurídicos. Ello se observa en un Dictamen de la Contraloría del año 1959 que da cuenta de lo planteado por el académico y miembro de la Corte Suprema don Urbano Marín para quien antes que se consagrará la invalidación en término legislativo, ésta era una potestad que tenía la Administración porque la Constitución lo ordenaba. En el caso de la Constitución de 1980, el artículo 6° ordena someterse a la Constitución y a las normas dictadas conforme a ella, y además el artículo 24 establece de que el Presidente tiene por facultades la que ahí se señalan, con pleno respeto de la Constitución y la ley, lo cual a su vez es refrendado por el artículo 27 inciso final donde se le exige el Presidente en su juramento o promesa guardar o hacer guardar la Constitución y las leyes. El señor Marín entendía entonces que la Contraloría, como todo órgano de la Administración, podría retirar sus actos de la vida jurídica sobre la base de entender que había que respetar un ordenamiento jurídico en virtud del cual se señalaba que el

Siempre en abono de la tesis de la potestad anulatoria del Congreso Nacional Jerez cita varios antecedentes históricos que él considera "precedentes". Llama la atención, en todo caso, que todos los ejemplos que cita corresponden a decisiones con forma de ley que expresamente desconocen o reniegan del marco constitucional vigente. Resulta sorprendente que, llamados a determinar las potestades constitucionales del legislador, se citen como precedente un conjunto de actuaciones de carácter revolucionario que, más allá del nombre, manifiestan, en los hechos, el ejercicio del Poder Constituyente[20].

A diferencia del profesor Lovera, en todo caso, el abogado Jerez no cree necesario echar mano a la tesis de los poderes implícitos para identificar una potestad legislativa invalidatoria. En su opinión, el propio texto de la Carta Fundamental contempla esta atribución[21].

---

acto respectivo debía quedar sin efecto. Sostuvo que si los otros dos poderes del Estado gozan de esa potestad el Congreso no tendría por qué no tenerla".

[20] Plantea el abogado Jerez: "El problema del Congreso de anular una norma jurídica que tenga fuente legal o supralegal no es nuevo, con anterioridad el Congreso y esta Cámara no solamente ha dejado sin efecto por una insubsistencia una ley sino que ha dejado insubsistente una Constitución. El año 1824 el diputado señor Gregorio Cordobés propuso anular la Constitución de 1823. En esa oportunidad también se le consultó a la Comisión de Constitución y el día 29 de diciembre de 1824 en la sesión 28 por 23 sufragios afirmativos, 3 en contra, 11 por el Informe de la Comisión de Constitución se proclamó insubsistente la constitución de 1823. Agregó como antecedente histórico que en el Reglamento Constitucional Provisorio del año 1812 en su artículo 5° contenía una disposición que dejaba sin efecto normas, providencias o actos que emanen de cualquier otra autoridad que no sea aquellas que estén dentro de Chile o de su territorio. Por su parte la Constitución de 1818 en su artículo 6°, dentro de las atribuciones del Senado contemplaba la de abolir leyes que sean contrarias a la Independencia. Añadió que durante la Junta Militar encontramos decretos leyes que dejaron sin efecto una Constitución, como el Decreto 1 del 18 de septiembre de 1973, los decretos leyes 128, 228, 527 y el 188 que dejaban subsistente la Constitución del 1925 en la medida que no fuera contraria a los decretos leyes dictados por la Junta Militar".

[21] Señala Jerez: "...ante la pregunta de si la Constitución le otorga la facultad de dictar una ley al Congreso para establecer como sanción la nulidad, la respuesta categórica es que sí, y el fundamento lo encontramos en el artículo 63 N"° 2 que establece que son que son materias de ley aquellas que la Constitución exige se regulen por ley, en relación con los artículos 6° y 7° que consagran el Estado de Derecho, porque allí establece el principio de la supremacía constitucional, es decir, establece como deber de los órganos del Estado el respetar la Constitución y la normas dictadas conforme a ella y las infracciones a esta norma generarán las responsabilidades y sanciones que determine la ley, por lo tanto, puede entenderse que si hay un órgano del Estado que ha infringido la Constitución, el Congreso podría dictar una ley que aplique la sanción por antonomasia que es la nulidad, y ello no es una leguleyada, porque el Código Civil, que es una obra del año 1855 que entró a regir en 1857, en su artículo 11 le da en forma expresa al legislador la facultad de anular pues señala "cuando la ley declara nulo algún acto", y ello da entender que el legislador tiene potestades para declarar nulo un acto. Lo anterior se ve refrendado cuando el artículo 7° de la Constitución, que si bien es cierto establece una defensa de la Constitución a través de la de la nulidad de derecho público, permite que el Congreso haciendo uso de esos mecanismos retire un acto en forma clara, expresa y explícita, dando cuenta además que no se está discutiendo esto por un tema académico sino porque en la sociedad hay una sospecha de falta de probidad porque hubo corrupción, lo que entronca con una causal de ineficacia o de nulidad de derecho público que eventualmente podría consignar el Congreso a través de la dictación de una ley, para la que goza de la potestad de dictar,

Con el mayor de los respetos por las personas cuyas opiniones he sintetizado, debo señalar que los argumentos esgrimidos para defender la constitucionalidad de la ley anulatoria de ley me parecen *débiles, confusos* y *peligrosos*.

Comencemos por la *debilidad*.

Los supuestos precedentes que se citan no tienen, en verdad, ninguna relación con el problema bajo examen. Una cosa es que haya habido momentos en la historia de Chile, 1812, 1823 o 1973 en que gobiernos de corte fundacional, democráticos o dictatoriales, hayan anulado o dejado sin efecto leyes aprobadas bajo el antiguo régimen y otra, muy distinta, es que el legislador democrático chileno actual disponga, bajo la Constitución vigente, un poder anulatorio de leyes.

La invocación de hechos irregulares ocurridos durante la tramitación y votación de la Ley N° 20.657 no alcanza a configurar un vicio de la voluntad determinante. Incluso si se aceptara la teoría de vicios invalidatorios de la voluntad de la Corporación legislativa, ello no alcanza a dar sustento a la ley anulatoria. Del hecho que, eventualmente, algunas de las acusaciones contra ciertos parlamentarios culminen en condenas judiciales efectivas no se sigue, de ninguna manera, que la voluntad de la amplia mayoría que aprobó la ley queda manchada en su totalidad. Más importante todavía, y como dijimos en la primera sección, la existencia de un vicio posible no tiene, bajo la Constitución, el efecto de empoderar a todo y cualquier órgano estatal que quiera "hacer justicia".

Los defensores del proyecto tampoco logran superar el obstáculo que significa el lenguaje de la Carta Fundamental. Siendo, como soy, reacio al literalismo estrecho, siempre estaré dispuesto a encontrar interpretaciones de carácter sistemático. Lo que pretende el proyecto, sin embargo, va mucho más allá de armonizar distintas partes de la Constitución. Lo que se postula es ignorar, por una parte, la clara radicación del control de constitucionalidad de las leyes en el Tribunal Constitucional y, por la otra, entregar al legislador un poder imposible de acomodar dentro del catálogo del dominio legal **máximo** que define taxativamente el artículo 63 de la Carta Fundamental.

Sigamos con la *confusión*.

Uno de los argumentos recurrentes en favor del proyecto consiste en aludir a la forma en que la jurisprudencia han entendido que del lenguaje del inciso tercero del artículo 7° de la Constitución ("Todo acto en contravención a este artículo es nulo y generará las responsabilidades y sanciones que la ley señale") puede derivarse la concreta operatoria de una demanda de nulidad de derecho público. Las tesis serían las siguientes: Si se admite una nulidad de derecho

---

y ello porque el citado artículo 7° establece que los órganos del Estado actúan válidamente cumpliendo con ciertos requisitos, previa investidura regular, dentro de su competencia y en la forma que prescribe la ley".

público contra actos administrativos, ¿por qué no admitir esa misma nulidad de derecho público contra actos legislativos? Si la doctrina entendió que los jueces civiles eran competentes para conocer de la primera, ¿por qué no aceptar que el Congreso pueda conocer de la segunda?

Entusiasmados con el precedente de la Nulidad de Derecho Público, los defensores del proyecto han citado varias veces a su inicial proponente: el profesor Eduardo Soto Kloss. Así, por ejemplo, en sesión de la Comisión de Constitución de la Cámara, el diputado Gutiérrez "estimó que sería altamente conveniente que se invitara a esta Comisión, luego que se ha controvertido su teoría, a don Eduardo Soto. Se ha rebatido su tesis de que en Chile es posible la nulidad, y si ha sido el objeto cuestionarlo en sus posiciones, sería bueno preguntarle a él cuál es su posición, y cuales las consecuencias y efectos de la nulidad, quizás dé una mirada distinta sobre los aspectos catastrofistas señalados. Se sabe desde el derecho civil que declarada la nulidad, la cuestión es volver al estado anterior al acto anulado, el mundo ha conocido nulidades, y no se ha acabado... No porque comparta las teorías de Soto sugería su convocatoria, pero había que mostrar algo de apertura para ver las consecuencias, y si lo que dice Soto hacía sentido a más de uno, valía la pena abrir el debate".

Las posturas del profesor Eduardo Soto han dado lugar a un interesante debate entre los cultores del Derecho Administrativo. En lo que interesa a este artículo, en todo caso, no necesitamos examinar todos los términos de la discusión. Interesa sí aclarar que la tesis del profesor Soto siempre ha tenido a la vista la legitimidad de intervenciones judiciales para corregir los actos antijurídicos o abusivos, sean del administrador o del legislador. Nunca ha postulado el profesor Soto que la invalidación fuera un resorte del Congreso Nacional.

Sin pretender agotar el tema, me parece que existen buenas razones constitucionales para sostener que, tratándose de tribunales de justicia llamados por la Carta Fundamental a resolver *todas* las causas del orden temporal (civiles y criminales), a los que les está vedado excusarse, incluso por falta de leyes y que, además, están investidos por la propia Constitución de *amplísimas* facultades conservadoras en materias de derechos, el reconocerles a ellos competencia para conocer de una demanda de nulidad, aun a falta de una ley ad hoc, cumple con la Carta Fundamental. Pretender extender semejante reconocimiento al Gobierno y al Congreso Nacional (que juntos conforman el Legislativo) ignora el muy diferente rol que ellos cumplen en el Estado y la forma mucho más estricta con que la Constitución se refiere a sus competencias.

Es la propia Carta Fundamental, entonces, la que trata diferente a los tribunales. Y si bien también están sujetos a la regla general de competencia del artículo 7 inciso segundo de la Constitución, la propia forma en que la Constitución define sus competencias permite concluir que la acción de nulidad de derecho público cabe dentro del ejercicio jurisdiccional. Estirar esa lógica para darle un nuevo poder al Presidente de la República y al Parlamento confunde las cosas.

Digamos algo, ahora, sobre la *peligrosidad*.

Particularmente preocupante resulta la tesis de los llamados "poderes implícitos". La verdad es que una cosa es que la doctrina y la jurisprudencia entiendan que existen, bajo la cobertura del artículo 5 inciso segundo de la Carta Fundamental, derechos adicionales a los expresamente garantizados por el artículo 19 de la Constitución ("derechos implícitos") y otra muy distinta es postular que los órganos del Estado tienen más facultades y poderes de los que la Constitución les fija. Yo hubiera pensando que es más o menos pacífica la idea según la cual mientras al alcance de los derechos de las personas se aplica una interpretación extensiva, la extensión de las potestades públicas se lee con criterio estricto.

También me parece peligroso intentar fundar una competencia concreta sobre la base de un valor o principio constitucional. El capítulo I de la Carta Fundamental contiene importantes definiciones sobre Dignidad, Familia, Bien Común, Solidaridad, entre otras. Estos son conceptos importantes para la Constitución. Perfilan la finalidad de la acción estatal y ayudan al intérprete a perfilar los límites y alcance de dicha acción. No pueden usarse, sin embargo, como fuente directa de nuevas potestades para ese mismo Estado. Plantear que el hecho de existir en el artículo 8 se reconoce con fuerza el principio de Probidad faculta, sin más, al legislador para que pueda anular leyes que lo contradicen, refleja una versión extrema y patológica del neo constitucionalismo.

En suma, me parece que los autores y defensores del proyecto no han podido fundar en la Constitución Política la potestad que pretenden atribuir al legislador.

Nuestra conclusión, por el contrario, es que el legislador no tiene, bajo la Constitución, ningún tipo de poder anulatorio de leyes. Debo anotar que esta postura tiene amplio apoyo en la doctrina nacional.

Comienzo recordando el parecer de Gonzalo García (Ministro del Tribunal Constitucional), Pablo Contreras y Victoria Martínez quienes, en su indispensable "Diccionario Constitucional chileno", y escribiendo algunos años antes que el tema se planteara en nuestro Congreso Nacional, sostienen textualmente lo siguiente: "Es importante destacar que la nulidad de Derecho Público no procede respecto de leyes y preceptos legales, toda vez que la competencia para examinar su constitucionalidad corresponde al TC... Tampoco procede la nulidad de Derecho Público en contra de sentencias judiciales. La CS sostuvo que a los actos procesales –como a las sentencias– se les aplican nulidades específicas y no una nulidad general. Por lo tanto, respecto de las sentencias procede la aplicación de las reglas generales de nulidad procesal y no una acción de nulidad de Derecho Público (SCS R. 3408-98 y R. 337-98). En consecuencia, la nulidad de Derecho

Público solo tendría un ámbito acotado de aplicación, referido a los actos de la Administración"[22].

Destaco, a continuación, el parecer del profesor William García, quien como Jefe de la División Jurídica de la Secretaría General de la Presidencia, bajo el gobierno de la Presidenta Michelle Bachelet sostuvo lo siguiente sobre este proyecto:

> "Cuando se habla de nulidad, se refiere a que se han faltado las formalidades para el que acto sea válido. En el caso de una obra, de una manifestación del poder legislativo, tales formalidades son las que se disponen en la Constitución Política.
>
> Por lo tanto, en este caso la nulidad es sinónimo de inconstitucionalidad, una ley solo puede ser nula si no observa las condiciones que una norma superior dispuso al efecto, en este caso, la Constitución.
>
> Así, la cuestión es si puede el Congreso Nacional anular una ley. Esto evoca un debate profundo acerca de en qué órgano, en que sitio de las distintas posiciones constitucionales, debe ubicarse el control de constitucionalidad. Sin entrar en ese profundo debate, debate dado en el derecho comparado, nuestro sistema optó por un control jurisdiccional de control de constitucionalidad. Ello fue así, pues los riesgos que se abrían si el control fuera político quedaron a la vista antes de las crisis democráticas previas a la segunda guerra mundial.
>
> Anular una ley por obra de un poder político, en este caso el legislativo, corresponde al control político y no jurisdiccional que está en la Constitución. Pero en nuestro país solo el tribunal constitucional puede conocer la nulidad o inconstitucionalidad de una ley, que es lo mismo. El control de constitucionalidad está concentrado en el tribunal constitucional, de este modo el artículo 93 de la Constitución Política señala cuales son las atribuciones de ese tribunal, que no pueden ser ejercidas por otro órgano, pues eso nos pondría en situación de vulnerar el principio de legalidad o juridicidad, dispuesto en el artículo 7 de la Constitución Política.
>
> Insistió, solo ese tribunal puede señalar que una ley es nula, la Constitución Política no deja dudas al respecto. El artículo 93 N° 6 se coloca en el supuesto de la inaplicabilidad, el 93 N° 3 y 7 se ponen en posición del control abstracto de una norma legal. Los detalles de las tramitaciones de esos procesos no vienen al caso. Este régimen de control de constitucionalidad que está radicado en ese tribunal, no puede ser desconocido a

---

[22] García, Gonzalo; Contreras, Pablo y Martínez, Victoria (2016) "Diccionario Constitucional chileno", Hueders, segunda edición, p. 734.

pretexto de cualquier vicio reprochable a una ley. Solo el tribunal constitucional puede declarar la nulidad o inconstitucionalidad de la ley".

A la misma conclusión de Gonzalo García y William García llega el profesor Sebastián Soto, a quién cupo en su momento desempeñarse como Jefe de la División Jurídica Legislativa en el primer gobierno del Presidente Sebastián Piñera. De la exposición del profesor Soto ante la Comisión de Constitución de la Cámara de Diputados recupero las siguientes ideas:

"Sobre la nulidad de la ley, en Chile no está contemplada tal situación. Se puede aprobar, modificar o derogar, el Código Civil habla de derogación, y al revisar el dominio máximo legal del artículo 63 de la Constitución Política, sobre qué asuntos solo pueden ser materias de ley, ni directa ni implícitamente puede deducir tal situación. La norma residual, el bolsillo de payaso del numeral 20 tampoco sirve, no admite esa interpretación.

...En el Senado, analizando la anulación del decreto ley de amnistía, José Zalaquett no reconoce la constitucionalidad de la nulidad de las leyes, y el Instituto Nacional de Derechos Humanos sugirió que habría una falta de constitucionalidad, ni el parlamento ni el poder ejecutivo tendría tal facultad. Esa declaración fue un acuerdo de ese Instituto.

...Incluso Soto Kloss, quien suscribe que la ley podría anularse, no le concede esa potestad al Congreso, sino a los tribunales de justicia.

...Gran parte de la doctrina señala que la ley no puede anularse, y había unanimidad en que no le correspondería hacerlo al Congreso".

CONCLUSIÓN

El objeto de este artículo ha sido evaluar la constitucionalidad del proyecto de ley que anula la ley N° 20.657.

De lo expuesto en la primera parte de este estudio ha quedado claro que no es correcto equiparar u homologar la decisión de modificar o derogar una ley con la muy distinta naturaleza de una determinación por la cual se sanciona una ley por haber incurrido ella en vicios o defectos de constitucionalidad. Se trata de potestades distintas. No hay entre ellas relación de género a especie, ni menos puede sostenerse que la atribución constitucional de una acarrea, como por efecto cascada, la el reconocimiento constitucional de una acarrea trae implica.

Ahora bien, no puede descartarse, por supuesto, que un orden constitucional concreto pudiera conceder a un mismo órgano la facultad de derogar y la prerrogativa de anular. El punto, en todo caso, es que, tratándose de potestades diferentes, la concesión expresa de una no entraña el otorgamiento subrepticio de la otra.

Es evidente, por supuesto, que la Constitución Política chilena le ha confiado al legislador la potestad de modificar o derogar las leyes vigentes[23]. Tan evidente como lo anterior, me parece, es que esa misma Constitución no concede al legislador la facultad de anular leyes.

Como alguien acostumbrado a tomarme en serio el artículo 7° de la Carta Fundamental ("Ninguna Magistratura... (puede) atribuirse... ni aun a pretexto de circunstancias extraordinarias otra autoridad que (la) que expresamente se (le haya) conferido en virtud de la Constitución o las leyes"), no puedo sino concluir que, a falta de norma constitucional que confiera potestad anulatoria al Congreso, éste no la tiene.

En la sección tercera de este artículo tuve ocasión de compartir mi sorpresa ante el hecho que la discusión de este proyecto haya develado que doctrinas polémicas del profesor Eduardo Soto Kloss hayan conquistado seguidores entre profesores de la Facultad de Derecho de la Universidad Diego Portales y políticos del Partido Comunista. Espero haber demostrado, en todo caso, que incurren en un grave error quienes piensan que las razones que han llevado a la doctrina y la jurisprudencia a reconocer que los tribunales de justicia sí tienen la facultad de declarar la nulidad de derecho público de actos administrativos, pueden usarse, también, como razones, en peculiar analogía, para reconocerle poderes supernumerarios al legislador.

Visto lo anterior, surge como conclusión inevitable que el proyecto de ley que pretende anular la ley N° 20.657 excede los márgenes competenciales del legislador y, por lo tanto, es contrario a la Constitución Política.

Al llegar a este punto quisiera hacer una precisión final. Del hecho que yo concluya que el legislador no goza de habilitación constitucional para anular la ley N° 20.657, no se sigue, necesariamente, que yo piense que dicho cuerpo legal se ajusta plenamente a la Carta Fundamental[24].

El punto es que, a diferencia de algunos entusiastas del neo constitucionalismo, yo nunca he creído que del hecho que un acto presente un posible vicio de constitucionalidad se sigue, automáticamente, que todos los órganos del Estado quedan, por ello, constitucionalmente disculpados si, para remediar o enervar el vicio, exorbitan su propia esfera de competencias.

En el caso que nos ocupa, resulta indiscutible que el ordenamiento constitucional chileno contempla un órgano *ad hoc* para discutir y decidir la

---

[23]   No se trata, obviamente, de una prerrogativa sin límites. El legislador siempre estará sujeto a las exigencias formales y materiales contenidas en la propia Carta Fundamental.

[24]   De hecho, y convencido de adolecer dicha normativa de algunos problemas graves de inconstitucionalidad, fui abogado patrocinante del requerimiento que 13 senadores interpusieron contra esta reforma legal ante el Tribunal Constitucional (Causa Rol N° 2386, con sentencia del 23 de enero de 2013).

constitucionalidad de los proyectos de ley y de las leyes. Se llama Tribunal Constitucional. Y no porque, en alguna ocasión, la intervención del TC no satisfaga la expectativa razonable de algunos, debiéramos aceptar como legítimo que, en nombre de la Supremacía Constitucional, o de valores como la democracia o la probidad, otros órganos del Estado (Parlamento, Presidencia de la República, Contraloría, etc.) se ofrezcan a ir más allá de sus propias competencias para hacer lo que el TC no hizo.

Invocar el principio de la supremacía constitucional del artículo 6° de la Carta Fundamental para desguazar los principios de juridicidad y competencia del artículo 7° del mismo texto devela incomprensión sobre el carácter sistemático del Código Supremo. El Estado de Derecho no se defiende ni promueve sobre la base de liberar a los órganos del Estado del deber de sujetarse, todos y siempre, a los preceptos de la Constitución.

La conclusión de este artículo no depende, entonces, de que la ley N° 20.657 haya sido adoptada en el contexto de una deliberación parlamentaria inmaculada ni supone que dicho cuerpo legal está exento de vicios y defectos. Nuestra conclusión aplica para todo tipo de leyes[25]. Las buenas, las malas y las feas. El legislador nacional no tiene facultades para sancionar vicios de inconstitucionalidad, sean ellos materiales o formales. No cabe, aquí, pretextar circunstancias extraordinarias. Los fines, aun cuando sean indudablemente valiosos, no justifican ni validan, el empleo de medios constitucionalmente reprochables.

---

[25]　Quisiera, en este pie de página, reservarme el derecho a seguir reflexionando sobre el valor constitucional de leyes cuya invalidación o pérdida total de efectos, por acto legislativo, aparece como la consecuencia necesaria, y aplicación, del mandato del artículo 5° inciso 2 de la Carta Fundamental en el sentido que los Tratados que reconocen derechos humanos obligan a todos los órganos del Estado, y de haberse suscrito por Chile, posteriormente a la ley discutida, un Tratado que reconoce derechos fundamentales que son negados por dicha norma o de haberse dictado por una Corte internacional a la que Chile reconoce jurisdicción una sentencia en materia de Derechos Humanos que impone la obligación de privar de todo efecto una ley determinada. ¿Podría afirmarse que del texto del artículo 5 inciso segundo de la Constitución Política se desprende para el legislador, en casos como los recién descritos, un deber de derogar y/o una facultad para anular? En algún sentido, este es un problema similar al que ha debido enfrentar nuestra Corte Suprema a propósito de la decisión de la Corte Interamericana de Derechos Humanos que dispuso que el Estado de Chile debía dejar sin efectos ciertas sentencias penales condenatorias dictadas en contravención a la Convención Americana sobre Derechos Humanos. Con fecha 16 de Mayo de 2019 nuestro máximo tribunal, en decisión inédita, declaró que las referidas sentencias "han perdido la totalidad de los efectos que les son propios". Nótese, en todo caso, que la Corte Suprema evitó hablar de una nulidad de tales resoluciones. No estando, hoy, en condiciones de responder a la interrogante que suscitan estas situaciones, me interesa dejar en claro, en todo caso, y para futura referencia, que las conclusiones de este artículo no alcanzan, necesariamente, a la hipótesis de una ley que busque zanjar la contrariedad sustantiva entre una ley anterior y el Derecho Internacional de los Derechos Humanos.

BIBLIOGRAFÍA

Freidman, Andrew (2011) "Beyond Cherry-Picking: Selection Criteria for the Use of Foreign Law in Domestic Constitutional Jurisprudence", Suffolk University Law Review, Vol XLIV, pp. 873-889.

García, Gonzalo; Contreras, Pablo y Martínez, Victoria (2016) "Diccionario Constitucional chileno", Hueders, segunda edición, p. 734.

Hirschl, Ran (2005) "The Question of Case Selection in Comparative Constitutional Law", The American Journal of Comparative Law, Vol. 53, No. 1 (Winter), pp. 125-155.

Kaiser, Anna-Bettina (2017) "It isn´t true that England is the moon": Comparative constitutional law as means of constitutional interpretation by the courts", German Law Journal, Vol. 18, N° 02, p. 208.

Nogueira, Humberto (2013) "El uso del derecho y jurisprudencia constitucional extranjera y de tribunales internacionales no vinculantes por el Tribunal Constitucional chileno en el período 2006-2011", Estudios Constitucionales, Centro de Estudios Constitucionales, Universidad de Talca, Año 11, N° 1, pp. 221-274

Zapata, Patricio (2008) "Justicia Constitucional", Editorial Jurídica de Chile, pp. 311-313.

Zhou, Han-Ru (2014) "A contextual defense of "comparative constitutional common law", International Journal of Constitutional Law, Volume 12, Issue 4, October, Pages 1034–1053.

Anexo n° 1

**Declara la nulidad de la ley N° 20.657, que Modifica en el ámbito de la susten-
tabilidad de recursos hidrobiológicos, acceso a la actividad pesquera industrial
y artesanal y regulaciones para la investigación y fiscalización, la ley General de
Pesca y Acuicultura contenida en la ley N° 18.892 y sus modificaciones**

Boletín N° 10.527-07

CONSIDERANDO:

Que la actividad pesquera y de recursos marítimos es una de las actividades
más importantes para la economía y la seguridad alimentaria del país, generando
riqueza, actividad económica y empleos. Al mismo tiempo, sus externalidades
afectan la sustentabilidad y sostenibilidad del medio ambiente marítimo y de las
ciudades y pueblos costeros.

Que Chile ocupa el no depreciable octavo lugar entre los países pesqueros
del mundo, con capturas anuales que superan los 3,8 millones de toneladas y
exportaciones del orden de los US$ 5.500 millones, cifras que son relevantes, a
pesar de la sostenida baja en nuestras capturas durante las últimas décadas. En
este sentido, podemos señalar que nuestros desembarques son solo el 47% del
máximo histórico registrado en 1994 y se acercan a los niveles de principios de la
década de 1980, previo a la expansión pesquera en Chile y el mundo (FAO, 2014;
Fuentes, 2015; Swartz et al, 2010; IFOP 2015).

Que gran parte de las capturas chilenas, son reducidas a harina de pescado
o aceite. En un segundo orden, la captura es destinada a congelados y refrige-
rados que posteriormente son exportados y, finalmente, sólo una mínima parte
es destinada al consumo humano directo en nuestro país (Fuentes, 2015). Este
fenómeno también lo vemos reflejado en cuanto a nuestro consumo nacional de
pescados, donde tan solo un 7% de nuestra proteína es obtenida del pescado,
muy atrás de la carne aviar, porcina u ovina. Por otro lado, nuestro consumo promedio per cápita es similar a la de países de África, muy por debajo del mínimo
recomendado por la OMS, el promedio mundial e incluso el promedio latinoamericano (Ibíd.). El interés de los grandes grupos económicos y el oligopolio
de la industria, crean la paradoja de que nuestro país está dentro del "top ten"
pesquero, pero nuestra población es privada de consumir una de las mejores
proteínas del mundo, la que es utilizada para alimentar pollos, cerdos o salmo-
nes, entre otros. Países como Japón les han dado a los recursos hidrobiológicos
el estatus de estratégicos, ya que han asociado su consumo al aumento de un
par de puntos del CI en sus niños y constituye uno de los pilares de su seguridad
alimentaria nipona.

Que lo regresivo de nuestro sistema de explotación de peces se puede apreciar nítidamente si lo revisamos desde la perspectiva de la Seguridad Alimentaria.
Convertimos peces en harina de pescado para producir a su vez pollos y cerdos,

en tasas de hasta 10:1, desperdiciando de este modo cerca del 90 % de la mejor proteína y ácidos grasos del planeta, para conseguir un 10% de carnes de más bajo valor nutricional, cuyo consumo es comúnmente asociado a patologías nutricionales como la obesidad, cardiopatías, diabetes, por nombrar algunas. Estamos socavando la base de nuestra producción de proteínas y nuestra Soberanía Alimentaria. Para ser aún más claros, actualmente producimos carne (aves, porcinos y bovinos, junto a salmonídeos) a partir de la harina producida a base de pescados, si se reduce el pescado, se reducirá finalmente la producción de otras carnes, a menos que compremos nuestras proteínas en el extranjero, desaprovechando de paso una de las proteínas de mayor calidad nutricional en el mundo, una población con serios problemas asociados a la mala alimentación. Escenario complejo teniendo en cuenta la creciente demanda mundial de alimentos (Fuentes & Mascaro 2014).

La actual crisis de las pesquerías se podría definir como una crisis por reducción de las poblaciones objetivo, lo que es resultado de la alta concentración de cuotas de captura, procesamiento de productos de bajo valor agregado, generación de puestos de trabajo precarios y un pésimo encadenamiento de producción de proteínas y el bajo consumo de pescado a nivel nacional. Lo anterior, resulta determinante frente a una eventual revisión de la Ley General de Pesca y Acuicultura (18.892), donde la salida a la crisis no está en las mismas políticas que la provocaron, sino en una política basada en un enfoque ecosistémico, el desarrollo sustentable, y la equidad social. Así mismo, el volumen de desembarques ha caído en picada durante décadas, principalmente a causa del sector industrial, y cuya tendencia general no ha cambiado con la aplicación de la Ley 20.657, esta realidad también ha afectado las exportaciones pesqueras nacionales, las que, han caído sustancialmente (Fuentes & Mascaro 2014).

De las veintiuna pesquerías presentes en nuestro país, podemos asegurar que al menos dieciocho son dominados por un grupo de nueve empresas (ocho chilenas y una de capitales nipones). Estamos hablando de las empresas CORPESCA, CAMANCHACA, BLUMAR, ORIZON, SAN ANTONIO, ALIMAR, DERIS, EMDEPES Y GRIMAR que cuentan con coeficientes de participación de 80% del jurel, 98% de la anchoveta, 76% de la sardina española, 72% de la sardina común, 30% de la merluza común, 99% merluza de tres aletas, 75% congrio dorado, 85% merluza austral, entre otros, y que además dominaron las exportaciones del sector (Subpesca, 2015; IFOP, 2015).

Que durante la tramitación de la Ley N° 20.657, entre 2011 y 2013, diferentes sectores e instituciones de la sociedad civil, la pesca artesanal y pueblos originarios cuestionaron su contenido y manifestaron que éste atentaba contra el interés nacional, la seguridad alimentaria y los derechos de los pueblos originarios. A lo anterior, se suma la manifiesta presión indebida sobre parlamentarios ejercida por distintos grupos económicos de la pesca industrial que buscaban beneficiarse con las modificaciones propuestas por la ley en comento.

Que a cuatro meses de la promulgación de la Ley 20.657, la ciudadanía comenzó a conocer serias evidencias de corrupción y faltas a la probidad por parte de parlamentarios, quienes orientados por empresas de la industria pesquera efectuaron indicaciones, intervenciones y votaciones que beneficiaron directamente a dichas empresas. Públicamente conocidos son los pagos, comunicaciones y minutas que Francisco Mujica, ex gerente de CORPESCA, efectuó a la ex Diputada Marta Isasi y al actual Senador, desaforado, Jaime Orpis. Así mismo, en la actualidad se realizan, por parte del Ministerio Publico, diferentes investigaciones para determinar el objeto de los dineros recibidos por otros parlamentarios y dirigentes políticos por parte de otras pesqueras. Lo anterior, ensombrece el proceso de formación de la Ley N° 20.657 ya que no está claro cuán extensas fueron las influencias de los grupos económicos de la pesca industrial ni a cuántos legisladores afecta.

Las últimas evidencias, públicamente conocidas, demuestran que existieron comunicaciones entre el ex Gerente de Corpesca, Francisco Mujica, el ex Subsecretario de Pesca, Pablo Galilea, y la asesora jurídica de la Subsecretaría de Pesca, María Alicia Baltierra O'Kuinghttons, los que se encuentran siendo investigados por la Fiscal Ximena Chong. Esto dejaría al descubierto la influencia del grupo Angelini en la elaboración del proyecto enviado por el ejecutivo y, por otra parte, confirmaría la participación asimétrica de los actores del sector pesquero en la elaboración del proyecto. Esta situación, ha puesto en tela de juicio la Ley 20.657, también denominada "Ley Longueira", debido a que ha sido obtenida mediante presiones de las grandes empresas y también, de acuerdo a lo que investigan los tribunales, mediante coimas y sobornos, lo cual viola la soberanía popular la que ha sido alterada por estas prácticas constitutivas de delito.

Que claramente una ley que se ha obtenido bajo soborno y lobby indebido del empresariado pesquero, es una ley viciada, que carece de toda legitimidad y legalidad ante la ciudadanía y, por tanto, consideramos que el Presidente de la República debe enviar al Parlamento una nueva ley de pesca, que represente realmente los intereses nacionales y de todos los actores del sector pesquero.

Que la legitimidad del proceso de positivización de la ley es posible sólo a través de una propensión del diálogo simétrico y la representación justa de los valores sociales, en donde los gobernados pasan a ser indirectamente autores de la ley, representados por las autoridades que estos mismos eligieron y, a su vez, los gobernados quedan en la disposición de destinatarios de las mismas (Habermas, 2000). Es decir, para que una norma sea considerada legítima o eficazmente ideológica, no basta con que haya sido creada y aplicada, sino que esta debe, en su formación y contenidos, observar los valores sociales de los representados y tener como objetivo la obtención ideal de la justicia imperante en la sociedad

(Prieto, 2001), libre de coacción y cohecho y únicamente encauzada por el bien común.

Que un sistema político no puede validar sus decisiones en la sola existencia de la ley y la coerción, ya que, en tanto representado, se tendría un fundamento de motivación estrecho para su aceptación o adhesión. En tal sentido, la legitimidad de las decisiones normativas depende de la aceptación incuestionada de las decisiones vinculantes, las que, para cumplir tal condición, deberían quedar aseguradas, en su independencia, de estructuras de motivación corporativas y personales (Luhmann, 2014).

La ley de pesca debe ser declarada nula porque en el proceso de discusión parlamentaria se vulneró el principio constitucional de probidad. De acuerdo a lo expresado, en su elaboración intervinieron parlamentarios que tenían, a esa fecha, intereses económicos en la industria pesquera, sin que lo advirtieran ni, menos aún, que se inhabilitaran en la votación. Por otra parte, es un hecho público y notorio que actores particulares de la industria financiaron irregularmente a algunos parlamentarios mientras se discutía la ley. Este principio, entendido como la preeminencia del interés general por sobre el particular, es aplicable por mandato de la propia Constitución a todas las personas que son titulares de funciones públicas, por lo que quedan incluidos los senadores y diputados.

En el debate de la ley 20.050, que reformó la Constitución incorporando el principio de probidad y transparencia de la función pública, el profesor Rolando Pantoja expresó que "... por su ubicación, el artículo 8.º propuesto contiene la idea de que los órganos del Estado actúan válidamente en determinadas condiciones, con lo cual da continuidad al principio de distribución de competencias a que alude al artículo 7.º." (Historia de la ley 20.050, pág. 141). Esto quiere significar que la observancia del principio de probidad está estrechamente vinculada con el principio de juridicidad establecido en los artículos 6° y 7°, y a la sanción que la última norma prevé por su inobservancia.

Por otro lado, la ley orgánica constitucional del Congreso Nacional recoge el principio de probidad en su artículo 5° A, estableciendo en su inciso segundo que "El principio de probidad consiste en observar una conducta parlamentaria intachable y un desempeño honesto y leal de la función, con preeminencia del interés general sobre el particular." En seguida, el artículo 5° B del mismo cuerpo legal prescribe que "Los miembros de cada una de las Cámaras no podrán promover ni votar ningún asunto que interese directa o personalmente a ellos o a sus cónyuges...". Es manifiesto que en la discusión parlamentaria de la Ley de Pesca estos principios y deberes fueron transgredidos, al estar determinado el ámbito de la elaboración normativa a la protección de intereses económicos de empresas pesqueras, no en un plano de abierta exposición de críticas o propuestas al proyecto de ley, sino como un ejercicio ilegítimo y oculto de la opinión pública.

La abundante evidencia sobre la intervención de ciertos grupos económicos con presencia en el sector pesquero, bajo las formas descritas en el presente proyecto de ley, fuerzan a concluir que el proceso legislativo no se ajustó a la forma que prescribe la ley, en los términos del artículo 7° de la Carta Fundamental, de modo tal que resulta insanablemente nulo. De acuerdo al profesor Eduardo Soto Kloss (2009), citado por Jaime carrasco (2015), la sanción de nulidad del artículo 7° de la Constitución alcanza no solo a los actos administrativos, sino que también a los legislativos, lo que se desprende de la redacción de la norma al definir que "todo acto en contravención a este artículo es nulo…". Según el autor, "Ello rige y es aplicable a todo tipo de función estatal, desde la constituyente pasando por la legislativa y la jurisdiccional hasta la administrativa y contralora: cualquier acto, de cualquiera de dichas funciones, que contravenga el artículo 7° es nulo; ninguno queda excluido, pues, todos están sometidos en su gestación (procedimiento de elaboración) como en su contenido a la Constitución, sin excepción." En el mismo sentido, la declaración de nulidad de derecho púbico por vía legislativa resulta procedente, advirtiendo Soto Kloss que "es la propia Constitución la que dispone la nulidad del acto que la vulnera, viola o contraviene ("es nulo"); no reenvía al juez para que sea éste el que la declare, como ocurre en la legislación civil (arts. 1683 y 1684 del Código Civil), y en que el acto es válido hasta que el juez lo declare nulo. Por el contrario, su artículo 7° declara él mismo la nulidad de este acto (de órgano estatal), y es nulo desde el mismo instante en que se incurrió en el vicio de inconstitucionalidad, al vulnerar la Constitución". Tal argumento fue citado en el proyecto de ley que declara la nulidad de derecho público del Decreto Ley de Amnistía dictado por la dictadura de Augusto Pinochet.

Refuerza la tesis de la procedencia de declarar la nulidad por vía legislativa el reconocimiento al referido proyecto de ley boletín 4162-07, otorgado por el Ejecutivo. En efecto, en 10 ocasiones el Gobierno le otorgó urgencia a la tramitación del proyecto, validando el objeto y sus fundamentos.

Por último, tal como lo ha expresado Transparencia Internacional (2010), la corrupción, el cohecho y la falta de probidad inoculan y socavan la gobernanza y la seguridad humana de los habitantes de un país. Así también, lo afirmó el Secretario General de las Naciones Unidas, Ban Ki-Moon, al expresar que "La corrupción es un obstáculo para lograr los Objetivos de Desarrollo del Milenio y debe tenerse en cuenta al definir y aplicar una sólida agenda para el desarrollo después de 2015" (2013).

POR TANTO: Los Diputados y Diputadas abajo firmantes, venimos en presentar el siguiente proyecto de ley:

Artículo 1°.- Declárese insaneablemente nula la ley 20.657.

HUGO GUTIERREZ GALVEZ DANIEL NUÑEZ ARANCIBIA

DIPUTADO DISTRITO N°2 DIPUTADO DISTRITO N°8

III. LOS PRINCIPIOS Y EL PROFESOR JOSÉ LUIS CEA EGAÑA

José Luis Cea y la libertad de enseñanza: Expresión de la tradición constitucional de la Pontificia Universidad Católica de Chile

Gonzalo Fernando Candia Falcón[1]
y René Ignacio Tapia Herrera[2]

Durante su carrera como profesor y Ministro del Tribunal Constitucional, José Luis Cea destacó como un promotor de la libertad de enseñanza en Chile. Con ello, no hizo sino continuar una tradición académica existente al interior de la Universidad Católica, la cual se remonta a docentes como Abdón Cifuentes, Carlos Estévez o Alejandro Silva Bascuñán. El artículo en cuestión propone reflexionar en torno a los aportes que el profesor Cea ha efectuado en el ámbito de la promoción y defensa de la libertad de enseñanza en el contexto de la tradición constitucional surgida en la Facultad de Derecho de la Pontificia Universidad Católica de Chile.

INTRODUCCIÓN

No cabe duda de que el profesor don José Luis Cea ha sido uno de los protagonistas del desarrollo constitucional chileno de la última mitad del siglo XX. En efecto, sus aportes como académico y como juez constitucional resultaron críticos para determinar el sentido y alcance de las disposiciones de la Constitución originada en 1980 y reformada en 2005. Dentro de los múltiples aportes efectuados por el profesor Cea, el presente trabajo busca indagar en uno que nos resulta de particular importancia, especialmente en el contexto del proceso constituyente que actualmente está viviendo nuestro país. Nos referimos a su labor de promoción y defensa de la libertad de enseñanza, derecho humano fundamental cuya importancia y proyección superan, incluso, el reconocimiento que cualquier texto constitucional pudiese efectuar al respecto. Ello, porque la libertad de enseñanza forma parte del núcleo central de todas las libertades públicas al interior de una sociedad democrática.

Si bien estamos frente a una libertad cuya validez y legitimidad no deriva únicamente de un texto constitucional, su reconocimiento en éste resulta crítico para

---

[1] Profesor de Derecho Constitucional y Derechos Humanos, Pontificia Universidad Católica de Chile. Abogado. LL.M por la Universidad de Georgetown. Doctor en Derecho, Universidad de Georgetown. Correo electrónico: gfcandia@uc.cl.

[2] Ayudante Derecho Constitucional, Pontificia Universidad Católica de Chile. Abogado. LLM (c) por la Pontificia Universidad Católica de Chile. Correo electrónico: rgtapia@uc.cl.

la promoción de una sociedad realmente pluralista, en la cual puedan coexistir distintos proyectos y visiones en torno al ideal de lo humano. Precisamente, es por ello que el Derecho Internacional de los Derechos Humanos reconoce y afirma la libertad de enseñanza como una garantía fundamental[3]. En efecto, el Comité de Derechos Económicos, Sociales y Culturales de Naciones Unidas ha afirmado que "todos, incluso los no nacionales, tienen la libertad de establecer y dirigir instituciones de enseñanza (…) [incluyendo] también a las entidades, es decir personas jurídicas o instituciones, y comprende el derecho a establecer y dirigir todo tipo de instituciones de enseñanza, incluidas guarderías, universidades e instituciones de educación de adultos"[4].

El reconocimiento del valor de la libertad de enseñanza en Chile no ha sido una cuestión pacífica. Por el contrario, la inclusión de la libertad de enseñanza como un principio fundamental de nuestro esquema constitucional ha sido el resultado de una larga batalla intelectual que distintos juristas han tenido que dar a lo largo de nuestra historia republicana. Dentro de esos juristas el profesor José Luis Cea ocupa un lugar privilegiado, uno que comparte con otros insignes constitucionalistas como don Alejandro Silva Bascuñán –su maestro–, don Carlos Estévez, o don Abdón Cifuentes. Uno de los campos donde este combate intelectual tuvo lugar fue, precisamente, la Pontificia Universidad Católica de Chile, cuya fundación buscó promover la libertad de enseñanza en nuestro país. Su sola existencia siempre estuvo asociada al reconocimiento efectivo de la libertad de enseñanza, y es por ello que su estudio y promoción forma parte integral de la tradición constitucional de esta casa de estudios y, en particular, de su Facultad de Derecho. En este sentido, la posición de don José Luis Cea en relación con esta materia responde a las coordenadas de una tradición que lo antecedía y la cual proyectó a través de su trabajo en la cátedra y en la magistratura constitucional. De allí la importancia de estudiar las concepciones del profesor Cea en torno a la libertad de enseñanza en el contexto de una tradición de la cual él es parte viviente.

Desde esta perspectiva, este sencillo trabajo busca, junto con homenajear a don José Luis Cea, analizar sus aportes en el ámbito académico y judicial a la defensa de la libertad de enseñanza, pero contextualizando dichos aportes dentro

---

[3]   Véase, por ejemplo: Comité de Derechos Económicos, Sociales y Culturales. Observación General N° 13 "El derecho a la educación (artículo 13 del Pacto)", párrafos 28-30 (1999). Disponible en: https://conf-dts1.unog.ch/1%20spa/tradutek/derechos_hum_base/cescr/00_1_obs_grales_cte%20dchos%20ec%20soc%20cult.html#GEN13 [fecha de visita 30 de noviembre de 2021], p. 83-84.

[4]   Comité de Derechos Económicos, Sociales y Culturales. Observación General N° 13 "El derecho a la educación (artículo 13 del Pacto)", párrafo 30 (1999). Disponible en: https://conf-dts1.unog.ch/1%20spa/tradutek/derechos_hum_base/cescr/00_1_obs_grales_cte%20dchos%20ec%20soc%20cult.html#GEN13 [fecha de visita 30 de noviembre de 2021], p. 83-84.

del tronco de la tradición constitucional de la Facultad de Derecho de la Pontificia Universidad Católica de Chile. Lo anterior nos permitirá concluir que la defensa irrestricta de la libertad de enseñanza por parte del profesor Cea no hizo sino proyectar una tradición constitucional, conformada a lo largo de los siglos XIX y XX. a las nuevas discusiones surgidas en el siglo XXI en torno a la aplicación de las exigencias de la libertad de enseñanza.

Para demostrar lo anterior, primero describiremos cómo la lucha por el reconocimiento de la libertad de enseñanza se inserta dentro del contexto de las disputas políticas decimonónicas, y cómo esas tensiones permitieron el surgimiento de una tradición constitucional en el seno de la Universidad Católica de Chile. Luego, expondremos cómo esa tradición resulta completamente consistente con los planteamientos efectuados, en relación con esta materia, por el profesor José Luis Cea tanto en sus actuaciones como académico y como juez constitucional, cargo que desempeñó entre los años 2002 y 2010. El trabajo finalizará con una breve conclusión.

1. DEFENSA DE LA LIBERTAD DE ENSEÑANZA EN LA UNIVERSIDAD CATÓLICA DE CHILE: UNA NECESIDAD

La libertad de enseñanza ha sido un punto central que define la tradición constitucional de la Pontificia Universidad Católica de Chile. En efecto, tal como lo afirma José Francisco García, la libertad de enseñanza es uno de los aspectos que configuran la identidad de dicha tradición constitucional[5]. Ello, por una razón muy básica: la creación misma de la Universidad, y su continuidad a lo largo del tiempo, han sido posibles únicamente a partir del reconocimiento jurídico de una garantía que resulta fundamental para la promoción de una comunidad política auténticamente libre, que aprecia en la diversidad de proyectos educativos un reflejo de la pluralidad democrática de una sociedad.

Efectivamente, sin libertad de enseñanza, la existencia misma de la Pontificia Universidad Católica de Chile habría resultado imposible. Es por eso que el establecimiento de esta casa de estudios en 1888 respondió a los esfuerzos realizados por distintos intelectuales y eclesiásticos para fundar establecimientos de enseñanza, cuya evaluación, metodologías, currículo y contenido, no estuviesen bajo la supervisión del Estado. Dichos esfuerzos se dieron en un contexto histórico-político complejo, marcado por las luchas políticas propias del siglo XIX.

---

5   García, José Francisco (2020) La tradición constitucional de la P. Universidad Católica de Chile Vol. II (1967-2019). Santiago: Ediciones UC. 632 pp., p. 596.

1.1. El escenario político-institucional en el cual surgen los debates en torno a la libertad de enseñanza en el Chile del siglo XIX

En su capítulo XI sobre *Disposiciones Jenerales,* la Constitución de 1833 consagró la educación pública como objeto de una atención preferente del Estado. De acuerdo con el artículo 153 y 154 de la Constitución, dicho deber preferente se concretaba en dos exigencias constitucionales. Primero, en la obligación, por parte del Congreso Nacional, de configurar "un plan general de educación nacional". Segundo, en el deber de establecer una Superintendencia de Educación Pública, cuya función era "la inspección de la enseñanza nacional y su dirección", bajo la autoridad del gobierno. El alcance asignado a la norma constitucional en cuestión era que la misma, al no reconocer la libertad de enseñanza, consagraba un régimen de Estado Docente, en el cual la autoridad pública asumía el deber no sólo de supervisar y determinar los contenidos de la enseñanza, sino también la obligación de realizar las acciones necesarias para educar directamente a la población. Durante los primeros años de la República que nació en 1833, esta concepción no resultó en mayores divergencias, ya que tanto la elite gobernante como el resto de la ciudadanía compartían, mayoritariamente, ciertas visiones fundamentales acerca del sentido y la finalidad de la existencia humana. En efecto, Estado e Iglesia Católica se encontraban vinculados jurídicamente en la medida que la República heredó el régimen de Patronazgo existente en los dominios de la monarquía hispánica al momento de la Independencia.

Sin embargo, con el transcurso de los años, se produjo un cambio en las convicciones metafísicas de la elite gobernante, lo cual impactó necesariamente las bases del Estado confesional chileno del siglo XIX. "Había partidos o grupos que eran francamente anticatólicos y seguía ocurriendo que esta gente tenía que ver con el nombramiento de las autoridades de la Iglesia, porque ellos decían que el gobierno de la República había heredado el derecho de Patronato, o sea: si lo tenía el Rey, lo tiene el Presidente; no importa que el Presidente [fuese] o no católico"[6]. Esta nueva situación impactó sustancialmente la educación pública, la cual seguirá revistiéndose de una fachada más o menos católica, pero cuyo contenido tenderá progresivamente a ser más laicista. En este nuevo contexto, la monopolización del proceso educativo por parte del Estado representaba una verdadera amenaza a la libertad, particularmente a la libertad que disponían los padres para educar a sus hijos dentro de sus concepciones morales y religiosas. Esto, especialmente considerando que el Estado Docente aspiraba "a monopolizar

---

[6]   Vial Correa, Juan de Dios (2018) "Rasgos distintivos de la Pontificia Universidad Católica de Chile y su aporte específico al país". En San Francisco, Alejandro (editor): Juan de Dios Vial Correa. Pasión por la Universidad. Santiago: Ediciones UC, 2018, pp. 439-448. Disponible en: https://www.jstor.org/stable/j.ctt20fw874.66 [fecha de visita 30 de noviembre de 2021], p. 440.

la docencia, sobre todo la media y la universitaria"[7]. En este sentido, ya en 1860, se dictó la Ley General de Instrucción Primaria, la cual estableció en su artículo 1°, que "la instrucción primaria se dará bajo la dirección del Estado", sin mayores distinciones o precisiones. Por otro lado, dicha ley, si bien permitía a ciertas instituciones religiosas fundar establecimientos de enseñanza, lo condicionaba a la autorización directa del Presidente de la República[8]. Si la creación libre de instituciones de enseñanza primaria y secundaria se encontraba limitada en dichos términos, el establecimiento de instituciones universitarias no-estatales resultaba un verdadero imposible.

La unidad entre Estado e Iglesia era completamente instrumental para el proyecto de laicización forzada de la sociedad que promovían ciertos sectores de la elite política de aquel tiempo. Dicho régimen era particularmente útil para proyectar ese laicismo en la esfera de enseñanza. En efecto, una Iglesia sometida al Estado en términos económicos y jurídicos permitía a los gobiernos restringir su ámbito de influencia al interior de la sociedad. De allí que el régimen de Patronazgo, del cual los Presidentes de la República durante el siglo XIX fueron celosos defensores, representara, más que un apoyo al impulso de la enseñanza católica, un mecanismo que muchas veces contribuyó a obstruirla y mantenerla bajo control, de forma tal que existiera y comunicara únicamente aquello que al gobernante pareciera necesario y razonable. Ni más, ni menos que aquello.

La discusión en torno a la libertad de enseñanza tempranamente dejó de ser una cuestión meramente doctrinaria y pasó a convertirse en una de carácter político. En efecto, disputas en torno a su alcance terminaron incluso por quebrar alianzas políticas como aquella que sostenía al Presidente Federico Errázuriz Zañartu en 1872. Suficientemente conocido es el episodio que dio lugar a ese quiebre. El entonces Ministro de Justicia, Culto e Instrucción Pública, don Abdón Cifuentes, fervoroso partidario de la libertad de enseñanza, dictó ese año un decreto que permitió a los establecimientos de enseñanza privados administrar sus propios exámenes. Si bien la Universidad de Chile retuvo sus facultades de supervisión sobre esos exámenes, esta institución estatal se vio en la imposibilidad de fiscalizarlos debido a la falta de personal para enfrentar la nueva situación. El conflicto sobre los exámenes libres mutó en un conflicto de principios políticos,

---

[7]   Vial Correa, Gonzalo (1989) "Grandes problemas del Derecho en Chile durante los 100 años de esta Facultad". Revista Chilena de Derecho, Vol. 16. N°3, pp. 541-551, p. 542. Disponible en: https://repositorio.uc.cl/xmlui/bitstream/handle/11534/16982/000304604.pdf [fecha de visita 14 de noviembre de 2021].

[8]   El artículo 7°, por otro lado, obliga a todos los conventos a mantener escuelas gratuitas, cuando el estado de sus rentas lo permita, pero dicho condicional lo decide el Presidente de la República.

que culminó en la renuncia del Ministro Abdón Cifuentes, la derogación del referido decreto y la disolución de la coalición gobernante[9].

En 1874, mediante una reforma constitucional, se consagró –de forma tímida y limitada–, la garantía de la libertad de enseñanza en la carta política de 1833. Naturalmente, esta reforma no abrogó el fuerte Estado Docente existente en ese tiempo, pero reconoció "la libertad de enseñanza" como garantía fundamental en el nuevo artículo 10 N° 6 *in fine*[10]. Sin embargo, esa libertad constitucional quedaba completamente desprovista de significado concreto. Ello, en la medida que la nueva Ley de Educación de 1879 mantuvo "el monopolio de la Universidad de Chile en el otorgamiento de títulos y grados, además de entregarle al Estado el derecho a vigilar a los establecimientos de enseñanza particular en lo que se refiere a su moralidad, higiene y salubridad"[11]. A partir de lo anterior, era obligación de los colegios particulares y privados someterse a exámenes anuales frente al Instituto Nacional, cuestión que evidentemente condicionaba los contenidos de los planes de enseñanza que esas instituciones podían impartir. En un escenario como el descrito, el Estado ejercía un control total respecto a los ingresos a la universidad, las promociones de los escolares, los resultados de los exámenes y los contenidos de éstos[12]. Así las cosas, la proclamación de la libertad de enseñanza en la letra de la Constitución de 1833 no trajo, por sí misma, ningún cambio sustantivo. Efectivamente, el modelo docente siguió reconociendo al Estado un conjunto de potestades que le permitían, en los hechos, ahogar cualquier atisbo de iniciativa privada en el ámbito educacional.

Nada de ello era producto de la casualidad. Dejemos que el mismísimo don Valentín Letelier, adalid del Estado Docente, explique el por qué de esa necesidad de control respecto de la enseñanza no-estatal. Señalaba el jurista en cuestión, el año 1892, que "[asumiendo] el actual desencuadernamiento de los espíritus, sólo un sistema de educación común p[odría] restaurar la unidad del intelecto, imponiendo a todos la enseñanza de una misma doctrina"[13]. De acuerdo con Letelier, la condición para obtener la paz social al interior del país exigía, necesariamente, poner "la enseñanza en las solas manos del Estado, a fin de que

---

9   Jaksic, Iván; Serrano, Sol (1990) "In the Services of the Nation: The Establishment and Consolidation of the Universidad de Chile, 1842-79". Hispanic American Historical Review, Vol. 70, N° 1, pp. 139-171. Disponible en: https://www.jstor.org/stable/2516370 [fecha de visita 12 de noviembre de 2021], pp. 158-160.

10   Constitución de 1833 con reformas hasta 1888, disponible en: https://www.bcn.cl/leychile/navegar?idNorma=1139076 [fecha de visita 22 de noviembre de 2021].

11   Hax, Arnoldo; Ugarte, Juan José (2014) Hacia la Gran Universidad Chilena. Un modelo de transformación estratégica. Santiago: Ediciones UC, 296 pp., p. 121.

12   Vial (1989) 543.

13   Letelier, Valentín (1892) Filosofía de la educación. Santiago: Imprenta Cervantes, 751 pp., Disponible en: https://libros.uchile.cl/files/presses/1/monographs/163/submission/proof/683/index.html#zoom=z [fecha de visita 30 de noviembre de 2021], P. 686.

él armoni[zara] la educación, así con el desarrollo de la cultura, como con el sistema político"[14]. Por tanto, para quienes promovían el Estado Docente, lograr el absoluto control estatal de la educación no era una cuestión de índole puramente administrativa. Por el contrario, el control de la enseñanza por parte del Estado representaba un objetivo político de primer orden, particularmente para quienes buscaban, a partir de aquel, uniformar la sociedad chilena de acuerdo con las sensibilidades laicistas que convocaban a buena parte de la elite política nacional de aquellos años.

1.2. La fundación de la Universidad Católica. Surgimiento de la tradición constitucional en torno a la libertad de enseñanza

Para quienes creían en la libertad de enseñanza a lo largo del siglo XIX, la situación del país en la materia era clara y no admitía dos lecturas. Si bien el artículo 10 N° 6 de la Constitución de 1833 reconocía la libertad de enseñanza, ello no era más que "el hermoso rótulo de un libro en blanco, una mera decoración de teatro, un rey de burlas en presencia del insensato monopolio universitario del Estado, que florece en nuestro país"[15]. Esto, porque, en los hechos, "[l]os privilegios de los que gozaba la educación estatal (financiamiento, condiciones honrosas y lucrativas para sus profesores y directores y gratuidad), sumado al monopolio sobre la entrega de títulos y grados, hacían imposible toda competencia y mataban toda iniciativa privada en la educación"[16]. Cabe destacar que en los países europeos, se vivían dificultades similares en torno al papel que correspondía desempeñar al Estado en materia educacional[17].

En el escenario anteriormente descrito, imaginar siquiera el establecimiento de una institución de enseñanza superior no-estatal en Chile representaba una real quimera, un imposible. La libertad en materia educativa se encontraba a tal punto ahogada por el conjunto de regulaciones existentes que reclamarla en la esfera universitaria representaba un verdadero desafío al poder del Estado y de las elites políticas de ese tiempo. Sin embargo, un grupo de intelectuales católicos asumieron ese desafío con intención de cambiar la realidad y, a partir de

---

[14]   Letelier (1892) 714.

[15]   Universidad Católica de Chile (1902) Anuario de la Universidad Católica de Santiago de Chile. Santiago: Imprenta Cervantes. Tomo I, 484 pp. Disponible en: https://puc.alma.exlibrisgroup.com/view/delivery/56PUC_INST/1271590070003396 [fecha de visita: 14 de noviembre de 2021], p. 236.

[16]   Cifuentes Espinoza, Abdón (1936) Memorias. Santiago: Editorial Nascimento. Tomo II, 387 pp., p. 10

[17]   Martínez Neira, Manuel; Ramis Barceló, Rafael (2019) La Libertad de enseñanza, un debate del ochocientos europeo. Madrid: Editorial Dykinson, 476 pp. Disponible en: https://e-archivo.uc3m.es/bitstream/handle/10016/29808/libertad_martinez-ramis_hu52_2019.pdf?sequence=1&isAllowed=y [fecha de visita 30 de noviembre de 2021], p. 60.

ese cambio, impactar la normativa jurídica en torno a la libertad de enseñanza. Dicho grupo se congregó bajo los auspicios de la Unión Católica, asociación que tuvo su primera asamblea general el 1° de noviembre de 1884[18]. Entre sus fundadores se encontraban el que sería el primer constitucionalista de la futura Universidad Católica, don Abdón Cifuentes, y su primer rector, don José Joaquín Larraín Gandarillas. El 11 de junio de 1885, la Unión Católica envió al Papa León XIII una nota señalando los propósitos de la asociación y la necesidad de promover la libertad de enseñanza en un contexto caracterizado por "los atentados i vejámenes con que nuestras autoridades vienen hostilizando los derechos i más caros intereses de la Iglesia"[19]. La comunicación fue firmada por el Consejo General de la Unión Católica de Chile[20].

Tras difíciles gestiones y negociaciones, finalmente, la Universidad Católica *libre* se convirtió en una realidad. La fundación se concretó mediante decreto del arzobispo Mariano Casanova de 21 de junio de 1888. El inicio de clases tuvo lugar el 1° de abril de 1889[21]. El establecimiento de esta casa de estudios fue un hito a nivel regional. En efecto, la fundación de la Universidad Católica de Chile constituyó el "primer desafío al control estatal en la educación superior en América Latina"[22]. En un discurso de su primer Rector, don Joaquín Larraín Gandarillas, éste señaló que "una universidad libre es, por fin, una corporación que no vive del aliento ni de la inspiración oficial. La nuestra aspira al honor de deberlo todo a su propio y abnegado trabajo y a las simpatías que logren inspirar sus doctrinas, sus profesores y sus métodos. (…). Estas grandes cosas encierran las tres palabras: *Universidad Católica libre*"[23].

Si bien la Universidad Católica de Chile siguió sometida al control estatal existente en su tiempo, incluso tras el término del régimen de unión entre Iglesia y Estado en 1925, su sola existencia representó la posibilidad de un cambio que

---

[18]   Retamal Fuentes, Fernando (2002) Chilensia Pontificia. Segunda parte. De León XIII a Pío XII (1878-1958). Santiago: Ediciones UC, Volumen II / Tomo I. 511 pp. Disponible en: https://www. jstor.org/stable/j.ctt1dszxfn [fecha de visita 12 de noviembre de 2021], p. 303.

[19]   Retamal (2002) 305.

[20]   Es decir, "Abdón Cifuentes, Vicente G. Huidobro, José Tocornal, Miguel R. Prado, José Clemente Fabres, P. Fernández Concha, Alejandro Vial, J. Ciriaco Valenzuela, Santiago Urzúa, Macario Ossa, Joaquín Díaz B, Carlos Vicente Risopatrón, Ramón Santelices, J. T. Rodríguez, D. Fernández Concha, Manuel González Errázuriz, Evaristo del Campo, Miguel Barros Morán, A. Subercaseaux, Cosme Campillo, Francisco de B. Larraín, Francisco González Errázuriz, Manuel G. Balbotín", tal como indica Retamal (2002) 305.

[21]   García, José Francisco (2017) La tradición constitucional de la P. Universidad Católica de Chile. Vol. I (1889-1967). Santiago: Ediciones UC. 353 pp., p. 93.

[22]   García (2017) 88. En el mismo sentido se pronuncia Juan de Dios Vial Correa: "hasta donde yo sé, en el mundo de habla hispánica, la primera universidad que reclamó el derecho de dar títulos, o sea, lo que hace ser una Universidad, en forma completamente independiente del Estado, fue esta". En Vial (2018) 443.

[23]   Anuario de la Universidad Católica de Santiago de Chile. Tomo I. Imprenta Cervantes, p. 33.

permitiera convertir las exigencias de la libertad de enseñanza en una realidad, y una realidad a la cual no sólo los católicos podían aspirar, sino una realidad que todos los grupos de la sociedad, con independencia de su credo religioso, podían legítimamente anhelar. Y es que la libertad de enseñanza, si bien en un principio fue fuertemente promovida por los católicos, es un patrimonio de todas las personas que desean vivir en sociedades democráticas caracterizadas por la diversidad y el pluralismo.

La rápida revisión histórica que se ha efectuado a lo largo de este trabajo permite comprender por qué la libertad de enseñanza comenzó rápidamente a adquirir un valor incuestionable para aquellos juristas que se dedicaron al cultivo de la enseñanza del Derecho Constitucional en la Universidad Católica.

Dentro de ese núcleo de constitucionalistas que promovieron la libertad de enseñanza, en el contexto de su actividad universitaria, resalta con particular interés la figura del profesor Carlos Estévez Gazmuri. Este jurista, y destacado político de su tiempo, enseñó Derecho Constitucional en la Facultad de Derecho de la Universidad de Chile entre los años 1897 y 1928. Luego, fue profesor de Hacienda Pública y Estadística en la Universidad Católica y profesor de Derecho Constitucional a partir de 1930. Su texto, *Elementos de Derecho Constitucional*, publicado en 1949, reproduce buena parte del contenido de sus clases, cuestión que nos permite comprender las doctrinas dentro de las cuales se formaron distintas generaciones de abogados que realizaron sus estudios de Derecho en la Universidad Católica. Explicaba Estévez que la libertad de enseñanza "es el derecho que asiste a toda persona natural o jurídica para difundir sus ideas o doctrinas a través de establecimientos de educación y por medio de la cátedra"[24]. Para el profesor Estévez, el fundamento se encuentra en consideraciones antropológicas en torno a la realidad del hombre[25]. De ahí, concluye que "ninguna persona, sea natural o jurídica, ninguna autoridad o Estado puede pretender para sí exclusivamente el monopolio de la enseñanza porque ello equivaldría a privar a las demás personas de un derecho que es inherente a la naturaleza"[26]. El profesor Estévez rechazó con fuerza el concepto de Estado Docente, pues esta doctrinaria encontraría su fundamento en el supuesto de que el individuo se debe al Estado, incluso en forma preferente de lo que se debe a su propia familia[27].

La defensa del profesor Estévez de la libertad de enseñanza no lo llevó a negar el papel incuestionable que el Estado representaba en el ámbito educativo. En

---

[24] Estévez Gazmuri, Carlos (1949) Elementos de derecho constitucional. Santiago: Ediciones UC, 495 pp., p. 124.
[25] Explica que, "dotado el hombre de inteligencia para investigar la verdad y de palabra para transmitirla, lo hace por medio de la prensa o de la explicación oral". Estévez (1949) 124-125.
[26] Estévez (1949) 125.
[27] Estévez (1949) 126.

relación con aquello, Estévez manifiesta que los argumentos esbozados por la escuela que niega al Estado toda intervención en la enseñanza no son concluyentes[28]. Desde esta perspectiva, es posible concluir que su planteamiento promueve una aproximación subsidiaria al papel que el Estado debe desempeñar en materias educacionales. Para Estévez, junto con su tarea reguladora y fiscalizadora, el Estado podía perfectamente realizar labores directas de enseñanza, pero únicamente allí donde la iniciativa particular no fuera suficiente para satisfacer una necesidad que, evidentemente, contribuía de manera eminente al bien común de la sociedad. Así, Estévez señala que "entre nosotros, el Estado no sólo puede, sino que debe enseñar porque la iniciativa particular no alcanza por sí sola a realizar el beneficio de la enseñanza"[29].

Estévez no sólo se contentó con describir el alcance de la libertad de enseñanza a sus alumnos. Por el contrario, y a partir de su propia experiencia, el docente consideró esta libertad como estándar para evaluar las instituciones jurídicas de su tiempo. En sus clases señalaba que "no puede decirse que en conformidad a las leyes en vigor exista en Chile libertad de enseñanza; si bien el decreto orgánico de la Universidad reconoce a los profesores la libertad de su cátedra, ella está limitada porque el profesor está obligado a desarrollar su enseñanza con arreglo a los programas y planes de estudio que fija el Consejo Universitario"[30].

El planteamiento del profesor Carlos Estévez no es distinto de aquel enseñado por otros constitucionalistas que le antecedieron en la Facultad de Derecho de la Pontificia Universidad Católica de Chile: Abdón Cifuentes Espinoza y José María Cifuentes Gómez[31]. La figura del profesor Estévez destaca en la medida que éste contribuyó de manera importante en la formación de otro gran jurista defensor de la libertad de enseñanza en nuestro país: don Alejandro Silva Bascuñán, quien fue su ayudante en la cátedra[32].

Don Alejandro Silva Bascuñán promovió la libertad de enseñanza tanto en su ejercicio docente, como en su destacada vida pública. Su *Tratado de Derecho Constitucional*, publicado por la Editorial Jurídica de Chile en 1963, y destinado a estudiar esta rama del Derecho a la luz de lo dispuesto en la Constitución de 1925, hizo, en línea con la tradición constitucional de la Universidad Católica, una fuerte defensa de la libertad de enseñanza. Esa defensa doctrina fue particularmente relevante en su tiempo. Esto, porque si bien la Constitución de 1925

---

[28]   Estévez (1949) 127.
[29]   Estévez (1949) 128.
[30]   Estévez (1949) 129-130.
[31]   García (2017) 221.
[32]   García (2017) 257-258.

reconoció la garantía de la libertad de enseñanza, lo hizo de manera bastante precaria[33].

Resulta de particular interés la lectura que Silva Bascuñán realizó de la Constitución de 1925, buscando armonizar sus preceptos con las exigencias propias de la libertad de enseñanza en aquella parte que resultara pertinente. Por ejemplo, esto le permitió determinar la forma adecuada de comprender el alcance del artículo 7° de la Constitución de 1925, el cual manifestaba, en forma similar a la disposición correspondiente de la Constitución de 1833, que la educación pública era un deber de atención preferente por parte del Estado. Para el profesor Silva Bascuñán, la norma en cuestión no podía interpretarse reconociendo al Estado una facultad monopólica para controlar toda forma de enseñanza. De hecho, el autor afirmó que el deber en cuestión únicamente se restringía al ámbito de la educación pública, donde el Estado tenía obligaciones innegables[34]. Por el contrario, continuaba el profesor Silva Bascuñán, el deber estatal en cuestión jamás podía pretender apropiarse o ahogar la enseñanza impartida por la familia o por establecimientos educacionales regentados por familias[35]. En relación con la constante presión que el Estado ejercía sobre los establecimientos educacionales no-estatales, Silva Bascuñán llegará a señalar que la garantía de la libertad de enseñar se refiere tanto a la remoción de los obstáculos que se opongan a su práctica, cuanto a favorecer y auxiliar las iniciativas de los particulares encaminadas a ejercitar las facultades que se le reconocen[36]. En este sentido, el profesor Silva Bascuñán no se limitó a afirmar que la libertad de enseñanza establecía deberes de abstención para el Estado. Por el contrario, también afirmó que su reconocimiento constitucional obligaba a la autoridad a adoptar aquellas medidas que resultaran necesarias para *favorecer y auxiliar* las iniciativas de la comunidad en esta materia. Todo ello, en total consistencia con las exigencias del principio de subsidiariedad.

Al igual que Carlos Estévez, el profesor Silva Bascuñán utilizó la libertad de enseñanza como estándar para evaluar la legitimidad constitucional de la normativa legal y reglamentaria acerca de la enseñanza. Durante la década de 1960, los gobiernos de la época dictaron una serie de decretos que buscaron fijar los precios de los servicios de enseñanza, establecer los períodos vacacionales, obligar

---

[33] La versión original de la constitución de 1925, indica en su artículo 7° que "La libertad de enseñanza. La educación pública es una atención preferente del Estado. / La educación primaria es obligatoria. / Habrá una Superintendencia de educación pública, a cuyo cargo estará la inspección de la enseñanza nacional y su dirección, bajo la autoridad del Gobierno;". Disponible en: https://www.bcn.cl/leychile/navegar?idNorma=131386 [fecha de visita 20 de noviembre de 2021].

[34] Silva Bascuñán, Alejandro (1963) Tratado de derecho constitucional. Santiago: Editorial Jurídica de Chile. Tomo II. 374 pp., p. 266.

[35] García, (2017) 285-286.

[36] García (2017) 286.

al uso de un uniforme único, permitir al gobierno controlar el contenido de los programas de estudio y el contenido de los ramos, establecer comités de supervisión, fijar las fórmulas de cálculo de notas y establecer los requisitos para que los alumnos fuesen promovidos de curso[37]. El contenido de dichos decretos fue abiertamente criticado por Silva Bascuñán[38].

La elaboración de la nueva Carta Fundamental de 1980 también conoció de la destacada participación de profesores de la Universidad Católica, cuya intervención fue crítica para resguardar la libertad de enseñanza en la nueva Constitución. En efecto, gracias al trabajo de profesores como Alejandro Silva Bascuñán o Jaime Guzmán, el nuevo Código Político recogió los alcances de la libertad de enseñanza como ninguna otra Constitución de nuestra historia republicana lo había hecho. Un punto relevante de la discusión al interior de la Comisión de Estudios para la Nueva Constitución fue el relativo al establecimiento del inciso quinto del artículo 19 N° 11 de la Constitución. El mismo entregó al Estado la facultad para determinar "los requisitos *mínimos* que deberán exigirse en cada uno de los niveles de la enseñanza básica y media y (…) las normas objetivas, de general aplicación, que permitan al Estado velar por su cumplimiento". En relación con esta norma, el profesor Guzmán clarificó que la expresión "mínimos" buscaba impedir que la burocracia estatal, a través de la definición del contenido de programas oficiales de educación, ahogara, en la práctica, la libertad de los establecimientos para determinar aspectos relevantes de sus propios planes[39]. Por otro lado, el hecho que las exigencias para la promoción de estudiantes tuviese carácter objetivo y general impedía que el legislador estableciera distinciones arbitrarias u odiosas en perjuicio de los establecimientos educacionales no-estatales[40].

Es dentro de esta tradición jurídica que el profesor José Luis Cea se formó en la Facultad de Derecho de la Pontificia Universidad Católica de Chile. Una tradición que es herencia de las luchas por la libertad de enseñanza decimonónicas y que se construyó progresivamente a partir del trabajo intelectual de juristas como Abdón Cifuentes, Carlos Estévez y Alejandro Silva Bascuñán.

---

[37]   Soto Velasco, Sebastián (2004) "La libertad de enseñanza durante el gobierno de Frei Montalva", Revista Chilena de Derecho, Vol. 31 N°1, pp. 137-154. Disponible en: https://www.jstor.org/stable/41614005 [fecha de visita 30 de noviembre de 2021], pp. 139-151.

[38]   Soto (2004) 139.

[39]   Cea Egaña, José Luis (2012) Derecho constitucional chileno. 2ª edición. Santiago: Ediciones UC, 739 pp., p. 360.

[40]   Cea (2012) 372.

2. EL PROFESOR JOSÉ LUIS CEA Y SU DEFENSA Y PROMOCIÓN DE LA LIBERTAD DE ENSEÑANZA

La historia de Chile nos demuestra que el reconocimiento positivo de la libertad de enseñanza en nuestro país ha sido una lucha que marcado el desarrollo de nuestro constitucionalismo. El objeto de la cuestión no es menor. Sustancialmente, el conflicto trata acerca de los límites que la autoridad política tiene al momento de relacionarse con las personas y sus iniciativas al interior de la sociedad. En efecto, la discusión acerca de la libertad de enseñanza es fundamentalmente una cuestión práctica de filosofía política y constitucional. Detrás de la respuesta que cada uno ofrece en esta discusión se encuentra la particular visión que cada uno tiene acerca de la relación entre Estado y sociedad civil.

En plena conformidad con la tradición de su casa de estudios, el profesor José Luis Cea se aproximó a este tema desde una perspectiva humanista y libertaria. En efecto, el profesor Cea, en su calidad tanto de académico como de juez constitucional, asumió la defensa de la libertad de enseñanza. Con ello, el profesor Cea no hizo sino proyectar en sus distintas actuaciones la tradición constitucional de la Universidad Católica en materias de libertad de enseñanza, aspecto este último que forma parte del eje central de aquella. A continuación, revisaremos los aportes del profesor Cea en relación con esta garantía tanto en el ámbito académico, como en el ámbito de la jurisprudencia constitucional.

2.1. En el ámbito académico

El profesor Cea, docente tanto en la Universidad Católica como en otras universidades nacionales de prestigio, publicó en 2004 un texto crítico para la hermenéutica constitucional chilena. Se trata de su *Derecho Constitucional Chileno*, obra en cuatro tomos que analiza el sentido y alcance de las disposiciones de la Constitución de 1980 desde una perspectiva enriquecida por los conocimientos que su autor exhibe en el ámbito de las ciencias políticas. Dicho texto resulta fundamental para analizar la conceptualización que el profesor Cea hizo de la libertad de enseñanza, conceptualización que ha contribuido de manera importante a la formación jurídica de abogados, jueces y funcionarios públicos. De hecho, se ha planteado que el texto en cuestión se ha transformado en el más importante intérprete del texto constitucional de 1980[41].

El profesor Cea define la libertad de enseñanza desde una perspectiva formal y una informal. Desde una perspectiva formal, la libertad de enseñanza consistiría en "la facultad de participar en la transmisión metódica de información y

---

[41]   García (2020) 597.

conocimiento, de manera gratuita o remunerada, a alumnos o estudiantes del sector público o privado en cualquiera de sus niveles"[42]. Ahora bien, desde una dimensión informal, el autor concluye que la libertad de enseñanza está asociada al "proceso de transmisión sistemática de información y conocimiento, en la familia, los medios de comunicación y otras instancias, como las ya aludidas"[43]. La complejidad de la conceptualización da cuenta que el profesor Cea buscó huir de definiciones centradas únicamente en lo estrictamente legalista. Por el contrario, la terminología utilizada por el autor buscó dar cuenta de un concepto a partir de su relación con la realidad. En efecto, el eje de la definición incorporado en el texto del profesor Cea son las personas que ejercen, y las que se benefician del reconocimiento constitucional de la libertad de enseñanza. Ello, permite evidenciar la aproximación humanista que siempre ha caracterizado los escritos de José Luis Cea. En esa misma línea, ha señalado que la libertad de enseñanza forma parte del corazón de lo que él mismo ha llamado la "Constitución cultural de Chile"[44]. En efecto, el profesor Cea ha indicado que la libertad de enseñanza es una garantía fundamental para que las mismas personas puedan proyectar la transmisión del conocimiento al interior de la comunidad, de manera tal de asegurar una verdadera "libertad social" y una real "participación en la sociedad que queremos"[45].

Esta rica aproximación, humanista en sus definiciones básicas, no le impide reconocer con claridad el alcance jurídico de esta libertad, la que ampara el derecho de abrir o fundar establecimientos educacionales "de cualquier nivel, de acuerdo con el ideario o proyecto educativo de sus fundadores (…) organizar, dirigir o regir dichos establecimientos, (…) sus administradores o sucesores, determinando sus características, objetivos, métodos, rasgos de la docencia, los profesionales que la impartan, régimen de dirección, administración y disciplina interna, reglas de orden y responsabilidades, sistema de financiamiento, vínculos con otras instituciones, etc. (…) mantener, desarrollar o sostener en el tiempo establecimientos educacionales, modificando su administración"[46] o "en última instancia, cerrarlo o transferirlo a terceros"[47].

Igualmente, quirúrgico por su precisión resulta el tratamiento que el profesor Cea hace de las causales a partir de las cuales es posible que el legislador restrinja

---

[42]   Cea (2012) 365.
[43]   Cea (2012) 365.
[44]   Cea Egaña, José Luis (2000) "La libertad en la constitución chilena: dimensión política, social, económica y cultural". Revista de Derecho Universidad Católica del Norte, N°7, pp. 17-46. Disponible en: https://revistaderecho.ucn.cl/index.php/revista-derecho/article/view/2204/2514 [fecha de visita: 30 de noviembre de 2021], p. 36.
[45]   Cea (2000) 27.
[46]   Cea (2012) 369.
[47]   Cea (2012) 369.

el ejercicio de la libertad de enseñanza. Si bien el autor reconoce que la moral, las buenas costumbres, el orden público y la seguridad nacional son conceptos jurídicos amplios, "cualquiera restricción a [esta] libertad que no se encuadre en alguno de ellos debe reputarse insostenible en su espíritu, letra y contexto"[48]. De hecho, concluye el profesor Cea, cualquier interpretación de las causales de limitación de la libertad de enseñanza contempladas en el artículo 19 N° 11 inciso segundo debe ser respetuosa del "núcleo esencial que caracteriza los conceptos descritos"[49]. Naturalmente, con ello se busca impedir que una lectura injustificadamente extensiva de aquellas causales termine por significar la imposición de restricciones incompatibles con el sentido mismo de la libertad de enseñanza.

Como es posible apreciar, la conceptualización de libertad de enseñanza que el profesor Cea ha enseñado a las distintas generaciones de alumnos que pasaron por las aulas, así como la idea que ha planteado en su texto más relevante, su *Derecho Constitucional Chileno*, dan cuenta de la continuidad de su discurso en relación con aquel de los grandes maestros que le precedieron.

2.2. Como juez constitucional

El profesor José Luis Cea fue designado como integrante del Tribunal Constitucional el año 2002. Se desempeñó en el cargo durante trece años, ejerciendo como Presidente de esta institución entre 2005 y 2007. Su actuación como magistrado ayudó de forma importante a impulsar y dotar de mayores contenidos materiales a la jurisprudencia constitucional de nuestro país, particularmente a partir de la reforma constitucional de 2005. La intervención del juez José Luis Cea en casos asociados a la libertad de enseñanza fue crítica para desentrañar el sentido y alcance de esta garantía en el contexto de la resolución de conflictos sometidos al control preventivo y represivo del Tribunal Constitucional.

Hasta la llegada al Tribunal Constitucional del profesor Cea, si bien a la jurisprudencia del Tribunal Constitucional no le resultaba desconocido el alcance de la libertad de enseñanza, el contenido de la garantía no había sido suficientemente desarrollado por esta magistratura. En efecto, en las sentencias recaídas sobre los Roles N° 102-1990, N° 123-1991, o N° 352-2002, si bien existían alusiones directas o indirectas al artículo 19 N° 10 o 19 N° 11, no existía un desarrollo conceptual más profundo respecto de la libertad de enseñanza. En este sentido, fue la sentencia recaída sobre el Rol N° 410-2004, redactada por los magistrados Eugenio Valenzuela y José Luis Cea, la primera que sistematizó el ámbito constitucional de protección de la libertad de enseñanza. En conformidad a lo

---

[48] Cea (2012) 366.
[49] Cea (2012) 366.

señalado en esta sentencia, el reconocimiento de la libertad de enseñanza por parte de la Carta Fundamental supone el respeto, por parte de la autoridad estatal, del derecho de las personas para abrir, organizar y mantener establecimientos de educación, "elementos (...) definitorios e inafectables, que tal libertad abarca, de modo que el respeto y protección de ellos es lo que requiere siempre la Constitución"[50].

En este mismo sentido, el voto de mayoría resaltó que la garantía constitucional de abrir un establecimiento educacional no está asociada únicamente al hecho de fundar una institución de enseñanza, sino a que ésta también pueda disponer de un determinado ideario cuyo alcance sea respetado por el Estado. En efecto, el considerando décimo de la sentencia afirma que la garantía de *formar establecimientos educacionales* incluye el derecho de quien crea este tipo de instituciones para hacerlo de acuerdo con su propio ideario educativo[51]. Por otro lado, los jueces Valenzuela y Cea manifestaron que el derecho de "organizar" establecimientos de educación incluía también el derecho de su fundador a definir "los rasgos típicos de (...) [su] docencia y los profesionales que la lleven a cabo"[52]. Finalmente, la facultad de "mantener" el establecimiento supone el derecho del particular para "modifica[r] su organización o, en última instancia, cerrarlo o transferirlo a terceros"[53]. En resumen, el artículo 19 N° 11 inciso primero de la Constitución "supone el respeto y protección de la plena autonomía (...) del fundador o sostenedor del establecimiento respectivo, para la consecución de su proyecto educativo, en los ámbitos docente, administrativo y económico, porque sin gozar de certeza jurídica en el cumplimiento de tales supuestos esenciales tampoco es realmente posible afirmar que existe aquella libertad"[54].

Resulta también de gran importancia que los magistrados Valenzuela y Cea hubiesen señalado que el derecho del particular de impetrar una subvención estatal para el financiamiento de un establecimiento de educación representaba una garantía incluida por el concepto de libertad de enseñanza[55]. De hecho, el voto de mayoría incorporó a nuestra jurisprudencia constitucional una doctrina cuyo valor resulta de tremenda importancia el día de hoy. En efecto, el voto en cuestión

---

[50] Tribunal Constitucional. 14 de junio de 2004. Rol N° 410-2004. "Requerimiento formulado por diversos Diputados, en conformidad a lo dispuesto en el artículo 82, N°2°, de la Constitución Política de la República, con el objeto de que se declare la inconstitucionalidad de las normas que indican del proyecto de ley que modifica el régimen de jornada escolar completa diurna y otros cuerpos legales". Jurisprudencia constitucional. Tomos V, VI y VII Sentencias Pronunciadas entre 1998 y 2005 Roles N° 281-463. Disponible en: https://www.tribunalconstitucional.cl/wp-content/uploads/Tomo-v-vi-vii-para-web.pdf [fecha de visita 30 de noviembre de 2021], p. 895.

[51] STC. Rol 410-2004, p. 895.
[52] STC. Rol 410-2004, p. 895.
[53] STC. Rol 410-2004, p. 895.
[54] STC. Rol 410-2004, p. 895.
[55] STC. Rol 410-2004, p. 896.

concluyó que la autoridad estatal desconocería las exigencias propias de la libertad de enseñanza si subordinara, directa o indirectamente, la entrega de una subvención a requisitos que no fuesen aquellos "adecuados y proporcionados"[56] al control financiero que, naturalmente, el Estado debe efectuar del uso de los recursos públicos. Si bien la sentencia no lo expresa, ello permite concluir que el establecimiento, por parte del Estado, de condiciones no relacionadas con ese control, para la obtención de una subvención por parte de instituciones de enseñanza no-estatales, resultaría del todo arbitrario e inconstitucional.

En relación con las restricciones legislativas al ejercicio de la libertad de enseñanza, los magistrados Valenzuela y Cea no se limitaron a señalar cuáles eran las causales constitucionales que la ley podía legítimamente invocar para delimitar el ámbito de esta libertad, sino que además agregaron que dicha ley debe tener como único propósito "precaver o sancionar el ejercicio desviado o ilegítimo de tan importante derecho esencial"[57]. Por tanto, cualquier restricción legislativa al ejercicio de la libertad de enseñanza que busque un propósito distinto al señalado resultaría inconstitucional a la luz de la señalada doctrina. Igualmente, el voto de mayoría refuerza el concepto, también desarrollado en el *Derecho Constitucional Chileno* del profesor Cea, que las causales constitucionales para restringir la libertad de enseñanza no pueden ser objeto de interpretaciones "extensivas u analógicas" que, fraudulentamente, restrinjan el marco de libertad constitucionalmente reconocido a las personas en el ámbito de la enseñanza[58].

El análisis de los magistrados Valenzuela y Cea concluye valorizando la libertad de enseñanza en términos verdaderamente inéditos para nuestra jurisprudencia constitucional de aquellos años. Señala el fallo en su considerando 24° que la libertad de enseñanza, al igual que otras libertades públicas constitucionalmente protegidas, resulta "insustituible para el fortalecimiento y desarrollo del Estado Constitucional de Derecho y de la Democracia"[59].

Con independencia de compartir o no la aplicación que el entonces voto de mayoría hizo de los principios que subyacen a la libertad de enseñanza al caso específico, es claro que la sentencia recaída sobre el Rol N° 410-2004 representó un avance en cuanto a la conceptualización constitucional de esta garantía, conceptualización que fue consecuencia del esfuerzo que llevó, seguramente, a cabo el magistrado José Luis Cea al interior del Tribunal.

Los esfuerzos del entonces magistrado Cea siguen produciendo frutos hasta el día de hoy. Un ejemplo patente de aquello es el contenido de la sentencia del Tribunal Constitucional recaída sobre el Rol N° 4.317-2018. Este pronunciamiento

---

[56]   STC. Rol 410-2004, p. 899.
[57]   STC. Rol 410-2004, p. 896.
[58]   STC. Rol 410-2004, p. 896.
[59]   STC. Rol 410-2004, p. 899.

evaluó la constitucionalidad de diversas disposiciones del proyecto de ley que, aprobado por el Congreso Nacional, establecía el texto de la nueva Ley de Educación Superior. Este fallo declaró la inconstitucionalidad del artículo 63 de dicho proyecto. La disposición en cuestión prohibía en términos absolutos que personas jurídicas con fines de lucro pudiesen tener la calidad de controladores de establecimientos de educación superior. Una de las razones que fundó dicha declaración de inconstitucionalidad fue, precisamente, el contenido de la sentencia del Tribunal recaída sobre el Rol N° 410-2004, decisión que, como se señaló anteriormente, tuvo entre sus autores directos al magistrado José Luis Cea. En efecto, la sentencia argumentó que "el artículo 63 [del proyecto de ley] afecta[ba] el contenido esencial de la libertad de enseñanza, que el propio constituyente tradujo –entre otras facultades– en el derecho a *organizar* establecimientos educacionales, en términos tan amplios e indisponibles por el legislador, como precisara la STC Rol N° 410 (considerando 10°), que hacen de la parte indicada del señalado artículo 63 una prohibición inconciliable con la Constitución"[60].

Lamentablemente, estos valiosos criterios doctrinarios en torno a la libertad de enseñanza, contenidos en la sentencia recaída sobre el Rol N° 410-2004, no han siempre recogidos por el Tribunal Constitucional. Considérese, por ejemplo, la sentencia recaída sobre el Rol N° 1.363-2009, decisión que evaluó la constitucionalidad del proyecto de ley, aprobado por el Congreso Nacional, que estableció el texto de la nueva Ley General de Educación en 2009. Una de las disposiciones más complejas de dicho proyecto de ley era su artículo 46 letra a). Esta norma señalaba que sólo podrían ser sostenedores de establecimientos de enseñanza parvularia, básica y media personas jurídicas de derecho privado cuyo único objeto social fuese la educación. Como consecuencia de aquello, el proyecto de ley excluía la posibilidad de que personas naturales pudiesen ser sostenedores de establecimientos de enseñanza. El voto de mayoría de la sentencia confirmó la constitucionalidad del precepto en cuestión.

El magistrado José Luis Cea no compartió este criterio. Por el contrario, él manifestó su oposición al mismo a través de la redacción de un voto disidente que, si bien reducido en su extensión, contiene un rico contenido doctrinario.

---

[60]   Tribunal Constitucional. 26 de abril de 2018. Rol N° 4.317-2018. "Control de constitucionalidad del proyecto de ley sobre educación superior, correspondiente al boletín N° 10.783-04." Disponible en: https://www.tribunalconstitucional.cl/descargar_expediente2.php?id=76167 [fecha de visita 30 de noviembre de 2021], p. 68-69. A iguales conclusiones llegó el Tribunal Constitucional en el ámbito los jardines infantiles. Sin embargo, en dicho caso las razones que justificaron la declaración de inconstitucionalidad del precepto legal que excluía a las personas naturales y a las personas jurídicas con fines de lucro de asumir el papel de sostenedores de jardines infantiles fue de carácter puramente formal —ausencia del quorum respectivo—, y no sustantiva. Véase: STC. Rol 2.779-2015. En contradicción con este fallo, examínese: STC. Rol 2.787-2015.

En su disidencia, el entonces Ministro Cea calificó como inconstitucional el artículo 63 letra a) del proyecto de ley de Educación Superior. Ello, porque esta disposición, a través de la imposición de una prohibición absoluta, impedía a las personas naturales abrir establecimientos de educación. Esto, no obstante, dichas personas naturales cumplieran con todas las exigencias que la ley determinaba para la fundación de aquellas instituciones. El magistrado Cea señaló en su voto disidente que tal prohibición representaba una flagrante infracción de la libertad de enseñanza, por cuanto la misma garantizaba a toda persona –natural o jurídica–, el derecho para abrir establecimientos de educación. En efecto, el considerando 4° de esta disidencia concluyó que: "resulta ostensible (…) la contradicción sustantiva que existe entre lo asegurado en la Constitución a las personas naturales que decidan ejercer los atributos de la libertad de enseñanza y ser sostenedores de los establecimientos respectivos, por un lado, y la exclusión que traza para ellas el precepto legal objetado"[61].

Los desarrollos jurisprudenciales anteriormente señalados confirman que, durante el período en el cual el profesor José Luis Cea integró el Tribunal Constitucional, aquel manifestó una especial preocupación en implementar de manera efectiva los límites que la carta fundamental establecía al legislador al momento que éste resolviera regular el ejercicio de la libertad de enseñanza. Ello da cuenta de una clara continuidad entre su pensamiento académico y su actuación como juez constitucional.

CONCLUSIÓN

El aporte que el profesor José Luis Cea ha realizado, a lo largo de sus años como docente y magistrado, para consolidar el reconocimiento de la libertad de enseñanza en la doctrina constitucional chilena resulta del todo incuestionable. Sus trabajos académicos y sentencias dan cuenta de ello. Esto no es una cuestión producto del azar. Por el contrario, los esfuerzos del profesor Cea se enmarcan en una tradición constitucional más que centenaria que, nacida en el seno de la Universidad Católica al calor de las luchas por la Universidad libre, encuentra en José Luis Cea uno de sus más destacados exponentes.

---

[61]   Tribunal Constitucional. 28 de julio de 2009. Rol N° 1.363-2009. "Control de constitucionalidad del proyecto de ley, aprobado por el Congreso Nacional, que establece la Ley General de Educación (Boletín N°4970-04)". Disponible en: https://www.tribunalconstitucional.cl/descargar_expediente2.php?id=34431 [fecha de visita 30 de noviembre de 2021], p. 243-244.

BIBLIOGRAFÍA

Cea Egaña, José Luis (2012) Derecho constitucional chileno. 2ª edición. Santiago: Ediciones UC, 739 pp.

Cifuentes Espinoza, Abdón (1936). Memorias. Santiago: Editorial Nascimento. Tomo II, 387 pp.

Estévez Gazmuri, Carlos (1949) Elementos de derecho constitucional. Santiago: Ediciones UC, 495 pp.

García, José Francisco (2017). La tradición constitucional de la P. Universidad Católica de Chile. Vol. I (1889-1967). Santiago: Ediciones UC, 353 pp.

García, José Francisco (2020) La tradición constitucional de la P. Universidad Católica de Chile Vol II (1967-2019). Santiago: Ediciones UC, 632 pp.

Jaksic, Iván; Serrano, Sol (1990) "In the Services of the Nation: The Establishment and Consolidation of the Universidad de Chile, 1842-79". Hispanic American Historical Review, Vol. 70, N°1, pp. 139-171. Disponible en: https://www.jstor.org/stable/2516370 [fecha de visita 12 de noviembre de 2021].

Hax, Arnoldo; Ugarte, Juan José (2014) Hacia la Gran Universidad Chilena. Un modelo de transformación estratégica. Santiago: Ediciones UC, 296 pp.

Letelier, Valentín (1892) Filosofía de la educación. Santiago: Imprenta Cervantes, 751 pp., Disponible en:

https://libros.uchile.cl/files/presses/1/monographs/163/submission/proof/683/index.html#zoom=z [fecha de visita 30 de noviembre de 2021].

Martínez Neira, Manuel; Ramis Barceló, Rafael (2019) La Libertad de enseñanza, un debate de los ochocientos europeos. Madrid: Editorial Dykinson, 476 pp. Disponible en: https://e-archivo.uc3m.es/bitstream/handle/10016/29808/libertad_martinez-ramis_hu52_2019.pdf?sequence=1&isAllowed=y [fecha de visita 28 de noviembre de 2021].

Retamal Fuentes, Fernando (2002) Chilensia Pontificia. Segunda parte. De León XIII a Pío XII (1878-1958). Santiago: Ediciones UC, Volumen II / Tomo I. 511 pp. Disponible en: https://www.jstor.org/stable/j.ctt1dszxfn [fecha de visita 12 de noviembre de 2021].

Silva Bascuñán, Alejandro (1963) Tratado de derecho constitucional. Santiago: Editorial Jurídica de Chile. Tomo II. 374 pp.

Soto Velasco, Sebastián (2004) "La libertad de enseñanza durante el gobierno de Frei Montalva", Revista Chilena de Derecho, Vol. 31 N° 1, pp. 137-154. Disponible en: https://www.jstor.org/stable/41614005 [fecha de visita 30 de noviembre de 2021].

Universidad Católica de Chile (1902) Anuario de la Universidad Católica de Santiago de Chile. Santiago: Imprenta Cervantes. Tomo I. Imprenta Cervantes, 484 pp. Disponible en: https://puc.alma.exlibrisgroup.com/view/delivery/56PUC_INST/1271590070003396

Vial Correa, Juan de Dios (2018) "Rasgos distintivos de la Pontificia Universidad Católica de Chile y su aporte específico al país". En San Francisco, Alejandro (editor): Juan de Dios Vial Correa. Pasión por la Universidad. Santiago: Ediciones UC, pp. 439-448. Disponible en: https://www.jstor.org/stable/j.ctt-20fw874.66 [fecha de visita 30 de noviembre de 2021].

Vial Correa, Gonzalo (1989) "Grandes problemas del Derecho en Chile durante los 100 años de esta Facultad". Revista Chilena de Derecho, Vol. 16. N° 3, pp. 541-551. Disponible en: https://repositorio.uc.cl/xmlui/bitstream/handle/11534/16982/000304604.pdf [fecha de visita 14 de noviembre de 2021].

JURISPRUDENCIA

Tribunal Constitucional. 14 de junio de 2004. Rol N° 410-2004. "Requerimiento formulado por diversos Diputados, en conformidad a lo dispuesto en el artículo 82, N° 2°, de la Constitución Política de la República, con el objeto de que se declare la inconstitucionalidad de las normas que indican del proyecto de ley que modifica el régimen de jornada escolar completa diurna y otros cuerpos legales". Jurisprudencia constitucional. Tomos V, VI y VII Sentencias Pronunciadas entre 1998 y 2005 Roles N° 281-463. Disponible en: https://www.tribunalconstitucional.cl/wp-content/uploads/Tomo-v-vi-vii-para-web.pdf [fecha de visita 30 de noviembre de 2021], pp. 886-924.

Tribunal Constitucional. 28 de julio de 2009. Rol N° 1.363-2009. "Control de constitucionalidad del proyecto de ley, aprobado por el Congreso Nacional, que establece la Ley General de Educación (Boletín N° 4.970-04)". Disponible en:

https://www.tribunalconstitucional.cl/descargar_expediente2.php?id=34431 [fecha de visita 30 de noviembre de 2021].

Tribunal Constitucional. 27 de junio de 2015. Rol N° 2.779-2015. "Control de constitucionalidad del proyecto de ley que crea la autorización de funcionamiento de jardines infantiles otorgada por el Ministerio de Educación y modifica otros cuerpos legales que indica, correspondiente al Boletín N° 8859-04". Disponible en: https://www.tribunalconstitucional.cl/descargar_expediente2.php?id=51504 [fecha de visita 30 de noviembre de 2021].

Tribunal Constitucional. 26 de abril de 2018. Rol N° 4.317-2018. "Control de constitucionalidad del proyecto de ley sobre educación superior, correspondiente al boletín N° 10.783-04." Disponible en: https://www.tribunalconstitucional.cl/descargar_expediente2.php?id=76167 [fecha de visita 30 de noviembre de 2021].

Comité de Derechos Económicos, Sociales y Culturales. 8 de diciembre de 1999. Observación General N° 13 "El derecho a la educación (artículo 13 del Pacto)". Disponible en: https://conf-dts1.unog.ch/1%20spa/tradutek/derechos_hum_base/cescr/00_1_obs_grales_cte%20dchos%20ec%20soc%20cult.html#GEN13 [fecha de visita 30 de noviembre de 2021].

Los principios en algunas de las sentencias redactadas por José Luis Cea en el Tribunal Constitucional

Miguel Ángel Fernández González[1]

INTRODUCCIÓN

Agradezco la invitación de la Asociación Chilena de Derecho Constitucional a participar en este merecido libro homenaje al profesor José Luis Cea Egaña, quien, en su dilatada trayectoria académica y profesional, integró el Tribunal Constitucional desde 2002 a 2010, habiendo sido su Presidente entre 2005 y 2007, por lo que le correspondió implementar la reforma constitucional contenida en la Ley N° 20.050 que introdujo muy significativos cambios en la composición y atribuciones de esta Magistratura.

Como un homenaje, precisamente, me ha parecido interesante destacar algunas de las sentencias en cuya redacción participó el Ministro Cea en relación con la temática propuesta por la Asociación sobre *Principios Constitucionales. Antiguas y Nuevas Propuestas*. Si bien lo hizo sirviendo como Ministro, en la actualidad, los planteamientos y reflexiones los formulo, obviamente, desde mi labor como profesor de Derecho Constitucional, pero reconociendo que "(…) cabalgamos en calidad de epígonos "sobre los hombros de gigantes" (…)"[2].

1. SENTENCIAS Y CONTENIDO

En el marco descrito, he seleccionado cuatro sentencias[3].

La primera de ellas, pronunciada el 9 de abril de 2003, Rol 370[4], examinó un requerimiento parlamentario en contra del Decreto Supremo N° 1, del Ministerio de Vivienda y Urbanismo, de 2003, publicado en el Diario Oficial de 1°

---

[1] El autor es abogado, Doctor en Derecho, Magíster en Derecho Público por la Facultad de Derecho de la Pontificia Universidad Católica de Chile y Magíster en Investigación Jurídica por la Universidad de Los Andes. Profesor de Derecho Constitucional en la Pontificia Universidad Católica de Chile. Director del LLM UC. Ministro del Tribunal Constitucional. Email: mafernag@uc.cl

[2] Haberle, Peter (2004) *Nueve Ensayos Constitucionales y una Lección Jubilar* (Lima, Palestra), p. 80.

[3] El Ministro José Luis Cea redactó o participó, además y entre otras sentencias, en los Roles N° 560, 660, 740, 1.287, 1.218, 1.230, 1.231, 1.232 y 1.390.

[4] Redactada en conjunto con el exministro Eugenio Valenzuela Somarriva.

de febrero de este año, cuya cuestión medular estribaba en la relación entre la reserva legal y la potestad reglamentaria.

La segunda, dictada el 14 de junio de 2004, corresponde al Rol N° 410[5], en la cual se resolvió un requerimiento parlamentario respecto de normas del proyecto de ley que modificaba el Régimen de Jornada Escolar completa y otros cuerpos legales, cuya cuestión esencial exigía pronunciarse en torno del sentido y alcance de la libertad de enseñanza que la Constitución asegura a todas las personas en su artículo 19 N° 11°.

La tercera sentencia, el 11 de marzo de 2008, se encuentra contenida en el Rol N° 552, sobre requerimiento de inaplicabilidad por inconstitucionalidad de los artículos 20 inciso 1° y transitorio del Decreto Ley N° 2.186, Ley Orgánica de Procedimiento de Expropiaciones, y del artículo 4° transitorio de la Ley N° 18.755, Orgánica del Servicio Agrícola y Ganadero, en la cual –más allá de la cuestión acerca de la aplicación de las normas sobre expropiación de la Constitución a procedimientos iniciados antes de su entrada en vigencia– se trataba de dilucidar los contornos constitucionales de este procedimiento.

La cuarta sentencia corresponde al Rol N° 976[6], dictada el 26 de junio de 2008, sobre inaplicabilidad del artículo 38 ter de la Ley N° 18.933, en relación con el reajuste automático del precio del plan de salud contratado con una Institución de Salud Previsional.

Como se verá y sin perjuicio de otras consideraciones, cada una de estas sentencias incide en principios esenciales del régimen democrático constitucional: La separación de órganos y funciones, la autonomía de los establecimientos de enseñanza, la defensa del derecho de propiedad, la satisfacción de derechos sociales y la garantía de la libertad de expresión.

2. RESERVA LEGAL Y POTESTAD REGLAMENTARIA

En palabras del profesor Cea:

> "[e]l valor de la seguridad tiene que ser armonizado con el de la eficiencia y flexibilidad jurídica. Tal consideración nos lleva a realzar que las circunstancias son infinitamente variables y que esa realidad jamás podrá ser superada a priori, por aplicación del criterio según el cual los casos son, sin excepción, distintos, al menos en parte. Debemos también admitir que nunca podremos eximirnos de penetrar en las zonas grises de la casuística jurídica, o sea, aquellas en que no es

5   Redactada en conjunto con el exministro Eugenio Valenzuela Somarriva.
6   Redactada en conjunto con el exministro Hernán Vodanovic Schnake.

nítida ni fácil la solución, resultando de ello los conflictos normativos y, a veces también, los de índole política.

La clave para resolver el asunto estriba, pensamos, en que cada órgano ejerza bien, o sea, entera y rectamente su función exclusiva y excluyente.

Eso quiere decir, en primer lugar, que el legislador dicte las normas básicas del estatuto respectivo, incluyendo la definición de los motivos y fines de la ley; que efectúe, en seguida, la regulación, material o de fondo, de los criterios definitorios de los supuestos de hecho a los que se aplicará el nuevo cuerpo preceptivo; que señale a los destinatarios de aquel cuerpo preceptivo; que precise los contenidos, los medios, requisitos, cargos y obligaciones, los trámites, procedimientos y otros elementos que, por su rasgo de matrices o esenciales, infundan fisonomía única o característica al estatuto respectivo.

Pero, en segundo lugar, más allá de ese ámbito básico, general y esencial, es indispensable que rija el Principio de Separación de Órganos y Funciones Estatales, con sujeción al cual incumbe a los entes gubernativos y administrativos dictar las normas, accesorias o secundarias, encuadradas ya por los parámetros legislativos aludidos, y adoptar las decisiones que permitan cumplir, en la realidad, lo dispuesto en la ley"[7].

Precisamente, por ello, me ha parecido interesante recordar el Rol N° 370 donde se sostenía que el Decreto Supremo impugnado vulneraba el principio de reserva legal previsto en el artículo 19 N° 24° y N° 26°, en relación con los artículos 32 N° 6° y 63 de la Constitución, a propósito de lo cual la sentencia examina, como asunto relevante, el principio de reserva legal.

Al respecto, se plantea que dicha reserva se estructura en dos niveles de ejercicio de la potestad legislativa: El primero, previsto en los artículos 32 N° 6° y 63 de la Constitución, de alcance general y de común aplicación en todos los casos en que ella ha situado en el dominio de la ley la regulación de una materia y, el segundo, contemplado en disposiciones constitucionales específicas, siendo necesario concluir que, en algunos casos, la reserva es más absoluta que en otras[8] y, por ende, *"(…) la regulación del asunto respectivo por el legislador debe ser hecha con la mayor amplitud, profundidad y precisión que resulte compatible con las características de la ley como una categoría, diferenciada e inconfundible, de norma jurídica"*[9].

Aplicando ambos niveles, entonces, *"(…) el legislador debe conciliar la generalidad, abstracción e igualdad de la ley, así como sus características de normativa básica y permanente, por un lado, con la incorporación a su texto de los principios y preceptos, sean científicos, técnicos o de otra naturaleza, que permitan, sobre todo a los órganos de control*

---

7   Cea Egaña, José Luis (1998) "Los Principios de Reserva Legal y Complementaria en la Constitución Chilena", *Revista de Derecho*, Vol. 9 N° 1 (Valdivia, Facultad de Ciencias Jurídicas y Sociales de la Universidad Austral de Chile).

8   Considerando 15°.

9   Considerando 17°.

de supremacía, concluir que el mandato constitucional ha sido plena y no sólo parcialmente cumplido (…);

En este escenario, a su turno, sólo resulta procedente la potestad reglamentaria en su especie o modalidad de ejecución de los preceptos legales, "*(…) nada más que para reglar cuestiones de detalle, de relevancia secundaria o adjetiva, cercanas a situaciones casuísticas o cambiantes, respecto de todas las cuales la generalidad, abstracción, carácter innovador y básico de la ley impiden o vuelven difícil regular. Tal intervención reglamentaria, por consiguiente, puede desenvolverse válidamente sólo en función de las pormenorizaciones que la ejecución de la ley exige para ser llevada a la práctica*"[10].

3. LIBERTAD DE ENSEÑANZA

En esta segunda sentencia redactada por el Ministro Cea –con el ex Ministro Eugenio Valenzuela, al igual que la anterior– se desarrolla muy latamente, a lo largo de veintiocho considerandos el sentido y alcance de dicha libertad en nuestra Constitución, pero, se aclara, de entrada que cabe distinguir dos órdenes de principios, en esta materia: Por una parte, los que el Poder Constituyente articuló en el Capítulo I de la Carta Fundamental que irradian los Capítulos siguientes y, con mayor razón aún, al ordenamiento jurídico completo. Y, de otra, naturalmente, el derecho a la educación y la libertad de enseñanza.

En cuanto a la libertad de enseñanza, aparecen tanto su significado como la competencia que el Poder Constituyente ha conferido al legislador con relación a la Ley Orgánica Constitucional respectiva[11].

Respecto de lo primero, "*(…) se reconoce el derecho de abrir, crear o formar establecimientos educacionales de cualquier nivel, de acuerdo con el ideario del proyecto educativo de los fundadores respectivos. En seguida, queda asegurado el derecho de organizarlos o determinar, los fundadores o quienes les sigan, las características del establecimiento en nexo con sus finalidades u objetivos y métodos para lograrlos; rasgos típicos de la docencia y de los profesionales que la lleven a cabo; régimen de dirección, administración y responsabilidad; reglas pertinentes al orden y disciplina en la convivencia interna; sistema financiero o vínculos con otras instituciones. Por último, la libertad de enseñanza incluye la facultad de mantener, esto es, conservar o sostener el establecimiento en el tiempo, modificando su organización o, en última instancia, cerrarlo o transferirlo a terceros (…)*"[12].

Empero, la esencia de la libertad no se agota en esos tres derechos, ya que "*(…) la lectura atenta de la norma constitucional pertinente así lo demuestra, al señalar*

---

[10]   Considerando 23°.
[11]   Considerando 9°.
[12]   Considerando 10°.

que dicha libertad incluye lo explicado, pero dejando en claro que quedan comprendidos en ella otros elementos que la integran, como es la autonomía de la cual goza el titular para cumplir sus objetivos, obtener el reconocimiento oficial de la docencia que imparte, de conformidad a la ley orgánica constitucional respectiva, o impetrar la subvención estatal correspondiente"[13]. Y, más aún, "(...) el otro aspecto que comprende la libertad de enseñanza. Efectivamente, allí se declara que los padres tienen el derecho de escoger el establecimiento de enseñanza para sus hijos. Este principio, cuya armonía con el homónimo previsto en el numeral 10 inciso tercero de la Constitución es evidente, permite aseverar que la libertad de enseñanza asegurada por ella resulta ser completa o plena, ya que abarca tanto a los fundadores o sostenedores de los establecimientos de enseñanza en la prosecución de sus proyectos educativos, como a los padres en la elección de aquellos que juzguen coherentes con el ideario formativo de sus hijos"[14].

Por último, en relación con el contenido de la libertad de enseñanza, la sentencia se detiene en los límites para aclarar que "(...) exceder o transgredir dichos límites o prohibiciones convierte en ilícito tal ejercicio (...)"[15]. Pero precisando que se trata sólo de las limitaciones impuestas por la moral, las buenas costumbres, el orden público y la seguridad nacional, pues constituye "(...) un listado cerrado o taxativo, inexedible mediante interpretaciones extensivas o analógicas, dado que los derechos fundamentales deben ser siempre respetados y promovidos, criterio de hermenéutica aún más inobjetable a la luz de los preceptos, ya insertados, y que obligan al Estado a financiar un sistema gratuito de enseñanza básica y media, como asimismo, a fomentar el desarrollo de la educación en todos sus niveles"[16]. Y a ello cabe agregar la prohibición que se impone a la enseñanza reconocida oficialmente de orientarse a propagar tendencia político partidista alguna, con lo cual "(...) Queda así corroborado, desde este nuevo punto de vista, que los proyectos educativos emprendidos ejerciéndola, deben ser siempre libremente llevados a la práctica, estando vedado tanto al Estado como a los particulares subordinarlos a tales posiciones políticas a raíz de hallarse oficialmente reconocidos"[17].

En relación con la segunda cuestión que examina la sentencia, esto es, la competencia que la Carta Fundamental fijó a la Ley Orgánica Constitucional de Enseñanza, anota que aquélla "(...) orienta y restringe el ejercicio de esa competencia, puesto que ha de ser servida "del mismo modo" que a propósito de la atribución otorgada en la primera frase de aquel inciso, es decir, dictando normas objetivas y de general aplicación, sin incurrir en discriminaciones o diferencias arbitrarias, prohibidas en el artículo 19 N° 2 de la Constitución"[18].

---

[13]   Considerando 11°.
[14]   Considerando 15°.
[15]   Considerando 12°.
[16]   Considerando 14°.
[17]   Considerando 14°.
[18]   Considerando 17°.

Finalmente, y en relación con la subvención o beneficio económico que el Estado otorga a los establecimientos de enseñanza que cumplen las exigencias previstas en la normativa legal respectiva, la sentencia sostiene que el fundamento constitucional de tal legislación surge del artículo 19 N° 10° inciso 5° del Código Político, con lo cual *"(…) otorgar la subvención no es una decisión de cumplimiento discrecional ni entregada a la magnanimidad del Estado. Por el contrario, trátase de una obligación ineludible, cuya justificación radica en la importancia excepcional que tienen la educación y la enseñanza en el desarrollo libre de la personalidad y de la sociedad en general. Colígese de lo expuesto que pagar la subvención no es únicamente satisfacer una obligación primordial, sino que, ante la imposibilidad del Estado de cumplirla por sí solo, requiere compartirla con los establecimientos de enseñanza privados que acceden al beneficio referido"*[19], de tal manera que *"(…) el Estado se encuentra obligado, por exigirlo así diversos y categóricos preceptos de la Carta Fundamental, a financiar por completo y, con mayor razón aún, a contribuir al financiamiento de la enseñanza gratuita, de nivel básico y medio. Obviamente, lo anterior debe entenderse sin perjuicio de otra obligación impuesta por la Constitución al Estado, en el inciso sexto del N° 10 del artículo 19 de ella. Para coincidir con lo aseverado en este razonamiento basta revisar cuanto implica lo dispuesto en las Bases de la Institucionalidad ya recordadas en los considerandos tercero, cuarto y quinto de esta sentencia, principios cardinales que se concretan en el artículo 19 N° 10 incisos quinto y sexto de la Carta Fundamental"*[20], aun cuando ese deber del Estado *"(…) no exime a los particulares de asumir, en virtud del principio de solidaridad presente en la Carta Fundamental, su deber de contribuir al desarrollo y perfeccionamiento de la enseñanza, en todos sus niveles, de acuerdo a lo que manda el artículo 1° inciso cuarto y artículo 19 N° 10 inciso final de ella"*[21].

Si bien, se considera que la libertad de enseñanza, *"(…) ejercida legítimamente y en el ambiente de certeza jurídica que le asegura la Constitución, se erige en una libertad, como otras, nutriente del vigor con que se disfruta de libertades como las de expresión, reunión y asociación, todas insustituibles para el fortalecimiento y desarrollo del Estado Constitucional de Derecho y de la Democracia. Por eso, resulta obvio que la libertad de enseñanza presupone el pleno y permanente respeto y protección de cuanto ella implica. Surgen así, además, nuevos motivos para cooperar el Estado y la Sociedad Civil, en la integración de sus esfuerzos compartidos para la consecución de esta misión de bien común"*[22], a la par que se relaciona con el deber del Estado de reconocer y amparar a los grupos intermedios.

Por esto último, la autonomía, allí garantizada *"(…) es de aplicación amplia, cubriendo, entre muchos otros, a los establecimientos privados o particulares de enseñanza,*

---

[19]   Considerando 19°.
[20]   Considerando 22°.
[21]   Considerando 22°.
[22]   Considerando 24°.

sean o no subvencionados. Con dicha capacidad de regirse por sí mismos en lo docente o pedagógico, administrativo y económico, los establecimientos aludidos quedan habilitados por la Constitución para ejercer plenamente la libertad de enseñanza, sin intervención o injerencia indebida del Estado ni de terceros, los cuales son, en tal sentido, ajenos a ellos"[23].

4. EXPROPIACIÓN

En la tercera sentencia, se examinó este procedimiento que consiste en *"(…) un acto con caracteres de unilateralidad por parte de la Administración, es decir, uno que no viene precedido ni justificado en conducta alguna del expropiado. Se expropia por utilidad pública o por el interés general; no como consecuencia de alguna obligación particular que pesa sobre el administrado, ni como producto de alguna sanción que se pretenda imponer al mismo"*[24], cuyos *"(…) elementos esenciales y copulativos son los siguientes: acto o acuerdo expropiatorio solemne; fundado en la Constitución y en la ley que la autoriza; invocando cualquiera de las causales previstas en la Carta Fundamental al efecto; siguiendo el procedimiento establecido; y pagando al expropiado la indemnización que corresponda, según el ordenamiento jurídico en vigor"*[25].

No está demás recordar aquí que, probablemente, fue el profesor Cea quien descubrió -y usó la expresión con propiedad- la estructura doble del procedimiento expropiatorio y las consecuencias que de ello se derivan, especialmente para la protección de los derechos del expropiado[26].

5. DERECHO A LA SEGURIDAD SOCIAL

Esta cuarta sentencia, que vino a introducir un cambio genuinamente sustantivo y de enormes consecuencias en el Derecho chileno[27], razona sobre la base que *"(…) la dignidad que singulariza a toda persona humana se deriva un cúmulo de atributos, con los que nace y que conserva durante toda su vida. Entre tales atributos se hallan los derechos públicos subjetivos o facultades que el ordenamiento jurídico le asegura con carácter de inalienables, imprescriptibles e inviolables en todo momento, lugar y*

---

[23]   Considerando 26°.
[24]   Considerando 18°.
[25]   Considerando 19°.
[26]   Cea Egaña, José Luis (1988) "Delimitación y Privación del Dominio en la Constitución de 1980", *XVIII Jornadas Chilenas de Derecho Público* (Concepción, Facultad de Ciencias Jurídicas y Sociales de la Universidad de Concepción), pp. 55-68.
[27]   Zúñiga Fajuri, Alejandra (2011) "El Derecho a la Vida y el Derecho a la Protección de la Salud en la Constitución: Una Relación Necesaria", *Estudios Constitucionales* Año 9, N° 1 (Santiago, Centro de Estudios Constitucionales de la Universidad de Talca), pp. 37-64.

circunstancia. De esos atributos se nombran aquí, por su vínculo directo con la causa a ser decidida, el derecho a la vida, a la integridad física y psíquica y a la protección de la salud cuyo ejercicio legítimo la Constitución exige respetar siempre incluyendo la esencia inafectable de lo garantizado en ellos"[28].

Asimismo, es punto de partida para el sentenciador *"(…) que los derechos sociales, llamados también derechos de prestación o de la segunda generación, son tales y no simples declamaciones o meras expectativas, cuya materialización efectiva quede suspendida hasta que las disponibilidades presupuestarias del Estado puedan llevarlos a la práctica (…)"*[29].

Pues bien y sin perjuicios de reconocer que los derechos sociales requieren la concretización legal de su contenido, la Constitución establece, en relación con ellos, un núcleo esencial, indisponible por el legislador[30], por lo que, *"(…) siendo la Carta Fundamental un sistema orgánico y coherente de valores, principios y normas, todos los cuales guardan entre sí correspondencia y armonía, excluyendo cualquiera interpretación que anule o prive de eficacia a algún precepto de ella, cabe insistir en que no sólo los órganos del Estado deben respetar y promover los derechos consustanciales a la dignidad de la persona humana, sino que esa obligación recae también en los particulares, aunque sea subsidiariamente, puesto que el Código Supremo asegura la intangibilidad de tales atributos en toda circunstancia, cualesquiera sean los sujetos que se hallen en la necesidad de infundir vigencia efectiva a lo proclamado en sus preceptos"*[31], en coherencia con su fuerza normativa.

Siendo así, *"(…) el deber de los particulares y de las instituciones privadas de respetar y promover el ejercicio de los derechos consustanciales a la dignidad de la persona humana en cuanto a su existencia y exigibilidad, se torna patente respecto de aquellos sujetos a los cuales la Constitución, como manifestación del principio de subsidiariedad, les ha reconocido y asegurado la facultad de participar en el proceso que infunde eficacia a los derechos que ella garantiza. Tal es, exactamente, lo que sucede con las Instituciones de Salud Previsional, en relación con el derecho de sus afiliados a gozar de las acciones destinadas a la protección de la salud, consagrado en el artículo 19, Nº 9, de la Constitución"*[32], compatibilizando sus propios derechos con los deberes correlativos, de los cuales resulta menester realzar aquí su contribución al bien común, haciendo cuanto esté a su alcance, dentro del ordenamiento jurídico, por materializar el goce del derecho a la protección de la salud[33].

---

[28]   Considerando 23°.
[29]   Considerando 26°.
[30]   Considerando 30°.
[31]   Considerando 34°.
[32]   Considerando 36°.
[33]   Considerando 37°.

En definitiva y *"(…) como consecuencia de lo afirmado, cabe concluir que las normas que regulan el contrato de salud, sean legales o administrativas, deben ser interpretadas y aplicadas en términos de maximizar el disfrute real y pleno de los derechos que son consustanciales a la dignidad humana, entre ellos, el derecho social relativo a la protección de la salud, en los términos asegurados a todas las personas en el artículo 19, N° 9, de la Constitución, precepto que se erige en base constitucional y de orden público que informa, con calidad de ineludible e inafectable, toda convención de esa índole"*[34].

Y de esto se derivan otras consecuencias relevantes: El deber de los particulares de respetar y promover los derechos inherentes a la dignidad de la persona; y que ello no puede enmendarse por contratos o convenciones.

REFLEXIONES

Son múltiples y relevantes las ideas que surgen y de las que ellas puedan colegirse de lo explicado y argumentado en las sentencias que he resumido. En cierta forma y como debe ser, los conceptos allí vertidos, cómo se hilvanan y en lo que se derivan son el resultado de un largo y profundo proceso de estudio, análisis y constante crítica y autocrítica durante la trayectoria académica y profesional del profesor Cea, con base en la idea de comprender que *"(…) la Constitución en nuestro tiempo radica más en la realización de valores que en la proclamación de derechos, tasación de potestades y ordenación de procedimientos. La Constitución es, por ende, teleología y axiología, principalmente (…). Tales valores sirven de parámetros imperativos en la interpretación constitucional y del ordenamiento jurídico completo, sin perjuicio de determinar la orientación y finalidad de todas las actuaciones públicas y de las conductas de los particulares"*[35].

Asimismo, de aquellos conceptos surgen orientaciones que pueden proyectarse después y servir –como efectivamente ha sucedido– de base a nuevas sentencias, comentarios y planteamientos en la docencia y también en el ejercicio profesional[36].

De todo ello, destaco dos reflexiones, en el marco de la convocatoria que se nos ha hecho en torno de los principios constitucionales.

---

[34]   Considerando 39°.
[35]   Cea Egaña, José Luis (2003) "Panorama de un Siglo de Cambios en la Teoría Constitucional", *Cuadernos del Tribunal Constitucional* N° 19 (Santiago, Tribunal Constitucional de Chile), p. 15. Asimismo, (2004) "Sobre el Estado Constitucional de Derecho como Paradigma Jurídico", *Revista de Derecho*, Vol. XVI (Valdivia, Facultad de Ciencias Jurídicas y Sociales de la Universidad Austral de Chile), p. 303.
[36]   Cea Egaña José Luis (2012) *Renovación del Constitucionalismo en Chile* (Santiago, Ed. Thomson Reuters).

En primer lugar, que esos principios no son –o no son sólo– palabras, conceptos, entelequias generales, abiertas o indeterminadas[37], pues, aun si así se considerara, son prescripciones útiles (y hasta indispensables o ineludibles) para, en
concreto, abordar asuntos relevantes y complejos. No son cuestiones, por decirlo
así, teóricas, meramente académicas o que se queden en el plano de la abstracción, sino que constituyen elementos que el juez y el abogado deben saber emplear, de buena fe por cierto y con lealtad a la Constitución[38] que los proclama o
recoge, en la dimensión práctica.

Así, la reserva legal no sólo da cuenta de la separación de funciones, en el
ámbito normativo, entre el Legislador y la Administración, sino que constituye
una garantía en cuanto a la ley compete regular las materias que, por su importancia, especialmente para los derechos de las personas, han sido situadas dentro
de aquella reserva; dotando al Gobierno, a su vez, de la potestad de ejecutarla,
pero, en caso alguno, de alterarla o de asumir lo que debe ser normado por ella.

El ámbito amplísimo de la libertad de enseñanza reconoce tanto el derecho
de abrir, organizar y mantener establecimientos como el derecho de los padres
de elegir el que estimen para sus hijos con competencia limitada para el legislador. El despliegue pleno de aquella libertad, asimismo, hace del aporte económico del Estado una *obligación ineludible*[39].

En el caso de la expropiación es nítido su objetivo de constituirse en un procedimiento exigente –en sus requisitos habilitantes, implementación y consecuencias– para la defensa del derecho de propiedad.

Finalmente, la ubicación de los contratos privados de salud en el marco del
derecho a la seguridad social garantiza que los principios que caracterizan este
derecho se apliquen en aquellas convenciones que, entonces, deben ejecutarse
en coherencia con ellos, a partir de lo cual se modificó, sustancialmente, la aproximación judicial al mecanismo de reajuste automático del precio de los planes
de salud.

Lo segundo, en relación al profesor a quien se tributa homenaje con esta
publicación es que los argumentos vertidos en las sentencias revisadas son un
ejemplo –entre muchos–, precisamente, de una vida donde ha razonado siempre
con base y a partir de los principios constitucionales, respecto de los cuales -ya
no examinando el pasado, sino apreciándolo prospectivamente- ha escrito que

---

[37]   Martínez Estay, José Ignacio (2021) *Constitución, Conceptos Indeterminados y Conceptos Controvertidos*
       (Valencia, Tirant lo Blanch), pp. 113 ss.
[38]   Considerandos 23° a 29°, Rol N° 8.123.
[39]   Fernández González, Miguel Ángel y Barrera Rojas, Jorge (2021) "Derecho a la Educación y Liber-
       tad de Enseñanza: Evolución Histórica y Debates Actuales en vistas a un eventual Cambio Constitu-
       cional", *Tránsito Constitucional Camino hacia una Nueva Constitución* (Valencia, Tirant lo Blanch), pp.
       233-252.

"*[s]i una Constitución en democracia es siempre un sistema de límites, legítimamente establecido, al ejercicio del poder y al disfrute de los atributos subjetivos, asegurando también los deberes correlativos, lo cierto es que también en ella hallamos la expresión de valores que infunden identidad a la sociedad nacional y a la prosecución de su destino venturoso. Esos son los ideales realizables con que la comunidad se identifica y que trata de arraigarlos en su cultura para que así adquieran vivencia real y rasgo perdurable*"[40].

BIBLIOGRAFÍA

Cea Egaña, José Luis (1988) "Delimitación y Privación del Dominio en la Constitución de 1980", *XVIII Jornadas Chilenas de Derecho Público* (Concepción, Facultad de Ciencias Jurídicas y Sociales de la Universidad de Concepción), pp. 55-68.

Cea Egaña, José Luis (1998) "Los Principios de Reserva Legal y Complementaria en la Constitución Chilena", *Revista de Derecho*, Vol. 9 N° 1 (Valdivia, Facultad de Ciencias Jurídicas y Sociales de la Universidad Austral de Chile).

Cea Egaña, José Luis (2003) "Panorama de un Siglo de Cambios en la Teoría Constitucional", *Cuadernos del Tribunal Constitucional* N° 19 (Santiago, Tribunal Constitucional de Chile), p. 15.

Cea Egaña, José Luis (2004) "Sobre el Estado Constitucional de Derecho como Paradigma Jurídico", *Revista de Derecho*, Vol. XVI (Valdivia, Facultad de Ciencias Jurídicas y Sociales de la Universidad Austral de Chile), p. 303.

Cea Egaña José Luis (2012) *Renovación del Constitucionalismo en Chile* (Santiago, Ed. Thomson Reuters).

Fernández González, Miguel Ángel y Barrera Rojas, Jorge (2021) "Derecho a la Educación y Libertad de Enseñanza: Evolución Histórica y Debates Actuales en vistas a un eventual Cambio Constitucional", *Tránsito Constitucional Camino hacia una Nueva Constitución* (Valencia, Tirant lo Blanch), pp. 233-252.

Haberle, Peter (2004) *Nueve Ensayos Constitucionales y una Lección Jubilar* (Lima, Palestra), p. 80.

Martínez Estay, José Ignacio (2021) *Constitución, Conceptos Indeterminados y Conceptos Controvertidos* (Valencia, Tirant lo Blanch), pp. 113 ss.

---

[40]   José Luis Cea Egaña: "Cambio Constitucional en Chile: Oportunidad para la Sensatez", *Revista Chilena de Derecho*, Vol. 45 N° 3, 2018, p. 846.

Zúñiga Fajuri, Alejandra (2011) "El Derecho a la Vida y el Derecho a la Protección de la Salud en la Constitución: Una Relación Necesaria", *Estudios Constitucionales* Año 9, N° 1 (Santiago, Centro de Estudios Constitucionales de la Universidad de Talca), pp. 37-64.

La hora de los demócratas: José Luis Cea Egaña, protagonista de las reformas constitucionales de 1989

JOSÉ FRANCISCO GARCÍA G.[1]

LA HORA DE LOS DEMÓCRATAS

El legado académico e intelectual del profesor José Luis Cea Egaña es inmenso. En otro lugar, me he referido en extenso a este[2]. En medio del proceso constituyente conducente a una nueva Constitución y en el ocaso de la Constitución de 1980 hay, con todo, un capítulo en la historia de esta y en la vida de nuestro homenajeado que debe perdurar, mantenerse viva en el recuerdo de las futuras generaciones. Me refiero al protagonismo del profesor Cea en las reformas constitucionales de 1989, de profundo impacto en la transición democrática desde la dictadura de Pinochet al primero de los gobiernos de la Concertación, aquel encabezado por Patricio Aylwin.

Se trata de un capítulo que comienza con el triunfo de la opción "No" en el plebiscito del 5 de octubre de 1988. Tras la victoria, la Concertación de partidos por el No –antecedente de la Concertación de Partidos por la Democracia– hará un llamado a una "transición consensual a la democracia"[3], siguiendo el camino recorrido desde el Hotel Tupahue (1984) y especialmente volviendo sobre la propuesta del Acuerdo Nacional (1985). Es una transición que tendrá diferentes componentes; el más relevante, iniciar un proceso de reformas constitucionales. Dicho proceso, es sintetizado por el profesor Oscar Godoy en los términos siguientes: "con la decisión de la oposición democrática de participar, en el marco de la legalidad creada por esa Constitución, en el plebiscito de 1988. En este proceso estaban contenidas las bases virtuales del carácter pactado de la transición. Tácitamente, la oposición consiente en aceptar las reglas del juego establecidas por el régimen militar, a pesar de que en el pasado las había rechazado, por el carácter del proceso constituyente desplegado por el autoritarismo y del referendo

---

[1]   Profesor de Derecho Constitucional, Pontificia Universidad Católica de Chile. Doctor en Derecho (J.S.D.), Universidad de Chicago (2010).

[2]   Ver García, José Francisco (2020) *La Tradición Constitucional de la Pontificia Universidad Católica de Chile: Vol. II (1967-2019)*. Santiago: Ediciones UC, 632 pp. He tomado amplias porciones de la sección 2.1 del Capítulo 'José Luis Cea Egaña (1967-presente): El principal tratadista de la Carta de 1980', para este artículo.

[3]   Silva Bascuñán, Alejandro (1997b) *Tratado de derecho constitucional. Tomo III*, 2ª. Edición. Santiago: Editorial Jurídica de Chile., 395 pp., p. 228. Ver también Andrade, Carlos (1991) *Reforma de la Constitución Política de la República de Chile de 1980*. Santiago: Editorial Jurídica de Chile, 338 pp.

popular de la Constitución que resultó de él... Los vencedores del plebiscito estaban dispuestos a una transición consensuada; y el régimen, por su parte, de acuerdo con reformar la Constitución, que era una condición absolutamente indispensable para la oposición democrática"[4].

Estamos ante una transición larga[5], entre otras razones, porque el cumplimiento de lo pactado en el acuerdo constitucional de 1989 entre la Concertación y Renovación Nacional será cumplido recién con la reforma constitucional de 2005 –y ni siquiera en su totalidad–. Así, a un mes de la derrota de Pinochet en las urnas, comienzan a perfilarse nítidamente las dos estrategias constitucionales que se enfrentarán en los próximos meses e incluso hasta la reforma de 2005: por un lado, la liderada por la Concertación y RN, y, por el otro, aquella liderada por el Gobierno, encabezada por el entonces nuevo ministro del Interior, Carlos Cáceres, en una estrategia de negociación "dura", que compartirá la Unión Demócrata Independiente (UDI). En la primera, destacará el rol del profesor José Luis Cea, asesorando a RN en sus conversaciones con la Concertación; en la segunda, el liderazgo indiscutido de Jaime Guzmán, presidente de la UDI. El contraste entre las posiciones de dos de los profesores de derecho constitucional más destacados de la Facultad de Derecho de la Universidad Católica será evidente.

Habiendo la Concertación y RN generado sus propias propuestas constitucionales hacia finales de 1988[6], deciden converger en la formación de un equipo técnico conjunto en enero de 1989[7], concluyendo su trabajo en un informe da-

---

[4]   Godoy, Oscar (1999) "*La transición chilena a la democracia: pactada*". *Revista Estudios Públicos*, CEP, Vol. 74, pp. 79-106., pp. 93-94. Ver también Fuentes, Claudio (2012) *El Pacto: Poder, Constitución y prácticas políticas en Chile (1990-2010)*. Santiago: Ediciones UDP, 259 pp., p. 47, y Mansuy, Daniel (2016) *Nos fuimos quedando en silencio: La agonía del Chile de la transición*. Santiago: IES, 220 pp., p. 50.

[5]   Se trata de una transición larga, porque, en cuanto *ciclo político*, terminará con la llegada del primer gobierno de centroderecha en 2010, el fin de la Concertación y sus cuatro gobiernos consecutivos, y el surgimiento del movimiento social de 2011. Delamaza, Gonzalo (2018) "*Pensamiento político en el proceso de transición (1990-2010)*". En Jaksic, Iván y Gazmuri, Susana (editores). *Historia política de Chile, 1810-2010: Tomo IV. Intelectuales y pensamiento político*. Santiago: Editorial Fondo de Cultura Económica-UAI, pp. 275-302., p. 275.

[6]   De acuerdo a Silva Bascuñán, el 21 de noviembre de 1988 se celebró la reunión constitutiva de la Comisión de Reformas Constitucionales de la Concertación, que presentó dos días después el informe "Proposición para una reforma mínima a la Constitución de 1980", Silva Bascuñán (1997b) 229. Ver también Andrade (1991) 11 y ss., y Fuentes (2012) 48. La propuesta técnica de la Concertación, "Proposición para una reforma mínima de la Constitución de 1980", de 30 de noviembre de 1998, disponible en Andrade (1991) 253-269. Por su parte, la propuesta de RN contiene un preámbulo que, reconociendo la legitimidad de la Constitución, "estima conveniente, después de transcurridos ocho años desde su promulgación, introducirle algunas reformas que contribuirán a mejorar las instituciones que consagra y a procurar, en torno a ella, un mayor grado de integración de todos los chilenos a la ordenada convivencia que significa el acatamiento de la Ley Fundamental que regirá los destinos políticos de la nación". Ver las "Proposiciones de Renovación Nacional para una reforma de la Constitución de 1980" en Andrade (1991) 243-252.

[7]   El equipo técnico RN estaba compuesto por José Luis Cea (independiente), Enrique Barros (independiente), Óscar Godoy (independiente), Miguel Luis Amunátegui (RN) y Ricardo Rivadeneira

do a conocer el 5 de abril, en medio de una conferencia de prensa en el Hotel Galerías[8], El grupo busca generar consensos inmediatos en esta materia, pero también piensa en el mediano y largo plazo[9]. Este documento recoge un conjunto de reformas "mínimas" para legitimar la Constitución, limitar su carácter autoritario, diluir los aspectos menos democráticos de las normas "protectoras" de la democracia, y evitar un proceso constituyente que podía desestabilizar el proceso de transición a la democracia[10].

El profesor Cea será un protagonista relevante en este contexto. Con la perspectiva del tiempo, su diagnóstico vuelve sobre el panorama crítico y sombrío de entonces: "Durante el régimen militar fue concebido, redactado y puesto en vigencia, aunque solo parcialmente, el cambio constitucional más grande que Chile ha tenido desde 1833. Imaginada por civiles enclavados en ese régimen *de facto*, debatida casi a puertas cerradas en la comisión de estudio de un *anteproyecto*, después despachada como *proyecto* en el Consejo de Estado, y, definitivamente, aprobada con hermetismo en la Junta de Gobierno y sus asesores, nació la Carta Fundamental de 1980. Se la llevó a un referéndum con toda razón criticable, al punto de herir a fondo y hasta hoy su legitimidad de origen"[11]. Más todavía, concluye, al ser puesta en vigencia por partes, está "a punto de colapsar" tras el plebiscito del 5 de octubre de 1988[12].

Es además interesante constatar que, en paralelo al comienzo de la labor del profesor Cea en el equipo técnico RN-Concertación, lanzaba su *Tratado de la Constitución de 1980*, comenzando el camino que lo llevará a ser el principal tratadista de la Carta de 1980. En este contexto, Cea sostiene que "modificar la Constitución sin reemplazarla, porque contiene principios y normas valiosos, no es teorizar, sino demostrar aprecio por nuestro acervo democrático constitucional. Además, hacerlo es evidenciar buen espíritu, ánimo de reconciliación entre los chilenos para que vivamos en paz y justicia, sin odios, desconfianza ni

---

      (RN). Por su parte, el equipo técnico de la Concertación estaba compuesto por Carlos Andrade (PR), Francisco Cumplido (DC), Juan Enrique Prieto (Humanista), Adolfo Veloso (PS-Almeyda) y José Antonio Viera-Gallo (PS-Núñez). Godoy (1999) 96. Ver también Fuentes (2012) 48.

[8]   Ver Andrade (1991) 43-45, y 73-74. El informe de la comisión técnica conjunta Concertación-RN se encuentra disponible en Andrade (1991) 276-290. Ver también Fuentes (2012) 48-49.

[9]   Ello se desprende de las declaraciones del entonces Secretario General de RN, Andrés Allamand, de fines de marzo de 1989: "La Comisión RN-DC, en la que también participan otros sectores opositores, no surgió con el propósito exclusivo de impulsar ahora una reforma constitucional, sin perjuicio de que ello nos preocupa y nos interesa. Su objetivo es de mucho más largo alcance y perspectiva. Aspira a constituirse en una instancia donde las fuerzas democráticas progresivamente alcancen consensos constitucionales cada vez más sólidos y extensivos". Citado en Andrade (1991) 61.

[10]   Godoy (1999) 96.

[11]   Cea Egaña, José Luis (2016) *Derecho constitucional chileno: Tomo IV*. Santiago, Ediciones UC, 272 pp., p. 246.

[12]   Cea (2016) 246.

resentimientos, integrándonos a fin de extirpar la miseria y la violencia, especialmente el terrorismo"[13].

De esta forma reflexiona sobre las críticas a la norma de 1980, las que en su
mayoría se focalizan en las normas transitorias, siendo que, a su juicio, resultaba
necesario referirse también al articulado permanente. Este último, según considera, contempla "diversos rasgos de nuestra tradición republicana"[14], sin perjuicio de que "en otros aspectos se innova parcialmente o por completo"[15]. Así, el
profesor Cea, afirmaba estar "convencido que la Constitución en una democracia debe ser instrumento de unión y no de división, de entendimiento y no de
confrontación para realizar proyectos compartidos"[16]. Agregando, en el mismo
sentido, que esa "cualidad esencial" –ser un elemento de unión y no de división–
"la percibo problemática respecto de la Constitución de 1980, a menos que, en
el corto espacio de la transición que resta, se aplique el mecanismo flexible que
ella regula para reformarla en los asuntos por vía ilustrativa recién aludidos"[17].

Entre las reformas que estima fundamentales se encuentran: "el pluralismo
restringido y la prohibición aplicable a la propagación de doctrinas mencionadas
en términos ambiguos y, por ende, peligrosos"; "la retracción estatal en la economía". Cuestión tal que, comparte como principio, pero que, a su juicio, tiene
la contrapartida de que "la subsidiariedad no ha funcionado por sí sola en nuestra economía"; mención especial recibe la "doctrina de la seguridad nacional",
que es calificada como amplia e imprecisa, de manera que su invocación para
suspender o restringir ciertos derechos humanos produce secuelas deplorables,
incluyendo el exilio; a su vez, "el gran desequilibrio entre las atribuciones del
Presidente y las del Congreso"; "la discrecionalidad de los poderes presidenciales
ejercitables durante los estados de excepción, sin que, como norma general, sean
judicialmente revisables las decisiones adoptadas durante estos"; "la potestad tutelar del orden institucional republicano depositada en el Consejo de Seguridad
Nacional, organismo del cual son mayoría los uniformados"; entre otros. Sobre
estas materias, es enfático al dejar "constancia que los tópicos aludidos son prácticamente irreformables, circunstancia que puede provocar conductas indeseables
al margen del ordenamiento jurídico"[18].

Así, en medio de la discusión que dará pasó a la reforma de 1989, aboga
por la necesidad de reformas y la importancia del esfuerzo del equipo técnico

---

[13]   Cea Egaña, José Luis (1988a) *Tratado de la Constitución de 1980*. Santiago: Editorial Jurídica de Chile,
      402 pp., p. 38.
[14]   Cea (1988a) 36.
[15]   Cea (1988a) 36.
[16]   Cea (1988a) 36.
[17]   Cea (1988a) 36. Estas ideas vienen de Cea Egaña, José Luis (1987) *"Rasgos de la experiencia democrá-
      tica y constitucional de Chile"*. *Revista Chilena de Derecho*. Vol. 14, N° 1, pp. 25-35., pp. 34-35.
[18]   Cea (1988a) 36.

conjunto, sosteniendo que "la necesidad de reformarla [la Constitución] es quizás el único tema que consigue un consenso total del espectro político... Curiosa
unanimidad, si se considera que sus autores inventaron todo tipo de cerrojos
para impedir cualquiera modificación. Es la constitución más rígida de nuestra
historia". Asimismo, señala que "[e]sta Constitución no es ni plena ni íntegramente democrática. Solo tendríamos algunas instituciones democráticas en un
contexto autoritario. Lo que queremos es que no exista ni un contexto ni instituciones autoritarias, sino un régimen absolutamente democrático, que es el único
compatible y coherente con la tradición republicana de Chile"[19].

Sobre la propuesta RN-Concertación, el profesor Cea, el día del lanzamiento
del informe, sostendrá que se trata de un documento "coherente, muy mode-
rado, muy maduro y muy de acuerdo con un análisis realista de la situación del
presente y del futuro del país", y que busca "una democracia de consenso o con-
sociativa, concordante o convergente que se funda precisamente en encontrar
las zonas en que es posible el acuerdo para aislar zonas en que existen profundos
desacuerdos, con miras a que el tiempo nos vaya permitiendo avanzar a través del
diálogo, a una solución de esos problemas"[20].

Entre las propuestas formuladas por el equipo técnico conjunto RN-Concertación, destacan: sustituir el artículo 8° (pluralismo político limitado) por una norma que garantiza la libertad de expresión y la organización y condiciones para el
funcionamiento de los partidos políticos, entregando al Tribunal Constitucional
la sanción a conductas políticas que infringieran las reglas democráticas; limitar
las restricciones a libertades públicas en el marco de estados de excepción; aumentar el número de diputados a 150 y de los senadores a 50; suprimir los senadores designados (pudiendo mantenerse los senadores vitalicios para los ex Presidentes, para RN); cambiar la integración del Consejo de Seguridad Nacional
(COSENA), incluyendo al Contralor y al Presidente de la Cámara de Diputados,
y conferirle un carácter consultor del Presidente de la República; establecer un
sistema electoral proporcional; eliminar la aprobación de dos legislaturas conse-
cutivas para la reforma constitucional de los capítulos I, III y XIV (reforma a la
constitución), manteniendo el quórum de reforma general de 3/5, pero aumentando a 2/3 en el caso de los capítulos antes referidos; y sustituir el quórum de
4/7 para las leyes orgánicas constitucionales por el de mayoría absoluta[21].

Por su parte, en una posición "dura" respecto de las reformas constitucionales, el equipo constitucional de la UDI presenta su propuesta a mediados de
enero de 1989. Al presentar esta propuesta, Jaime Guzmán sostendrá que los
une a RN el espíritu de perfeccionamiento de la misma, pero se diferencia del

---

[19]   Entrevistado por el diario *La Época*, el 12 de marzo de 1989, citado en Andrade (1991) 51-52.
[20]   Citado en Andrade (1991) 75.
[21]   Godoy (1999) 97. Ver también Andrade (1991) 77-95.

de la Concertación por cuanto esta quiere "desmantelar la institucionalidad vigente"[22]. En una posición igual, o quizás aún más dura, se encuentra Avanzada Nacional[23]. El gobierno, por su parte, formará días más tarde su equipo asesor[24].

La negociación política de las reformas fue llevada a cabo por Patricio Aylwin por la Concertación, Sergio Onofre Jarpa por RN (y exministro del Interior), y por el Ministro del Interior, Carlos Cáceres[25]. Una negociación de suyo compleja, enfrentó una serie de factores políticos que aumentaron tal complejidad[26]. A fines de abril el Ministro del Interior da cuenta a Pinochet de los avances de las negociaciones en curso con los equipos de la Concertación y RN. Esta cuenta, y el curso de las conversaciones, irritarán a Pinochet, poniendo en duda la permanencia de Cáceres en el gabinete[27]. En este contexto, y tras ser confirmado en el cargo, Cáceres, anuncia las bases de la propuesta constitucional del gobierno, la que no considera aumentar el número de diputados, mantiene los senadores designados, mantiene la hipótesis de aprobación de reformas constitucionales por dos congresos sucesivos, aumenta las materias de leyes orgánicas constitucionales (con un quórum de 3/5), entre otros[28]. Esta propuesta es rechazada por la Concertación y aprobada parcialmente por RN, quedando las tratativas en punto muerto a comienzos de mayo[29].

Jaime Guzmán, representando a la UDI, apoyará la propuesta del gobierno, invitando a la Concertación a demostrar flexibilidad y evitar una conducta intransigente, "que pudiera ser un muy mal preludio para nuestro régimen democrático"[30]. Asimismo, el vicepresidente de la UDI, Joaquín Lavín, acusará a la Concertación de buscar "desmantelar" la Constitución, y que le entregaran "las llaves de la casa", es decir, "que se le facilitaran los mecanismos de reforma de la Constitución, porque evidentemente si conseguían eso podrían modificarlo todo

---

[22]   Ver Andrade (1991) 32-34. En materia de senadores designados, por ejemplo, sostendrán que "es uno de los mejores aciertos de la Constitución de 1980... si se retornase a un Senado de origen exclusivamente político-electoral, se dañaría seriamente la arquitectura central de la Constitución". Ver "La UDI entregó su propuesta de reformas constitucionales", *La Segunda*, 12 de enero de 1989.

[23]   Ver Andrade (1991) 60, analizando las declaraciones de su presidente, Sergio Miranda C.

[24]   El que estaba compuesto por Raúl Bertelsen, Rafael Valdivieso, Arturo Marín y Hermógenes Pérez de Arce. Andrade (1991) 60. Ver también Godoy (1999) 96 y Silva Bascuñán (1997b) 231.

[25]   Godoy (1999) 97.

[26]   Por ejemplo, en el frente de la posición Concertación-RN, este presentaba la dificultad de que RN era percibida desde la Concertación con una doble posición: un pie en el acuerdo y otro en el Gobierno. Por otra parte, Cáceres debía soportar la presión de los duros del gobierno y la UDI. Asimismo, el resultado del plebiscito 54%-43%, dejaba todavía a Pinochet en una posición de negociación dura. Godoy (1999) 98.

[27]   Ver Fuentes (2012) 49.

[28]   Ver Andrade (1991) 108-115, y 120-123. Ver también Fuentes (2012) 49.

[29]   Silva Bascuñán (1997b) 233. Ver también Andrade (1991) 123-124 y Fuentes (2012) 49.

[30]   Silva Bascuñán, Alejandro (1997a) *Tratado de derecho constitucional. Tomo I. Principios, Estado y Gobierno.* 2ª edición. Santiago: Editorial Jurídica, 588 pp., p. 234. Ver también Andrade (1991) 130.

después"[31]. Dos días más tarde, Jaime Guzmán repetirá los mismos planteamientos de Lavín[32]. Destaca, asimismo, la posición del candidato presidencial Hernán Büchi, exministro de Hacienda del régimen, quien para "quebrar el impase" entre el gobierno y la oposición buscará acercar posiciones, planteando flexibilizar el mecanismo de reforma constitucional, contemplar senadores designados pero limitados a un periodo transitorio, aumentar el Senado a 50 miembros y la Cámara de Diputados a 150 miembros, disminuir el quórum de las leyes orgánicas constitucionales a mayoría absoluta de senadores y diputados en ejercicio, entre otros[33].

Este escenario cambiará con un nuevo gesto de apertura del gobierno, lo que importará la elaboración de una nueva propuesta del equipo técnico de la Concertación y RN, evaluando las diferencias con la propuesta del Gobierno y buscando un acuerdo.[34] En paralelo, la UDI presenta una nueva propuesta, un último recurso tratando de evitar lo que considera la excesiva flexibilización que pide la Concertación en materia de reformas constitucionales, pero mostrando al Jaime Guzmán pragmático y realista, que entiende que la reforma ya está acordada, con o sin el visto bueno de la UDI[35].

El 31 de mayo Pinochet se dirige a la Nación dando a conocer el paquete de reformas constitucionales finalmente consensuado, que será aprobado a comienzos de junio por la Junta. Posteriormente, mediante Decreto Supremo N° 939, del Ministerio de Interior, se convoca a plebiscito para el 30 de julio para que apruebe o rechace la reforma[36]. La desazón de los "duros" del gobierno queda bien ilustrada en las declaraciones del ministro de Justicia, Hugo Rosende, para quien "desde el momento en que el Presidente de la República dio su aprobación a estas precisas reformas y confirió su patrocinio, desde ese momento para mí terminaron todas las dudas"[37]. Asimismo, el Partido Comunista llamó a anular el voto en el plebiscito[38].

Varios líderes de la Concertación manifestarán su disconformidad con lo acordado (por ejemplo, Ricardo Lagos). La crítica de los autoflagelantes de la Concertación hacia fines de los 90 volverá sobre esta cuestión; no sobre la idea de la necesidad de una transición pacífica a la democracia, sino que, de manera

---

[31]   Citado en Andrade (1991) 132.
[32]   Ver Andrade (1991) 137.
[33]   Ver Andrade (1991) 139-141.
[34]   Ver Andrade (1991) 153-154.
[35]   Citado en Andrade (1991) 156.
[36]   Andrade (1991) 176. Ver también Fuentes (2012) 50. Un análisis técnico sobre el marco jurídico-político del plebiscito de 1988, en Cea Egaña, José Luis (1988b) *"Marco jurídico-político del plebiscito de 1988"*. *Revista de Ciencia Política*. Vol. 10, N° 1, pp. 81-104.
[37]   Citado en Andrade (1991) 177.
[38]   Andrade (1991) 182.

específica, todo lo que se cedió ante el régimen en la negociación, en lo que fue percibido como una estrategia de negociación excesivamente débil[39]. Con todo, Aylwin estuvo dispuesto a pagar esos costos; por ello será considerado el "padre de la democracia" y el primer presidente de la transición, entre otras razones, porque conectó con un deseo nacional de paz y no confrontación[40].

El 30 de julio votaron 7.556.613 personas, obteniendo la opción *apruebo* poco más de 6 millones de votos, obteniendo el 85,7% de las preferencias[41]. La reforma constitucional, Ley N° 18.825, será publicada en el Diario Oficial el 17 de agosto de 1989. Entre las reformas más importantes encontramos la incorporación de la frase final del artículo 5° inciso 2° de respetar y promover los derechos humanos contenidos en tratados internacionales; la derogación del artículo 8° (pluralismo político limitado); la atenuación del artículo 23° sobre incompatibilidad entre cargos políticos y gremiales; modificaciones a las potestades presidenciales, incluyendo la derogación de la disolución de la Cámara de Diputados por parte del Presidente; varios modificaciones a los Estados de Excepción Constitucional y la COSENA; aumentar el número de senadores elegidos por sufragio popular; entre otras[42].

A juicio de diversos constitucionalistas, con esta reforma, y especialmente el refrendo popular en plebiscito, se legitimará la Constitución Política[43]. Sabemos, para el profesor Renato Cristi, a partir del plebiscito de 1988 el pueblo chileno recupera el poder constituyente originario[44]. Se trata de una tesis que ha vuelto a cobrar relevancia y nuevos adeptos[45].

Bajo este contexto, el profesor Fernando Muñoz ha planteado una tesis tan interesante como controversial, que ha pasado un tanto desapercibida entre los especialistas; esta reforma importará *varias* constituciones de 1980: la original, *programada*, que nunca llegó a ser aplicada; la *transitoria*, que rigió entre 1981 y 1989; y la *transicional*, vigente desde 1990, fruto de la transacción aludida. En

---

[39]   Ver Mansuy (2016) 64-67.

[40]   Mansuy (2016) 67.

[41]   Silva Bascuñán (1997b) 236.

[42]   Andrade (1991) 306 y ss. Ver también Silva Bascuñán (1997b) 236-237, Fernández, Miguel Ángel (2001) "*Origen, Legitimidad y Consolidación de la Constitución*". *Revista de Derecho de la Universidad Católica de Valparaíso*. Vol. XXII, pp. 321-340., p. 334 y Alvarado, Claudio (2016) *La ilusión constitucional. Sentido y límites del proceso constituyente.* Santiago: IES, 110 p., p. 37.

[43]   Ver, por ejemplo, Silva Bascuñán (1997b) 240-242. Ver también Carrasco, Sergio (2008) "*La evolución político-constitucional de Chile*". *Estudios Constitucionales*. Año 6, N° 2, pp. 301-324.

[44]   Ver Cristi, Renato (1993) "*La noción de poder constituyente en Carl Schmitt y la génesis de la Constitución chilena de 1980*". *Revista Chilena de Derecho*. Vol. 20, N° 2-3, pp. 229-250., p. 249. Ver también Cristi, Renato (2011) *El pensamiento político de Jaime Guzmán. Una biografía intelectual.* 2da Edición. Santiago: Ediciones LOM, 300 pp., pp. 112 y 123, y de manera más reciente ver Cristi, Renato (2017) "*El ánimo refundacional de Jaime Guzmán y Fernando Atria*". En VV.AA., *1925. Continuidad republicana y legitimidad constitucional: una propuesta.* Santiago: Editorial Catalonia, pp. 141-173., p. 168..

[45]   Ver, por ejemplo, Alvarado (2016) 39-40.

consecuencia, la Constitución transicional "debe su identidad" a la "decisión" de Aylwin de transigir con Pinochet, lo que importó ceder, en representación de la Concertación, la disposición de este sector de cambiar "el modelo" impuesto y el ejercicio del poder constituyente por parte del pueblo[46]. Pero lo interesante es que ello, además, importa que "ha llegado el momento de dejar de apuntar los dedos hacia [Jaime Guzmán]… al momento de buscar la paternidad de la Constitución vigente", dado que "al oponerse en 1989 a la modificación de la Constitución *programada*, Guzmán se quedó fuera de la gestación de la Constitución *transicional*", sin perjuicio de la continuidad entre ambas[47].

Por el contrario, el profesor Cea es uno de los protagonistas de esta reforma, en función de su rol en la discusión técnica de la reforma de 1989. Sobre esta tendrá una apreciación global de la misma más bien positiva; pero ella será acompañada de una mirada exigente respecto del camino que aún falta para que sea una Constitución plenamente democrática. En consecuencia, sostendrá que "[a]preciadas globalmente, las enmiendas aludidas son positivas… purgando al Código Político de parte importante de los rasgos autoritarios con que, su texto original, había configurado al Jefe del Estado, restableciendo también un criterio más coherente del trazado orgánico con el principio de separación de los poderes en el marco de frenos y contrapesos recíprocos. Consecuentemente, las modificaciones aproximan el sistema a uno plenamente democrático, aunque subsisten normas que impiden otorgarle este último carácter al que comenzará a regir el 11 de marzo de 1990"[48]. Asimismo, desde una perspectiva crítica, pero también mirando al futuro, y valorando "el consenso que hizo posible cambiar el texto del Código Político y que ha de iluminar tanto la interpretación cuanto la aplicación del mismo", será partidario de que "se manifieste pronto en nuevas disposiciones que culminen en la formalización de una estructura orgánica por entero democrática, consonante con la tradición republicana de Chile y depurada de los vicios que la experiencia ha demostrado. Tal estructura tiene que fundarse en el pluralismo, la participación y la representación de los grupos, ideas e intereses sociales; ella debe ser respetuosa y protectora de la dignidad de la persona y de los derechos humanos; en fin, esa estructura ha de ser eficiente en la regulación y solución de los conflictos, en la consecución de acuerdos y en la ejecución de la tarea de gobierno, o sea, la concreción tangible del bien común que es, en definitiva, el de todos y cada uno de quienes conviven de acuerdo con nuestro ordenamiento jurídico"[49].

---

[46]   Muñoz, Fernando (2015) *Hegemonía y Nueva Constitución. Dominación, subalternidad y proceso constituyente*. Santiago: Ediciones UACH, 222 pp., p. 124.

[47]   Muñoz (2015) 134-135.

[48]   Cea Egaña, José Luis (1989) "Reformas a la Presidencia y el Congreso". En VV.AA.: "*La reforma constitucional de 1989. Estudio Crítico.*" Revista *Cuadernos de análisis jurídico.* N° 30, UDP, pp. 63-76., p. 63.

[49]   Cea (1989) 63.

En un sentido similar se pronuncia otro de los miembros del equipo técnico de RN, el profesor Enrique Barros, quien recuerda que "[n]o era nuestro propósito pasar sin dilación a una situación final de un orden constitucional que nos resultara óptimo, ni mucho menos, pero había harto acuerdo en lo que dejamos pendiente. Nos bastó concentrarnos en los principios básicos de estado de derecho constitucional, en un marco de resguardos que resultara aceptable (bien que no bienvenido) para el régimen militar que concluía"[50].

En consecuencia, el profesor Cea, al formar parte del equipo técnico RN-Concertación, realizará una contribución decisiva para avanzar en el camino de buscar mayor unidad y menor división respecto de la Carta Fundamental y, especialmente, permitir la transición a la naciente democracia chilena. El mismo espíritu lo llevará al poco tiempo a integrarse a la Comisión Nacional de Verdad y Reconciliación, y luego, en calidad de vicepresidente, de la Corporación Nacional de Reparación y Reconciliación.

Constitucionalista, humanista, demócrata, defensor de los derechos humanos y vehemente promotor de la dignidad humana. Así destacó con coraje hace más de treinta años. Así lo recordamos hoy.

BIBLIOGRAFÍA

Alvarado, Claudio (2016) *La ilusión constitucional. Sentido y límites del proceso constituyente*. Santiago: IES, 110 pp.

Andrade, Carlos (1991) *Reforma de la Constitución Política de la República de Chile de 1980*. Santiago: Editorial Jurídica de Chile, 338 pp.

Atria, Fernando (1997) "*Los peligros de la Constitución. La idea de igualdad en la jurisdicción nacional*". *Cuadernos de análisis jurídico*. Santiago: Ediciones UDP, N° 36, 200 pp.

Barros, Enrique (2015) "*¿Debate constitucional ex nihilo?*". Revista *Societas*. N° 17, pp. 169-173.

Carrasco, Sergio (2008) "*La evolución político-constitucional de Chile*". *Estudios Constitucionales*. Año 6, N° 2, pp. 301-324.

Cea Egaña, José Luis (1987) "*Rasgos de la experiencia democrática y constitucional de Chile*". *Revista Chilena de Derecho*. Vol. 14, N° 1, pp. 25-35.

---

50   Ver Barros, Enrique (2015) "*¿Debate constitucional ex nihilo?*". Revista *Societas*. N° 17, pp. 169-173., p. 170. Concluye con: "Ese fue el signo pragmático pero claro en los objetivos finales de nuestra larga y persistente transición constitucional".

Cea Egaña, José Luis (1988a) *Tratado de la Constitución de 1980*. Santiago: Editorial Jurídica de Chile, 402 pp.

Cea Egaña, José Luis (1988b) "*Marco jurídico-político del plebiscito de 1988*". *Revista de Ciencia Política*. Vol. 10, N° 1, pp. 81-104.

Cea Egaña, José Luis (1989) "Reformas a la Presidencia y el Congreso". En VV.AA.: "*La reforma constitucional de 1989. Estudio Crítico.*" Revista *Cuadernos de análisis jurídico*. N° 30, UDP, pp. 63-76.

Cea Egaña, José Luis (2016) *Derecho constitucional chileno: Tomo IV*. Santiago: Ediciones UC, 272 pp.

Cristi, Renato (1993) "*La noción de poder constituyente en Carl Schmitt y la génesis de la Constitución chilena de 1980*". *Revista Chilena de Derecho*. Vol. 20, N° 2-3, pp. 229-250.

Cristi, Renato (2011) *El pensamiento político de Jaime Guzmán. Una biografía intelectual*. 2da Edición. Santiago: Ediciones LOM, 300 pp.

Cristi, Renato (2017) "*El ánimo refundacional de Jaime Guzmán y Fernando Atria*". En VV. AA. *1925. Continuidad republicana y legitimidad constitucional: una propuesta*. Santiago: Editorial Catalonia, pp. 141-173.

Delamaza, Gonzalo (2018) "*Pensamiento político en el proceso de transición (1990-2010)*". En Jaksic, Iván y Susana Gazmuri (editores). *Historia política de Chile, 1810-2010: Tomo IV. Intelectuales y pensamiento político*. Santiago: FCE-UAI, pp. 275-302.

Fernández, Miguel Ángel (2001) "*Origen, Legitimidad y Consolidación de la Constitución*". Revista de Derecho de la Universidad Católica de Valparaíso. Vol. XXII, pp. 321-340.

Fuentes, Claudio (2012) *El Pacto: Poder, Constitución y prácticas políticas en Chile (1990-2010)*. Santiago: Ediciones UDP, 259 pp.

García, José Francisco (2020) *La Tradición Constitucional de la Pontificia Universidad Católica de Chile: Vol. II (1967-2019)*. Santiago: Ediciones UC, 632 pp.

Godoy, Oscar (1999) "*La transición chilena a la democracia: pactada*". Revista Estudios Públicos, CEP, Vol. 74, pp. 79-106.

Mansuy, Daniel (2016) *Nos fuimos quedando en silencio: La agonía del Chile de la transición*. Santiago: IES, 220 pp.

Muñoz, Fernando (2015) *Hegemonía y Nueva Constitución. Dominación, subalternidad y proceso constituyente*. Santiago: Ediciones UACH, 222 pp.

Silva Bascuñán, Alejandro (1997a) *Tratado de derecho constitucional. Tomo I. Principios, Estado y Gobierno*. 2ª edición. Santiago: Editorial Jurídica de Chile, 588 pp.

Silva Bascuñán, Alejandro (1997b) *Tratado de derecho constitucional. Tomo III.* 2ª. Edición. Santiago: Editorial Jurídica de Chile, 395 pp.

El aporte de José Luis Cea Egaña en la constitucionalización del Derecho Internacional de los Derechos Humanos. Especial referencia a la Convención sobre Derechos del Niño y su impacto en el ordenamiento jurídico chileno

María Lorena Rossel Castagneto[1]

1. LA INCORPORACIÓN DEL INCISO 2° ARTÍCULO 5 A LA CONSTITUCIÓN CHILENA Y SU INTERPRETACIÓN

En Chile, el fin de la dictadura dio inicio a un proceso de reconstrucción de la democracia en que el nuevo conglomerado –Concertación de partidos por la Democracia– anunciaba como una de sus misiones fundamentales el respeto y promoción de los derechos humanos. En este contexto, se agregó la oración final al inciso segundo del artículo 5° de la Constitución Política de la República, que señala: "es deber de los órganos del Estado respetar y promover tales derechos, garantizados por esta Constitución, así como los tratados ratificados por Chile y que se encuentran vigentes"[2]. Gracias a esta Ley de reforma constitucional, se modificaron varios artículos de la Constitución Política, con el objeto de perfeccionar ciertas instituciones "a fin de que la vida política del país se desenvuelva en el futuro con tranquilidad ciudadana, con lealtad a las normas básicas y con criterios concretos de respeto a los derechos de las personas"[3].

Si bien inciso 2° del artículo 5 ha sido varias las interpretaciones y que dicen relación con la jerarquía de los tratados internacionales, entre ellas una muy discutida interpretación del Tribunal constitucional en cuanto a que los tratados internacionales tendrían un valor supra legal[4], pero infra constitucional, ha primado la interpretación según la cual los tratados internacionales de derechos humanos tienen jerarquía constitucional. El profesor Cea Egaña, como uno de los

---

[1] Abogada, Doctora en Derecho por la Universidad de Valparaíso. Facultad de Derecho, Universidad de Las Américas, Chile. Correo electrónico: mrossel@udla.cl

[2] Ley 18.825, de 17 de agosto de 1989. Disponible en https://www.bcn.cl.

[3] Historia de la Ley n° 18.825. Reforma de la Constitución Política de la república. Disponible en https://www.bcn.cl.

[4] Sentencia Tribunal Constitucional, Rol N° 1288, de 25 de agosto de 2009, considerandos 41 y 43.

redactores del inciso 2° del artículo 5 de la Constitución defendió esta postura, a pesar de algunos autores que querían restringir el alcance de dicha disposición.

En efecto, los redactores del inc. 2° del artículo 5 de la Constitución Política, entre ellos José Luis Cea Egaña (1997), han señalado que la idea de incorporar este inciso 2° fue la de ampliar el catálogo de derechos fundamentales que consagra la Constitución en los distintos numerales del artículo 19, complementando o conciliando las normas de la Carta Magna con los tratados ratificados por Chile y que se encuentren vigentes. En este sentido el profesor Cea Egaña señala que estas disposiciones "fueron concebidas y redactadas con la intención que –a mi juicio, el artículo 5 inciso 2° trasunta con entera claridad– tuvieran jerarquía formal y sustantiva material de Constitución"[5].

Del mismo modo, se debe considerar que la Convención de Viena sobre el Derecho de los Tratados (en adelante CV) de la cual Chile es parte, consagra 3 principios relativos a la aplicación de los tratados, que son los principios en los que se sustenta la obligatoriedad de estos. En efecto, la CV consagra en el artículo 26 el principio del Pacta sunt sevanda (obligación de cumplir los tratados) y el principio de buena fe. Luego el artículo 27 que es un corolario de los principios anteriores, prohíbe a los Estados invocar disposiciones de orden interno como justificación del incumplimiento del tratado. De allí se desprende el Estado debe hacer todo lo que está a su alcance para cumplir con los tratados internacionales incluso modificando su legislación interna para adecuarla a dichos instrumentos internacionales. En este sentido, Francisco Cumplido, señala que al redactar el inciso 2° del artículo 5 de la Constitución "sabíamos que la Convención de Viena sobre los Tratados hace prevalecer los tratados internacionales sobre la legislación interna"[6].

Advierte Cea Egaña[7] que algunas normas contenidas en tratados internacionales tienen el carácter de normas de *ius cogens,* las que sería superiores incluso a la Constitución. En efecto, las normas de *ius cogens* son normas reconocidas por la comunidad internacional en su conjunto, que no admiten prueba en contrario y que sólo pueden ser modificadas por una norma de igual jerarquía. Se ha dicho que las normas de *ius cogens,* son los valores de la comunidad internacional en su conjunto, y todos los Estados deben respetar. Esta noción de normas que tienen una obligatoriedad *erga omnes* o universal, no queda supeditada a la legislación interna de los Estados, sino que priman por sobre dicha legislación.

---

5   Cea Egaña, José Luis (1997) *Los tratados de derechos humanos y la Constitución política de la República.* Revista Ius et Praxis, Editorial Universidad de Talca, vol. 2, núm. 2, p. 83.
6   Cumplido Francisco (1997) *Los tratados Internacionales y el artículo 5° de la Constitución.* Revista Ius et Praxis, Editorial Universidad de Talca, vol. 2, núm. 2, p. 95.
7   Cea (1997) 84.

Del mismo modo, el profesor Cea Egaña destaca que la reforma constitucional que incorporó el inciso 2° se refiere a los derechos humanos "contenidos o articulados" en los tratados internacionales ratificados por Chile, tanto aquellos ratificados por Chile con anterioridad a la reforma constitucional, como aquellos que en el futuro Chile ratificara. Esto fue aclarado por cuanto parte de la doctrina –minoritaria, en todo caso– sostenía que la norma sólo se refería a los tratados internacionales ratificados por Chile y vigentes al momento de aprobar la reforma constitucional. Dicha interpretación reduccionista de la norma se alejaba de la intención y del texto, por lo que no tuvo acogida ni por la doctrina nacional ni por los tribunales nacionales.

Este último punto es de suma relevancia, ya que, si hubiera primado la interpretación según la cual este artículo habría "congelado los tratados vigentes en Chile al 17 de agosto de 1989" y se hubiera considerado que los tratados posteriores no tenían rango constitucional, dicha interpretación no sólo sería caprichosa y alejada del espíritu de la Constitución –como señala el profesor Cea Egaña– sino, además sería contraria al *pacta sunt servanda* y principio de la aplicación de buena fe de los tratados internacionales, y contraria a la interpretación finalista, evolutiva y efectiva que, en opinión de Cançado Trindade[8], debe primar al interpretar los tratados de Derechos humanos. En este mismo sentido la Corte Interamericana ha señalado en el caso Comunidad Mayagna (Sumo) Awas Tingni vs. Nicaragua, 31 de agosto de 2001, párrafo 146, que los "términos de un tratado internacional de derechos humanos tienen sentido autónomo, por lo que no pueden ser equiparados al sentido que se les atribuye en el derecho interno. Además, los tratados de derechos humanos son instrumentos vivos cuya interpretación tiene que adecuarse a la evolución de los tiempos y, en particular, a las condiciones de vida actuales".

Asimismo, Bidart Campos se ha referido a la "maximización del derecho internacional de los derechos humanos", en cuanto los tratados de derechos humanos conllevan derechos implícitos y aspiran al mejoramiento continuo de los derechos que ellos contienen. Lo denomina "derecho mínimo" y muestra de ello son los artículos 5 número 2 del Pacto Internacional de Derechos Civiles y Políticos y artículo 5 número 2 del Pacto de Derechos Económicos Sociales y Culturales. En este sentido el primer artículo al que se hizo alusión, señala que "no podrá admitirse restricción o menos cabo de ninguno de los derechos fundamentales reconocidos o vigentes en un Estado parte en virtud de sus leyes, convenciones o reglamentos o costumbres, so pretexto de que el presente Pacto no los reconoce o los reconoce en menor grado".

---

8   Cançado Trindade, Antonio (2001) *El derecho internacional de los derechos humanos en el siglo XXI*. 2ª Edición. Chile: Editorial Jurídica de Chile, 559 pp., p. 17-61.

Es dable señalar que según refiere Fancisco Cumplido[9] la propuesta inicial de la reforma hacía alusión expresa a la costumbre y a los principios generales del derecho, lo que fue rechazado en el texto final porque se consideró que daba lugar a incerteza en la materia.

A lo anteriormente señalado, debemos agregar que la jurisprudencia de los tribunales superiores de justicia ha aplicado directamente los tratados sobre derechos humanos ratificados por Chile, como normas que complementan los derechos humanos que consagra nuestra Constitución. Del mismo modo, la jurisprudencia del Tribunal constitucional (en adelante, TC) cita tratados internacionales sobre derecho humanos ratificados por Chile para declarar la inaplicabilidad de normas internas, por cuanto contravienen dichos preceptos[10].

Así, se ha entendido que los tratados sobre derechos humanos ratificados por Chile, que se refieren a los niños y a otros colectivos vulnerables, forman parte del bloque de constitucionalidad, y por tanto, que dichos tratados complementan y amplían el catálogo de derechos fundamentales reconocidos en ella.

Del mismo modo, cabe señalar el control de convencionalidad[11] que realiza la Corte Interamericana de derechos humanos (en adelante CIDH), que ha obligado al Estado de Chile a modificar sentencias judiciales, legislación interna, e incluso la Constitución, para adecuarla a los tratados internacionales de derechos humanos de los que Chile es parte y ha exhortado a los tribunales del estado a aplicar una interpretación que concilie los tratados internacionales con la legislación interna[12-13] .

Teniendo presente este desarrollo progresivo de los derechos humanos, en especial, de los derechos de los niños, en el apartado siguiente se hará alusión a las transformaciones legislativas en lo relativo a los derechos de niños niñas y adolescentes en Chile, que establecen normas concretas de aplicación de los tratados internacionales ratificados por Chile. Del mismo modo, con posterioridad

---

9   Cumplido (1997) 93-99.
10 A modo ejemplar, se puede citar la reciente Sentencia TC, 29 de enero de 2021, Rol 8792-20, que declara inaplicable la Ley Pascua, por considerarla contraria a la Convención sobre eliminación de todas las formas de discriminación contra la mujer, a la Convención Belén du Pará y a la Convención de Derechos del niño.
11 Cabe hacer presente que la teoría del control de convencionalidad ha sido objeto de variadas críticas por parte de la doctrina. Para profundizar obre este tema: Fuentes, Ximena y Pérez, Diego (2018) *El efecto directo del derecho internacional en el derecho chileno*. Revista de derecho Universidad Católica del Norte, sección estudios, año 25, N° 2, pp. 119-156.
12 A modo ejemplar, CIDH Caso "La Última Tentación de Cristo" (Olmedo Bustos y otros) Vs. Chile, Sentencia de 5 de febrero de 2001.
13 Sobre el control de convencionalidad cabe recordar la sentencia de la Corte Interamericana de Derechos Humanos de 26 de septiembre de 2006. "Almonacid Arellano y otros vs. Chile", párrafo 124. Disponible en: http://www.corteidh.or.cr/docs/casos/articulos/seriec_154_esp.pdf. .

se hará referencia a la interpretación de los tribunales internos e internacionales sobre la materia.

2. DERECHOS DE LOS NIÑOS, NIÑAS Y ADOLESCENTES Y SU RECONOCIMIENTO EN CHILE

Norberto Bobbio[14], señala que en los últimos años –refiriéndose a la década de los ochenta y principios de los noventa–, se ha manifestado un proceso de especificación de los derechos humanos, consistente en un paso gradual hacia una ulterior determinación de los sujetos titulares de derechos. Lo asimila al proceso por el que atravesó la idea de libertad, al principio abstracta, para luego determinar libertades concretas y particulares, como la de conciencia, de opinión, de prensa, de reunión y de asociación. Agrega que así, respecto al abstracto sujeto hombre, que había encontrado una primera especificación en "ciudadano" –en el sentido que al ciudadano le corresponderían ciertos derechos posteriores, respecto al hombre en general– para luego responder a ulteriores especificaciones a la pregunta ¿qué hombre, qué ciudadano?

Señala Bobbio que esta especificación se ha producido bien respecto del género, bien respecto a distintas fases de la vida. En el caso de esta última, destaca como se han ido diferenciando los derechos de la infancia, lo que se advierte de los instrumentos internacionales celebrados con el fin de reconocer derechos específicos. Pero concluye que, a medida que las pretensiones aumentan, su satisfacción resulta siempre más difícil.

Utilizando la misma terminología que propone Bobbio, Peces-Barba[15] desarrolla este concepto, señalando que el proceso de especificación se produce en relación con los titulares de los derechos, pero también en el contenido de los mismos, y con una conexión indudable con su consideración como concepto histórico, es decir, "inserto en una cultura política y jurídica moderna". Agrega que, en este proceso de especificación de los derechos fundamentales, los niños requieren una protección especial, pero no vinculada al valor de la igualdad –como ocurre en el caso de los derechos de la mujer– sino al valor de la solidaridad o de la fraternidad, ante la debilidad, inferioridad física, intelectual o social, que supone el tránsito por esta etapa, hasta alcanzar el grado de madurez suficiente.

La Constitución chilena, a diferencia de otros sistemas jurídicos, no reconoció derechos específicos a colectivos vulnerables, tales como las mujeres, los niños,

---

[14]   Bobbio, Norberto (1991) *El tiempo de los Derechos*. España: Editorial Sistema DL., p. 110.
[15]   Peces-Barba, G., Asís, R. De, Llamas, A y Fernández Liesa, C. (1995) *Curso de Derechos Fundamentales*, Madrid: Debate, pp. 180 y sgtes.

los pueblos originarios, los migrantes, sin embargo, gracias a la incorporación del inciso 2° del artículo 5 de la Constitución, y la ratificación de una serie de tratados de derechos humanos, se ha producido este proceso de especificación en Chile.

En el caso de los niños niñas y adolescentes (NNA) la Convención sobre derechos del niño, ratificada por Chile en la década del 90 reconoce que el niño requiere de una protección especial, para desarrollarse en todos los aspectos, pero, a su vez, le confiere la calidad de titular de derechos, que puede ejercer por sí mismo. Así queda plasmado en una serie de artículos como el artículo 2 y en especial, los artículos 3.1 y 12.

Como se analizará más adelante, la Convención al recoger como principio rector, el del interés superior del niño para la toma de decisiones que le afecten, justifica la adopción de medidas que redunden en la consecución del mejor interés para el niño, debiendo ser una consideración primordial. Pero, sobre todo, el artículo 12, será la consagración del niño como sujeto pleno de derechos.

En este sentido Baratta[16] señala que el futuro de la democracia –parafraseando a Bobbio– está vinculado al reconocimiento de los derechos del niño, como ciudadano en el sentido pleno de la palabra.

Sostiene que, realizando una interpretación sistemática y dinámica de la Convención, el niño, en cualquier fase de su desarrollo tiene una ciudadanía plena, que es compatible con la debida consideración de su diferencia con respecto a los adultos y, en consecuencia, a su identidad como niño.

Agrega que, gracias a la Convención sobre derechos del niño, éste goza no sólo de manera plena sino de manera privilegiada, de todos los derechos fundamentales respecto de los adultos, ya que la Convención reconoce al niño "todos los derechos cuyo ejercicio constituye la condición para el ejercicio de los derechos políticos y de participación".

Del mismo modo, y de manera específica y privilegiada, en concepto de Baratta, se le reconocen al niño, los derechos civiles y de libertad, los económicos, sociales, culturales, procesales, y los derechos comunicativos de libertad. Estas ventajas, según Baratta, compensarían las disminuciones que afectan al niño a raíz de su identidad y su especial posición en el contexto de los derechos políticos clásicos.

De esta manera para Baratta, esto trae como consecuencia interpretar el artículo 12 de la Convención, dándole una mayor extensión y un nuevo y fundamental significado al derecho del niño a ser escuchado, ampliando el concepto de libertad y el de dignidad de la persona, y su desarrollo humano. El autor

---

[16]   Baratta, Alessandro (2001) *Infancia y democracia*, p. 14.

concluye que éste es el futuro de la democracia e implica un cambio de paradigma "que puede llevar desde la infancia de la democracia hacia una sociedad humana y madura"[17] .

Este cambio de paradigma en lo relativo a los derechos de la infancia y adolescencia y que fue provocado en gran medida por la Covnención sobre derechos del niño, trajo como consecuencia una serie de modificaciones legislativas en Chile, pero además, lo que los autores denominan la constitucionalización del derecho de familia, producto de la interpretación de sus normas por los tribunales internos e internacionales, como se analizará en el apartado siguiente.

2.1. *Transformaciones legislativas inspiradas en tratados internacionales ratificados por Chile, en lo relativo a niños, niñas y adolescentes*

La ratificación por parte de Chile de la convención de derechos del niño, 13 de agosto del año 1990, por el Presidente Patricio Aylwin, ha provocado grandes transformaciones en lo relativo a la infancia y adolescencia, por cuanto si bien el niño es considerado un ser vulnerable y digno de una protección especial, se le reconoce como sujeto de derechos enunciados en la referida convención y que con posterioridad se han ido desarrollando gracias a la labor del Comitté de derechos del niño y a la jurisprudencia de los tribunales nacionales e internacionales.

De esta manera en Chile, en el año 1992 se formuló un Plan Nacional a favor de la Infancia, en el que se definieron 10 áreas de acción: desarrollo infantil y educación inicial; educación básica; salud-materno-infantil; nutrición; consumo de drogas; maltrato, abandono y abuso sexual; discapacidad; conflicto con la justicia; agua y saneamiento básico y problemas ambientales[18].

A su vez, en el año 1993, el Comité de derechos del Niño emitió el primer documento que contenía el examen de los informes presentados por el Estado de Chile de conformidad al artículo 44 de la Convención sobre derechos del niño[19]. Allí se advertía la necesidad de que Chile adecuara su legislación a la Convención sobre derechos del niño, de manera que las políticas del estado se enfocaran en mejorar la calidad de vida de los niños y jóvenes, en especial, los que pertenecían a los grupos más desfavorecidos. Señala el documento, que en Chile persistía importantes diferencias geográficas a nivel regional y comunal en los indicadores de mortalidad infantil y rendimiento escolar, entre otros, que contrastaban con los indicadores promedio a nivel nacional. Ello exigía un refuerzo en los programas sociales que contribuyeran a una mayor igualdad de oportunidades,

---

[17]   Baratta (2001) 21.
[18]   Rojas, Jorge (2010) *Historia de la infancia en el Chile republicano, 1810-2010.* Santiago: JUNJI. pp. 715 y sgtes.
[19]   CRC/C/3/Add.18, 22 de julio de 1993.

discriminado positivamente hacia los grupos menos favorecidos. Asimismo, el Comité señaló que los problemas relativos a la situación de la infancia, ya no estaban relacionados con la cobertura de los servicios básico, sino más bien con su calidad, a lo que se suman otros problemas que estaban ocultos como el mal trato infantil, el abandono y el abuso de menores, el embarazo adolescente, la drogadicción y el alcoholismo, la situación de los menores con discapacidad, el medio ambiente, entre otros.

Finalmente, si bien el Comité reconocía los esfuerzos que el estado había realizado al aumentar el gasto social en un 50% respecto del presupuesto heredado del régimen militar, lo que había impactado en las políticas sociales, reconoce como desafío central para el estado de Chile la necesidad de superar vacíos, contradicciones e inadecuaciones de la legislación nacional y la practica judicial vigente. Así recomendaba al Estado enfrentar la necesaria coordinación y desarrollo institucional en el ámbito de las políticas publica dirigidas hacia la infancia, y la apertura y el perfeccionamiento de espacios institucionales que posibiliten una acción conjunta entre el Estado y la sociedad Civil. Advertía la dispersión con la que actuaban los servicios públicos, donde observaba la coexistencia de un elevado número de instituciones que trabajaban a favor del menor pero que dependían de distintos ministerios o sectores, con diferentes niveles de desagregación territorial.

En definitiva, el Comité reafirmaba la necesidad de que en Chile el niño sea considerado como sujeto de derechos, y el deber de la sociedad democrática, de cuidado, protección y promoción de la infancia, tomando en consideración que los niños son los más vulnerables a la reproducción de la pobreza, pero también representan la posibilidad de un futuro mejor desde el punto de vista social y económico.

La ratificación de la Convención sobre derechos del niño y la consideración a las observaciones del comité de derechos del niño, provocaron transformaciones legislativas en Chile, como las que se señalan a continuación:

1. En materia penal, se endureció la legislación en materia de abusos sexuales contra menores, aumentando la penalidad de ciertos delitos, estableciendo ciertos tipos penales y facilitando los procedimientos, por ejemplo, a través de la Ley 19.617 de julio de 1999 y la Ley 19.927 de 5 de enero de 2004. La Ley 19.617, definió ciertos delitos sexuales, y fijó en 12 años la edad límite de consentimiento sexual, común para niños y niñas. Poco después se modificó la edad mínima de los contrayentes en el matrimonio civil en 16 años. Del mismo modo, se despenalizaron las relaciones sexuales entre personas del mismo sexo, pero sólo tratándose de los mayores de 18 años, ya que el artículo 365 del Código Penal, sigue penalizando el acceso carnal a un menor de 18 años, entre personas del mismo sexo, aun

cuando no medien las circunstancias de los delitos de violación y estupro. En consecuencia y tal como señala Rojas, nuestro Código penal mantiene dos criterios de edad en materia de consentimiento sexual: a partir de los 14 para relaciones heterosexuales y a partir de los 18 para el caso de las relaciones homosexuales[20]. Del mismo modo el año 2017 se dictó la Ley 21.013 que tipifica el delito de maltrato y aumenta la protección de personas en situación especial. Esta Ley introduce modificaciones a diversos cuerpos legales, entre otros, al Código Penal, a la Ley 20.066 que Establece la Ley de Violencia Intrafamiliar y al Decreto ley N° 645, de 1925, sobre registro general de Condena. En lo concerniente a las modificaciones al Código penal, aumenta en un grado las penas en contra de las personas que cometan el delito de lesiones cuando la víctima sea menor de edad, y tipifica el delito de maltrato a menores de 18 años de edad, adultos mayores y personas en situación de discapacidad[21].

2. En el ámbito de la igualdad entre los niños en el año 1998 se dictó la Ley de filiación única. Si bien es cierto Chile había ratificado varios tratados internacionales que prohibían la discriminación de los hijos, tales como la Declaración Universal de los Derechos del Hombre (1948), el Pacto Internacional de los Derechos Civiles y Políticos (1966), el Pacto Internacional de los derechos Económicos Sociales y Culturales (1969), la Convención Americana sobre derechos Humanos (1969) y la misma Convención sobre Derechos del Niño, recién en 1998 se dicta la Ley 19585, que termina con la diferenciación entre hijos legítimos e ilegítimos que regía en Chile desde la época de la Colonia. Del mismo modo, la Ley promueve el derecho a la identidad y de responsabilidad de los padres, al introducir mecanismos más eficaces de investigación de paternidad. Si bien, esta modificación contribuyó a un efectivo reconocimiento a los principios de trato igualitario a los hijos, el derecho a la identidad y del interés superior del niño consagrados en la Convención, al mismo tiempo, y desde el punto de vista cultural, contribuyó a que Chile se convirtiera en una sociedad más igualitaria y democrática, y sienta la base de otros procesos que también contribuyen a la igualdad, como las transformaciones en la legislación laboral, en la salud y en la educación[22]. A pesar de estos avances, la Ley siguió distinguiendo entre hijos de filiación matrimonial y no matrimonial, lo que constituye una discriminación contraria a la Convención sobre derechos del niño.

---

[20] Rojas (2010) 720.
[21] Ley 21.013, disponible en https://www.leychile.cl/Navegar?idNorma=1103697
[22] UNICEF e Instituto de Investigación en Ciencias Sociales de la Universidad Diego Portales ICSO UDP (2006): *Niños, niñas y adolescentes víctimas de delitos sexuales, en el marco de la reforma procesal penal.* p. 24.

3. En lo relativo al derecho de los niños a la convivencia familiar, desde la década del 90 se comienzan a hacer esfuerzos para erradicar la violencia al interior de la familia. El año 1994 se aprueba la ley 19.325 que sanciona la violencia intrafamiliar. De acuerdo a los antecedentes que se recopilaron a partir de la discusión de la Ley, en 1994 el 63% de los niños y niñas sufría algún tipo de violencia física causada por sus padres o parientes. Del mismo modo, el año 1998, se modificó la norma que establecía la facultad del padre para castigar a los hijos, que regía en Chile desde 1928. Según la nueva redacción de la Ley 19.585, los padres tienen "la facultad de corregir a los hijos, cuidando que ello no menoscabe su salud ni su desarrollo personal". Establecía además que de producirse dicho deterioro o se temiere fundadamente que ocurra, el juez podía decretar medidas de resguardo del hijo, además de las sanciones que correspondieren (artículo 234 del Código Civil). Sin embargo, a fines de 2007 el Comité de derechos del niño, manifestó nuevamente su preocupación por la ambigüedad con que el derecho de corrección se mantenía en nuestra legislación y recomendó modificar Sin perjuicio de la discusión que suscitó la ambigüedad de la expresión de "maltrato psicológico"[23], ya en el año 2000, se podía hacer un balance positivo de la implementación de esta ley, toda vez que la cifra de maltrato infantil había disminuido al 53,9%, pero, además se advirtió la disminución de la violencia física grave, que pasó de un 34,3% en 1994, a un 25,4% en 2004[24].

4. En lo relativo al trabajo infantil, en los años noventa también se realizaron esfuerzos primero por regular formas de trabajo infantil que no estaban cubiertas por el Código del trabajo, o que lo estaban, pero parcialmente, para luego, gracias a los convenios con la OIT, para erradicarlo. Se distinguió así, entre el trabajo infantil –menores de 15 años–, que fue prohibido, y el trabajo adolescente –mayores de 15 y menores de 18– que quedó limitado a la realización de ciertas labores y a la autorización de los padres. El 2007, se les exigió además a los mayores de 15 y menores de 18, cumplir con la escolaridad básica, y adicionalmente, se definieron ciertas actividades peligrosas o riesgosas, de las que fueron excluidos los menores de 18 años.

5. En cuanto al derecho de los niños a una protección legal y judicial, se advertía en 2005 que las familias más pobres tendían a judicializar los problemas sociales, lo que impactaba en el alto índice de internación judicial que, en la práctica, significaba separar a los niños y niñas de sus familias debido a los problemas asociados a la pobreza. Así, a partir de

---

[23]   Rojas (2010) 723.
[24]   UNICEF (2006) 25.

1990 se produce una fuerte crítica al sistema, que tenía deficiencias de fondo y no consideraba a los niños como sujetos de derechos, de manera que distintos sectores clamaban por disminuir el rol tutelar del estado, y favorecer la responsabilidad de la familia y de la comunidad. Ello trajo como consecuencia, una disminución progresiva de internación de niños y niñas pobres y la ampliación de servicios de apoyo en el medio familiar, que se intentará reforzar el 2005 con la Ley de Subvenciones de las Instituciones Acreditadas por el Servicio Nacional de Menores, la nueva justicia de familia que entró en vigencia en octubre de 2005, y posteriormente la Ley de responsabilidad penal adolescente, que entró en vigor en junio de 2007[25]. A pesar de la entrada en vigencia de la Ley de Responsabilidad Penal Adolescente y a los esfuerzos del Estado por aumentar los recursos del SENAME, la situación de los niños niñas y adolescentes que se encuentran en Centros Residenciales en Chile bajo el control de este organismo, fue objeto de críticas tanto al intrior del estado como por parte del Comité de derechos del niño. El año 2018 en Comité de derechos del Niño emitió un informe[26] en el que se constataba la violación grave y sistemática de los derechos enunciados por la Convención. Consideró como violaciones graves de los derechos del niño:

> 1° Violación de su obligación de respetar los derechos de los NNA durante su estadía en las residencias de administración directa del Estado, que ha resultado en una revictimización de los NNA (en adelante NNA) por parte del personal;

> 2° Violación de su obligación de proteger por no proveer la protección y el cuidado adecuado a NNA que entran en el sistema de protección residencial por haber sido víctimas de vulneraciones de derechos, ni los cuidados necesarios para la recuperación y rehabilitación física y psicológica de los NNA;

> 3° Violación de su obligación de hacer cumplir los derechos de los NNA por la inexistencia de medidas efectivas y oportunas para poner fin a las violaciones de derechos, tanto en su familia de origen como en las residencias de administración privada. Además, consideró que eran violaciones sistemáticas a los derechos de los niños niñas y adolescentes, las siguientes:

> a) La falta de una ley integral de protección de la niñez basada en una perspectiva de derechos humanos;

---

[25]   UNICEF (2006) 23.
[26]   Informe Comité de derechos del niño, 1 de junio de 2018.

b) La existencia y uso extendido y continuado de medidas judiciales que fallan en su propósito de protección y recuperación;

c) El mantenimiento de un cuadro administrativo del SENAME no adecuado en recursos humanos y financieros;

d) La incapacidad y/o voluntad de tomar medidas eficaces y oportunas a pesar de que la situación del sistema de protección residencial es conocida a través de informes oficiales de los poderes ejecutivo, judicial y legislativo.

A partir de ese diagnóstico el Comité realizó una serie de recomendaciones al Estado de Chile, con el objeto de abandonar la visión tutelar de la infancia, y que su intervención sea de carácter subsidiaria. Asimismo, advirtió una excesiva judialización del sistema y una insuficiencia de los recursos humanos, técnicos y financieros del mismo.

Finalmente, puso énfasis en la necesidad de reparación a las víctimas de cualquier forma de abandono, explotación o abuso, tortura u otra forma de tratos crueles e inhumanos o degradantes, en especial, respecto de aquellas víctimas de violaciones de derechos consagrados en la Convención ya sea por la acción u omisión de los poderes Ejecutivo, Legislativo y Judicial, como a través de las acciones u omisiones de funcionarios del SENAME y trabajadores de los OCAS.

El 1 de octubre del presente año entró en vigencia la Ley 21.302 que creó el Servicio nacional de protección especializada a la niñez y adolescencia, y con el que se espera cambiar la institucionalidad de la infancia y adolescencia en Chile. Este servicio viene a sustituir al Servicio Nacional de Menores (SENAME) en su función de dar protección a los NNA que sufran algún tipo de vulneración en sus derechos, pero no en lo relativo a los adolescentes infractores de ley, por cuanto, esa materia estará reservada a otro servicio –Servicio de reinserción social y juvenil– cuyo proyecto de ley se encuentra en tramitación en el Congreso nacional.

El nuevo Servicio, tiene como principal objeto garantizar el pleno respeto a los niños, niñas y adolescentes en su calidad de sujetos de derechos de especial protección, respetando y haciendo respetar sus derechos fundamentales, entre los cuales se destacan el interés superior del niño, el derecho del niño a ser oido y su participación efectiva, el principio de igualdad y no discriminación, la perspectiva de género, la inclusión, la protección social, el prinicpio de la autonomía progresiva del niño, la prioridad en atención de niños niñas y adolescentes, la restitución y reparación de daños ocasionados, la especialización en materias de infancia y adolescencia, entre otros.

El nuevo servicio tendrá, entonces, un enfoque en los derechos de la infancia, pero lamentablemente carece de un marco regulatorio, en cuanto, aún no entra en vigor la Ley de garantías y protección integral de la niñez y adolescencia, que luego del veto presidencial fue objeto de un requerimiento ante el Tribunal

Constitucional, siendo el único país en latinoamericana que no cuenta con una ley de garantías o Código de la niñez. Por tanto, si bien el nuevo Servicio viene a subsanar las deficiencias del antiguo sistema, constituyendo un avance respecto del sistema anterior, por ahora carece de un cuerpo normativo sobre el que enfocar su acción.

En la década del noventa no existía un sistema integrado de justicia de familia e infancia, sino competencias separadas en distintos Tribunales. Así, subsistía paralelamente la competencia de los juzgados de menores y la de los juzgados civiles y, en materia penal, compartían competencia los juzgados de menores y los juzgados del crimen. Era necesario entonces, modernizar la justicia de familia, adecuando distintas normativas, entre ellas la Ley de Matrimonio Civil, Filiación y de Violencia Intrafamiliar. considerablemente el número de jueces y funcionarios, pero también financiar la construcción y mantención de nuevas instalaciones[27]. Así se invirtieron 58 mil 500 millones de pesos, creándose 60 nuevos tribunales especializados en familia, 258 cargos de jueces de familia[28]. Del mismo modo, se estableció un procedimiento oral y desformalizado, que permitía simplificar la tramitación de casusas y obtener rápidamente la resolución del conflicto, pretendiendo producir un efecto similar al del nuevo proceso penal, que había entrado en vigencia en el 2000 en algunas regiones y gradualmente en otras, hasta el año 2005.

La puesta en marcha de los nuevos tribunales de familia fue, por decir lo menos, dificultosa. A los problemas de diseño e implementación, se sumaron problemas de funcionamiento que dicen relación con falta de transparencia, ya que las audiencias son reservadas, existe una dificultad de acceso a las carpetas judiciales e incluso a la agenda del tribunal.

A ello se suman problemas de gestión y de carga de trabajo, que en muchos casos excede la capacidad de los nuevos tribunales, generándose demoras en la citación a audiencias, sobre todo al inicio de su implementación, y aunque en la actualidad los tiempos se han acortado, son muy superiores a los previstos originalmente[29].

Sin perjuicio de ello, y no obstante que la justicia de familia requiere de algunos ajustes para evitar que se produzcan los problemas de funcionamiento señalado, la creación de estos tribunales constituye un avance en la protección de los derechos del niño, por cuanto la nueva justicia de familia recoge los principios rectores enunciados en la Convención sobre derechos del niño. Del mismo modo, la justicia de familia tiene un enfoque interdisciplinario, toda vez que

---

[27]   Casas, Lidia; Duce, Mauricio; Marín, Felipe; Riego, Cristián y Vargas, Macarena (2006) El funcionamiento de los nuevos tribunales de familia: resultados de una investigación exploratoria, p. 3.

[28]   Casas et al (2006) 3.

[29]   Casas et al (2006) 9.

los tribunales cuentan con consejeros técnicos especializados en asuntos de la infancia, lo que contribuye a encontrar soluciones colaborativas y en la que se considere al niño como un sujeto de derechos.

1. En lo relativo a los niños víctimas y testigos en Chile, en el año 2006, según el Informe Final que la UNICEF[30], en conjunto con el Instituto de Investigación en Ciencias Sociales de la Universidad Diego Portales, denominado "Niños, niñas y adolescentes víctimas de delitos sexuales, en el marco de la reforma procesal penal", se determinó que, en promedio, los niños víctimas de estos delitos llegan a declarar entre 6 a 8 veces ante distintos actores del proceso. Entre las recomendaciones que se formularon en dicho informe para evitar la doble victimización de niños víctimas de delitos en el proceso penal, estaba la de "optimizar las diligencias que realizan las Policías, para evitar duplicación de procedimientos y disminuir tiempos de atención. En particular, se sugiere avanzar hacia la posibilidad de registrar auditiva y audiovisualmente la declaración que realiza el niño/a y adolescente en la Fiscalía o en las Policías".

Asimismo, en el año 2007 el Comité de Derechos del Niño emitió una serie de recomendaciones al Estado de Chile exhortándolo a que "...por medio de disposiciones jurídicas y normativas, garantice que todos los niños víctimas o testigos de delitos, por ejemplo los niños que hayan sido víctimas de maltrato, violencia doméstica, explotación sexual y económica, secuestro y tráfico, y los niños que hayan sido testigos de esos delitos, reciban la protección prevista por la Convención y tome debidamente en cuenta las Directrices de las Naciones Unidas sobre la justicia en asuntos concernientes a los niños víctimas y testigos de delitos (anexas a la resolución 2005/20 del Consejo Económico y Social, de 22 de julio de 2005)"[31]. De esta forma, el año 2014 se envió al congreso un proyecto de Ley que buscaba evitar la victimización secundaria de los niños que intervenían en el proceso penal en calidad de víctimas y testigos de ciertos delitos, ley 21.057 que fue sancionada el 20 de enero del año 2018, y que ya entró en vigor en varias regiones.

---

[30]   UNICEF (2006)
[31]   CRC/C/CHL/CO/3 23 de abril de 2007.

2.2. Interpretación de los principios de la Convención sobre derechos del niño por parte de los tribunales internos e internacionales. Especial referencia al Caso Atala Riffo y niñas vs. Chile y su impacto en la justicia de familia

Si bien, como se señaló, la justicia de familia recogió los principios de la Convención sobre derechos del niño, en especial, el interés superior del niño y el derecho del niño a ser oído en los asuntos que le conciernen subsisten problemas de interpretación respecto de ciertos principios de carácter abstracto e indeterminados, como señalan Isaac Ravetllat y Pinochet [32] al referirse al principio del interés del superior del niño. En efecto, en el año 2012 la Corte Interamericana de Derechos Humanos (CIDH) consideró que la Corte Suprema de nuestro país había incurrido en falta o abuso, ya que no había considerado el interés superior de las niñas al resolver sobre la tuición de las hijas del matrimonio Lopez y Atala, principio que precisamente había servido de argumentación a la Corte Suprema, pero en un sentido diverso.

En efecto, y tal como se destaca en el caso "Atala Riffo y niñas vs. Chile" (en adelante caso "Atala") de 24 de febrero de 2012, en el considerando 109, la CIDH constató que la interpretación del principio no puede basarse en especulaciones, presunciones, estereotipos o consideraciones generalizadas sobre las características personales de los padres o del concepto tradicional de familia. Agrega, en conclusión, en el considerando 110 que, "al ser, en abstracto, el "interés superior del niño" un fin legítimo, la sola referencia al mismo sin probar, en concreto, los riesgos o daños que podrían conllevar la orientación sexual de la madre para las niñas, no puede servir de medida idónea para la restricción de un derecho protegido como el de poder ejercer todos los derechos humanos sin discriminación alguna por la orientación sexual de la persona. El interés superior del niño no puede ser utilizado para amparar la discriminación en contra de la madre o el padre por la orientación sexual de cualquiera"[33].

En lo relativo a la interrelación entre los principios del interés superior del niño y el principio de la autonomía progresiva y el derecho de los niños a ser oídos, la CIDH también se pronunció en el caso "Atala", en el que señaló:

> "[L]os niños y las niñas ejercen sus derechos de manera progresiva a medida que desarrollan un mayor nivel de autonomía personal [...]. En consecuencia, el aplicador del derecho, sea en el ámbito administrativo o en el judicial, deberá tomar en consideración las condiciones específicas del menor de edad y su

---

[32]   Ravetllat, I. y Pinochet, R. (2015) El interés superior del niño en el marco de la convención internacional sobre los derechos del niño y su configuración en el derecho civil chileno Revista Chilena de Derecho, vol. 42 No 3, pp. 903 – 934.

[33]   CIDH, "Caso Atala Riffo y niñas vs. Chile", 24 de febrero de 2012, disponible en : http://www.corteidh.or.cr/docs/casos/articulos/seriec_239_esp.pdf

interés superior para acordar la participación de éste, según corresponda, en la determinación de sus derechos. En esta ponderación se procurará el mayor acceso del menor de edad, en la medida de lo posible, al examen de su propio caso. Asimismo, la Corte considera que las niñas y los niños deben ser informados de su derecho a ser escuchados directamente o por medio de un representante, si así lo desean. Al respecto, en casos en que se presenten con- flictos de intereses entre la madre y el padre, es necesario que el Estado garantice, en lo posible, que los intereses del menor de edad sean representados por alguien ajeno a dicho conflicto"[34].

En lo relativo al derecho del niño a ser oído y que sus opiniones sean tomadas debidamente en cuenta, la Corte interpretó los artículos 19 y 8.1 de la Convención Americana, en concordancia con el artículo 12 de la Convención sobre derechos del niño. Así, en el considerando 198, señala que de conformidad al artículo 12, no se puede partir de la base que un niño sea incapaz de expresar sus opiniones, y que el niño no tenga un conocimiento exhaustivo de los hechos, no justifica que no pueda formarse un juicio propio sobre el asunto. Señala que el niño debe ejercer su derecho a ser oído sin presiones y puede escoger si ejercerlo o no. Del mismo modo, señaló la Corte que la capacidad del niño debe ser evaluada teniendo en cuenta sus opiniones o para comunicar al niño la influencia que han tenido sus opiniones en el resultado del proceso. En el considerando 200, reitera la Corte, que no basta con escuchar al niño, es necesario que sus opiniones sean tomadas debidamente en cuenta, seriamente, a partir de que el niño esté en condiciones de formarse su propio, lo que requiere que las opiniones del niño sean evaluadas mediante un examen caso a caso. Por último la Corte en el considerando 206, señala que el derecho contenido en el artículo 12, impone a la autoridad judicial, de ser pertinente, la obligación de argumentar específicamente porqué no va a tomar en cuenta la opinión del niño o niña.

En este sentido, Cristian Delpiano Lira, señala:

"[L]a incorporación del niño como sujeto de derechos a partir de la entrada en vigor de la CDN, y su recogimiento por parte del sistema interamericano de derechos humanos, ha supuesto una verdadera revolución en la mirada que los Estados deben tener en la protección de sus derechos fundamentales, cuyo contenido y alcances tiene una dosis de progresividad notable, reforzando el rol de la Comisión y de la Corte en la consecución del objetivo primordial de los Estados de asegurar un adecuado rol de los futuros adultos en la sociedad a la que pertenecen"[35].

---

[34]   Corte I.D.H.: Caso Atala Riffo y Niñas Vs. Chile, de 24 de febrero de 2012, párrafo 68.
[35]   Delpiano, Cristián (2012) Derechos e Interés Superior del Niño en el Sistema Interamericano de Derechos Humanos, p. 24

De todo lo señalado podemos concluir que, si bien el interés superior del niño, asi como los otros principios enunciados en la Convención sobre derechos del niño, son principios dificiles de precisar o de concretar, ello no significa que su interpretación queda al arbitrio de la autoridad. En efecto, existen criterios claros para su identificación, los que se desprenden de la Convención sobre derechos del niño, de las Observaciones generales emanadas del Comité de derechos del niño y de la interpretación que ha realizado la doctrina y jurisprudencia sobre este principio esencial en el derecho de los niños. En todo caso, será un asunto a determinar in concreto, caso a caso, de la manera que dicha interpretación concilie el principio con todos los derechos consagrados en la Convención.

Del mismo modo, hay una serie de materias en las que el derecho de familia se han transformado a la luz de los tratados internacionales ratificados por Chile, lo que Leonor Etcheberry[36] denomina la Constitucionalización del derecho de familia. Como señala Etcheberry dicha constitucionalización se ha debido a la incorporación en nuestra Constitución del artículo 5 inciso 2º, en el entendido que los tratados internacionales sobre derechos humanos tienen en Chile jerarquía constitucional. Ello ha permitido, por ejemplo, en el ámbito de las normas de filiación, el reconocimiento de paternidad de un hijo nacido de técnicas de reproducción asistida, "dándole plena vigencia al derecho a la identidad de las niñas y el afán por velar, asimismo, por su interés superior"[37].

3. CONSIDERACIONES SOBRE EL DERECHO INTERNACIONAL Y LA NUEVA CONSTITUCIÓN

Como se ha señalado en el presente trabajo el artículo 5 inciso 2º ha permitido la especificación de los derechos humanos de colectivos vulnerables en Chile, y dentro de este grupo, los derechos de los niños se han incorporado a nuestra legislación, promoviendo un cambio de paradigma, que ha impactado tanto la legislación como la jurisprudencia chilena.

Sin perjuicio de ello, como la doctrina ha sostenido, la constitución chilena carece de un contenido preciso y claro sobre el lugar que ocupa el derecho internacional en nuestro ordenamiento jurídico interno. Sin que la siguiente enumeración sea taxativa, se puede señalar que la actual constitución no regula las siguientes materias, que la nueva Constitución debería abordar:

---

[36]   Etcheberry, Leonor (2020) *La constitucionalización del derecho de familia en Chile. Una mirada a través del derecho a la identidad*. En *La Constitucionalización del derecho de Familia. Perspectivas comparadas*. Ciudad de México, México: Centro de Estudios Constitucionales de la Suprema Corte de Justicia de la Nación. Pp. 191-227.

[37]   Etcheberry (2020) 227.

La Constitución no establece de qué manera el derecho internacional debe ser incorporado al ordenamiento jurídico. Si bien los artículos 32 y 54 de la Constitución se refieren a las facultades del Congreso y del Presidente de la republica en lo relativo a la formación de los tratados Nada señala respecto de cómo se incorpora la costumbre internacional y los principios generales del derecho, a pesar que se trata de dos fuentes principales del Derecho internacional.

La actual Constitución tampoco establece la jerarquía de los tratados en el ordenamiento interno[38]. Como señala Ximena Fuentes, la primera aproximación de la jurisprudencia fue otorgarle rango legal a los tratados internacionales, a pesar de que parte de la doctrina sostenía que tenían un rango supralegal, e incluso supraconstitucional[39].

Frente a este silencio del constituyente, el Tribunal Constitucional resolvió en un discutido fallo de 2009, que los tratados internacionales tendrían una jerarquía supralegal, pero infraconstitucional[40]. Esta sentencia, además, declara la inconstitucional de dos artículos que impedían al Tribunal Constitucional pronunciarse sobre la inaplicabilidad de tratados ratificados por Chile y que se encuentren vigentes. Tal como advierte el profesor Cea Egaña[41], admitir la posibnilidad de que el Tribunal Constitucional declare la inaplicabilidad de un tratado internacional vigente no sólo acarrearía responsabilidad internacional por parte del Estado, sino además, en caso que se declarara la inaplicabilidad de una norma *erga omnes*, vulneraría la propia Constitución. La redacción de la nueva Constitución ofrece la oportunidad de resolver este importante asunto y no dejarlo al arbitrio de los tribunales de justicia.

Como destaca Ximena Fuentes[42], tampoco nuestra Constitución resuelve el tema de los tratados que contienen normas autoejecutables y no autoejectutables.

Señala Aldunate[43], que la distinción entre normas auto ejecutables y no autoejecutables, nace en el derecho norteamericano y ha sido recibida por parte de nuestra doctrina nacional y la jurisprudencia del Tribunal Constitucional. De conformidad a ello, hay ciertas disposiciones de un tratado internacional que requieren de un acto normativo interno para ser aplicadas por un órgano jurisdiccional, con el objeto de que dicho acto normativo les dé contenido a las

---

[38] Fuentes, Ximena y Pérez, Diego (2018) El efecto directo del derecho internacional en el derecho chileno. Revista de derecho Universidad Católica del Norte, sección estudios, año 25, N° 2, pp. 122.

[39] Fuentes et al (2018) 133.

[40] Tribunal Constitucional, 25 de agosto de 2009, Rol 1288 "Control de Constitucionalidad del proyecto de Ley que modifica la Ley 17.997, orgánica constitucional del Tribunal Constitucional.

[41] Cea Egaña, José Luis (2010) *Nueva ley orgánica del Tribunal Constitucional. Síntesis de una normativa compleja.* Revista Chilena de Derecho, vol. 37 N° 1, pp. (183-190).

[42] Fuentes et al (2018): 119-156.

[43] Aldunate, Eduardo (2010) *La posición de los tratados internacionales en el sistema de fuentes del ordenamiento jurídico chileno a la luz del derecho positivo.* Ius et Praxis, 16(2), 185-210.

obligaciones contenidas en el Tratado. Este tipo de cláusulas, son las denominadas no auto ejecutables o *non self executive*, frente a otro tipo de cláusulas, autoejecutables o *self executive*, que no requieren de un acto de derecho interno, por cuanto tienen un contenido y precisión necesarias para ser aplicadas directamente[44]. Ximena Fuentes, sostiene que en Chile ha primado la autoejecutabilidad de los tratados, es decir, que se han aplicado directamente por los Tribunales sin necesidad de un acto normativo interno dejando abierta la posibilidad de que un tratado deje sin efecto una Ley. Por ello, este es un tema que el constituyente no puede eludir al redactar la nueva Cosntitución.

Nuestra Constitución tampoco se refiere al cumplimiento de las resoluciones de organismos internacionales respecto de lo cuales, Chile ha reconocido competencia. Cuando la CIDH por ejemplo, resuelve, contempla las sanciones para el Estado y detalla medidas de reparación para las víctimas, pero no establece de qué manera el estado debe adecuar la resolución de la Corte con su propia legislación. Cabe recordar en este punto el caso Norin Catriman y otros vs. Chile[45], en que la Corte Suprema resolvió dejar sin efecto una sentencia firme y ejecutoriada, debiendo ponderar, por un lado, la obligatoriedad de las resoluciones de la Corte y, por otro, principios constitucionales como el respeto y promoción de los derechos humanos, la cosa juzgada y el debido proceso[46].

Por último la nueva Constitución debe contemplar derechos específicos para colectivos, tales como los niños, las mujeres, los pueblos originarios, los migrantes, personas en situación de discapacidad, personas mayores, cuya situación de vulnerabilidad o multivulnerabilidad, los hacen merecedores de una protección especial.

CONCLUSIÓN

La incorporación del inciso 2° artículo 5° de la Constitución, implicó un gran avance respecto de la consideración de ciertos derechos esenciales que son anteriores y superiores al Estado. La reforma constitucional de 1989 fue redactada en un ambiente tenso y polarizado, y aún así los promotores del artículo 5 inciso 2 fueron capaces de avizorar la importancia que en el futuro tendría incorporar esta norma, para consolidar la democracia, el Estado de derecho y el respeto

---

[44]   Aldunate (2010) 201-202.
[45]   CIDH, de 18 de febrero de 2021, Caso norín catrimán y otros (dirigentes, miembros y activista del pueblo indígena mapuche) vs. Chile. Supervisión de cumplimiento de sentencia https://www.corteidh.or.cr/docs/supervisiones/norincatriman_18_02_21.pdf
[46]   Corte Suprema, 26 de abril de 2019. Disponible en http://www.cecoch.cl/publicacion/mayo2019/pronunciamiento.pdf

de la dignidad de los seres humanos. Si bien no quedó constancia en las actas de la reforma constitucional a la que hemos hecho alusión, el rol de grandes juristas como el profesor Jose Luis Cea Egaña, Francisco Cumplido y otros, fue fundamental. Para ellos, mi profunda admiración por abrir el camino hacia estos avances.

Sin embargo, la redacción de la nueva Constitución ofrece la oportunidad de revisar aquellas materias que no han sido resueltas por el constituyente -ni el constituyente del 80 ni en las reformas posteriores- y que han sido objeto de problemas de interpretación y aplicación, como las mencionadas en el apartado final.

BIBLIOGRAFÍA

Aldunate, Eduardo (2010) *La posición de los tratados internacionales en el sistema de fuentes del ordenamiento jurídico chileno a la luz del derecho positivo*. Ius et Praxis, 16(2), 185-210. Disponible en: https://dx.doi.org/10.4067/S0718-00122010000200007.

Baratta, Alessandro (2001) *Infancia y Democracia*. En Derechos de la niñez y la adolescencia. Antología, Gonzalez, M. y Vargas E. (compiladores), pp. 85-106. Disponible en https://www.corteidh.or.cr/tablas/23878.pdf

Cançado Trindade, Antonio (2001) El derecho internacional de los derechos humanos en el siglo XXI. 2ª Edición. Chile: Editorial Jurídica de Chile, 559 pp., p. 17-61.

Casas, Lidia; Duce, Mauricio; Marín, Felipe; Riego, Cristián y Vargas, Macarena (2006) *El funcionamiento de los nuevos tribunales de familia: resultados de una investigación exploratoria*.

Cea Egaña, José Luis (2010) Nueva ley orgánica del Tribunal Constitucional. Síntesis de una normativa compleja. Revista Chilena de Derecho, vol. 37 N° 1, pp. (183-190). Disponible en: https://www.scielo.cl/pdf/rchilder/v37n1/art12.pdf

Cumplido, Francisco (1997) Los tratados Internacionales y el artículo 5° de la Constitución. Revista Ius et Praxis, Editorial Universidad de Talca, vol. 2, núm. 2, pp. 93-99.

Delpiano, Cristián (2012) Derechos e Interés Superior del Niño en el Sistema Interamericano de Derechos Humanos, en http://lasil-sladi.org/files/live/sites/lasil-   sladi/files/shared/Working%20Papers/Working%20Paper%20 8%20Delpiano%20Lira.pdf

Espejo, Nicolás ; Ibarra, Ana María editores (2020) La Constitucionalización del derecho de Familia. Perspectivas comparadas. Ciudad de México, México: Centro de Estudios Constitucionales de la Suprema Corte de Justicia de la Nación, pp. 191-227. Disponible en: https://www.sitios.scjn.gob.mx/cec/sites/default/files/publication/documents/2020-01/Libro%20DERE-CHO%20DE%20FAMILIA_DIGITAL.pdf

Fuentes, Ximena y Pérez, Diego (2018) El efecto directo del derecho internacional en el derecho chileno. Revista de derecho Universidad Católica del Norte, sección estudios, año 25, N° 2, pp. 119-156.

Peces-Barba, G., Asís, R. De; Llamas, A. Y Fernández Liesa, C. (1995) Curso de derechos fundamentales, Debate, Madrid.

Ravetllat, I. y Pinochet, R. (2015) El interés superior del niño en el marco de la convención internacional sobre los derechos del niño y su configuración en el derecho civil chileno Revista Chilena de Derecho, vol. 42 No 3, pp. 903 – 934.

Rojas, Jorge (2010) *Historia de la infancia en el Chile republicano, 1810-2010.* En: *https://www.aacademica.org/jorge.rojas.flores/9.pdf*

UNICEF e Instituto de Investigación en Ciencias Sociales de la Universidad Diego Portales ICSO UDP (2006) *Niños, niñas y adolescentes víctimas de delitos sexuales, en el marco de la reforma procesal penal.* Disponible en: https://www.unicef.cl/web/wp-content/uploads/doc_wp/Informe%20final.pdf

Normas citadas

Ley 18.825, de 17 de agosto de 1989. Disponible en https://www.bcn.cl.

Ley 21.013. Disponible en https://www.leychile.cl/Navegar?idNorma=1103697

Historia de la Ley N° 18.825. Reforma de la Constitución Política de la República. Disponible en https://www.bcn.cl.

Informe Comité de los Derechos del Niño. Examen de los informes presentados por los estados partes con arreglo al articulo 44 de la convención . CRC/C/3/Add.18, 22 de julio de 1993. Disponible en: https://www.defensorianinez.cl/biblioteca/1993-primer-informe-del-estado-de-chile-sobre-el-grado-de-avance-y-cumplimiento-de-los-derechos-establecidos-en-la-cdn/

Informe Comité de Derechos del Niño, 1 de junio de 2018. Disponible en https://www.defensorianinez.cl/wp-content/uploads/2019/03/2018-Informe-del-Comité-de-los-Derechos-de-la-Niñez.pdf

Comité de Derechos del Niño. Examen de los informes presentados por los estados Partes con arreglo al artículo 44 de la convención. CRC/C/CHL/CO/3. 23 de abril de 2007. Disponible en https://www.google.com/url?sa=t&rct=j&

q=&esrc=s&source=web&cd=&ved=2ahUKEwjNlObS5K_0AhVWD7kGHWF2
DrIQFnoECAQQAQ&url=http%3A%2F%2Fwww.sename.cl%2Fwsename%2
Fotros%2Fproteccion%2Fobservaciones_finales_comite_derechos_nino.doc
&usg=AOvVaw3wzJLv52vNWfEVvzmqvsQP

JURISPRUDENCIA CITADA

Sentencia Tribunal Constitucional, 25 de agosto de 2009, Rol 1288-09.

Sentencia Tribunal Constitucional, 29 de enero de 2021, Rol 8792-20.

Sentencia Tribunal Constitucional, 25 de agosto de 2009, Rol 1288.

CIDH Caso "La Última Tentación de Cristo" (Olmedo Bustos y otros) vs. Chile, Sentencia de 5 de febrero de 2001.

Corte Suprema, 26 de abril de 2019. Disponible en http://www.cecoch.cl/publicacion/mayo2019/pronunciamiento.pdf

CIDH Caso "Almonacid Arellano y otros vs. Chile", 26 de septiembre de 2006.

CIDH, "Caso Atala Riffo y niñas vs. Chile", 24 de febrero de 2012. Disponible en: http://www.corteidh.or.cr/docs/casos/articulos/seriec_239_esp.pdf

CIDH, de 18 de febrero de 2021, Caso norín catrimán y otros (dirigentes, miembros y activista del pueblo indígena mapuche) vs. Chile. Supervisión de cumplimiento de sentencia. Disponible en: https://www.corteidh.or.cr/docs/supervisiones/norincatriman_18_02_21.pdf